Les fastes du Gothique
Le siècle de Charles V

Galeries nationales du Grand Palais
9 octobre 1981 -
1er février 1982

les Fastes

Ministère de la Culture
Éditions de la Réunion des musées nationaux

du Gothique

le siècle de Charles V

Cette exposition a été organisée par la Réunion des musées nationaux
et la Bibliothèque nationale avec le concours de la Direction du Patrimoine.

La présentation de l'exposition a été conçue et réalisée
par Bruno Donzet et Christian Siret
avec la collaboration des équipes techniques du musée du Louvre
et des galeries nationales du Grand Palais

En couverture : Charles V (détail) cat. 68

ISBN 2-7118-0191-8

Que toutes les personnalités qui ont permis par leur généreux concours la réalisation de cette exposition trouvent ici l'expression de notre gratitude et tout particulièrement :
Monsieur de Brion
Monsieur et Madame Pinette
Monsieur le docteur Villain
La fondation Royaumont
ainsi que tous ceux qui ont préféré garder l'anonymat.

Nos remerciements vont également aux responsables civils et religieux des collections étrangères :
M. l'archevêque de Saint-Jacques-de-Compostelle
M. l'évêque de Tournai

M. le directeur de la chancellerie de la présidence de la République tchécoslovaque
M. le président de la fabrique de l'église Notre-Dame de Courtrai
M. le président de la fabrique de la cathédrale Notre-Dame de Tournai

Autriche
Vienne, Kunsthistorisches museum

Belgique
Anvers, musée Mayer Van den Bergh
Bruxelles, bibliothèque royale Albert Ier
        musées royaux d'art et d'histoire
Courtrai, fabrique de l'église Notre-Dame
Gand, bibliothèque de l'Université
Namur, musée des arts anciens du namurois
Tournai, bibliothèque municipale
        trésor de la cathédrale Notre-Dame

Danemark
Copenhague, Nationalmuseet

Espagne
Saint-Jacques-de-Compostelle, trésor de la cathédrale

États-Unis d'Amérique
Baltimore, the Walters Art Gallery
Boston, the Museum of Fine Arts
Cleveland, the Cleveland Museum of Art
New-York, the Metropolitan Museum of Art and
        Cloisters collection
        the Pierpont Morgan Library

Grande-Bretagne
Londres, British Library
        British Museum
        Victoria and Albert Museum
Oxford, the Bodleian Library
        Saint John's College

Italie
Assise, Museo-Tesoro Basilica di San Francesco
Florence, Biblioteca Medicea Laurenziana
        Museo degli argenti
        Museo dell' Opera di S. Maria del fiore
Padoue, Museo civico

Norvège
Oslo, Kunstindustrimuseet

Pays-Bas
Amsterdam, Rijksmuseum
La Haye, Rijksmuseum Meermanno - Westreenianum

Portugal
Lisbonne, Fondation Calouste Gulbenkian

République fédérale allemande
Berlin, Staatliche Museen Preussicher Kulturbesitz,
        Kupferstichkabinett
        Skulpturengalerie
Francfort-sur-le-Main, Liebieghaus
Munich, Bayerisches nationalmuseum
Wipperfürth, Katholische Kirchengemeinde S. Nikolaus

Tchécoslovaquie
Hradec Kralové, consistoire capitulaire du diocèse
Prague, chapitre métropolitain et trésor de la cathédrale
        Saint-Guy

Union des républiques socialistes soviétiques
Leningrad, musée de l'Ermitage

des collections françaises :

M. le secrétaire perpétuel de l'Académie française
M. l'archevêque d'Albi
M. l'archevêque de Bourges
M. l'archevêque de Sens
M. l'évêque d'Amiens
M. l'évêque d'Evreux
M. l'évêque de Langres
M. l'évêque de Saint-Denis
M. le doyen de la Faculté de médecine de Montpellier
M. le président de la Chambre de commerce de Lyon
M. l'administrateur général de la Bibliothèque nationale
M. le directeur général des Archives de France
M. le directeur du Patrimoine
MM. les inspecteurs généraux des monuments historiques
MM. les préfets de la Seine maritime et du Tarn-et-Garonne

MM. les maires d'Aix-en-Provence, Allone, Amiens, Angers, Apt, Arras, Avignon, Azille, Beauficel, Bézu-la-Forêt, Bouée, Boulogne-sur-mer, Bourbonne-les-Bains, Bourges, Cambrai, Châlons-sur-Marne, Chambéry, Champdeuil, Chartres, Chaumont, Dijon, Dommarien, Duclair, Ecouis, Evreux, Fanjeaux, Féricy-en-Brie, Gosnay, Hondainville, Joigny, Issoudun, Laon, Le Havre, Le Puy, Lesches, Levis-Saint-Nom, Lille, Limoges, Lisors, Lyon, Marseille, Maxeville, Mehun-sur-Yèvre, Metz, Montceau-le-Comte, Montaigu-les-Bois, Montpellier, Muneville-le-Bingard, Narbonne, Nexon, Niort, Paris, Rouen, Saint-Girod, Saint-Omer, Saint-Polycarpe, Sixt-Fer-à-Cheval, Silly-Tillard, Tœufles, Toulouse, Tours, Troyes, Vendôme, Versailles, Villiers-en-Desœuvre, Vivoin.

M. le directeur des affaires culturelles de la Ville de Paris.
MM. et Mmes les directeurs régionaux des affaires culturelles
MM. et Mmes les directeurs des services d'archives départementales
MM. et Mmes les inspecteurs principaux et inspecteurs des monuments historiques
MM. et Mmes les conservateurs des antiquités et objets d'art

Aix-en-Provence	musée Granet
Albi	cathédrale Sainte-Cécile
Allone	église paroissiale
Amiens	bibliothèque municipale, musée de Picardie, trésor de la cathédrale
Angers	musées municipaux
Apt	cathédrale
Arras	bibliothèque municipale musée des beaux-arts
Avignon	musée du Petit Palais musée du Vieil Avignon
Azille	église paroissiale
Beauficel	église paroissiale
Bézu-la-forêt	église paroissiale
Bouée	église paroissiale
Boulogne-sur-mer	bibliothèque municipale, musée des beaux-arts et d'archéologie
Bourbonne-les-bains	église paroissiale
Bourges	cathédrale musées municipaux
Cambrai	bibliothèque municipale
Châlons-sur-Marne	musée municipal
Chambéry	musée savoisien
Champdeuil	église paroissiale
Chartres	musée municipal
Château-Thierry	centre hospitalier général
Chaumont	musée des beaux-arts
Dijon	musée archéologique musée des beaux-arts
Duclair	église paroissiale
Ecouis	collégiale
Evreux	cathédrale musée municipal
Fanjeaux	église paroissiale
Hondainville	église paroissiale
Issoudun	musée Saint-Roch
Joigny	église Saint-Thibault
Jumièges	dépôt lapidaire de l'abbaye
Langres	cathédrale
Laon	musée archéologique
Le Havre	musée des beaux-arts
Le Puy	musée Crozatier
Lesches	église paroissiale
Levis-Saint-Nom	église paroissiale
Lille	musée des beaux-arts
Limoges	musée municipal
Lisors	église paroissiale
Lyon	bibliothèque municipale musée historique des tissus
Marseille	musée Grobet Labadie
Maxeville	église paroissiale
Mehun-sur-Yèvre	musée du château
Melun	archives départementales
Metz	musée d'art et d'histoire
Montceaux-le-Comte	église paroissiale
Montaigu-les-bois	église d'Orbe-Haye
Montauban	archives de Tarn et Garonne
Montpellier	bibliothèque interuniversitaire (section médecine) bibliothèque municipale
Munneville-le-Bingard	église paroissiale
Narbonne	basilique Saint Just et Saint Pasteur
Nexon	église paroissiale
Niort	musée du Pilori
Paris	Archives nationales bibliothèque de l'Arsenal bibliothèque Mazarine Bibliothèque nationale (cabinet des estampes, cabinet des médailles, département des manuscrits) bibliothèque Sainte-Geneviève musée de l'Armée musée des arts décoratifs musée Carnavalet musée de l'Hôtel et des Thermes de Cluny musée Jacquemart-André musée du Louvre (cabinet des dessins, département des antiquités grecques et romaines, département des objets d'art, département des Peintures, département des sculptures) musée du Petit Palais
Provins	Société d'histoire et d'archéologie
Reims	Palais du Tau
Rouen	abbatiale Saint-Ouen bibliothèque municipale musée départemental des Antiquités de la Seine-Maritime

Saint-Benoît-sur-Loire	abbaye de Fleury
Saint-Denis	cathédrale
Saint-Omer	musée de l'Hôtel Sandelin
Saint-Pierre-de-Curtille	abbaye d'Hautecombe
Saint-Polycarpe	église paroissiale
Sens	cathédrale
Sèvres	musée national de céramique
Silly-Tillard	église Saint-Blaise
Sixt-Fer-à-Cheval	église paroissiale
Toeufles	église paroissiale
Toulouse	basilique Saint-Sernin
	musée des Augustins
Tours	bibliothèque municipale
Troyes	trésor de la cathédrale
	musée des beaux-arts
Vendôme	musée municipal
Versailles	musée Lambinet
Villiers-en-Desoeuvre	église paroissiale
Vivoin	église paroissiale

L'exposition consacrée en 1968 à la Librairie de Charles V avait révélé déjà l'importance d'un mécénat qui, malgré sa brièveté, illustre le XIVe siècle dont il constitue l'apogée, tant il sut en réunir et exalter toutes les forces, celles de la tradition et celles de l'avenir.

L'actuel propos est infiniment plus ambitieux, qui tente de présenter dans toute la diversité de leur expression artistique les trésors d'une centaine d'années riches en contrastes et capacités de renouvellement et de création. Il a semblé indispensable, en effet, de ne pas dissocier du mécénat de Charles V ceux de ses prédécesseurs les premiers Valois ou de ses frères Anjou, Berry et Bourgogne. Là se trouvent les racines et les prolongements du style qui s'épanouit entre 1360 et 1380 à la Cour de France. De même a-t-il paru souhaitable de ne pas exclure Avignon d'une manifestation consacrée à l'art français car entre la papauté ou la Curie, d'origine essentiellement française, et le royaume s'établissent dès 1309, et plus encore à l'époque du Grand Schisme, des liens si étroits qu'on a pu parler parfois de dépendance.

Un tel projet se heurte fatalement à des obstacles dont le moindre n'est pas la difficulté ou l'impossibilité de déplacer certaines œuvres dont la présence eut été si souhaitable : la plupart des panneaux peints, la Vierge de Huarte, la Tenture de l'Apocalypse, la grande Vierge d'ivoire de Ville-neuve-lès-Avignon, le Vase Rubens, la croix de Baugé... On a essayé de suppléer par l'image à ces lacunes comme cela a été fait également pour l'architecture, éternelle absente de ces manifestations.

Cette exposition a été préparée en étroite et amicale collaboration avec la Bibliothèque nationale, mais n'eut été réalisable — le nombre des prêts français en fait foi — sans le généreux concours de la direction du Patrimoine et le soutien des services des Monuments historiques. Que MM. Auzas et Enaud, Inspecteurs généraux, en soient ici remerciés ainsi que tous leurs collaborateurs dont le concours nous fut si précieux.

L'accueil reçu auprès de nos collègues, français et étrangers, fut dès l'origine un encouragement à notre entreprise. Et nous sommes heureux de pouvoir exprimer ici notre reconnaissance à tous ceux qui nous ont aidé et tout particulièrement : Mme Andreotti, MM. J. Aubert, R.H. Bautier, Mlle M. Campbell, Dom Clair, Mlle E. Cornetto, MM. R. Didier, M. Delafosse A. Erlande-Brandenburg, G. Ermisse, J. Estienne, W.H. Forsyth, Mlle S. Gaudin, Mmes M.M. Gauthier, E. Kovacs, M. l'abbé Le Légard, Mme F. Lindahl, MM. C. Little, Martin-Demézil, J. Mašin, Mme M.A. Mez-quiriz, MM. H. Nieuwdorp, D. Milhau, M. l'abbé Pauc, MM. A.G. Pauwels, B. Poli, R. Randall Jr., M. l'abbé Ruais, MM. J.C. Ruiz, M. Sarre, Mlle D. Scof-foni, MM. P. Simonin, W.D. Wixom.

Françoise Baron
Commissaire général de l'exposition

Introduction

Après les deux grands siècles qu'illustrent en France la puissante personnalité d'un Philippe Auguste ou d'un saint Louis, l'extraordinaire rayonnement d'un saint Bernard ou d'un Thomas d'Aquin et la joyeuse éclosion de Vézelay, de Chartres et de Strasbourg, après deux siècles qui furent ceux d'un remodèlement complet de l'espace agricole à la mesure des besoins d'une humanité plus nombreuse, et qui furent aussi le temps d'une extraordinaire croissance des villes et des fonctions urbaines, le XIVe siècle apparaît comme une longue dépression. Les contemporains des premiers Valois ont eux-mêmes formé cette image de la suite des temps, se complaisant à comparer les heures difficiles qu'il leur fallait vivre à l'âge d'or que symbolisèrent très vite l'auréole des croisés et la réputation flatteuse de la bonne monnaie de saint Louis.

Il est vrai que le XIVe siècle se présente avant tout à nos yeux comme une longue suite de crises, une série de secousses ressenties à tous les niveaux de la société et perceptible dans tous les domaines de l'activité humaine. La récession économique s'amorce très tôt, dès le temps de Philippe le Bel, par un essoufflement de la conquête des sols cultivables aussi bien que par une évasion monétaire qui pousse vers l'Orient le métal-argent dont la France aurait besoin, et qui condamne le roi à muer sans cesse sa monnaie — au risque d'y ternir sa réputation — pour tenter de maintenir dans le royaume les moyens de paiement nécessaires à l'activité économique. L'empirement des conditions climatiques, l'inadaptation de plus en plus marquée des structures seigneuriales à la gestion de domaines accablés par la stagnation des prix céréaliers, tout cela fait de la France, bien avant qu'éclate une guerre qui sera de Cent Ans, un pays dont le bonheur semble se situer dans le passé.

La guerre ne fait qu'ajouter au désordre et aux difficultés. La guerre n'est pas seulement faite de ces quelques engagements, aux effectifs limités et aux champs de bataille étroits, dont les noms jalonnent ce siècle d'affrontements, non plus que de ces longues randonnées qui font déferler de la mer du Nord à la Guyenne quelques milliers de soldats prompts au saccage. La guerre de Cent Ans est surtout faite d'un siècle d'incertitude, d'une insécurité endémique, de cette lassitude qu'encouragent les faux bruits tout autant que le récit des combats véritables : un siècle pendant lequel les dynamismes sont dévoyés, les initiatives paralysées, les investissements découragés.

L'épidémie ajoute au malheur. La peste noire frappe de 1348 à 1350, et laisse villes et villages exsangues. Un Français sur trois disparaît au cours de ces années terribles. Mais la peste noire n'est pas tout, et la récurrence du mal est plus grave encore que son apparition. Les pestes se succèdent. Elles font partie des malheurs habituels auxquels on s'accoutume mais dont l'effet se conjugue. Les nouvelles pestes frappent les survivants des anciennes, et la relève démographique s'effondre, compromettant l'avenir.

L'impôt s'alourdit, l'inadaptation des structures de la production industrielle conduit à des tensions sociales, la crise des revenus agricoles en crée d'autres. Les crises politiques se succèdent donc, dans un douloureux enchaînement qui fait part aux revers militaires et aux accidents naturels. La monarchie connaît l'inquiétude d'une succession contestée, le drame d'une Couronne ballottée, la faiblesse d'une minorité dont se jouent les princes et les groupes de pression. Le XIVe siècle, c'est le roi de Navarre qui est un comte d'Évreux insatisfait, et c'est Étienne Marcel qui est un grand bourgeois frustré, mais c'est aussi le lamentable mouvement des Jacques et la folle aventure des Maillotins. Au terme de ces mouvements qui sont autant d'insurrections, nous voyons un pouvoir affaibli, des pauvres encore plus pauvres et des ruines que nul n'entreprend plus de relever.

L'Église n'est pas moins en crise, une crise que la splendeur du Palais des Papes ne doit pas cacher à nos yeux. Rome n'est plus dans Rome. Les pèlerins de l'Année sainte le savent bien, tout comme une Cour pontificale qui continue d'hésiter devant un retour en Italie signifiant l'insertion nouvelle de la papauté dans le champ clos des intrigues et des factions.

Renonçant aux illusions politiques d'un Boniface VIII qui demeure le dernier champion de l'augustinisme politique et de la théocratie pontificale, la papauté d'Avignon fonde maintenant sa puissance sur le développement d'une énorme machine administrative et fiscale. Les collecteurs du pape étendent sur la chrétienté, et tout particulièrement sur la France, l'implacable réseau d'une pression fiscale qui joue de l'excommunication et pratique la saisie sur les vivants comme sur les morts.

Rien d'étonnant, en de telles conditions, à ce qu'éclatent dans l'Église d'autres drames. C'est la révolte d'une partie de l'ordre franciscain ; tout un courant de pensée, dans l'Église, oppose à la puissance de la hiérarchie et au faste de l'autorité l'évangélisme des renoncements temporels. Moins révolutionnaires, bien des hommes de ce temps, des clercs comme des laïcs, conçoivent une profonde réforme de l'Église. Lorsque la double élection de 1378 place deux pontifes à la tête de deux moitiés d'une Église divisée contre elle-même aussi bien que par ses alliances avec les princes temporels, cet esprit de réforme conduit à la formulation des moyens imaginés pour résoudre le schisme. Il en découlera, pour les générations suivantes, la distance prise par l'Église de France avec l'autorité romaine et sa soumission finale au pouvoir monarchique, tout comme il en résultera l'affrontement de l'Église conciliaire et l'ébranlement du pouvoir de Pierre.

Pendant ce temps, les esprits les plus attentifs aux besoins de l'Église s'attachent aux problèmes de structure, non aux questions de foi. Le juridisme envahit la pensée. Le triomphe des docteurs, qu'ils soient en l'un ou l'autre droit, correspond dans l'Église à la montée des légistes dans la société politique.

C'est cependant en ces temps difficiles, malgré ces crises et dans une large mesure à cause de ces crises qui forcent à l'intervention et obligent à l'effort, que se construit sûrement l'état moderne.

Poursuivant l'effort d'organisation qui a déjà doté la royauté capétienne des rouages essentiels de son gouvernement et de son administration locale, la France se dote d'une infrastructure institutionnelle à la mesure des besoins nouveaux et des complexités nouvelles. Un véritable service public apparaît, service du roi — ou des princes — aussi bien que service des administrés, des justiciables et des contribuables. Il ne s'agit pas là d'une simple émergence de la fonction publique, mais bien de la mise en place d'un type d'hommes, d'un type de carrières, d'un type de fortunes. Le service public a ses profils, et il a ses dynasties. Théoriciens ou praticiens, ou parfois l'un et l'autre, les juristes prennent une place définitive dans la société. Le pape les emploie tout autant que le roi, et l'on en fait des collecteurs de décime ou des juges de bailliage, aussi bien que des notaires ou des avocats.

L'une des voies de la fortune passe par les grades universitaires. L'une des voies de l'efficacité administrative passe par l'emploi des gradués de l'université. C'est dire que ce siècle est aussi celui d'une rapide multiplication de ces lieux privilégiés d'étude que sont les universités. Chacun entend avoir la sienne, parmi les princes, comme chacun tente d'y pousser l'un de ses fils, parmi les bourgeois. L'institution ne sort pas nécessairement grandie de cette multiplication, le juridisme l'emporte souvent sur la réflexion philosophique, la recherche et la glose des cas pratiques se substituent aux synthèses intellectuelles. L'universalisme universitaire s'estompe quand s'établit le recrutement régional. Le monde universitaire n'a jamais été aussi vivant, et il commence de jouer un rôle essentiel dans la vie politique du pays. Il a, au vrai, changé de fonction.

Gouverner c'est payer. L'État nouveau ne saurait vivre sans des moyens financiers qui ne sont plus à l'échelle des revenus ordinaires des princes. Le domaine royal pouvait faire vivre la Cour, non un gouvernement et une administration. L'impôt s'établit, épisodique en apparence et chaque fois justifié dans les principes, déjà permanent malgré son irrégularité si l'on s'en tient à la charge qu'il fait peser sur la vie économique. Il engendre de surcroît ses propres charges, celles d'une administration nouvelle, d'une gestion plus rigoureuse au sein des communautés municipales comme à l'échelle du royaume entier.

De nouvelles relations se définissent donc entre la chose publique et les affaires privées. On parle beaucoup de réforme, au XIVe siècle, même si la réforme conserve en général ce sens si particulier aux revendications médiévales : le retour aux bons usages. Le mythe de l'âge d'or renaît, porté par les malheurs de la guerre comme par les excès du fisc. L'appétit de réforme finit par toucher tous les domaines de la vie publique, et la fin du siècle fait l'étonnante synthèse d'une réforme de l'Église par laquelle doit passer le chemin de l'unité retrouvé et d'une réforme de l'État par laquelle doit s'établir une gestion de la chose publique à laquelle trouveront leur compte le roi, le prince et le bourgeois.

Une chose, en tout cas, échoue définitivement à l'heure où, cependant, le poids de la défaite et celui de la dépression s'abattent sur la monarchie : les organismes représentatifs mis en place par le roi, parce qu'il faut un interlocuteur quand on discute du droit à l'impôt, ne parviennent pas à imposer leur contrôle sur la gestion politique du royaume. S'épuisant en d'incessantes luttes pour la répression des abus et l'éviction des budgétivores, usant leur crédit au bénéfice des ambitions les plus diverses, ratiocinant quant au montant de la taille ou au taux de l'aide en échange d'une vaine promesse d'un retour à la forte monnaie, les états passent délibérément à côté de l'une des rares occasions que l'histoire ait offertes à la Nation de soumettre le roi à un pouvoir de contrôle.

En revanche, ces temps difficiles poussent à l'organisation les communautés d'habitants qui gèrent villes et villages. Construction et réparation de l'enceinte, service de guet et service de garde, messages et ambassades, tout cela conduit à préciser les rouages de l'administration municipale, à affiner les procédures de comptabilité, à tenir mémoire des décisions et de leurs données. Les contemporains y ont gagné de nouvelles fonctions et de nouvelles voies vers la notabilité, en même temps qu'une meilleure cohésion du corps social. L'historien y a gagné d'irremplaçables documents.

Les bouleversements de la société et les crises de l'économie conduisent au remodelage de la carte des productions et des échanges. Si l'espace cultivé se restreint et si le vignoble commence de reculer vers le sud, l'industrie lainière gagne dans les campagnes, de même qu'elle se développe en de grands centres urbains qui font figure de concurrents à côté des villes traditionnelles. De nouvelles routes s'ouvrent, tenant compte de l'insécurité, mais faisant surtout entrer dans le calcul des marchands la rentabilité des nouvelles voies maritimes qui, pour joindre l'Orient et l'Italie aux pays de la Manche et de la mer du Nord, contournent maintenant la péninsule ibérique et les côtes atlantiques de la France. Des foyers d'activités voient décliner leur rôle à mesure que glissent d'une route à l'autre les trafics qui faisaient leur fortune. On parle de moins en moins des foires de Champagne, mais Paris prend le relais et fixe, autour du plus grand marché de consommation que connaisse l'Occident, des transactions et des règlements financiers qui touchent à l'Europe entière. Et comment ne pas évoquer, au centre du réseau d'affaires sous-tendu par le circuit des finances pontificales, le développement combien original et combien précaire de la place d'Avignon?

Entre le gothique raisonnable du XIIIe siècle et l'irrationnel flamboyant du XVe, on aurait tôt fait de sous-estimer l'effort créateur du XIVe. L'exposition que voici répond à la question. Mais peut-être faut-il rappeler que le XIVe siècle est le temps où la société politique — par-delà les théologiens déjà familiers d'Aristote — découvre les subtiles liaisons du raisonnement et de l'autorité. Le philosophe se hasarde à tenter l'expérience. L'économiste, tel l'évêque Nicole Oresme, en appelle à Aristote dans sa définition du droit monétaire. Christine de Pisan dénie à la pensée des clercs le monopole d'une vision de l'humanité. Pour décrié qu'il soit par les amateurs de réforme et par les contribuables, l'entourage de Louis d'Orléans crée, à la fin du siècle, pour la première fois, les conditions d'une authentique renaissance à l'âge de l'humanisme.

L'épreuve du XIVe siècle n'est pas seulement pour les structures de la société, elle est aussi pour les dynamismes créateurs. Ils en sortiront fortifiés.

Jean Favier
Directeur général des Archives de France

Arbre généalogique

* = Épouse ou Époux

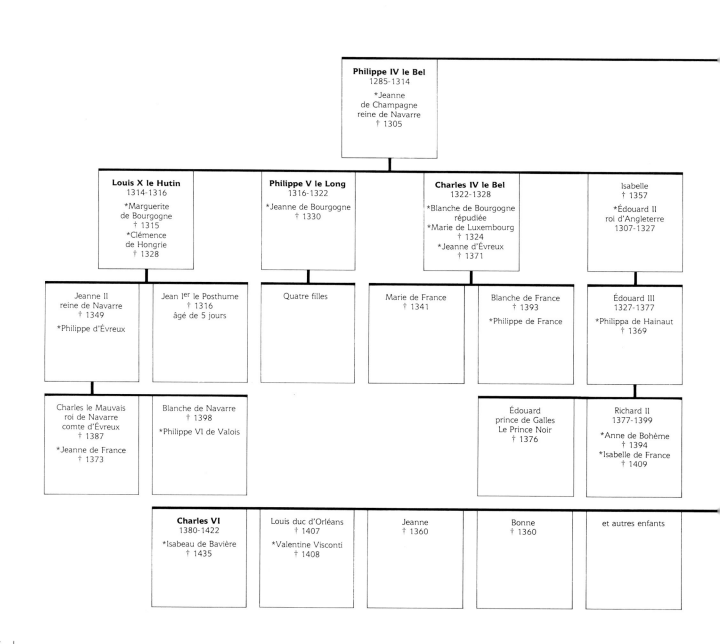

Philippe IV le Bel
1285-1314

*Jeanne
de Champagne
reine de Navarre
† 1305

Louis X le Hutin
1314-1316

*Marguerite
de Bourgogne
† 1315
*Clémence
de Hongrie
† 1328

Philippe V le Long
1316-1322

*Jeanne de Bourgogne
† 1330

Charles IV le Bel
1322-1328

*Blanche de Bourgogne
répudiée
*Marie de Luxembourg
† 1324
*Jeanne d'Évreux
† 1371

Isabelle
† 1357

*Édouard II
roi d'Angleterre
1307-1327

Jeanne II
reine de Navarre
† 1349

*Philippe d'Évreux

Jean Ier le Posthume
† 1316
âgé de 5 jours

Quatre filles

Marie de France
† 1341

Blanche de France
† 1393

*Philippe de France

Édouard III
1327-1377

*Philippa de Hainaut
† 1369

Charles le Mauvais
roi de Navarre
comte d'Évreux
† 1387

*Jeanne de France
† 1373

Blanche de Navarre
† 1398

*Philippe VI de Valois

Édouard
prince de Galles
Le Prince Noir
† 1376

Richard II
1377-1399

*Anne de Bohème
† 1394
*Isabelle de France
† 1409

Charles VI
1380-1422

*Isabeau de Bavière
† 1435

Louis duc d'Orléans
† 1407

*Valentine Visconti
† 1408

Jeanne
† 1360

Bonne
† 1360

et autres enfants

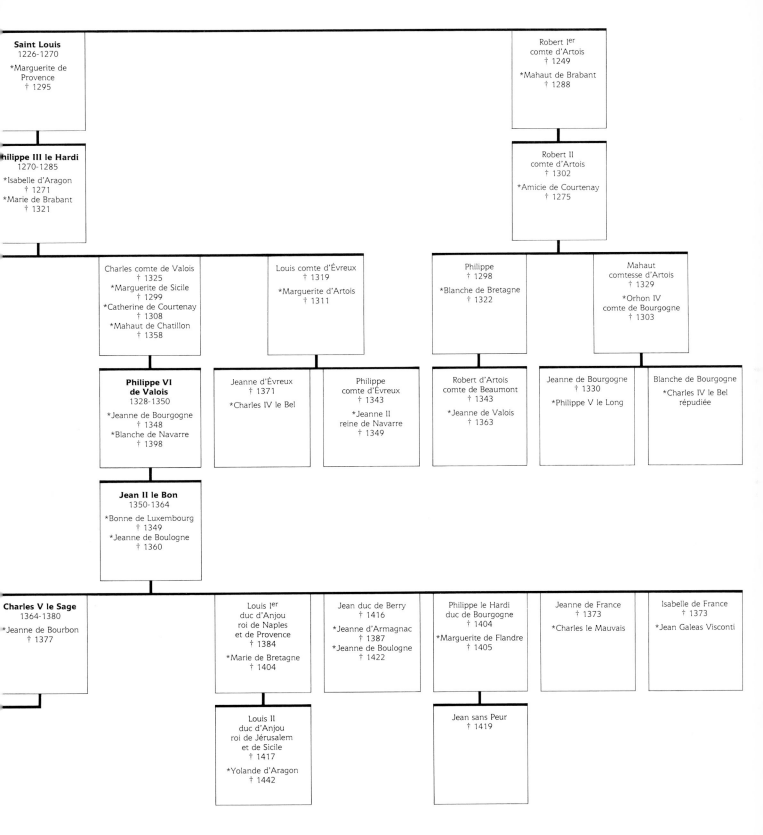

Saint Louis
1226-1270

*Marguerite de
Provence
† 1295

Philippe III le Hardi
1270-1285

*Isabelle d'Aragon
† 1271
*Marie de Brabant
† 1321

Robert Ier
comte d'Artois
† 1249

*Mahaut de Brabant
† 1288

Robert II
comte d'Artois
† 1302

*Amicie de Courtenay
† 1275

Charles comte de Valois
† 1325

*Marguerite de Sicile
† 1299
*Catherine de Courtenay
† 1308
*Mahaut de Chatillon
† 1358

Louis comte d'Évreux
† 1319

*Marguerite d'Artois
† 1311

Philippe
† 1298

*Blanche de Bretagne
† 1322

Mahaut
comtesse d'Artois
† 1329

*Orhon IV
comte de Bourgogne
† 1303

**Philippe VI
de Valois**
1328-1350

*Jeanne de Bourgogne
† 1348
*Blanche de Navarre
† 1398

Jeanne d'Évreux
† 1371

*Charles IV le Bel

Philippe
comte d'Évreux
† 1343

*Jeanne II
reine de Navarre
† 1349

Robert d'Artois
comte de Beaumont
† 1343

*Jeanne de Valois
† 1363

Jeanne de Bourgogne
† 1330

*Philippe V le Long

Blanche de Bourgogne

*Charles IV le Bel
répudiée

Jean II le Bon
1350-1364

*Bonne de Luxembourg
† 1349
*Jeanne de Boulogne
† 1360

Charles V le Sage
1364-1380

*Jeanne de Bourbon
† 1377

Louis Ier
duc d'Anjou
roi de Naples
et de Provence
† 1384

*Marie de Bretagne
† 1404

Jean duc de Berry
† 1416

*Jeanne d'Armagnac
† 1387
*Jeanne de Boulogne
† 1422

Philippe le Hardi
duc de Bourgogne
† 1404

*Marguerite de Flandre
† 1405

Jeanne de France
† 1373

*Charles le Mauvais

Isabelle de France
† 1373

*Jean Galeas Visconti

Louis II
duc d'Anjou
roi de Jérusalem
et de Sicile
† 1417

*Yolande d'Aragon
† 1442

Jean sans Peur
† 1419

17

Repères chronologiques

1314	Mort de Philippe le Bel.
1314-1316	**Règne de Louis X le Hutin.**
1316	Jean Ier le Posthume. Les femmes sont écartées du trône de France.
1316-1322	**Règne de Philippe V le Long.**
1322-1328	**Règne de Charles IV le Bel.**
1328	**Avènement des Valois.** A la mort de Charles IV, les barons français préfèrent à Édouard III, roi d'Angleterre, petit-fils de Philippe le Bel, son neveu Philippe de Valois.
1328-1350	**Règne de Philippe VI de Valois.**
1337	Début de la ***guerre de Cent Ans*** entre la France et l'Angleterre — conflit dynastique : Édouard III revendique la couronne de France ; — conflit politique pour l'exercice de la suzeraineté du roi de France sur son vassal en Guyenne, le roi d'Angleterre ; — conflit économique : le roi d'Angleterre soutient les bordelais (commerce des vins) et les flamands révoltés (commerce de la laine et des draps).
1340	Bataille de l'Écluse. La flotte anglaise anéantit la flotte française devant Bruges.
26 août 1346	Défaite de Crécy.
1347	Siège de Calais.
1347-1348	Peste noire.
1349	Cession du Dauphiné à la France. Charles, petit-fils du roi, reçoit le titre de Dauphin.
1350-1364	**Règne de Jean II le Bon.**
1355	Charles est fait duc de Normandie.
1356	Défaite de Poitiers. Le Prince Noir, fils d'Édouard III, est vainqueur. Le Roi de France et son fils Philippe sont faits prisonniers et emmenés à Londres. Le dauphin Charles prend le titre de lieutenant général du royaume.

1357-1358	États-Généraux. Soulèvement d'Étienne Marcel et de la bourgeoisie parisienne. Révolte des paysans : la « Jacquerie ». Charles le Mauvais, roi de Navarre, s'allie aux Anglais et soutient Étienne Marcel.
1358	Le dauphin Charles prend le titre de Régent du royaume. Meurtre d'Étienne Marcel.
1360	Traités de paix de Brétigny. Édouard III renonce à ses revendications. Le Roi de France cède la souveraineté sur l'Aquitaine. Les ducs d'Anjou et de Berry remplacent leur père en captivité.

1364-1380   Règne de Charles V le Sage.

1364	Victoire de Cocherel. Du Guesclin est vainqueur de Charles le Mauvais.
1364-1377	Charles V rétablit les finances et l'armée, et reprend le Rouergue, le Limousin, l'Aunis, la Saintonge, la Normandie et le Poitou.
1369	Reprise de la guerre.
1377	Avènement de Richard II, roi d'Angleterre.
1378	Début du Grand Schisme d'Occident. Charles V fait obédience à Clément VII. Visite de l'empereur Charles IV à Paris.

1380-1422   Règne de Charles VI.

Minorité puis tutelle du roi. Gouvernement troublé des frères de Charles V ou de ses conseillers.

1384	Mort de Louis d'Anjou.
1392	Charles VI devient fou.
1393	« Bal des Ardents. »
1404	Mort de Philippe le Hardi, duc de Bourgogne.
1407	Assassinat de Louis d'Orléans, frère du roi. Début de la guerre civile entre les « Armagnacs » et les « Bourguignons ».
1415	Défaite d'Azincourt.
1416	Mort du duc Jean de Berry.

Jean Tissendier en donateur
cat. 53

La Vierge et l'Enfant, détail
cat. 32

Tête du gisant de Bonne de France, fille de Charles V
cat. 65

La Vierge et l'Enfant
cat. 5

Vierge à l'Enfant
cat. 139

Camée : Le Christ soutenu par un ange
cat. 178

Aiguière émaillée
cat. 183

Vierge de Jeanne d'Evreux, détail
cat. 186

Vierge de Jeanne d'Evreux, détail de la base
cat. 186

Paire de valves de miroir
cat. 212

Coupe de Sainte Agnès
cat. 213

Sceptre de Charles V, détail
cat. 202

Sainte Catherine d'Alexandrie
cat. 219

Reliquaire de l'ordre du Saint-Esprit
cat. 221

Heures de Jeanne d'Evreux
cat. 239

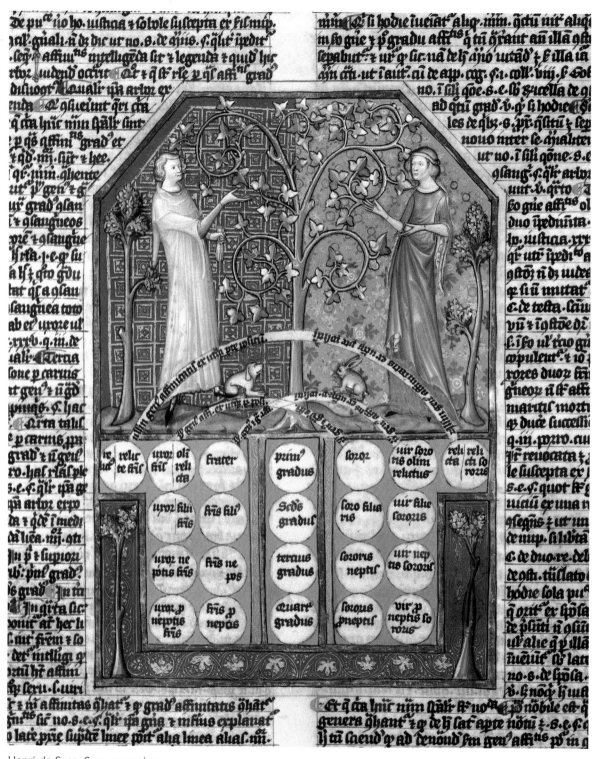

Henri de Suse, *Summa copiosa*
cat. 255

cede. p dmm nrm ihm rpm filium tuu. qui te
cum umut vet regnac in unitate fpirituc fancti
deus p omnia fecula feculox. Amen. Do
mine exaudi orationem meam. Et clamor
meus ad te ueniat. Benedicamus domino.
Deo gracias Anime omnium fidelium defunc
torum p mifericordiam dei requiefcant ipace am

Heures de Jeanne de Navarre
cat. 265

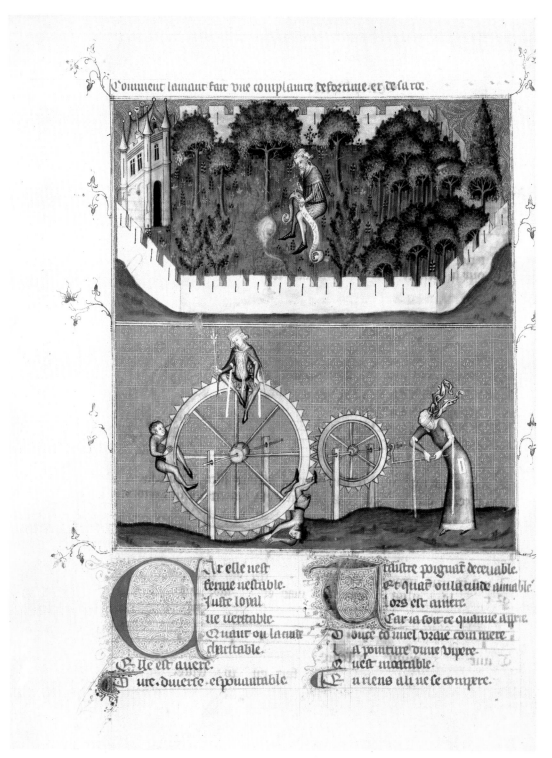

Œuvres de Guillaume de Machaut
cat. 271

Très Belles Heures de Notre-Dame de Jean de Berry
cat. 295

Psautier de Jean de Berry
cat. 296

Petites Heures de Jean de Berry
cat. 297

Portrait de Jean le Bon
cat. 323

Grande Piétà ronde
cat. 327

Fromons fist remer travaillier
tant que son fil ala baillier
amorir pour iourdain sauuer
son ligneur quas tous uault leuer
mais iourdains puis uengance[?]
sus fromont telle qui souffrit

Regardes de iordans fromon
qui par mer na en fie dromon
ablames pour gerat traiir
son neueu son fait abaiir

Gerart dient uous croiste boute
mes ie uous uieng par amistie
uer emblames no maison
car mout uous aing cest bien raison

Oncles bien soues uous uous
damour sin bien a uous tenus
car noblement menies mr
honnorer uous dop et seruir

Sire gerart uous
uendrons faire
de luy porter fon
menes le ablain

Tenture de Jourdain de Blaye : Rencontre de Fromont et Gérard
cat. 335

Catalogue

Abréviations

Arch.	Archives
Arch. nat.	Archives nationales
Archéol.	Archéologie
Bibl.	Bibliographie - Bibliothèque
Bibl. nat.	Bibliothèque nationale
Bull.	Bulletin
Bull. mon.	Bulletin monumental
Bull. de la Soc. nat. des Ant. de France	Bulletin de la Société nationale des Antiquaires de France
Cahiers archéol.	Cahiers archéologiques
Cat.	Catalogue
Coll.	Collection
Congrès archéol. de France	Congrès archéologique de France
Dép.	Départemental
Est.	Estampes
Exp.	Exposition
Fol.	Folio
Fr.	Français
Gaz. des Bx-A.	Gazette des Beaux-Arts
Inv.	Inventaire
Ms.	Manuscrit
Mon. Piot	Monuments Piot
nat.	nationale
p.	page
prov.	provenance
rés.	réserve
rev.	revue
Soc.	Société
Ø	Diamètre

Les notices du catalogue ont été rédigées par:

Daniel Alcouffe
Conservateur au département des Objets d'art
Musée du Louvre
nos 172 à 178

François Avril
Conservateur au Cabinet des Manuscrits
Bibliothèque nationale
Biographies Enlumineurs
nos 228 à 306, 312 à 316, 319 et 319 bis

Françoise Baron
Conservateur au département des Sculptures
Musée du Louvre
nos 1 à 3, 7 à 22, 24 à 36, 38 à 52, 60 à 72, 74 à 86, 88 à 93, 95 à 97, 99 à 119

Michèle Beaulieu
Conservateur en chef au département des Sculptures
Musée du Louvre
nos 324 bis et 338

Jacqueline Brossollet
Institut Pasteur, Paris
no 318

Daniel Cazes
Conservateur au musée des Augustins, Toulouse
nos 53 à 56, 98

Jannick Durand
Archiviste-paléographe, stagiaire aux départements des Objets d'art et des Sculptures
Musée du Louvre
Biographies Sculpteurs et no 87

Antoinette Fay-Halle
Conservateur au musée de Sèvres
no 368

Jean-René Gaborit
Conservateur en chef du département des Sculptures
Musée du Louvre
no 23

Danielle Gaborit-Chopin
Conservateur au département des Objets d'art
Musée du Louvre
nos 120 à 129, 131 à 171, 179, 182 à 191, 198 à 212, 214 à 217, 219 à 224

Nadine Gasq-Berger
Conservateur du département Textile
Musée des Arts décoratifs, Paris
n°s 338-339

Simone Gillon-Merlet
n° 37

Philippe et Marie Hyman
n° 317

Viviane Huchard
Conservateur des musées d'Angers
n° 337

Fabienne Joubert
Conservateur au musée de Cluny, Paris
n°s 334 à 340

Marie-Claude Leonelli
Directrice du centre de recherches international sur les Primitifs
méditerranéens
Petit-Palais d'Avignon
n°s 307 à 311

Hans Nieuwdorp
Conservateur du musée Mayer van den Bergh, Anvers
n° 94

Christopher Norton
Chargé de recherches, Corpus Christi College, Cambridge
n°s 357 à 364

Michel Pastoureau
Conservateur au Cabinet des Médailles
Bibliothèque nationale
n°s 347 à 356

Françoise Perrot
Chargée de recherches au C.N.R.S.
Directrice du Centre international du Vitrail, Chartres
n°s 328 à 333

Michèle Pradalier-Schlumberger
Maître-assistant à l'Université de Toulouse-Le Mirail
n°s 57 à 59 et 73

Jean-Pierre Reverseau
Conservateur au musée de l'Armée, Paris
n°s 343 à 346

Pr. J.A. Schmoll gen Eisenwerth
Technische Hochschule, Munich
n°s 4 à 6

Neil Stratford
Conservateur au department of Medieval and later antiquities
British Museum, Londres
n°s 130, 213

Elisabeth Taburet
Conservateur au musée de Cluny, Paris
n°s 180-181, 193 à 197 bis, 218, 225 à 227

Dominique Thiebaut
Conservateur au département des Peintures
Musée du Louvre
Biographies Peintres
n°s 320 à 327

Jacques Thiriot
Attaché de recherches, C.N.R.S.
n°s 358, 359, 366, 367

Jean-Michel Tuscherer
Conservateur du musée des Tissus et des Arts décoratifs, Lyon
n° 342

Catherine Vaudour
Conservateur au musée des Beaux-Arts, Rouen
n° 369

Jean-Pierre Willesme
Conservateur au musée Carnavalet, Paris
n° 365

Architecture

Philippe Chapu

L'architecture du XIVe siècle continue l'architecture du siècle précédent. Les contemporains de Charles V et ses prédécesseurs immédiats, ou de Charles VI à la fin du siècle ont besoin d'un certain nombre de monuments qu'ils entretiennent, restaurent, agrandissent, reconstruisent ou dont parfois ils entreprennent la fondation. Ce sont des églises et des chapelles, des abbayes et des couvents, des châteaux, des palais, des maisons, des remparts, des ponts, des granges ou des halles... Le recensement de toutes ces constructions dans le royaume de France et ses abords suggère trois observations principales :

— la difficulté des grandes entreprises souvent inachevées et la multiplication des constructions plus modestes ;
— l'application de formules et le goût d'un style dont les principes essentiels avaient été définis dès le milieu du XIIIe siècle ;
— le renforcement de l'initiative individuelle dans le fond et de la rigueur technique dans la forme.

Le XIIIe siècle a légué aux suivants quantité d'églises de toutes dimensions parfaitement homogènes et pratiquement achevées dont la reconstruction ne s'imposait pas, Chartres, Bourges, Amiens, Reims par exemple. Cette présence d'une solide infrastructure monumentale jointe aux troubles économiques et politiques du XIVe siècle suffit à justifier l'absence de grands édifices élevés en ce temps. On se contenta de poursuivre les travaux de construction déjà engagés au milieu du XIIIe siècle, par exemple dans les cathédrales d'Albi, Bayonne, Toulouse, Rodez, Bordeaux, Rouen, Auxerre, l'abbatiale de Saint-Wandrille, sans pouvoir toujours les mener à leur terme : la cathédrale de Narbonne est restée inachevée, celles de Rouen, Saint-Omer, Tours, Troyes furent en chantier jusqu'au XVIe siècle, Évreux XVIIe, Metz XVIIIe, Clermont et Limoges XIXe, l'abbatiale de Saint-Antoine de Viennois au XVe.

En plus de ces travaux engagés dès le siècle précédent, d'autres furent entrepris au XIVe pour remplacer les édifices romans en partie conservés (transept de la Trinité de Vendôme) sans toujours aboutir à un édifice complet. Le chœur de Saint-Satur en Berry demeure isolé, ceux de la Trinité de Vendôme et de Saint-Ouen de Rouen ne furent complétés qu'au XVe siècle par l'édification de nefs et bas-côtés conformes à leur programme. Il existe cependant quelques monuments, églises et couvents, à peu près complets de cette époque. Ils font preuve d'une ambition plus modeste, la collégiale de Mézières-en-Brenne en est un exemple : nef unique, sans transept, chevet polygonal, le tout couvert d'une simple charpente. Les églises les plus nombreuses et les plus originales de cette époque sont celles du Midi de la France, région où s'exercent à la fois l'influence de la papauté d'Avignon, celle des ordres prêcheurs ou d'ordres nouveaux comme les Célestins. Les principes du voûtement sur croisée d'ogives y sont repris sous une forme très particulière, apparue dans ces régions méridionales dès la fin du XIIIe siècle. L'abbatiale de la Chaise-Dieu est un bel exemple de ces réalisations pratiquement achevées.

Un troisième type de travaux va marquer dorénavant les édifices religieux à partir du XIVe siècle, la multiplication tout autour de l'église de chapelles : chapelles privées, chapelles de confréries, chapelles consacrées à des dévotions particulières, inspirées par les formes nouvelles de la piété. Ces adjonctions tout au long des bas-côtés des grandes églises romanes et gothiques vont en modifier le plan et la lumière intérieure. Les cathédrales de Paris, Amiens sont des exemples souvent cités. La régularité de ces compléments au XIIIe siècle maintient l'unité de la composition d'ensemble que l'on rétablissait au besoin, dans le cas de Notre-Dame de Paris en donnant plus d'ampleur au transept ; les chapelles annexes du XIVe puis des XVe et XVIe sont souvent plus individualisées et se juxtaposent sans s'y insérer parfaitement au gros œuvre antérieur. Elles sont innombrables, soit groupées autour de sanctuaires importants, soit seules, chapelles doubles ou triples, seigneuriales accolées aux églises de campagne.

L'architecture du XIVe a été très marquée par les grandes réalisations du milieu et de la deuxième moitié du XIIIe siècle : la Sainte Chapelle de Paris, la nef et le transept de Saint-Denis, les croisillons renouvelés de Notre-Dame de Paris, Saint-Urbain de Troyes... L'art gothique dit rayonnant apparu vers 1250-1260 va dominer une bonne part du XIVe. La rigueur et le souci de l'unité parfaite se retrouvent autant dans la conception que dans la réalisation. L'architecte, le tailleur de pierre, le sculpteur, le maçon s'appliquent à la même précision d'où cette impression de froideur, de sécheresse, perfection de la ligne et de la forme déjà toute intellectuelle. L'architecture jusque-là de volumes de masses devient une architecture de plans et de lignes, habile transposition dans la pierre de magnifiques épures.

Les façades très charpentées du XIIIe siècle où les éléments essentiels, supports et ouvertures, étaient soulignés avec vigueur, sont remplacées par des façades écrans où le réseau des verrières s'insère dans le même plan que les gables des portails, les arcatures décoratives et parfois le mur nu, sans relief des pignons et des tours. La façade sud du transept de Notre-Dame de Paris, réalisée par Jean de Chelles et Pierre de Montreuil vers 1260, se présentait déjà comme un magnifique plan entièrement découpé. Les façades du XIVe apparaissent souvent comme des plans découpés, superposés, juxtaposés, non sans habileté et élégance. Les façades occidentales des cathédrales d'Auxerre et de Lyon, de la Sainte Chapelle de Vincennes se cachent sous un jeu d'arcatures et de gables. La rose elle-même a cessé d'être un point fort, elle remplit l'espace en se joignant au triforium ajouré qu'elle surmonte (transept de Saint-Denis et Notre-Dame de Paris déjà au XIIIe, des cathédrales de Rouen, Sées, Tours) ou en se transformant en la rose supérieure d'une grande fenêtre (façades occidentales de Sens, Coutances, réfections du transept de Laon, grand housteau de Bourges).

Le portail avait constitué à la base des façades gothiques antérieures à 1250 un élément vigoureux, en particulier par sa profondeur sous un gable massif. Le gable se découpe avec légèreté, l'ébrasement se réduit, la mouluration et le décor sculpté des piédroits s'amenuisent, les colonnettes s'étirent entre des bases surhaussées et de fines arcatures, des scènes en faible relief ne détournent pas l'attention. Des figures de grande statuaire, généralement détruites, accompagnaient les grandes lignes de la composition aux piédroits et au trumeau ; la réduction de l'ébrasement va en réduire le nombre mais en revanche ces grandes statues vont se répartir à l'intérieur sur les piliers de la nef et du chœur comme si la foule des saintes figures devait désormais peupler l'intérieur du sanctuaire ; placées sur des socles, sous des dais insérés dans les faisceaux de colonnes des supports, elles sont comme des rappels constants des figures du portail, dans la même position dominante d'intercesseurs. L'exemple du Collège apostolique des douze apôtres de la Sainte-Chapelle de Louis IX a été suivi au XIVe et étendu à d'autres saints et prophètes si l'on en juge par la multiplication des culots supports de Saint-Ouen de Rouen ou Saint-Nazaire de Carcassonne.

Le tympan cesse d'être le centre de la composition iconographique : Jugement Dernier, Couronnement de la Vierge ou épisodes de la vie d'un saint continuent d'être traduits en bas-relief sur trois ou quatre registres superposés (Rouen, Mézières-en-Brenne) qui n'appellent pas l'attention. Un simple jeu d'arcatures ou la juxtaposition de niches destinées à quelques statues (Sens, Cahors) traduisent bien le nouveau souci d'insérer le portail dans la composition d'ensemble.

Le portail, dès le milieu du XIIIe et pendant tout le XIVe, cesse d'être traité en hors d'œuvre, il devient comme l'élément de base de toute la façade et lorsque la façade est homogène et complète, le jeu des lignes du portail se répète en d'habiles superpositions jusqu'au sommet du pignon (Sainte-Chapelle de Vincennes).

Le plan des édifices religieux du XIVe, s'il reprend celui des édifices du XIIIe, le fait avec une extrême rigueur si bien que le volume intérieur, loin d'apparaître comme une juxtaposition de volumes successifs, nef, bas-côté, tribune, transept, etc., se présente beaucoup plus comme un espace unifié. Le jeu vertical des files de colonnes est renforcé par la forme nouvelle des supports, faisceaux de colonnettes interrompues à peine par de légers chapiteaux et se retrouve dans les plans successifs. L'élévation des parois latérales se modifie. Les murs gouttereaux du chœur, de la nef, des bas-côtés, des chapelles du transept ont disparu, absorbés par les ouvertures, remplacés par des fenestrages qui remplissent tout, se prolongent dans l'ancien triforium transformé en galerie à claire-voie et partout en des arcatures moulurées aveugles, quelquefois peintes en trompe-l'œil. L'élévation intérieure de chaque travée apparaît comme la traduction dans la pierre d'un jeu de lignes verticales incurvées vers le haut en trèfles surmontés de quatre feuilles. Les surfaces planes qui délimitent le volume sont nettement définies. Le plan polygonal du chevet est désormais accusé, d'autant que le souci de fenêtres plus larges amène à réduire le nombre des côtés. Le besoin d'unifier l'espace est parfois plus encore souligné ; ainsi à la Sainte-Chapelle de Vincennes, un mur continu haut de deux mètres sert de base aux faisceaux de colonnes, supports de la voûte comme aux fenestrages qui remplissent les parois verticales. La clarté des volumes intérieurs est accrue par la lumière qui pénètre largement par les baies agrandies à travers des vitraux où la grisaille et le jaune d'argent modifient les rapports de couleurs.

Le découpage de l'espace interne par des clôtures de pierre et jubés n'est pas en contradiction avec le volume unifiant qui l'enveloppe ; la conception d'ensemble n'est plus d'une hiérarchie de composantes mais au sein d'une pensée qui définit et embrasse la complexité du réel à la manière du nominalisme de Guillaume d'Ocklam.

L'architecture civile et militaire du XIVe siècle a, en revanche, presque entièrement disparu. Du palais de Philippe le Bel dans l'île de la Cité, seul subsiste l'étage inférieur voûté de pierre, la grande salle à deux nefs voûtées de bois en carène a brûlé au XVIIIe siècle et avec elle les statues des rois qui l'ornaient. Il est difficile d'imaginer les aménagements du Louvre par Charles V. La Grande Vis ornée de statues, réalisée par Raymond du Temple, a peut-être été reprise pour un escalier du château de Saumur. On ignore les dispositions du palais des Tournelles. Deux types de forteresses apparaissent simultanément, la Bastille, énorme donjon fait de huit tours réunies entre elles par une courtine de même hauteur enfermant une cour étroite et profonde, et Vincennes, comme la juxtaposition de six hautes tours (dont une privilégiée) dans une vaste enceinte. Un élément important des châteaux résidentiels est la grande salle. Une grande salle avait été aménagée au XIVe dans le réduit du château de Coucy. La grande salle du palais de

Poitiers subsiste, Jean de Berry l'avait fait compléter à son goût en y plaçant une triple cheminée sous un magnifique fenestrage. On peut se faire une idée de la grande salle de son palais de Bourges aujourd'hui très mutilé. Les châteaux de Louis d'Orléans au nord de Paris ont été ruinés. Il ne reste rien des travaux de Louis Ier d'Anjou mais le château de Tarascon que Louis II d'Anjou fera reconstruire à partir de 1400 s'inspire du plan ramassé de la Bastille. Le plus bel ensemble d'architecture résidentiel et le plus complet demeure le palais des papes d'Avignon, double palais construit successivement pour Benoît XII par Pierre Poisson (1335-1346) et pour Clément VI par Jean de Loubières (1342-1360), le premier encore très austère, le second pourvu de vastes salles voûtées très claires : salle de la Grande Audience et chapelle, éléments majeurs des résidences princières de ce temps.

Les châteaux plus modestes du XIVe sont peu nombreux, modifiés par l'usage, détruits dans les conflits ; quelques donjons quadrangulaires subsistent englobés dans des constructions plus tardives. Des constructions utilitaires, hôpitaux, halles, granges, ponts ont plus souffert encore. Le pont Valentré de Cahors est devenu un rare exemple de ces ponts fortifiés qui protégeaient l'entrée de la plupart des villes. Mais on se ferait une idée incomplète de l'architecture du XIVe siècle si l'on omettait de mentionner enfin quelques agréables manoirs situés à proximité des grands châteaux où les grands personnages trouvaient un peu de repos, Charles V à Beauté-sur-Marne près de Vincennes, Jean de Berry au bord du Clain aux portes de Poitiers, le comte de Sancerre aux Aubelles au pied de leur forteresse, témoignages d'une société dont les faibles échos nous parviennent à travers de rares documents d'archives, une société raffinée qui rêve de reconstituer dans un cadre privilégié de nature, une image réduite de paradis terrestre.

Sculptures

Françoise Baron

La sculpture française du XIVe siècle, dont l'étude a pu être comparée à la traversée du désert, a souffert, assurément, de son insertion entre deux périodes fortement caractérisées. Et pourtant, loin d'être simple transition menant des cathédrales à Sluter, cette sculpture paraît dotée de rares facultés de renouvellement et d'invention, aux sources mêmes de la modernité. Et elle se révèle particulièrement riche en contrastes, selon que domine l'esprit positif ou l'esprit mondain du temps.

La sévérité de certains jugements a pu naître du vain regret que l'ère des Cathédrales soit close. La désaffection pour ces vastes chantiers mobilisant, pour plusieurs générations parfois, le talent et la foi, est, certes, évidente. Sauf dans quelques régions excentriques ou étrangères à la mouvance royale, on se contentera, la plupart du temps, de poursuivre quelques entreprises amorcées, et la permanence de l'art du portail est assurée surtout par des œuvres modestes ou des adjonctions (Mantes, Auxerre). Le regain d'activité qui se manifeste à la fin du siècle, à Rouen, Amiens ou Meaux, restera sans lendemain. Mais, dans un autre contexte de création, les programmes s'adaptent aux demeures des princes et à leurs fondations religieuses.

L'esprit et le style accusent ces transformations. Tandis que la composition des tympans et voussures s'étiole ou s'alourdit, la statuaire perd son autorité et déserte les portails. Elle peut, il est vrai, trouver asile à l'intérieur, dans le cas particulier du Collège apostolique perpétuant, tout au long du siècle, la tradition instaurée avant 1248 à la Sainte-Chapelle de Paris. De plus, il ne faudrait pas oublier que la sculpture monumentale sut trouver des modes d'expression qui, pour être moins impressionnants, demeurent toutefois de très valables prétextes à l'invention : les clefs de voûte, qui s'offrent plus que naguère à l'iconographie, et les culots et consoles dont l'usage s'accroît, et qui parent monuments civils et religieux d'un décor libre et vivant, en un art dont le sommet se situe au château de Vincennes, sous le règne de Charles V. Presque partout, cependant, le goût de l'anecdote se développe au détriment de la grande pensée iconographique et de la majesté. Signe des temps, à l'aube du XVe siècle, le duc de Berry commande, pour le tympan de l'église des Saints-Innocents, à Paris, la pittoresque évocation du Dit des trois morts et des trois vifs, tandis que Louis d'Orléans place à l'entrée de son château de la Ferté-Milon le Couronnement de la Vierge, parure du portail des églises à l'époque du gothique classique. L'art du relief se résoud en une imagerie narrative et parfois inattendue, ciselée et menue, insérée, aux tympans, dans un jeu envahissant d'arcatures superposées, prisonnière, sur les piédroits, d'un réseau de médaillons polylobés. Cette disposition, inaugurée à Rouen après 1280 (portails de la Calende et des Libraires), est transmise à Lyon et reprise, vers 1350, à la façade de la chapelle construite par le pape Clément VI dans l'enceinte du palais des papes. Même le tour du chœur de Notre-Dame de Paris, ultime traduction dans la pierre d'un vaste programme iconographique, n'échappe pas à cet amenuisement pittoresque et charmant.

Un tel art est tributaire des inventions des ivoiriers, des miniaturistes et des verriers. C'est là une vérité souvent énoncée, mais peut-être n'avait-on pas suffisamment prêté attention à l'influence profonde et durable de Jean Pucelle dont le style marque des créations aussi diverses que les statues d'apôtres de Saint-Jacques-l'Hôpital, certains des reliefs inscrits au chevet de Notre-Dame (Assomption de la Vierge), ou les retables précieux, connus essentiellement à travers les fragments qui en subsistent.

La grande vogue de ces retables, qui maintiennent sur les autels la présence du récit sculpté, consacre le divorce entre la sculpture et le monument, phénomène primordial que traduit aussi la figure isolée, image de dévotion dont le XIVᵉ siècle voit le triomphe.

Hormis quelques saints, au premier rang desquels figurent saint Jean-Baptiste et sainte Catherine, c'est à la Vierge Mère que vont les préférences, et aucun thème n'a été traité avec plus d'ardeur et de succès que celui-là. Près d'un millier de Madones, que le sceptre et la couronne ne parviennent pas à rendre altières, et qui portent un enfant tendre ou taquin, que parfois elles allaitent, témoignent encore d'une telle ferveur. Cette aimable inspiration s'accorde d'ailleurs parfaitement à la montée du « maniérisme », terme ambigu auquel on peut préférer celui d'« art courtois », dans la mesure où cette inflexion du style répond aux aspirations d'une clientèle fastueuse et raffinée, qui appartient le plus souvent au milieu royal. Ces riches esthètes donnent le ton d'une mode que suivent les donateurs plus modestes — et cela s'étend jusqu'à une obscure cultivatrice de Lesches, non loin de Paris...

Cet art qui dans ses amenuisements extrêmes contribuera au décor de la vie privée, privilégie la séduction, au détriment de l'autorité monumentale ou de la densité plastique, voire de la simple vraisemblance. Le goût du luxe se concrétise dans la mise en œuvre de matériaux précieux, marbre ou albâtre, souvent confondus dans la terminologie médiévale. L'accent léger des ors et carnations, l'éclat des incrustations de verroterie, la richesse des parures d'orfèvrerie, l'apparat décoratif ou endeuillé des marbres noirs et blancs prêtent aux statues, reliefs et tombeaux, un attrait supplémentaire. Les corps eux-mêmes sont remodelés en fonction d'une esthétique dans laquelle le graphisme prime la forme. Règnent alors les silhouettes ondoyantes ou hanchées, les attitudes dansantes, les gestes contraints ou maniérés. Les mains sont effilées, les traits menus, quitte, parfois, à être un peu mièvres. Et les draperies, qui semblent faites, souvent, d'étoffes immatérielles, s'organisent en cadences complexes, en larges cascades de volutes pressées dont les bords dessinent de capricieuses arabesques. Sous la facinante virtuosité de ces flots de tissus, le corps finit par s'effacer et disparaître.

L'art courtois parvient au plein épanouissement dans le deuxième quart du XIVe, sans que soient pourtant oubliées toujours la retenue et la simple densité héritées du siècle précédent. Par ailleurs, ni les cruels remous de la politique, ni les déferlements de la peste, qui ont incontestablement entravé la production artistique, n'infléchiront profondément sa courbe, et, pour l'essentiel, il demeurera jusqu'à la fin du siècle l'une des composantes de cet art si chatoyant de nuances contrastées. Le long mécénat de la reine Jeanne d'Évreux a pu contribuer au maintien de la tradition, et le goût ardent du luxe, qui fut l'apanage des Valois, ne se démentira jamais.

L'utilisation des poncifs, devenue fréquente au sein d'ateliers très sollicités, entraîne, par ailleurs, une relative permanence du style, en même temps qu'elle assure sa diffusion rapide, et parfois lointaine. Les répétitions d'un même modèle donnent naissance à des groupes que seule une étude systématique permettrait de vraiment définir. Elles auraient pu engendrer la monotonie s'il n'existait heureusement d'appréciables variantes d'iconographie et de style. Par delà les constantes on trouve en effet des différences chronologiques aisément discernables à long terme, mais dont l'exacte appréciation reste difficile et illusoire, dans l'ignorance où nous sommes du temps de survie possible d'un modèle, faute aussi de repères suffisants, six statues de la Vierge seulement pouvant être datées avec certitude par un texte ou une inscription. Les particularités régionales sont plus aisément définies, et ceci a été fait, déjà, pour la Lorraine, la Basse-Normandie, les confins de la Champagne et de la Bourgogne, la Bourgogne elle-même, ou encore, pour le Languedoc, région d'activité particulièrement intense et originale. Sans doute reste-t-il à préciser les courants, plus multiples qu'on ne le pense, qui vivifient l'art en Ile-de-France ou dans certaines provinces limitrophes, et à dresser l'exact bilan des zones de moindre production, du fait de leur éloignement ou de leur pauvreté. C'est le cas de la Bretagne et d'une partie du centre de la France, sans oublier certaines régions qui échappent à la mouvance française et accueillent des formes artistiques étrangères au royaume des lis. L'Aquitaine relève de la couronne anglaise, et l'Alsace est terre d'Empire. Avignon constitue une exception, qui dépend du pape, mais à une époque, précisément où la papauté, entourée de cardinaux français, tisse avec Paris des liens si étroits qu'on l'accuse volontiers d'être prisonnière du roi de France. Le Grand Schisme, qui divise l'Église à partir de 1378 ne fera que renforcer ce courant. Et si la peinture et l'orfèvrerie sont, en Avignon, toutes italiennes ou italianisantes, les sculpteurs, sans négliger un tel apport, sont avant tout redevables de leur art à la France.

Le « maniérisme » est, au reste, impropre à définir, à lui seul, la sculpture française du XIVe siècle. Le règne de la statue isolée, figure possédant une valeur plastique intrinsèque, ouvrait déjà la voie à des recherches assez étrangères à ce courant. Ce mouvement a pu être, assez durablement entravé par l'adossement des images et leur introduction dans un contexte, presque toujours perdu, de dais, socles et tabernacles, ou encore par la contrainte d'un matériau débité en faible épaisseur, dans le cas des marbres et albâtres. Et la frontalité demeure la conception dominante. Néanmoins, la préoccupation de l'espace et de sa troisième dimension qui se fera plus pressante à la fin du siècle apparaît très tôt, servie, peut-être, par des innovations techniques. La pratique de la taille directe, guidée par de simples dessins, qui fut celle des siècles précédents, se prête mal, en effet, à une libre traduction de la complexité des axes et des plans. Et on peut se demander si les recherches dynamiques du XIVe siècle n'ont pas été rendues possibles par l'emploi de petits modèles en volume, façonnés dans la cire, la glaise ou le bois, ce que le terme imprécis de « patron » utilisé dans les documents laisse à la rigueur entrevoir.

L'introduction de personnages contemporains dans le décor de l'église, qui permet aux mécènes de perpétuer leurs alliances et leurs générosités, reste la nouveauté capitale, dont la portée a été malheureusement amoindrie par les innombrables destructions opérées par le vandalisme révolutionnaire, acharné à l'anéantissement des signes de la féodalité. Création propre du XIVe siècle, cette forme d'art monumental offrait assurément un utile contrepoids aux excès de raffinement et engageait les artistes dans une perspective riche d'avenir, car elle est, par excellence, liée à la naissance de l'art du portrait, l'un des problèmes les plus passionnants de cette époque.

L'initiative de Philippe le Bel, prenant modèle sur une entreprise de sa cousine, Mahaut d'Artois, pour faire dresser sa statue équestre dans la nef de la cathédrale de Paris, en remerciement de la victoire remportée à Mons-en-Pévèle, en 1304, restera sans lendemain. Mais aux piédroits des portails, sur les retables et auprès des images de la Vierge, donateurs et donatrices se dressent ou s'agenouillent. Dès le début du siècle, Philippe le Bel et la reine Jeanne furent représentés à la porte de la chapelle de Navarre dont la première pierre avait été posée en 1309. La comtesse Mahaut d'Artois multiplie ses effigies, au rythme de ses fondations : hôpital de Hesdin, peut-être, en 1321 ; Clarisses de Saint-Omer, en 1322 ; monastère de la Thieulloye, vers 1325... Elle apparaissait encore, accompagnée de la reine

Jeanne, sa fille, et de ses petites-filles, à la façade de Saint-Jacques-l'Hôpital, à Paris. On vit Louis X et son épouse aux Chartreux, Jean le Bon et la reine Jeanne à la chapelle Saint-Yves, Philippe VI et Blanche dans la chapelle Saint-Hyppolite, à Saint-Denis. La reine Jeanne d'Évreux semble s'être particulièrement complue à ce genre de commémoration qu'elle adopta en 1340, à Saint-Denis et à Maubuisson, puis, dix ans plus tard, aux Carmes de la place Maubert. Les grands imitent les princes. Enguerrand de Marigny et Alips de Mons accueillaient les fidèles à Écouis, Guy Baudet s'agenouille devant la Vierge, Jean Tissandier présente le modèle de sa chapelle, comme le faisaient déjà les charmantes petites donatrices de la chapelle de Navarre à Mantes, et à Sainte-Catherine du Val-des-Écoliers, à Paris, Hugues Aubriot priait, entouré de sa famille. Autour du chœur de Notre-Dame, le donateur et l'artiste, Pierre de Fayel et Jean Ravy, se faisaient pendant.

De l'ex-voto ou de la commémoration religieuse à la célébration purement laïque, le pas fut vite franchi. Dès le règne de Philippe le Bel, la Grande Salle du Palais, terminée en 1313, accueillait la série des statues des rois de France depuis Pharamond, en une suite ininterrompue et régulièrement complétée jusqu'à l'incendie destructeur de 1618. A Hesdin apparaissait un singulier décor, créé dès 1301 par Robert d'Artois, entretenu et complété après lui par sa fille Mahaut. Dans l'une des chambres du château, résidence favorite de la famille d'Artois, qui fut ensuite celle des ducs de Bourgogne, avant d'être rasée par Charles Quint, en 1553, on avait attaché au mur des têtes de rois et des têtes de reines exécutées en plâtre, dans des moules, puis peintes, dotées de couronnes et accompagnées d'inscriptions. Un souci évident de mise à jour se manifestait dans cette galerie de « portraits », car, dès l'avènement de Charles IV le Bel, en 1322, on met en compte la dépense engagée pour faire « une noeve teste a roy pour le roy qui ore est ».

C'est à Charles V qu'il appartient de donner à cette sculpture commémorative une valeur particulière, dans le cadre du mécénat royal. Inaugurée dès le retour du sacre par la commande des tombeaux de Saint-Denis, jalonnée d'initiatives destinées à illustrer la permanence dynastique, à la Grande Vis du Louvre, la primauté de la France, à la cathédrale de Rouen ou la majesté du roi, aux Grands-Augustins, au Louvre encore, aux Célestins, à la Bastille, une véritable politique des arts s'instaure, qui demande à la sculpture de proclamer la magnificence royale en y associant les grands commis qui ont participé au redressement de la France : Duguesclin et Bureau de la Rivière dont les gisants seront introduits dans le panthéon royal, à Saint-Denis.

Les frères du roi perpétuent à leur tour cette tradition. Jean de Berry, agenouillé dans le chœur de la Sainte-Chapelle de Bourges, présidait, du haut de la Belle Cheminée, aux côtés de sa jeune épouse, de Charles VI et de la reine Isabeau, les fêtes et assemblées de la grande salle de Poitiers. Et, non loin de là, ce sont peut-être ses conseillers qui dominent les murailles de la tour Maubergeon. En un ultime affranchissement de l'invention, le couple ducal de Bourgogne, présenté à la Vierge par saint Jean-Baptiste et sainte Catherine, au portail de la chartreuse de Champmol, se retrouvait, sous les traits d'un berger et d'une bergère gardant les moutons sous un orme, sur la pastorale sculptée par Sluter pour le château de Germolles.

C'est Jean de La Grange qui, de tous, sut le mieux utiliser l'art à des fins politiques. A Amiens, vers 1375, les statues du Beau Pilier glorifient le rôle de tuteur des jeunes princes qui venait de lui être confié par Charles V. Quelque vingt ans après, dans la semi-disgrâce avignonnaise, le tombeau de Saint-Martial proclame l'attachement du cardinal à la dynastie et au souverain qui avait été son protecteur.

L'orgueil des puissants trouve aussi à s'exprimer dans l'art funéraire, que le goût croissant de l'apparat et la macabre coutume du dépècement des corps situe au premier plan des entreprises confiées à des sculpteurs qui se parent volontiers du titre de « tombiers », et qui sont sollicités d'abandonner l'inspiration d'essence purement religieuse qui avait guidé leurs devanciers.

A l'idéale représentation de l'élu, éveillé dans l'attente de la Résurrection, succèdent des images plus positives : mort endormi, les yeux clos, suivant une habitude plus répandue qu'on ne le croit généralement, et dont il n'est pas assuré qu'elle ait été toujours d'origine italienne ; ou bien encore, évocation véridique, ou voulue telle, du défunt. Au terme de l'évolution, sous la pression d'une vision plus directe de la mort, dont la peste avait si brutalement donné un sens aigu, surviennent les âpres apparitions de cadavres décharnés dont la dissection, autorisée en 1396, a pu aussi susciter l'exécution.

Et, tout autour du coffre, réservé jadis à une pieuse imagerie, se déroulent désormais les imposants cortèges de funérailles dont les deuillants ou pleurants représentent la famille ou l'entourage du défunt, à moins qu'il ne s'agisse, là encore, d'un simple rassemblement de la parenté, vivante ou morte, qui souligne aux flancs du tombeau les attaches familiales, et flatte l'orgueil dynastique.

La recherche de ressemblance semblerait devoir découler tout naturellement de cet intérêt soudain pour l'individu. Il n'en est rien, car interviennent aussi la force de la tradition et les difficultés inhérentes à toute création nouvelle, puisque l'art du portrait avait disparu depuis la fin de l'Antiquité. Et sa redécouverte, véritable « invention » à mettre à l'actif du XIVe siècle restera longtemps timide et intermittente, limitée à ce que Focillon appelait « l'inquiétude du portrait ». Peut-être faut-il en chercher les prémices dès la fin du siècle précédent, si l'on veut bien envisager l'image, si discutable, d'Isabelle d'Aragon, à Cosenza, ou le gisant de Philippe le Hardi, à Saint-Denis. Mais, bien souvent, les accents plus ou moins vigoureux rencontrés sur les effigies funéraires procèdent davantage d'un désir intelligemment traduit de tenir compte du genre des personnages que d'une véritable transcription de la réalité physionomique. L'idée de clore les paupières de certains gisants a pu aussi obliger les artistes à sortir de la routine. Mais la plupart des effigies funéraires, souvent données, à tort, comme le ferment premier de cette révolution esthétique, ont été trop souvent rétrospectives pour avoir pu jouer un rôle efficace. Seule la représentation « ad vivum », qui fut celle de tant d'images commémoratives disparues, a pu faire accéder au cours du siècle, à cette maîtrise du portrait qui éclate sous le règne de Charles V. Et c'est alors le roi, au Louvre, avec sa fine bonhomie, le même, à Amiens, las et à demi paralysé. C'est, à Poitiers, l'inquiétante séduction d'Isabeau de Bavière ; à Bourges, la laideur gourmande du duc de Berry, ou encore celle, si sympathique, de Bertrand Duguesclin à Saint-Denis.

On s'est demandé, souvent, si dans leur approche du portrait, les sculpteurs n'auraient pas pu pallier à l'absence du modèle en se servant d'une empreinte prise sur le visage du défunt. Mais aucune réponse n'a pu être donnée à cette question. La pratique du masque mortuaire ne se révèle avec la certitude d'un texte qu'au cours du XVe siècle, avec Charles VI. Mais ceci ne signifie pas forcément son inexistence avant cette date, et il convient, en l'occurrence, de faire sagement la part de nos ignorances.

On aurait voulu aussi créditer certains sculpteurs d'un rôle décisif dans cette approche de la réalité, à la suite de Courajod qui attribuait ce rôle aux « franco-flamands », terme tout à fait impropre, puisqu'il confond sous une même étiquette les artistes issus des provinces les plus septentrionales, d'où surgira Sluter, et ceux, bien plus nombreux, dont les attaches se situent sur les bords de la Meuse ou de l'Escaut, un Pépin de Huy, un Jean de Liège, ou un Beauneveu. Cette thèse, qui privilégiait une fraction seulement des artistes installés à Paris, reposait aussi sur un postulat indémontrable, celui de l'existence d'un courant novateur dans les régions dont ils étaient issus. Force est donc de l'abandonner. Toutes sortes d'influences ont pu jouer, d'ailleurs, dans le creuset parisien, y compris, même, peut-être, certaines impulsions venues d'Italie par l'intermédiaire de la maison d'Artois. Le séjour outre-mont de Robert II d'Artois, nommé régent du royaume de Naples après les Vêpres Siciliennes (1284), pourrait alors être tenu pour un événement majeur, dans le domaine de l'histoire de l'art.

Une grande prudence s'impose, au reste, dans les jugements portés sur les artistes ou sur les œuvres. Le registre de la Taille de 1313 et les quelques textes ou comptabilités conservés livrent quantité de noms d'« ymagiers ». Mais cette source de connaissance est illusoire, car elle est terriblement lacunaire, la plus regrettable des disparitions étant celle de la comptabilité royale, brûlée dans l'incendie de la chambre des Comptes, en 1737. Le déséquilibre qui s'instaure ainsi contribue à la mise en vedette fortuite de quelques personnages, tel Jean Pépin de Huy, sculpteur attitré d'une princesse dont les archives ont été relativement épargnées, qui apparaît sous l'égide de Mahaut d'Artois, et disparaît avec elle.

Trop souvent, quelques brèves mentions laissent seules entrevoir une activité dont rien ne semble subsister. Et de beaucoup de sculpteurs, nous continuons d'ignorer tout, sauf un nom ou guère davantage. Le plus mystérieux reste, bien entendu, ce « Jehan l'imagier, le mestre », imposé en 1313, pour l'exorbitante somme de quatre livres et dix sols. Mais que sait-on vraiment de tant d'autres, et, notamment, de l'équipe attachée au mécénat de Charles V : Guy de Dammartin, Jean de Launay, Jacques de Chartres, ou Jean de Thoiry ?

Nul n'est en droit, cependant, de leur dénier talent et autorité, et de ne pas les tenir comme auteurs possibles de certaines des œuvres anonymes dont l'imposante quantité demeure un irritant problème. Car, au jeu des attributions, la tentation est grande d'offrir aux quelques artistes les plus prestigieux à nos yeux, et bénéficiaires d'œuvres connues et attestées susceptibles de servir de critères, les chefs-d'œuvre qui paraissent dignes de leur ciseau. De telles démarches ont été tentées, en ce qui concerne surtout Beauneveu, Jean de Liège et Jean de Cambrai auxquels ont pu être données tour à tour un certain nombre de pièces insignes. De telles hésitations traduisent bien la fragilité de ces tentatives, trop souvent basées uniquement sur des analyses stylistiques, au demeurant subjectives, hors de toute donnée historique dont la recherche s'avère l'objectif le plus urgent.

On ne saurait, de plus, négliger les liens qui se tissèrent entre les hommes et les chantiers, au gré de compagnonnages mouvants, de voisinages ou de vagabondages. L'attrait de la capitale se fait vivement sentir, et, à Paris, les artistes se regroupent volontiers dans la rue Saint-Denis, non loin de la Porte aux Peintres. Mais ils essaiment aisément, au gré des circonstances qui peuvent être la mort de leur protecteur ou l'attirance pour un nouveau patron. Dès la première moitié du siècle, les artistes qui avaient été employés au service de Mahaut d'Artois se retrouvent, Pierre Boye en Avignon et Jean de Brecquessent en Savoie. De tels échanges sont encore plus nombreux à la fin du siècle. Un Marville, occupé en même temps que Jean de Liège à la cathédrale de Rouen, pour le roi, en 1369, ira ensuite œuvrer pour le duc de Bourgogne, à Champmol. Et le jeune Sluter travaille alors à ses côtés qui, sur ordre de Philippe le Hardi fera, en 1393, le voyage de Mehun-sur-Yèvre, pour côtoyer les artistes aux gages du duc de Berry, dirigés par un Beauneveu qui avait commencé par servir Charles V. Cet exemple est bien significatif des constants brassages qui s'opèrent, contribuant certainement à niveler les différences de style. Ils aboutiront, à la fin du siècle, à la surrection de cet art gothique international qui, tout autant que l'annonce de temps nouveaux peut apparaître comme l'ultime étape et le couronnement de l'art du XIVe siècle.

1

Fragment de relief orné de deux figures d'apôtres

Provenant du tombeau de Jean V de Vendôme à la Collégiale Saint-Georges
Premier quart du XIVe siècle
Pierre, traces de polychromie
H. 0,625 ; L. 0,49 ; Ép. 0,10

A leur entrée au musée, en 1862, ce relief et un vestige d'arcature appartenant au même ensemble furent attribués au mausolée de Pierre de Vendôme (+ 1249). Le comte avait été inhumé dans la collégiale Saint-Georges. Élevé dans l'enceinte du château, l'édifice abritait les restes de la plupart des membres de la famille comtale. Il fut vendu à la Révolution, puis détruit. Mais ses monuments sont connus par des textes des XVIIe et XVIIIe siècles, et par quelques dessins de Gaignières, qui donnent précisément pour celui de Pierre de Vendôme un tombeau dont le soubassement, orné de figures d'apôtres, correspond à ce fragment (Bibl. nat. Est. Rés. Pe 1n, fol. 94). Le style de l'œuvre imposerait alors l'idée d'un monument rétrospectif.

On peut aussi admettre une erreur de Gaignières. Car, d'après le type du chevalier

1

2

gisant et les armoiries que porte son écu, il s'agirait plutôt du tombeau de Jean V, mort en 1315. Or, cette identification correspond au style du fragment. Le graphisme des plis traduit un art assez évolué. Mais l'élégante idéalisation des visages rattache l'œuvre à un courant qui perpétue la tradition issue des ateliers parisiens du milieu du XIIIe siècle. Le décor architectural, simple et raffiné, confirme cette datation.

BIBL. : A.-L. de Rochambeau, Le Vendômois, épigraphie et iconographie, I, Paris, 1889, p. 13-14. — Chanoine du Bellay, Calendrier historique et chronologique de l'église collégiale Saint-Georges de Vendôme, XXIV, 1665, Blois, Bibl. mun., ms.54, p. 38. — M. Simon, Histoire de Vendôme et de ses environs (XVIIIe s.), I, Vendôme, 1834, p. 130. — « Description des objets offerts à la Société », Bull. de la Soc. archéol. littéraire et scientifique du Vendômois, I, 1862, p. 12. — F. Lesueur, Les églises de Loir-et-Cher, Paris, 1969, p. 457.

Vendôme, Musée municipal
Inv. 862.2.4

2

Le Christ trônant

Premier quart du XIVe siècle
Bois, restes de polychromie
H. 0,83 ; L. 0,275 ; Ép. 0,210

Malgré ses mutilations, il est aisé d'interpréter cette statue comme étant celle du Christ du Jugement Dernier montrant, bras levés, les plaies de la Passion. Le manteau rouge répond d'ailleurs à l'iconographie symbolique du Sauveur après la Résurrection.

Il existe de très nets rapports stylistiques avec un des bas-reliefs extérieurs des chapelles du chœur de Notre-Dame de Paris, où le Christ Juge, assis, est encadré de la Vierge et de saint Jean dont les images ont pu également, à l'origine, être associées à la statue du Louvre. Le relief de la cathédrale est daté des années 1318-1320, datation

2

3

vers les VIIe-VIIIe siècles, qui aurait, vers 1240, révélé son nom et sa sainteté à sainte Ludgarde.

Le culte de sainte Osmanne avait été transmis de Saint-Denis à Féricy à la faveur des liens qui unissaient la paroisse à l'abbaye dont dépendait la cure. L'église lui était dédiée et un certain nombre d'œuvres d'art y évoquaient ce patronage. Sainte Osmanne n'ayant jamais subi le martyre, on est cependant en droit d'hésiter à la reconnaître en cette figure porteuse de la palme symbolique, à qui la tradition a toujours donné son nom.

Volumes simples, longs plis rectilignes s'écrasant à peine sur le sol, voile court, visage plein, situent l'œuvre dans le premier quart du XIVe siècle.

BIBL.: G. Leroy, *La légende de sainte Osmanne d'après un ancien vitrail de l'église de Féricy-en-Brie*, Paris, 1872. — Dom F. Plaine, *Vies des saints*, IX, Paris, 1950, p. 186-187.

Féricy-en-Brie (Seine-et-Marne)
Église paroissiale

4
La Vierge et l'Enfant - «Sponsa Filii Dei»

Vers 1320
Marbre, restes de polychromie
H. 1 m ; L. 0,45 ; Ép. 0,30

Rare du point de vue iconographique, cette statue représente l'Enfant passant au doigt de sa mère l'anneau nuptial, tandis que de la main gauche, il tient le bréviaire. La Vierge, à l'expression juvénile, ne porte pas de couronne. Les joues d'un rose délicat et les minces galons polychromes se détachent sur le marbre blanc. Légèrement cambrée, Marie porte l'Enfant sur la hanche gauche et retient son ample manteau sous lequel on aperçoit la ceinture, symbole de virginité.

C'est par l'étude de cette Vierge et de celle de Saint-Dié (Vosges) que débutèrent en 1907 les recherches sur la sculpture lorraine qui englobent aujourd'hui plus de 500 objets. Au cours de la première moitié du XIVe siècle, la Lorraine a vu se développer un type spécifique de madones au visage grave, en forme d'écu, au nez court et

qui s'accorde avec le style de cette figure où la noblesse et une relative sévérité vont de pair avec une exécution fine et délicate, et certaines recherches de naturalisme sensibles dans le modelé du torse. Ceci ne contredit pas non plus, en l'absence de toute précision relative à la provenance, l'affirmation traditionnelle d'une origine proche de Paris et localisée dans les environs de Pontoise.

BIBL.: P. Vitry, *Bull. des Musées*, 1928, no 19, p. 295-296. — M. Aubert et M. Beaulieu, 1950, no 194.

EXP.: *L'Art du Moyen Age en France*, 1978-1979, no 48.

Paris, musée du Louvre
RF 2005

3
Sainte Osmanne (?)

Premier quart du XIVe siècle
Pierre peinte
H. 0,88 ; L. 0,27 ; Ép. 0,14

Jeune princesse irlandaise, Osmanne aurait fui son pays pour échapper au mariage que voulait lui imposer sa famille païenne. Réfugiée en Bretagne, elle y serait morte après avoir mené une vie exemplaire et suscité de nombreux miracles. Sa légende naquit sans doute très tôt à l'abbaye de Saint-Denis qui possédait ses reliques et où une chapelle lui avait été dédiée. Une certaine confusion naquit ensuite avec Osanne, nonne à Jouarre

4

5

Vierge de Morhange (Moselle), donations, peut-être, des comtes de Salm, ou encore avec la Vierge du musée Bode à Berlin-Est, le reliquaire de Marsal, etc. Parallèlement se développera autour de Nancy, résidence ducale, un art courtois plus raffiné dont les Vierges de Maxéville, Prény-sur-Pagny, Bouxières-aux-Dames et d'autres, ainsi que les deux statues suivantes constituent de très beaux exemples.

BIBL. : P. Denis, «La Vierge de l'église de Maxéville», *Bull. mensuel de la Soc. d'Archéol. lorraine et du Musée historique lorrain*, VI, 1906, p. 225 ff. — P. Perdrizet, *Bull. mensuel de la Soc. d'Archéol. lorraine et du Musée historique lorrain*, I, 1907, p. 100-108. — P. Perdrizet, *Rev. de l'Art chrétien*, 1907, p. 392-397. — P.E. Morhain, «Madones gothiques du diocèse de Metz», *Confrérie de Marie Immaculée*, 15, Metz 1962, p. 18, et *cf.* n° 6.

EXP. : *Chefs-d'œuvre de l'art alsacien et de l'art lorrain*, 1948, n° 384.

Maxéville (Meurthe-et-Moselle), église paroissiale

5
La Vierge et l'Enfant

Coll. Ryaux, Paris
Vers 1330
Pierre ; restes de polychromie
H. 0,927 ; L. 0,34 ; Ép. 0,255

L'imposante statue d'origine lorraine que le musée du Louvre a récemment acquise compte, au même titre que la « sponsa » de Maxéville et que la Vierge à l'Enfant lisant, conservée au musée de Cluny parmi les plus beaux exemples de l'art sculptural courtois. La dextre de la Vierge manquant ainsi que les deux mains de l'Enfant, l'on ne saurait dire avec certitude quels étaient leurs attributs. Il s'agissait sans doute de la fleur d'églantine ou du lis, les bras tendus de l'Enfant rappelant, eux, les Vierges de Saint-Dié, de Bouxières-aux-Dames ou celles de la collection Schwartz de Mönchengladbach en Rhénanie, Vierges auxquelles s'apparente celle de Ryaux qui en a toute l'élégance et qui soutient la comparaison avec les Vierges de Longuyon (Meurthe-et-Moselle). Chez l'Enfant, l'on retrouve la chemise aux revers pointus, caractéristique de ces sculptures. Plus rare est cependant le manteau qui enveloppe presque en-

droit, à la bouche petite, à la silhouette parfois trapue. Cette importante production présuppose certes l'existence de la statuaire monumentale et de la petite sculpture qui s'épanouirent vers 1270 à Paris, Reims et dans toute la Champagne, mais elle semble descendre plus directement encore des Madones que l'on rencontre dans le Sud de la Champagne et le Nord de la Bourgogne, entre Troyes et Langres (Vierges de Bayel et Thieffrain, dans l'Aube, de Mussy-sur-Seine, celle de l'hôpital de Tonnerre, datant de 1290-1295, et du chœur de la cathédrale de Langres). Quant à la sculpture lorraine proprement dite, elle apparaît vers 1300 avec le Saint Eustache de Vergaville et la

tièrement la madone, notamment à la hauteur du buste, ne dégageant que le liséré du col et le bas de la jupe retombant sur la jambe d'appui. Plis et bordures sont sculptés avec une précision extrême. La fascination exercée par des œuvres d'une telle qualité explique aisément le rayonnement de la sculpture lorraine en Rhénanie, et plus particulièrement à Cologne (l'on songe à la Vierge de l'église Sainte-Uusule qui se trouve aujourd'hui au Leoninmum de Bonn). D'autre part, des madones du type de la Vierge Ryaux sembleraient annoncer déjà, par le rythme du drapé, le style ondoyant qui se fera jour en Lorraine à partir de 1360-1370 (*cf.* Vierges du musée de

Metz, ou encore de la coll. Oulmont, autrefois à Saint-Cloud, de Petit-Jailly, Côte-d'Or, etc.).

BIBL.: *Cat. de la vente Georges Ryaux,* Paris, 24 oct. 1979, nº 29. — F. Baron, *Rev. du Louvre,* 3, 1980, p. 174-175, et *cf.* nº 6.

EXP.: *De Madonna in de Kunst,* Anvers, 1954, nº 134. — *Cinq années d'enrichissement du patrimoine...,* 1980-1981, nº 19.

Paris, musée du Louvre
RF 3451

6
La Vierge et l'Enfant

Paris, musée de Cluny
Vers 1330-1340
Pierre. H. 0,91; L. 0,305; Ép. 0,225

L'origine lorraine de la statue du musée de Cluny, dont on ignore la provenance exacte, est établie depuis longtemps. L'Enfant lisant dans un bréviaire qu'il tient des deux mains est un détail iconographique important. Sous la couronne, le visage de la Vierge est typiquement lorrain et rappelle dans sa pureté le fragment d'une tête de madone lorraine également, se trouvant au musée du Louvre (RFR 48). Partant de l'épaule droite, le manteau s'élargit en tablier, dégageant la ceinture dont on aperçoit la boucle et le long pan qui s'arrête au-dessus du genou. Il convient d'attribuer cette statue de qualité à un atelier qui produisit les élégantes Vierges « courtoises » que l'on rencontre dans les environs de Nancy, à Maxéville (nº 4), Prény-sur-Pagny, Bouxières-aux-Dames, ainsi qu'à Longuyon, Saint-Dié, sans oublier celle de la coll. Schwartz de Mönchengladbach en Rhénanie dont on conteste parfois, et à tort, l'authenticité, Vierges qui, sans exception, se distinguent par la fluidité des lignes. Aux côtés de ces œuvres de grande classe viennent, plus modestes, se ranger les madones lorraines que l'on découvre en province et dans les musées de Metz, Trèves, Sarrebruck, Carlsruhe, Londres, Boston, etc. Synthèse de l'élégance française et de la sobre religiosité des statuaires lorrains, ce type de sculptures se répandit bientôt en Allemagne occidentale et ne manqua pas d'influencer les ateliers de sculpture de Trèves, Mayence, Marbourg, Cologne ainsi que ceux de Westphalie.

6

7

BIBL.: *Musée de Cluny, Cat.,* 1922, nº 284. — Et pour la sculpture lorraine: W.H. Forsyth, *Metropolitan Museum studies,* t.v., 1936, p. 235-258. — A. Hofmann, *Studien zur Plastik in Lothringen im 14Jh.,* Munich, 1954. — J.A. Schmoll-Eisenwerth, *Annales Universitatis Saraviensis,* 1957, p. 276-280. — P. Volkelt, *Annales Universitatis Saraviensis,* 1957, p. 281-290. — W.H. Forsyth, *Art Bull.,* 1957, p. 171-182. — J.A. Schmoll gen. Eisenwerth, *Festschrift Fr. Gerke,* 1962, p. 119-148. — J.A. Schmoll gen. Eisenwerth, *Aachener Kunstblatter,* 30, 1965, p. 49-99. — J.A. Schmoll gen. Eisenwerth, *Forschungen zur Kunstgesch. und christl. Archäol.,* VI, 1966, p. 289-314. — P. Quarré, *G.B.A.,* 1, 1968, p. 193-204. — J.A. Schmoll-Eisenwerth, *Rhein viertel jahresblatter,* 1969. — J.A. Schmoll gen. Eisenwerth, *Bull. de la Soc. des Amis du musée de Dijon,* 1972, p. 28-36. — F. Baron, *Rev. du Louvre,* 3, 1980, p. 174-175.

Paris, musée de Cluny
Inv. cl. 18944

7
La Vierge et l'Enfant

Premier tiers du XIVe siècle
Pierre polychrome
H. 1,37; L. 0,50; Ép. 0,25

La couronne (restaurée) désigne toujours la Reine du Ciel. Mais la Vierge est surtout une jeune mère aidant son enfant à maintenir un oiseau. Le thème de la Vierge amusant Jésus auquel, souvent, elle présente un fruit, apparaît dès le XIIIe siècle chez les ivoiriers. Il fut rarement repris dans la statuaire où il inspira des œuvres généralement tenues pour précoces et mises en relation avec la

Vierge Dorée d'Amiens, parfois considérée comme prototype (Sains-en-Amiénois, dans la Somme, Saint-Rémy-l'Honoré, dans les Yvelines).

Certains agencements du drapé seraient également des indices d'une date peu avancée dans le XIVe siècle : rejet sur le bras d'un pan de draperie flottante, consistance des tissus, tracé des plis en becs. Et nulle trace d'afféterie ne se marque encore dans la main solidement charpentée (la droite est refaite), ou dans le visage de Marie dont les pommettes hautes, les yeux bien fendus, le juvénile sourire s'harmonisent avec le souple tracé de la chevelure.

La figure est néanmoins assez hanchée. Et il y a une certaine complication dans le dessin du manteau plusieurs fois replié qui descend en une longue oblique vers le pied droit. Une disposition comparable s'observe à Saint-Denis où la Vierge de marbre de la cathédrale tient, par ailleurs, un Enfant très joufflu, qui ressemble à celui-ci. On peut donc situer aux alentours de 1320-1330 une œuvre tout à fait exceptionnelle par une surprenante maîtrise technique, une souveraine aisance de composition et le sentiment d'exquise tendresse qui se manifeste dans l'échange des regards. Cette statue demeure stylistiquement assez isolée dans la région où elle se trouve. On peut cependant en rapprocher la Vierge assise de la Chapelle-Iger (Seine-et-Marne) qui, sous le badigeon qui la dénature, semble posséder même élégante finesse et même visage.

Champdeuil (Seine-et-Marne)
Église paroissiale

8
La Vierge et l'Enfant

Provenant de la Chartreuse de Mont-Sainte-Marie à Gosnay (Pas-de-Calais)
Jean Pépin de Huy, 1329
Marbre. H. 0,650 ; L. 0,210 ; Ép. 0,118
(la tête de l'enfant est refaite)

Cette statue est l'une des rares Vierges du XIVe siècle dont on connaisse à la fois la date, l'auteur et le donateur. Compte tenu de l'habituelle confusion du marbre et de l'albâtre dans la terminologie médiévale,

8

elle correspond à l'« ymage de Nostre Dame d'allebastre », qui figure en 1329 dans la comptabilité de Mahaut d'Artois, conservée aux Archives départementales du Pas-de-Calais. L'ouvrage, avec ses compléments à présent perdus, dais et socle de marbre noir, fut payé 30 livres et expédié de Paris à Gosnay, pour être offert aux Dames chartreuses. Il fut transporté dans l'église paroissiale à la Révolution. Le paiement fait à l'orfèvre Étienne de Salins, en juillet 1329, pour « une coronelle d'argent dorée » enrichie de pierres et émaux, pourrait concerner la couronne d'orfèvrerie que devait porter la Vierge.

Le grand manteau-voile, dont le bord libre dessine une ligne presque horizontale, peu au-dessous de la taille, retombe en deux longues chutes latérales de plis. Cette disposition doit être considérée comme un poncif, utilisé en des régions aussi diverses que la Normandie ou la Bourgogne (no 42), répandu dans l'ivoirerie parisienne du second tiers du XIVe siècle (no 159) et adopté également à l'étranger. L'hypothèse selon laquelle ce type aurait été élaboré à Paris, à la fin du XIIIe siècle, paraît d'autant plus fragile qu'elle est, d'emblée, faussée par le choix comme prototype de la Vierge dite de Poissy, au musée Mayer van den Bergh à Anvers (cat. 1969, no 2129), œuvre dont on s'accorde à reconnaître qu'il s'agit sans doute d'un habile pastiche exécuté au XIXe siècle. La Vierge de Gosnay se distingue en outre des autres œuvres par un canon plus court et par la qualité du traitement des draperies.

BIBL. : P. Turpin, *Bull. du Comité flamand de France*, 1930-1931, p. 370-377. — F. Baron, *Bull. de la Soc. d'Histoire de l'Art français*, 1960, p. 89-94. — R. Didier, *Rev. des Archéol. et Historiens d'art de Louvain*, III, 1970, p. 48-72. — G. Schmidt, *Wiener Jb. für Kunstgeschichte*, XXIV, 1971, p. 161-177. — P. Bloch, *Festschrift für Otto von Simson zum 65. Geburtstag*, 1977, p. 504-515.

EXP. : Exp. rétrospective, Arras, 1896, s. no. — Ile-de-France-Brabant, 1962, no 325. — Rhin-Meuse, 1972, Os. — Sculptures romanes et gothiques du nord de la France, 1978-1979, no 65.

Arras, musée des Beaux-Arts
Dépôt de la municipalité de Gosnay

9
Masque funéraire de femme

Premier tiers du XIVe siècle
Marbre. H. 0,238 ; L. 0,252 ; Ép. 0,05

Presque plat, traité avec beaucoup d'autorité en un modelé atténué, ce masque a dû appartenir à une effigie funéraire en très faible relief. Il fut détaché par détourage d'une dalle dont un infime vestige s'aperçoit au sommet du crâne. De telles figures, de peu d'épaisseur et de grandes dimensions, sont rares au XIVe siècle. Il en subsiste néanmoins quelques-unes, nées peut-être de la contrainte d'un matériau débité en plaques minces : une gisante au musée de Lyon (Inv. D 477), une Vierge à l'enfant au

Victoria and Albert Museum de Londres (Inv. 6982-1860) et la Vierge de Bourbonne-les-Bains (n° 27).

Le volume des boucles massées sur les tempes suit la mode du premier quart du XIVe siècle, accentuant la précision quasi géométrique de ce visage dessiné avec rigueur. Ce parti pris de stylisation s'allie cependant à des notes de sensibilité délicates. On a voulu attribuer le mérite de ce style exceptionnel à Jean Pépin de Huy, sculpteur attitré de la comtesse d'Artois. Mais dans l'ignorance où nous sommes de l'identité de la gisante, de la provenance du fragment et de son mode d'entrée au musée, il semble difficile d'accepter cette hypothèse. Et la confrontation avec les œuvres attestées de l'artiste, gisant de Robert d'Artois, conservé à Saint-Denis, ou Vierge de Gosnay (n° 8), n'apparaît guère probante.

9

BIBL. : L. Gonse, *Les chefs-d'œuvre des musées de France. La sculpture*, Paris, 1904, p. 275. — F. Baron, *Bull. de la Soc. d'Histoire de l'Art français*, 1960, p. 89-94. — G. Schmidt, *Wiener Jb. für Kunstgeschichte*, XXIV, 1971, p. 161-177.

EXP. : *Exp. Universelle*, 1900, n° 4640. — *Chefs-d'œuvre de l'Art français*, 1937, n° 988. — *Huit siècles de sculpture française*, 1964, n° 29. — *L'Europe gothique*, 1968, n° 144. — *Sculptures romanes et gothiques du nord de la France*, 1978-1979, n° 64.

Arras, musée des Beaux-Arts

10
Deux apôtres

Provenant du Collège apostolique de l'église Saint-Jacques-l'Hôpital à Paris
Pierre

A) Apôtre

Attribué à Guillaume de Nourriche, 1319-1324
H. 1,75 ; L. 0,51 ; Ép. 0,33

Cette statue diffère sensiblement des autres figures du Collège. Un jeu de draperies plus accentué, plus frémissant, le traitement incisif de la barbe, de la moustache en crocs et de l'abondante chevelure l'ont fait attribuer à Guillaume de Nourriche, qui tailla deux apôtres en 1319-1324.

B) Saint Jacques le Majeur

Robert de Lannoy, 1326-1327
H. 1,75 ; L. 0,58 ; Ép. 0,33

Pieds nus, suivant la tradition iconographique fondée sur l'Évangile (Luc, 10-4), l'apôtre est reconnaissable à la coquille ornant sa panetière. La comparaison avec les autres statues conservées, les restes d'un tenon de fixation, certaines traces d'arrachement permettent de penser qu'il tenait d'une main le bâton de pèlerin, et de l'autre un livre. Les textes précisent que, parmi les six statues d'apôtres payées à Robert de Lannoy, en 1326-1327, figurent celles de saint Jacques et de saint Jean, conservées toutes deux au musée de Cluny.

La Confrérie de Saint-Jacques fut fondée en 1315, pour rassembler les pèlerins de Compostelle. En 1319, les Confrères entreprirent de construire, à l'angle des rues Saint-Denis et Mauconseil, un vaste ensemble de bâtiments comprenant une église et un hospice, désigné comme « hôpital ». Le déclin des pèlerinages entraîna celui de l'association dont les biens furent, au XVIIIe siècle, rattachés successivement à diverses institutions hospitalières. La démolition de l'église fut accomplie entre 1808 et 1829. Lors de fouilles pratiquées en 1840, on mit à jour d'importants vestiges du décor sculpté. Ils furent, pour la plupart, réenfouis ou bri-

10 A

10 B

sés. Les statues du Christ et de quatre apôtres, sauvegardées, entrèrent au musée de
Cluny en 1850.

Grâce à une très importante série de
comptes (Arch. de l'Assistance publique),
on connaît les modalités d'exécution du
Collège apostolique, complété par une
image du Christ. L'ensemble, jadis peint
avec un décor de fleurs de lis d'or, fut réalisé
en deux tranches de travaux avec la collaboration de deux sculpteurs : Robert de Lannoy et Guillaume de Nourriche. Le premier
sculpta quatre apôtres en 1319-1324 et travailla seul en 1326-1327, faisant les six derniers apôtres et, sans doute, le Christ. Le
second tailla deux disciples en 1319-1324.
Cette assemblée ornait l'intérieur de l'église,
suivant une disposition apparue avant 1248
à la Sainte-Chapelle, et devenue courante
au XIVe siècle. Elle y symbolisait le rôle de
fondements et colonnes de l'Église, assigné
aux apôtres et rappelé par les rites de consécration des églises.

Le sentiment très vif de l'élégance, le goût
de la virtuosité propres au XIVe siècle s'accompagnent ici d'une relative fidélité aux
traditions du siècle précédent.

BIBL. : H. Bordier, *Mém. de la Soc. nat. des Ant. de
France*, XXVIII, 1865, p. 111-132. — H. Bordier, *Mém.
de la Soc. de l'Histoire de Paris et de l'Île-de-France*, I,
1875, p. 186-228, et II, 1876, p. 330-397. — *Musée de
Cluny, cat.*, 1922, nos 252 et 256. — F. Baron, *Bull. archéol., nouv. série*, VI, 1970 (1971), p. 77-115. — F. Baron, *Bull. mon.*, 1975, p. 29-72.

EXP. : *L'Europe gothique*, 1968, no 137 (B).

Paris, musée de Cluny
Inv. 18759 et 18756

11
Deux fragments de retable ornés de figures d'apôtres

Provenant de la collégiale Saint-Jean-Bap-
tiste de Vaudémont (Meurthe-et-Moselle)
Deuxième quart du XIVe siècle
Pierre

A) Six apôtres

Coll. Hoentschel ; coll. J. Pierpont-Morgan
H. 0,625 ; L. 1,06 ; Ép. 0,086

De droite à gauche : saint Pierre, saint Jean,
saint Jacques le Mineur, saint André, saint
Barthélémy et un apôtre non identifié.

New York, The Metropolitan Museum of
Art
Inv. 16.32.169

B) Quatre apôtres
H. 0,52 ; L. 0,80 ; Ép. 0,075

Parmi eux, saint Philippe avec une croix à
longue hampe, instrument de son martyre.

Paris, musée du Louvre
RFR 15 - Dépôt : musée de Limoges

Les rapports évidents entre les deux pièces
attestent de leur appartenance au même
ensemble auquel manquent encore deux
figures d'apôtres et, probablement, celle du
Christ.

On savait que le relief de New York avait
appartenu à la collection Hoentschel, où il
était donné comme bourguignon, du XVe
siècle. Sa véritable origine s'établit aisément, grâce aux publications de la Société
d'archéologie lorraine, qui font état, à deux
reprises, de « statuettes » sous arcatures,
encastrées dans une façade à Vaudémont,
et à l'aide d'une photographie ancienne des
Monuments historiques, qui permet
d'identifier les six apôtres, placés à côté d'un
relief, à présent perdu, consacré à saint
Jean-Baptiste, patron de la collégiale détruite à la Révolution, dont proviennent assurément ces vestiges. L'origine lorraine
s'accorde avec l'histoire connue du relief
mutilé du Louvre, qui fit partie des biens
spoliés, puis récupérés lors de la dernière
guerre mondiale.

La collégiale fut fondée en 1326. Et le
relief, qui devait servir de retable, doit être
sensiblement contemporain de la construction. Le décor architectural assez évolué
(feuillages frisés, absence de chapiteaux) n'y
fait pas obstacle, car ces caractères se rencontrent assez tôt, en Bourgogne notamment. Le style des apôtres, qui peuvent être
rapprochés de ceux de Saint-Jacques-l'Hôpital (no 10), plaide en faveur d'une datation précoce. Le saint Jean, imberbe, se
rattache même à un parti utilisé à la charnière des XIIIe-XIVe siècles, et abandonné
au cours du XIVe, semble-t-il. Ce parti qui

11A

11B

consiste à présenter les personnages de trois-quarts ou de dos, se rencontre entre autres aux cathédrales d'Auxerre (Vierge folle du portail central), de Bayeux (portail sud), et à Saint-Gervais de Paris (Mort de la Vierge).

Le style de l'œuvre n'est pas lorrain. Il existe, par contre, avec l'art bourguignon, des correspondances et une source d'inspiration possible : les apôtres taillés quelques décennies auparavant pour la façade de la cathédrale de Sens (portail de droite). Cet apport, justifié par les relations avec la Bourgogne de la toute puissante famille de Vaudémont, revêt une importance particulière dans le domaine iconographique. Ce relief est, en effet, le premier exemple, en Lorraine, du type des retables aux douze apôtres que multipliera la production locale des XVe et XVIe siècles.

BIBL. : E. Olry, « Répertoire archéol. des cantons de Haroué et Vézeglize », *Mém. de la Soc. d'archéol. lorraine*, 2e série, VIII, 1866, suppl. p. 179. — R. de Souhesmes, « Excursion à Sion et Vaudémont », *Journal de la Soc. d'archéol. lorraine*, 1900, p. 163. — A. Pératé et G. Brière, *Coll. Georges Hoentschel*, I, Paris, 1908, p. 5. — A. Philippe, « Les retables aux douze apôtres », *Pays lorrain*, 1920, p. 325-327. — *The Metropolitan Museum of Art. Cat. of Romanesque, Gothic and Renaissance sculpture*, 1913, n° 129. — M. François, *Histoire des comtes et du comté de Vaudémont des origines à 1473*, Nancy, 1935. — *Guide du musée municipal de Limoges. Coll. archéol.*, 1980, p. 108.

12
Saint André(?)

Provenant du Collège apostolique de l'abbaye de Jumièges
Deuxième quart du XIVe siècle (1332-1335?)
Pierre. H. 1,695 ; L. 0,50 ; Ép. 0,30

L'exact emplacement du Collège apostolique ornant l'abbaye bénédictine de Jumièges reste à définir. Il était placé, croit-on, dans l'église Saint-Pierre qui fut en majeure partie réédifiée entre 1332 et 1335 environ, date parfaitement accordée au style des œuvres.

Lors de la dispersion des biens de l'abbaye, en 1792, l'ensemble fut désuni. A l'exception des œuvres perdues ou détruites, et du saint Jacques le Majeur, déposé à l'église de Sainte-Marguerite-sur-Duclair, la plupart des statues furent transférées à Duclair, à la demande de la municipalité.

Certaines d'entre elles ayant été, par la suite, enterrées, puis exhumées, en 1923, on ne conserve à présent que des vestiges, déposés à Jumièges : deux têtes, sept figures d'apôtres — deux images difficiles à identifier car, malgré leurs pieds nus, elles diffèrent des effigies apostoliques par le vêtement, l'attribut et le style — et enfin, deux statues d'ecclésiastiques acéphales, complément probable mais non assuré, du Collège apostolique. A ceci, il faut encore ajouter une tête conservée dans une collection particulière.

Les opinions jusqu'alors admises sur le style et l'iconographie de ces œuvres demandent à être revues à la lumière de nouveaux éléments de connaissance. Retrouvées décapitées, en 1923, les statues avaient été arbitrairement reconstituées, et dotées parfois d'attributs fantaisistes. La tête de cette statue avait été placée sur les épaules d'un apôtre porteur d'une épée, désigné comme saint Jude. Et elle s'accordait si mal au rythme des drapés qu'on avait pu la considérer avec quelque suspicion. On l'a, depuis peu, remise à la place qui fut sienne ; l'adaptation parfaite des deux morceaux, au

niveau de la cassure, et la continuité de la chevelure en font foi. Cette opération restitue à la tête un caractère d'authenticité.

On a donné l'apôtre comme saint André. Mais les traces d'arrachements et le tenon correspondent mal à la croix en X, son attribut.

Les statues ont été rapprochées de celles de Saint-Jacques-l'Hôpital (n° 10), et considérées comme issues d'un milieu parisien. Il semblerait beaucoup plus juste, eu égard aux parentés de style qu'elles présentent avec certaines figures des portails des Libraires et de la Calende, à la cathédrale de Rouen, d'envisager l'apport d'artistes issus des chantiers rouennais.

Le style de l'ensemble n'est d'ailleurs pas homogène et résulte de plusieurs mains dont la part a été, jusqu'à présent, délimitée de façon peu satisfaisante. L'allongement de la silhouette, le jeu subtil des ondes de plis du manteau arrêté très haut isolent du groupe cet apôtre qu'il faut rapprocher du saint Jacques le Majeur, sorti de la même main.

BIBL. : L.M. Michon, *Congrès archéol. de France*, 1926, p. 587-609. — C. Goldscheider, *Congrès scientifique du*

12

13

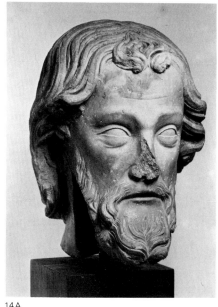

14A

14B

XIIIe centenaire, II, Rouen, 1955, p. 527-528. — J. Bailly, Rev. des Soc. savantes de Haute-Normandie, XVIII, 1960, p. 29-42 (avec bibl.). — F. Baron, Bull. mon., 1975, p. 29-72.

EXP.: Trésors des abbayes normandes, 1979, n° 225 B.

Jumièges (Seine-Maritime) Collections lapidaires de l'abbaye
Dépôt de la municipalité de Duclair

13
Tête d'apôtre ou de Christ
Provenant de l'abbaye de Jumièges
Deuxième quart du XIVe siècle
Pierre. H. 0,295; L. 0,235; Ép. 0,20

Cette tête était jadis placée sur les épaules de l'apôtre désigné comme saint André (n° 12). La restauration et l'étude récente en ont fait une œuvre isolée, car elle ne peut s'ajuster sur aucun des corps subsistants. Cet isolement permet d'apprécier davantage la beauté classique et la sérénité qui lui sont propres et inciteraient volontiers à y voir la tête du Christ. Mais cette hypothèse doit être formulée avec beaucoup de réserves, d'autant que nous ignorons si le Maître présidait l'assemblée des apôtres à Jumiè-

ges, comme ce fut le cas à Saint-Jacques-l'Hôpital.

BIBL.: Cf. n° 12.

EXP.: Trésors des abbayes normandes, 1979, n° 225 E.

Jumièges (Seine-Maritime) Collections lapidaires de l'abbaye
Dépôt de la municipalité de Duclair

14
Deux têtes d'apôtres
Deuxième quart du XIVe siècle
Pierre
A) H. 0,308; L. 0,235; Ép. 0,245
B) H. 0,30; L. 0,225; Ép. 0,22

Acquises toutes deux à la même source, supposée être l'antiquaire Dikian Kelekian, les deux têtes ont donné lieu à des hypothèses diverses. S'y glissent même, parfois, certains doutes sur leur authenticité.

L'appartenance au Collège apostolique de Saint-Jacques-l'Hôpital, et l'attribution à Robert de Lannoy, doivent être résolument écartées. Car ces têtes sont dénuées de la finesse mêlée de distinction des apôtres du musée de Cluny.

Certaines comparaisons s'établissent, par contre, avec les statues de Jumièges. Présentée parfois comme tête de Christ, la tête A doit être rapprochée, précisément, de celle à laquelle nous attribuons le même rôle à Jumièges (n° 13). Même coupe du visage, même simplicité plastique, détails identiques du traitement des yeux, des moustaches encadrant une grande bouche au tracé comparable ou de la petite surface imberbe, sous la lèvre inférieure. La tête B est généralement considérée avec plus de suspicion. L'exubérance des boucles de la barbe et de la moustache confondues autorise la comparaison avec la tête du saint André de Jumièges (n° 12). Mais il y a ici un académisme étranger au visage expressif de l'apôtre normand.

L'analyse pétrographique ne se révèle pas concluante et, dans l'état actuel de nos connaissances, on ne peut établir l'exacte provenance de ces têtes.

BIBL.: F. Baron, Bull. mon., 1975, p. 29-72.

EXP.: Medieval Art, 1965, n° 79 (B). — Transformations of the Court Style, 1977, n° 5 (A).

Baltimore, The Walters Art Gallery
Inv. 27.351 et 27.350

15
Saint Paul

Provenant du Collège apostolique de la chapelle des Princes à l'abbaye d'Hautecombe
Atelier de Jean de Brecquessent, 1331-1342
Pierre. H. 1,65 ; L. 0,60 ; Ép. 0,40

L'abbaye alors cistercienne, d'Hautecombe, fut, au Moyen Age, le lieu de sépulture des comtes de Savoie. Pour abriter son tombeau et rassembler les dépouilles de ses prédécesseurs, inhumés dans le monastère, Aymon le Pacifique fit ériger entre 1331 et 1342, une chapelle de plan carré ouvrant sur le croisillon nord de l'abbatiale. Cette construction est couramment désignée du nom de chapelle de Savoie ou chapelle des Princes. La quasi-totalité de son décor initial est perdu ou dispersé, car les dégradations subies par l'abbaye, vendue à la Révolution, ont été suivies d'une restauration radicale, accomplie en 1825-1826 par les soins du prince Charles-Félix.

Les statues des douze apôtres dressées devant les meneaux des verrières ou contre les murs ont été remplacées par des pastiches. Mais quelques originaux subsistent. A Hautecombe même, deux statues ornent un des contreforts extérieurs de la chapelle. Le cloître abrite divers éléments qui ont conservé polychromie et décoration de stuc estampé (statues mutilées de saint André et d'un apôtre). Deux autres figures, enfin, acquises par un particulier à l'époque révolutionnaire, furent données par lui à l'église de Saint-Girod où elles furent, en 1876, dotées d'attributs plus ou moins fantaisistes (clefs, cierge), et désignées comme saint Pierre et saint Paul. La longue barbe de celui-ci correspondrait d'ailleurs assez bien à l'iconographie de l'apôtre Paul.

Le maître de l'ouvrage fut Jean de Breclesent que l'on peut identifier avec le Jean de Brecquessent, associé à Jean Pépin de Huy en 1313-1314. Appelé à Hautecombe où il fut sans doute architecte et sculpteur, Brecquessent aurait introduit en Savoie un reflet de l'art parisien, avec toutefois une nuance propre, dans le rythme plus mouvant des drapés, ou l'expressivité un peu conventionnelle des visages (rides, tracé aigu des sourcils, longues mèches de la barbe).

15

BIBL. : J. Jacquemoud, *Description historique de l'abbaye royale d'Hautecombe*, Chambéry, 1843, p. 82. — F. Rabut, *Mém. et documents de la Soc. savoisienne d'hist. et d'archéol.*, V, 1861, p. LII-LV. — Cl. Blanchard, « Histoire de l'abbaye d'Hautecombe », *Mém. de l'Académie des Sciences, Belles-Lettres et Arts de Savoie*, 3e série, I, 1875, p. 3-741. — G. Pérouse, *Hautecombe, abbaye royale*, Chambéry, 1926. — R. Oursel, *Monuments historiques de la France*, 1960, nos 2-3, p. 78-81.

Saint-Girod (Savoie)
Église paroissiale

16
Pleurant portant ses gants

Provenant du tombeau d'Aymon le Pacifique, dans la chapelle des Princes de l'abbaye d'Hautecombe
Atelier de Jean de Brecquessent, 1331-1342
Marbre. H. 0,43 ; L. 0,14 ; Ép. 0,10

Le tombeau d'Aymon le Pacifique, détruit à la Révolution, s'intégrait à l'architecture de la chapelle des Princes où il occupait, au sud, l'arcade ouvrant sur le chœur. Mort en juin 1342, six mois seulement après son épouse,

le comte de Savoie avait, sans aucun doute, fait préparer sa tombe de son vivant.

L'ensemble, accosté d'un baldaquin, figure sur une gravure publiée au XVIIe siècle par Guichenon. Le dessin est fantaisiste, mais suffisant pour rendre compte de la disposition originale du coffre dont le côté visible ne présente que sept pleurants (et non des pleureuses comme il est dit parfois), disposés sous une arcature. Il a permis aussi d'identifier les fragments encastrés dans le cloître par les restaurateurs du XIXe siècle : quelques vestiges du décor d'arcature, et trois pleurants plus ou moins mutilés, dont celui-ci, vêtu de deuil et portant ses gants.

16

décoraient l'autel de la chapelle des Princes. Le musée de Chambéry possède le fragment du Massacre des Innocents auquel répond l'Hérode assis resté à Hautecombe ainsi que la Présentation au Temple. On sait, en outre, que la Nativité, offerte au Prince Charles-Félix, avait été envoyée à Turin, où il n'a pas été possible encore de la retrouver.

La part éventuelle de Jean de Brecquessent dans l'exécution du retable est difficile à déterminer dans la mesure où les vestiges conservés ne sont pas parfaitement homogènes. Le personnage acéphale assis, que ses jambes croisées en signe de puissance désignent comme Hérode, participe du délicat maniérisme de l'art français et pourrait être son œuvre. Mais on ne peut négliger certaines notes d'italianisme, sensibles entre autres dans le modelé des petits corps nus des enfants martyrs ou dans le visage de la mère. La présence en Savoie du peintre florentin Georges d'Aquila pourrait justifier cet apport en un foyer où très tôt, l'art fran-

18

Style et costumes s'accordent avec la date de construction de la chapelle et l'intervention très probable de Jean de Brecquessent, venu des chantiers parisiens.

BIBL.: *Cf.* n° 15. — C. Guichenon, *Histoire généalogique de la royale maison de Savoie,* I, Lyon, 1660, p. 395.

Saint-Pierre-de-Curtille (Savoie)
Abbaye d'Hautecombe

17
Le roi Hérode -
Le massacre des Innocents

Deux fragments du retable de la chapelle des Princes à l'abbaye d'Hautecombe
Atelier de Jean de Brecquessent, 1331-1342
Marbre
A) Hérode: H. 0,275; L. 0,158; Ép. 0,085
B) Massacre des Innocents: H. 0,38; L. 0,17; Ép. 0,08

Certains textes contemporains de la restauration (*cf.* n° 15) font état de reliefs consacrés aux scènes de l'Enfance du Christ qui

17A

17B

18

18

18

çais côtoie l'art italien. Appelé en 1314 pour travailler au château de Chambéry, il décora la chapelle des Princes et resta attaché au service des comtes jusqu'à sa mort (1348).

BIBL. : Cf. n° 15 et J. Carotti, *musée de Chambéry, cat. raisonné*, 1911, n° 8694.

Saint-Pierre-de-Curtille (Savoie)
Abbaye d'Hautecombe
Chambéry, musée d'Art et d'Histoire
Inv. 8694-394

18
Quatre scènes de la Passion

Fragments de retable provenant de la Sainte-Chapelle du Palais à Paris
Musée des Monuments français ; Saint-Denis ; entrés au Louvre en 1881
Deuxième quart du XIVe siècle (vers 1330?)
Marbre blanc sur fond de marbre noir (en 2 morceaux) H. 0,49 ; L. 1,74 ; Ép. 0,10

Quatre scènes se succèdent, de gauche à droite : La *Flagellation* - Le *Portement de croix* : le bourreau, vêtu d'un tablier de cuir tient le marteau et les clous. La Vierge porte un livre et soutient la croix de sa main voilée. Derrière elle, deux personnages, dont saint Jean, mains jointes - La *Crucifixion* : la Vierge et saint Jean tenant le livre des Évangiles sont debout au pied de la croix - La *Mise au tombeau* : Nicodème et Joseph d'Arimathie soutiennent le linceul sur lequel est étendu le corps du Christ. La Vierge et saint Jean sont auprès du tombeau.

En août 1796, Alexandre Lenoir affirme avoir reçu de la Sainte-Chapelle ces quatre reliefs disposés sur un fond de marbre noir, ce qui tendrait à prouver l'ancienneté de l'actuel montage. Après la dispersion du musée des Monuments français, l'œuvre fut transportée à Saint-Denis où elle servit au décor d'un autel. Guilhermy l'y vit, transformée par les restaurateurs de la basilique, par adjonction, au centre, d'une croix à double traverse, avec dorure et verroterie. Mais il rapporte une tradition selon laquelle, entre le Portement de Croix et la Crucifixion, là où se voit encore une césure dans le marbre, le retable était primitivement un peu exhaussé et présentait un écusson portant les armes d'un évêque.

Telles sont les seules données connues à l'heure actuelle. A la suite de Koechlin, qui fit des comparaisons de style très peu convaincantes avec un retable du musée de Berlin, les reliefs furent datés de la fin du XIVe siècle. Une datation plus précoce paraît devoir s'imposer. Certains détails, déjà, apparaissent peu éloignés des formules du XIIIe siècle finissant : rythme des plis des robes de la Vierge ou de saint Jean au pied de la croix, construction solide des visages un peu gras, sérénité du bourreau barbu maniant le fouet de la Flagellation, traitement des barbes et des cheveux, incision des yeux. Et le Portement de Croix apporte une argumentation décisive, par comparaison avec la scène correspondante des Heures de Jeanne d'Évreux (n° 239). Certes, le bourreau porte-marteau (tête refaite), qui trouve son origine dans les manuscrits pucelliens, a pu être longtemps utilisé. Mais l'attitude dansante du Christ, le dessin coulant des draperies, l'exaspération des volutes du manteau de la Vierge sont si proches qu'on ne peut envisager un écart de date important. Ce qui situerait le retable aux alentours de 1330.

L'ensemble peut surprendre par des différences de facture et de qualité qui laisseraient volontiers supposer l'intervention de plusieurs mains. Le graphisme un peu sec et l'étirement des silhouettes peuvent, quant à eux, s'expliquer par l'influence directe du dessin ou l'existence d'une tendance similaire dans quelques œuvres sculptées de cette époque, tels certains des bas-reliefs encastrés au chevet de Notre-Dame de Paris (Mort et Glorification de la Vierge).

Deux fragments conservés au musée de Cluny (n° 44) sont à rapprocher de ce retable.

BIBL. : F. de Guillhermy, « Restauration de l'église royale de Saint-Denis - Ornementation intérieure », *Annales archéol.*, V, 1846, p. 206. — L. Courajod, *Alexandre Lenoir, son journal et le musée des Monuments français*, I, Paris, 1879, p. 128, n° 901 et III, 1887, p. 423. — R. Koechlin, « Un retable français du XIVe siècle au musée de Berlin », *Mon. Piot*, t. XVI, 1909, p. 85-94. — M. Aubert et M. Beaulieu, 1950, n° 192.

Paris, musée du Louvre
RF 475

19

19
Fragment de retable :
L'arrestation du Christ

Coll. Bignon ; coll. C. Micheli, Paris ; coll. Mayer van den Bergh, Anvers
Deuxième quart du XIVe siècle (1330-1340?)
Albâtre, quelques traces de polychromie
H. 0,337 ; L. 0,27 ; Ép. 0,045
Plaque de marbre noir moderne
H. 0,439 ; L. 0,323 ; Ép. 0,085

Au premier plan, saint Pierre, épée en main, coupe l'oreille de Malchus, que le Christ touche du bout des doigts, pour le guérir. Judas embrasse son maître dont vont s'emparer trois soldats casqués. A l'arrière-plan surgit la vieille mégère Hedroit qui, par haine du Messie, participe à l'arrestation. Création du théâtre médiéval, cette figure apparaît dans l'art dès le début du XIVe siècle.

La plupart des retables ont été démantelés, et leurs éléments dispersés. Présentés sur un fond souvent fait de marbre noir, ils constituaient une des expressions les plus raffinées de l'art courtois.

Le relief a pu être considéré comme anglais, ou daté des premières années du XIVe siècle. Les multiples points de contact avec l'œuvre de Jean Pucelle manifestent avec évidence l'appartenance à un même courant stylistique, aux alentours de 1330-1340. La confrontation avec la même scène, illustrée dans les Heures de Jeanne d'Évreux (n° 239), est particulièrement probante. Le sculpteur a simplifié la composition mais repris le principe de l'étagement des personnages, imité le geste de saint Pierre, copié les casques des soldats. Les autres feuillets du manuscrit livrent d'identiques éléments de comparaison : bras empaquetés dans les vêtements, agencement des dra-

pés, goût des volutes et des plis traînant au sol, longues mains fines et traits menus, dessin incisif des barbes et des chevelures, petite mèche sur le front. Partout s'épanouit un graphisme raffiné, qui inspire même au sculpteur le procédé très particulier des courts sillons creusant en surface des ombres nettement délimitées, à l'imitation du trait dessiné. Les comparaisons stylistiques peuvent être élargies à d'autres œuvres appartenant à la même aire d'influence : ivoires, dont le relief possède le côté aigu (n° 134) ou statuaire monumentale : la Vierge de Bourbonne-les-Bains (n° 27) offre en effet un drapé proche de celui du Christ. Une certaine parenté existe aussi avec les drapés des reliefs de Maubuisson (n° 29).

On ignore tout de la destination première de cette pièce. Il en existe une piètre réplique en pierre dans les collections de l'institut supérieur d'Archéologie et d'Histoire de l'Art de l'Université de Louvain.

BIBL. : *Cat. de la vente Bignon*, Paris, 13-15 mars 1837, n° 77. — P. Vitry et G. Brière, *Documents de sculpture française. Moyen Age*, Paris, 1904, pl. LXXXXVI. —

E. Mâle, *L'art religieux de la fin du Moyen Age*, Paris, 1931, p. 60-62, fig. 7. — M. Devigne, 1932, p. 58, n° 2. — J. de Coo, *G.B.A.*, 1965, n° 53. — *Cat. musée Mayer van den Bergh*, II, Anvers, n° 2095. — J. Lavalleye, *Introduction à l'archéologie et à l'histoire de l'art*, Louvain-la-Neuve, 1979, p. 150-151.

EXP. : *Chefs-d'œuvre de l'art français*, 1937, n° 987. — *Exp. de sculptures anglaises et malinoises d'albâtre*, 1967, n° E 9. — *L'Art et la cour*, 1975, n° 66.

Anvers, musée Mayer van den Bergh
Inv. 340

20
Fragment de retable :
Le portement de croix

Deuxième quart du XIVe siècle (1330-1340?)
Albâtre. H. 0,33 ; L. 0,25 ; Ép. 0,05

Ce relief a certainement appartenu au même ensemble que le précédent. Matière et dimensions concordent, et certaines composantes sont proches : les casques des

20

21

soldats, les coiffures de la sainte femme et d'Hedroit, les mains, les bordures sinueuses des vêtements. L'image du Christ est la même. Il est simplement, ici, dépouillé de son manteau, et sa tunique apparaît comparable à celle du saint Pierre de l'Arrestation.

La référence à l'art de Pucelle et de ses émules reste valable jusque dans un détail iconographique: le marteau porté par le bourreau. Le dessin est, cependant, moins coulant que dans l'enluminure correspondante des Heures de Jeanne d'Évreux (n° 239).

L'origine du fragment demeure inconnue. On possède seulement quelques données propres à ouvrir des perspectives sur sa destinée au cours du XIX° siècle. Il n'est pas sans rapport avec la collection Micheli. Car la Vierge a servi de modèle pour l'exécution tardive d'une petite figure de saint Jean de Calvaire qui appartint au collectionneur (musée Mayer van den Bergh, cat. 1969, n° 2110). Et il faut également lui associer le nom du sculpteur Triqueti (1804-1874), qui

fut aussi restaurateur d'ivoires médiévaux. Car il en existe un moulage dans les collections de cet artiste, conservées au musée de Montargis.

BIBL.: J. Lievaux-Boccador et E. Bresset, *Statuaire médiévale de collection*, II, 1972, p. 210.

Coll. Villain

21
Fragment de retable :
La descente de croix

Deuxième quart du XIV° siècle (1330-1340?)
Albâtre. H. 0,33 ; L. 0,17 ; 0,05

Au pied de la croix figure le crâne d'Adam dont certains exégètes avaient situé le tombeau à l'emplacement même du Golgotha, le « lieu du crâne ».

Des détails significatifs lient ce groupe au précédent. La Vierge a même visage et son

manteau retombe en arabesques identiques. Les mains sont pareillement modelées et la physionomie du disciple soutenant de ses mains voilées, en signe de respect, le corps du crucifié, est comparable à celle du Christ portant sa croix. Les quelques différences perceptibles se justifient aisément. La modification des traits du Christ est expression voulue de la souffrance et de la mort. Et la simplicité un peu molle du vêtement du disciple est fidélité au type rencontré dans les Heures de Jeanne d'Évreux (n° 239).

Le fragment, d'origine également inconnue, a donc appartenu, comme les deux autres, à un retable de la Passion, de style pucellien, exécuté aux alentours de 1330-1340. On peut envisager de leur adjoindre un Christ de Flagellation, connu par son passage en vente publique, en 1937, qui n'a pu être retrouvé (Paris, 27 mai 1937, n° 77).

Coll. Villain

22

22
Sainte Catherine d'Alexandrie

Deuxième quart du XIVe siècle
Marbre. H. 0,76 ; L. 0,23 ; Ép. 0,15

La plupart des images de dévotion, qui se multiplient au XIVe siècle, représentent la Vierge tenant l'Enfant. On a pu en recenser près d'un millier. Quelques statues, cependant, témoignent de la faveur alors accordée au culte des saints, les premières places revenant à saint Jean-Baptiste, dont beaucoup d'hommes portaient le nom, et à sainte Catherine, considérée comme le plus

puissant intercesseur auprès de Dieu, après la Vierge.

La sainte porte quelques-uns des attributs tirés du récit imaginaire de sa vie, popularisé par la *Légende dorée,* écrite au XIIIe siècle par le Dominicain Jacopo da Vorazzo (Jacques de Voragine). La couronne rappelle son origine princière, ou célèbre son martyre. La roue, incomplète pour avoir été miraculeusement brisée, est l'instrument de son supplice manqué. De la main droite, la jeune vierge devait, en outre, tenir un livre, allusion à son grand savoir, ou l'épée qui servit à la décapiter.

L'œuvre a été parfois singulièrement rajeunie. L'attitude, la disposition du voile, le rythme des drapés, se retrouvent, assez comparables, sur une des statuettes de la chapelle de Navarre, à Mantes, élément d'appréciation utile malgré sa moindre qualité, car on peut la dater de 1325-1330. Peut-être un peu postérieure, taillée dans un matériau précieux, alliant le raffinement à la simplicité, la sainte Catherine relève davantage de l'art courtois et du style parisien. Le jeu des longs plis verticaux se cassant au sol n'est d'ailleurs pas très éloigné de ce que présentent certains des tombeaux de Saint-Denis, tel celui de Clémence de Hongrie (+ 1328).

Il semblait logique d'attribuer l'œuvre à la chapelle, dédiée à la sainte, que Jean le Veneur, seigneur de Beauficel et de Bézu, fonda, à la fin du XIIIe siècle, au hameau de Maurepas. L'édifice était en ruines, déjà, à la fin du XVIIIe siècle. Ses matériaux furent vendus en 1792. Mais il faut aussi mentionner, comme origine possible, le château royal de la Fontaine-du-Houx. Les rares mentions conservées (séjours des derniers Capétiens, menus travaux ordonnés par Philippe VI en 1333), et quelques vestiges de la chapelle du XIVe siècle, dans un ensemble plusieurs fois remanié, attestent de l'importance de ce château.

BIBL. : *Inv. général des monuments et des richesses artistiques de la France, Eure, canton Lyons-la-Forêt,* Paris, 1976, p. 41-44 et 49.

Bezu-la-Forêt (Eure)
Église paroissiale

23
Vierge d'humilité

Coll. Timbal ; acq. en 1882
Milieu du XIVe siècle
Bois de noyer ; traces de couleur bleue au revers ; nombreuses attaques d'insectes
H. 0,22 ; L. 0,23 ; Ép. 0,095

Le type de la « Vierge d'humilité », figurée allaitant l'Enfant et assise à même le sol est relativement rare en France. La plus an-

23

cienne représentation datée, explicitement désignée comme telle (*Nostra Domina de Humilitate*) est un panneau exécuté en 1346 par le peintre ligure Bartolomeo Pellerano pour la confrérie franciscaine de San Nicola à Palerme (Galleria nazionale della Sicilia). Mais cette image, qui connut, comme l'a montré M. Meiss, une remarquable diffusion en Italie après la peste noire, dérive sans doute d'une création de Simone Martini et c'est dans la peinture siennoise du deuxième quart du XIVe siècle que l'on en rencontre les plus anciens exemples.

En France, le type a pu être connu soit par la fresque peinte par Simone lui-même au tympan de Notre-Dame-des-Doms à Avignon (1343), soit plus vraisemblablement par des images de dévotion plus modestes liées peut-être à la piété franciscaine. Stylistiquement, la statuette du Louvre s'apparente par la forme du visage au groupe de la *Pamoison de la Vierge* de l'église de Louviers (Eure), attribuée par W. Forsyth (1968) à la région mosane. Toutefois, le modelé est ici plus rond et le jeu de drapé moins strictement linéaire. Il est possible que cette petite image ait été conçue dès l'origine comme une figure isolée mais il faut noter que l'une des plus anciennes représentations de la

24

Vierge d'humilité sculptée au nord des Alpes, celle du portail méridional de Notre-Dame de Francfort, attribuée à Madern Gerthner (vers 1415), intègre celle-ci à une scène d'adoration des Mages. Traitée en ronde-bosse mais assez « plate », la Vierge du Louvre aurait pu trouver place dans un petit retable.

BIBL. : L. Courajod, *Cat. de la coll. Timbal,* Paris, 1882, p. 48, n° 28. — M. Aubert et M. Beaulieu, 1950, n° 216. — M. Meiss, 1951, p. 142. — A. Kosegarten, 1964, p. 308-309, fig. 10.

Paris, musée du Louvre
RF 594

24
Culot orné d'un personnage aux jambes croisées

Coll. Figdor ; coll. Joseph Brummer
Deuxième quart du XIVe siècle
Marbre. H. 0,085 ; L. 0,125 ; Ép. 0,125

On connaît un certain nombre de ces figurines, support de fines moulures. Elles ont dû servir au décor architectural dont les sculpteurs enrichissaient la partie supérieure des tombeaux, dès la fin du XIIIe siècle. Les dessins de Gaignières rendent compte de cette évolution dont les monuments d'Isabelle d'Aragon (+ 1271) et de Philippe III le Hardi (+ 1285) semblent avoir été les premiers exemples. Sur l'austère dalle de marbre noir, les tombiers créent une précieuse architecture de marbre blanc, constituée d'un dais et de deux faisceaux de colonnettes encadrant les gisants. Les petits culots, ornés de feuillage ou de personnages, marquaient l'extrémité inférieure de ces colonnettes.

Celui-ci passe, sans preuve, pour provenir du nord de la France. Il est par sa grâce et sa fantaisie, révélateur du courant qui inspire aux enlumineurs et aux émailleurs, les figurines grotesques dont ils animent leurs œuvres, dans le second quart du XIVe siècle.

BIBL. : *Museum of Fine Arts, Boston, Bull.,* XLVII, 1949, p. 71 et LV, 1957, p. 72.

Boston (USA), Museum of Fine Arts
Inv. 47.1448

25
La Vierge assise tenant l'Enfant

1334
Pierre. H. 1,85 ; L. 0,88 ; Ép. 0,56

L'œuvre est une des mieux documentées qui soient. Une tradition constante depuis le XIVe siècle affirme qu'elle fut offerte par le chanoine Manuel de Jaulnes, en 1334, pour orner l'autel de la chapelle en construction ou nouvellement construite, sur le bras gauche du transept. Un manuscrit du XVIIIe

siècle donne copie de l'inscription peinte au-dessus de la statue : « Manuel... ois, chanoine de Sens me fist faire l'an MCCCXXXIIII » (Bibl. nat. fr. 8225, fol. 26). Et le prénom du donateur se lit encore au côté gauche du trône (le nom, à droite, est une restitution). La mise en place intervint en 1341 seulement, laissant supposer une date d'exécution postérieure à celle de la donation. La Vierge est alors installée sous un dais. On l'enrichit d'or et l'orfèvre Jean de Barre transforme la couronne de l'Enfant.

La statue fut détériorée à deux reprises. En 1569, l'érection d'un nouvel autel entraîne son transfert et son installation contre le mur, en un emplacement si exigu qu'il fallut mutiler le côté gauche et le dossier. La Révolution causa d'autres dommages, suivis de restaurations assez radicales effectuées en 1837, puis en 1900. On refait alors, en les inventant, la fleur et l'oiseau, la main droite de la Vierge et celles de l'Enfant, un des côtés du trône, quelques têtes et mains aux reliefs du socle. Et on adjoint au siège les armoiries de la ville et de l'église de Sens.

On a établi des parentés entre cette œuvre et certaines sculptures trouvées en Bourgogne ou en Ile-de-France. Mais la Vierge de Sens apparaît surtout comme une œuvre isolée et ambiguë. Le drapé aux multiples enroulements, assez évolué, s'accorde mal à l'attitude hiératique et à la froide régularité du visage. La fonction de reliquaire (une cavité est ménagée au dos) pourrait justifier un archaïsme né de l'imitation des Vierges trônant en majesté, modèle auquel échappent les autres Vierges assises, plus nombreuses au XIVe siècle qu'on ne l'a souvent dit.

Un soin tout particulier a d'ailleurs été donné à l'exécution du trône. A un décor composé d'éléments architecturaux, d'un jeu de quadrilobes, de roses stylisées et de fleurons, s'ajoutait une parure polychrome de cabochons et plaques de verre, à présent disparue. Et en prédelle, sous les pieds de la Vierge, trois petits reliefs représentent l'Annonciation, la Visitation et la Nativité. Au côté droit du trône, enfin, un David d'un style singulièrement libre, joue de la harpe. Isaïe, prophète de la maternité divine et de l'incarnation dans la descendance de Jessé, père de David, devait lui correspondre (côté

25 (détail)

25 (détail)

refait). Ce schéma iconographique se retrouve, un peu plus tard, sur le trône d'une Vierge nivernaise conservée au Louvre (RF 956 - M. Aubert et M. Beaulieu, 1950, n° 259).

BIBL. : M. Quantin, *Répertoire archéol. du département de l'Yonne*, Paris, 1868, p. 267. — E. Chartraire, *Bull. archéol. du Comité des Travaux historiques et scientifiques*, 1912, p. 275-288. — J. Heinrich, 1933, p. 48-49. — C. Schaeffer, 1954, p. 33, 55, 62, 67-71 et n° 58, p. 170. — W.-H. Forsyth, *The Art Bull.*, XXXIX, 1957, p. 175.

Sens (Yonne), cathédrale Saint-Étienne

26
Un clerc - Un diacre
Provenant du tombeau du pape Jean XXII à Notre-Dame-des-Doms
Après 1334
Marbre
A) H. 0,39 ; L. 0,135 ; Ép. 0,085
B) H. 0,425 ; L. 0,12 ; Ép. 0,068

Le pape Jean XXII (+ 1334) fut enterré dans l'église métropolitaine d'Avignon, au centre d'une chapelle qu'il avait fait construire. Son tombeau, gigantesque dais de pierre orné de niches, pinacles et clochetons, inaugure en Avignon un type d'architecture funéraire original, dont certains ont voulu trouver l'origine en Angleterre, et qui servira de modèle pour ses successeurs Benoît XII (+ 1342) et Innocent VI (+ 1362). Les nombreuses vicissitudes subies par le monument l'ont sérieusement endommagé, le privant de son décor de statuettes et même du gisant de marbre remplacé par l'effigie en pierre d'un évêque. Le tombeau était déjà ruiné en 1732. Il fut déplacé et relégué contre le mur en 1759, à la demande des chanoines, profané et mutilé à la Révolution, remis, enfin, à son emplacement primitif et restauré en 1840.

La gravure des *Acta Sanctorum* présente des niches vides. Mais on sait, par des témoignages du XVIIIe siècle, que près d'une soixantaine de statuettes de marbre blanc les garnissaient. Les apôtres jadis placés dans la chaire de l'église Saint-Pierre, et dont la véritable origine est, à présent, connue, ont parfois été considérés, à tort, comme des vestiges de ce décor. La tradi-

26 A

26 B

tion semble par contre véridique pour ces deux figures de diacre portant un livre et de clerc ayant appartenu à un cortège de funérailles. Elle date de leur entrée au musée en 1845 ; leurs dimensions, leur structure (dos plat et étroit, socle à pans coupés) sont parfaitement conformes à celles de certaines des niches du tombeau.

L'œuvre demeure anonyme, bien que l'on trouve encore quelque écho de l'attribution ancienne et erronée, faite à Jean Lavernier, dit Jean de Paris, auteur en fait du tombeau de Benoît XII. Mais le style des deux statuettes les apparente à l'art parisien dont elles reflètent l'influence prédominante dans la sculpture en Avignon à cette époque.

BIBL. : M. Faucon, *Mélanges d'archéologie et d'histoire*, 1882, p. 68-69 et 1884, p. 100-103. — *Acta Sanctorum, Propylaeum ad septem Tomos Maji*, 1868. — L. Duhamel, *Mém. de l'Académie de Vaucluse*, VI, 1887, p. 24-46. — E. Müntz, *G.B.A.*, XXXVI, 1887, p. 275-285. — F. Bond, *Congrès archéol. de France, Avignon*, 1909, II, p. 390-392. — J. Girard, *Cat. musée Calvet*, 1924, p. 77. — A. Morganstern Mc Gee, 1970-1971, p. 190-196.

Avignon, musée du Petit-Palais
Inv. Calvet N.55A et 56A

27
La Vierge et l'Enfant
Provenant de l'église Saint-Savinien de Sens
Vers 1330-1340
Marbre. H. 0,99 ; L. 0,38 ; Ép. 0,17

Sauvée de la destruction révolutionnaire par la famille du chevalier Edme du Feu qui en fit don à l'église de Bourbonne, la statue avait appartenu à l'église Saint-Savinien de Sens, cure dépendant de l'abbaye bénédictine de Saint-Pierre-le-Vif.

Le rattachement à l'art champenois, proposé par Schaeffer, ne se justifie pas. La tradition parisienne la plus pure s'affirme dans le sillage de l'enluminure et de l'orfèvrerie. Les points de comparaison avec la Vierge de Jeanne d'Évreux (n° 186) sont nombreux : silhouette élancée, position de la jambe droite, plis obliques et profonds de la robe, agencement du manteau-voile, retombée des souples tissus sur le bras droit, élégance un peu précieuse des longues mains, dont l'index se replie légèrement. La transformation du geste de l'Enfant, pareillement porteur d'une pomme, mais qui tient un oiseau au lieu de caresser sa mère, ne nuit même pas à une certaine communauté d'attitude. Par maints détails d'un graphisme subtil, la statue de Bourbonne, qui est proche de la Vierge de l'Annonciation des Heures de Jeanne d'Évreux, s'apparente également à l'art de Pucelle. Cette appartenance à un courant stylistique parfaitement cohérent et bien documenté autorise une datation vers 1330-1340.

Il existe pourtant des différences avec l'enluminure ou l'orfèvrerie. Transposition dans le marbre faite par un artiste de grand talent, la Vierge sculptée révèle un tout autre sens plastique, se traduisant par un modelé plus gras du visage, et surtout par une claire et vigoureuse définition du rythme du grand voile dont le drapé oppose, avec une aisance souveraine, ondes et volutes, ombres et lumières, malgré le peu d'épaisseur de la plaque utilisée.

Cette œuvre exceptionnelle, digne d'être un don princier, ne doit pas être considérée comme un phénomène isolé. Moins magistrale, peut-être, la Vierge provenant d'Arbre, au musée de Bruxelles (inv. 4086, exp., *Trésors sacrés,* cat., Tournai, 1971, n° 172), est si proche qu'on doit la considérer comme sortie d'un même atelier.

BIBL. : C. Schaeffer, 1954, p. 62, 67-71, 170-173. — H. Ronot, *Bourbonne-les-Bains, Guide thermal et touristique,* s.l.n.d. (1973), p. 23-24.

Bourbonne-les-Bains (Haute-Marne)
Église paroissiale

27

28

28
La Vierge et l'Enfant

Après 1340

Pierre, traces de polychromie, incrustations de verre

H. 1,32; L. 0,38; Ép. 0,28

Tête de l'Enfant. H. 0,13; L. 0,09

Le corps mutilé de la Vierge fut découvert en 1936, dans le jardin du presbytère où il avait été soigneusement enfoui, à côté des deux têtes. Le torse de l'Enfant n'a pu être retrouvé. L'inhumation se situe entre 1792 et 1842. En 1792, un inventaire mentionne différents accessoires destinés à parer une image de la Vierge qui, selon toute vraisemblance, est celle-ci. En 1842, un bâtiment, démoli en 1898, est construit à l'endroit même où elle gisait. F. Salet a suggéré l'éventualité d'un don fait à l'église de Lisors par un membre de la puissante famille des Crespin, suzerains de Lisors.

L'image se signale par une élégance et un raffinement exceptionnels. A l'encolure, au bord du manteau, sur la couronne où subsistent quelques éléments, une parure de cabochons de verre ronds et carrés rehaussait l'éclat d'une polychromie dont les traces se devinent encore.

L'intérêt essentiel réside dans le lien très étroit qui unit cette sculpture à la Vierge de vermeil offerte par Jeanne d'Évreux à Saint-Denis en 1339 (n° 186). De nombreux caractères sont communs aux deux œuvres. L'allongement de la silhouette, dotée de très longues jambes dont la droite s'échappe vers le côté, pointe du pied en dehors. L'agencement du manteau et du grand voile qui devait sans doute, à Lisors comme à Saint-Denis, envelopper l'Enfant et retomber du bras droit en un grand pan libre. Le traitement des plis profonds et obliques de la robe. Le geste rare de l'Enfant caressant la joue de sa mère (on voit encore à Lisors, la trace de sa main). La morphologie du visage de la Mère, encadré des ondes régulières de la chevelure : petite bouche charnue, arcade sourcilière régulière, incision précise de la paupière.

La Vierge de Lisors présente néanmoins quelques différences qui pourraient correspondre à un léger décalage chronologique et situer l'œuvre après 1340. Plus cambrée, le ventre un peu en avant, elle est vêtue de tissus plus fluides et exprime davantage de tendre douceur. Et l'Enfant, pareillement joufflu, apparaît plus vif et souriant.

La sculpture n'est pas nécessairement dans un lien de dépendance par rapport à l'objet précieux, car elle appartient à un petit groupe homogène dont la Vierge de Mainneville, raisonnablement datée des environs de 1325-1330, et plus proche encore, à certains points de vue, de la statuette de vermeil (style des plis, traitement du dos), apparaît comme le prototype, issu, comme la Vierge de Lisors, d'un atelier d'Ile-de-France. D'autres œuvres (Touville, trumeau de l'église de Gisors, dans l'Eure, Folny dans la Seine-Maritime) de qualité moindre ou présentant des variantes témoignent de la diffusion du type dans les ateliers locaux.

BIBL. : G. Bretoch, « L'invention et la radieuse beauté de la Vierge de Lisors », Le journal des Andelys, 20 janvier 1937. — « Exp. internationale, cat. de la classe 25 bis », Les monuments historiques de la France, 1937, p. 119. — F. Salet, Mon. Piot, t. XXXVI, 1938, p. 173-186. — Inventaire général des richesses d'art de la France, Eure, canton de Lyons-la-Forêt, Paris, 1976, p. 109 et 125.

Lisors (Eure)
Église Saint-Martin

29
Fragments de retable

Provenant de l'abbaye cistercienne de Maubuisson, à Saint-Ouen-l'Aumône (Val-d'Oise)

Attribué à Evrard d'Orléans, vers 1340

A) Ange portant deux burettes

Don de la Société des Amis du Louvre, 1906

Marbre. H. 0,527 ; L. 0,14 ; Ép. 0,083

Constitue un rappel symbolique des espèces du vin

Paris, musée du Louvre
RF 1438

B) Trois prophètes

Chantiers de Saint-Denis. Entré au Louvre en 1881

Marbre. Traces de polychromie et de dorure

H. 0,533 ; L. 0,359 ; Ép. 0,086

Quatre grands prophètes étaient représentés à Maubuisson. Trois d'entre eux figurent ici, dont deux sont aisément identifiables : Daniel, coiffé d'un bonnet phrygien, selon la tradition iconographique, en souvenir de son séjour à Babylone, et Isaïe, représenté pieds nus, conformément au texte de la Bible (Isaïe, XX-4).

Paris, musée du Louvre
RF 476 B

C) La Cène
Marbre. H. 0,532 ; L. 1,20 ; Ép. 0,086

Les figures découpées se profilent sur un fond de marbre blanc qui constitue une adjonction moderne. Les reliefs étaient sans doute destinés originellement à se détacher sur un marbre noir.
   (Reproduction photographique. L'original, encastré dans le maître-autel de l'église parisienne Saint-Joseph-des-Carmes, n'a pu être déplacé).

29 A

29 B

29 C

29 D

29 E

D) Moïse, le roi David et un prophète
Chantiers de Saint-Denis. Entré au Louvre
en 1881
Marbre. Traces de polychromie et de dorure
H. 0,53 ; L. 0,372 ; Ép. 0,085

Le quatrième grand prophète figure auprès
du roi David, couronné, et de Moïse, au
front orné des cornes qui évoquent la lumière dont il rayonnait à sa descente du
mont Sinaï (Exode, XXXIV-29)

Paris, musée du Louvre
RF 476 C

E) La communion de saint Denis
Chantiers de Saint-Denis. Entré au Louvre
en 1881
Marbre. Traces de polychromie et de dorure
H. 0,534 ; L. 0,335 ; Ép. 0,085

D'après le récit de la *Légende Dorée,* le
Christ lui-même aurait apporté la Communion à saint Denis, emprisonné avant son

martyre. On peut voir dans cette scène un
rappel des espèces du pain.

Paris, musée du Louvre
RF 476 A

L'exécution de ces reliefs doit être mise en
relation avec la fondation, faite par Jeanne
d'Évreux, en octobre 1340, d'une chapelle-
nie dédiée à saint Paul et à sainte Catherine,
desservie à l'autel majeur de l'abbaye de
Maubuisson. Grâce aux descriptions d'un
ecclésiastique, retiré à l'abbaye où il mourut
en 1763, nous savons que les figures du roi
Charles IV, de la reine Jeanne et de leurs
deux filles, Marie et Blanche, complétaient
cet ensemble conçu pour célébrer le thème
de l'Eucharistie tout en rappelant la dévotion de la reine à saint Denis. Outre le retable, qui devait mesurer environ trois mètres
vingt, Jeanne d'Évreux avait encore fait
faire des statues qui encadraient l'autel et
représentaient saint Paul, sainte Catherine,
les époux royaux et les deux princesses.

A la Révolution, les grandes statues disparurent. Le retable fut démantelé et ses
fragments subirent des fortunes diverses.
Les quatre effigies, données comme très
mutilées lors de la vente des biens de l'abbaye, n'ont pu être retrouvées. Acquis par la
Supérieure, Madame de Soyecourt, la Cène
et l'ange aux burettes réapparaissent chez
les Carmélites installées depuis 1797 dans
l'ancien couvent des Carmes de la rue de
Vaugirard, à Paris. Quittant ce lieu, en 1845,
les religieuses laissèrent en place le relief de
la Cène, qui avait été encastré dans le décor
du maître-autel. Mais elles emportèrent
l'ange, qui fut acquis pour le Louvre après
leur départ pour la Belgique, en 1904. Les
notes de Guilhermy (Bibl. nat., n.a.fr. 6121,
fol. 238) précisent enfin, le sort des trois
autres groupes, achetés par l'architecte Debret pour l'ornementation de la basilique de
Saint-Denis, en cours de restauration entre
1816 et 1843.

Le retable de Maubuisson a été attribué à
Evrard d'Orléans, en raison de la faveur
dont l'artiste jouissait dans l'entourage
royal et des réelles parentés de matière et de

style existant entre les reliefs conservés et les œuvres attestées du sculpteur (n° 31). Ceci est particulièrement sensible dans le traitement des plis, le modelé des mains aux longs doigts dépourvus d'ongles, ou encore dans la conception des traits du visage de l'ange et de l'évêque Guy Baudet.

BIBL. : A. Dutilleux et J. Depoin, 1882-1885. — M. Aubert et M. Beaulieu, 1950, n° 196. — F. Baron, *Mon. Piot*, t. LVII, 1971, p. 129-151.

EXP. : *L'Art du Moyen Age en France*, 1978-1979, n° 53 (D).

30
Saint Paul

Coll. comte de Saint-Morys (?)
Deuxième quart du XIVe siècle (vers 1340?)
Marbre. H. 0,88 (partie ancienne 0,63) ; L. 0,25 ; Ép. 0,112
Réfections : le livre, la garde de l'épée, le bras de la statue

Une statue de saint Pierre, assez restaurée, fait pendant à ce saint Paul. Les deux pièces ne figurent pas sur l'inventaire révolutionnaire de l'église d'Hondainville (12 février 1794). On peut admettre qu'elles ont appartenu à l'importante collection d'art médiéval réunie entre 1802 et 1817 par le comte de Saint-Morys, et partiellement transmise à son gendre Engelbert Schillings. La présence, dans l'église, d'un retable ayant appartenu à ce dernier renforce cette hypothèse. La collection aurait dû prendre place dans un château construit à cet effet par l'architecte Debret. Elle fut dispersée en 1817 et 1818, puis en 1843 quand fut vendu le château. Le saint Pierre et le saint Paul ne figurent pas dans les ventes connues. Sans doute faut-il les considérer comme une participation des châtelains à la restauration de l'église dont Schillings semble s'être préoccupé.

Une telle origine rend hasardeuse toute enquête sur l'exacte provenance des deux apôtres. Partageant entre Hondainville et Paris le temps qu'il ne consacrait pas aux voyages, M. de Saint-Morys puisa à des sources très diverses, aidé en cela par l'amitié qui le liait à Alexandre Lenoir et aux plus grands amateurs d'antiquités nationales de son temps.

30

Le style, par contre, situe ces œuvres dans un contexte parisien et, par les rapprochements qui s'imposent avec les fragments du retable de Maubuisson (n° 29), suggère l'attribution à un même atelier, considéré comme celui d'Evrard d'Orléans. Rythme des drapés et modelé des mains sont comparables. Et il existe d'indéniables parentés de traits entre le saint Paul d'Hondainville et celui qui figure sur le relief de la Cène, conservé dans l'église des Carmes. Cette analogie se poursuit avec les deux saint Pierre. Mais elle est plus ambiguë. Car, à Hondainville, la tête est refaite. La possibilité d'une restauration guidée par l'original, à présent perdu, garde toutefois à cette confrontation une part d'intérêt.

BIBL. : L. Graves, *Précis statistique sur le canton de Mouy*, s.l.n.d., p. 12-75. — L.-H. Marsaux, *Notes historiques sur la paroisse d'Hondainville*, Beauvais, 1904. — F. Arquié-Bruley, « Un précurseur : le comte de Saint-Morys (1772-1817), collectionneur d'antiquités nationales », *G.B.A.*, 1980, p. 109-118 et 1981, p. 61-78.

Hondainville (Oise)
Église paroissiale

31
La Vierge et l'Enfant - Guy Baudet en prière - Saint Mammès

Provenant d'un monument commémoratif érigé dans la cathédrale de Langres
Evrard d'Orléans, 1341
Marbre
A) La Vierge : H. 0,95 ; L. 0,315
B) Guy Baudet : H. 0,63 ; L. 0,30
C) Saint Mammès : H. 0,50 ; L. 0,14 ; Ép. 0,08

Guy Baudet, conseiller du roi Philippe VI et chancelier de France, mort évêque de Langres, en 1338, avait demandé, par testament, l'érection, dans sa cathédrale, d'un monument le représentant agenouillé aux pieds de la Vierge. En juin 1341, ses exécuteurs testamentaires passent marché avec Evrard d'Orléans. Simultanément, Jehan de Tiercelieue, conseiller du roi, commande à l'artiste un saint Mammès destiné à compléter l'ensemble. Avant février 1342, les statues, exécutées à Paris, sont transmises à Langres avec leur entourage décoratif fait essentiellement de trois tabernacles de bois doré. Celui de la Vierge, au centre, comportait des volets ornés d'images peintes et reposait sur une colonne de marbre noir surmontée d'un chapiteau à feuillage en pierre dorée. Les deux autres étaient supportés par des consoles. Cette partie du monument disparut à la Révolution.

La Vierge s'apparente à un type très répandu, caractérisé essentiellement par l'agencement comparable du manteau en tablier relevé sur le bras droit, avec son alternance de plis curvilignes et verticaux. Les mains sont souples et charnues, une couronne à hauts fleurons (rapportée et perdue) surmonte les ondes régulières de sa chevelure que couvre un voile ou le manteau. L'Enfant est généralement doté d'un visage aux traits menus, encadré de courtes mèches. Attitude ou vêtement peuvent varier. La présence du donateur suscite ici le geste de bénédiction. Et c'est un oiseau que tient Jésus.

L'origine du groupe est parisienne. Son aire d'expansion est assez vaste, mais les exemplaires les plus typiques se situent à proximité de la capitale. Certains autres, étrangers à la production locale de la région

31 A-B-C

où ils se trouvent, ont dû manifestement y être importés (n⁰ˢ 32 et 34). Un modèle parisien avait d'ailleurs été imposé à Evrard d'Orléans : celui de la Vierge des Frères Mineurs ou Prêcheurs *(sic).*

Une assez nette diversité de style laisse supposer la diffusion d'un modèle plutôt que la production d'un même atelier. La Vierge de Langres, œuvre de vieillesse, sinon œuvre d'atelier, n'est point la meilleure du groupe, ni même son plus fidèle témoin. Mais elle constitue un utile repère chronologique. Il faut toutefois préciser qu'elle participe à un mode dont nous ignorons la durée.

Guy Baudet, pour qui avait été prévue une crosse de cuivre doré, offre une image élégante mais banale, hors de toute idée de portrait. Saint Mammès, martyrisé en Cappadoce au IIIᵉ siècle, patron de la cathédrale de Langres qui avait reçu de Constantinople, au XIᵉ siècle, une part importante de ses reliques, est représenté retenant ses entrailles, en évocation du supplice subi par lui.

BIBL. : L. Palustre, *Gaz. Archéol.,* 1885, p. 103-104. — H. Ronot, *Bull. de la Soc. de l'Histoire de l'Art français,* 1933, p. 193-204 et 1953, p. 18-19. — C. Schaeffer, *La sculpture en ronde-bosse au XIVᵉ siècle dans le duché de Bourgogne,* Paris, 1954, p. 101. — F. Baron, *Mon. Piot,* t. LVII, 1971, p. 129-151.

EXP. : *La Vierge dans l'Art français,* 1950, n⁰ 166 (A et B).

Langres, cathédrale Saint-Mammès

32
La Vierge et l'Enfant

Deuxième quart du XIVe siècle
Marbre
H. 0,95 ; L. 0,27 ; Ép. 0,175
Socle : H. 1,18 ; L. 0,31 ; Ép. 0,16
(la couronne est refaite)

Cette statue se rattache à un type très courant dans la sculpture française du XIVe siècle, type dont la définition a été proposée pour la Vierge de Langres qui peut servir de repère chronologique (no 31), bien qu'elle soit un peu différente.

Mais l'œuvre est, ici, de qualité bien supérieure. Et elle apparaît comme le plus bel exemplaire du groupe. Élégante sans excès, d'afféterie sereine sans sévérité, la Vierge atteint à une sorte d'équilibre classique entre naturel et préciosité. Le charme qui s'en dégage est nuancé d'un soupçon de tendre malice dans le visage levé de l'Enfant qui tient des deux mains un oiseau picorant. Et le socle, décoré d'arcatures et de deux figures d'anges, assez « pucelliens », ajoute à la statue un surcroît de séduction. Avec celui de Munneville-le-Bingard (no 38), il constitue l'un des rares témoins de ces accessoires, sans doute habituels, qui contribuaient à embellir et documenter les sculptures.

Par sa qualité et par son style, la Vierge de Bouée apparaît étrangère à la région où elle se trouve. Il faut la considérer comme issue d'un atelier parisien à qui on peut attribuer les éléments de marbre de la Vierge de Levis-Saint-Nom (no 33), les deux Madones, extrêmement proches, des cathédrales de Sées (Orne) et de Senlis (Oise), et aussi, malgré son canon plus court, celle de l'église d'Ully-Saint-Georges (Oise). On pourrait étendre ces confrontations à diverses statues de marbre conservées en France ou à l'étranger. Mais les parentés se font alors moins évidentes et doivent résulter de l'adoption d'un même type plutôt que d'une communauté d'origine.

La présence de ce chef-d'œuvre dans l'église de Bouée n'a pu encore être justifiée. L'hypothèse d'un don fait par les d'Espinose, armateurs espagnols établis dans le pays au XVe siècle paraît peu vraisemblable. Et on n'est pas parvenu à prouver l'ap-

32

partenance à l'abbaye voisine de Blanche-Couronne que les moines quittèrent en 1767 pour s'installer dans les faubourgs de Nantes.

BIBL. : P. Thoby, *Bull. de la Vie artistique nantaise*, no 3, 1941, p. 6-7. — H. de Berranger, *Dictionnaire des églises de France*, IV, A 9.

EXP. : *Exp. d'art ancien*, 1924, no 56. — *Art sacré*, 1947, no 2. — *Saint Benoît...*, 1980, no 239.

Bouée (Loire-Atlantique)
Église paroissiale

33

33
La Vierge et l'Enfant

Provenant de l'abbaye de Notre-Dame-de-la-Roche à Levis-Saint-Nom
Deuxième quart du XIVe siècle
Pierre et marbre
H. 1,40 ; L. 0,47

Suivant une pratique assez courante dans l'art funéraire, mais moins fréquemment attestée dans la statuaire où cette œuvre représente un cas unique, seules certaines parties ont été taillées dans le marbre : les mains, le masque de la Vierge, la tête et les pieds de l'Enfant. Par mesure d'économie, la pierre a été préférée pour le reste de la statue.

Les éléments de marbre présentent d'incontestables parentés avec la statue de Bouée (n° 32) ou celles qui lui sont apparentées. Et on peut les considérer comme le produit d'un même atelier parisien. Les analogies se poursuivent jusqu'au détail des légères incisions destinées à marquer les jointures des mains, procédé souvent employé par cet atelier, sans toutefois lui être spécifique.

La proximité de la capitale, l'importance de la famille des Levis, donatrice possible de la Vierge et l'histoire même de l'œuvre justifient cet apport parisien. Lors de la dispersion des biens de Notre-Dame-de-la-Roche, en 1791, les objets de culte, y compris la statue, furent exclus de la vente et, par une clause absolue, réservés au profit de l'église paroissiale. Mais, avant cette date, la Vierge figurait sur l'autel de l'abbaye où l'abbé Lebeuf la signale avec admiration. Or les liens de ce monastère avec Paris étaient très étroits, car il était, depuis le XIIIᵉ siècle, sous la juridiction immédiate des chanoines de Saint-Victor et, le plus souvent, gouverné par l'un d'entre eux.

La disposition et le traitement des draperies taillées dans la pierre apparaissent par contre sensiblement autres. Le manteau retombe en dessinant une grande pointe, suivant un schéma qui apparaîtra souvent dans les types tardifs, et sera repris au XVᵉ siècle. Il est possible que la différence du matériau ait entraîné l'intervention d'un autre atelier ou permis un certain décalage chronologique entre les deux parties de l'œuvre.

BIBL. : A. Moutié, *Cartulaire de Notre-Dame-de-la-Roche,* Paris, 1862, p. 187-189 et 230-231. — L. Lefrançois-Pillion, *G.B.A.,* 1935, II, p. 136—143 et 208-209.

EXP. : *La Vierge dans l'Art français,* 1950, n° 163.

Levis-Saint-Nom (Yvelines)
Église paroissiale

34 (avant restauration)

34
La Vierge et l'Enfant

Deuxième quart du XIVᵉ siècle
Pierre. H. 1,85 ; L. 0,61 ; Ép. 0,32

La Vierge appartient au type de celle de Bouée (n° 32). La haute couronne fleuronnée, la coiffure, les traits du visage, les mains, l'agencement des plis, le tracé des bordures, la frimousse de l'Enfant, sont, en effet, très proches, avec toutefois, une variante iconographique : Jésus tient un oiseau et touche, de la main droite, la broche ornant le corsage de sa mère. De plus, la transposition sur le mode monumental confère à la statue davantage d'imposante noblesse, provoque un modelé moins subtil et autorise un jeu plus complexe des draperies. Les volutes latérales se multiplient ; le manteau se replie pour former un pan retombant en pointe sur la jambe droite, ce qui permet une répétition de la ligne capricieuse de sa lisière.

Le nombre de statues de pierre qui, de près ou de loin, se rattachent à cette famille, clairement définie par de sûrs critères, est extrêmement élevé. Outre celles qui appartiennent à des musées français ou étrangers (Allemagne, USA), certaines sont encore en place dans les environs immédiats de Paris, Seine-et-Marne et Oise surtout. A la Vierge de Rampillon (Seine-et-Marne), la mieux connue, s'ajoutent celles de La Croix-en-Brie et Cucharmoy (Seine-et-Marne), ou de Trie-Château (Oise). Et l'analyse pétrographique a révélé que celle de Tœufles était taillée dans un calcaire tiré d'une carrière de l'Oise. Il y a donc tout lieu de croire qu'elle a été importée dans la région où elle se trouve. Il en est cependant de très éloignées de la capitale (église Saint-Pierre-des-Minimes à Clermont-Ferrand).

Cette famille est d'origine parisienne et les parentés avec la Vierge de Langres autorisent à dater les plus belles œuvres aux alentours de 1340. Il y a lieu toutefois de distinguer entre un groupe homogène de statues séparées seulement par des variantes iconographiques et vestimentaires, production probable d'un même atelier parisien, et l'importante série de celles qui s'éloignent du type par des différences assez nettes dans les proportions, le traitement des visages, le rythme des drapés. Qu'elles soient de pierre ou de marbre (Vierge de Saint-Germain-des-Prés), elles apportent la preuve d'une grande diffusion du modèle, de sa longévité et de sa capacité d'évolution, au sein d'ateliers parisiens ou provinciaux. Quant aux œuvres médiocres, elles sont le fait d'artistes secondaires qui s'inspirent d'un modèle venu de la capitale (la Vierge de Saint-Germain-du-Corbéis, dans l'Orne, qui dérive de celle de Sées).

BIBL. : H. Macqueron, *La Picardie historique et monumentale* ... IV, Amiens-Paris, 1907-1911, p. 111. — R. Rodière et P. Des Forts. *La Picardie historique et monumentale, suite. Le pays du Vimeu,* Amiens-Paris, 1938, p. 376-379.

Tœufles (Somme)
Église paroissiale

35
La Vierge et l'Enfant

Coll. Boy, 1900 ; Coll. Lowengard, 1903 ;
B. Oppenheim, J. Simon
Deuxième quart du XIVe siècle
Bois polychrome
H. 1,74 ; L. 0,54 ; Ép. 0,31

L'attribution faite à la région de la Loire par B. Oppenheim n'est pas à retenir. Elle reposait sur une mauvaise comparaison avec la Vierge de Neuillé-Pont-Pierre.

Certains des rapprochements jadis proposés par Wilhelm Vöge sont peu convaincants et sans grande signification, dans la mesure où ils mettent en cause des œuvres nettement rattachées depuis à l'art mosan (Vierges de la cathédrale d'Anvers, du musée de Berlin). Mais l'auteur avait aussi très justement établi un rapport entre cette Vierge et celles de Rampillon (Seine-et-Marne) et de la cathédrale de Sées (Orne). Les caractéristiques essentielles du groupe auquel appartiennent également les statues de Bouée et Tœufles (nos 32 et 34) se retrouvent ici, haute couronne à fleurons épanouis, larges ondes de la chevelure bien dégagée du voile, rythme des plis du manteau, qui obéissent aux mêmes schémas directeurs, position et modelé des mains (le sceptre est perdu). Une légère variante intervient dans la composition, mais elle est habituelle à beaucoup de figures du groupe : la Vierge porte un voile court dont l'Enfant saisit, de la main droite, une extrémité ; de la gauche, il tient une pomme.

L'œuvre se distingue néanmoins par des différences de style perçues par Vöge comme le résultat d'un décalage chronologique, mais qui sont imputables, plutôt, à la différence du matériau et au volume moindre de la bille de bois. L'accent mis sur les verticales est particulièrement perceptible dans le bas de la figure, et sur son côté gauche où la longue chute des plis du manteau, traitée de façon graphique, en un volume peu accentué, n'interrompt pas la ligne de la silhouette enfermée dans de stricts contours. Le bois impose aussi au modelé une sorte de rigueur, compensée par le léger empâtement dû à la polychromie.

BIBL. : «Two polychrome statues in carved wood (notes on various works of art)», Burlington magazine, avril

1903, p. 224-231. — B. Oppenheim, Originalbildwerke in Holz stein Elfenbein U.S.W. der Sammlung Benoit Oppenheim, Berlin, Leipzig, 1907, no 74. — W. Wöge, Jb. der Königlich preussischen Kunstsammlungen, 29, 1908, p. 217-222. — T. Demmler, Staatliche Museen zu Berlin - Die Bildwerke in Holz stein und Ton, Berlin, 1930, p. 27, no 83-23. — P. Metz, Bildwerke der Christlichen Epochen von der Spätantike bis zum Klassizmus - Staatlichen Museen- Berlin-Dahlem, Munich, 1966, no 228.

EXP. : Exp. rétrospective, 1900, no 3043. — Europäische Bildwerke von der Spätantike bis zum Rokoko, 1957.

Berlin, Staatliche Museen
Inv. 8323

35

36
La Vierge et l'Enfant

Provenant de l'abbaye cistercienne de Pont-aux-Dames (Seine-et-Marne)
Coll. Charles Stein avant 1899 ; coll. Pierpont Morgan
Deuxième quart du XIVe siècle
Albâtre rehaussé de dorure
H. 0,81 ; L. 0,24 ; Ép. 0,15

La préciosité de cette image de dévotion, qui a conservé intacte sa parure dorée, en fait un exceptionnel témoin de l'art de cour. La séduction d'un albâtre admirablement patiné (qui a contraint l'artiste à donner peu d'épaisseur à la statue), est accrue par le décor de lignes et de points, de fleurons et d'arabesques qui souligne les bordures (même au dos, également sculpté) et anime la surface du manteau (sauf au dos). Une couronne d'orfèvrerie, surmontant la calotte crânienne volontairement laissée lisse, apportait à l'ensemble une note de richesse supplémentaire.

Ce luxe, déjà, isole un peu la Vierge de celles de Langres (no 31), de Bouée (no 32) et de son groupe. Les termes de comparaison ne font pas défaut : disposition du manteau-voile, organisation des plis, jeu des volutes et retroussis, tracé des lisières. Les mains portent également ces fossettes gravées dont la signification n'est d'ailleurs pas très probante. Et ces parentés autorisent une datation aux alentours de 1340. Mais cette image est aussi une création originale. Cela se traduit par une position un peu différente, une grande science dans le traitement des drapés et une conception particulière des visages. L'Enfant apparaît vieillot, la Vierge a un visage large et paisible, aux traits sensibles.

L'attribut que porte la Mère introduit également une variante iconographique. Elle tient, de la main droite, une pyxide que l'Enfant bénit. Ce geste a été interprété comme préfigure du Sacrifice du Christ, et symbole de l'Eucharistie. Et le motif est probablement unique.

Il se retrouve, certes, à Couilly (Seine-et-Marne) où l'église abrite une Vierge d'albâtre dont l'étroite parenté, pour ne pas dire la conformité, avec la Vierge du Metropolitan Museum, avait été signalée par Mme Lefrançois-Pillion. Une telle simi-

litude, dont on ne connaît aucun exemple dans la sculpture du XIVe siècle, jointe à une grande différence de qualité, a conduit W. Forsyth à suggérer, pour la statue de Couilly, l'hypothèse d'une copie moderne. Cette opinion a été récemment mise en doute, l'œuvre étant considérée comme une réplique sortie des mêmes mains. Mais les différences observées (dimensions, attitude de l'Enfant, détails des plis, motifs de la dorure) jouent, en fait, contre l'authenticité de la Vierge de Couilly (qualité médiocre d'un albâtre grisâtre, dorure moderne, simplification malhabile de certains plis, maladresse de la main droite de Marie). Il est donc juste de penser que la Vierge de New York a appartenu à l'église de Couilly où elle aurait été, avant 1899, remplacée par une copie.

Ceci met en jeu l'origine de l'œuvre. Car l'église de Couilly avait recueilli la statue de l'abbaye cistercienne de Pont-aux-Dames, toute proche. Il faut donc assigner à la Vierge du Metropolitan cette provenance, au détriment de l'affirmation de pure fantaisie du catalogue de la vente Stein qui en faisait un don de Mme de Maintenon à l'abbaye de Maubuisson dont il ne faudrait pas oublier qu'elle était alors en complète disgrâce pour cause de Jansénisme.

Et, sans qu'on puisse en administrer la preuve, cela laisse planer sur cette statue l'éventualité d'un don fait par Jeanne d'Évreux qui possédait la châtellenie de Crécy. L'attachement de la reine au monastère, où son époux Charles IV le Bel avait fait inhumer deux enfants nés d'un premier mariage, est prouvé par une charte datée du 6 avril 1342.

BIBL. : Dom Toussaint Duplessis, *Histoire de l'église de Meaux*, II, Paris, 1731, p. 220. —*Coll. Charles Stein, cat. de vente 8-10 juin 1899*, nº 59. — G. Husson et M. Lecomte, *Notice historique et archéologique sur l'église de Couilly*, Meaux, 1914, p. 42. — L. Lefrançois-Pillion, *G.B.A.*, 1935, II, p. 142. — W.-H. Forsyth, *Metropolitan Museum Journal*, 1968, p. 43, nº 5. — A. Erlande-Brandenburg, «Les tombeaux de Pont-aux-Dames», *Bull. de la Soc. nat. des Antiquaires de France*, 1969, p. 193-194. — G. Schmidt, *Wiener Jahbuch für Kunstgeschichte*, XXIV, 1971, p. 168, nº 37. — J. Deciry, «La statue de la Vierge à l'Enfant de l'église de Couilly : une vraie ou une fausse énigme», *Bull. de la Soc. littéraire et historique de la Brie*, 36, 1979-1980, (1981), p. 91-103.

EXP. : *The Pierpont Morgan Treasures*, 1960, nº 13. — *L'Art et la Cour*, 1972, I, nº 64.

New York, Metropolitan Museum
Inv. 17.190.721

37
Dalle funéraire gravée de Guillaume de Saint-Rémy

Provenant de la cathédrale de Meaux
Après 1340
Pierre. L. 2,85 ; l. 1,50 ; Ép. 0,13
Reproduction photographique, l'original
n'ayant pu être déplacé.

Le XIVe siècle fut l'âge d'or des graveurs de
dalles funéraires. Le graphisme propre à
cette époque trouva à s'exprimer en une
multitude de monuments dont les nombreux éléments subsistants ou les relevés de
Gaignières font connaître la qualité et la
variété.

Le type le plus répandu présente la figure
du défunt gisant, mains jointes, pieds appuyés sur un ou plusieurs animaux symboliques. Mais le trait autorise davantage que
la ronde-bosse une certaine fantaisie inven-
tive. Et la dalle, parfois, comporte plusieurs
personnages, parfois assemblés pour former de petites scènes comme il advient
dans la série très homogène et originale des
tombes de professeurs.

La représentation du cours magistral
rappelle les célèbres tombeaux bolonais. Le
thème, conçu un peu différemment, se fixe
à Paris dans la première moitié du XIVe et se
perpétuera quasi immuable, durant près de
deux siècles. La chapelle Saint-Yves, à Paris,
abritait un grand nombre de ces tombes de
professeur. Le maître, ici Guillaume de
Saint-Remy, chanoine de Meaux et docteur
en théologie, est assis sur une chaise devant
un livre et enseigne le groupe d'élèves tassés
à ses pieds. Debout à ses côtés, un assistant
porte le bâton de discipline et les gants du
professeur. Une main, émergeant d'un
nuage, tient un phylactère sur lequel sont
gravés, comme sur le livre, des versets des
Psaumes (CXVIII, 97.98 et XXXVI, 31).

L'encadrement de la scène suit un
schéma très courant. Quatre quadrilobes
enserrant les symboles des évangélistes
cantonnent les angles de la dalle. Sur les
côtés, d'étroits jambages abritent les acolytes des funérailles. Un gâble les couronne,
qui s'ajoure en une très belle rose ciselée.
Claire-voie et feuillage ornent la partie supérieure où se dressent deux anges. Une inscription, dont la lecture peut être complétée
par les indications jointes à un dessin exé-

37

cuté en 1684 par Pierre Janvier, court autour de la pierre : « CY GIST REVERENT MAISTRE ET DISCRET PER(sonne) MAISTRE GUILLAUME DE SAINT REMY JADIZ MAIST... GRACE MIL CCC... QU(arante) LE MARDI APRES PASQUES FLORIES IX JOURS DAVRIL. PRIEZ POUR (l'âme) DE LUY.

L'œuvre est un exemple parfait du style des tombiers parisiens, fait de sens de la composition et de pureté du trait. Leur production fut largement diffusée, assez loin parfois de la capitale.

Otée de la cathédrale en 1723, lorsque fut remanié le pavage, la dalle fut d'abord déposée dans le Vieux Chapitre, puis transférée en 1924 dans l'ancien palais épiscopal devenu le musée Bossuet, en 1927.

BIBL. : P. Janvier, *Fastes et Annales des Evesques de Meaux,* 1684, II, Bibl. de Meaux, ms. 79, p. 585. — A. Aufauvre et C. Fichot, *Les Monuments de Seine-et-Marne...,* Paris, 1858, p. 170. — F. Lebert, « Musée Bossuet à Meaux - Pierres tombales, pierres gravées, inscriptions », *Bull. de la Soc. littéraire et historique de la Brie,* X, 1931, p. 44. — S. Gillon-Merlet, « Les pierres tombales gothiques à effigies gravées dans l'ancien diocèse de Meaux », *Thèse inédite d'École du Louvre,* 1968, n° 48.

Meaux (Seine-et-Marne)
Musée Bossuet

38
La Vierge et l'Enfant

1343

Marbre. H. 0,60 ; avec le socle
(Le masque, séparé de la tête a été fendu et restauré)

D'origine byzantine, le thème de la Vierge allaitant, répandu dans l'enluminure dès le XIIIe siècle, n'apparaît guère dans la statuaire avant le XIVe siècle. Assises ou debout, de telles figures reflètent un courant spirituel plus ou moins lié à saint Bernard, et un désir nouveau d'exprimer tendresse et intimité.

La statue de Munneville est documentée par une inscription gravée sur la face et le côté droit du socle de marbre noir qui la supporte, inscription qui se lit ainsi : MESTRE HENRI DE DOMPARE PERSONNE (curé) DE MUNNE-VILLE CLERC ROYNE. I. D'EVREUX DONNA CESTE YMAGE ET UNE CHASUBLE DE VELUYAU (velours) L'AN M.CCC.XLIII.

38

39

Il est tout naturel qu'un des clercs de Jeanne d'Évreux ait desservi une cure normande. Car la reine avait, lors de son mariage, reçu en douaire une partie du comté de Mortain, ce qui lui conférait le patronage de l'église de Munneville. La personnalité du donateur justifie l'origine, très probablement parisienne, de l'œuvre, étrangère par son style et sa qualité à la production locale.

L'indication chronologique est particulièrement précieuse. Car le jeu des plis soulignant le contraste entre la jambe libre et la jambe d'appui, la disposition même de certains de ces plis qui forment, en se cassant, de grands becs, ont été généralement considérés comme des indices de précocité et des caractères liés encore à la tradition du XIIIe siècle. Et la Vierge de Munneville a pu apparaître comme une œuvre quelque peu retardataire. Mais elle n'est pas isolée. L'existence d'un groupe assez homogène de statues auxquelles elle sert de pièce de référence (n° 39) incite plutôt à ne pas sous-estimer la multiplicité des tendances susceptibles de s'exprimer au même moment, et la longévité possible de certaines formules.

BIBL. : L. Lefrançois-Pillion, *G.B.A.*, 1935, II, p. 136-143 et 208-209. — A. Rostand, *Bull. mon.*, 1937, p. 76-77. — J. Séguin, s.d., p. 38-41. — C. Schaeffer, 1954, p. 165. — W.-H. Forsyth, *The Art Bull.*, XXXIX, 1957, p. 172.

Munneville-le-Bingard (Manche)
Église paroissiale

39
La Vierge et l'Enfant

Deuxième quart du XIVᵉ siècle
Pierre. H. 1,30 ; L. 0,40 ; Ép. 0,30

Selon une tradition dont certains indices permettent de douter, la statue figurait, à l'origine, une Vierge allaitant dont on aurait, par pudeur, modifié l'aspect.

Modifié ou non, le type demeure celui des Vierges allaitant. La statue a été souvent rapprochée de celle de Munneville-le-Bingard, qui constitue un utile repère chronologique (nº 38). Même attitude, rythme comparable des drapés, geste semblable de la Mère tenant à deux mains et serrant contre elle un enfant torse nu dont les jambes, enveloppées d'un lange, sont étendues. Ces analogies ont fait entrevoir la possibilité d'une attribution de la Vierge de Joigny à un imagier d'Ile-de-France. L'hypothèse est séduisante. Mais l'existence d'un groupe homogène de statues de pierre ou de bois, qui présentent des dispositions et un style comparables, et se retrouvent en des points dispersés, suggère aussi l'éventuelle diffusion d'un modèle. Au nombre de ces pièces figurent la Vierge de la collection Hochon, au musée des Arts décoratifs, celle qui appartint à la collection Gouvert (exp. *Chefs-d'œuvre de la Curiosité du monde*, Paris, 1954, nˡ 96) et aussi celles de Flavighy-sur-Ozerain (Côte-d'Or), Surtauville (Eure), Saint-Laurent-en-Gâtines (Indre-et-Loire).

BIBL. : E. Chartraire, *Bull. archéol.*, 1919, p. 42. — L. Lefrançois-Pillion, *G.B.A.*, 1935, II, p. 210, nº 1. — A. Rostand, *Bull. mon.*, 1937, p. 77. — Cl. Schaeffer, 1954, p. 75, nᵒˢ 37 et 97.

Joigny (Yonne)
Église Saint-Thibaut

40

40
Pierre de Fayel, chanoine de Paris

Fragment de la clôture du chœur de Notre-Dame de Paris
Musée des Monuments français ; musée de Versailles
Jean Ravy, avant 1344
Pierre. H. 1,04 ; L. 0,17 ; Ép. 0,175

Le décor de la partie tournante du chœur de Notre-Dame de Paris a disparu à la fin du XVIIᵉ siècle (tout comme le jubé), lors des travaux entrepris par Robert de Cotte pour transformer le sanctuaire, en accomplissement du vœu de Louis XIII. Seul fut alors sauvé ce fragment transporté à la Révolution au musée des Monuments français,

d'où il passa à Versailles, puis au Louvre, en 1850. La disposition de la clôture du chœur, en cet endroit, peut toutefois se déduire des descriptions anciennes (XV-XVIIe siècles), qui font état d'une partie basse, ornée de bas-reliefs consacrés à l'histoire de Joseph, et surmontée d'une zone plus ou moins ajourée où se trouvaient au moins deux reliefs représentant Pierre de Fayel et Jean Ravy qui se faisaient pendant, au début et à la fin du cycle. Le premier était au sud, le second au nord, près de la porte Rouge. L'exactitude de ces données est confirmée par les inscriptions relatives à Joseph gravées sur huit fragments exhumés en 1850 (conservés à Notre-Dame) et par deux dessins de Gaignières montrant les deux personnages agenouillés et une partie des quadrilobes voués à l'histoire de Joseph (Bibl. nat. Est. Rés. Pe 11a, fol. 197 et 150).

Le donateur, sous-diacre et chanoine de Paris, est représenté vêtu d'une dalmatique et portant le manipule, agenouillé à côté d'un écusson timbré de ses armoiries reconnues pour être celles d'une famille de Clermont. Derrière lui est gravée l'inscription suivante : MAISTRE PIER / RE DE FAYEL / CHANOINE DE / PARIS A DON / NE. CC LB PAR / POUR AIDIER / A FAIRE CES / HYSTOIRES ET / POUR LES NO / VELLES VOIR / IERRES Q SUT / SUS LECUER / DE CEANS. A l'autre extrémité, le texte qui accompagnait la figure perdue de Jean Ravy précisait que ce dernier alors décédé, avait été maçon de Notre-Dame durant vingt-cinq années et avait commencé ces « nouvelles hystoires », terminées en 1351 par son neveu Jean le Bouteiller.

L'image du chanoine qui mourut en 1344 avait été faite de son vivant et probablement au début des travaux qu'il avait contribué à financer. Elle appartient donc à la période d'activité de Jean Ravy. Une telle représentation, dans une église, révèle la place prise très tôt dans le XIVe siècle par la représentation individuelle. L'accentuation voulue des traits du personnage témoigne d'un certain désir de caractérisation.

BIBL. : M. Aubert, « Monument funéraire de P. de Fayel, chanoine de Notre-Dame de Paris », Bull. de la Soc. des Ant. de France, 1920, p. 297-298. — M. Prinet, « Remarques sur les blasons du monument funéraire du chanoine P. de Fayel », Bull. de la Soc. nat. des Ant. de France, 1920, p. 298-300. — M. Aubert, Paris, 1924, p. 20-26. — M. Aubert et M. Beaulieu, 1950, n° 178. — D. Gillerman, « The cloture of the Cathedral of Notre-Dame ; Problem of Reconstruction », Gesta, XIV, 1975,

41

p. 41-61. — D. Gillerman, The cloture of Notre-Dame and its Role in the Fourteenth Century choir program, New York, 1977, p. 42-45. — G. Schmidt, 1981, p. 273.

Paris, musée du Louvre
LP 540

41
La Vierge couronnée par l'Enfant et foulant aux pieds une sirène

Coll. Timbal ; acq. 1882
Deuxième quart du XIVe siècle
Marbre. H. 0,38 ; L. 0,168 ; Ép. 0,065

Le gisant de Charles IV le Bel à Saint-Denis (après 1328) peut servir de référence pour situer ce petit groupe d'applique dont les draperies sèches retombent en une cascade de plis serrés, un peu comparables à ceux de cette statue.

L'intérêt majeur de l'œuvre est du domaine de la composition et de l'iconographie. Jésus est debout sur le genou de sa mère. C'est un schéma assez particulier aux pays rhénans et aux régions situées à l'est de la France (Champagne, Lorraine, Bourgogne). Cette attitude peut échapper ici à un courant dont les sources exactes et l'aire d'expansion restent d'ailleurs à préciser. Car elle est imposée par le geste exceptionnel de l'Enfant qui couronne sa mère. C'est un des rares exemples de ce thème, inspiré peut-être par les Cisterciens, tout comme la pose de Marie foulant aux pieds une petite sirène dont la présence peut être diversement interprétée. Sirène, démon ou faune barbu représenteraient le tentateur dont la Vierge écrase la tête, selon la prédiction biblique (Gen. 3-15) et le texte de l'Apocalypse. Mais on peut évoquer aussi la figure antithétique d'Ève, ou encore celle de Lilith, première épouse d'Adam devenue rebelle et associée au démon, chez certains exégètes juifs des premiers chapitres de la Genèse. Le motif est assez rare mais se retrouve sur quelques statues importantes (Saint-Laud d'Angers ; Limoges, église Saint-Pierre-du-Queroix), et sur des ivoires contemporains (n°s 129, 130).

BIBL. : M. Aubert et M. Beaulieu, 1950, n° 212. — L. Lefrançois-Pillion, G.B.A., 1935, II, p. 215. — Cl. Schaeffer, 1954, p. 45. — W.H. Forsyth, The Art Bull., 1957, p. 179-182. — M. Hoffeld, « Adam's two wives », Metropolitan Museum of Art Bull., n.s., XXVI, 1968, p. 430-440.

Paris, musée du Louvre
RF 580

42
La Vierge et l'Enfant

Deuxième quart du XIVe siècle
Pierre polychromée et dorée, verres peints
H. 1,60 ; L. 0,55 ; Ép. 0,315

Les illustres patronages n'ont pas manqué à l'église de Beauficel, au XIVe siècle. Le village s'était développé grâce à l'abbaye de Mortemer toute proche. Dès 1312, la puissante famille des Le Veneur possède la seigneurie du lieu. Et, un peu plus tard, en 1343, Jean, duc de Normandie, revendique, contre l'archevêque de Rouen, le patronage

42

de l'église. Mais on ne connaît pas le donateur de cette statue.

Elle est très représentative du haut niveau de qualité atteint dans le Vexin normand par une statuaire par ailleurs très abondante. Le goût du luxe s'y exprime dans la pierre. Parée à l'origine d'une couronne d'orfèvrerie, rehaussée de polychromie et de dorure, la statue comporte de plus un précieux décor de verres incrustés au bord du voile et de la robe. Bleus, verts ou grenats, ils portent un décor de rosaces, de croix, de fleurs stylisées ou de grilles dorées. La persistance de l'utilisation dans la sculpture de rehauts de verres décorés est spé-

cifique de la région normande et on trouve un grand nombre de statues ainsi traitées, ou conservant des traces d'incrustation, dans l'Eure ou la Seine-Maritime.

L'œuvre présente en outre l'intérêt d'appartenir à un type caractérisé essentiellement par le jeu, suivi parfois jusqu'au moindre repli, d'un manteau-voile arrêté très haut sous la taille où il forme une stricte ligne horizontale équilibrée par les chutes, inégales des pans de draperies latérales, et par un grand lé en pointe descendant sur la jambe droite. La robe forme un pli arrondi entre les pieds (mutilé à Beauficel). L'Enfant, dont le torse, souvent très grêle est généralement dénudé, tient couramment un livre fermé qu'il appuie parfois contre la poitrine de sa mère.

R. Didier, qui attira l'attention sur ce type, sa grande longévité et sa diffusion parfois lointaine (Allemagne, Tchécoslovaquie), contrarie sa démonstration par le choix, comme prototype, d'une œuvre généralement considérée comme une réplique tardive, la Vierge dite de Poissy au musée Mayer van den Bergh d'Anvers (cat. 1969, nº 2129). Ceci l'amène à situer l'origine du groupe à une date trop précoce (1280-1310) et dans la région parisienne où ne se rencontre rien de tel.

L'étude des œuvres en place, plus fiable, prouve au contraire une origine normande. Le modèle qui inspire aussi quelques œuvres monumentales (deux apôtres de Jumièges, *cf.* nº 12), a été suivi dans l'Eure, la Seine-Maritime et l'Orne. De rares exemples apparaissent dans d'autres régions (Saint-Thibaut-en-Auxois, Côte-d'Or). Le type est susceptible de variations stylistiques. Les plis, parfois, se multiplient en s'amenuisant. Ou bien, au contraire, ils s'étoffent sur une silhouette plus épanouie (Vierge de la Walters Art Gallery de Baltimore, justement attribuée à un atelier du Vexin). Les ivoires ont été signalés par R. Didier comme véhicules possibles de diffusion de ce modèle. L'hypothèse est juste car, outre une petite Vierge du musée de Rouen (qui porte bien son Enfant sur le bras gauche), un certain nombre d'exemplaires existent, dont l'authenticité n'est pas toujours assurée. Une même suspicion peut planer sur quelques statuettes de buis appartenant au même type (musée d'Angers).

BIBL. : L. Coutil, Paris, 1937. — M. Baudot, « L'église de Beauficel », *Nouvelles de l'Eure,* 1960, 4, p. 28. — R. Didier, *Rev. des archéol. et historiens d'art de Louvain,* III, 1970, p. 48-72. — *Inv. général des monuments et richesses artistiques de la France. Eure, canton de Lyons-la-Forêt,* Paris, 1976, p. 27-28 et 37.

Beauficel (Eure)
Église Notre-Dame

43
Saint Michel terrassant le dragon

Coll. Peyre, Paris
Deuxième quart du XIVe siècle
Bois de noyer, peint et doré
H. 1,26 ; L. 0,44 ; Ép. 0,27

La présentation de saint Michel terrassant le dragon, inconnue, semble-t-il, à Byzance, est presque uniquement un thème occidental, né à l'époque carolingienne auprès du sanctuaire de Monte Gargano. Tiré de l'Apocalypse (XII-7) et destiné aussi à illustrer une très ancienne légende de l'ange mettant un monstre à mort, introduite au Mont-Saint-Michel où on gardait, dans le Trésor, une épée et un bouclier donnés comme les armes du saint, ce thème connut une immense fortune au XIIe siècle, suivie d'un certain déclin.

Le milieu du XIVe siècle marque un renouveau de culte de l'archange. Les Valois se montrèrent particulièrement dévots à son égard. Et le choix fait par Philippe VI de l'image de saint Michel pour décorer le droit d'une monnaie frappée en 1341 (nº 000) marque la mesure de cet attachement. L'importance prise par le Mont dans la diffusion de ce culte s'affirme dans la répartition des statues du XIVe siècle, recensées pour la majeure partie dans les régions voisines (Orne, Eure, Seine-Maritime).

On ignore la provenance de cette image-ci, à rapprocher d'une statue de pierre conservée au Louvre (cat. 1950, nº 261) qu'elle surpasse en simple élégance. L'archange est présenté pieds nus en signe de divinité, revêtu de la tunique et du grand manteau, encore préférés, en France, à l'armure portée à Byzance ou en Italie. Armé d'un bouclier, il transperce de sa lance (perdue) un dragon de fantaisie. Au dos, se

voient les trous de fixation destinés aux ailes disparues.

BIBL.: P. Vitry et G. Brière, *Documents de sculpture française du Moyen Age,* Paris, s.d., pl. LXXXXVI, fig. 2. — C. Lamy-Lassale, «Les représentations du combat de l'archange en France au début du Moyen Age», *Millénaire monastique du Mont-Saint-Michel,* Paris, 1967, p. 53-63. — M. Baudot, «Diffusion et évolution du culte de saint Michel en France», *Millénaire monastique du Mont-Saint-Michel,* Paris, 1967, p. 99-112.

Londres, Victoria and Albert Museum
Inv. 526.1895

44
Deux fragments de retable: le Portement de croix et la Mise au tombeau

Deuxième quart du XIVe siècle
Albâtre
H. 0,35; L. 0,16; Ép. 0,04
H. 0,33; L. 0,36; Ép. 0,04

La provenance de ces deux fragments, qui appartiennent au fonds ancien du musée, est inconnue. Ils ont été situés à des dates différentes. Dimensions, matière et style, attestent de leur appartenance à un même ensemble. Compte tenu des mutilations subies, et de quelques divergences minimes (la Vierge n'a pas de livre et tient à deux mains le bras de la Croix), la composition du Portement de croix suit de très près celle du retable de la Sainte-Chapelle (n° 18). Et les plis des vêtements de la Vierge et de saint Jean, pieds nus et mains jointes, obéissent aux mêmes schémas directeurs. Les volutes sont cependant plus simples et moins nombreuses. Et ceci s'accompagne d'une plasticité un peu molle, qui correspond au matériau mais indique aussi une autre main et une date plus tardive (1340-1350?).

La Mise au tombeau est peut-être un peu plus éloignée du modèle de la Sainte-Chapelle, mais la confrontation mène néanmoins à une conclusion identique, par un jeu comparable d'analogies et de différences.

BIBL.: E. du Sommerard, 1883, n° 440 (les deux œuvres figurant sous le même numéro). — E. Haraucourt et F. de Montremy, *musée de Cluny, cat.,* 1922, n°s 624 et 659.

Paris, musée de Cluny
Inv. Cl. 19.275 et 19.276

43

44 A

44 B

45

Trois fragments de retable

Coll. C. Micheli, Paris - Coll. Mayer van den Bergh, Anvers
Deuxième quart du XIVe siècle (1340-1350?)

A) La présentation au temple
Albâtre. H. 0,369 ; L. 0,335 ; Ép. 0,053

Le vieillard Siméon, debout derrière l'autel, s'apprête à recevoir dans ses mains, voilées en signe de respect, l'Enfant que présente sa mère. Derrière Marie, la servante porteuse du panier contenant les deux tourterelles et probablement un cierge.

B) L'entrée du Christ à Jérusalem
Albâtre. H. 0,36 ; L. 0,33 ; Ép. 0,053

Devant la porte de la ville, un enfant étend un vêtement sous les pas de l'ânesse qui porte le Christ bénissant. Deux apôtres suivent le Maître.

C) Jésus au jardin des Oliviers
Marbre. H. 0,378 ; L. 0,30 ; Ép. 0,048
Le Christ prie, auprès de deux apôtres endormis. Dieu surgit d'une nuée, pour le bénir. Il est possible que le fragment soit incomplet car, suivant les Écritures, les apôtres devraient être au nombre de trois.

45 A

45 B

45 C

Au cours du XIXe siècle, les trois fragments furent réunis sur une même plaque de marbre noir. D'après les indications du catalogue de Micheli, un quatrième morceau leur avait même été associé (Massacre des Innocents, *Cat. du musée Mayer van den Bergh*, n° 2092).

Le premier de ces reliefs surtout a attiré l'attention. Car il a été rapproché, par Troescher et Müller, de la Présentation au temple du musée de Cluny, (n° 79) ceci le situant à une date tardive (fin du XIVe), dans l'aire d'influence de Beauneveu à qui était alors attribué le groupe de Cluny dont il était considéré comme une réplique. Cette hypothèse est inacceptable. Et les divergences profondes entre les deux groupes ont été mises en lumière par de Coo et par Schmidt. Celui d'Anvers plus statique, moins expressif, et traité en un volume moindre, avec un tout autre sens des draperies, ne peut être une réplique et n'appartient pas au contexte stylistique de la fin du XIVe siècle. Localisation et datation demeuraient toutefois incertaines (milieu ou troisième quart du siècle, France, Pays-Bas ou Hainaut).

Les deux reliefs du Portement de croix et de la Descente de croix (n°s 20 et 21) constituent à cet égard de bons critères. Il existe d'incontestables parentés entre les figures féminines : longues silhouettes minces, un peu plates ; bras empaquetés dans un repli du manteau qui retombe en arabesques identiques. De même, la silhouette du vieillard Siméon n'est-elle pas sans analogies avec celle du disciple tenant le Christ mort. Ceci autorise à situer la Présentation dans la production parisienne, à une date assez proche des deux reliefs envisagés.

Des dissemblances existent, cependant, perceptibles également dans les deux scènes de l'Entrée à Jérusalem et de Gethsémani. Il y a là moins de vigueur créatrice, moins d'habileté aussi. Le traitement des barbes est simplifié, les visages ont une certaine banalité, les drapés moins d'accent. Ceci laisse supposer une autre main et, peut-être, une date un peu plus tardive.

Il n'est d'ailleurs pas assuré que les trois fragments proviennent d'un même retable. Cela se justifie pour les deux premiers. Ils ont dû partager le même sort car ils pré-

sentent le même aspect érodé. Et ils ont en commun une facture particulière, qui dégage à peine le relief, à la surface même d'un bloc peu fouillé. Le retable, ou le décor sculpté, aurait alors été consacré à la fois à l'Enfance et à la Passion.

Ceci est moins évident pour le troisième relief, proche par plus d'un point, mais plus vigoureusement modelé, et surtout, taillé dans le marbre et non dans l'albâtre. On peut évidemment supposer la participation de plusieurs artistes utilisant des matériaux différents. Mais ceci met en cause des pratiques d'atelier que nous connaissons mal. L'appartenance à deux ensembles distincts signifierait par contre que les sculpteurs, à l'instar des ivoiriers, utilisent les mêmes modèles.

BIBL. : E. Michel, *G.B.A.*, 1924, p. 56. — G. Troescher, 1924, p. 34. — J. de Coo, *G.B.A.*, 1965, p. 350, n° 58. — T. Müller, 1966, p. 13 et 15. — J. de Coo, 1969, n° 2116-2118. — G. Schmidt, *Metropolitan Museum Journal*, IV, 1971, p. 89.

Anvers, musée Mayer van den Bergh
Inv. n°s 336-335-336

46 C

46 A

46 B

46
Trois priants royaux : Philippe VI de Valois, Jeanne de Bourgogne (?) et Jean de France

Coll. Gaston Le Breton, Rouen ; coll. Pierpont Morgan
Deuxième quart du XIVe siècle (1340-1350?)
Marbre
A) Le Roi : H. 0,40 ; L. 0,127 ; Ép. 0,076
B) La Reine : H. 0,387 ; L. 0,241 ; Ép. 0,076
C) Le Prince : H. 0,387 ; L. 0,165 ; Ép. 0,076

Il est facile de voir dans ces trois figures d'applique, donateurs probables d'un retable, un roi, une reine et l'héritier du trône dont les manches s'ornent des bandes de fourrure qui furent en France, au XIVe siècle, l'accessoire du costume du fils du roi. Mais on a pu hésiter sur leur identité, et plus encore sur la datation de leurs effigies.

Chacun s'est accordé à reconnaître, dans le roi, les traits de Philippe VI tels qu'on les retrouve sur une miniature des Miracles de Notre-Dame (Bibl. nat., Nouv. acq. fr. 24541, fol. 234) ou, plus tard et terriblement empâtés par l'obésité bien connue du monarque, sur le gisant posthume de Saint-Denis. Pradel, gêné par une datation tardive (vers 1380), appuyée sur des raisons de style et de mode peu convaincantes, voyait dans les autres personnages Blanche de Navarre (+ 1398), seconde femme du roi et Philippe de France (+ 1375), l'un de ses fils, seuls membres subsistants d'une assemblée familiale plus importante. Mais le costume et la coiffure ne peuvent être postérieurs au milieu du siècle, la couronne à quatre gros fleurons étant parfaitement admissible puisqu'elle apparut avec la dynastie des Valois. Une datation précoce se déduit également des parentés stylistiques avec certaines pièces de référence : les priants du tombeau de l'évêque Bernard Brun (+ 1349), à Limoges, ou la figure agenouillée de Guy Baudet, à Langres (1341, n° 31). Le jeune prince, avec son long nez et sa forte mâchoire correspond d'ailleurs bien au type physique de Jean le Bon. Seule la reine, d'aspect juvénile, n'offre guère de ressemblance avec Jeanne de Bourgogne, première femme de Philippe VI (+ 1349).

Une mention manuscrite inédite portée en marge d'un album de la collection Maciet, à la bibliothèque des Arts décoratifs, suggère l'abbaye de Jumièges comme lieu de provenance. Rien n'a pu être trouvé pour étayer cette hypothèse que l'appartenance des pièces à une collection rouennaise rend très plausible. Il serait alors tentant de voir dans ces trois priants le résultat d'une libéralité royale faite à l'abbaye normande après 1332, date à laquelle le duché de Normandie fut donné en apanage à Jean de France. Et peut-être l'image, à présent perdue, de Bonne de Luxembourg, épousée la même année, faisait-elle pendant à celle du prince.

BIBL. : P. Pradel, *Miscellanea Prof. D. Roggen*, 1957, p. 213-218. — G. Schmidt, *Études d'art médiéval... Louis Grodecki*, 1981, p. 269-286.

EXP. : *Exp. universelle*, 1900, n° 4642. — *Chefs-d'œuvre de l'art français*, 1937, n°s 992-994. — *Die Parler...*, 1978, I, p. 51.

New York, The Metropolitan Museum of Art
Inv. 17.190.387 - 17.190.388 - 17.190.392

47
Deux groupes funéraires

Provenant du tombeau du pape Clément VI à l'abbaye bénédictine de la Chaise-Dieu (Haute-Loire)
Atelier de Pierre Boye, 1349-1351
Marbre

A) Six personnages
Acquis au Puy avant 1826
H. 0,41 ; L. 0,24 ; Ép. 0,07

Outre les dépenses engagées pour le tombeau, les registres caméraux de la Chambre apostolique, conservés aux Archives vaticanes, contiennent une énumération détaillée des personnages sculptés au soubassement. Cela permet de reconnaître ici Aliénor, sœur du pape, avec ses deux filles abbesses, ses deux filles mariées et son fils Nicolas. Privée de sa volute, jadis fixée dans un trou au sommet du groupe, la crosse d'une des abbesses, à peine visible, doit être un ajout rendu nécessaire par une élection survenue après l'achèvement du relief.

47 A

47 B

B) Deux prélats

H. 0,38 ; L. 0,18 ; Ép. 0,07

Ces deux prélats, en chape et portant la crosse, doivent être Raymond d'Aigrefeuille, cousin du pape et évêque de Rodez, et son frère Étienne. Ce dernier ne figure pas sur la liste des registres caméraux, arrêtés vraisemblablement dans le cours de 1350, peu avant son accession au siège abbatial de la Chaise-Dieu, qui justifie sa présence et la modification apportée à la composition du cortège.

Prévu dès 1346, date de l'achat du marbre, et antérieur donc à la mort du pape (6 décembre 1352), le monument funéraire de Clément VI, ancien moine de la Chaise-Dieu, fut exécuté entre 1349 et 1351, probablement en Avignon, par Jean de Sanholis et Jean David, dirigés par Pierre Boye dont l'intervention demeura longtemps méconnue, car une erreur de lecture avait transformé son patronyme en celui de « Roye ». Hormis cette entreprise, nous ignorons tout de Jean David. L'activité des deux autres illustre la mobilité des artistes et le rayonnement de Paris.

Placé dans l'église abbatiale de la Chaise-Dieu, le tombeau subit, en 1562, les ravages des Protestants. Outre ces morceaux, seuls subsistent, à notre connaissance, le gisant, en partie restauré, toujours en place sur sa dalle de marbre noir, et deux fragments mutilés, conservés à la Chaise-Dieu (presbytère et collection Claudius Saby), représentant deux couples de la parenté du pape. Certaines descriptions anciennes, l'examen des vestiges conservés et le texte des Archives vaticanes permettent de restituer l'état ancien du tombeau et l'iconographie très particulière des personnages qui formaient, autour du sarcophage et sur la dalle même, un cortège précédé des trois ministres de l'absoute et de quarante et un membres, religieux ou laïcs, de l'entourage et de la famille du défunt. L'intention est originale. Mais le relief atténué, le style élégant et précieux de ces figurines aux visages poupins, restent tributaires de l'art courtois dont l'harmonie s'exprime avec un bonheur particulier dans la composition du groupe des deux prélats.

BIBL. : M. Faucon, *Notice sur la construction de l'église de la Chaise-Dieu*, Paris, 1904, p. 44-51. — R. Gounot, *Bull. des Musées de France*, 1950, n° 1, p. 21-24. — R. Gounot, *Coll. lapidaires du musée Crozatier*, 1957, M 5 et 6, p. 318-319. — F. Baron, *Bull. de la Soc. d'Histoire de l'Art français*, 1959, p. 101-103. — A. Fayard, *Almanach de Brioude*, 1962, p. 39-82 et 1963, p. 27-38.

EXP. : *Exp. universelle*, 1900, s. n° — *Chefs-d'œuvre de l'Art français*, 1937, n° 989. — *Huit siècles de sculpture française*, 1964, n° 33. — *Les Pleurants...*, 1971, n°s 8 et 9. — *L'Art du Moyen Age en France*, 1978-1979, n°s 54 et 55.

Le Puy, musée Crozatier
Inv. 826.96 et 45.360.1

48
Tête présumée de l'effigie funéraire de Robert de Jumièges

Provenant de l'abbatiale bénédictine de Jumièges
Première moitié du XIVe siècle
Marbre. H. 0,48 ; L. 0,36 ; Ép. 0,26

Ce buste fut parfois considéré à tort comme un fragment du gisant de Simon du Bosc (1390-1418). L'identification, étayée par le fait que du Bosc fut le premier abbé de Jumièges à porter la mitre, ne s'accordait cependant guère avec le style de l'œuvre. L'étude des sources littéraires et graphi-

ques, et la découverte, dans une collection particulière, des véritables vestiges du monument funéraire de cet abbé, l'ont fait écarter.

Malgré certaines données défavorables, mais confuses, fournies par les textes, la confrontation avec le dessin exécuté au XVIIe siècle pour Roger de Gaignières (Bibl. nat. Est. Rés. Pe 1d, fol. 21) suggère l'hypothèse selon laquelle cette tête aurait appartenu à l'effigie rétrospective de Robert II, dit Champart, abbé de 1037 à 1045, revenu mourir dans son abbaye en 1052, après avoir été évêque de Londres et archevêque de Canterbury. Le tenon visible sur l'épaule gauche pourrait être la trace de la croix archiépiscopale que tenait le défunt qui reste, à notre connaissance, le seul ecclésiastique enterré à Jumièges susceptible d'avoir eu un tel gisant. Surtout, le dessin montre un mort aux yeux clos, et c'est un élément rare.

Ce type de représentation, tôt apparu dans les ateliers de fondeurs limousins, domine très vite en Italie et en Espagne. Mais il demeure peu usité dans la France du XIVe siècle restée, pour des raisons de croyance, attachée à l'image du mort éveillé dans l'attente de la résurrection. Cette donnée iconographique nouvelle a pu inciter les artistes à la créativité et jouer ainsi un certain rôle dans l'évolution de l'art du portrait.

Le décor d'incrustations de verres colorés dont les traces se voient sur la mitre, la forme basse de cette dernière, la délicate sensibilité d'un visage encore idéalisé, situent l'œuvre assez tôt dans le siècle. Peut-être pourrait-on la mettre en relation avec les grands travaux accomplis dans l'église Notre-Dame sous les abbatiats de Mathieu Cornet (1312-1327) et Guillaume Gemblet, dit le Jeune (1330-1349), l'éventuelle découverte des restes de l'abbé Robert ayant pu provoquer l'érection d'un monument.

BIBL. : Coll. Gaignières, Bibl. nat. Est. Rés. Pe 1d, fol. 21. — L. Jouen, G. Lanfry, J. Lafond, *Jumièges*, Rouen, s.d., p. 42-44. — Tremblot de la Croix, « Le tombeau de Simon du Bosc à Jumièges », *Bull. mon.*, 1961, p. 43-48.

EXP. : *L'Art du Moyen Age en France*, 1978-1979, n° 50.

Jumièges (Seine-Maritime)
Collections lapidaires de l'Abbaye

49

49
Le Christ en croix

Provenant de l'ancienne église de Musse-
gros (Eure)
Première moitié du XIVe siècle
Bois de chêne, traces de polychromie et de
dorure (barbe, cheveux, perizonium)
Croix : H. 3,15 ; L. 2,60
Christ : H. 1,69 ; L. 1,85

Les grands crucifix de bois, souvent placés
sur la poutre triomphale, à l'entrée du
chœur, semblent avoir été très nombreux
au XIVe siècle. Celui-ci provient de l'ancienne église de Mussegros. Placé après la
Révolution dans la chapelle de Frénelles, à
Boisemont, il est, à présent, déposé dans la
collégiale d'Ecouis.

La croix, étroite et haute suivant la
mode du XIVe siècle, comportait aux extrémités, des quadrilobes ornés des symboles des Évangélistes, disposition courante
dont le Christ de Saint-Thibaut-en-Auxois
(Côte-d'Or) fournit un exemple remarquable. Seuls, ici, ont été préservés les trois éléments inférieurs privés de leurs emblèmes
qui étaient rapportés. La mutilation de la
partie supérieure a fait disparaître le titulus.

L'attitude du Christ permet de dater
l'œuvre de la première moitié du XIVe siècle. Cloué sur la croix par trois clous, les
pieds croisés et étirés dans l'axe de la jambe,
le corps du crucifié s'affaisse, bras tendus
au-dessus de l'horizontale. Il forme ainsi une
ligne sinueuse marquée par la torsion des
hanches, la flexion très prononcée des genoux, et la retombée de la tête sur la poitrine. Plus tard, cette silhouette se redres-
sera. Les longues ondulations de la chevelure, les boucles de la barbe et les volutes
latérales du long perizonium couvrant les
genoux, accusent le goût du graphisme
propre à cette époque. Mais ils le font avec
une retenue perceptible également dans
l'anatomie peu étudiée — comme il est
alors de règle — et dans la sereine douceur
qui tempère l'expression de la douleur, sur
le visage creusé, bouche entrouverte, paupières crispées et sourcils froncés.

BIBL. : P. Thoby, 1959, p. 181-185. — A. Lapeyre, « La
statuaire de la collégiale d'Ecouis », *Nouvelles de l'Eure*,
14, 1962, p. 9.

Ecouis (Eure)
Collégiale Notre-Dame

50 (avant restauration)

50
La Vierge et l'Enfant
XIVe siècle
Pierre polychrome
H. 1,16 ; L. 0,38

L'étude de la statuaire du XIVe siècle serait incomplète si on négligeait la production courante, destinée à une clientèle souvent rurale et peu fortunée. La baisse de qualité est alors compensée par une pittoresque saveur, et par l'intérêt que constitue l'existence de familles régionales fortement caractérisée.

Les Vierges à l'Enfant de Basse-Normandie sont, à cet égard, très représentatives. Elles se retrouvent dans le Calvados, la Manche, l'Orne. Un exemple isolé existe en Dordogne (Limeuil), d'autres appartiennent à des collections américaines.

Peu expressive, la Vierge, de proportions courtes et de maintien rigide, retient, d'une main raide, un Enfant porté très haut sur le bras gauche. Le jeu des plis tubulaires s'accorde avec la disposition très courante du manteau ouvert, souvent relevé de la main droite. Ce geste, qui exclut le sceptre ou le lis, est associé ici, comme en d'autres statues, au port d'une colombe, attribut qui symbolise aussi bien la conception immaculée que la maternité divine, pour répondre à des croyances profondément ancrées en Normandie. Un autre détail spécifique est constitué par l'attitude de l'Enfant qui joue avec la ceinture maternelle dont il se fait un étrier.

Une telle unité de style et d'iconographie a été attribuée à une communauté de provenance, liée peut-être au manque de matériau. Ce type semble avoir été suivi avec une constance qui laisse peu de place à l'évolution stylistique et autorise seulement une datation très approximative.

BIBL. : L. Lefrançois-Pillion, *G.B.A.,* 1935, II, p. 208, 212, 215. — A. Rostand, *Bull. mon.,* 1937, p. 67-90. — W.-H. Forsyth, *Metropolitan Museum of Art bull.,* 3, 1944, p. 85-89. — W.-H. Forsyth, *The Art bull.,* XXXIX, 1957, p. 173-174. — J.-L. Schrader, *The Museum of fine Arts bull.,* Houston, 1972, p. 16-33. — B. Menand, *L'information d'Histoire de l'Art,* 1973, p. 89-91.

Montaigu-les-Bois (Manche)
Église d'Orbe-Haye

51
Deux reliefs funéraires ornés de personnages
Provenant de l'église d'Autreville (Haute-Marne)
Deuxième tiers du XIVe siècle
Pierre
A) H. 0,48 ; L. 0,47 ; Ép. 0,07
B) H. 0,48 ; L. 0,45 ; Ép. 0,07

Avec un troisième relief, autrefois conservé au musée de Chaumont, ces fragments ornaient le soubassement d'un tombeau placé jadis, sans doute, dans l'église d'Autreville. Ils sont révélateurs de l'évolution iconographique subie, dès la fin du XIIIe siècle, par le décor de cette partie de la tombe. Les scènes religieuses jusqu'alors de règle se maintiennent rarement, et sont remplacées par des représentations des parents ou familiers du mort. Vêtus ou non de grands manteaux de deuil, ils évoquent le cortège des funérailles, conduit par les desservants, ou bien encore, plus simplement, illustrent la parenté du défunt. Les personnages, hommes et femmes, sont sculptés en faible relief sous des arcatures dont le dessin est fidèlement inspiré de l'architecture gothique contemporaine. Les particularités des costumes et des coiffures permettent de situer l'œuvre dans le second quart du XIVe siècle. La qualité du

51

monument suppose une commande faite pour un personnage important ; son identité reste inconnue. On doit se borner à suggérer l'intervention possible d'un membre de la famille de Chateauvillain, seigneurs d'Autreville au XIVe siècle.

BIBL. : *Cat. du musée de la Commission des Antiquités du département de la Côte-d'Or,* Dijon, 1894, nº 1182.

EXP. : *Les Pleurants...,* 1971, nº 5. — *L'Art du Moyen Age en France,* 1972-1973, nº 34 ; 1978-1979, nº 47 (A).

Chaumont, Musée municipal
Inv. nº 16
Dijon, Musée archéologique
Inv. 1182

dalles de cuivre ou, pour Pierre de Villiers-Herbisse (+ 1378), sous une effigie agenouillée dans l'église des Dominicains.

Le style plaide en faveur du premier. L'œuvre a été rapprochée du gisant de Guillaume de Chanac (+ 1348), au Louvre. Elle peut lui être sensiblement contemporaine. Et les deux visages possèdent en commun la particularité d'avoir les yeux clos (*cf.* nº 48). Mais le masque troyen est traité avec moins d'austère rigueur, et un souci de beauté formelle qui autorise l'évocation de l'art antique.

BIBL. : Ch. Lalore, *Coll. des principaux obituaires et confraternités du diocèse de Troyes,* Troyes, 1882. — «Musées nationaux ; Acquisitions et dons», *Les Musées de France,* 1913, p. 54. — P. Vitry, «Le réalisme funé-

52
Masque d'homme aux yeux clos

Provenant de Troyes
Milieu du XIVe siècle
Marbre
H. 0,24 ; L. 0,22 ; Ép. 0,16

Ce masque appartint sans doute à une statue gisante en pierre, dont seules têtes et mains étaient taillées dans le marbre, suivant un procédé économique assez souvent utilisé dans la sculpture funéraire du XIVe siècle.

La coupure nette à la partie haute, et la disposition de la chevelure, laissent supposer l'existence d'une mitre. Ce visage serait donc celui d'un évêque, et d'un évêque de Troyes puisque l'œuvre, à son entrée au Louvre, en 1913, passait pour provenir de la démolition d'une maison de cette ville. Notre connaissance des monuments funéraires de la cathédrale est limitée. Car, avant même leur disparition à la Révolution, ils furent déplacés, mutilés et, pour certains, détruits en 1778, lorsque les chanoines firent réparer l'édifice. Et les données anciennes sont insuffisantes à assurer l'identification de ce masque. Tout au plus peut-on hasarder que les seuls évêques susceptibles d'avoir eu, à Troyes, un tel monument, sont Jean d'Aubigny (+ 1341) et Pierre d'Arcyes (+ 1395), les autres étant inhumés sous des

52

raire au XIVe siècle à propos d'un masque récemment entré au musée du Louvre», *Bull. de la Soc. de l'Hist. de l'art français,* 1913, p. 106. — M. Aubert et M. Beaulieu, 1950, nº 254.

EXP. : *L'Art européen vers 1400,* 1962, nº 355.

Paris, musée du Louvre
RF 1570

53
Jean Tissendier en donateur

Provenant de la chapelle de Rieux au couvent des Cordeliers de Toulouse
1333-1344
Pierre ; restes de polychromie
H. 1,325 ; L. 0,60 ; Ép. 0,42

Natif de Cahors, franciscain de Toulouse, placé par le pape Jean XXII, en 1324, sur le siège épiscopal de Rieux-Volvestre, bibliothécaire à Avignon jusqu'en 1333, Jean Tissendier ne vécut vraiment dans son diocèse qu'après cette date. C'est par attachement à son ordre qu'il fit bâtir entre 1333 et 1344, au chevet de l'église des Cordeliers de Toulouse, la chapelle dite de Rieux où il établit sa sépulture.

La chapelle de Rieux a été démolie dans la première moitié du XIXe siècle, mais la maquette portée par l'évêque nous en transmet une image exacte qui correspond bien aux dispositions de cet édifice relevées au XVIIIe siècle par Saget pour son grand plan cadastral de Toulouse. On reconnaît ici la puissante structure des églises gothiques toulousaines des Ordres Mendiants. Lors de la destruction, «seize grandes figures en pierre» et «plusieurs petites» furent déposées au musée des Augustins, en 1803. Peut-être faut-il compter parmi ces «petites figures» notre statue puisque les autres, d'un caractère plus monumental, ont en général une échelle sensiblement plus grande. Jean Tissendier porte ici, en même temps, la robe franciscaine serrée de sa cordelière caractéristique et plusieurs insignes épiscopaux (bâton de crosse, gants, anneau pastoral, mitre autrefois dorée, richement ornée de fenestrages aux tracés géométriques précis). Sur les épaules étroites et tombantes, la chape est retenue par un fermail sommairement dégagé. Le visage, à la mâchoire inférieure forte, est jeune, vivant, presque familier, plein d'humanité, mais aussi momentanément absent des choses de la terre, le regard tourné vers le haut. L'évêque offrait-il son église au Christ ou à la Vierge ? La peau blanche, rosée sous les pommettes, les yeux bleus, une barbe naissante révélée par un assombrissement brunâtre, une abondante chevelure aux mèches bouclées, mi-brunes, mi-noires, enri-

chissent de leur polychromie récemment restaurée, l'expression calme et douce déjà rendue par un épiderme de pierre modelé avec finesse sur une tête portant solidement charpentée.

La ressemblance de cette tête avec celle du gisant de marbre de Jean Tissendier (musée des Augustins) laisserait penser à un portrait. On le croirait devant une telle recherche de vérité psychologique si les caractères à la fois massifs et doux des deux visages sculptés ne nous semblaient être aussi les indices de la manière la plus typique du créateur des statues de la chapelle de Rieux, telle qu'elle apparaît aussi, autour de 1330, comme l'a montré M. Prin, sur plusieurs clefs de voûte du chœur de la cathédrale et de l'église des Augustins de Toulouse. Ainsi, en ces années 1330-1340 un sculpteur original exerçait son nouvel art dans les principaux monuments religieux alors en chantier dans cette ville.

BIBL.: J. Esquié, «L'église et le monastère des Cordeliers», Mém. de l'Académie des sciences, inscriptions et belles-lettres de Toulouse, 1876, VIII, p. 371-399. — E. Roschach, Les statues de la chapelle de Rieux au musée de Toulouse, Toulouse, 1880. — H. Rachou, 1910. — R. Rey, 1934, p. 249-261. — L. Lefrançois-Pillion et J. Lafond, 1954, p. 71. — Y. Carbonell, «Recherches sur la construction des Cordeliers de Toulouse», Pierre de Fermat, Toulouse et sa région, Toulouse, 1966, p. 98. — B. Mundt, Jahrbuch der Berliner Museen, 9, 1967, p. 26-80. — M. Prin, Actes du 96e Congrès nat. des soc. savantes (Toulouse, 1971), II, Paris, 1976, p. 175-188. — M. Durliat, Histoire de Toulouse, Toulouse, 1974, p. 152-154. — D. Cazes, 1980.

Toulouse, musée des Augustins
Inv. Ra 552

54
Apôtre

Provenant de la chapelle de Rieux au couvent des Cordeliers de Toulouse
1333-1344
Pierre ; restes de polychromie
H. 1,87 ; L. 0,675 ; Ép. 0,535

A la chapelle de Rieux figurait le Collège apostolique auquel on avait adjoint quelques figures de saints et une Annonciation (la Vierge au musée Bonnat, à Bayonne) et le Christ (musée Bonnat). Parmi les onze apôtres conservés au musée des Augustins, celui-ci n'est pas identifié.

53

De ses longues mains délicates, il tient un livre ouvert, où l'on peut lire, en lettres capitales peintes, les premiers mots du Psaume CXLII, 8.

Le corps porte sur la jambe gauche en provoquant un hanchement très marqué, souligné par de grands plis obliques qui viennent rejoindre le pied droit. Le manteau, croisé avec recherche sur la poitrine, passe par-dessus le bras droit, et retombe en une cascade de plis enroulés. Le maniérisme de l'attitude est renforcé par l'inclinaison de la tête qui apparaît sur un grand nimbe gravé de rayons nombreux et serrés. Par ce procédé de division et d'allègement, était rendue l'immatérialité de l'auréole lumineuse. La barbe et la chevelure, nerveuses, abondent en mèches bouclées et vrillées. Cette tête nous rappelle celles, créées vers le milieu du XIIIe siècle, du Christ et de Thomas, de la façade occidentale de la cathédrale de Reims. Mais, à la chapelle de Rieux, ce type gothique est réinterprété : le visage est plus large, son expression, douce et compatissante, semble pourtant quelque peu tendue : des contractions se produisent au niveau des arcades sourcilières. Chez le maître de la chapelle de Rieux, cette tension va jusqu'aux excès d'expression, liés à une extraordinaire virtuosité dans le traitement du système pileux et des étoffes, qui se manifestent dans la célèbre statue de saint Paul.

BIBL. : *Cf.* n° 53.

Toulouse, musée des Augustins
Inv. Ra 555C

55
Saint Louis de Toulouse

Provenant de la chapelle de Rieux au couvent des Cordeliers de Toulouse
1333-1344
Pierre ; restes de polychromie
H. 1,93 ; L. 0,57 ; Ép. 0,425

Saint Louis de Toulouse, après avoir été évêque de cette cité, mourut en 1297, à l'âge de vingt-trois ans. Dès sa canonisation (1317), ce saint fut particulièrement populaire en Italie et dans les pays provençaux, languedociens et catalans.

54 (avant restauration)

55

A la chapelle de Rieux, la statue de saint Louis de Toulouse était doublement justifiée. Les Toulousains avaient été sensibles à la beauté et à la charité de leur évêque : ils le choisirent pour saint patron de leur ville. Mais surtout, le jeune Angevin ayant préféré la cordelière à la couronne de Naples, devenu le troisième saint de l'ordre, prit naturellement place, avec saint Antoine de Padoue et saint François dans la chapelle de Jean Tissendier.

Comme c'était le cas pour la statue agenouillée de ce dernier, saint Louis de Tou-louse est représenté à la fois en frère mineur et en évêque. Des longs doigts de sa main gauche, il tient la crosse. De là, le sudarium pend en formant une chute de petits plis enroulés. De l'autre main, le saint porte un livre fermé à riche reliure. D'un canon assez court, la statue n'affirme pas un hanchement prononcé. Elle reste statique, enrichie plus qu'animée d'arrangements d'étoffes et de variations de plis très étudiés. L'ample capuchon marron du costume franciscain rabattu sur des épaules tombantes, cache le haut du fermail ciselé qui agrafe la chape. La belle tête du saint se détache sur un nimbe rayonnant autrefois doré et vibrant de lu-mière. La mitre, creusée selon des tracés de remplages, ornée de figurations de losanges de perles et de pierres précieuses, laisse échapper les volumineuses boucles vrillées de la chevelure. Le visage, juvénile, bien plein, au grand front lisse prolongé par un nez aminci, est peint en blanc avec quelques accents rosés et des lèvres rouges. Il en émane, avec quelque soupçon de mélanco-lie, une infinie douceur, une compassion attendrie, dans lesquelles il faut peut-être lire la poétique manifestation d'un senti-ment franciscain. On reconnaît ici l'extraor-dinaire capacité d'expression du maître de la chapelle de Rieux.

BIBL. : *Cf.* n° 53.

EXP. : *Chefs-d'œuvre de l'art français,* 1937, n° 991.

Toulouse, musée des Augustins
Inv. Ra 555D

56
Tête féminine : Vierge

Provenant de la chapelle de Rieux au cou-vent des Cordeliers de Toulouse (?)
Deuxième quart du XIVe siècle
Pierre autrefois polychromée (nez et men-ton en grande partie refaits)
H. 0,32 ; L. 0,32 ; Ép. 0,235

En 1909, cette tête fut retrouvée dans les caves du musée des Augustins. H. Rachou pensa immédiatement à la chapelle de Rieux. Ayant par ailleurs remarqué dans les réserves des Augustins la partie basse d'une Vierge à l'Enfant dont les chutes de plis

56

tuyautés lui rappelaient, fort justement, celles qu'affectionnait le maître de la cha-pelle de Rieux, Rachou rapprocha les deux morceaux qu'il attribua à une seule et même statue. Celle-ci, une grande Vierge à l'Enfant debout, aurait été réalisée pour la chapelle de Rieux. M. Heng a montré, de-puis, que la tête avait des particularités pro-pres à plusieurs Vierges à l'Enfant méridio-nales d'une iconographie nouvelle (n° 57) qui portent les marques de l'art de la cha-pelle de Rieux.

La bouche droite, les paupières inférieu-res quasiment rectilignes contribuent à l'équilibre des traits et de l'expression de ce beau visage calme derrière lequel, sem-ble-t-il, l'Antiquité classique est présente. Mais, la flexion de la tête encore perceptible sur l'amorce restante du cou, sa masse même et sa solide construction, le jaillisse-ment au niveau des tempes de mèches de cheveux largement ondées sont autant d'indices qui font indéniablement de cette œuvre, l'une des meilleures créations du maître de la chapelle.

BIBL. : *Cf.* n° 53. — H. Rachou, *Cat.,* 1912, p. 313, n°s 772 et 772 bis. — H. Rachou, *Bull. municipal, Ville de Toulouse,* août 1938, p. 561. — M. Heng, *Actes du 96e Congrès nat. des soc. savantes (Toulouse, 1971),* II, Paris, 1976, p. 103-114.

EXP. : *La Vierge dans l'art méridional,* 1949, n° 5. — *La Vierge dans l'art français,* 1950, n° 176. — *Trésors d'art gothique en Languedoc,* 1961, n° 25.

Toulouse, musée des Augustins
Inv. Ra 772 bis

57

sous le bras élevant l'Enfant. L'Enfant, à demi-nu, serre un oiseau dans ses mains.

Il convient de noter la ligne sinueuse du corps de la Vierge dont la tête s'incline vers l'Enfant et dont le dos se creuse d'une forte cambrure amplifiée par le bombement du ventre. Le rayonnement du maître de Rieux est sensible ici à un double titre : l'iconographie de la Vierge à l'Enfant, ses attributs, ses vêtements, en particulier le voile-manteau directement posé sur la chevelure, dérive des Vierges de l'atelier de Rieux, encore que la résille si souvent utilisée pour retenir le voile (Vierges de Montpezat-de-Quercy, de Villardonnel, de Conques-sur-Orbiel) ait ici disparu. Plus significative peut-être est l'influence stylistique : le sculpteur de la Vierge d'Azille a retenu de la grande mutation stylistique languedocienne des années 1330-1350 l'attitude exagérément sinueuse du corps, l'interprétation décorative de la chevelure, et surtout le traitement de la draperie tendue en écharpe transparente sur la poitrine retombant sous les mains en abondantes cascades de plis tuyautés, et entassée sur les pieds par gros plis obliques mollement cassés.

BIBL. : J. Bousquet, 1954-1958, p. 225-242. — M. Heng, *Actes du 96ᵉ Congrès nat. des Soc. savantes, Toulouse (1971),* 1976, p. 103-114.

EXP. : *Trésors d'art gothique en Languedoc,* 1961, nᵒ 7.

Azille-Minervois (Aude)
Église paroissiale

57
La Vierge et l'Enfant
Milieu du XIVᵉ siècle
Pierre polychrome ; restauration (1961)
H. 1,60 ; L. 0,53 ; P. 0,40

La Vierge, fortement déhanchée, porte l'Enfant sur le bras gauche et un livre dans la main droite. Elle est vêtue d'une tunique rouge recouverte d'un manteau court, bleu, et orné de motifs dorés. Le manteau, posé très en arrière à la manière d'un voile, découvre la chevelure ; il retombe en deux pans symétriques, couvrant à droite la main qui présente le livre, et ramassé à gauche

58
Trois évêques sous arcatures
Provenant du tombeau du cardinal Pierre de La Jugie
Milieu du XIVᵉ siècle
Marbre polychrome
H. 0,71 ; L. 0,91

Ces trois plaques de marbre présentent sous des arcatures polylobées surmontées de gâbles fleuronnés, trois évêques tenant la crosse dans la main gauche et un livre dans la main droite. Ils sont revêtus des vêtements liturgiques traditionnels : la chasuble au col brodé pour l'un, la grande chape avec

fermail ciselé pour les deux autres. Tous trois ont une grande mitre triangulaire surchargée d'ornements, et des gants ornés d'une plaque gemmée sur des mains démesurées. Le cadre architectural est particulièrement raffiné, avec la juxtaposition de motifs rayonnants et flamboyants dans les gâbles et la frise de petites roses surmontant les armes du chapitre à gauche et celles de l'archevêque à droite.

Pierre de La Jugie, archevêque de Narbonne de 1347 à 1375, puis de Rouen jusqu'à sa mort en 1376, voulut être enterré dans la cathédrale Saint-Just de Narbonne où il avait fait faire de son vivant un somptueux mausolée de marbre blanc placé entre les piliers du rond-point du chœur. La révolution fut cause de la mutilation du tombeau : martelage des têtes, des armoiries, suppression du gisant et des plaques qui ornaient le mausolée du côté du chœur. En 1830, Alexandre du Mège acheta chez un marbrier narbonnais six plaques parfaitement conservées ainsi que le dais et les déposa au musée des Augustins, à Toulouse. Malgré ces dégradations, le tombeau de Saint-Just conserve la disposition originelle : un grand baldaquin de pierre très orné surmonte un cénotaphe à double registre de bas-reliefs, représentant un cortège d'évêques, de clercs et de chanoines en partie bûchés.

Les plaques sauvées par du Mège permettent d'apprécier la qualité stylistique du tombeau : on retrouve ici la préciosité des attitudes déhanchées alliée au réalisme des visages épais, couturés de rides, le goût pour les attributs orfévrés et la fluidité des tissus qui font l'originalité de la sculpture languedocienne au milieu du XIVᵉ siècle.

BIBL. : H. Rachou, *Cat.,* 1912, nᵒ 832. — P. Mérimée, *Notes d'un voyage dans le Midi de la France,* Bruxelles, 1835, p. 374-375. — E. Viollet-le-Duc, *Dictionnaire,* 1870, t. IX, «Tombeaux», p. 52, III, «Clôture», p. 468-469. — B. de Rivière, «Musée de Toulouse, Inv. illustré, les statues tombales», *Mém. de la Soc. archéol. du Midi de la France,* 16, 1908, p. 88-90. — B. Mundt, *Jh. der Berliner Museen,* 9, 1967, p. 26-80. — B. Guillemain, «Pierre de La Jugie, archevêque de Narbonne (1347-1375)», *Narbonne, archéol. et histoire, Actes du Congrès de la Fédération historique du Languedoc-Roussillon (1972),* 1973, p. 163-168 et M. Pradalier-Schlumberger, «Le tombeau du cardinal Pierre de La Jugie à Narbonne», *ibidem,* p. 271-288.

Narbonne, cathédrale Saint-Just
Dépôt du musée des Augustins de Toulouse
Inv. Ra 832

58

Le tombeau de Philippe le Hardi, tel qu'on peut l'imaginer à partir de ce fragment d'une exceptionnelle qualité n'est pas une œuvre isolée en Languedoc vers 1344 : le très précoce arc en accolade encadrant le pleurant, l'emploi d'un type de feuillage « boursouflé », le réalisme du visage lourd, d'une laideur expressive, caractérisent à la même époque la sculpture funéraire de l'atelier du maître de Rieux, en particulier le tombeau d'Hugues de Castillon, dans la cathédrale de Saint-Bertrand de Comminges.

BIBL. : M. Tournal, *Cat. du musée de Narbonne*, 1864, n° 562. — P. Pradel, *Rev. archéol.*, 1964, I, p. 33-46 C. — M. Pradalier-Schlumberger, *96ᵉ Congrès national des Soc. savantes, Toulouse (1971)*, 1976, II, p. 225-238 (avec bibl.).

EXP. : *L'Europe gothique*, 1968, n° 148. — *La France de Saint-Louis*, 1971, n° 39. — *Les Pleurants dans l'art du Moyen Age*, 1971, n° 7.

Narbonne, Trésor de la cathédrale Saint-Just
Cat. Tournal, n° 562

59
Pleurant

Provenant du tombeau des chairs du roi Philippe III le Hardi à la cathédrale de Narbonne
Milieu du XIVᵉ siècle
Albâtre gypseux
H. 0,69 ; L. 0,59 ; Ép. 0,125

Sous une arcature trilobée décorée de feuillages frisés, un petit personnage encapuchonné apparaît de face, revêtu d'un manteau orné de trois bandes de fourrures sur les manches. De part et d'autre, une demi-arcade porte la trace d'une figurine bûchée.

Le corps de Philippe le Hardi, mort de maladie à Perpignan le 5 octobre 1285, au retour de la campagne de Catalogne, avait été ramené par Philippe le Bel à Narbonne et les chairs inhumées dans un mausolée placé dans le chœur de la cathédrale. Au mois d'octobre de l'année 1344, le tombeau fut transféré dans la nouvelle cathédrale. C'est sans doute à l'occasion de ce transfert que le tombeau fut partiellement ou même complètement refait. Pendant la Révolu-

tion, la Société populaire de Narbonne fit détruire l'ensemble du monument et subsistèrent seuls, outre le fragment exposé, deux lions et un fragment du manteau royal conservés à Narbonne, enfin le grand dais en albâtre acheté par Alexandre du Mège en 1830 pour le musée des Augustins, à Toulouse.

L'ensemble du tombeau royal est assez bien connu, grâce aux témoignages de voyageurs du XVIIᵉ et du XVIIIᵉ siècle, et grâce à deux dessins publiés dans l'*Histoire générale de Languedoc*. D'après ces documents, le gisant du roi tenant de la main droite un sceptre et de l'autre ses gants, était couché sur un coffre de marbre blanc, orné de personnages, chanoines, princes et princesses en habits de deuil, formant un cortège funéraire mené par le fils du défunt, Philippe le Bel.

Unique vestige de la procession des funérailles, le pleurant exposé ici, que Viollet-le-Duc prenait pour un chanoine portant une aumusse, a été identifié par P. Pradel comme étant Charles de Valois, second fils de Philippe III.

59

60
L'Annonciation
Groupe provenant de l'église de Javernant (Aube)
Milieu du XIVe siècle

A) La Vierge
Coll. Bligny, 1878 ; coll. Maillet du Boullay, 1892 ; coll. Doisteau ; don Félix Doisteau, 1919
Albâtre ; traces de dorure
H. 0,69 ; L. 0,20 ; Ép. 0,12

Paris, musée du Louvre
RF 1661

B) L'Ange
Coll. Nathaniel et Alphonse de Rotschild, Vienne ; coll. J.H. Wade
Albâtre rehaussé d'or
H. 0,565 ; L. 0,285 ; Ép. 0,105
Déroule une banderole sur laquelle se lisent les mots «AVE MARIA GRATIA PLENA»

Cleveland (USA), The Cleveland Museum of Art
Inv. 54.387

Dès la fin du XIXe siècle, le groupe fut dissocié. La provenance en est connue grâce à un cliché pris à Javernant avant cette séparation. On peut cependant s'interroger sur la destination première de l'œuvre, et supposer que, taillée dans un matériau de luxe, elle appartint, avant la Révolution, à quelque abbaye voisine et non à cette modeste église, érigée en paroisse en 1747 seulement. On songerait volontiers à Moutier-la-Celle ou à Notre-Dame-du-Pré, dont l'église était précisément dédiée à l'Annonciation. Mais rien n'est venu encore confirmer cette hypothèse.

Le peu d'épaisseur des statuettes, dont le dos est néanmoins travaillé, les apparente aux figurines d'applique destinées à orner les retables. Cette particularité s'explique sans doute par la contrainte d'un matériau débité en plaques minces. L'artiste s'y est très habilement adapté. Et des rehauts de polychromie et de dorure accroissent encore la séduction du groupe.

L'identité de matière, et diverses parentés de style, ont permis de constituer, autour de la Vierge de Javernant, un petit ensemble qui comprend les deux Vierges à l'Enfant de Dommarien (no 54) et la Mailleraye (Seine-Maritime. Volée en 1980), et une Vierge assise et allaitant conservée à la National Gallery of Scotland, à Edimbourg. De ce groupe doit être rapprochée une Vierge de pierre qui fit partie, successivement, des collections Lepel-Cointet, à Jumièges, et Salavin.

Le lieu de production n'est point assuré. Les rapports avec la sculpture champenoise du milieu du XIVe siècle, au demeurant fort mal connue, sont peu convaincants. L'élégante préciosité et la distinction de la Vierge de Javernant, le charme aigu de l'ange plaident en faveur d'un atelier de la capitale, en accord avec ce que nous savons ou pressentons de l'importance et de la diffusion de l'art parisien. Paris occupe d'ailleurs une position clef entre les régions où apparaissent ces statues : Champagne, Normandie, Bourgogne. Mais certains caractères présentés par la Vierge de Dommarien amènent à nuancer cette position.

Nous avons, pour cette période, une œuvre de référence, conservée en Espagne : la Vierge de marbre, dite Notre-Dame-la-Blanche qui est dans l'église de Huarte, à quelques kilomètres de Pampelune. Publiée par M. Dieulafoy (*La statuaire polychrome en Espagne,* Paris, 1908, p. 50), elle fut ensuite et jusqu'à présent bizarrement considérée comme perdue, quelque confusion toponymique ayant égaré les recherches. Date et origine sont établies par l'inscription qu'elle porte : AN. DNI. MCCCXLIX FECIT MARTINUS DUARDI MERCATOR DE PAMPELONE TRANSFERRE HANC IMAGINEM DE VILLA PARISIEN. IN ECCLESIAM ISTAM ET DEDIT ILLAM IN HONORE BEATE MARIE VIRGINIS ORATE PRO EO. La date, certes, est celle du don, non de l'exécution. Mais cette dernière a dû précéder de peu le transfert, si l'on en juge par le maniérisme qu'accusent le jeu pressé des petits plis tuyautés et le subtil graphisme des lignes.

BIBL. : A. Darcel, *G.B.A.,* 1878, p. 521. — L. Courajod et P.F. Marcou, 1892, no 652. — R. Koechlin, *Congrès archéol. de France,* 1902, p. 254. — M. Aubert et M. Beaulieu, 1950, no 252. — W. Milliken, *The Bull. of the Cleveland Museum of Art,* 1955, p. 118-120. — F. Baron, *Rev. du Louvre,* 1973, VI, p. 329-336.

EXP. : (La Vierge seule) : *Exp. rétrospective de l'Art français au Trocadéro,* 1889, no 91. — *Exp. rétrospective de l'Art français,* 1900, no 4641. — *Exp. des Primitifs français...,* 1904, no 299. — *Gothic Art 1360-1440,* 1963 (*Bull. of the Cleveland Museum of Art,* 1963), no 21. — (Le groupe) : *Treasures from medieval France,* 1966-1967, V, 21-22. — *L'Europe gothique,* 1968, nos 145-146.

Notre-Dame-la-Blanche
(église de Huarte)

61
La Vierge et l'Enfant
Provenant de l'église de Dommarien
Milieu du XIVe siècle
Albâtre. H. 0,635 ; L. 0,22 ; Ép. 0,13

La statue, dont le crâne arasé supportait sans doute une couronne d'orfèvrerie, passe, sans preuve, pour avoir appartenu à une église de Langres.

Elle présente d'évidents rapports avec la Vierge de Javernant (no 53). Les éléments constitutifs du visage apparaissent identiques : large front plat, étroite fente des yeux légèrement relevés vers les tempes, long nez aux narines dilatées et petite bouche pincée. L'allure générale, le rythme des drapés sont également comparables. L'analogie se poursuit jusqu'au dessin des galons dorés dont les vestiges ornent les bordures des vêtements.

61

EXP.: *L'Art du Moyen Age en France,* 1978-1979, nº 57.

Langres (Haute-Marne)
Trésor de la cathédrale Saint-Mammès
Dépôt de la municipalité de Dommarien

62
Retable orné de scènes de la Passion

Musée des Monuments français ; Saint-Denis
Vers 1350-1360
Pierre polychromée et dorée
H. 0,81 ; L. 1,15 ; Ép. 0,14

Les scènes de la Passion s'inscrivent dans un décor architectural très développé et assez évolué : arcatures finement ajourées, gâbles, colonnettes et petits pinacles. De gauche à droite se voient : l'Arrestation du Christ : saint Pierre rengaine son épée, tandis que trois soldats se saisissent du Christ qui guérit l'oreille de Malchus, tombé à terre - la Flagellation - le Portement de Croix. Simon de Cyrène, à droite, aide Jésus - la Mise au tombeau - la Résurrection - la Descente aux limbes. L'ordre de ces deux derniers épisodes est inversé, pour une raison inconnue. Cette disposition n'est d'ailleurs pas exceptionnelle. Elle existait déjà au Jubé de Bourges.

Le relief fut, à la Révolution, recueilli par Alexandre Lenoir. Il figure sur un dessin de Percier, projet pour la salle du XIVe siècle du musée des Monuments français (musée du Louvre, Cabinet des Dessins, Album Lenoir, RF 5279, fol. 20). Guilhermy le mentionne ensuite à Saint-Denis (Bibl. nat. nouv. acq. fr. 6121, fol. 66 vº). Mais jamais n'est indiquée sa provenance, qui a pu être, tout simplement, l'abbatiale.

On peut relever certaines tendances archaïsantes, dans le style du costume (bonnet de Simon de Cyrène). Mais la plupart des scènes ont un accent pittoresque, un peu menu, avec de petites silhouettes élégamment drapées (le Christ de l'Arrestation), dont on peut trouver des équivalences dans l'enluminure du milieu du siècle (Bible moralisée de Jean le Bon, nº 271 ou Guillaume de Machaut, nº 272). Ceci autorise une datation aux alentours de 1350-1360.

BIBL.: E. Haraucourt et F. de Montrémy, *Musée des Thermes et de l'Hôtel de Cluny. Cat. général,* I, *La pierre, le marbre et l'albâtre,* Paris, 1922.

Paris, musée de Cluny
Inv. Cl. 11494

A Dommarien, toutefois, le visage s'empâte, la silhouette s'élargit, les draperies s'étoffent ; des correspondances s'établissent avec certaines Madones lorraines. De même l'Enfant joufflu qui joue avec un oiseau est très proche de celui que tient la Vierge de Preny (Meurthe-et-Moselle). Il importe de tenir compte de ces dernières parentés, qui isolent un peu la Vierge de Dommarien. Elles inciteraient à situer l'atelier en Champagne, au contact de l'art lorrain, l'existence d'une statue à la Mailleraye posant alors la question des rapports possibles entre cette province et la Normandie. Mais le graphisme subtil et la préciosité de l'Annonciation de Javernant ne s'insèrent pas parfaitement dans ce contexte. Il y a là un problème qui n'a pas encore trouvé sa parfaite solution.

BIBL.: F. Baron, *Rev. du Louvre,* 1973, VI, p. 329-336. — J.A. Schmoll gen. Eisenwerth, *Aachener Kunstblatter,* nº 30, 1965, p. 49-99.

62

63
La Vierge et l'Enfant

Coll. Marcel Cottreau, Paris ; John L. Severance, Cleveland ; don J.L. Severance, 1942
Milieu du XIVe siècle (1350-1360?)
Marbre. H. 0,55 ; L. 0,165 ; Ép. 0,09

La Vierge a été rapprochée, à juste titre, de celle de l'abbaye de Fleury, à Saint-Benoît-sur-Loire (Loiret), avec qui elle partage la simple joliesse des traits rêveurs et l'attitude familière. Le geste diffère un peu (à Saint-Benoît, la mère tient le pied de son fils de la main droite), mais le type et l'iconographie demeurent analogues. Et on retrouve, çà et là, l'oiseau becquetant le doigt de l'Enfant, thème parfois relié, sans raison suffisante, à l'épisode de Jésus enfant façonnant dans l'argile des passereaux auxquels il donne vie, que relate l'évangile apocryphe du pseudo-Matthieu (ch. 27), repris dans le Coran (III, 43, V.110).

Le jeu des drapés s'organise également suivant un schéma comparable permis et imposé par la flexion du bras droit empaqueté dans le tissu, ce qui crée une double chute latérale de plis, disposition commune à un certain nombre de statues du second quart du XIVe siècle situées dans un rayon peu éloigné de la capitale : Courtomer (Seine-et-Marne), Mainneville (Eure), Ennery (Val-d'Oise).

Mais cette disposition revêt, à Cleveland, un caractère différent, signe très probable d'une date plus tardive. L'opposition s'accentue entre le tablier raccourci du manteau, terminé par une stricte horizontale, et les volutes simplifiées, mais plus généreusement modelées, qui l'encadrent et contribuent à élargir la silhouette. Ce rythme se retrouvera par la suite, amplifié et mouvant, sur la Vierge de la fondation Gulbenkian, à Lisbonne (n° 66) et, plus tard et plus évolué encore, sur la petite Vierge allaitant, en albâtre, du musée de Lille. De tels rapprochements incitent à situer la statue de Cleveland au milieu du siècle ou dans la décennie suivant 1350. (La Vierge de Cleveland avait été vers 1925, éditée en dimensions et matériaux divers par les soins de l'Art catholique, place Saint-Sulpice.)

BIBL. : *Cat. de la vente Marcel Cottreau*, Paris, 12 juin 1919, n° 56. — *Cat. of the John L. Severance Coll., Bequest of John L. Severance*, Cleveland, 1942, n° 17.

EXP. : *Treasures from Medieval France*, 1967, n° V-23.

Cleveland, The Cleveland Museum of Art
Bequest of John L. Severance
Inv. 42.784

63

64
Statue gisante du roi Charles V

Provenant de la chapelle Saint-Jean-Baptiste à Saint-Denis
André Beauneveu, 1364-1366
Marbre. L. 1,80 ; l. 0,50 ; Ép. 0,30

Suivant les coutumes funéraires en usage dans les milieux princiers du XIVe siècle, Charles V institua, par testament, trois sépultures : Saint-Denis, Rouen (n° 67) et Maubuisson (n° 73), pour son corps, son cœur et ses entrailles. Et sur chacune de ces tombes fut érigé un monument.

Le gisant de Saint-Denis appartient à la commande passée par le roi à André Beauneveu, pour l'exécution des tombeaux de Jean le Bon, son père et de ses grands-parents, Philippe VI et Jeanne de Bourgogne que les difficultés politiques avaient

64 (détail)

éblouissante maîtrise de métier. A la rigueur du bloc de marbre, au jeu des longs plis tuyautés des tuniques s'oppose la fluidité des grandes ondes de draperie sur lesquelles glisse la lumière. Les tendances novatrices ont été favorisées par les circonstances. C'est, en effet, le premier gisant d'un roi sculpté *ad vivum* (des exemples de cette pratique sont néanmoins attestés dès le premier quart du XIVe siècle pour d'autres personnages). Et le visage, d'une sévérité presque cruelle, est une saisissante image du souverain de vingt-sept ans, précocement vieilli. Servi par une souplesse de modelé capable de suggérer les apparences, ce naturalisme inspire aussi le traitement de la main droite aux veines saillantes (la main gauche a été refaite).

Cet exceptionnel chef-d'œuvre est la seule sculpture authentique de Beauneveu.

BIBL.: L. Courajod et P.F. Marcou, 1892, n° 654 (Bibl. ancienne). — G. Troescher, 1940, I, p. 20-24. — P. Pradel, *Rev. des Arts*, 1951, p. 89-93. — P. Pradel, *Bull. mon.*, 1951, p. 273-296. — S.K. Scher, 1966, p. 6-61 et p. 322-326 (avec bibl.). — C. Richter Sherman, 1969, p. 65-71. — A. Erlande-Brandenburg, *Bull. des Archives de la Seine-Saint-Denis*, n° 3, 1975, n° 51. — J.B. de Vaivre, *G.B.A.*, avril 1981, p. 149.

Saint-Denis, cathédrale

65
Tête du gisant de Bonne de France, fille de Charles V

Provenant de l'abbaye cistercienne de Saint-Antoine-des-Champs à Paris
Coll. Carlo Micheli ; acquis par le chevalier Mayer Van den Bergh en 1898
Attribué à Jean de Liège, vers 1364
Marbre. H. 0,228 ; L. 0,197 ; Ép. 0,145

On s'est pendant longtemps interrogé sur l'identité de cet enfant dont un bandeau, d'orfèvrerie sans doute, manifestait autrefois l'origine princière. L'exacte conformité à un dessin de son tombeau, exécuté pour Roger de Gaignières (Bibl. nat. Est. Rés. Pe 11a, fol. 217) et le témoignage d'Alexandre Lenoir, rapportant que certains fragments avaient été vendus en 1793, imposent le nom de Bonne de France, seconde fille de Charles V.

jusqu'alors privés de monuments funéraires. Le premier mandement est du 25 octobre 1364. Travaux et paiements s'échelonnent ensuite jusqu'en juin 1366. Pour la tombe du roi régnant, ils ne concernaient d'ailleurs que le gisant (cf. n° 75), qui fut, à la Révolution, sauvé par Alexandre Lenoir, transporté au musée des Monuments français puis replacé à Saint-Denis en 1816.

Le souverain apparaît suivant la formule adoptée par les Valois, vêtu comme il l'était le jour du sacre, d'un manteau agrafé sur l'épaule et de deux tuniques superposées. Il tenait le sceptre et la main de justice, exécutés en métal, ainsi que la couronne. Ses pieds reposaient sur deux lions qui ont disparu.

Par-delà les conventions dont l'artiste ne s'est pas entièrement dégagé, s'affirme une

64

L'enfant, dont les courtes mèches sont encore celles d'un bébé, mourut, âgée de un ou deux ans, le 7 novembre 1360, dix-sept jours seulement après Jeanne, sa sœur et de peu son aînée. Les deux petites filles furent enterrées à Saint-Antoine-des-Champs. Leurs gisants reposaient sur une dalle de marbre noir surmontant un coffre orné de statuettes signalées comme étant des « religieuses en prière ». L'intitulé des épitaphes,

l'Enfant de même provenance que la tête de Bonne, et sortie sans doute du même atelier (n° 66) renforce cette hypothèse.

BIBL.: H. Bonnardot, *L'Abbaye royale de Saint-Antoine-des-Champs de l'ordre de Citeaux*, Paris, 1882. — A. Lenoir, *Inv. des Richesses d'Art...*, 1883, n°s LV et LVI. — E. Raunié, *Épitaphier du Vieux Paris*, I, Paris, 1890, p. 133-135. — J. de Coo, *Cat.*, 1969, n° 2112. — R. Didier, *Rev. des Archéol. et Historiens d'Art de Louvain*, IV, 1971, p. 227-234. — G. Schmidt, *Metropolitan Museum journal*, IV, 1971, p. 81-107. — F. Baron, *Communication à la Soc. nat. des Ant. de France*, mars 1979. — F. Baron, « Le gisant de Bonne de France, fille de Charles V, et la Vierge de Saint-Antoine-des-Champs », à paraître dans le *Bull. mon.*

EXP.: *Rhin-Meuse*, 1972, O¹⁰. — *Bilder vom Menschen...*, 1980, n° 17.

Les deux têtes sont percées de trous où étaient fixées des couronnes.

La statue fut désignée comme « la Vierge au Boulanger », pour avoir servi d'enseigne à une boutique de la rue Saint-Antoine. Et, malgré certaines confusions susceptibles de naître de l'existence d'une autre pièce ayant connu un sort identique, on peut lui assigner une provenance : l'abbaye cistercienne de Saint-Antoine-des-Champs, toute

65

Anvers, musée Mayer van den Bergh
Inv. 329

66
La Vierge et l'Enfant

Provenant de l'abbaye cistercienne : Saint-Antoine-des-Champs à Paris (?)
Coll. Engel Cros ; coll. Calouste Gulbenkian
Attribué à Jean de Liège, vers 1364
Marbre ; traces de dorure
H. 0,63 ; L. 0,205 ; Ép. 0,13

L'enfant, qui tient un oiseau, est porté sur le bras droit, position inhabituelle mais parfois rencontrée, surtout à la fin du XIVe siècle.

66 (détail)

gravées au revers des dais placés au-dessus de leurs têtes, mentionnait Charles comme « Duc de Normandie et Dalphin de Viennois et depuys Roy de France ». L'œuvre est donc postérieure à l'avènement du roi. Et il est permis de supposer que son exécution dut être sensiblement contemporaine de celle des quatre gisants de Saint-Denis (n° 64), le roi ayant souhaité accomplir sans tarder ce que les malheurs du royaume avaient empêché le dauphin d'entreprendre.

Ces données nouvelles posent en termes sensiblement différents l'attribution proposée à Jean de Liège, de ce chef-d'œuvre, témoin d'un sentiment très nouveau dans l'art du portrait. Car jamais auparavant n'avaient été rendus avec tant de tendre vérité les contours estompés d'un visage enfantin. La découverte d'une Vierge à

proche, et dont on sait qu'au moins une image de la Vierge à l'Enfant avait échappé aux destructions révolutionnaires.

La confrontation avec la tête de Bonne de France (n° 65) révèle des parentés telles, qu'il faut attribuer les deux œuvres au même artiste. Les visages de la petite princesse et de l'Enfant Jésus sont très semblables. Tous deux traduisent un même admirable sentiment de l'enfance, qui s'affirme encore dans le modelé subtil des bourrelets, au dos du bébé qui joue dans les bras de sa mère.

L'attribution, faite à Jean de Liège, du buste de Bonne, pourrait paraître hasardeuse, faute de critères suffisants pour l'appréciation du style. La Vierge, avec ses drapés, introduit l'élément qui manquait et assure le bien fondé de cette hypothèse. Dans

la disposition des plis empaquetant le bras ou le tracé du bord du manteau apparaissent en effet des analogies avec le gisant de Charles IV le Bel, œuvre attestée de l'artiste (n° 70).

BIBL. : H. Bonnardot, *Rev. Universelle des Arts*, V, 1857, p. 212-213. — C. Enlart, *Le Musée... du Trocadéro*, 1911, n° 303. — H. Bonnardot, *L'Abbaye royale de Saint-Antoine-des-Champs*, Paris, 1882. — H. Bonnardot, «Notice sur une statue de la Vierge provenant de l'église abbatiale de Saint-Antoine-des-Champs», *Bull. de la Soc. d'Histoire de Paris et de l'Ile-de-France*, X, p. 52-54. — *Cat. de la vente Engel-Gros*, 30-31 mars et 1er juin 1921, n° 255. — P. Ganz, *L'œuvre d'un amateur d'art. La collection de Monsieur F. Engel-Gros*, 1, Genève-Paris, 1925, p. 76-78 et cat. n° 3. — *Fondation Calouste Gulbenkian. Œuvres d'art de la coll. Calouste Gulbenkian*, Lisbonne, 1966, n° 157. — F. Baron, «Le gisant de Bonne de France, fille de Charles V et la Vierge de Saint-Antoine-des-Champs», à paraître, *Bull. mon.*

Lisbonne, Fondation Calouste Gulbenkian
Inv. 207

67
Tombeau du cœur de Charles V

Jadis placé dans le chœur de la cathédrale de Rouen
Jean de Liège, 1368
Dessin lavé et aquarellé, exécuté pour Roger de Gaignières

67

La commande du tombeau de son cœur, destiné à la cathédrale de Rouen, fut, pour Charles V, un acte politique destiné à rappeler son attachement au duché reçu en apanage dans sa jeunesse et à inciter ses sujets normands à la loyauté au moment où il prépare la reprise de la guerre maritime contre l'Angleterre.

L'entreprise suivit de peu la fondation de messes pour le roi, faite le 20 juillet 1366. La première pierre fut posée en 1367. L'activité du chantier et le nom du sculpteur sont connus par un mandement du 5 décembre 1368, ordonnant le paiement d'un acompte à Jean de Liège. Dans le sillage de l'artiste surgit Jean de Marville, payé en juin 1369, pour travaux de maçonnerie et sculpture en la chapelle fondée par le roi.

Placé dans le chœur de la cathédrale, le tombeau fut endommagé par les Protestants, en 1562. Le dessin de Gaignières montre un socle déjà privé de son décor dont on sait seulement qu'il comportait des piliers et chapiteaux de cuivre, nettoyés en 1406, et des statuettes, refixées en 1461. Ce décor, dont le matériau constitue, à cette date, une originalité certaine, devait atteindre à une grande richesse, si l'on en juge par l'importance du paiement de deux cents francs, fait le 16 octobre 1368, sur les coffres du roi «pour faire dorer et parfaire la tombe de cuyvre où sera mis le Cuer du roy nostre dit seigneur, ou Cuer de l'église de Rouen» (Arch. nat. P 1189, fol. 9, v° - Texte communiqué par R.H.Bautier). Pour souligner la fonction du tombeau, le souverain qui tenait le sceptre de la main gauche, portait, dans la droite, un cœur. L'ensemble fut détruit en 1736, par ordre du chapitre qui faisait surélever le chœur, et remplacé par une dalle de marbre noir ornée d'une inscription et de petits cœurs de cuivre, qui disparut à la Révolution.

Roger de Gaignières (1642-1715), savant médiéviste passionné d'iconographie historique et d'histoire du costume, parvint à réunir une collection de dessins dont l'intérêt fut renforcé par la destruction révolutionnaire de presque toutes les œuvres représentées. Les portefeuilles furent cédés à Louis XIV, sous réserve d'usufruit. Mais Clairambault, généalogiste du roi, parvint à soustraire des pièces intégrées à sa propre collection ou vendues en Angleterre. Ceci entraîna la dispersion du fonds, à présent divisé en trois : à la Bibliothèque nationale, Cabinet des Estampes et Cabinet des Manuscrits, et à la Bibliothèque Bodléienne d'Oxford (calques au Cabinet des Estampes).

BIBL. : Abbé Cochet, «Nouvelles remarques sur la découverte du cœur du roi Charles V dans la cathédrale de Rouen en mai 1862», *Rev. de l'Art chrétien*, 1862, p. 510-530. — L. Delisle, Paris, 1874, n°s 479 A, 545 et 572. — C. Dehaisnes, I, 1886, p. 483, et II, p. 490. — A. Deville, *Tombeaux de la cathédrale de Rouen*, 3e éd., Paris, 1881, p. 145-154. — A. Bouchot, II, Paris, 1891, n° 7071. — M. Devigne, 1932, p. 80-81. — P. Pradel, *Rev. des Arts*, 1951, p. 90-91. — P. Pradel, *Bull. mon.*, 1951, p. 281-287. — S.K. Scher, 1966-1976, p. 57-58.

EXP. : *La Librairie de Charles V*, 1968, n° 34.

Paris, Bibliothèque nationale
Ms. Clairambault 633, fol. 31

68
Charles V et Jeanne de Bourbon

Statues provenant du décor du Louvre (?)
Salle des Antiques du Roi, avant 1692 ; musée des Monuments français, 1796 ; Saint-Denis, 1817 ; entrées au Louvre en 1904
1365-1380
Pierre. H. 1,95 ; L. 0,71 ; Ép. 0,40
H. 1,94 ; L. 0,50 ; Ép. 0,44

Un remarquable sens de la densité plastique s'associe à la vérité physique et psychologique de ces deux portraits. Intelligence et malicieuse bonté, et son grand nez, caractérisent le roi, vêtu de la longue cotte et de l'ample surcot qu'il préféra toujours aux

68

68

vence, de la salle des Antiques du Louvre où elles auraient été recueillies lors de la destruction de l'hôpital, entre 1779 et 1781. Cette identification fut, en 1847, contestée par le baron de Guilhermy, au profit de Charles V et de Jeanne de Bourbon. De cette légitime reconnaissance, l'érudit fit découler, sans en apporter de preuves, l'assertion que les statues provenaient de l'église des Célestins, construite entre 1365 et 1370, où elles figuraient au portail, connu par des gravures de Montfaucon (*Monumens de la monarchie françoise,* III, Paris, 1731, pl. XII, fig. 6 et 7) et de Millin (*Antiquités nat.,* I, Paris, 1790, art. 3, pl. 2).

L'idée de Lenoir fut reprise en 1937, par G. Huard, qui fut suivi jusqu'en 1968. Pour justifier l'apparence du souverain, Huard évoquait l'usage de représenter saint Louis sous les traits du roi régnant, usage attesté dès le XVe siècle, mais dont l'origine demeure controversée. Ce raisonnement était peu compatible avec la datation tardive qui était proposée, justifiée par une Bulle de 1387 qui mentionnait des travaux dont la consécration de 1390 sanctionnait probablement l'achèvement en plein règne de Charles VI. Et il semble juste de suivre A. Erlande-Brandenburg (1968), en ne retenant pas la thèse des Quinze-Vingts, le principal obstacle étant l'impossibilité de restituer au portail, dont nous savons que saint Louis occupait le pilier central et Marguerite la niche latérale de gauche (en pendant à une statue de Philippe III), deux effigies si manifestement conçues pour se répondre de part et d'autre d'un axe.

Le retour à la thèse des Célestins suggère à A. Erlande-Brandenburg une attribution à Jean de Thoiry qui avait, en 1378, reçu un paiement pour la statue de saint Pierre Célestin dressée au centre du portail. Mais là encore s'élèvent de sérieux doutes, l'objection majeure, déjà formulée par Huard, étant le manque de conformité entre les gravures anciennes et la statue de la reine. Les attributs (sceptre, modèle d'église, missel) ont été rajoutés au XIXe siècle. Mais il demeure évident que la position du bras droit de la reine resté intact jusqu'au poignet, est incompatible avec le geste de prière indiqué sur les documents figurés et confirmé par le texte de Millin.

Une étude encore inédite de J.R. Gaborit

vêtements écourtés, alors en vogue, car sa mauvaise santé le rendait frileux. Visage sans grâce et placidité un peu bornée mais attachante sont l'apanage de la reine, qui suit la mode de son temps : tresses repliées et enrubannées ; cotte ajustée à la taille et surcot largement échancré, auquel se rattache une jupe froncée ; ceinture et boutons orfévrés.

La provenance des statues, passées du musée des Monuments français à Saint-Denis, puis au Louvre, suscite un débat maintes fois repris, qui opposait jusqu'ici les partisans des Quinze-Vingts et ceux des Célestins, et auquel pourront participer, désormais, ceux du Louvre. La discussion n'est pas futile, car elle met en cause la date d'exécution de chefs-d'œuvre propres à servir de référence pour toute attribution éventuelle, ou pour l'étude de l'évolution stylistique.

L'appartenance au décor des Quinze-Vingts, fondation de saint Louis, fut affirmée par Alexandre Lenoir qui, en 1796, précise avoir reçu les statues, désignées par lui comme saint Louis et Marguerite de Pro-

permet peut-être de sortir de ce dilemme, en suggérant la possibilité d'une appartenance au décor du Louvre. Les deux statues sont, en effet, mentionnées déjà dans l'inventaire de la salle des Antiques dressé en 1692 par Félibien qui désigne la reine du nom d'Isabeau, femme de Philippe-Auguste, mais hésite sur l'identité du roi présenté comme Philippe-Auguste ou Charles V. Cette association des noms du fondateur et du reconstructeur, dont les traits pouvaient être connus au XVIIe siècle, tendrait à prouver que le garde des Antiques savait être en présence de vestiges du Vieux Louvre.

J.R. Gaborit propose une origine plus précise, qui pourrait être non le célèbre escalier, dit la Grande Vis, détruit dès 1624, où le couple royal était œuvre de Jean de Liège vers 1365, mais la façade accostée de deux tours rondes et ornée elle aussi de statues du roi et de la reine, qui se trouvait à l'entrée orientale du château. Cette partie du palais de Charles V subsista jusque vers 1658-1660, date à laquelle les souvenirs de la Fronde et l'intérêt montant pour les Antiquités nationales auraient pu faire juger opportune la sauvegarde des effigies royales, transférées dans la Salle des Antiques toute proche.

Le roi devait, selon toutes probabilités, tenir le sceptre et la main de justice, dont l'arrachement semble avoir laissé une trace, sur l'épaule gauche. Outre le sceptre, la reine portait peut-être un bouquet comme l'Isabeau de Bavière de la Belle Cheminée de Poitiers.

Cette attribution, basée sur un texte irréfutable et une argumentation convaincante, laisse largement ouvert l'éventail chronologique. Car les travaux du Louvre se sont poursuivis durant tout le règne de Charles V, et au-delà. En 1382, encore, le compte d'exécution testamentaire de Jean de Liège signale deux statues des souverains, restées dans l'atelier du sculpteur. Rien cependant n'autorise à y voir les statues préservées. Il serait d'ailleurs vain de hasarder une attribution, tant sont nombreux les sculpteurs impliqués dans les travaux du Louvre.

BIBL.: F. de Guilhermy, «Iconographie des familles royales de France», *Annales archéol.*, VII, 1947, p. 198. — F. de Guilhermy, *Monographie de l'église royale de Saint-Denis*, Paris, 1848, p. 159-162. — J. La- ran, *Musées et Monuments de France*, 1906, p. 140-142. — G. Huard, *G.B.A.*, 1932, p. 375-391. — M. Aubert et M. Beaulieu, 1950, no 224. — A. Erlande-Brandenburg, *Bull. mon.*, 1968, p. 28-36. — A. Erlande-Brandenburg, *Journal des Savants*, 1972, p. 210-227. — L. Bresson, «Une statue de Charles V dans l'église Notre-Dame de Jambville», *Annales historiques du Mantois*, 1976, p. 91-94 (copie moderne). — J.R. Gaborit, «Les statues de Charles V et de Jeanne de Bourbon au Louvre : une nouvelle hypothèse» à paraître dans *Rev. du Louvre*. — J.B. de Vaivre, *G.B.A.* avril 1981, p. 151-152.

Paris, musée du Louvre
RF 1377 et 1378

69
La Vierge et l'Enfant

1370
Pierre. H. 1,28 ; L. 0,49 ; Ép. 0,19

Une inscription, de lecture difficile et parfois incertaine, est gravée à la base de la statue :
L'AN MIL TROIS CENT SOIXANTE ET DIX — FUT CET

69 (avant restauration)

IMAGE CI ASSIS — DONNE FUT PAR DEVOTION — DE LA PLANTEFOLIE BELON — COUSTURIERE A LESCHE (?) DIT ON — A L'AME FASSE DIEU PARDON.

L'intérêt majeur de la statue est sa datation assurée. Mais elle ne peut être pleinement significative, dans la mesure où elle apparaît comme une œuvre secondaire, produite sans doute localement pour le propriétaire ou l'exploitante d'une «cousture» (domaine cultivé en potager). Et l'élargissement de la silhouette, l'empâtement des traits, la pesanteur des plis formant des bourrelets sont la marque d'une certaine maladresse, tout autant que les signes de l'évolution de la statuaire, dans la seconde moitié du siècle.

La restauration effectuée pour l'exposition n'a pas permis de dégager la polychromie originelle, vu l'état de sa conservation.

BIBL. : E. Jouy, «Inscription dédicatoire de la Vierge de Lesches», *Bull. de la Conférence d'Histoire et d'Archéol. du Diocèse de Meaux*, II, 1901, p. 462. — L. Lefrançois-Pillion, *G.B.A.*, 1935, p. 218-219.

Lesches (Seine-et-Marne)
Église paroissiale

70
Gisants des entrailles de Charles IV le Bel et de Jeanne d'Évreux

Provenant de l'abbaye cistercienne de Maubuisson
Don de la Société des Amis du Louvre, 1906
Jean de Liège, 1372
Marbre
Le roi : L. 1,12 ; l. 0,35 ; Ép. 0,163
La reine : L. 1,07 ; l. 0,36 ; Ép. 0,152

A sa mort (1er février 1328), Charles IV, selon ses dispositions testamentaires, fut inhumé en trois lieux différents : le corps à Saint-Denis, le cœur chez les Frères Prêcheurs de Paris et les entrailles à Notre-Dame-la-Royale, à Maubuisson, près de Pontoise, où aucun monument n'avait été élevé.

Jeanne d'Évreux, sa troisième épouse, prit, avant de mourir, le 4 mars 1371, de semblables dispositions. Et le compte de ses

70

exécuteurs testamentaires révèle que
« Hennequin de Liège », chargé de la mise
en place des gisants déjà exécutés pour
Saint-Denis (le corps) et les Frères Mineurs
de Paris (le cœur), fut également payé, en
1372, pour avoir fait la double tombe de
Maubuisson. D'après ce texte, le monument
comportait une dalle de marbre noir avec
une inscription gravée en lettres d'or, deux
dais à trois pignons et trois longues colonnettes encadrant les gisants rehaussés d'or,
dont les têtes reposaient sur des oreillers. Le
tombeau est signalé au XVIIIe siècle, dans le
transept de l'église. On perd la trace des
gisants après leur adjudication lors de la
vente au Carmel de Pontoise du 20 février
au 14 octobre 1793. Ils réapparaissent vers
1840 chez les Carmélites, acquis, sans
doute, par la prieure, Madame de Soyecourt, qui les installe dans l'église Saint-Joseph-des-Carmes, sous les noms de saint
Louis et de Marguerite de Provence. Les
deux œuvres suivront désormais le sort de
l'ange aux burettes (n° 29 A) et, comme lui,
entreront au Louvre en 1906.

Plus petites que nature, les effigies portent le sceptre et le sac contenant les entrailles. Le costume du roi est encore celui
des prédécesseurs des Valois, cotte à manches ajustées, serrée par une ceinture, et
manteau retenu par une ganse. La reine
porte la guimpe et le voile des veuves. A
leurs pieds, deux chiens, un lion et une
lionne qui symbolisent la fidélité et la force.

L'excessive sévérité du jugement porté
sur ces deux gisants les a souvent fait considérer, en tout ou partie, comme des œuvres
d'atelier. Peut-être n'a-t-il pas été suffisamment tenu compte des contraintes liées
à la réduction du format et au très long délai
écoulé depuis la mort du souverain, obstacle
à une recherche très poussée de vérité physionomique. Mais le subtil modelé des visages,
celui du monarque surtout, la qualité
incisive de certains détails, le souple rythme
des drapés et l'admirable traitement des
mains (l'avant-bras droit de la reine est refait) imposent l'idée d'un grand talent, qui
est celui de Jean de Liège.

BIBL. : A. Dutilleux et J. Depoin, 1882-1885, p. 120-121,
142 et 208. — B. Prost, « Quelques documents sur l'histoire des arts en France », *G.B.A.*, 1887, p. 238. —
A. Michel, « Les statues de Charles IV le Bel et de Jeanne
d'Évreux », *Musées et Monuments de France*, 1907,
p. 17. — M. Devigne, 1932, p. 81, 87 et 88. — M. Aubert et M. Beaulieu, 1950, n° 220. — P. Pradel, *L'Art
mosan*, Paris, 1952, p. 217-219. — E. Panofsky, *Tomb
sculpture*, New York, 1964, p. 79. — G. Schmidt, *Metropolitan Museum journal*, 1971, p. 81.

EXP. : *Exp. internationale...*, 1930, n° 648. —*Art mosan
et arts anciens du pays de Liège*, 1951, n° 435. —
Rhin-Meuse, 1972, n° O[16].

Paris, musée du Louvre
RF 1436-1437

71 A

71 B

71
Fragments du tombeau
de saint Elzéar de Sabran
Provenant de l'église des Cordeliers d'Apt
Entre 1370 et 1373
Albâtre

A) Résurrection d'une fillette
de L'Isle-sur-Sorgues
Don Maurice Sulzbach, 1919
H. 0,34 ; L. 0,214 ; Ép. 0,10

Miracle accompli sur le passage du cortège
ramenant le corps d'Elzéar en Provence :
une petite fille, tombée dans la Sorgues,
morte noyée sous la roue d'un moulin, est
portée par sa mère devant le cercueil du
saint et revient à la vie.

Le relief a été longtemps donné, à tort,
comme une représentation de Dauphine de
Sabran. Il est incomplet. La partie perdue
devait représenter saint Elzéar tenant un lys
et bénissant, suivant le type de présentation
de tous les prodiges survenus après sa mort.

Paris, musée du Louvre
RF 1676

B) Le Christ fustigeant saint Elzéar
Coll. Darleville ; entré au musée en 1839
H. 0,44 ; L. 0,37 ; Ép. 0,115 (traces de poly-
chromies sur les pupilles)

Pour éviter à Elzéar toute tentation de vaine
gloire, après une victoire remportée par lui
en Italie, vers 1310, le Christ lui-même vient
fouetter le comte qui récite le *Miserere*, en
présence de son écuyer Isnard.

Avignon, musée du Petit-Palais
Inv. Calvet N.85

71 C

71 D

71 E

C) Saint Elzéar visitant des lépreux
Coll. Seymard, Apt ; coll. Me Aymard, Apt ;
acquis par Henry Walters en 1925
H. 0,435 ; L. 0,375 ; Ép. 0,12 (deux pièces
scellées ensemble)

Durant son séjour au royaume de Naples,
Elzéar rencontre des lépreux au cours d'une
partie de chasse. Entré dans la léproserie, il
fait l'aumône et embrasse les malades qui
seront guéris après son départ.

Baltimore, Walters Art Gallery
Inv. 27.16

D) Résurrection de Bertrand Flotte
H. 0,455 ; L. 0,37 ; Ép. 0,09 (la tête de la
femme est moderne)

Mort de fièvre, en l'an 1326, ce citoyen de
Digne ressuscite après que son épouse
Guillemette ait adressé une instante prière à
Elzéar et fait vœu de pèlerinage à Apt.

Apt (Vaucluse), cathédrale

**E) Résurrection d'un enfant tombé
dans le Rhône**
H. 0,405 ; L. 0,37 ; Ép. 0,10

Dans la foule des Avignonnais accourus vers
le pont de Villeneuve pour accueillir la dé-
pouille mortelle d'Elzéar, lors de son transfert en Provence, un père, qui a laissé tom-
ber son enfant dans le Rhône, supplie le
saint. Et les eaux, s'écartant par miracle,
laissent le rescapé rejoindre ses parents.

Apt (Vaucluse), cathédrale

**F) Le Christ apparaissant à
saint Elzéar en prière**
Le Christ : acquis en 1842
H. 0,443 ; L. 0,195 ; Ép. 0,122
Saint Elzéar : coll. Seymard, Apt ; coll.
Me Aymard, Apt ; coll. Peytel, Paris ; coll.
George Grey Barnard
H. 0,359 ; L. 0,23 ; Ép. 0,12

Parmi les extases dont le saint fut favorisé à
diverses reprises, a sans doute été préférée
celle qui survint pendant la veillée d'armes

précédant son adoubement et le résolut au
vœu de chasteté. L'image exceptionnelle
d'un Elzéar imberbe se justifie par sa jeunesse et le fait qu'il n'est pas encore chevalier.

Avignon, musée du Petit-Palais
Le Christ. Inv. Calvet N.76
New York, Metropolitan Museum
Saint Elzéar. Inv. 27-78

Né près d'Ansouis, au sein d'une famille
puissante, Elzéar de Sabran, à l'âge de quinze ans, épouse Dauphine de Signes. Les
deux époux font vœu de chasteté et mènent
une vie de charité, d'ascèse et de prière.
Investi du comté d'Ariano, associé à la politique des Angevins dans le royaume de Naples où il réside le plus souvent, Elzéar apparaît aussi comme un chevalier accompli. Il
meurt à Paris le 27 septembre 1323. Ter-
tiaire de l'ordre franciscain, il avait demandé par testament à être enterré dans le
couvent des frères mineurs d'Apt. Et, sur le
passage du cortège ramenant son corps en
Provence se multiplient les prodiges qui seront rapportés par ses biographes et servi-
ront d'instrument à son procès de canonisation.

Cette canonisation fut proclamée par Urbain V, à Rome, et promulguée par Grégoire XI, en 1371. Les 17 et 18 juin 1373, le cardinal Anglic Grimoard, frère d'Urbain V, exhumait les reliques et les plaçait à l'intérieur du monument qu'il venait de faire édifier.

On sait, par des témoignages antérieurs à la destruction révolutionnaire, que ce tombeau était conçu sur le modèle du ciborium élevé à Saint-Jean-de-Latran, entre 1368 et 1370, par ordre d'Urbain V et avec la participation financière de Charles V, pour abriter les chefs-reliquaires des saints Pierre et Paul. Entre le couronnement pyramidal, dressé jusqu'à la voûte, et l'architrave, portée par quatre colonnes, le monument d'Apt devait donc comporter, comme à Rome, un tabernacle destiné à recevoir les reliques. Par sa conception comme par son style, il constitue un témoignage indéniable des apports italiens, introduits à la faveur du bref retour de la papauté à Rome (1367-1370).

Trois dessins sont conservés, qui présentent Elzéar tenant un lys et bénissant (Bibl. Inguimbertine de Carpentras et Bibl. Vaticane). Ils n'ajoutent guère à notre connaissance du tombeau. Les quelques feuillets manuscrits rédigés, en 1624, par l'évêque de Vaison, Suarès (Bibl. Vaticane, Barb., lat. 3055, ff. 69-73), contiennent, par contre, une précieuse énumération descriptive. Elle fait état des fragments perdus : deux statuettes de saint Elzéar et d'Urbain V, et deux reliefs consacrés à la guérison d'un boiteux et à l'évocation de la chasteté des époux. Elle autorise, en outre, une tentative de restitution. Car l'alternance binaire des miracles accomplis avant ou après la mort du saint laisse supposer que les reliefs étaient disposés deux par deux, sur les quatre faces de l'architrave.

BIBL. : G. Arnaud d'Agnel, *Bull. archéol. du Comité des travaux historiques et scientifiques,* 1907, p. 416-423. — J. Breck, *Metropolitan Museum of Art Bull.,* 1929, p. 213-215. — *Musée Calvet, Cat.,* 1924, p. 62. — M. Aubert et M. Beaulieu, 1950, n° 266. — Th. Müller, *Sculpture in the Netherlands, Germany, France and Spain 1400-1500,* Baltimore, 1966, p. 7 et 20 B. — F. Baron, *Bull. mon.,* 1978, p. 267-283 (avec bibl.).

EXP. : *L'Art européen vers 1400,* 1962, n° 405 (A). — *The International Style,* 1962, n° 95 (C).

72
Fragments du tombeau du cardinal Philippe Cabassole

Provenant de la Chartreuse de Bonpas
Atelier de Barthélemy Cavalier, 1372-1377
Albâtre, traces de polychromie et de dorure

A) Le Couronnement de la Vierge
La Vierge : H. 0,69 ; L. 0,408 ; Ép. 0,17
Le Christ : H. 0,64 ; L. 0,445 ; Ép. 0,20

Évocation du Paradis, fréquemment rencontrée dans la sculpture funéraire avignonnaise. La Vierge fut acquise en 1882 à Entraygues, le Christ acheté en 1837 au curé de Bonpas.

Marseille, musée Grobet-Labadié
Inv. Gr. 963
Avignon, musée du Petit-Palais
Inv. Calvet N 68

B) Apôtre tenant un livre
Acquis en 1837
H. 0,525 ; L. 0,17 ; Ép. 0,148

Avignon, musée du Petit-Palais
Inv. Calvet N 77[2]

C) Saint Jacques le Majeur
Autrefois placé dans la chaire de l'église Saint-Pierre d'Avignon
H. 0,52 ; L. 0,19 ; Ép. 0,122

L'apôtre, coiffé du chapeau timbré d'une coquille tient le bâton de pèlerin.

Avignon, Palais des Papes
Inv. B 24

71 F

71 F

D) Saint André
Autrefois placé dans la chaire de l'église Saint-Pierre d'Avignon
H. 0,527 ; L. 0,20 ; Ép. 0,12

Tient la croix à branches égales sur laquelle il fut crucifié.

Avignon, Palais des Papes
Inv. B 23

E) Saint Pierre
Don Montbel, 1923
H. 0,514 ; L. 0,205 ; Ép. 0,125

Porte les clefs.

Avignon, musée du Petit-Palais
Inv. Calvet 16.318

F) Le Christ Rédempteur
Acquis à Caumont
H. 0,51 ; L. 0,21 ; Ép. 0,122

Porte le globe du monde et bénit.

Marseille, musée Grobet-Labadié
Inv. Gr. 680

G) Saint Paul
Acquis en 1837 du curé de Bonpas
H. 0,465 ; L. 0,20 ; Ép. 0,115

Avec l'épée, instrument de sa décollation.

Avignon, musée du Petit-Palais
Inv. Calvet N 69[7]

H) Saint Barthélemy
Acquis en 1837
H. 0,515 ; L. 0,205 ; Ép. 0,145

Doté du couteau avec lequel il fut écorché vif.

Avignon, musée du Petit-Palais
Inv. Calvet N 77[1]

72 A

72 B

72 C

72 D

72 E

A

I) Apôtre Acéphale

Acquis en 1837
H. 0,414 ; L. 0,185 ; Ép. 0,128

Avignon, musée du Petit-Palais
Inv. Calvet N 77[3]

Né vers 1305, évêque de Cavaillon, cardinal en 1368, membre influent de la Curie, Philippe Cabassole joua également un rôle capital dans le royaume de Naples dont il fut, entre 1343 et 1345, vice-chancelier, puis chancelier. Très cultivé, ami de Pétrarque, partageant son existence entre le Comtat et l'Italie, où il mourut le 26 août 1372, il doit être considéré comme un personnage clef des relations entre la France et l'Italie, dans le domaine des arts et des lettres.

Son tombeau, érigé dans l'église de la Chartreuse de Bonpas, près d'Avignon, fut démantelé et en partie détruit à la Révolution. Et les éléments subsistants subirent alors des sorts très divers.

La composition du monument, connue par une brève description, avait pu être inspirée par les grands tombeaux napolitains sensiblement contemporains. Au fond d'un

enfeu monumental s'étageaient le coffre supportant le gisant, puis, contre les parois, le Collège apostolique présenté sous une arcature et surmonté du groupe du Couronnement de la Vierge qu'accompagnait la figure du défunt présenté par la Madeleine. Thème et disposition constituaient le premier témoignage en Avignon d'une formule qui deviendra courante au temps du Schisme.

L'ensemble avait été exécuté avant 1377, sous la direction de Barthélemy Cavalier, sculpteur originaire du diocèse de Poitiers. Mais les fragments conservés présentent une grande diversité de style, qui révèle l'intervention d'artistes de formation et d'esprit bien différents. Le Couronnement de la Vierge, les saints Paul, Barthélemy et Jacques appartiennent, à quelques nuances près, à un même courant. Les statuettes des apôtres Pierre et André se distinguent par l'expressivité accrue des têtes massives, et par un drapé plus contrasté. Certaines pièces, enfin, le Christ, l'apôtre acéphale, l'apôtre au livre, témoignent en faveur d'apports italiens et ont pu être rapprochées des statuettes du ciborium de Saint-

F

72 G

72 H

72 I

Jean-de-Latran (*cf.* nº 71) ou de certaines figures conservées au musée de l'Œuvre du Dôme de Florence.

BIBL. : M. Hayez, *Dizionario biografico degli Italiani*, XV, p. 678-681. — F. Baron, *Rev. du Louvre*, 1979, nº 3, p. 169-186.

73
Vierge à l'Enfant, dite Notre Dame de Bethléem

Vers 1375
Albâtre. H. 1,80 ; L. 0,78 ; Ép. 0,40

Considérée comme « la plus belle et la plus originale de tout le Midi » (J. Bousquet), la Vierge à l'Enfant de la cathédrale Saint-Just de Narbonne représente un des sommets de l'art du XIVe siècle languedocien. Sculptée dans cet albâtre gypseux qu'aimaient les tombiers de Saint-Just (Pleurant du tombeau de Philippe III, nº 59), la majestueuse silhouette, tête droite, déhanchement à peine marqué du côté de l'Enfant, s'inscrit dans un volume strictement pyramidal. Le geste précieux de la main qui tient un livre relié « en bourse » (J. Bousquet) et relève du doigt une cascade de plis tuyautés, le large visage aux traits délicats, le gonflement latéral des cheveux ondés autour de petites mèches vrillées en « escargot », témoignent de l'attachement du sculpteur narbonnais à la tradition maniériste issue du maître de Rieux. Le manteau bordé de cavités autrefois destinées à des incrustations de verroteries, est agrafé sur la tunique par un fermail démesuré dont le contour polylobé et les motifs à remplages rayonnants sont empruntés, comme la bague portée à la main gauche, au saint Louis de Toulouse (nº 55). Mais là s'arrête la filiation : à l'intérieur du fermail s'inscrit une petite scène où l'on devine un couronnement de Marie, élément principal d'une interprétation iconographique de la Vierge à l'Enfant en rupture avec le type institué par les Vierges de Rieux. Notre Dame de Bethléem est une grande dame grave, qui ne sourit plus à un enfant joueur comme le fait la Vierge d'Azille (nº 57). Le minuscule diadème orfévré qui retient son voile court, le globe et le geste de l'Enfant bénissant, le thème du fermail sont riches de signification : la Vierge de Narbonne est Vierge-Église, Vierge-Épouse, autant que Mère du Christ.

73

La tradition historique narbonnaise veut que la statue ait été donnée à la cathédrale par l'archevêque François de Conzié (1391-1433), mais cette attribution est contestée par les études les plus récentes (B. Mundt, J. Bousquet, M. Heng) qui, tenant compte des caractères stylistiques de l'œuvre, la placent à la fin de l'épiscopat du fastueux Pierre de La Jugie, en 1375. La polychromie de la statue de Notre Dame de Bethléem, régulièrement entretenue ainsi qu'en témoigne le contrat signé en 1599 entre le chapitre et le peintre narbonnais Antoine Canavezy, disparut en 1851 au cours d'un nettoyage, peut-être excessif, ordonné par le Conseil de Fabrique.

BIBL. : L. Piquet, *Histoire de Narbonne tirée des auteurs anciens et modernes,* ms. 1699, Bibl. mun. Narbonne, p. 322. — P. Laurent, *Documents inédits sur la cathédrale Saint-Just de Narbonne,* 1887, Recueil Malbec A. 15, Commission archéol. de Narbonne. — Arch. mun. Narbonne, 1851, *Dossier de la Fabrique,* non classé. — J. Bousquet, 1954-1958, p. 225-242. — B. Mundt, *Wallraf-Richartz Jh.,* XXVII, 1965, p. 31-54. — J. Bousquet, *Information d'Histoire de l'art,* 1968, nº 5, p. 208-222. — M. Heng, *Actes du 96ᵉ Congrès nat. des Soc. Savantes, 1971,* (1976), p. 103-114. — M.C. Roquette-Gept, *L'iconographie mariale à la cathédrale et au palais des archevêques de Narbonne* (Mém. de Maîtrise), Ms., Toulouse, 1975.

Narbonne, cathédrale Saint-Just
Chapelle Notre-Dame de Bethléem

74
Gisant des entrailles de Charles V

Provenant de l'abbatiale cistercienne de Maubuisson
Après 1374
Marbre. L. 1,76 ; l. 0,50 ; Ép. 0,30

Le roi, qui tient le sceptre de la main droite, maintient de la gauche, contre sa poitrine, la représentation du sac de cuir qui contenait les entrailles. La division du corps après la mort a pu être une nécessité entraînée par de longs transferts, puisque le souverain devait reposer à Saint-Denis. Mais c'était devenu au XIVᵉ siècle une pratique courante, propre à assurer divers lieux de sépulture selon des choix dictés par la piété, la politique ou l'affection.

Par affection, Charles V souhaitait que ses entrailles fussent déposées à l'abbaye de Maubuisson, près de la sépulture de sa mère, Bonne de Luxembourg. Et dans son testament, en 1374, il stipule à la fois cette volonté et celle d'y voir ériger deux tombeaux.

Les monuments sont mentionnés au XVIIIᵉ siècle. Mais on n'en possède ni description, ni dessin. Ils furent vendus à la Révolution. En 1809, Alexandre Lenoir retrouva le gisant du roi à Paris chez un marchand de curiosités et en fit l'acquisition pour le musée des Monuments français, sans toutefois l'inscrire au catalogue. Le transfert à Saint-Denis, prévu en 1817, ne s'étant pas fait, l'œuvre partit pour le musée de Versailles en 1834. Elle rentra au Louvre en 1883, à la demande de Courajod. A cette date, la statue avait perdu son identité. Après l'avoir correctement identifiée, en 1809, Lenoir l'avait baptisée Jean II le Bon. Guilhermy y vit ensuite Philippe VI, dont les entrailles avaient été enterrées aux Jacobins. Georges Huard lui rend enfin son nom véritable.

Les appréciations les plus diverses ont été portées sur cette œuvre, jugée parfois avec une excessive sévérité. Pradel envisageait même la possibilité d'une effigie posthume, justifiant ainsi le visage émacié qui apparaît dans certaines miniatures tardives, traduisant les infirmités et maladies qui accablèrent le roi à la fin de son existence, et le traitement des petits yeux sans vie pour lesquels un masque funéraire aurait été un modèle insuffisant. La datation généralement admise se situe entre 1374, date du testament prouvant que rien n'avait encore été entrepris, et 1380, date de la mort du roi.

Le nom de Beauneveu, parfois prononcé, est à écarter. Cette effigie assez banale et molle reste bien en deçà du magistral portrait de Saint-Denis. Modelé des mains en partie refaites, aux veines apparentes, rythme des drapés associant à de grandes ondes le jeu des volutes latérales et les plis rectilignes des tuniques, n'ont pas la qualité trouvée chez Beauneveu. Ce sont cependant des éléments comparables, qui ont pu laisser supposer une certaine influence de l'artiste, transmise peut-être à travers le gisant de Saint-Denis pris pour modèle.

BIBL. : *Inv. général des richesses d'Art de la France,* I, 1883, p. 385-387, nᵒˢ 402 et 404 et III, 1897, p. 290. — L. Courajod, *G.B.A.,* XXXI, 1885, p. 217-218. — G. Huard, *Bull. de la Soc. de l'Histoire de l'art français,* 1938, p. 34-43. — G. Troescher, 1940, p. 12-24. — M. Aubert, 1947, p. 345-346. — M. Aubert et M. Beaulieu, 1950, nᵒ 222. — P. Pradel, *Bull. mon.,* 1951, p. 291-296. — S.K. Scher, 1966-1976, p. 58-61. — G. Schmidt, *Metropolitan Museum journal,* 1971, p. 103. — J.B. de Vaivre, *G.B.A.,* avril 1981, p. 149-150.

Paris, musée du Louvre
LP 423

74

75
Fragments du tombeau de Charles V et de Jeanne de Bourbon

Provenant de la chapelle Saint-Jean-Baptiste à l'abbaye de Saint-Denis
Vers 1376
Marbre

A) Fragment d'arcature
H. 0,39 ; L. 0,165 ; Ép. 0,052

Paris, musée du Louvre
RF 1241

B) Fragment d'arcature ornée d'une figure d'évêque
H. 0,657 ; L. 0,195 ; Ép. 0,052

C) Culot orné de feuillage
H. 0,16 ; L. 0,085 ; Ép. 0,06

Paris, musée des Arts décoratifs
Inv. AD 12.260

Le tombeau qui recouvrait, à Saint-Denis, les corps de Charles V et de son épouse, fut démantelé à la Révolution. Le gisant de la reine et la plupart des éléments du décor disparurent. Mais la disposition de l'ensemble est connue par une aquarelle de Gaignières (Bibl. nat. Est. Rés. Pe 1 a, fol. 43) qui permet d'identifier les vestiges retrouvés, et rend compte de l'ampleur et de l'extrême richesse de ce monument.

Une arcature au dessin très élaboré, dont on ignore si elle avait abrité primitivement des figurines sculptées, supportait une grande dalle de marbre noir sur laquelle les deux gisants étaient séparés par un mince faisceau de colonnettes. Les dais ciselés qui portaient, au revers, les épitaphes, se prolongeaient par deux larges montants de marbre blanc ornés de niches ouvragées qui abritaient six participants au cortège des funérailles : évêques, diacres et enfants de chœur. C'est la première fois qu'apparaît un tel luxe décoratif, magistrale amplification de l'encadrement par colonnettes déjà rencontré (n° 24) et transposition dans le marbre d'un schéma familier depuis près de quatre-vingts ans aux graveurs de plates-tombes.

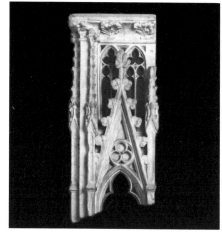

75 A

75 B

Beauneveu n'y eut point part. Le gisant de la reine n'appartient pas à la commande de 1364-1366. Et les termes du testament de Charles V, daté de 1374, laissent entendre que le principe même du double tombeau n'était pas encore arrêté, signifiant ainsi l'inachèvement du monument réduit alors au seul gisant du roi.

Les travaux sont en cours en 1376, attestés par un don fait aux «varlez qui font le sarqueu du roy». Mais, à cette date, Beauneveu est dans les cités du Nord, où sa présence est attestée jusqu'en 1384. Pradel a attribué le gisant de la reine et le décor de la tombe à Jean de Liège ou à son atelier en se référant à certains ouvrages de l'artiste qui semblent annoncer ou accompagner l'entreprise : statues du couple royal pour la Vis du Louvre ; tombeau luxueusement décoré de Philippa de Hainaut, à Westminster ; image de saint Jean-Baptiste destinée à Saint-Denis où la chapelle funéraire était précisément dédiée au Précurseur. L'hy-

75C

pothèse est très vraisemblable. Mais l'état fragmentaire de ce qui nous est parvenu ne permet guère une confrontation de style.

BIBL. : A. Vidier, *Mém. de la Soc. de l'histoire de Paris et de l'Ile-de-France*, 1903, p. 281-308. — P. Pradel, *Bull. mon.*, 1951, p. 287-291. — P. Pradel, *L'Art mosan*, Paris, 1952, p. 217-219. — S.-K. Scher, 1966-1967, p. 22-24. — G. Schmidt, *Metropolitan Museum journal*, 1971, p. 98-99.

76
Saint Georges - Saint Michel
Deux jouées provenant des stalles de la cathédrale d'Évreux
Vers 1377
Bois

A) Saint Georges
H. 1,03 ; L. 0,56 ; Ép. 0,09 et 0,365

B) Saint Michel
H. 1,02 ; L. 0,56 ; Ép. 0,09

Jadis intégrés dans un ensemble de stalles dont ils scandaient les extrémités, ces deux panneaux, ainsi qu'un troisième élément décoré d'une figure de prophète, avaient été signalés à la cathédrale en 1939. Mais leur appartenance au décor du chœur avait été mise en doute, au vu des différences existant avec la série toujours en place. Les stalles basses présentent, en effet, quatre jouées ornées de personnages, apôtres ou prophètes, sculptés deux par deux sous des arcatures d'un schéma sensiblement autre.

Le témoignage de Guilhermy est décisif. Ses notes sur la cathédrale d'Évreux, datées de 1856 ou 1864, attestent la présence des trois panneaux à l'extrémité des stalles hautes, où la quatrième jouée comportait un simple décor architectural. Ces jouées durent être séparées des stalles peu après, lors des travaux de restauration entrepris dans le chœur entre 1887 et 1896. La continuité du rang supérieur fut alors rompue, et le nombre des sièges restreint pour permettre l'installation entre les piliers. Les traces de ce remaniement sont visibles sur les éléments en place, privés de leurs extrémités mises au rancart et, pour l'une d'entre elles, perdue.

La lutte implacable qui opposa aux rois de France, Charles, dit Charles le Mauvais,

76A

76B

comte d'Évreux et roi de Navarre, valut à la ville d'Évreux d'être assiégée, prise et incendiée à deux reprises, par Jean le Bon en 1356 puis par Charles V en 1378. On sait qu'en juin 1377, Charles le Mauvais avait alloué des subsides au Chapitre, pour « aider a parfaire l'œuvre des chaieres », entreprise après l'incendie de 1356. Les travaux ont pu être achevés assez tard, et peut-être grâce à la générosité de Charles V. Car la cathédrale eut encore à souffrir du siège de 1378. Ces données pourraient justifier les différences entre les jouées des stalles hautes et basses, et le style assez évolué du saint Michel, qu'on a rapproché, parfois, des figures sculptées, aux alentours de 1400, pour le Collège apostolique de l'abbaye du Bec.

BIBL. : Papiers de Guilhermy, Bibl. nat., nouv. acq. fr. 6100, fol. 176-178. — F. Blanquart, 1918, p. 12-15. — G. Bonnenfant, 1939, p. 83-84.

Évreux, cathédrale Notre-Dame

77
Sainte Catherine d'Alexandrie
Attribué à André Beauneveu, 1374-1384
Albâtre. H. 1,86 ; L. 0,56 ; Ép. 0,34

Aux pieds de la sainte, qui porte la roue et l'épée, instruments de son supplice, apparaît la petite figure de l'empereur Maximin, son bourreau.

L'attribution à Beauneveu, déjà ancienne (Van de Putte), fut essentiellement soutenue par Troescher. Mais les affinités stylistiques relevées avec le gisant de Charles V (n° 64), la tête du gisant de Jean le Bon, œuvre d'atelier, ou quelques ouvrages berrichons, sculptures ou enluminures, rapprochés du visage barbu de Maximin, ont pu paraître des critères insuffisants. Les différences, fruit possible d'une évolution du maître, ont parfois fait rejeter cette attribution (Koechlin), et suscitent encore à présent le doute ou l'hésitation sur la part exacte prise par l'artiste dans l'exécution de l'œuvre.

Les documents publiés par D. Roggen constituent pourtant une pièce à conviction. Car ils associent la statue à l'entreprise du tombeau de Louis de Male, confiée à Beauneveu. Le monument était destiné à la chapelle des Comtes fondée, vers 1373, dans l'église Notre-Dame de Courtrai, par le comte de Flandres qui l'avait dédiée à sainte Catherine car il était né le jour même où l'on fête la sainte. Commandé vers 1374, le tombeau resta inachevé, les circonstances politiques ayant fait que Louis de Male, à la veille de mourir, en 1384, ordonna sa sépulture à l'église Saint-Pierre de Lille où Jacques de Gérines lui éleva un tombeau en 1454-1455 seulement. Et ce sont les éléments devenus inutiles, et depuis perdus, statues, outils, albâtre, qui doivent figurer sur les inventaires du château de Lille, dressés en 1388 et 1395. La présence d'outils laisserait volontiers supposer l'implantation à Lille de cet atelier déserté, et non le transfert de Courtrai ou de Valenciennes, où Beauneveu résidait le plus souvent. En tout cas, dès 1386, le gouverneur du château de Lille envoie à Courtrai, par ordre de Philippe le Hardi, la statue de sainte Catherine, expressément désignée comme une commande de Louis de Male, destinée à la chapelle où elle prit alors place. La statue est mentionnée encore en 1566, dans un compte de travaux de restauration, succédant à un enfouissement destiné à la soustraire à la fureur iconoclaste des Réformés. Vendue au XIXe siècle, rachetée en 1866, elle fut alors restaurée de nouveau (couronne, roue, épée, doigts).

Chacun s'accorde à reconnaître que l'artiste n'a pas fait œuvre de novateur. Suivant une constante du type de sainte Catherine, au XIVe siècle, il a tout simplement repris un modèle de Vierge à l'Enfant, roue et épée venant remplacer l'Enfant et le sceptre. Et la conception générale du drapé n'a pas foncièrement changé. Mais ceci est transformé par un élan accusé par les proportions (petite tête, long cou, épaules étroites) et par une plasticité ferme, qui n'exclut pas la douceur des contours et confère à la silhouette, une beauté majestueuse, au visage, une dignité paisible. Une note de raffinement est

77

introduite par la ciselure des longues boucles ou le modelé des doigts fuselés, restaurés en partie à gauche. Au volume est subordonné le rythme simplifié des draperies, où de grandes surfaces lisses alternent, sans heurt, avec un jeu de plis à la fois souples et consistants. A travers un style qui s'est enrichi et libéré, transparaissent les qualités propres au gisant de Charles V (nº 64).

De la sainte Catherine de Courtrai ont été rapprochées quelques statues appartenant à un courant stylistique dont elle a dû être la source. On peut écarter la Vierge de la cathédrale de Tournai (portail occidental) parfois mise en parallèle ou considérée

comme une sorte de modèle typologique, en vertu d'une datation singulièrement précoce et peu acceptable (vers 1300). Car elle est dénaturée par de trop nombreuses restaurations. Mais la Vierge d'Arbois (Jura) et celle de Hal (portail sud de la cathédrale) donnée par Troescher à l'atelier de Beauneveu, sans raison suffisante, sont très comparables à la sainte Catherine et témoignent de l'impact de cette œuvre sur la production tournaisienne et dans l'art septentrional où cette influence se prolongera jusqu'à la fin du siècle (Vierge du portail nord de Hal, Vierge de l'église Santa Sofia de Venise). Ce courant atteindra également la France, suscitant des œuvres comme les Vierges de la Cour-Dieu (musée d'Orléans) et de Monceaux-le-Comte (nº 90) ou encore le buste de Vierge ou de sainte conservé au musée du Louvre (cat. 1950, nº 260).

BIBL. : F. van de Putte, *La Chapelle des comtes de Flandres à Courtrai*, 1875 (extr. de *l'Annuaire de la Soc. d'émulation pour l'histoire et les antiquités de la Flandre*, 3e série, X, 1875, p. 181-182. — C. Dehaisnes, II, 1886, p. 523-524, 580, 601, 656. — R. Koechlin, *G.B.A.*, 1903, p. 337. — H. Rousseau, *Bull. des Musées royaux*, Bruxelles, 1904. — A. Humbert, *La sculpture sous les ducs de Bourgogne*, Paris, 1913, p. 47. — H. Fierens-Gevaert, *Actes du Congrès d'Histoire de l'Art*, 1921, III, p. 497. — G. Troescher, 1940, p. 24. — D. Roggen, *Gentsche bijdragen tot de Kunstgeschiedenis*, XV, 1954, p. 223-231. — S.K. Scher, 1966-1976, p. 73-91. — P. Pradel, *Humanisme actif. Mélanges d'art et de littérature offerts à Julien Cain*, 1968, p. 362. — W. Wolters, *Mitteilungen des Kunsthistorischen Institutes in Florenz*, XIII, 1967-1968, p. 187-189. — L. Devlieger, *Verslagen en Mededelingen van de Leiegouw*, XI, 1969, p. 175-178. — R. Didier, M. Heuss, J.A. Schmoll gen Eisenwerth, *Bull. mon.*, 1970, p. 93-113. — G. Schmidt, *Metropolitan Museum Journal*, 1971, p. 85-87.

EXP. : *Die Parler...*, 1978, p. 81.

Courtrai, église Notre-Dame

78
Buste de Marie de France
Fragment de son gisant, provenant de la chapelle de Notre-Dame-la-Blanche à l'abbaye de Saint-Denis
Coll. Dufay, Paris ; coll. Georges et Florence Blumenthal, New York ; don G. Blumenthal, 1941
Jean de Liège, vers 1380-1381
Marbre ; traces de peinture
H. 0,311 ; L. 0,318 ; Ép. 0,165

Le bandeau uni, réservé dans le marbre et percé de trous pour la fixation d'une couronne de métal, désigne une princesse, coiffée suivant la mode du temps de Charles V et plus précisément des années 1370-1380. Deux grosses tresses encadrent le visage. Entre la chevelure et la joue, les élégantes glissaient des éléments de lingerie empesée alourdie par de petites plaques de plomb, encore visibles ici.

Le buste, détaché à la Révolution d'une figure gisante, conservé quelque temps à Saint-Denis d'où il fut signalé comme dérobé, en 1852 (Arch. du Louvre S², 1852, 7 décembre) était déjà, alors, privé d'identité. Et c'est anonyme qu'il parvint au Metropolitan Museum, après être passé dans la collection Dufay. Il fut identifié par W.H. Forsyth, grâce au dessin de Gaignières (Bibl. nat. Ms. Clairambault, 632, fol. 180), présentant la double tombe des filles de Charles IV, Blanche de France, duchesse d'Orléans (+ 1393) et sa sœur Marie (+ 1341), qui figurait à Saint-Denis, dans la chapelle Notre-Dame-la-Blanche que leur mère, Jeanne d'Évreux, avait considérablement enrichie (statues du couple royal et de leurs filles, image de la Vierge, peut-être abusivement donnée comme étant celle de l'église de Magny-en-Vexin).

La date et le nom de l'auteur du tombeau sont connus par le compte d'exécution testamentaire de Jean de Liège, arrêté le 7 mai 1383, deux ans après la mort du sculpteur.

L'ensemble des éléments de la tombe : images d'albâtre, dalle de marbre noir, dais, côtés et soubassement, est mentionné parmi les œuvres restées dans l'atelier de l'artiste. Ils ne sont point comptés en recette, le paiement ne devant intervenir qu'après la mise en place et la peinture de l'ouvrage. Robert Loisel, élève et successeur de Jean de Liège, crédité d'une forte somme pour la liquidation des travaux de son maître, n'avait donc pu procéder encore à la mise en place, voire à l'achèvement du tombeau. Mais on peut supposer que c'est lui qui en fut, par la suite, chargé.

La commande dut être le fait de Blanche, désireuse que son corps reposât à Saint-Denis, auprès de ses parents et de cette sœur, morte à quatorze ans et dont nul monument n'était venu, encore, couvrir les restes. De singulière façon, l'effigie de Marie, disparue depuis près de quarante ans, est supérieure à celle de Blanche, toujours conservée à Saint-Denis, assez restaurée et dont on a douté qu'elle ait été sculptée entièrement de la main de Jean de Liège. On a supposé que l'artiste avait pu s'inspirer d'une ressemblance entre les deux sœurs. Toujours est-il que ce visage est un chef-d'œuvre d'infinie délicatesse et de vigueur expressive. Un léger sourire sur les lèvres et l'acuité du regard est soulignée par les petits points d'ombre au coin des yeux, sorte de marque de Jean de Liège. Exalté par la qualité d'un admirable poli, le modelé ménage avec souplesse les passages d'un plan à l'autre, permettant un subtil jeu de lumière et d'ombre.

C'est sans doute le plus parfait des visages féminins donnés avec certitude à l'artiste (Philippa de Hainaut, Jeanne d'Évreux, Blanche). Et il a servi de critère pour l'attribution d'un certain nombre de figures, conservées à Saint-Denis (Marie d'Espagne, Marguerite de Flandre, Blanche d'Évreux-Navarre et Jeanne de France).

BIBL. : A. Darcel, « Le Moyen Age et la Renaissance au Trocadéro », *G.B.A.*, 1878, p. 521. — L. Gonse, 1879, p. 209-210. — A. Vidier, *Mém. de la Soc. de l'Histoire de Paris et de l'Ile-de-France*, XXX, 1903, p. 298. — J. Breck, *Metropolitan Museum of Art Bull.*, V, 1910, p. 154 et XV, 1920, p. 182. — S. Rubinstein-Bloch, *George and Florence Blumental Coll. (Cat.)*, Paris, 1926, pl. V. — M. Devigne, 1932, p. 84. — W.H. Forsyth, *Metropolitan Museum of Art Bull.*, n.s. III, 1945, p. 214-219. — G. Schmidt, *Metropolitan Museum Journal*, 1971, p. 93-94. — J. Adhémar et G. Dordor, I, *G.B.A.*, 1974, nº 933.

EXP. : *Exp. universelle internationale*, Paris, 1878. — *Exp. rétrospective de l'Art français...*, 1889, nº 94. — *Exp. universelle...*, 1900, s.n. — *Metropolitan Museum of Art. Fiftieth Anniversary Exhibition*, 1920. — *Art Treasures of the Metropolitan Museum*, New York, 1952, nº 45. — *The Middle Ages Treasures from the Cloisters and the Metropolitan Museum of Art*, Los Angeles-Chicago, 1970, nº 76.

New York, The Metropolitan Museum of Art
Inv. 41.100.132

79
La Présentation au temple

Coll. Alexandre du Sommerard, Paris
Dernier tiers du XIVe siècle
Marbre. H. 0,63 ; L. 0,45 ; Ép. 0,14

Le relief est constitué de deux blocs. Les proportions anormales de l'autel, et le raccord maladroit des plis de la nappe laissent supposer, à ce niveau, une possible réduction de la largeur primitive. Le thème est traité suivant l'iconographie habituelle, mais avec un sens nouveau de l'occupation scénique de l'espace, que traduit la torsion du corps du vieillard Siméon dont le buste est présenté de trois quarts, et l'élan de curiosité de la suivante de la Vierge. Ceci s'accompagne d'un souci particulier de caractériser les visages : vieillard barbu et ridé, aux traits accusés ; jeune mère épanouie, suivante d'une savoureuse laideur. L'organisation claire du drapé souligne l'harmonie de la composition et une certaine rigueur plastique accuse les limites de la surface du bloc.

L'origine du groupe est inconnue. Mais les tentatives faites pour le doter d'un nom d'auteur sont nombreuses. Dès 1883, du Sommerard y associait le nom de Beauneveu. Troescher en fit une création de l'atelier du maître, thèse souvent reprise. La comparaison avec Notre-Dame-la-Blanche et ses anges (nº 110) lui suggéra même l'idée de l'appartenance à un retable orné de scènes de l'Enfance du Christ et destiné à l'une des chapelles du duc de Berry. Ceci ne peut être admis sans preuve mais il faut retenir la possibilité d'insertion dans un ensemble auquel certains ont voulu rattacher l'ange du Metropolitan Museum (nº 80).

80

Pour S.K. Scher, l'œuvre est due à un artiste anonyme, qui n'ignorait pas l'art de Beauneveu dont il reprend certains aspects (plis au côté droit de la Vierge) mais le traitement des plis plus minces et compliqués et la conception des visages apparaissent très éloignés de la sainte Catherine de Courtrai.

G. Schmidt récuse tout lien avec Beauneveu, arguant de différences de style qui peuvent ne pas apparaître tout à fait convaincantes (importance moindre des valeurs plastiques, subtilité du modelé de surface). Il donne par contre la Présentation, datée de 1365-1370, à Jean de Liège, par comparaison avec le double tombeau de Maubuisson (n° 70) qui présente, d'après lui, même sens de l'animation et même indifférence à la plasticité, d'identiques détails des plis (saignée du coude, dessus des pieds) un modelé comparable des doigts, une parenté dans les traits des visages de la reine et de la Vierge. L'argument supplémentaire

d'une aptitude particulière de l'artiste à sculpter retables et groupes d'albâtre, basée sur l'existence de tels ouvrages dans son atelier, après sa mort (1381), est sans signification dans la mesure où nous ignorons tout des autres artistes, dans ce domaine. L'analyse stylistique, qui fait référence à des pièces de dimensions et de nature assez diverses, quelle que soit la valeur, trop souvent décriée, du gisant de Charles V, n'apparaît pas de nature à emporter à elle seule la conviction. Le parti plus sage, dans l'état actuel de nos connaissances, serait de ne pas s'enfermer dans le dilemme Beauneveu-Jean de Liège et de renoncer à mettre à tout prix un nom sur ce chef-d'œuvre.

BIBL.: E. Haraucourt et F. de Montremy, 1922, n° 646. — G. Troescher, 1940, p. 34. — O. Müller, 1966, p. 13, 15, 22. — S.K. Scher, 1966-1976, p. 223. — G. Schmidt, *Metropolitan Museum Journal*, 1971, p. 83, 87-90, 93, 96-97, 101, 104. — F. Salet, *Bull. Mon.*, 1972, p. 246-247.

EXP.: *L'art européen vers 1400*, 1962, n° 338. — *Die Parler...*, 1978, n° 51.

Paris, musée de Cluny
Inv. Cl. 18.849

80
L'ange d'Annonciation

Provenant de l'abbaye de Flavigny (Côte-d'Or) (?)
Coll. de Sarcus, château de Bussy-Rabutin (Côte-d'Or); coll. Pierpont-Morgan, New York
Dernier quart du XIVe siècle
Marbre. H. 0,61; L. 0,14; Ép. 0,152

Une image de la Vierge répondait certainement à celle de l'ange qui, genou légèrement fléchi, regard levé vers Marie, tient une banderole qu'il désigne du doigt, et sur laquelle figuraient sans doute les premiers mots de son message.

L'œuvre offre avec la Présentation au temple du musée de Cluny (n° 79) des parentés indéniables qui ont fait supposer l'appartenance à un même ensemble, consacré aux scènes de l'Enfance du Christ. Outre une conformité de dimensions, des analogies s'établissent avec le vieillard Siméon (position du torse et de la tête), la

suivante de Marie (modelé des mains osseuses) et la Vierge (manteau retenu sous le bras, rythme des plis en éventail, volutes latérales, légère cassure des plis au sol). G. Schmidt, qui conclut à une identité d'auteur, dissocie pourtant les deux œuvres en vertu de différences, au reste peu sensibles, signe pour lui d'un certain écart chronologique, l'ange étant de quelque dix ans plus jeune. La différence de matériau pourrait être plus apparente que réelle. Et l'aspect moins statique et plus pictural de l'ange est peut-être voulu simplement pour mieux caractériser le messager céleste. En des termes différents, une telle nuance s'observe dans le groupe de Javernant (n° 60).

G. Schmidt qui attribue l'ange à Jean de Liège, y voit une œuvre tardive du maître (1375-1380), contemporaine de la Marie de France (n° 78) dont il est rapproché. L'attribution n'est pas inacceptable. On doit cependant objecter que la seule confrontation entre Marie de France, œuvre attestée mais très incomplète, et la Présentation, œuvre pratiquement intacte mais d'attribution incertaine, se révèle un critère bien peu sûr pour fonder, à lui seul, une hypothèse qu'il est raisonnable de ne pas suivre.

L'origine présumée de l'œuvre ouvre d'autres perspectives. Sa présence au château de Bussy-Rabutin, signalée par Paul Vitry, n'avait jamais retenu l'attention. Un texte de 1852 signale pourtant que l'ange (faussement daté de la Renaissance) provient de Sainte-Reine. La localité, devenue Alise-Sainte-Reine, est de peu d'importance, mais se trouve voisine de l'abbaye bénédictine de Flavigny, à laquelle appartint probablement ce fragment. L'histoire connue du monastère n'a point permis, jusqu'à présent, de confirmer cette appartenance. Pas plus qu'elle n'autorise à rattacher l'ange au mécénat de la puissante famille des Coutiers dont plusieurs membres furent attachés à la Cour de Philippe le Hardi. On ne peut cependant négliger ces données qui orientent les recherches vers le milieu bourguignon, y laissant entrevoir la possibilité d'apports étrangers au courant slutérien. Il ne faudrait pas sous-estimer le rôle qu'a pu jouer, à Dijon, un Jean de Marville longtemps inséré dans le milieu parisien, œuvrant à Rouen en même temps que Jean de Liège (n° 67).

BIBL.: A.J. Ansart, *Histoire de Sainte-Reine d'Alise et de l'abbaye de Flavigny*, Paris, 1783, p. 228 et 258. — A. de Sarcus, *Notice historique et descriptive sur le château de Bussy-Rabutin*, Dijon, 1854, p. 107. — P. Vitry, « Les collections Pierpont Morgan », G.B.A., 1914, p. 435. — G. Schmidt, *Metropolitan Museum Journal*, 1971, p. 96-97.

EXP.: *Arts of the Middle Ages*, 1940, n° 184.

New York, The Metropolitan Museum of Art
Inv. 17.190.390

81
Saint Jean l'Évangéliste

Provenant de l'abbaye de Longchamps (?)
Musée des Monuments français ; Saint-Denis
Marbre ; rehauts de dorure
H. 1,15 ; L. 0,20 ; Ép. 0,38

Pieds nus, saint Jean, imberbe, porte le livre de l'Évangile. De la main gauche, il devait tenir un stylet.

G. Schmidt a proposé d'attribuer la statue à Jean de Liège, arguant essentiellement de parentés physionomiques entre l'apôtre et l'ange du Metropolitan Museum (n° 80). Cette attribution ne peut être retenue. Elle est déjà contestable dans la mesure où elle se fait par le truchement successif d'œuvres au demeurant aussi peu assurées que l'ange ou la Présentation au temple (n° 79). Elle ne résiste pas à la confrontation des œuvres. Car il existe entre les deux têtes plus de vraies dissemblances que d'apparentes similitudes. Le visage soucieux de saint Jean a une rigueur de contours bien opposée à la joviale sensualité de l'ange. Et cette divergence se poursuit dans le drapé, traité chez le saint avec une sorte de dureté et une précision quasi systématique qui se traduit dans les plis en escalier sur la jambe gauche, trop grêle, ou dans l'emprisonnement de la dextre, dans le manteau. Ceci dénote une autre main et un esprit différent.

L'essentiel serait, avant tout, de redonner à la statue une histoire, ce qui n'a pu être fait encore. A. Lenoir, qui reçut la statue au musée des Monuments français et s'en servit pour le décor du tombeau dédié par lui à Blanche de Castille, connu par un lavis (musée du Louvre, Cabinet des Dessins,

81

RF 5280, fol. 25), puis Guilhermy, qui la vit à Saint-Denis, n'ont jamais explicité une provenance restée hypothétique. Ceci permettrait peut-être de résoudre aussi le problème des rapports entre le saint Jean et la Vierge, de même taille, mais de style différent, donnée également à l'abbaye des Dames de Longchamps (musée de Cluny, cat. 1922, n° 628).

BIBL.: E. Haraucourt et F. de Montremy, Paris, 1922, n° 629. — G. Schmidt, *Metropolitan Museum Journal*, 1971, p. 97-98, 101, 104. — F. Salet, *Bull. mon.*, 1972, p. 246.

EXP.: *Die Parler...*, 1978, p. 51.

Paris, musée de Cluny
Inv. 19.255

82
Tête d'ange

Dernier tiers du XIVe siècle
Marbre. H. 0,15 ; L. 0,14 ; Ép. 0,12

L'origine de cette tête est inconnue. On ignore même la date et les circonstances de son entrée au musée. Le menton légèrement levé, la direction du regard laissent supposer qu'elle a pu appartenir à une figure de Gabriel délivrant son message à la Vierge. On peut suggérer un rapprochement avec l'ange d'Annonciation conservé au Metropolitan Museum (n° 80). La coupe

82

du visage, le modelé, le traitement de la chevelure, sont en effet comparables. Mais tout ceci est nuancé à Évreux par davantage de simplicité et une plus grande régularité dans les traits qui accusent une recherche certaine de beauté formelle. Une attribution serait téméraire, étant donné l'état fragmentaire de l'œuvre. Mais il paraît vraisemblable de la rattacher à un atelier parisien.

Évreux, musée - palais épiscopal
Inv. 10333

83

83
Masque de femme
Provenant d'un tombeau
Don P.-Fr. Marcou, 1916
Dernier tiers du XIVe siècle
Marbre. H. 0,25 ; L. 0,196 ; Ép. 0,09

La provenance et l'identité de cette belle tête féminine n'ont pu être encore découvertes. La coiffure, cheveux pris dans une résille, désigne une contemporaine de Charles V, qui pourrait être quelque princesse de la famille royale. On devine, sur le front, les traces du bandeau laissé en réserve pour y fixer une couronne ou un cercle de métal.

Le style est en accord avec cette datation. Et l'œuvre témoigne d'un exceptionnel talent : les traits sont traduits en un modelé plein et sensible, la vie s'exprime par un imperceptible sourire ou par des ombres légères, creusées au coin des yeux, suivant une pratique rencontrée dans un certain nombre d'œuvres de Jean de Liège ou de son entourage. Mais il serait vain, dans l'état actuel de nos connaissances, de tenter une attribution.

BIBL. : M. Aubert et M. Beaulieu, 1950, nº 235.

EXP. : L'Art européen vers 1400, 1962, nº 356. — L'Art français du Moyen Age, 1972-1973, nº 52.

Paris, musée du Louvre
RF 1654

84
Fragment d'un groupe de l'Éducation de la Vierge
Dernier tiers du XIVe siècle
Marbre. H. 0,25 ; L. 0,162 ; Ép. 0,25

La représentation sculptée de sainte Anne apprenant à Marie à lire dans la Bible est un thème sans fondement scripturaire. Il est généralement tardif, illustrant aux XVe et XVIe siècles les progrès du culte voué à la mère de la Vierge. Ce fragment présente donc l'intérêt d'en offrir un exemple précoce.

Son origine est inconnue. Il fut acquis dans le commerce en 1958. Style des plis, recherche de pittoresque, vérité du visage au souple modelé, le situent dans le courant artistique du règne de Charles V. Il paraît néanmoins difficile de retenir l'attribution proposée par G. Schmidt à l'entourage de Beauneveu, entourage qui nous est, par ailleurs, si mal connu. Les parentés avec la sainte Catherine de Courtrai sont trop vagues pour constituer un critère suffisant. Et il faut reconnaître que l'état fragmentaire de l'œuvre, comme aussi le traitement très particulier des volumes peu dégagés de la surface du bloc constituent un obstacle aux confrontations stylistiques.

BIBL. : G. Schmidt, *Metropolitan Museum Journal*, 1971, p. 103 et 105.

Boston (USA), Museum of Fine Arts
Inv. 58.1191

84

85

85
Figure d'applique représentant une jeune femme (une sainte ?)
Dernier tiers du XIVe siècle
Marbre. H. 0,375 ; L. 0,16 ; Ép. 0,075

Le geste de cette jeune femme, et ce qu'elle tenait en mains, demeure énigmatique. On ne peut donc l'identifier.

L'origine de l'œuvre est controversée. Elle fut, traditionnellement, considérée comme rhénane, en raison, peut-être, de l'onctuosité un peu molle du modelé. Elle a été récemment introduite dans l'aire d'influence de Jean de Liège. Il importe, en effet, de souligner les parentés avec le groupe de la Présentation au temple du musée de Cluny (nº 79). La chevelure est traitée de façon plus incisive, mais assez proche, chez le vieillard Siméon. Le visage charnu, aux traits un peu épais, l'incision des yeux, les mains fortement modelées, se retrouvent chez la Vierge. Le drapé a ici moins de vigueur mais un rythme sensiblement comparable. Les nuances de style qui séparent les deux œuvres, et l'incertitude relative à l'auteur de la Présentation s'opposent à toute attribution de la figurine de Francfort.

86

Mais le rapprochement établi autorise à la situer dans un contexte parisien.

BIBL. : A. Legner, *Gotische Bildwerke aus dem Liebighaus*, Francfort-sur-le-Main, 1966, n° 47. — R. Palm, *Die Parler...*, 1978, p. 51.

Francfort-sur-le-Main, Liebighaus
Inv. 896

86
Saint Jean-Baptiste
Dernier tiers du XIVe siècle
Albâtre. H. 0,375 ; L. 0,182 ; Ép. 0,103

Les représentations du Précurseur sont, avec celles de sainte Catherine, parmi les plus courantes au XIVe siècle. Cette prédilection s'explique aisément par la préférence accordée, dès le XIIIe siècle, au patronage du Baptiste dont une grande part de la population masculine portait le nom.

Une certaine évolution iconographique se manifeste, au cours du siècle. La peau de bête et l'Agneau inscrit dans un quadrilobe sont de règle, dans les premiers temps. Puis, l'animal symbolique, portant souvent l'étendard, dont on voit ici la trace, apparaît posé sur un livre ou dans un pli du manteau.

Il est impossible de localiser cette œuvre acquise en 1854 chez un antiquaire rouennais, ses dimensions restreintes ayant pu faciliter les errances. Par son style, par sa très grande qualité, elle appartient à un courant issu des ateliers parisiens de la fin du XIVe siècle, dont la province a pu, toutefois, se faire l'écho.

BIBL. : *Cat. du musée d'Antiquités de Rouen*, 1875, p 88, n° 124.

Rouen, musée des Antiquités de la Seine-Maritime
Inv. 902

87
Cul-de-lampe orné d'une figure d'ange
Provenant de l'ancien hôtel de ville de Saint-Omer (?)
Dernier quart du XIVe siècle
Pierre. H. 0,31 ; L. 0,61 ; Ép. 0,36

Cette pièce passe pour provenir de l'ancien hôtel-de-ville de Saint-Omer détruit en 1832 ; elle est entrée à une date inconnue dans les collections du musée, avec six autres culs-de-lampe, mentionnés sur les registres d'inventaire en 1905 seulement.

Le cul-de-lampe, comme la console ou le corbeau, supporte un élément d'architecture. Il se distingue de la console par sa destination et du corbeau par sa forme : une console sert généralement de base à une statue, tandis que le cul-de-lampe reçoit une ou plusieurs retombées d'arcatures ; le corbeau s'inscrit dans un parallélépipède, alors que le cul-de-lampe affecte plus ou moins la forme d'un demi-cône.

On a souvent dit (C. Enlart) que le style des culs-de-lampe suivait l'évolution générale du chapiteau au Moyen Age, auquel l'apparente d'ailleurs sa fonction. En fait, au XIVe et surtout à la fin du siècle, se développe un art tout à fait nouveau dans ce domaine de l'architecture décorative. Les thèmes iconographiques s'y épanouissent avec originalité et invention (prophètes, anges, grotesques...). Le style s'assouplit et semble défier les servitudes de la forme. Attitudes élégantes ou mêmes contournées, et draperies fluides, suivent l'évolution de la statuaire contemporaine. La production est très abondante. Miniaturisés, les culs-de-lampe servent à l'art funéraire (n°s 24 et 88) ; monumentaux, ils décorent églises et demeures, aussi bien dans les régions septentrionales qu'en Avignon ou à Paris, où l'ensemble le plus extraordinaire du XIVe siècle nous demeure dans le Vincennes de Charles V.

L'ange, ici plein de charme, semble voler tout en tenant son phylactère et mêle la grâce à la plénitude dans le traitement des

87

plis, l'abondante chevelure aux boucles épaisses et le visage un peu mafflu, qui, assorti d'une parfaite maîtrise de ce genre mineur, inscrivent cette œuvre dans le dernier quart du siècle.

BIBL. : L. Deschamps de Pas, « L'Ancien hôtel de ville de Saint-Omer », *Statistique monumentale du département du Pas-de-Calais*, I, 1850, p. 1-7. — C. Enlart, *Manuel d'archéol. française*, I, 1920, p. 612. — R. Bergius, 1937. — A. Erlande-Brandenburg, *Bull. mon.*, 1972, p. 301-345. — A. Erlande-Brandenburg, *Rev. du Louvre*, 1973, nº 4-5.

EXP. : *Sculptures romanes et gothiques du Nord de la France*, 1978-1979, nº 70b.

Saint-Omer, musée de l'Hôtel Sandelin
Inv. nº 7381

88

88
Culot orné d'une figure d'ange

Acquis en 1964
Dernier quart du XIVe siècle
Marbre. H. 0,20 ; L. 0,09 ; Ép. 0,053

Ce culot a dû servir au décor d'un tombeau (*Cf.* nº 24). On en ignore la provenance, qui passe, sans preuve, pour être Saint-Denis. Le thème est en parfait accord avec la place que tiennent les anges dans l'art funéraire. Et le style situe l'œuvre dans les dernières années du siècle.

Paris, musée du Louvre
RF 2876

89

89
La Vierge allaitant l'Enfant

Provenant de l'abbaye cistercienne de Royaumont
Dernier quart du XIVe siècle
Pierre. H. 1,30 ; L. 0,55

Le type demeure celui de la Vierge allaitant l'Enfant à demi étendu, créé dans la première moitié du siècle. Mais l'évolution subie se traduit avec évidence. La Vierge, dont les traits et la chevelure sont rendus avec plus de naturel, regarde l'Enfant. Ses mains sont plus fermement modelées, mais il y a une certaine préciosité dans sa façon de retenir le lange. Une sorte de parallélisme s'établit d'ailleurs entre ce geste nouveau et

celui des Madones soulevant, du bout des doigts, un pan de leur vêtement (nos 115 et 116). Le grand manteau, très haut croisé, se retourne à l'encolure pour former une sorte de revers qui apparaît souvent à cette époque. La silhouette est ensuite élargie, au niveau des hanches par le jeu amplifié des ondes et volutes d'un drapé qui coule souplement jusqu'au léger retroussis, sur les pieds.

La Vierge appartenait à l'abbaye cistercienne de Royaumont, fondée par saint Louis en 1228. Sauvée à la Révolution, elle était placée au pignon du réfectoire, d'où elle dominait le cloître, au milieu du siècle dernier.

BIBL. : L. Lefrançois-Pillion, *G.B.A.*, 1935, II, p. 220-222. — H. Goüin, *L'Abbaye de Royaumont*, Paris, 1958, p. 59.

Asnières (Val-d'Oise), Fondation Royaumont

90
La Vierge allaitant l'Enfant

Dernier quart du XIVe siècle
Marbre. H. 0,62 ; L. 0,22 ; Ép. 0,14

La Vierge semble une réplique, de dimensions réduites, de la monumentale statue de marbre provenant de l'abbaye de la Cour-Dieu, que sa grande fragilité ne permet pas de déplacer du musée d'Orléans (brisée en maints endroits, elle a subi de nombreuses restaurations). Elle diffère de son prototype par le charme un peu banal du visage encadré de boucles, et non plus de ces longues mèches ondulées mises à la mode vers 1370. Mais la densité plastique, le rythme du drapé et l'attitude de l'Enfant, blotti contre sa mère, que Madame Lefrançois-Pillion signalait comme signe d'évolution tardive, sont semblables.

Le manque de données sur l'une et l'autre de ces statues empêche de connaître la nature du lien qui les unit et l'atelier dont elles sont issues. Cette lacune est fâcheuse car les deux œuvres, dont on a rapproché la Vierge de Courcelles-sur-Viosne (Val-d'Oise), ont une grande signification.

90

91

ondes. Mais ce n'est qu'un tracé directeur. Et l'art des Belles Madones, minaudières et si fortement hanchées ne saurait procéder vraiment d'un type dont l'évolution se fait dans le sens, tout à fait contraire, de l'aplomb solide et de la saveur drue.

BIBL. : Soultrait, *Répertoire archéol. du Département de la Nièvre*, Paris, 1875, p. 61. — L. Lefrançois-Pillion, *G.B.A.*, 1935, p. 220. — R. Didier et R. Recht, *Bull. mon.*, 1980, p. 194-195.

Monceaux-le-Comte (Nièvre), église Saint-Georges

91
La Vierge et l'Enfant

Dernier quart du XIVe siècle
Marbre. H. 0,70 ; L. 0,25 ; Ép. 0,15

La statue, cachée probablement pour échapper à la profanation, fut retrouvée, vers 1840, dans les fossés des anciennes tanneries de Vivoin (notes manuscrites de l'abbé Renaudeau, curé de Vivoin de 1836 à 1847). On suppose qu'elle se trouvait auparavant dans l'ancienne église paroissiale, dédiée à Notre-Dame, et détruite à la Révolution. Il n'est cependant pas exclu qu'elle ait appartenu au prieuré bénédictin dont l'église, devenue paroissiale, l'abrite désormais.

Le visage de la Vierge, l'attitude et la physionomie de l'Enfant autorisent un rapprochement avec la statuette de Saint-Benoît-sur-Loire (*cf.* no 66). Cette parenté n'est que relative. Car la Vierge de Vivoin présente des variantes iconographiques et une disposition autre du vêtement. Au lieu de serrer contre lui un oiseau, l'Enfant tient un globe et agrippe le voile de sa mère qui a, dans la main droite, un livre et porte un manteau ouvert et non le drapé « en tablier » de la Vierge de Saint-Benoît. Mais surtout, le style est tout autre. La silhouette est élargie, l'attitude fortement cambrée, ventre en avant. Au modelé gras et mou des visages et des mains répond la simplification d'un drapé épais mais dénué de vigueur. (La relative maladresse de la partie basse pourrait être le résultat d'une possible restauration.)

L'œuvre est un témoin rare et isolé de ce style coulant et onctueux que l'on retrouve, avec de toutes autres qualités d'exécution, dans les deux statuettes de Chartreux agenouillés du musée de Cleveland (no 92), le lieu d'origine et l'aire d'extension de ce style restent indéfinis. Mais on peut lui assigner une date tardive, dans la dernière décennie du siècle.

BIBL. : J.-R. Pesche, *Dictionnaire topographique, historique et statistique de la Sarthe*, VI, Le Mans, 1842. — R. Blanc, « Vivoin », *Dictionnaire des Églises de France*, IV, Paris, 1968, p. 190-191.

Vivoin (Sarthe), église paroissiale

Elles peuvent apparaître comme le reflet de la sainte Catherine de Courtrai (no 77) dont elles reprennent le schéma de composition. Plus avancées dans le siècle, elles accusent l'évolution subie par une amplification des formes. La silhouette s'élargit, le corps s'efface sous les tissus et la chute latérale du drapé s'étoffe et se complique.

Elles ont été considérées aussi comme des éléments importants dans la genèse des « Belles Madones » germaniques et bohémiennes. Elles ont pu transmettre la cascade des volutes latérales et le grand pli diagonal limitant un triangle dont la pointe se situe sur le pied gauche, vaste surface paisible qui s'animera de multiples plis en

92 A   92 B

92
Deux moines chartreux agenouillés

Provenant de la Chartreuse de Champmol (?)
Coll. Carlo Micheli, Paris ; coll. Mayer van den Bergh, Anvers ; coll. Soullié ; coll. Octave Homberg, Paris ; coll. Jacques Seligmann and Co, New York
Dernier quart du XIVe siècle
Marbre
A) H. 0,257 ; L. 0,134 ; Ép. 0,06
B) H. 0,24 ; L. 0,129 ; Ép. 0,07

Ces deux moines, agenouillés en prière devant quelque objet de dévotion, portent le scapulaire avec les larges bandes, signe distinctif du costume des Chartreux. On ne leur connaît pas d'équivalent iconographique dans la sculpture de ce temps, hormis les Chartreux du tombeau de Philippe le Hardi.

Leur provenance et leur destination ont donné lieu à différentes hypothèses. On a évoqué, à leur propos, la Chartreuse, détruite, de Paris. Il est vrai que de telles représentations de religieux en prière y sont attestées par des gravures anciennes. Mais, ni les cinq moines présentés par saint Louis à la

Vierge, qui figuraient à la façade (Millin), ni les religieux agenouillés devant Marie sur un relief du cloître (Millin), ne peuvent correspondre à ces deux figures. Dimensions, matière et attitude sont autres. Et les Chartreux veillant sur les gisants de Pierre d'Évreux-Navarre et de Catherine d'Alençon tiennent des livres (Gaignières). L'indication la plus valable reste le témoignage de Millin révélant que les cellules renfermaient des tableaux et des statues. Mais cela reste bien vague.

Une découverte inédite ouvre d'autres perspectives. C'est l'assurance que les œuvres ont appartenu à la collection de Carlo Micheli. L'inventaire, dressé par ce dernier avant sa mort, survenue en 1895, mentionne un retable où, dans un cadre architectural en pierre de Tonnerre, et devant un marbre noir, apparaissaient une figure de la Vierge tenant l'Enfant et deux statuettes de moines à genoux. Isolées de leur contexte d'architecture, les trois sculptures sont parfaitement identifiables sur des photographies anciennes (musée du Louvre. Archives du département des Sculptures). La Vierge y porte même, bien visible, le numéro attribué par Micheli. Sa disparition fait

malheureusement obstacle à une juste appréciation de l'homogénéité du groupe.

Or, l'inventaire précise que cet ensemble provenait de la Chartreuse de Dijon. Rien n'est venu encore confirmer cette hypothèse. Mais elle est parfaitement crédible. On peut même établir un parallèle entre l'exécution de ce groupe et la commande faite à Jean de Beaumetz en 1388, de vingt-six peintures destinées à décorer les cellules des moines (n° 326). Les deux statuettes, d'une souple onctuosité apparaissent, dans ce contexte, comme d'intéressants témoins, à Champmol même, d'un courant stylistique indépendant de l'art slutérien.

BIBL. : A. Millin, Antiquités nationales, V, Paris, 1799, p. 60. — G. Migeon, « Coll. Octave Homberg », Les Arts, III, déc. 1904, p. 36. — C. Eisler, Arts de France, 1964, p. 289. — W.D. Wixom, The Bull. of the Cleveland Museum of Art, LIII, 1966, p. 348-355. — J. de Coo, G.B.A., 1965, p. 345-370, n° 137.

EXP. : The International Style, 1962, n° 92. — Treasures from medieval France, 1967, VI-10.

Cleveland (USA), The Cleveland Museum of Art
Inv. 66.112 et 66.113

93
Transi de Guillaume de Harcigny

Provenant de l'église des Cordeliers de Laon
Après 1393
Pierre. H. 1,84 ; L. 0,44 et 0,56 ; Ép. 0,28

Originaire de Vervins, formé en France et au cours de nombreux voyages (Syrie, Palestine, Égypte, Bologne), Guillaume de Harcigny, donné par Froissart comme « très vaillant et sage médecin », s'établit à Laon où il mourra presque octogénaire et comblé de richesses en 1393. Il est surtout célèbre pour avoir quelque temps prodigué des soins intelligents à Charles VI après l'accès de folie survenu dans la forêt du Mans le 5 août 1392.

On l'inhuma chez les Cordeliers de Laon dont l'église fut vendue à la Révolution, puis détruite. Mais ses cendres et son tombeau furent sauvés, grâce à la commune soucieuse de témoigner sa reconnaissance à celui qui avait été son bienfaiteur. Transféré

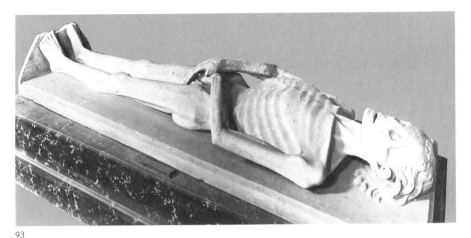

93

milieu et porte le Christ couronné. A gauche le groupe des Saintes Femmes avec Longin, et la Madeleine à genoux embrassant le pied de la croix. A droite, assis sur le sol, saint Jean, et derrière lui le centurion et ses soldats ainsi que Stéphaton. Le tableau est complété par les deux larrons, deux anges, le soleil et la lune, etc. Une rangée de cinq ogives couronne le tout.

La troisième plaque porte l'inscription, en lettres gothiques niellées : O BEATI PATRES : ELECTI CELESTINI / DIVINI SACERDOTES : DEI ALTISSIMI / MEMENTOTE OBSECRO MEI : ZELATORIS VESTRI / PHILIPPI QUONDAM : CANCELLARII CIPRI VOCATI.

à la cathédrale, le gisant fut toutefois enfoui sous le pavage d'où on l'exhuma en 1842.

Cette âpre effigie est révélatrice de l'évolution rapide de l'art funéraire, passé au cours du XIVe siècle, de l'image idéale du transfiguré au portrait fidèle du défunt, puis, comme ici, à la représentation du cadavre nu et décharné. Presque contemporaine de celle du cardinal La Grange, à Avignon, elle est peut-être le premier exemple de ces transis dont l'apparition correspond à une profonde transformation des mentalités à laquelle les ravages de la peste n'ont certainement pas été étrangers.

BIBL. : E. Caron, « Extrait de la notice sur l'exhumation des restes de Guillaume de Harcignies », *La Thiérache*, 1849, p. 70. — E. Fleury, « La pierre tombale de Harcigny, médecin de Charles VI », *Bull. de la Soc. académique de Laon*, III, 1853, p. 255-258. — M. Thillois, « Étude biographique sur Guillaume de Harcigny », *Bull. de la Soc. académique de Laon*, n° 6, 1856, p. 359-386. — E. Fleury, *Antiquités et monuments du département de l'Aisne*, IV, Paris, 1882, p. 241. — E. Wickersheimer, *Dictionnaire biographique des médecins en France au Moyen Age*, II, Paris, 1936 (2e éd. D. Jacquard, 1979, p. 246-247). — K. Bauch, 1976, p. 255.

Laon, Musée archéologique
Inv. 61.226

94
Épitaphe de
Philippe de Mezières

Paris, fin XIVe siècle
Paris, couvent des Célestins.
Coll. Ledru (vente Paris, 1833, n° 277) ; Paris, église Saint-Denis ; coll. C. Micheli, Paris ; coll. Chevalier F. Mayer van den Bergh, Anvers (depuis 1898)
Laiton gravé, doré et niellé ; trois lames superposées, montées sur un cadre en fer
H. 0,85 ; L. 0,37 (H. respectives 30,2 + 37,5 + 17,3)

Après une carrière militaire à Milan et à Naples, Philippe de Mezières (vers 1327-1405) participa à la croisade. Il entra ensuite au service du roi de Chypre dont il fut chancelier. Rentrant en France, il séjourne à Avignon, puis passe au service de Charles V dont il devient un des conseillers préférés et est choisi comme précepteur du dauphin. A la mort du roi, il se retire au couvent des Célestins et se consacre essentiellement à la littérature.

Chacune des trois lames porte une composition différente. La première montre le donateur à genoux devant une statue de la Vierge à l'Enfant ; le personnage, vêtu de l'habit des Célestins, est identifié par son blason (de sinople à la fasce d'hermines) ; de ses mains jointes en prière se déroule une banderole avec les mots *« Spes mea miserere mei »*. La statue de la Vierge, au milieu, correspond au type de la *Sedes Sapientiae*, couronnée et assise sur un trône, avec sous ses pieds deux dragons ; la composition est équilibrée à droite par la figure de saint Philippe debout. Chaque figure se trouve dans une niche à baldaquins, formant la décoration qui encadre l'ensemble.

La seconde plaque représente le Calvaire. Une grande croix triomphale se dresse au

94

94 (détail)

A l'origine l'épitaphe a dû se trouver dans la chapelle de la Vierge, que Philippe de Mézières avait fait construire dans le cloître des Célestins avant son entrée dans ce couvent, en 1380. L'épitaphe y commémorait non seulement un des grands hommes de l'entourage de Charles V, mais surtout un des premiers grands bienfaiteurs du cloître, et le pieux frère Célestin qui y vécut jusqu'à sa mort en 1405.

La qualité de la gravure et du dessin de cette épitaphe en font une œuvre exceptionnelle parmi les tombes et plaques en cuivre gravées. La finesse de la technique, les dimensions restreintes des trois lames et leur faible épaisseur (1 à 1,5 mm) sont étrangères aux procédés employés dans les grands centres de fabrication de tombes en cuivre (comme Bruges), qui ont exporté leurs produits dans tout l'Occident. Il faut penser ici plutôt à une origine locale, plus apparentée à l'artisanat d'un orfèvre qu'à celui d'un tombier.

Le style s'inscrit d'ailleurs parfaitement dans le milieu parisien du dernier quart du XIVe siècle. Il est même possible de faire des comparaisons avec des œuvres maîtresses comme le Parement de Narbonne, surtout en ce qui concerne la plaque du Calvaire (no 324). La date qu'on attribue généralement à cette pièce — vers 1400 — semble être un peu tardive, eu égard à l'évolution stylistique. On doit tenir compte d'ailleurs, de ce que le projet dessiné, avec son iconographie toute personnelle, a pu être élaboré du vivant du donateur.

Cette iconographie constitue un des aspects les plus intéressants, spécialement à cause des « citations » très précises d'art roman que constituent l'image de la Vierge et le crucifix du Calvaire. Une explication de ce phénomène rare ne peut se trouver qu'en relation avec la personnalité du donateur même. En ce qui concerne la Vierge, représentée comme *Sedes Sapientiae* dans le style du XIIIe siècle, l'artiste a suivi un exemple, sans doute existant, et probablement d'origine mosane. La prière que le donateur lui adresse l'identifie comme Notre-Dame de l'Espérance. On peut supposer que la statue qui figura comme modèle fit l'objet d'une dévotion spéciale du donateur. Elle a pu se trouver autrefois dans les environs d'Amiens, puisque Philippe de Méziè-

res a laissé d'abondants témoignages de sa dévotion à la Vierge ainsi que de son attachement à son pays natal, deux thèmes qu'il traita souvent en corrélation étroite. Il est plus difficile de préciser les raisons du choix de la croix triomphale. Cette croix, avec ses bras qui se terminent en forme de chapiteaux, est d'un type qu'on rencontre depuis le VIIe siècle, connu surtout par de nombreuses croix gemmées d'orfèvrerie (IXe-XIIe siècles). La croix de l'épitaphe a été incrustée aussi de pâtes multicolores, comme en témoignent encore les cavités destinées à cet effet. Le Christ, couronné et attaché à la croix avec quatre clous, s'inspire probablement d'un modèle du XIIe siècle. Sans qu'on puisse préciser davantage, il est certain que ce modèle a été choisi en fonction de l'intérêt que le donateur porta, durant sa vie, à la délivrance des lieux saints et de Jérusalem, et comme les croix gemmées pré-romanes, cette croix de triomphe se veut être une reproduction de la Vraie Croix.

BIBL. : A. Lenoir, *Statistique monumentale de Paris*, I et II, 1867. — E. Raunié, II, 1893, p. 426. — N. Jorga, *Philippe de Mézières 1327-1405 et la croisade au XIVe siècle*, Paris, 1896, p. 512. — *Cat. du musée Mayer van den Bergh, Anvers*, Bruxelles, 1933, no 466. — R.H. Pierson, « A Medieval Monumental Brass at Antwerp », *Transactions of the Monumental Brass Society*, 1938. — H. Swarzenski, *Gesta*, 1981, p. 207-212 (avec erreur sur la date du décès de Ph. de Mezières).

Anvers, musée Mayer van den Bergh
Inv. 461

95
Buste du Christ crucifié

Provenant du Calvaire de la Chartreuse de Champmol
Claus Sluter, 1395-1399
Pierre ; traces de polychromie
H. 0,61 ; L. 0,38 ; Ép. 0,34

La règle cartusienne prévoyait un puits au centre du grand cloître, et une croix dans le cimetière situé dans le terrain qu'il enfer-

95

mait. Pour répondre à ces exigences, Sluter s'inspirant du thème symbolique de la Fontaine de Vie érigea, au milieu du cloître de Champmol, un Calvaire, monument à double étage, qui reposait sur une pile baignant dans l'eau. A la base, un massif hexagonal entouré de prophètes et d'anges associés au drame de la Rédemption. Et, parmi eux, Moïse. Sur la plate-forme, la croix et les figures de la Vierge, de saint Jean et de la Madeleine.

Les comptes de construction indiquent la marche des travaux entrepris en 1396 et achevés probablement en 1405. On sait que Claus de Werve avait travaillé aux côtés de son oncle, et que le Christ et les trois statues qui l'entouraient furent apportés de l'atelier de Dijon en 1399. En 1402, pour parfaire le travail sommaire déjà exécuté par un praticien local, le peintre Jean Malouel et le doreur Hermann de Cologne enluminèrent l'ouvrage.

Le monument connut un si vif succès qu'il fut, à diverses reprises, pris pour modèle (cimetière de l'Hôpital de Dijon, Chalon-sur-Saône). Mais sa grande fragilité exigea très vite une protection. Dès le XVe siècle, il fut couvert, et c'est la chute de la toiture protectrice qui entraîna, après 1736, la ruine de l'imagerie du Calvaire. Seule subsista la base, dénommée par la suite « Puits de Moïse ». D'assez nombreux fragments jetés dans le puits furent retrouvés entre 1832 et 1842. Quant au buste du Christ, préservé au moment de la démolition, il resta longtemps muré dans une niche qui ornait une maison dijonnaise avant d'entrer au musée archéologique où sont également conservés les jambes du crucifié et les bras de la Madeleine.

Le large traitement de l'œuvre répond admirablement aux nécessités de la perspective. Servi par une saisissante pratique du métier, Sluter a donné au visage du Christ mort, yeux clos et narines pincées, un accent douloureux assorti toutefois d'une certaine douceur. Au terme du XIVe siècle, ce réalisme pathétique ouvre résolument la voie à un nouveau mode d'inspiration et de style.

BIBL. : Cat. du musée de la Commission des Antiquités de la Côte-d'Or, 1894, nº 1323. — H. David et A. Liebreich, Bull. mon., 1933, p. 418-467. — D. Roggen, Rev. belge d'Archéol., 1935, p. 107-118. — H. David, «A propos de la destruction du Calvaire du Puits de Moïse»,

Mém. de la Commission des Antiquités de la Côte-d'or, XXI, 1936-1937, p. 79-80. — P. Quarré, Arts plastiques, nº 3, 1951, p. 211-218. — H. David, 1951, p. 81-127. — P. Gras, Miscellanea prof. Dr. D. Roggen, 1957, p. 101-104. — P. Quarré, Mém. de la Commission des Antiquités de la Côte-d'Or, XXIX, 1974-1975, p. 161-166.

EXP. : Exhibition of french Art, 1932, nº 5. — La Passion dans l'Art français, 1934, nº 34. — Art bourguignon, 1936, nº 7. — Chefs-d'œuvre de l'Art français, 1937, nº 1000. — Chefs-d'œuvre de la Sculpture bourguignonne du XIVe au XVIe siècle, 1949, nº 7. — Claus Slutter..., Rotterdam, 1950, nº 3. — Le grand siècle des ducs de Bourgogne, Dijon, 1951, nº 119. — Bourgondische Pracht, Amsterdam, 1951, nº 165. — Le siècle de Bourgogne, Bruxelles, 1951, nº 165. — La Chartreuse de Champmol, 1960, nº 21. — L'art européen vers 1400, 1962, nº 419. — Huit siècles de sculpture française, 1964, nº 42.

Dijon, Musée archéologique
Inv. 1323

96
Dossier de chaire

Provenant de la Chartreuse de Champmol
Don Fyot de Mimeure, 1823
Jean de Liège, 1399-1401
Bois. H. 1,20 ; L. 0,80

Ce panneau servait de dossier à l'une des trois chaires destinées, dans le chœur de Champmol, au célébrant et à ses acolytes. La comptabilité des travaux de la Chartreuse livre des indications précises sur ce travail de menuiserie et son auteur : le charpentier Jean de Liège, à ne pas confondre avec son homonyme le sculpteur. Commandé en 1399, l'ouvrage était en place en 1401. Il fut détruit à la Révolution, mais des

96

documents (dessin ou description du XVIIIe siècle) servant à l'identification du panneau, justifient les armoiries et permettent une évocation de l'ensemble, constitué de trois sièges surmontés d'un triple dais de bois ajouré, dont il subsiste des vestiges au musée de Dijon. Une autre chaire, transportée de la Sainte-Chapelle de Bourges en l'église de Morogues (Cher), privée de ses sièges et dossiers mais au couronnement intact, constitue un excellent témoignage de l'importance et de la qualité de ce type de décor.

Les armes de Jean sans Peur, alors comte de Nevers, sont sculptées sur le grand écu, à la partie supérieure du dossier. Celles de Philippe le Hardi et de Marguerite figuraient sur les deux autres sièges, associées à celles de l'héritier du duché comme elles l'étaient sur les portes de l'église. Au-dessous apparaissent les armes du comté de Rethel (rateaux) et du comté de Bourgogne, inscrites dans trois rangs de quatre-feuilles. Elles appartenaient à un ensemble héraldique étendu aux trois panneaux et correspondant aux possessions de Philippe le Hardi à la mort de Louis de Male (1384).

De petits anges musiciens animent la composition. Ils tiennent des instruments de musique alors en usage à la cour ducale : unicorde, flûte à bec, viole ou vielle. Avec les grands anges agenouillés porteurs de l'écu de Jean sans Peur, ils constituent la part propre de l'imagerie. La souplesse des attitudes les rapproche de l'art parisien. Mais les joues rebondies, les lourdes paupières, les trois mèches ondulées bouffant de chaque côté des visages appartiennent à un autre courant, influencé peut-être par l'Allemagne et venu des Pays-Bas. On le retrouve dans l'enluminure, la peinture (Broederlam) ou la sculpture (statuettes sculptées par Jacques de Baerze pour les retables de la Chartreuse).

BIBL. : P. Quarré, Miscellanea Prof. Dr. D. Roggen, 1957, p. 219-228. — Musée des Beaux-Arts de Dijon. Cat. des sculptures, 1960, n° 6. — S.K. Scher, Rev. de l'Art, 13, 1971, p. 11-24.

EXP. : La Chartreuse de Champmol, 1960, n° 18.

Dijon, musée des Beaux-Arts

97

97
L'Annonciation

Début du XVe
Marbre
L'ange : H. 0,47 ; L. 0,145 ; Ép. 0,085
La Vierge : H. 0,47 ; L. 0,14 ; Ép. 0,085

Le groupe a pu appartenir dès l'origine à l'église d'Allonne, placée sous le double vocable de Notre-Dame de l'Annonciation et de saint Symphorien. Mais on ignore tout de son histoire.

L'élargissement de la silhouette de l'ange et son attitude dynamique, le goût des draperies onctueuses, rythmées par de grandes obliques ou des ondes concentriques nettement contrastées insèrent l'œuvre dans le courant stylistique des alentours de 1400. L'Annonciation sculptée sur l'une des jouées de stalles de l'église abbatiale de Saint-Benoît-sur-Loire, dont on sait qu'elles furent achevées en 1413, apparaît comme un utile critère de datation. Les figures d'Allonne en sont en effet très proches. Leur style plus calme permet toutefois de leur assigner une date quelque peu antérieure.

Une apparente diversité de matériau et quelques anomalies de style laissent entrevoir la possibilité de reprises au XIXe siècle.

BIBL. : «Allonne», Congrès archéol. de France, Beauvais, 1905, p. 34-35. — D. Parmentier, «L'Église d'Allonne», Bull. Mon., 1821, p. 211.

Allonne (Oise), église paroissiale

98
Tête féminine voilée
(religieuse ?)

Dernier quart du XIVe siècle
Marbre blanc et noir
H. 0,295 ; L. 0,245 ; Ép. 0,155

Nous ne savons pas grand chose de cette splendide tête féminine sinon qu'elle fut acquise, en 1844, à la demande d'Alexandre du Mège, par la Société archéologique du Midi de la France qui la donna au musée des Augustins (Registre des délibérations de la Soc. archéol. du Midi, n° 2, p. 110, séance

98

du 29 juin 1844 ; F. de Guilhermy, Bibl. nat. Nouv. acq. fr. n° 6110 : Description des localités de la France. Toulouse, musée, f° 282).

Les éléments du costume et l'utilisation des marbres blanc et noir imbriqués avaient fait écrire au baron de Guilhermy qu'il s'agissait d'une religieuse et que cette œuvre pouvait être rapprochée de la statue de Marie de Bourbon, prieure des dominicaines de Saint-Louis de Poissy (n° 99). Cette comparaison reste vraie quant aux matériaux utilisés, peut-être même quant au style. Les yeux dans les deux cas s'ouvrent au fond de cavités orbitales très déprimées et soigneusement adoucies sous les arcades sourcilières. Mais là s'arrêtent les similitudes. A la physionomie lourde et sans agrément du portrait de Marie de Bourbon s'oppose ce visage plein de jeunesse derrière sa mentonnière, radieux, idéalisé, aux modelé et polissage duquel un sculpteur d'une grande sensibilité apporta beaucoup de soin. La date de sa réalisation n'est certainement pas aussi avancée que celle de la statue du Louvre.

Toulouse, musée des Augustins
Inv. Ra 773

99
Effigie funéraire de Marie de Bourbon

Provenant de l'église du prieuré Saint-Louis de Poissy
Musée des Monuments français, 1793, Saint-Denis ; entré au Louvre en 1956
Vers 1401
Marbres noir et blanc
H. 1,56 ; L. 0,49 ; Ép. 0,44

Sœur de la reine Jeanne, épouse de Charles V, Marie de Bourbon fut prieure du monastère des Dominicaines de Poissy, de 1380 à 1401. Son tombeau, connu par une gravure de Gaignières (Bibl. nat. Est. Rés. Pe 1, vol. 31), se présentait sous la forme rare, mais rencontrée parfois au XIVe siècle, d'une effigie dressée. L'image de la religieuse, debout, mains jointes, portant le voile, la mentonnière, et le costume noir et blanc de son ordre, était supportée par un

99

haut socle polygonal, orné d'écus armoriés surmontés de figurines sous arcature, représentations probables des « pleurants » familiaux, désignés par leurs armoiries. L'ensemble était situé au pied du pilier sud-ouest de la croisée. Et l'épitaphe était gravée sur des plaques de cuivre revêtant l'architrave du dais surmontant un autel voisin.

L'un des intérêts du monument devait résider dans la richesse de sa polychromie. Le pilier auquel il était adossé reçut un décor peint d'azur et de fleurs de lis, qui accentuait

le contraste noir et blanc du piédestal et de la statue.

Le monastère fut détruit à la Révolution. Mais, dès 1793, la statue avait été transportée au musée des Monuments français, d'où elle passa à Saint-Denis, puis au Louvre. Elle est faite de marbres de différentes couleurs, le noir et le blanc servant à rendre les détails du costume religieux. Cette association, peu fréquente, avait, à Poissy même, un précédent : les deux gisants, couchés sur une même dalle, de Marie de Bretagne (+ 1371) et d'Isabelle d'Artois (+ 1344). Et cette même technique a été utilisée pour l'effigie, très probablement celle d'une Dominicaine, dont la tête est conservée au musée de Toulouse (n° 98).

Le jeu des couleurs et le beau poli du marbre noir exaltent la simple densité de la chute verticale des plis. L'artiste a rendu avec une vérité sans complaisance les traits ingrats de Marie, assez proches de ceux de sa sœur (n° 68). Mais, entre les joues trop rondes et le nez pointu, un malicieux sourire exprime la bonté de celle qui administra son monastère « avec une sagesse et une douceur admirables ».

BIBL. : Inv. des richesses d'Art de la France. Arch. du musée des Monuments français, Paris, II, 1886, p. 409 et III, 1887, p. 202 et 245. — M. Aubert, 1946, p. 341. — S. Moreau-Rendu, Le prieuré royal de Saint-Louis de Poissy, Colmar, 1968, p. 54 et 119-122. — A. Erlande-Brandenburg, « La priorale Saint-Louis de Poissy », Bull. mon., 1971, p. 109.

Musée du Louvre
Inv. RF 3050

100
Charles VI présenté par saint Jacques le Mineur
La Présentation au temple

Deux groupes provenant du tombeau du cardinal Jean de La Grange à l'église Saint-Martial d'Avignon
Fin du XIVe, début du XVe siècle
Albâtre

A) H. 1,205 ; L. 0,70 ; Ép. 0,37
Don Veuve Paquin, 1834

Inv. Calvet N. 63

100 A

Le visage de Charles VI, qui était couronné, correspond à l'iconographie du roi fou : regard morne, grande bouche, ample maxillaire et long menton à fossettes. Saint Jacques, pieds nus, se reconnaît au bâton de foulon qui servit à son supplice présumé.

B) Vierge : H. 0,83 ; L. 0,40 ; Ép. 0,33
Siméon : H. 1,30 ; L. 0,34 ; Ép. 0,36

Inv. Calvet N. 62 et 61

Moine bénédictin, abbé de Fécamp parvenu à l'évêché d'Amiens (1373-1375), grand conseiller de Charles V en matière de diplomatie et de finance, nommé cardinal en 1375 et devenu, trois ans plus tard, l'un des principaux instigateurs et tenants du Schisme, le cardinal Jean de La Grange mit à deux reprises son immense fortune au service de l'art, à des fins plus ou moins politiques.

Vers 1375, il avait fait exécuter pour le « Beau Pilier » de la cathédrale d'Amiens (contrefort N.O.), les neuf statues attribuées parfois, sans raison valable, à Beauneveu, qui sont manifeste politique tout autant qu'expression de foi religieuse. Dans l'édifice même, où il avait souhaité que reposassent ses os, avait été élevée une tombe dont seul subsiste le gisant mutilé.

Arrivé en Avignon, le cardinal commande, pour l'église du collège bénédictin

100 B

de Saint-Martial, un tombeau considéré, à bon droit, comme une des œuvres majeures du siècle finissant dont il résume les tendances, tout en ouvrant des perspectives d'avenir.

Le monument fut détruit à la Révolution, mais il est connu grâce à un dessin polychrome du XVIIᵉ siècle, découvert par Müntz dans les papiers de Suarès (Bibl. vaticane, Barberini, lat. 4426, fol. 25), et par de nombreux vestiges, pour la plupart entrés au musée Calvet à partir de 1834, et dont l'identification, entreprise par Müntz, se poursuit parallèlement aux découvertes de fragments supplémentaires. S'élevant jusqu'à la voûte, à plus de quinze mètres au-dessus du sol du chœur, le plus grand

tombeau du Moyen Age devait sembler quelque étagère géante où la statuaire s'insérait dans un entourage architectural ciselé dans la pierre et terminé par un immense baldaquin. Au transi, présenté sur un relief de pierre, succédaient des figures d'albâtre : le gisant, surmonté du Collège apostolique, puis, disposées sur cinq étages, cinq scènes de la vie de la Vierge (Nativité, Annonciation, Adoration des Mages, Présentation au temple et Couronnement) auxquelles correspondaient cinq groupes constitués de personnages présentés par un saint patron, et choisis dans un évident souci de commémoration politique (La Grange, Louis d'Orléans et son frère Charles VI, Charles V et un pape qui devait être Clément VII).

Toutes les statues étaient largement évidées au dos, pour être moins pesantes. La plupart d'entre elles ont disparu et seul l'étage où Charles VI prie devant l'Annonciation apparaît complet.

Malgré des études récentes, le tombeau continue de poser de multiples problèmes. Sa date d'exécution n'a jamais été fixée avec précision. P. Pradel la situait entre 1389 et 1397, année durant laquelle s'ouvrit en Avignon la période des grands troubles du Schisme. Mais le testament du cardinal, rédigé un an avant sa mort, survenue en 1402, laisse entendre que le monument n'était pas achevé. Toutefois, rien n'indique ce qui restait à faire, ni le temps mis à le parfaire.

La disposition, pour étonnante qu'elle soit, procède du schéma de composition habituel en Avignon (gisant, Collège apostolique, Couronnement de la Vierge), transformé pour s'adapter à un accroissement démesuré et enrichi du thème, alors tout nouveau, du transi (cf. nº 93). Mais le style demeure énigmatique, par sa complexité même. Les disparités vont jusqu'à d'évidentes différences de qualité, des pièces de très belle venue (l'Archange Gabriel), côtoyant des œuvres franchement médiocres (la Vierge de l'Annonciation). Quelques visages ont entre eux peu de rapports (saint Jacques et le vieillard Siméon). Et le jeu des plis aigus, disposés en ondes serrées, s'oppose à l'économie des gros plis ronds, séparés par des plages lisses. Une telle hétérogénéité suppose l'intervention de plusieurs artistes de formation et de talent inégal, et, peut-être, certains décalages chronologiques. Ceci incite à rejeter l'attribution proposée par A. Morganstern, au sculpteur Jacques Morel dont le style, désormais mieux connu à travers les vestiges retrouvés du tombeau de Clément VII, apparaît très homogène et sensiblement différent. Et le problème de l'origine de ces artistes reste entier. Les rapprochements avec la sculpture de Champmol, le jeu des amples draperies aux cassures anguleuses du Charles VI peuvent suggérer l'idée d'apports septentrionaux transmis par Dijon. Mais on doit aussi évoquer le Couronnement de la Vierge de la Ferté-Milon, dont l'auteur est inconnu, et ne pas négliger la diffusion possible des ateliers royaux ou

101

101
Statuette de femme

Coll. Aubourg à Gonneville (Seine-Maritime); acquis en 1935
Fin du XIVe, début du XVe siècle
Pierre. H. 0,80; L. 0,28; Ép. 0,21

Cette statuette demeure mystérieuse. L'origine exacte en est inconnue, l'identité du personnage indéterminée. Il faut toutefois signaler l'existence à Gonneville d'un château fortifié, dont subsistent des vestiges du XIVe siècle, qui était en possession de la toute puissante famille des Mallet. L'accent d'élégante mondanité, et la présence, sur la tête, des traces d'une couronne, feraient volontiers penser à quelque princesse. Mais la fantaisie de la chevelure bouffante écarte l'idée d'un portrait et on peut y voir, aussi bien, une figure de sainte privée de ses attributs.

La jeune femme porte le surcot échancré, apparu vers 1340-1345, mais qui resta costume de cérémonie princier jusqu'au XVIe siècle. Le style permet de situer l'œuvre à la charnière des XIVe et XVe siècles, et suggère des rapprochements avec les statues d'Isabeau de Bavière et de Jeanne de Boulogne, exécutées par ordre de Jean de Berry, vers les années 1389-1393, pour servir au décor de la grande cheminée du Palais de Poitiers.

BIBL.: P. Vitry, *Bull. des Musées de France*, 1936, p. 13-15. — R. Arnould, *L'Abbaye de Graville et son musée*, s.d., p. 11-12.

EXP.: *Chefs-d'œuvre de l'Art français*, 1937, n° 1007. — *Huit siècles de sculpture française*, 1964, n° 41. — *L'Art du Moyen Age en France*, 1978-1979, n° 58.

Le Havre, Musée archéologique de Graville
Inv. 1

102
Ange tenant un phylactère

Coll. Maignan; don 1927
Berry (?), fin du XIVe, début du XVe siècle
Marbre. H. 0,31; L. 0,26; Ép. 0,17

On ignore tout de la destination de cet ange, complément possible, mais non certain, du décor d'un tombeau. Monuments conser-

vés ou documents figurés fournissent, en effet, des exemples de petites figures d'anges ou de religieux en prière, disposées sur la dalle funéraire, aux côtés du gisant qu'elles semblent veiller. L'éventualité d'une utilisation autre que funéraire ne doit cependant pas être écartée.

L'œuvre passe, sans preuve, pour provenir du Berry. La comparaison avec d'autres

102

sculptures trouvées dans cette région rend plausible cette assertion, et autorise une datation. Le visage gras, encadré de courtes boucles, présente des affinités avec ceux des anges qui encadrent la statue de Notre-Dame-la-Blanche (n° 110). Et le sobre drapé aux plis moelleux n'est pas éloigné des formules berrichonnes marquées, à la charnière des XIVe-XVe siècles, par l'art des imagiers du duc de Berry.

BIBL.: G. Migeon, «La collection de M. Albert Maignan», *Les Arts*, 1906, n° 59, p. 3-16.

EXP.: *L'Art du Moyen Age en France*, 1972-1973, n° 71.

Amiens, musée de Picardie
Inv. 3060/513

princiers de la fin du siècle. Ce jeu complexe des influences est le propre de l'art qui se développe aux alentours de 1400, et conduit au gothique international.

BIBL.: E. Müntz, *L'Ami des monuments et des arts*, 1890, p. 91-95, 131-135. — L. Courajod et P.F. Marcou, 1892, n° 685-686. — J. Girard, 1924, p. 64-66. — P. Pradel, *Rev. des Arts*, 1952, p. 93-98. — S. Gagnière et J. Granier, «Récentes découvertes archéol. en Avignon», *Mém. de l'Académie de Vaucluse*, IV, 1963-1964, p. 137-144. — A. Mc Gee Morganstern, 1970. — A. Mc Gee Morganstern, *Bull. mon.*, 1970, p. 195-209. — A. Mc Gee Morganstern, *Speculum*, XLVIII, 1973, p. 52-69. — A. Mc G. Morganstern, *The Art bull.*, LVIII, 1976, p. 323-349. — F. Baron, communication à la Soc. des Ant. de France, 1969. — F. Baron, *Rev. du Louvre*, 1979, p. 178-181. — F. Baron, *Rev. du Louvre*, 1981.

Avignon, musée du Petit-Palais

103
Pleurant

Don de l'abbé Carria
Début du XVe siècle
Marbre. H. 0,33 ; L. 0,10 ; Ép. 0,07

La statuette fut donnée par un ecclésiastique du Puy, et on n'en a point encore déterminé la provenance. Il serait pourtant d'un grand intérêt d'en connaître l'origine et la date. Car elle présente, avec certaines des statuettes du tombeau de Jean de Berry, des affinités qui pourraient témoigner soit d'une invention, soit d'une reprise du type du pleurant soulevant, de ses deux mains jointes, le lourd manteau de deuil qui retombe en longs plis verticaux. Le mouvement s'esquisse de façon identique sur un pleurant de la collection Denys Cochin (no 111), et s'achève dans l'attitude des deux mains portées au visage dans un pleurant conservé au musée de Bourges. La moindre qualité de la petite sculpture du Puy laisserait plutôt supposer qu'elle est dans la suite du tombeau de Bourges.

BIBL. : L. Gonse, 1904, p. 138. — R. Gounot, *Collections lapidaires du musée Crozatier du Puy-en-Velay,* musée Crozatier, 1957, M7, p. 319.

EXP. : *Les pleurants dans l'art du Moyen Age en Europe,* 1971, no 22.

Le Puy (Haute-Loire), musée Crozatier

de Berry (no 296), notamment la figure d'Ezéchiel. Son intervention, récemment mise en doute par A. Erlande-Brandenburg, qui donne cette œuvre à Jean de Cambrai, reste parfaitement plausible, car une grande part du décor monumental a pu être exécutée avant sa mort. Les tendances conservatrices qui se juxtaposent, de façon ambiguë, à une hardiesse novatrice souvent

103

pleurants ou le visage du gisant de Jean de Berry (Pradel, Erlande-Brandenburg). S.K. Scher, cependant, l'attribue à Beauneveu.

C) Prophète tenant un phylactère
H. 0,96 ; L. 0,38 ; Ép. 0,22

A des degrés sensiblement divers, ce prophète et deux autres restés à Bourges, reflètent, par leurs plis profonds et tourbillonnants, un autre courant qui est le moins éloigné de l'art contemporain de Sluter.

Cinq statues de prophètes, rassemblées au musée de Bourges depuis l'achat récent de la pièce de la collection Hutinel (dont seule une partie de la tête est restaurée), et la tête d'apôtre de la collection André Schmitt, que vient d'acquérir la Société des Amis du musée de Bourges, ont toujours été considérées comme vestiges probables de la Sainte-Chapelle.

Érigée à l'extrémité nord du Palais ducal, cette chapelle avait été construite, entre 1392 et 1405, par Guy et Drouet de Dammartin. Endommagée par un incendie en 1693, ravagée par un ouragan en 1756, elle fut supprimée cette même année. Ses biens furent alors transférés au Chapitre cathédral, ainsi que la plupart des œuvres d'art, qui firent l'objet d'un inventaire dressé le 18 août 1757 (les prophètes n'y apparaissent pas). Le décor de l'édifice est également connu par diverses sources, parfois contradictoires : ce sont essentiellement certaines descriptions des XVIe et XVIIe siècles, deux peintures du XVIIe (musée de Bourges) et un modèle en bois réalisé par Gabard en 1766 (musée de Bourges).

La présence, attestée, à l'intérieur de l'édifice des statues d'apôtres adossées aux piliers, évoque le thème de la concordance des deux Testaments, que semblaient exprimer les verrières (no 332). Mais l'appartenance des six prophètes à cet ensemble demeure traditionnelle et non prouvée. Tradition renforcée, il est vrai, par le fait que la tête de la collection Schmitt fut découverte dans le mur d'une maison édifiée au XVIIIe siècle non loin de la chapelle, et sans doute avec certains de ses débris.

104
Trois prophètes

Provenant de la Sainte-Chapelle de Bourges (?)
Entre 1392 et 1405
Pierre

A) Prophète au tablier
Attribué à André Beauneveu
H. 1,03 ; L. 0,38 ; Ép. 0,21

A propos de cette figure, le nom de Beauneveu a été, presque toujours, évoqué, en raison des parentés indéniables avec les prophètes peints par lui dans le Psautier du duc

souffrants, plaident en faveur d'une attribution à Beauneveu. La silhouette (face ou dos), la disposition du drapé en tablier, semblent, en effet, inspirées de quelque statue de Vierge à l'Enfant.

B) Prophète aux bras croisés
Attribué à Jean de Cambrai
H. 1,03 ; L. 0,33 ; Ép. 0,20

Avec la tête de la collection Schmitt, il est généralement considéré comme représentatif de l'art de Jean de Cambrai, tel que l'expriment le style simple et dense des

104 A

104 B

104 C

Leur localisation exacte ne peut être précisée. Elle a fait l'objet de diverses hypothèses dont la moins invraisemblable est peut-être celle d'une insertion dans le décor des façades latérales. L'appartenance au portail (Gauchery), ou aux deux tours d'escalier flanquant la façade (Troescher) ne s'accorde pas avec ce que nous savons de ces parties de l'édifice.

Leur attribution a fait également l'objet de maintes controverses, mettant en cause

Beauneveu et Jean de Cambrai, l'intervention d'autres artistes n'étant pas à exclure.

BIBL.: A. de Champeaux et P. Gauchery, 1894. — P. Gauchery, *Mém. de la Soc. des Ant. du Centre*, XXXIX, 1919-1920, p. 46-49 et 53-54. — G. Troescher, 1940, p. 27-29. — H. Bober, *Speculum*, 28, 1953, p. 751. — P. Pradel, *Rev. des Arts*, 1, 1953, p. 58. — S.K. Scher, 1966-1976, p. 124-131, 139-159. — S.K. Scher, *Gesta*, 1968, p. 7-12. — S.K. Scher, *Rev. de l'Art*, 13, 1971, p. 16. — S.K. Scher, *Cahiers d'archéologie et d'histoire du Berry*, 1974, p. 23-44. — A. Erlande-Brandenburg, *Mon. Piot*, t. 63, 1980, p. 170-176.

EXP.: *L'Art européen vers 1400*, 1962, n° 337 (A et C). — *Berry, cœur de France*, 1967-1968, n°s 1 et 121 (A et C). — *Traditions et Art d'une province : le Berry*, Tokyo, 1974, n° 102 (C). — *Die Parler...*, 1978, p. 85 (A).

Bourges, musées de la Ville
Inv. 883.30.2 - D 951.4 - 883.30.1

105
Tête d'apôtre

Provenant de la chapelle du château de Me-
hun-sur-Yèvre (Cher)
Coll. Dutar, Mehun
Attribué à l'atelier d'André Beauneveu, fin
du XIVᵉ siècle
Pierre. H. 0,31 ; L. 0,23 ; Ép. 0,21

On sait, par de nombreuses sources, que
douze statues d'apôtres ornaient l'intérieur
de la chapelle du château de Mehun-sur-
Yèvre. Transportées dans la collégiale au
XVIIᵉ siècle, après qu'un incendie, survenu
en 1550, ait entraîné la ruine de l'édifice,
elles disparurent à la Révolution. On s'accorde à reconnaître un vestige de ce Collège
apostolique dans cette tête, trouvée dans un
jardin de Mehun, et parfois désignée, sans
raison valable, comme celle de saint Pierre.

L'intérêt de la pièce est renforcé par le
prestige d'un chantier cher au duc de Berry
que Jean de Baumetz et Claus Sluter vinrent
visiter en 1393, sur ordre de Philippe le
Hardi. Aussi son attribution a-t-elle donné
lieu à de nombreuses controverses mettant
en cause Beauneveu et Jean de Cambrai.

L'incertaine chronologie des travaux, qui
paraissent avoir été permanents entre 1370
et 1416, n'apporte aucun élément décisif.
On a pu, sans fondement sérieux, proposer
pour la construction et le décor de la chapelle, des datations diverses : 1390-1397,
temps où Beauneveu règne sur le chantier,
ou 1408-1416, après la mort de l'artiste.

Le style a été maintes fois discuté. L'attribution à Beauneveu ou à son atelier (Champeaux et Gauchery, Troescher, Bobber,
S.K. Scher, Didier) repose sur l'évidence du
rôle joué avant 1401 par l'artiste que Froissart désigne en 1390 comme le maître des
ouvriers « de taille et de peinture ». Et aussi
sur des affinités stylistiques plus ou moins
justifiées avec des œuvres attribuées, à tort
ou à raison, à Beauneveu. Certains arguments plaident en faveur de cette thèse. On
peut, en effet, supposer que la visite de Sluter et les propos de Froissart correspondent
à la mise en œuvre de quelque grand projet :
la chapelle. Il faut souligner les parentés
entre l'apôtre de Mehun et la tête du prophète de la Sainte-Chapelle de Bourges attribué à Beauneveu, et absorbé, les yeux

105

mi-clos, dans une même sévère méditation
(nº 104A).

Mais certains traits ont pu être relevés,
qui appartiennent à Cambrai : sens de volumes simples, dessin des orbites, traitement des rides incisées à l'angle externe des
yeux. Par comparaison surtout avec la tête
du gisant ducal, ceci a justifié les attributions à l'artiste qui aurait succédé à Beauneveu après 1401 (Barbarin, Vitry, Aubert,
Pradel, Erlande-Brandenburg).

De telles hésitations témoignent de la difficulté, et peut-être de la vanité qu'il y a à
assurer un partage entre des artistes étroitement associés, entourés de surcroît de
collaborateurs à ne pas négliger et qui ont
pu mêler les apports respectifs des deux
maîtres. La tâche est d'autant plus délicate
que les pièces de référence incontestables
sont rares et souvent assez éloignées dans le
temps.

BIBL. : C. Barbarin, *Mém. de la Soc. des Ant. du Centre,*
XXXVIII, 1917-1918, p. 220-231. — P. Vitry, *Bull. des
Musées,* 1929, p. 5-6. — R. Gauchery, *Congrès archéol.
de France,* Bourges, 1931, p. 328-345. — G. Troescher,
1940, p. 33. — M. Aubert, *Bull. Mon.,* 1942, p. 297-
303. — G. Troescher, *Jahrbuch der Preuszischen Kunstsammlungen,* LXIII, 1942, p. 79-89. — M. Aubert et
M. Beaulieu, 1950, nº 315. — H. Bobber, *Speculum,*
XXVIII, 1953, p. 741-753. — P. Pradel, *Mon. Piot,*
t. XLIX, 1957, p. 147-148. — S.K. Scher, 1966-1976,
p. 185-207. — S.K. Scher, *Gesta,* VII, 1968, p. 3-14. —

A. Erlande-Brandenburg, *Mon. Piot,* t. LXIII, 1980,
p. 176-179.

EXP. : *Die Parler...,* 1978, p. 53-55.

Paris, musée du Louvre
RF 1979

106
Tête d'apôtre (?)

Provenant du château de Mehun-sur-Yèvre
Fin du XIVᵉ siècle
Pierre. H. 0,25 ; L. 0,27 ; Ép. 0,25

Cette tête, trouvée *in situ* à Mehun, pose un
singulier problème. Couverte d'un voile, elle
pourrait avoir appartenu à une statue
d'apôtre ou à l'une des trois figures qui décoraient le portail. Et, elle doit être rapprochée de celle du Louvre. Mêmes dimensions ; identité de matériau, attestée par
une analyse pétrographique ; organisation
des volumes en tous points comparables ;
semblable présence de traces d'outils. Les
rares auteurs qui ont signalé son existence
ont souligné son extrême usure. Ce traitement par plans sommaires (quelques détails
ayant pu être incisés ultérieurement) ferait
plus volontiers songer à une œuvre inachevée, dont l'existence apparaît inexplicable.

BIBL. : *Cf.* nº 105 et M. de Goy, *Procès-verbaux de la Soc.
des Ant. du Centre,* séance du 7-X-1952. — Ph. Verdier,
L'œil, août-sept. 1968, p. 104, nº 25. — S.K. Scher,
1966-1976, p. 199-200.

Mehun-sur-Yèvre (Cher), musée du Château

106

107

Ange présentant les armoiries du duc de Berry

Médaillon provenant du château de Concressault (Cher)
Coll. Abicot de Ragis ; coll. Raymond de Buzonnière
Atelier de Drouet de Dammartin, vers 1400 (?)
Pierre. Diam. 0,125 ; Ép. 0,047

La destination de ce petit relief, jadis polychrome, reste hypothétique. Son revers chanfreiné présente une trace d'arrachement. Et il pourrait avoir servi de clef de voûte ou de décoration à quelque ensemble : niche, piscine ou retable.

L'ange porte les armoiries du duc de Berry qui étaient « de France à la bordure engrelée de gueules ». A la faveur d'une exception que l'on retrouve d'ailleurs dans les propres armes du roi, et sur certains sceaux du duc Jean, une fleur de lis unique remplace l'habituel semis.

La provenance, traditionnelle, de ce fragment apparu à la fin du siècle dernier, puis bizarrement tombé dans l'oubli, est le château de Concressault, ruiné à la Révolution et dont ne subsistent plus que des vestiges informes. Le duc de Berry avait fait reconstruire entièrement la demeure, ravagée par les Anglais. La seule mention chronologique assurée est que les travaux se poursuivaient en 1399. Il semble que le maître de l'œuvre ait été l'architecte Drouet de

Dammartin. Et la mention d'une lettre envoyée par le duc, le 16 novembre 1400, à « Dampmartin ymager », que l'on joint à Aubigny, tout près de Concressault, laisse supposer que l'artiste eut part au décor sculpté du château.

Un subtil mélange de délicatesse et de sens monumental font de ce fragment un chef-d'œuvre. On en trouve l'écho dans les figures d'anges porteurs de blasons, sculptés aux retombées des voûtes de la chapelle fondée à la cathédrale de Bourges par Simon Aligret « physicien » du duc de Berry, chapelle achevée avant 1412.

BIBL. : A. de Champeaux et P. Gauchery, 1894, p. 4-10. — R. de Buzonnière, *Mém. de la Soc. des Ant. du Centre*, XXXVII, 1914-1916, p. 201-204.

Coll. part.

108

Tête du gisant du cardinal Guillaume II d'Aigrefeuille

Provenant de son tombeau dans l'église du collège bénédictin Saint-Martial d'Avignon
Vers 1401
Albâtre. H. 0,42 ; L. 0,29 ; Ép. 0,16

Rentrée sans identité au musée Calvet, en 1839, la tête a été reconnue grâce au dessin gravé dont du Chesne illustra, en 1660, son *Histoire de tous les Cardinaux françois*.

La mitre, ornée d'un Couronnement de la Vierge, constitue un témoignage exemplaire du luxe de la Cour Pontificale au sein de laquelle, à l'imitation possible de la tiare du Saint Père, les coiffures épiscopales connurent un inhabituel développement en hauteur et une remarquable richesse décorative.

A cette opulence s'oppose la concision plastique d'un visage que la tonsure monastique auréole de cheveux bouffants, au-dessus des tempes dégarnies. Les yeux clos (nos 48, 52), pratique fréquente en Avignon, peut-être sous l'influence italienne, en atténuent l'austère rigueur par le charme presque insolite des longues paupières étirées jusqu'aux tempes.

Guillaume II d'Aigrefeuille appartenait à une grande famille limousine apparentée à Clément VI, dont plusieurs membres furent

d'Église. Né en 1339, moine de Cluny, cardinal en 1367, camérier du Sacré Collège deux ans plus tard, il fut étroitement mêlé aux grandes affaires de la chrétienté et joua un rôle considérable dans le Grand Schisme. A ce titre, il eut à recevoir, au nom de Clément VII, l'obédience du roi Charles V.

A sa mort (13 janvier 1401), il fut enterré à Saint-Martial d'Avignon. Son tombeau, dont nous ignorons s'il avait été fait de son vivant, fut détruit à la Révolution mais est connu par un dessin exécuté par l'Avignonnais Pierre Thibault, et envoyé à Montfaucon, en 1726. Dans un enfeu très développé s'étageaient le coffre à pleurants, surmonté du gisant, l'assemblée du Christ et des Apôtres, occupant le fond et les parois latérales de l'enfeu, puis le groupe du Couronnement de la Vierge symbole du Paradis, encadré par les deux figures agenouillées de Guillaume II et d'un de ses parents. C'était là le type habituel du monument funéraire cardinalice, au temps du Schisme, la prédilection particulière pour le thème du Collège apostolique ayant pu naître du désir de rattacher la Curie avignonnaise aux Apôtres et d'en affirmer ainsi la légitimité.

107

109

A ce tombeau appartiennent encore une tête d'apôtre (inv. N 129 B) et divers fragments retrouvés et identifiés au musée Calvet, ainsi que l'apôtre au livre (n° 109).

BIBL. : F. Baron, *Rev. du Louvre*, 1978, II, p. 73-83 (avec bibl.).

EXP. : *Avignon...*, 1978, n° 69.

Avignon, musée du Petit-Palais
Inv. Calvet 227 A

109
Un apôtre
Provenant du tombeau du cardinal Guillaume II d'Aigrefeuille dans l'église du Collège bénédictin Saint-Martial d'Avignon
Vers 1401
Albâtre. H. 0,618 ; L. 0,24 ; Ép. 0,185

Privée de toute indication de provenance, l'œuvre avait été insérée, au XIXᵉ siècle, dans un groupe disparate de statuettes placées sous les arcatures de la chaire de l'église Saint-Pierre d'Avignon. Les analogies avec les silhouettes représentées sur le dessin connu du tombeau d'Aigrefeuille autorisent une attribution que confirme la parenté avec la tête du gisant.

Le style n'est pas sans rapport avec le courant artistique issu des chantiers princiers de la fin du XIVᵉ siècle, Berry surtout. Et tout concourt à l'affirmation d'un très grand talent : vigueur plastique alliée au sens de l'onctueuse arabesque des plis, conception de l'espace dégagée de toute frontalité, expressivité du visage tendu dans l'effort de la lecture, lèvres entrouvertes et yeux mi-clos.

BIBL. : *Cf.* n° 109 et H. Requin, *Inv. des Richesses d'Art...*, III, 1901, p. 147-148.

Avignon, Palais des Papes

110
Deux groupes d'anges
Éléments latéraux de la statue de Notre-Dame-la-Blanche, provenant de la Sainte-Chapelle de Bourges
Attribué à Jean de Cambrai, avant 1416
Albâtre

110A

110B

A) H. 0,72 ; L. 0,38 ; Ép. 0,24
B) H. 0,82 ; L. 0,38 ; Ép. 0,24

Sur l'autel de la Sainte-Chapelle (*cf.* n° 104) figura, jusqu'au transfert de 1756, un groupe composé d'une Vierge à l'Enfant assise, entourée d'anges. L'ensemble est traditionnellement attribué à Jean de Cambrai.

Le style et l'esprit de la Vierge ont paru suffisamment différents à A. Erlande-Brandenburg pour lui suggérer une dissociation. Antérieure aux anges, la Vierge serait, dans ce contexte, un vestige de la chapelle construite avant 1371, à la cathédrale, sur ordre du duc de Berry. On pourrait alors envisager de l'attribuer à Jacques Collet, en qui on a vu, parfois, Jacques de Chartres, l'auteur de la statue de Jean de Berry pour la Grande Vis du Louvre. L'état de l'œuvre, dénaturée par les restaurations faites au XIXᵉ siècle, ne

facilite guère son appréciation. Peut-être, aussi, faudrait-il faire la part d'un archaïsme voulu, imposé par l'adoption du type de la *Sedes Sapientiae* et l'utilisation d'un modèle antérieur. On peut penser à la Vierge de la Sainte-Chapelle de Bourbon-l'Archambault.

Les anges, dont les têtes sont anciennes, quoiqu'on en ait dit, apparaissent debout devant la draperie qui prolonge le trône de la Vierge. Leur dépose, à la faveur de l'exposition, permettra peut-être de les mieux situer par rapport à la statue qu'ils encadrent. Leur grâce tendre et sensible les en isole assurément. Les rapports avec les autres sculptures de la Sainte-Chapelle ne sont pas évidents. Il existe, par contre, des parentés dans le rythme des plis se cassant au sol avec la Vierge offerte par le duc de Berry aux Célestins de Marcoussis, œuvre probable de Jean de Cambrai.

BIBL. : A. de Champeaux et P. Gauchery, 1894, p. 27. — P. Gauchery, *Mém. de la Soc. des Ant. du Centre*, XXXIX, 1919-1920, p. 58-60. — G. Troescher, S.K. Scher, 1966, p. 127. — A. Erlande-Brandenburg, *Mon. Piot*, t. 63, 1980, p. 145-146.

Bourges, cathédrale Saint-Étienne
Dépôt des musées de la ville

111
Deux pleurants

Provenant du tombeau du duc Jean de Berry à la Sainte-Chapelle de Bourges
Jean de Cambrai, vers 1404-1416
Marbre

A) H. 0,37 ; L. 0,12 ; Ép. 0,07
Bourges, musées de la ville
Inv. 863.5.1

B) H. 0,37 ; L. 0,12 ; Ép. 0,09
Coll. part.

Deux campagnes successives furent nécessaires pour parfaire la sépulture de Jean de Berry, qui occupait le centre de la Sainte-Chapelle de Bourges. La première fut dirigée par Jean de Cambrai. On peut le déduire du paiement fait à ses héritiers en 1450. Les limites chronologiques de cette campagne ne sont pas assurées. Entreprise sans doute vers 1404, lorsque le duc choisit la Sainte-Chapelle comme lieu de sa sépulture, elle dut être interrompue en 1416 par le décès du prince. La seconde marqua l'achèvement de l'ouvrage, repris après 1450, sur ordre de Charles VII, héritier de son grand-oncle, par Étienne Bobillet et Paul Mosselmann qui, par mesure d'économie, utilisèrent l'albâtre, et non le marbre comme leur prédécesseur.

Le tombeau, qui comprenait un gisant et quarante pleurants sous arcatures, fut transféré de la Sainte-Chapelle à la cathédrale, en 1756, puis démantelé en 1793. Des éléments se retrouvent à la cathédrale et dans divers musées ou collections.

La conception même de ces deux statuettes, aplaties au dos pour constituer des figures d'applique, leur matière, leur style, les opposent à la série des vingt et un pleurants connus, taillés en ronde-bosse dans l'albâtre et appartenant à la deuxième campagne. Avec trois autres pleurants (coll. Denys Cochin, musée de Bourges, musée de l'Ermitage), ces œuvres apparaissent comme d'authentiques témoins du style de Jean de Cambrai, style fait de volumes simples et de gestes contenus, sous les épaisses draperies. Il paraît douteux que Sluter ait pu jouer un rôle dans l'élaboration d'un tel art, comme l'envisage S.K. Scher. Il importe par contre de signaler la relative parenté avec le pleurant, de moindre qualité mais de composition proche, conservé au musée du Puy (n° 101).

BIBL. : A. de Champeaux et P. Gauchery, 1894, p. 34-48. — P. Gauchery, *Mém. de la Soc. des Ant. du Centre*, XXXIX, 1919-1920, p. 63-66. — P. Gauchery, *Mém. de la Soc. des Ant. du Centre*, XL, 1921, p. 205-209. — G. Troescher, 1940, p. 74-78. — P. Pradel, *Mon. Piot*, t. 49, 1957, p. 141-157. — S.K. Scher, 1966-1976, p. 171-179. — S.K. Scher, *Rev. de l'Art*, 1971, p. 11-17. — A. Erlande-Brandenburg, *Mon. Piot*, t. 63, 1980, p. 157-163.

EXP. : *L'Art européen vers 1400*, 1962, n° 377 (A). — *Huit siècles de sculpture française*, 1964, n° 43 (B). — *Les pleurants dans l'Art du Moyen Age en Europe*, 1971, n°s 66-67.

111A

111B

112
Le Sommeil des apôtres

Fragment de dais provenant du tombeau du duc Jean de Berry à la Sainte-Chapelle de Bourges (?)
Jean de Cambrai, vers 1404-1416
Marbre. H. 0,19 ; L. 0,14 ; Ép. 0,07

Le fragment a été découpé pour devenir pièce de collection, ce qui rend son interprétation malaisée. Il passe pour provenir du revers du dais qui abritait la tête du gisant ducal. Et on a supposé, de façon un peu hasardeuse, une représentation du Christ à Gethsémani, agenouillé entre deux groupes d'apôtres endormis.

Mais la provenance de la pièce n'est pas documentée. Certains auteurs ont contesté son appartenance au tombeau, car le procès-verbal de 1756 spécifie que le dais était

en albâtre, matériau du fragment ajouré conservé au musée de Bourges.

On peut cependant suggérer que le relief du revers a pu être taillé seul au cours de la première campagne, le dais étant complété par la suite. Les parentés stylistiques avec le vitrail de la Pentecôte (n° 333) plaident en faveur d'une appartenance à la Sainte-Chapelle. Le traitement des draperies amples et simples, et le modelé des mains, rapprochent l'œuvre des pleurants de marbre et la rattachent à l'art de Jean de Cambrai.

BIBL. : P. Gauchery, *Mém. de la Soc. des Ant. du Centre*, XXXIX, 1919-1920, p. 65-66. — P. Gauchery, *Mém. de la Soc. des Ant. du Centre*, XL, 1921-1922, p. 206. — S.K. Scher, 1966-1967, p. 304-305, n° 21. — A. Erlande-Brandenburg, *Mon. Piot*, t. LXIII, 1980, p. 157-163.

EXP. : *Berry, Cœur de France*, 1967-1968, n° 134. — *Traditions et art d'une province : le Berry*, 1974, n° 103.

Bourges, musées de la ville
Inv. 898-40.1 - Acq. 1898

113
Deux têtes d'anges
Provenant du Palais du duc Jean de Berry à Bourges
Premier quart du XVe siècle
Pierre

A) Don Hervet, 1972
H. 0,20 ; L. 0,20 ; Ép. 0,20
Bourges, musées de la ville
Inv. 972.31

B) H. 0,18 ; L. 0,207 ; Ép. 0,220
Issoudun, musée Saint-Roch
Inv. 11.6

De tailles similaires, parées de boucles identiques, ceintes d'un même bandeau orfévré, les deux têtes sont assurément sorties de la même main. Elles n'ont pourtant jamais été associées en raison de provenances présumées différentes.

La tête d'Issoudun est attribuée au décor de l'église Notre-Dame, détruite à la Révolution. Mais c'est une tradition invérifiable et incertaine. Celle de Bourges fut découverte avant 1925 lors de travaux exécutés à la banque Hervet, située sur l'emplacement

113A

même du palais ducal. On peut donc considérer les deux pièces comme des vestiges de cet ensemble princier — palais ou Sainte-Chapelle —, sans préciser davantage leur destination première.

Dans la longue théorie des figures angéliques peintes ou sculptées pour le duc, ces deux têtes révèlent un talent singulièrement achevé. Leurs traits ne sont guère éloignés de ceux des anges de Notre-

113B

Dame-la-Blanche (n° 110). Mais il s'y ajoute un accent de naturalisme accru et une fantaisie charmante. Les lèvres s'entrouvrent sur les dents et les chevelures bouffent autour des visages. Peut-être y faut-il voir le signe d'une date plus tardive.

BIBL. : P. Gauchery, *Mém. de la Soc. des Ant. du Centre*, XXI, 1895-1896, p. 75-103. — P. Gauchery, *Mém. de la Soc. des Ant. du Centre*, 1929, p. XLVII. — S.K. Scher, 1966-1967, p. 121. — *G.B.A.*, suppl. février 1973 [*Acquisitions des musées*], pl. 21 (A).

114
Fragment d'une Crucifixion
Début du XVe siècle
Albâtre. H. 0,34 ; L. 0,24 ; Ép. 0,09

Les représentations du Christ en croix et des Saintes Femmes devaient assurément compléter ce groupe, vestige possible de quelque retable voué à la Passion.

G. Schmidt a souligné, à juste titre, l'extraordinaire qualité du fragment conservé, et l'originalité d'une composition dynamique, disposant sur plusieurs plans les figures de saint Jean en pleurs et des pharisiens et soldats présents au calvaire. Mais l'attribution éventuelle à Jean de Liège, fondée sur la confrontation des visages avec ceux de l'archange de New York (n° 80), du saint Jean et du vieillard Siméon du musée de Cluny (n°s 81 et 79) n'est pas convaincante. La possibilité d'une datation tardive, postérieure donc à la mort de l'artiste, n'a d'ailleurs pas échappé à l'auteur à qui la conception très évoluée de l'espace a suggéré le rapprochement avec les retables exécutés après 1390 par Jacques de Baërze, pour la Chartreuse de Champmol (musée de Dijon).

Un examen attentif de l'œuvre révèle plutôt des affinités avec les visages des apôtres endormis du tombeau de Jean de Berry (n° 112). La densité plastique, exceptionnelle pour un groupe d'applique, et le style des plis, confirmeraient volontiers le lien avec les ateliers ducaux et l'attribution aux premières années du XVe siècle. Un argument en faveur d'une telle origine pourrait être fourni par l'appartenance à la collection d'Émile Molinier, constituée en grande par-

114

115

en largeur de la silhouette surabondamment drapée pourrait manifester l'influence de l'art de Sluter. Mais le traitement coulant des plis et le charme quasi enfantin du visage de la Vierge rattachent plutôt l'œuvre au courant de l'art gothique international qui triomphe en Europe autour de 1400.

Le geste typique de Marie relevant un pan de son manteau entraîne un agencement particulier du drapé, la longue oblique partant de la main, et la chute verticale des plis sous le bras opposé enserrant un jeu d'ondes pressées. L'élégance de cette composition, soulignée par l'étroitesse des épaules, se retrouve sur diverses statues dont celle-ci a été rapprochée : la Vierge à l'Enfant provenant de l'abbaye de Saint-Victor, à Paris (musée de Cluny), celles de la Vassar College Art Gallery (Poujkeepsie, USA) et du musée de Cleveland (no 116). Ces trois dernières ont été considérées comme des productions d'un atelier parisien œuvrant sous le règne de Charles VI. Mais la date de la Vierge des Victorins, considérée comme prototype n'est pas assurée.

En fait, les problèmes posés par ce groupe auquel s'apparentent la Vierge de Rosson (Aube) et celle du château de Châteaudun (sous réserve d'une étude plus approfondie de son histoire), sont loin d'être résolus. La Vierge du « Beau Pilier » d'Amiens, connue par un dessin antérieur à la réfection, et celle du Mesnil-Aubry (Val-d'Oise) ont pu également apparaître comme origines possibles du type, ce qui n'est pas évident. Et peut-être faudrait-il envisager de façon moins stricte la localisation de certaines de ces œuvres dont l'origine, présumée parisienne, pourrait être quelque région voisine (Nord ou Normandie?).

tie de pièces du Centre de la France (Nivernais, Limousin, Berry). Cet argument reste fragile, en l'absence de toute certitude. Mais, à la vente du 23 juin 1906 (cat. no 342) figure un «Bas-relief en albâtre, composition de plusieurs personnages provenant d'un calvaire» qui pourrait correspondre à notre groupe, acquis par le Louvre en 1933, sans indication de provenance.

BIBL. : G. Schmidt, *Metropolitan Museum Journal,* IV, 1971, p. 101-102.

Paris, musée du Louvre
RF 2298

BIBL. : *Cat. de la vente R. d'Yanville,* Paris, 27-28 février 1907, no 203. — M. Aubert et M. Beaulieu, 1950, no 274. — A. McGee Morganstern, «Two Late Gothic statuettes and a Parisian Prototype» (inédit). — J.P. Willesme, «L'abbaye Saint-Victor de Paris sous la Révolution et la dispersion de son patrimoine», *Bull. de la Soc. de l'Histoire de Paris et de l'Ile-de-France,* 1979, p. 142-143. — R. Didier et R. Recht, *Bull. Mon.,* 1980, p. 196-198.

EXP. : *Exposition Universelle,* 1970, no 203. — *L'Art français du Moyen Age,* 1972-1973, no 57. — *L'Art du Moyen Age en France,* 1979, no 93.

Paris, musée du Louvre
RF 2333

115
La Vierge allaitant l'Enfant

Coll. R. d'Yanville; coll. G. Dormeuil; don Dormeuil, 1934
Début du XVe siècle
Pierre peinte, cabochons de couleur
H. 1,13; L. 0,45; Ép. 0,32

La totale nudité de l'Enfant est signe d'une datation assez tardive. Et le développement

116
La Vierge trônant et l'Enfant écrivant

Début du XVe siècle
Pierre peinte et dorée
H. 0,448; L. 0,314; Ép. 0,15

Par son iconographie, la statue se rattache à une série de Madones dont l'Enfant, parfois porteur d'un encrier, tient un livre ou un rouleau sur lequel il écrit. Ce thème, né dans le troisième quart du XIVe siècle, et dont un exemple célèbre est donné par les Très Belles Heures de Jean de Berry (vers 1390,

Bruxelles, Bibl. royale, ms. 11060-61, fol. 11), a donné lieu à des interprétations diverses, rendues difficiles par l'effacement de la quasi-totalité des inscriptions jadis peintes sur le support. Sans doute, dans beaucoup de cas, pouvait-il s'agir d'une supplique.

Des exemples précoces du style qui s'épanouit ici apparaissent dans le dessin ou l'enluminure. Dès 1366, l'initiale d'une charte de Charles V (Fondation de messes par le Chapitre de Rouen, Arch. nat. AE 11 385/J. 463, n° 53) comporte une image de la Vierge comparable, en certains détails, à celle de Cleveland. Mais les rapports les plus nombreux s'établissent avec l'enluminure des alentours de 1400 (1390-1410) où se retrouvent le dessin du haut siège d'architecture (qui a perdu ici son décor de pinacles), le style des plis, le type de la couronne à fleurons comme celle du Paraclet (n° 184) mais beaucoup plus élevée. La fluidité du drapé, l'agencement du manteau replié à l'encolure, le geste de la main soulevant le tissu, le charme du visage l'apparentent enfin au groupe dont fait partie la Vierge du Louvre (n° 115). Elle se distingue toutefois de cette dernière par une élégance accrue, la grâce menue du visage et une rare qualité picturale.

De style tout autre mais de composition similaire, deux Vierges assises et allaitant, conservées au musée de Cluny et à l'église Notre-Dame-du-Port, à Clermont-Ferrand, peuvent être rapprochées de la statuette de Cleveland, très précieux témoin de la production de l'art gothique international.

BIBL.: Ch. P. Parkhurst, *The Art Bull.*, XXIII, 1941, p. 302-306. — J. Squilbeck, *Rev. belge d'archéol. et d'histoire de l'Art*, XIX, 1950, p. 127-140. — A. Colombet, *Mém. de la Commission des Antiquités du département de la Côte-d'or*, 23, 1947-1952, p. 252-255. — E. Panofsky, 1953, p. 47-48. — M. Meiss, 1967, p. 205-106. — W.D. Wixom, *The Bull. of the Cleveland Museum of Art*, 1970, p. 287-299.

Cleveland, The Cleveland Museum of Art
Inv. 70.13

117

117
La Vierge et l'Enfant

Prêt A. Pit, Amsterdam, 1906; prêt J.W. Edwin vom Rath, 1916; legs J.W. Edwin vom Rath, 1941
Début du XVe siècle
Albâtre avec dorure
H. 0,69; L. 0,44; Ép. 0,21

Cette statue appartient à un type ancré dans la tradition du XIVe siècle, type qui se signale par le détail de la houppelande très haut resserrée par une large ceinture et qui tombe en longs plis coulants. Ce vêtement devint à la mode dans les premières années du XVe siècle.

Les hésitations quant à la date et l'origine de cette œuvre témoignent de la relative unité de style de l'art gothique international. Attribuée à la fin du XIVe ou au début du XVe, elle a été donnée aussi bien à l'Ile-de-France (Halsema-Kubes) qu'à la Bourgogne (Troescher, Lindeman), ou aux régions septentrionales (Müller, Paatz, Clasen). Cette dernière hypothèse, confortée par le costume, porté essentiellement dans ces régions, par le visage aux traits épais de la Mère et l'aspect maussade de l'Enfant, semble la plus vraisemblable. Il importerait toutefois de parvenir à préciser mieux la localisation.

Ce type a pu d'ailleurs être assez largement répandu. Il a inspiré quelques statues de style, d'esprit et d'origine différentes. Il en est une au Victoria and Albert Museum, à Londres, et on en trouve jusqu'en Champagne.

BIBL.: J. Baum, «Eine gotische Marmormadonna im Rijksmuseum», *Pantheon*, X, 1932, p. 295-298. — G. Troescher, 1940, p. 107, pl. 285. — C.M.A.A. Lindeman, «Beeldhouwkunst en Kunstnijverheid uit het legaat-Adwin vom Rat aan het Rijksmuseum», *Maandblad voor Beeldende Kunsten*, XIX, 1942, p. 173-174, pl. 1. — Th. Müller, «Zum gegenwärtigen Stand der Erforschung der deutschen Plastik des 15 und 16 Jh., *Kunstchronik*, VII, 1954, p. 290. — W. Paatz, «Prolegomena zu einer Geschichte der deutschen spätgotischen Skulptur im 15 Jh.», *Abhandlungen der Heidelberger Akademie der Wissenschaften*, 2, 1956, p. 33. — Th. Muller, 1966, p. 48, pl. 21 A. — J. Leeuwenberg et W. Halsema-Kubes, *Beeldhouw kunst in het Rijksmuseum. Catalogus*, Amsterdam, 1973, n° 733. — K.H. Clasen, *Der Meister der schönen Madonnen, Herkunft, Entfaltung und Umkreis*, Berlin-New York, 1974, p. 12, 93, pl. 149.

EXP.: *Exhibihon of French Art*, 1932, n° 983. — *Aanwinsten 1940-1946*, Amsterdam, 1946, n° 143. — *L'Art européen vers 1400*, 1962, n° 364.

Amsterdam, Rijksmuseum
Inv. NM 11912

118
La Vierge allaitant

Début du XVe siècle
Bois. H. 0,73; L. 0,26; Ép. 0,20

La fluide abondance d'un drapé capricieux et fortement contrasté, qui enveloppe et dissimule de ses rythmes dissociés l'élégante silhouette, fait de cette Vierge, au visage délicat sous la haute couronne, un témoin charmant de l'art gothique international, en un point extrême de son évolu-

16

118 (avant restauration)

tion. L'œuvre reprend, en l'accentuant, une tendance apparue dès 1370-1374 au Beau Pilier d'Amiens dont la statue de la Vierge, refaite, est connue par un dessin antérieur à la Restauration (G. Troescher).

BIBL. : M. Baudot, « Les églises du canton de Pacy-sur-Eure », *Les Nouvelles de l'Eure,* 1, 1959, p. 26-28. — J.P. Suau, « Les monuments du Canton de Pacy et de la Vallée d'Eure », *Les Nouvelles de l'Eure,* 49, 1973, p. 28. — R. Didier et R. Recht, *Bull. mon.,* 1980, p. 199-210.

Villiers-en-Desœuvre, église paroissiale.

119
Socle orné d'un monogramme

Provenant du tombeau du duc Jean de Berry à la Sainte-Chapelle de Bourges
Étienne Bobillet et Paul Mosselman, vers 1450
Albâtre. H. 0,125 ; L. 0,14 ; Ép. 0,11

L'œuvre appartient à la seconde campagne de travaux, sa matière en fait foi. Mais elle offre l'intérêt de présenter l'un des éléments de la devise du duc.

On sait, par un procès-verbal de visite de la Sainte-Chapelle, daté du 29 novembre 1756, que les pleurants du tombeau étaient supportés par des piédestaux décorés de la devise du duc de Berry : « Oursine le temps venra ». Ces mots dont le roi René d'Anjou livre la clef dans le *« Livre du Cueur d'Amour espris »,* traduisent une préoccupation religieuse ou un espoir de délivrance. Et ils rappellent le nom supposé d'une jeune Anglaise qu'aima le duc, alors qu'il était captif à Londres, après la bataille de Poitiers.

Cette devise comprenait trois emblèmes, souvent reproduits dans les manuscrits, les vitraux, les carrelages, et jusque sur le gisant du duc : l'ours, le cygne et le monogramme. L'ours, alors considéré comme le roi des animaux, et le cygne, peuvent apparaître ailleurs dans l'emblématique médiévale. Leur association est la marque propre du duc, et compose le rébus du nom d'Oursine. Le monogramme, figuré sur le seul piédestal conservé, est formé par l'enlacement des lettres V et E dont le déchiffrement, suivant diverses positions de lecture, livre les trois derniers mots de la sentence.

BIBL. : P. Gauchery, *Mém. de la Soc. des Ant. du Centre,* XL, 1921-1922, p. 197-199. — (*cf.* bibl. du tombeau, n° 111).

Bourges, musée de la ville
Inv. 840.15.31 - Don 1840

119

Objets d'art

Les ivoires

Danielle Gaborit-Chopin

L'ivoirerie est, au XIVe siècle, l'une des branches les plus développées des arts précieux. En dépit des travaux de Raymond Koechlin, elle reste encore une des plus mal connues. L'une des premières difficultés qui se lèvent dans cette étude, est l'ignorance où nous sommes des conditions dans lesquelles étaient élaborées ces œuvres. Le terme d'« yvoirier » n'apparaissait pas dans le « livre des Métiers » d'Étienne Boileau, rédigé à la fin du règne de saint Louis. Or, au XIVe siècle, la plupart des noms relevés dans les documents et surtout les comptes, sont ceux des « pingniers » (dont le plus célèbre était Jean de Coilly), « coutelliers », « tablettiers » qui fournissaient au roi, à ses frères et à leur entourage, les miroirs, peignes, gravoirs, couteaux, tablettes à écrire et pièces d'échecs nécessaires à la vie quotidienne, mais non les nombreux tabernacles, diptyques et « ymages » d'ivoire que citent les inventaires du XIVe siècle et que conservent aujourd'hui les musées. En effet, les mentions concernant l'achat de ces dernières pièces et ceux qui les fabriquaient sont extrêmement rares : Jehan le Scelleur, qui est qualifié, en 1322 d'« yvoirier », travaillait pour Mahaut d'Artois et son gendre, Philippe le Long. Bien qu'il soit mort dès 1352, Jean le Braelier, orfèvre de Jean le Bon et de ses fils, est encore cité dans l'inventaire du mobilier de Charles V comme l'auteur de « deux grands beaulx tableaux d'yvire des Troys Maries » (Inv. no 2622). En 1377, le sculpteur Jean de Marville taillait l'ivoire pour le duc de Bourgogne. Enfin, Jean Aubert, « ymagier » actif dans les dernières décennies du siècle, restaurait les ivoires du trésor de la Sainte-Chapelle de Paris. Devant ce silence des textes, il semble probable que les statuettes, tabernacles et diptyques d'ivoire, de même sans doute, que les plus élaborés des ivoires profanes, furent l'œuvre « d'ymagiers », de ceux qui pratiquaient le « mestier d'entaillerie », c'est-à-dire de sculpteurs probablement spécialisés dans les œuvres de petites dimensions : il faut sans doute expliquer ainsi le surprenant qualificatif de « tailleur de menues œuvres », donné par les comptes des ducs de Bourgogne à Jean de Marville. Des liens étroits unissaient ces ivoiriers aux peintres chargés de rehausser leurs œuvres de couleurs et de dorure : des traces de polychromie ancienne sont visibles sur plusieurs des diptyques exposés ici ; les exquises statuettes des Vierges d'Assise et, de la sainte Marguerite de Londres, témoignent encore de l'harmonie et de la délicatesse de ces rehauts, destinés à faire valoir la blancheur de la matière (nᵒˢ 139, 142). Il ne reste malheureusement plus de témoignage du travail des orfèvres qui intervenaient également sur ces pièces ; en effet, les plus belles statuettes d'ivoire étaient juchées sur des socles précieux ; elles portaient des couronnes, fermails et bagues enrichis de perles et de cabochons ; certains diptyques étaient bordés d'argent, l'extérieur étant recouvert d'argent émaillé. En dépit du nombre d'ivoires gothiques aujourd'hui conservés, il faut admettre que ces ivoires peints, sertis dans leurs précieuses montures étaient des objets de grand luxe. Ils sont rares dans les inventaires de la première moitié du siècle. Dans la seconde moitié du siècle leur présence paraît liée au goût personnel des collectionneurs : Louis d'Anjou ne semble guère les avoir appréciés alors que Jean de Berry (qui lança en France la mode italienne des plaquettes d'os sculptées, à la manière des Embriachi) en possédait une vingtaine. Mais Charles V est, de loin, celui qui les aimait le plus : il est probable que, comme pour l'orfèvrerie, sa collection d'ivoires comprenait des œuvres plus anciennes mêlées à des pièces contemporaines. Si aujourd'hui encore aucun des ivoires lui ayant appartenu n'a pu être identifié avec certitude, il est néanmoins possible de les évoquer à partir de certains des objets exposés ici (*cf.* nᵒˢ 142, 161).

Malgré les conditions probables de leur genèse, les ivoires du XIVᵉ siècle offrent bien moins de parallèles avec la sculpture monumentale ou l'enluminure que ceux du XIIIᵉ siècle et rares sont, par exemple, les œuvres que l'on peut rapprocher du courant « pucellien » (*cf.* nᵒˢ 134-138). L'évolution des ivoires gothiques semble en fait obéir à des règles particulières qu'il faudrait encore élucider : l'iconographie stéréotypée, l'attachement à des modèles éprouvés, la répétition de formes archaïsantes expliquent en grande partie les incertitudes de la chronologie proposée et les considérables variations qu'elle pourrait subir.

Le recensement des ivoires gothiques du XIVᵉ siècle fait, en 1924, par Koechlin comprenait plus de mille deux cents pièces ; il faudrait aujourd'hui l'augmenter. Il était bien sûr impossible d'évoquer ici les nombreux groupes ou ateliers entre lesquels ces œuvres ont été réparties : un choix était donc nécessaire, inévitablement contestable. Plutôt qu'un échantillonnage, par force fragmentaire, il a paru préférable de tenter de rassembler et de confronter quelques-uns des groupes ou ateliers qui paraissaient les plus représentatifs. Cependant, la notion même de « groupes » ou d'« ateliers » d'ivoire gothiques est à réviser. Les critères basés sur la présence de tel ou tel élément ornemental ou architectural sont peu fiables : l'atelier « à décor de roses », celui « à frises d'arcatures », le groupe des « plaquettes » sont composés d'œuvres stylistiquement différentes, d'origines et de dates diverses (*cf.*

n°s 145-151). L'iconographie n'est guère plus significative : un même atelier a pu utiliser des variantes, aussi bien dans la composition des scènes que dans le type des figures (*cf.* n°s 152-154). Il n'est pas plus certain que les ateliers aient été spécialisés dans des catégories d'objets, diptyques, tabernacles, statuettes, coffrets... et le classement reposant sur cette hypothèque est, certes, commode mais ne paraît pas refléter la réalité (*cf.* n°s 147, 149).

Certaines absences paraîtront surprenantes, celles par exemple, des œuvres « du maître du triptyque de Berlin » ou « du maître de Kremsmunster » : mais l'origine française de ces deux ateliers est-elle bien assurée? Si par contre des pièces pour lesquelles une attribution étrangère a été proposée, sont ici présentes, c'est qu'il a semblé intéressant de provoquer une confrontation avec des œuvres parisiennes : ainsi, faut-il encore systématiquement considérer comme germanique toute pièce où la Crucifixion présente le détail du « jet de sang » touchant la poitrine de la Vierge (*cf.* n°s 147, 151)? Cette iconographie, comme celle, analogue, de l'épée transperçant la poitrine de la Vierge, que l'on voit utilisée en 1323 par un disciple de Pucelle travaillant à la fois à Paris et à Tournai (*cf.* n°s 248, 250) devait être suffisamment connue dans les milieux parisiens contemporains pour que son apparition sur un ivoire n'entraîne plus la localisation outre-Rhin d'une pièce qui, sans cela, paraîtrait typiquement française.

L'ampleur de l'enquête de Raymond Koechlin semble paradoxalement avoir stérilisé les recherches sur l'ivoirerie du XIVe siècle. A l'heure où un regain d'intérêt paraît s'esquisser dans ce domaine, puisse la réunion de ces quelques ivoires qui comptent parmi les plus beaux, susciter de nouvelles remarques et de nouvelles études.

120

120
Statuette : Vierge à l'Enfant
Est de la France, premier quart du XIVe s.
Anc. coll. Ch. Mège ; legs E. Mège, 1958
Ivoire ; traces de dorure et de polychromie
(tête de l'Enfant restaurée)
H. 0,208

La Vierge, coiffée d'un voile autrefois retenu par une couronne, soutient l'Enfant sur son bras gauche et le retient de sa main droite dont l'annulaire est orné d'une petite pierre dans un châton. Elle est vêtue d'une robe fermée au col par un fermail, recouverte d'un surcot et d'un ample manteau dont un pan est ramené par devant jusque sous le bras gauche. L'attitude cambrée, la disposition générale du drapé, creusé de profonds plis à bec, inscrivent cette statuette dans la suite des Vierges à l'Enfant d'ivoire de la seconde moitié du XIIIe siècle, inspirées de la Vierge de la Sainte-Chapelle (avant 1265-1279 - Paris, musée du Louvre). Ce-

pendant, le visage très plein, au menton empâté, relève de l'art du XIVe siècle. Ce type de visage associé à un drapé relativement archaïsant se retrouve sur plusieurs statues monumentales de la Vierge des premières décennies du XIVe siècle, originaires de l'Est de la France. Les Vierges de Maxéville et de l'ancienne collection Ryaux en offrent les exemples les plus proches (nos 4, 5).

BIBL. : G. Migeon, « La collection Mège », *Les Arts*, févr. 1909, p. 12. — R. Koechlin, 1924, I, p. 106, no 100, III, fig. 100. — H. Landais, *Rev. du Louvre*, 1961, p. 109-110. — D. Gaborit-Chopin, 1978, p. 137.

EXP. : *Vingt ans d'acquisition*, 1967-1968, no 262. — *Chefs-d'œuvre du Moyen Age et de la Renaissance...* 1980-1981.

Paris, musée du Louvre
OA 9957

121
Diptyque : Crucifixion ; Vierge à l'Enfant et Donatrice
Est de la France, premier quart du XIVe siècle
Legs Picot, 1860
Ivoire. Monture d'ébène (XIXe s.)
H. 0,09 ; L. d'un feuillet 0,058

Les deux scènes sont surmontées d'une arcature trilobée couronnée de gables et de crochets à boules. A droite, la Vierge à l'Enfant, debout, très hanchée, tient une branche dans la main droite ; une donatrice coiffée d'une guimpe est agenouillée à ses pieds. A gauche, la Vierge de la Crucifixion lève les deux mains, en orante, alors que saint Jean se détourne de la croix. La Vierge

121

à l'Enfant et, dans une moindre mesure, la Vierge de la Crucifixion, offrent toutes deux ce drapé déployé en largeur que l'on retrouve dans la sculpture de l'Est de la France (*cf.* nos 4 et 5 et W.D. Wixom, « A gothic Madonna from Lorraine », *Bull. of the Cleveland Museum of Art*, déc. 1974). Le feuillet de diptyque du musée de Weimar et le triptyque de Copenhague (Koechlin, 1924, II, nos 563-564) peuvent être attribués à la même région.

BIBL. : R. Koechlin, 1924, II, no 405. — D. Gaborit-Chopin, 1978, no 238.

EXP. : *Art français du Moyen Age*, 1972-1973, no 53.

Châlons-sur-Marne, Musée municipal

122
Valve de miroir : le jeu d'échecs
Paris, premier quart du XIVe siècle
Anc. coll. Sauvageot, 1856
Ivoire fendillé. D. 0,120

Parmi les rares objets civils conservés, les valves de miroir constituent une série particulièrement attachante et représentative de l'art courtois médiéval. Ces valves faisaient partie de tout nécessaire de toilette un peu raffiné et étaient portées suspendues à la ceinture ou dans une bourse. Elles étaient formées d'une paire de plaquettes de forme arrondie, souvent cantonnées de quatre figures grotesques ou de dragons, abritant un miroir de métal poli ; la surface extérieure de ces plaquettes était sculptée de sujets courtois ou romanesques. La valve de miroir du « jeu d'échecs » du Louvre est entourée par quatre dragons ; sous une tente soutenue par un mât et dont les pans ont été relevés, un couple de jeunes gens joue aux échecs, conseillé par deux amis. Cette scène pleine de charme de la vie seigneuriale est sans doute inspirée d'un passage d'un roman : il pourrait s'agir d'un épisode de l'histoire de Huon de Bordeaux, au cours duquel le héros joue contre la belle Rosalinde une partie dont sa vie est l'enjeu. Cependant, la scène du « jeu d'échecs » paraît avoir été considérée au XIVe siècle comme une représentation de Tristan et Yseult comme l'atteste cette description d'un

122

123

124

émail ayant appartenu à Louis d'Anjou : « ...sont dessous un pavillon Tristan et Yseut et jouent aus esches » (Inv. n° 2365). Une douzaine de valves de miroir ont traité le même thème, avec des variantes et dans des styles divers. La valve de miroir du Louvre est, à juste titre, considérée comme l'une des plus belles : la composition en est très soignée, le dessin aisé, les attitudes naturelles ; les personnages, vêtus de robes flottantes à capuchon, à la mode pendant toute la première moitié du siècle, sont taillés avec une ampleur qui n'exclut pas la finesse. Ce style, qui correspond à celui des premières décennies du siècle, est proche de celui des valves de miroir du « jeu d'échecs » et de « l'offrande du cœur » de Londres (Koechlin, 1924, II, n°s 1046, 1002) qui pourraient sortir du même atelier. Il annonce déjà celui de l'atelier du coffret à sujets romanesques du British Museum (n° 127).

BIBL. : E. Molinier, 1896, n° 55. — R. Koechlin, 1924, I, p. 387-389, II, n° 1053, III, pl. CLXXX. — L. Grodecki, 1947, p. 116. — D. Gaborit-Chopin, 1978, p. 148.

EXP. : *La France de saint Louis*, 1970-1971, n° 176.

Paris, musée du Louvre
OA 117

123-124
Paire de valves de miroir : scènes courtoises
Paris, vers 1320-1330
Anc. coll. Revoil. Acq. 1828
Ivoire (fentes et craquelures) ; miroir de métal. D. 0,110

La représentation des couples d'amoureux dans un jardin est un des thèmes le plus souvent illustré par les valves de miroir (*cf.* n° 125). Celles-ci, de forme ronde, se distinguent par leur composition cruciforme et le fait qu'elles forment l'une des très rares paires de valves de miroir d'ivoire conservées. Elles sont toutes deux occupées par des couples d'amoureux, répartis sur un champ divisé en quatre chambres de verdure par les branches feuillues de trois arbres, disposition que l'on rencontre sur d'autres valves à scènes courtoises : sur l'une, sont représentés la rencontre, le couronnement de l'amant, la couronne de fleurs tressées, le départ pour la chasse ; sur l'autre, la promenade, l'accolade, le couronnement de l'amant, la conversation. Les amples vêtements flottants sont semblables à ceux des personnages du « jeu d'échecs » (n° 122) mais les silhouettes sont ici plus menues et allongées.

BIBL. : E. Molinier, 1896, n° 58. — R. Koechlin, 1924, II, n° 1007-1008, III, pl. CLXXVII. — L. Grodecki, 1947, p. 115, fig. XXXIX.

Paris, musée du Louvre
MR.R. 197 a, b

125
Valve de miroir : la cour du Dieu d'Amour
Paris, deuxième quart du XIVe siècle
Anc. coll. Revoil. Acq. 1828
Ivoire ; traces de polychromie. D. 0,135

La valve de miroir est cantonnée de quatre dragons. Entre deux arbres, symbolisant un jardin, se dresse un édifice à deux étages : en haut, sous trois arcatures, surmontées de crochets et quatre feuilles, se tiennent le Dieu d'Amour couronnant un couple, et deux couples d'amoureux. En bas, sous une frise d'arcatures, se déroule une farandole accompagnée par un musicien. La facture

125

est de très belle qualité, et une date vers 1330 paraît soutenable. La farandole de la partie inférieure pourrait être mise en relation avec la scène de bal aux extrémités de certains coffrets consacrés à l'histoire de la châtelaine de Vergi (*cf.* n° 128). Une valve à bordure de roses illustrant le même sujet mais due à un autre atelier est conservée au Victoria & Albert Museum (n° 210-1865. Koechlin, 1924, II, n° 1081).

BIBL.: E. Molinier, 1896, n° 76. — R. Koechlin, *G.B.A.*, 1921, II, p. 285. — R. Koechlin, 1924, II, n° 1080, pl. CLXXXIV. — M. Carra, *Gli avori in occidente,* Milan, 1966, p. 128-129.

EXP.: *Chefs-d'œuvre du Moyen Age et de la Renaissance...* 1980-1981.

Paris, musée du Louvre
MR.R. 195

126
Manche de couteau: berger jouant de la cornemuse

Paris, deuxième quart du XIVe siècle
Trouvé au Bernard (Vendée). Anc. coll. Baudry. Acq. 1865
Ivoire. H. 0,082

Le personnage, vêtu d'une longue robe et coiffé d'un chaperon, souffle dans une cornemuse. A sa ceinture sont suspendus un

126

cor, un couteau, une bourse. Un chien est assis à ses pieds. Des traces d'usure montrent que l'objet a été effectivement utilisé. Le travail très soigné, d'une qualité rare pour ce genre de pièces, montre une grande précision dans les détails. Le style et le sujet rappellent certains dessins marginaux des « Heures de Jeanne d'Évreux » ou le petit culot de marbre de Boston (n°s 239, 24). Une date dans le second quart du XIVe siècle paraît donc plus défendable que celle (fin du XIVe s.) proposée par Koechlin.

BIBL.: Abbé Baudry, *Congrès archéol. de France - Fontenay-le-Comte,* 1864, p. 216. — R. Koechlin, 1924, II, n° 1128, III, pl. CLXXXIX.

Niort, musée du Pilori

127
Coffret: scènes romanesques et allégoriques

Paris, second quart du XIVe siècle
Anc. coll. S.W. Stevenson, Norwish (1850), W. Maskell. Acq. 1856
Ivoire. Pentures modernes
H. 0,085; L. 0,213; Pr. 0,013

Le coffret est sculpté de scènes à caractère courtois, allégories ou illustrations d'épisodes bien connus des Romans de la Table Ronde. Le *couvercle* est divisé en trois parties: au centre se déroule un tournoi opposant deux chevaliers dont l'un porte un écu à trois roses; au-dessus des combattants sont placés les hérauts sonnant de la trompette et les spectateurs groupés sur une sorte de tribune. A gauche, le Dieu d'Amour, tenant un arc, et une dame défendent le château d'Amour que deux chevaliers attaquent en lançant des roses avec une catapulte; à droite, le château est investi: un chevalier armé grimpe à une échelle pour rejoindre les dames qui, du haut des remparts, lui jettent des roses; en bas, un chevalier agenouillé reçoit des mains d'une dame la clef du château dont la herse est levée. Le thème du « siège du château d'Amour » qui ne semble pas dériver, contrairement à ce que l'on a affirmé, du « Roman de la rose », fut fréquemment exploité dans les représentations courtoises du

XIVe siècle et orne plusieurs valves de miroir d'ivoire. *Sur le panneau du devant* sont représentés, à gauche, deux scènes du célèbre « Lai d'Aristote »: Aristote, feuilletant un livre est assis en face de son élève, Alexandre qu'il réprimande car l'amour de la belle Campaspe lui fait oublier ses devoirs royaux; dans la scène suivante, Campaspe, pour se venger, a séduit Aristote et l'oblige à lui servir de monture, sous les yeux d'Alexandre, placé à la fenêtre de la tour. Dans la partie de droite est illustré le thème antique de la « Fontaine de Jouvence », sans doute contaminé par les thèmes chrétiens de la « Fontaine de vie » et de la « Fontaine d'immortalité »: des vieillards, dont certains doivent être portés, sont amenés à la fontaine où se baignent des jeunes gens. *Sur les petits côtés* sont représentés, d'une part Galaad recevant d'un vieillard la clef du « château des Pucelles », d'autre part, Tristan et Yseult au bord de la fontaine où se reflète le visage du roi Marc, caché dans l'arbre, et la chasse à la licorne (*cf.* n° 185). Enfin, sur le panneau de derrière sont figurés, dans le désordre, des épisodes de l'histoire de Gauvain et de Lancelot: dans le « château des Merveilles », Gauvain tout armé est étendu sur « le lit périlleux », sous une pluie de flèches, la tête d'un lion apparaît près du lit, lion contre lequel Gauvain lutte à l'extrême gauche: les griffes du fauve s'enfoncent dans l'écu du chevalier et la patte restera attachée au bouclier après la mort du lion; à droite, les trois demoiselles du château viennent remercier Gauvain qui a rompu l'enchantement. Dans la seconde scène centrale, est représenté l'un des épisodes du « chevalier à la Charrette », au cours duquel Lancelot, qui doit aller délivrer la reine Guenièvre, franchit un torrent sur un pont formé par une épée. Il est probable que les scènes ont été volontairement interverties pour l'équilibre général de la composition de ce côté; pour les mêmes raisons, Lancelot se trouve placé sous la pluie de flèches que seul Gauvain, étendu sur le lit périlleux, devrait subir.

Les intentions moralisatrices du choix des sujets (opposition de l'amour profane à l'amour pur ou sacré?) ne sont pas toujours évidentes: il est vraisemblable, comme le pensait Koechlin, que les scènes sculptées sur le coffret étaient destinées à rappeler à

127

127

part, un peu antérieur à celui du coffret du trésor de la cathédrale de Cracovie (Koechlin, 1924, II, n° 1285) : ce dernier, dont l'iconographie est semblable à celle du coffret du Metropolitan Museum, a gardé sa monture d'origine, d'argent rehaussée d'émaux translucides, que l'on peut dater du second quart du XIVe siècle, tandis que le style de ses panneaux paraît dépendre de l'atelier du « diptyque à frises d'arcatures » du Louvre et du diptyque du Metropolitan Museum, dont l'activité se situe plutôt vers 1330-1350 (nos 147-148).

BIBL. : Th. Wright, « Remarks on an ivory casket », Journal of the British archaeological association, 1850, p. 446. — O.M. Dalton, « Two medieval caskets with subjects from Romance », Burlington Mag., 1904, p. 299. — O.M. Dalton, 1909, n° 368, pl. LXXXIV-LXXXVI. — R.S. Loomis, Art in America, décembre 1916. — R. Koechlin, G.B.A., 1921, II, p. 295. — R. Koechlin, 1924, I, p. 484-508, II, n° 1283. — D.J.A. Ross, Journal of the Warburg and Courtauld Institute, 1948, XI, p. 112-142. — O. Beigbeder, « Le château d'Amour et son symbolisme dans l'ivoirerie », G.B.A., 1951, XXXVIII, p. 65-76. — P. Verdier, Art international, VII, n° 4 (1963), p. 29. — R.H. Randall, 1969, n° 18. — W.D. Wixom, « Eleven additions to the Medieval Collection », Bull. of the Cleveland Museum of Art, mars-avril 1979, p. 110-126 (avec bibl.). — J.D. Dodds, « the paintings in the sala de Justicia of the Alhambra - Iconography and iconology », Art Bull., 1979, p. 191-197.

EXP. : L'Art et la Cour, 1972, n° 83 (avec bibl.). — The wild man. Medieval myth and symbolism, New York, 1980-1981, n° 11 (avec bibl.).

Londres, Lent by courtesy of the Trustees of the British Museum
MLA 56, 6-23, 166

son propriétaire des romans alors célèbres, exaltant l'amour, la vaillance et la jeunesse. Ces sujets furent d'ailleurs souvent exploités dans l'ivoirerie du XIVe siècle, aussi bien pour les tablettes à écrire, les manches de gravoirs ou de couteaux, les valves de miroir que pour nombre d'autres coffrets appartenant à la série des « coffrets à sujets romanesques et allégoriques » définie par Koechlin.

Le coffret du British Museum appartient au même groupe que deux autres coffrets (Baltimore, Walters Art Gallery — connu depuis 1787 — et Londres, Victoria and Al-bert Museum) reproduisant les mêmes scènes, à quelques variantes près, et paraissant sortis d'un même atelier ou d'ateliers très proches. A ce petit groupe peut être ajouté le coffret du Metropolitan Museum, d'un style analogue mais d'une iconographie un peu différente (Koechlin, 1924, II, nos 1281-1284). Ces coffrets présentent de nombreux rapports avec des valves de miroir à sujets courtois du premier quart du XIVe siècle (cf. n° 122). Une date vers 1320-1330 paraît donc plausible, date que confirmerait certains détails des armes et des costumes. Ce groupe paraît, d'autre

128
Coffret : histoire de la châtelaine de Vergi

Paris, deuxième quart du XIVe siècle
Anc. coll. Revoil. Acq. 1828
Ivoire ; pentures modernes
H. 0,095 ; L. 0,260 ; Pr. 0,070

Tous les panneaux du coffret illustrent l'histoire de la châtelaine de Vergi : la femme du châtelain de Vergi, nièce du duc de Bourgogne, aimait en secret un chevalier auquel elle donnait rendez-vous en lui envoyant un petit chien qu'elle avait dressé à cet usage. Mais la duchesse de Bourgogne fut également séduite par le chevalier ; celui-ci la repoussa. La duchesse, pour se ven-

128

128

ger, accusa le chevalier s'avoir voulu l'outrager ; le duc furieux menaça de son épée le chevalier qui, pour se disculper, dut rompre son secret et avouer au duc ses amours avec la châtelaine. Ces scènes sont illustrées sur le couvercle du coffret, les scènes centrales étant entourées de deux rangées de quadrilobes dont les écoinçons sont ornés de roses. (*A gauche, en bas :* la châtelaine dresse son chien, elle l'envoie à son amant ; *en haut :* rencontre des amants et conversation amoureuse. *A droite, en bas,* conversation amoureuse ; *au-dessus,* la duchesse, couronnée, est repoussée par le chevalier ; elle se plaint au duc ; *en bas,* le duc menace

le chevalier de son épée.) Le duc demandant, pour être convaincu, à assister à une rencontre entre les amants, le chevalier l'emmena avec lui à un rendez-vous. Revenu auprès de la duchesse, le duc la mit au courant des amours du chevalier. La duchesse invita alors la châtelaine à un bal. (*Long côté du revers :* conversation du duc et du chevalier ; le duc, caché derrière un arbre, assiste à la rencontre des amants ; conversation du duc et de la duchesse ; la châtelaine reçoit l'invitation.) Le petit *côté gauche* représente, sous une frise d'arcatures, la scène du bal au cours de laquelle la duchesse félicite perfidement la châtelaine

sur son succès dans le dressage des petits chiens. La châtelaine, se croyant trahie par son amant, se retire dans une chambre où elle meurt de douleur ; son amant se tue sur son corps ; le duc découvre le carnage et prend l'épée du chevalier *(côté antérieur).* L'épilogue est représenté sur le *petit côté droit :* le duc, pour venger les amants, tue la duchesse au milieu du bal puis se confesse et part à la croisade.

Les plus anciens manuscrits de l'histoire de la châtelaine de Vergi datent des dernières décennies du XIIIᵉ siècle mais c'est surtout au cours du XIVᵉ siècle que cette histoire devint populaire. La fidélité au texte des représentations du coffret semblent indiquer que l'ivoirier a eu entre les mains un exemplaire illustré, aujourd'hui disparu, de ce poème. Le sujet dut inspirer nombre d'artistes et il est possible que quelques émaux décrits dans l'inventaire de Louis d'Anjou soient en relation avec ce roman (*Inv. de Louis d'Anjou,* nᵒˢ 2399-1400) mais la presque totalité des représentations conservées fut taillée dans l'ivoire. R. Koechlin a recensé six coffrets et trois fragments de coffrets qui lui étaient consacrés. Les exemplaires de Londres et Milan, l'un de ceux de New York et le panneau de l'Université de Kansas sont particulièrement proches du coffret du Louvre (Koechlin, 1924, II, nᵒˢ 1307, 1303, 1302, 1305). Les qualités narratives de ce dernier sont incontestables : le dessin est vif, sans fioritures ; les personnages sont vêtus pour la plupart des robes flottantes à la mode depuis l'époque de Philippe Le Bel (principalement dans les scènes « courtoises » visiblement inspirées par des valves de miroir antérieures) mais quelques robes aux bustes moulants, en particulier dans les scènes de bal, sont d'un type que l'on trouve surtout en Italie à cette époque. Les visages sont ronds et pleins, assez inexpressifs. Le style du coffret est donc nettement plus tardif que celui du coffret à scènes romanesques du British Museum (nᵒ 127). Les frises d'arcatures aux crochets menus et serrés qui surmontent les scènes des petits côtés sont comparables à celles de certains diptyques à sujets religieux, sans doute faits vers 1340-1350. Le coffret du Louvre semble pouvoir être daté de la même période.

BIBL. : E. Molinier, 1896, n° 61. — R. Koechlin, 1924, I, p. 508-513, II, n° 1301, pl. CCXXII-CCXXIII. — M. Lacey, « La chasteleine de Vergi », *The Registrer of the Museum of Art, University of Kansas, Lawrence*, IV-2, 1967, p. 4-23 (avec bibl.).

Paris, musée du Louvre
MR.R. 77

129
Triptyque de Saint-Sulpice du Tarn

Paris, vers 1300-1320
Signalé dans l'église de Saint-Sulpice (Tarn) par un procès-verbal de 1644. Acq. 1893
Ivoire d'éléphant (manques ; restauration dans les parties supérieures)
H. 0,320 ; L. totale : 0,274 ; partie centrale : 0,140

Le triptyque est divisé en deux registres par une moulure à décor de roses ; les scènes s'abritent sous des arcatures trilobées surmontées de clochetons et de crochets très simples. *En haut, au centre :* Christ en croix entre la Vierge et saint Jean, Longin et Stéphaton ; *sur les volets, à g. :* Portement de croix ; *à dr. :* Descente de croix. *En bas, au centre :* Vierge glorieuse ; *sur les volets, à g. :* Adoration des Mages ; *à dr. :* Présentation au Temple. Les deux scènes centrales sont sculptées en très haut relief ; sur celles des volets, le relief est beaucoup moins accentué. Ce triptyque, qui compte parmi les plus belles créations gothiques, est une œuvre capitale pour l'histoire de l'évolution de l'ivoirerie parisienne de la première moitié du XIVe siècle. En effet, le style « monumental » de la partie centrale, la vigueur de ses reliefs, la profondeur des plis à bec des drapés, le modelé du Christ en croix et des anges céroféraires, le rattachent encore aux ivoires taillés dans la seconde moitié du XIIIe siècle. Mais d'autres éléments sont caractéristiques du XIVe siècle : le type de la Vierge glorieuse, qui se précise ici, est celui des Vierges de tabernacles et de polyptyques (*cf.* n° 140) ; les figures sinueuses des volets, plus plates et plus linéaires, annoncent très nettement le style des volets des tabernacles, des « fragments de retable » ou des triptyques de la « Mort de la Vierge » (*cf.* n°s 141, 134, 143). La date de l'exécution du triptyque de Saint-Sulpice paraît donc se

129

situer au début ou dans les premières décennies du XIVe siècle. La « Crucifixion » de la Wallace Collection (Koechlin, 1924, II, n° 229) où la maîtrise du modelé et la vigueur sans brutalité des reliefs sont encore plus impressionnantes que dans la partie centrale du triptyque, semble pouvoir être rattachée à cet atelier. Le polyptyque de l'Ermitage (*ibidem*, II, n° 172) est également proche du triptyque de Saint-Sulpice du Tarn mais ses figures plus minces et plus allongées, aux têtes plus petites, sa Vierge glorieuse plus hanchée, indiquent plutôt la

suite de l'atelier et, vraisemblablement, une date un peu plus avancée.

BIBL. : E. Saglio, « Le triptyque de Saint-Sulpice du Tarn », *Mon. Piot*, 1895, II, p. 231. — R. Koechlin, 1924, I, p. 136-142, II, n° 203, III, pl. LI. — L. Grodecki, 1947, p. 95-96. — D. Gaborit-Chopin, 1978, p. 148-152, n° 223.

EXP. : *Exp. Rétrospective*, 1889, n° 117. — *Chefs-d'œuvre du Moyen Age et de la Renaissance...*, 1980-1981. — *Exhibition of French Art*, 1932, p. 290.

Paris, musée des Thermes et de l'Hôtel de Cluny
Cl. 13101

130
Statuette : Vierge à l'Enfant assise

Paris (?), vers 1320-1330
Coll. Wernher, Luton Hoo (Inv. 827.130.692). Acq. 1978, avec l'aide d'une subvention du H.M. Treasury
Ivoire ; polychromie et dorure modernes sur traces anciennes. Tête et main gauche du Christ recollées ; socle collé
H. 0,332 ; L. à la base : 0,118

La Vierge, coiffée d'un voile court retenu par une couronne, est vêtue d'une robe serrée par une ceinture et d'un ample manteau. Sa main gauche soutient le Christ debout sur ses genoux. Dans sa main droite est un tube creux, destiné peut-être à la tige d'une fleur de métal. L'Enfant tient une pomme, sa main droite reposant sur la poitrine de sa mère. Sous le pied gauche de la Vierge apparaît un monstre muni de griffes et d'une queue : la Vierge est donc ici représentée comme la «Femme» de l'Apocalypse, triomphant du Diable. Le revers du trône est orné d'arcs trilobés et d'une bande de rosettes. La courbure très accentuée de la silhouette est due à l'emploi de l'extrémité d'une grande défense. Le torse de la Vierge est extrêmement allongé, trait accentué par le traitement très resserré du bas du corps.
  Sur le plan stylistique, la Vierge Wernher appartient au même groupe que deux statuettes du Victoria & Albert Museum (Longhurst, II, nᵒˢ 4685-1858 et 200-1867), les statuettes de Baltimore (*cf.* R.H. Randall, 1974), New York et Paris (*cf.* nᵒˢ 131, 132) et de l'ancienne collection Köfler (cat. de la coll. Köfler, 1961, nᵒ 33). Une statuette à Anvers (J. de Coo, 1969, nᵒ 2106), une autre à Bruxelles (J. Destrée, 1902, nᵒ 14), une troisième à Nüremberg (H. Stafski, 1965, nᵒ 221) peuvent également en être rapprochées. La relation entre ce groupe et la Vierge de Villeneuve-lès-Avignon (Koechlin, 1924, nᵒ 103) est difficile à préciser : mais le monstre, sous le pied de la Vierge de Villeneuve est analogue au monstre de la Vierge Wernher. Cette dernière peut être particulièrement comparée à la Vierge de Baltimore pour la disposition des plis du dos et le décor du trône, au grand groupe de la Vierge à l'Enfant du Victoria & Albert Museum dont l'attribut est le même, et aux

130

Vierges de la collection Köfler et de Nüremberg pour le grand pli entre les genoux et le long pli droit du vêtement de l'Enfant.
  Aucune des pièces de ce groupe n'est connue avant le XIXᵉ siècle et leur chronologie reste incertaine. Même si l'on tient compte de la tradition qui lie la Vierge de Villeneuve-lès-Avignon au cardinal Arnaud de Via († 1335), ce fait ne donne qu'un *terminus ante quem* ; en tout cas la statuette Wernher ne fut certainement pas sculptée par le même artiste ; elle se rapproche des œuvres du premier quart du XIVᵉ siècle comme le tabernacle d'Angers (nᵒ 140), par ses drapés mais aussi par certains traits du visage. Une tendance similaire au maniérisme comme l'accentuation volontaire de la courbure de la silhouette,

apparaissait déjà, bien avant la fin du règne de Philippe Le Bel, dans quelques enluminures du nord de la France. En fait, certains des ivoires de ce groupe (statuettes du Victoria & Albert Museum et d'Anvers), plus massives dans leurs proportions, peuvent bien avoir été taillées vers 1300. Cependant, pour d'autres (nᵒ 132), une date vers 1340 est beaucoup plus probable. Les courants stylistiques du XIVᵉ siècle ayant pu longuement persister, nous sommes réduits à une datation relative du groupe entre 1300 et 1340, et une date vers 1320-1330 semble raisonnable pour la Vierge Wernher. L'origine parisienne du groupe paraît probable, même si des parallèles précisément localisables ne se trouvent pas dans l'ivoirerie ou l'enluminure contemporaine.

BIBL. : R.H. Randall, *Gatherings in honor of Dorothy E. Miner*, 1974, p. 283-300. — C.T. Little, *Rev. de l'Art*, 1979, p. 63, fig. 17.

Londres, Lent by courtesy of the Trustees of the British Museum
1978, 5-3, 3

131
Statuette : Vierge à l'Enfant

Paris, vers 1320-1330
Don Th. M. Davis, 1915
Ivoire (main droite de la Vierge, tête, haut des épaules, bras gauche de l'Enfant restaurés) ; traces de dorure et de polychromie
H. 0,406 ; H. sans socle 0,333 ; D. max. 0,095

La Vierge debout, hanchée, tient l'Enfant très haut sur son bras gauche ; elle est vêtue d'une robe serrée à la taille par une ceinture et d'un manteau ramené devant elle. La tête coiffée d'un voile court, était autrefois ceinte d'une couronne (le haut de la tête manque). La «pièce» ovale d'ivoire visible à côté du fermail, masque l'extrémité supérieure de la chambre pulpaire de la défense d'ivoire. La Vierge est de proportions élancées ; son manteau est animé de grands plis à bec profondément creusés ; les volutes de la retombée sont encore peu développées. L'ensemble paraît donc encore dans la tradition du style «monumental» de la fin du XIIIᵉ

131

seum n° 4685-1858), Baltimore (Walters Art Gall. n° 71-243), Londres (British Museum. *Cf.* n° 130) auxquelles il faut ajouter un exemplaire dans le commerce new-yorkais en 1978, est lui-même en relation avec la Vierge de Villeneuve-lès-Avignon ; cette dernière passe pour avoir appartenu au cardinal Arnaud de Via (mort en 1335) fondateur en 1333 de l'église collégiale de Villeneuve, placée sous le vocable de Notre-Dame. (*Cf.* Koechlin, 1924, n° 103 et F. Salet, *Congrès archéol. de France,* 1963, p. 188-190.) Si la Vierge du Metropolitan Museum, de facture très soignée, est effectivement proche de celle du Victoria & Albert Museum, elle ne présente toutefois pas l'élongation du torse qui caractérise tout ce groupe et que l'on retrouve aussi sur le médaillon émaillé de Munich représentant la « capture de la licorne » (n° 185). La statuette était conservée dans un écrin de cuir français, du XVIIIe siècle.

BIBL. : J.-J. Rorimer, « European decorative arts », *Bull. of the Metropolitan Museum,* XXVI, 1931, p. 24. — J.-J. Rorimer, *Ultra-violet rays and their use in the examination of works of Art,* New York, 1931, p. 30. — Ch. Little, *Rev. de l'Art,* 1979, p. 63-65.

New York, Metropolitan Museum
n° 3095-114 a

132

132
Statuette : Vierge à l'Enfant debout

Paris, vers 1320-1340
Proviendrait de la région de Noyon
Anc. coll. A. Lefranc. Acq. en 1907 sur les arrérages du legs A. de Rothschild
Ivoire (terrasse refaite, calotte refixée) ; traces de polychromie et de dorure (ravivée)
H. 0,162

La Vierge debout, tient l'Enfant sur le bras gauche (la main droite est cassée). Elle est vêtue d'une robe bordée d'orfrois, recouverte d'un long manteau drapé « en tablier » ; sa tête est coiffée d'un voile court retené par une couronne ; l'Enfant (tête recollée) qui tient une pomme est vêtu d'une longue chemise. Malgré des variantes dans la disposition de manteau, ici inversée, la Vierge dérive du même prototype que la

siècle et du début du XIVe siècle. Mais le visage au nez long et fin, à la bouche mince, au menton pointu au-dessus d'un double menton, annonce déjà celui des Vierges d'ivoire d'une date plus avancée, telle celle du polyptyque du Louvre (n° 141). La Vierge de Noyon (n° 132), plus tardive que celle du Metropolitan Museum si l'on en juge par ses drapés plus plats et plus larges, reprend cependant les principaux traits de la statuette et pourrait représenter la suite de l'atelier. La Vierge de New York, qui reste l'une des très rares grandes statuettes de la Vierge debout que nous ait léguées le XIVe siècle, a été rapprochée d'un groupe de Vierges d'ivoire assises (*cf.* Little, 1979). Ce groupe, qui comprend notamment les statuettes de Londres (Victoria & Albert Mu-

Vierge glorieuse d'Angers (n° 140). Elle est surtout très proche de la grande Vierge d'ivoire du Metropolitan Museum (n° 131) dont elle a également la coupe de visage aux yeux fendus, à la bouche mince, au menton pointu au-dessus d'un double menton. Mais la ronde-bosse ici moins pleine et les plis, plus plats et plus linéaires, indiquent plutôt la suite de l'atelier.

BIBL. : G. Migeon, « Deux statuettes de Vierges gothiques », *Musées et Monuments,* 1907, n° 7, pl. XVIII. — R. Koechlin, 1924, II, n° 630, III, pl. CV. — D. Gaborit-Chopin, 1978, p. 150, n° 225.

EXP. : *L'art du Moyen Age en France,* 1978-1979, n° 64 (avec bibl.).

Paris, musée du Louvre
OA 6076

133

134

133
Bourreau de la flagellation

Paris, vers 1320-1330
Anc. coll. Ch. Mège. Don de Mlle E. Mège, 1958
Ivoire ; traces de dorure et de polychromie
H. 0,186 ; L. maximum 0,057

Debout sur un tertre, de trois-quarts face, la tête de profil, le bourreau lève à deux mains le fouet (brisé) avec lequel il frappait le Christ ; il est vêtu d'une robe courte dont un pan est relevé par devant pour lui laisser plus de liberté de mouvement, et coiffé d'un bonnet (cale) laissant passer ses cheveux bouclés. L'ivoire est sculpté en très haut relief, certaines parties du corps (jambe, cou, tête) étant travaillées en complète ronde-bosse ; le dos, légèrement concave, est seulement ébauché par de très larges aplats et n'était vraisemblablement pas destiné à être vu : il ne s'agit donc pas, à proprement parler, d'une figure d'applique. Le « Christ à la colonne » de la collection Marquet de

Vasselot (H. 0,22. *Cf.* Koechlin, 1924, II, n° 224) pourrait provenir du même ensemble bien que son revers ne soit pas travaillé. Le groupe à l'origine, devait être comparable à la « Flagellation » du retable de marbre de la Sainte-Chapelle du musée du Louvre (n° 18). Il est peu probable que le « bourreau » ait appartenu à la même série que les scènes de la Passion d'ivoire de Paris et Anvers (n°ˢ 134-135) : le traitement de la tête, au petit nez court, est en effet, beaucoup plus nuancé que celles des bourreaux, sur ces deux ivoires ; sa taille est plus grande, son relief plus fort ; son style, plus sobre et plus monumental, l'apparente surtout aux figures du triptyque de Saint-Sulpice-du-Tarn (n° 129).

BIBL. : R. Koechlin, *Mon. Piot*, 1906, p. 68. — R. Koechlin, 1924, I, p. 142-144, II, n° 225, pl. LVII. — H. Landais, *Rev. du Louvre*, 1961, p. 108-112. — D. Gaborit-Chopin, 1978, p. 150.

EXP. : *Vingt ans d'acquisitions*, 1967-1968, n° 265.

Paris, musée du Louvre
OA 9958

134
Groupe d'applique :
l'Arrestation du Christ

Paris, vers 1320-1340
Anc. coll. Ch. Mège ; legs E. Mège, 1958
Ivoire d'éléphant ajouré (manques) ; traces de dorure
H. 0,186 ; L. 0,10

Judas, au centre, a saisi le Christ aux épaules et s'apprête à l'embrasser. Derrière lui, deux bourreaux coiffés l'un d'un béguin noué sous le menton (la cale), l'autre d'un bonnet, menacent Jésus de leurs bras levés. Un autre personnage dont il ne subsiste que la main sur la tête du Christ, se trouvait sur la droite. Au premier plan, plus petit que les autres personnages, saint Pierre tranche avec son épée l'oreille de Malchus, le serviteur du Grand Prêtre, représenté ici sous les traits d'un enfant. Le revers de la plaque n'est pas travaillé ; le relief ajouré était à l'origine fixé sur un fond sans doute de couleur contrastante (métal, bois, ivoire teint ?). L'élégance pleine de noblesse du Christ aux longs cheveux ondés contraste avec les autres personnages, aux têtes nettement cari-

caturales. Les drapés sont souples, peu creusés ; le travail est extrêmement soigné. Étant donné l'habileté de l'ivoirier, la différence de taille de saint Pierre n'est certainement pas due, comme le croyait Koechlin, à une maladresse, mais plutôt au désir de représenter un épisode secondaire, en marge du drame principal.

L'iconographie de cette « Arrestation du Christ » associant le « Baiser de Judas » et l'épisode de Malchus, s'inspire de celle des diptyques du groupe « de Soissons » (2ᵉ moitié du XIIIᵉ siècle) où apparaissent déjà des bourreaux du Christ aux visages grimaçants (*cf.* Koechlin, 1924, II, n°ˢ 38, 39). Le style des figures au nez fort et pointu, dérive de celui des reliefs des volets du triptyque de Saint-Sulpice du Tarn (n° 129), où l'ivoirier a lui aussi caricaturé les visages des bourreaux du Christ dans le « Portement de croix ». Ce dernier trait se retrouve d'ailleurs dans la sculpture monumentale (« Arrestation du Christ » du Metropolitan Museum, Retable de la Sainte-Chapelle du Louvre...)

aussi bien que dans l'enluminure (cycles de la Passion des «Heures de Jeanne d'Évreux» ou des «Heures de Jeanne de Savoie»).

Les drapés plus linéaires, l'élégance gestuelle et formelle de «l'Arrestation du Christ» d'ivoire marquent une légère évolution par rapport au triptyque de Saint-Sulpice du Tarn du musée de Cluny et font de ce relief l'un des rares ivoires que l'on puisse rapprocher de l'art de Pucelle (*cf.* par ex., «Heures de Jeanne d'Évreux», n° 239, f° 15 v°). Le relief du «Christ aux outrages» d'Anvers, de même facture, provient visiblement du même ensemble, ainsi que la «Descente de Croix» d'Oslo (*cf.* n°s 135, 136). Ces fragments pourraient être ceux d'un retable, conçu à l'imitation de ceux, de marbre ou de pierre, de la même période. Il n'est pas certain que les autres fragments de retable recensés par Koechlin (*cf.* n°s 137, 138) aient la même origine. Par contre, le «Christ en croix» de l'ancienne collection Homberg (Koechlin, 1924, II, n° 736), de plus grandes dimensions et qui passe pour provenir de la reliure d'une bible datée de 1340, est stylistiquement proche du groupe de «l'Arrestation du Christ».

BIBL.: R. Koechlin, *Mon. Piot,* 1906, p. 67-76. — G. Migeon, *Les Arts,* n° 86, p. 10. — R. Koechlin, 1924, I, p. 142-144, II, n° 223, III, pl. LVII. — H. Landais, *Rev. du Louvre,* 1961, p. 111, fig. 5. — D. Gaborit-Chopin, 1978, p. 150.

EXP.: *Vingt ans d'acquisitions...* 1967-1968, n° 264. — *L'Art et la Cour,* 1972, n° 81.

Paris, musée du Louvre
OA 9961

135
Groupe d'applique: Christ aux outrages

Paris, vers 1320-1340
Anc. coll. Micheli, Mayer van den Bergh
Ivoire d'éléphant ajouré
H. 0,169; L. 0,086

135

Le Christ, vêtu d'une longue robe serrée à la taille et d'un grand manteau, est assis, de face; il tient le livre de la main gauche et bénit de la main droite. De chaque côté, un peu en retrait, deux bourreaux le menacent de leur bras levé; ils sont vêtus d'une robe courte et coiffés d'un béguin noué sous le menton (cale). Le relief, ajouré, était autrefois fixé sur un fond.

L'iconographie, assez rare dans l'ivoirerie gothique, apparaissait déjà sur un ivoire tardif du groupe dit de «Soissons» (Koechlin, 1924, II, n° 58). La facture du relief d'Anvers est identique à celle de l'«Arrestation du Louvre» et les deux pièces proviennent vraisemblablement du même ensemble; il est possible que le relief d'Oslo ait la même origine (*cf.* n°s 134, 136). La parfaite

136

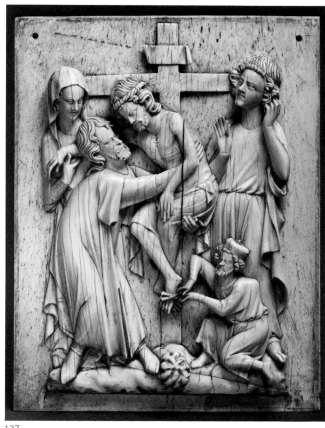

137

maîtrise technique de l'ivoirier et sa science du rendu spatial sont manifestes dans la figure du Christ assis de face, dont l'aisance évoque surtout des enluminures (*cf.* par ex., «Heures de Jeanne de Savoie», n° 235, f° 53). Ces qualités, tout comme les plis profondément creusés du manteau, permettent de rattacher cet atelier à l'entourage de celui du triptyque de Saint-Sulpice du Tarn (n° 129) mais aussi de le placer dans la zone d'influence de Pucelle.

BIBL. : R. Koechlin, *Mon. Piot*, 1906, p. 67-76. — R. Koechlin, 1924, I, p. 142-144, II, n° 227 bis, III, p. LIX. — I. de Coo, *G.B.A.*, 1965, p. 356. — I. de Coo, 1969, n° 2097, p. 105-106 (avec bibl.). — D. Gaborit-Chopin, 1978, p. 150, n° 226.

EXP. : *L'Art et la Cour*, 1972, n° 80, pl. 105.

Anvers, musée Mayer van den Bergh n° 436

136
Descente de croix

Paris, vers 1320-1340
Acquis à Berlin entre 1914 et 1918 ; anc. coll. Langaard
Ivoire d'éléphant (partie inférieure brisée)
H. 0,166

Il ne subsiste du groupe que la figure de Joseph d'Arimathie portant le corps du Christ mort. Joseph, barbu, les cheveux bouclés, est coiffé d'une sorte de toque. Le Christ, vêtu du *perizonium* noué sur la hanche, porte la couronne d'épines torsadée. Bien que l'iconographie, d'ailleurs très traditionnelle, soit comparable à celle du groupe de New York (n° 137), le style en est différent : la souplesse des attitudes, le modelé des visages, la finesse du travail des

cheveux et des barbes rappellent la facture des deux reliefs d'Anvers et de Paris (*cf.* n°ˢ 134, 135). Il est probable que ces trois pièces de même style et de dimensions analogues, illustrant toutes trois des scènes de la Passion, ont fait partie d'un même ensemble, peut-être un retable.

BIBL. : R. Koechlin, *Mon. Piot*, 1906, p. 67-76. — R. Koechlin, 1924, I, p. 142-144, II, n° 227 bis, III, p. LIX (avec bibl.). — Forer Gjennem Kunstindustrimuseet I Oslo, Oslo, 1926, pl. 8.

Oslo, Kunstindustrimuseet

137
Plaque : Descente de croix

Paris, vers 1320-1340
Anc. coll. Possenti da Fabriano, R. Kann,
Bligny ; don Pierpont Morgan, 1917
Ivoire d'éléphant (reliefs) et os de cétacé
(fond) ; traces de dorure et de polychromie
H. 0,254 ; L. 0,228

Joseph d'Arimathie reçoit dans ses bras le
corps du Christ détaché de la croix, dont la
Vierge, à l'arrière-plan, à gauche, a saisi la
main. Saint Jean, debout, à droite de la
croix, lève les mains en signe de désespoir.
Nicodème, agenouillé au pied de la croix,
finit de déclouer les pieds du Christ avec des
tenailles. Sur le tertre mouvementé sur lequel se dresse la croix est sculptée une sorte
de rosace qui pourrait être une figuration
mal comprise du crâne d'Adam : le groupe
est formé de plusieurs morceaux d'ivoire
assemblés, fixés sur une grande plaque d'os
de cétacé où sont taillés la croix et son *titulus*. Cette plaque pourrait être d'origine
puisque l'os de cétacé n'a pas cessé d'être
utilisé à l'époque gothique et a pu être associé à l'ivoire. Ainsi, l'inventaire après décès
du connétable Raoul de Nesle, en 1302, signale : « un ymage d'ivoire a un tabernacle
de balene » (*cf.* Deshaines, I, 1866, p. 135).
L'iconographie de la « Descente de croix »
est celle que l'on trouvait déjà aux volets du
triptyque de Saint-Sulpice du Tarn (n° 129)
et son style paraît dériver de cet atelier. Mais
malgré d'indéniables ressemblances avec
les fragments de retable d'ivoire de Paris,
Anvers et Oslo (*cf.* n°s 134-136), la « Descente de croix » de New York ne peut être
attribuée au même atelier et ne proviennent
sans doute pas du même ensemble : les
proportions des personnages sont différentes, le travail plus sec et un peu plus méca-
nique (boucles du Christ et de saint Jean),
les visages moins nuancés. Les deux « Saintes femmes » du Victoria & Albert Museum
(n° 138) en sont, par contre, très proches.

BIBL. : R. Koechlin, *Mon. Piot*, 1906, p. 67-76. — R. Koechlin, 1924, I, p. 142-144, II, n° 227, III, pl. LIX (avec
bibl.).

EXP. : *L'Art et la Cour*, 1972, n° 79, pl. 104 (avec bibl.).

New York, Metropolitan Museum of Art
n° 17. 190.199

138

138
Groupe d'applique : Saintes Femmes au tombeau

Paris, vers 1320-1340
Don H.B. Harris, 1927
Ivoire d'éléphant ; traces de dorures (brûlu-
res au bas de la plaque)
H. 0,11 ; L. 0,09

Les deux saintes Femmes apparaissent à
mi-corps derrière le tombeau du Christ sur
lequel retombe un pan du linceul. Les deux
femmes sont vêtues d'une robe serrée à la
taille, recouverte d'un manteau, et coiffées
d'un voile court ; chacune d'elles porte une
boîte à onguents cylindrique, munie d'un
couvercle. Les têtes ovoïdes aux yeux bridés
et aux bouches très minces en arc de cercle
(dont le prototype apparaît dans la Présentation au temple du triptyque de Saint-Sulpice du Tarn, *cf.* n° 129), les mains plates,
aux doigts raides, permettent d'attribuer ce
relief au même atelier que la « Descente de
croix » du Metropolitan Museum (*cf.*
n° 137). Il est possible que ces deux pièces
proviennent d'un même ensemble, regrou-
pant plusieurs scènes de la Passion mais
vraisemblablement distinct de celui auquel
appartenaient les reliefs de Paris, Anvers et
Oslo (n°s 134-136).

BIBL. : E. Maclagan, « An ivory group of the Maries at the
sepulcre », *The Antiquaries Journal*, 1922, p. 202. —
R. Koechlin, 1924, I, p. 142-144, II, n° 228, III, pl. LX. —
M.H. Longhurst, 1929, II, p. 15.

Londres, Victoria and Albert Museum
n° A. 99-1927

139
Statuette : Vierge à l'Enfant assise

Paris, vers 1320-1330
Citée dans un inventaire de San Francesco
de 1370
Ivoire polychrome et doré (tête de l'Enfant
recollée)
H. 0,253 ; L. 0,155

La Vierge, assise sur un banc orné de fenestrages peints, est vêtue d'une robe et d'un
manteau bordé d'orfrois, dont un pan passe
par-dessus son épaule gauche pour retomber dans le dos ; elle est coiffée d'un voile
court, retenu autrefois par une couronne (la
partie supérieure de la tête manque). Elle
tenait une fleur dans la main gauche et
retient de la droite l'Enfant, debout sur son
genou ; celui-ci est vêtu d'une longue chemise et d'un manteau agraffé au col, qu'il
déploie de la main droite. Le groupe pourrait être rapproché de la Vierge à l'Enfant de
la bible de Fiesole (*cf.* n° 237, f° 173). Le
socle rectangulaire est rehaussé de peintures. Comme sur les statuettes de la Vierge de
Villeneuve-lès-Avignon et de sainte Marguerite de Londres (n° 142 et Koechlin,
1924, n° 103), les fentes de l'ivoire sont
masquées par des feuillages peints. La délicatesse de la polychromie, la savante simplicité des gestes et des drapés, l'équilibre
des formes font de ce groupe l'un des plus
purs chefs-d'œuvre de l'ivoirerie du
XIVe siècle. L'agencement des grands plis
en V profondément creusés au niveau des
genoux que l'on retrouve dans des enluminures contemporaines, est comparable à
celui des statuettes de Vierges de Villeneuve-lès-Avignon, ou de Baltimore et de
Londres (*cf.* n° 130) mais la Vierge d'Assise,
parfaitement proportionnée, ne présente
pas l'élongation du torse caractéristique de
ces statuettes. Malgré la gravité rêveuse du
mince visage de la Vierge, la recherche linéaire des plis, dans l'effet de cape du

139
agrandissement × 2

manteau, paraît exclure une date trop précoce. Le fait que le groupe se déploie en largeur, au détriment de l'épaisseur de la pièce, pourrait également plaider en ce sens bien que ce parti pris puisse être dû aux contraintes inhérentes à la matière première.

BIBL. : M. Logan, « Exposition d'art ombrien à Pérouse », *G.B.A.*, 1907, p. 221. — L. Alessandri et F. Penachi, *Inventari della sacristia del Sacro convento di Assisi compilati nel 1338*, Quarrachi, 1920, p. 46, n° 34. — V. Gnoli, « Il tesoro di S. Francesco d'Assisi », *Dedalo*, 1922, p. 575. — R. Koechlin, 1924, I, p. 237, II, n° 634, pl. CVI (avec bibl.). — E. Hertlein, « Capolavori francesi in S. Francesco d'Assisi », *Antichita viva*, 1965, p. 54-70 (bibl.). — D. Gaborit-Chopin, 1978, p. 152, n° 229. — *Il tesoro della basilica di S. Francesco ad Assisi*, Assise, 1980, n° 88.

Assise, Trésor de San Francesco

140
Triptyque : la Vierge glorieuse

Paris, vers 1320-1340
Anc. coll. Turpin de Crissé
Ivoire (partie du socle, cierge des anges, fleur du pignon, fond de la partie centrale restaurés)
H. sous le socle : 0,33 ; L. 0,25

La Vierge à l'Enfant, en demi-ronde-bosse, occupe la partie centrale. Légèrement hanchée, elle est vêtue d'une robe presque entièrement recouverte par un grand manteau, animé de grands plis cassés ; son voile court est retenu par une couronne. L'Enfant a posé sa main droite sur la poitrine de sa mère. Deux anges tenant des chandeliers sont représentés sur les volets. Les rampants sont sculptés de larges feuilles « coupées », trilobées et dentelées, semblables à celles de parties hautes du triptyque d'Amiens (n° 143). Tout comme plusieurs Vierges de tabernacle du second quart du XIVe siècle, en particulier celle du polyptyque de Berlin (Koechlin, 1924, II, n° 153) dont elle est très proche, la Vierge à l'Enfant d'Angers reprend le type de la « Vierge glorieuse » du triptyque de Saint-Sulpice du Tarn (n° 129). Mais les proportions sont ici plus allongées : le drapé simplifié et aplati, comporte une importante chute de plis sous le bras droit ; de même que celui des anges, le visage, à la bouche serrée, est un peu minaudier. Ces différents traits impliquent un net décalage chronologique par rapport au triptyque de Saint-Sulpice-sur-Tarn.

140

BIBL. : L. de Farcy, « Épaves », *Rev. de l'Art chrétien*, 1898, p. 291. — R. Koechlin, 1924, I, p. 122, II, n° 117, pl. XXXIV. — L. Grodecki, 1947, p. 95. — D. Gaborit-Chopin, 1978, p. 150.

EXP. : Exp. *Rétrospective*, 1900, n° 115 ; *L'Europe gothique*, 1968, n° 362 (avec bibl.). — *L'Art du Moyen Age en France*, 1972-1973, n° 41. — *L'Art du Moyen Age en France*, 1978-1979, n° 63.

Angers, Hôtel Pincé
M.T.C. 1097/1135

141
Polyptyque : Vierge à l'Enfant. Scènes de l'enfance du Christ

Paris, second quart du XIVe siècle
Anc. coll. Timbal ; acq. 1882
Ivoire ; polychromie ravivée
H. 0,290 ; L. 0,235 ; L. (fermé) 0,08

La Vierge à l'Enfant, en quasi-ronde-bosse, se dresse dans la partie centrale sous un dais soutenu par des colonnettes (restaurations). Son manteau court, ramené par devant en un drapé transversal, retombe en volutes de part et d'autre de la silhouette. La tête, recouverte par un pan du manteau, est ceinte d'une couronne fleuronnée ; l'Enfant est à demi-nu ; il s'appuie de la main droite sur la poitrine de la Vierge. Sur les volets sont sculptées, en relief peu accentué, des scènes de l'enfance du Christ (*à g.* : Annonciation, Visitation, Adoration des Mages ; *à dr.* : Nativité, Présentation au temple). Les attitudes de la Vierge et de l'Enfant sont analogues à celles des triptyques de Saint-Sulpice et d'Angers (n°s 129, 140) et c'est encore dans la filiation des scènes de l'Enfance des volets du triptyque de Saint-Sulpice que se situent les reliefs des volets de ce tabernacle. Mais le

141

142

style est ici nettement plus évolué : la facture des volets, souple et pleine d'aisance, peut être rapprochée de celle des volets d'un polyptyque du Vatican (Koechlin, 1924, n° 161). Les proportions générales de la Vierge, l'accentuation de son hanchement, le double « pli en tablier » du manteau, les cascades de volutes dérivent nettement du type des Vierges d'orfèvrerie de Jeanne d'Évreux (avant 1339, *cf.* n° 186) et du polyptyque de la Pierpont Morgan Library (n° 187) et suggèrent une date vers 1330-1340.

BIBL. : E. Molinier, 1896, n° 66. — R. Koechlin, 1924, I, p. 126-129, II, n° 156, pl. XL. — L. Grodecki, 1947, p. 94-95.

Paris, musée du Louvre
OA 2587

142
Groupe : Sainte Marguerite sortant du dos du dragon

Paris, second quart du XIVe siècle
Acq. 1858 de K. Reeve, à Neuss, sur le Rhin
Ivoire, polychrome et doré
H. 0,145 ; L. 0,11 ; Ép. 0,06

La scène représente le moment où sainte Marguerite ressort du dragon qui l'avait avalée : elle surgit à mi-corps de l'ouverture ménagée dans le dos du dragon, tournée vers la croupe du monstre, détail que l'on retrouve à la collégiale d'Ecouis. Vêtue d'une robe collante, les cheveux longs retombant en pointe dans le dos, la sainte joint les mains pour prier. Le dragon, à l'aspect débonnaire, est muni de longues oreilles ; un pan de la robe de Marguerite pend

encore de sa gueule. Le visage et les mains de la sainte sont peints de couleur chair ; ses cheveux, les orfrois de sa robe, la fourrure du dragon sont dorés, l'intérieur des oreilles et des narines du dragon sont rouges. Les fentes de l'ivoire sont masquées par de longs feuillages dorés, comme sur les statuettes de la Vierge de Villeneuve-lès-Avignon et d'Assise (n° 139). Le culte de sainte Marguerite était très répandu dans la France du XIVe siècle. En dehors des représentations sculptées et peintes signalées par Koechlin, auxquelles il faut ajouter celle de « Heures de Jeanne de Savoie » (*cf.* n° 235, f° 151), de nombreux objets d'art lui étaient consacrés. L'inventaire des biens de Louis d'Anjou décrit un « joyau » d'orfèvrerie où la sainte est ainsi représentée, un pan de sa robe dépassant encore de la gueule du dragon (Inv. n° 467). Charles V possédait deux statuettes d'orfèvrerie du même genre (Inv. n° 2582) et plusieurs objets où étaient figurés des scènes de la vie de la sainte. Il avait encore « une ymage d'yvire de sainte Marguerite sur ung serpent » (Inv. n° 1970) que l'on est tenté de rapprocher du groupe d'ivoire de Londres. Le même thème est encore illustré par le diptyque émaillé du Louvre (n° 199 bis) et un détail d'un coffret d'ivoire de Baltimore. Une petite « sainte Marguerite sortant de son dragon » d'ivoire, de la collection Carrand, au Bargello, paraît une réplique plus fruste de celle de Londres (cf. I.B. Supino, *Catalogo del R. museo Nazionale di Firenze,* 1898, n° 94). La sainte est encore représentée de façon analogue, mais à côté de sainte Catherine à laquelle était souvent associée, sur un fragment de polyptyque d'ivoire de Londres (Koechlin, 1924, II, n° 181). Elle figure aussi sur le volet du triptyque d'émail translucide de Namur (musée diocésain). Par comparaison avec ces deux derniers exemples, le groupe de Londres peut être daté du second quart du XIVe siècle.

BIBL. : *Proceedings of the society of Antiquaries,* Ire série, IV, p. 188. — O.M. Dalton, 1909, n° 340. — R. Koechlin, 1924, I, p. 258, II, n° 709, pl. CXVI. — O. Beigbeder, 1965, fig. 58.

Londres, Lent by courtesy of The trustees of the British Museum MLA 58, 4-28,1

143
Triptyque : la Mort de la Vierge

Paris, vers 1330-1340
Anc. collection Lescalopier (n° 6)
Ivoire ; dorure et polychromie ravivées (haut de la partie centrale brisée
H. 0,275 ; L. totale 0,254

Les scènes s'inspirent essentiellement de la légende de la Mort de la Vierge, selon les textes de Jacques de Voragine et Vincent de Beauvais : *en haut, à g.,* un ange apparaît à la Vierge étendue sur un lit pour lui annoncer sa mort prochaine en lui remettant une palme ; *au-dessous,* la Vierge entourée de compagnes accueille saint Jean, transporté jusqu'à elle par une nuée ; *en bas,* les apôtres, amenés par des nuées, entourent le lit

de la Vierge. *Au bas de la partie centrale :* sous la main de Dieu, les apôtres se préparent à ensevelir la Vierge ; le prince des prêtres demeure attaché au brancard de la Vierge qu'il voulait renverser, tandis qu'*en bas du volet dr.,* la population regarde cette scène. *Au-dessus, à dr. :* les anges enlèvent le corps de la Vierge que les disciples s'apprêtaient à ensevelir. *Au centre :* la Vierge, dans une mandorle, entourée d'anges musiciens, monte au ciel ; le Christ emporte dans ses bras l'âme de la Vierge sous la forme d'un enfant. *En haut, à dr.,* des anges introduisent la Vierge au Paradis. *Au centre :* couronnement de la Vierge. Les ailes des anges, fixées par des tenons, ont disparu. Les rampants sont ornés de feuilles « coupées » trilobées, comme au triptyque d'Angers (n° 140).

Les scènes reproduisent avec quelques variantes montrant une moins bonne connaissance de la légende (cf. l'apôtre prosterné sous un arc et les deux petits orants devant le lit de la Vierge, sur le volet g.) l'iconographie d'un triptyque d'ivoire de l'ancienne collection Martin Le Roy — Marquet de Vasselot dont Koechlin avait fait l'œuvre majeure de « l'atelier de la Mort de la Vierge ». Il est probable, en effet, que le triptyque Martin Le Roy est un peu antérieur à celui d'Amiens dont la composition est d'ailleurs plus maladroite. Mais, pour des

143

144

145

raisons stylistiques, ce dernier ne peut être donné au même atelier, pas plus semble-t-il que les deux triptyques du Louvre illustrant le même sujet (*cf.* Koechlin, II, 1924, nᵒˢ 210, 218, 219). Les personnages un peu précieux, aux attitudes sinueuses, le goût de l'ivoirier pour les détails familiers, incitent, au contraire, à rapprocher le triptyque d'Amiens du diptyque à « décor de roses » de Lille (nᵒ 145) et du triptyque des anciennes collections Weisbach et Kofler-Truniger (Koechlin, 1924, II, nᵒ 220 et cat. *coll. Kofler,* nᵒ 220, pl. 68).

BIBL. : R. Koechlin, « Un triptyque d'ivoire du XIVᵉ siècle », *Musées et Monuments de France,* 1906, I, p. 6-8. — R. Koechlin, 1924, I, p. 139-141, II, nᵒ ˢ 210 et 211 (avec bibl.). — L. Grodecki, 1947, p. 95-96. — D. Gaborit-Chopin, 1978, p. 152, nᵒ 228.

EXP. : *L'Art du Moyen Age en France,* 1978-1979, nᵒ 62.

Amiens, Bibliothèque municipale

144
Feuillet gauche d'un diptyque : scènes de la légende de la Mort de la Vierge

Paris, vers 1330
Anc. coll. Timbal ; acq. 1882
Ivoire ; traces de polychromie
H. 0,248 ; L. 0,100

Le feuillet est divisé en trois registres par des arcatures trilobées soutenues par des colonnettes ; les écoinçons supérieurs sont ornés de rosettes. Les scènes reproduisent certains épisodes de la légende de « la Mort de la Vierge » qui devait se continuer sur l'autre feuillet, telle qu'on peut la lire sur les triptyques d'ivoire de la collection Martin Le Roy et de la bibliothèque d'Amiens : *en haut,* un ange annonce à la Vierge sa mort prochaine en lui remettant une palme ; la Vierge accueille saint Jean ; *au centre :* la Vierge remet la palme à saint Jean ; deux anges musiciens ; *en bas :* mort de la Vierge au milieu des disciples tandis que le Christ emporte son âme. La clarté de la mise en page, la finesse et la simplicité des architectures, la grâce sans mièvrerie des personnages permettent d'attribuer ce feuillet au même atelier que le triptyque Martin Le Roy (Koechlin, 1924, II, nᵒ 210), atelier distinct de celui du triptyque d'Amiens (nᵒ 143).

BIBL. : E. Molinier, 1896, nᵒ 37. — R. Koechlin, 1924, II, nᵒ 213, pl. LIV.

Paris, musée du Louvre
OA 2606

145 (détail)

145
Diptyque : Scènes de la vie du Christ et de la Vierge

Paris, second quart du XIVᵉ siècle
Anc. coll. de Wismes, Soltykoff ; legs de
Vicq, 1881
Ivoire ; polychromie et dorures ravivées
H. 0,242 ; L. d'un feuillet : 0,134

Les scènes, séparées par des moulures ornées de rosettes, se lisent de gauche à droite
et de bas en haut, sur les deux feuillets à la
fois (*en bas, à g. :* Annonciation, Visitation,
songe de Joseph ; *à dr. :* Adoration des Mages, Présentation au temple ; *au centre, à
g. :* Jésus parmi les docteurs, Noces de
Cana ; *à dr. :* la Cène, la Crucifixion ; *en
haut, à g. :* Résurrection du Christ, Ascension ; *à dr. :* Pentecôte, couronnement de la
Vierge). Le diptyque où le goût du pittores-

que l'emporte nettement sur le caractère
dramatique, est très représentatif, par sa
facture et son iconographie, de la production de l'ivoirerie parisienne de la première
moitié du XIVᵉ siècle. Son style aisé, à la fois
précis dans la facture des visages et simplifié
dans les drapés, l'apparente au triptyque de
la « Mort de la Vierge » d'Amiens (*cf.*
nᵒ 143).

BIBL. : E. Molinier, « Diptyque du XIVᵉ siècle du musée
de Lille », Lasteyrie, *Album archéologique des musées de
Province,* Paris, 1890, p. 35. — R. Koechlin, *G.B.A.,*
1918, p. 223. — R. Koechlin, 1924, I, p. 152, II, nᵒ 250,
III, pl. LXIV.

EXP. : *L'Europe gothique,* 1968, nᵒ 361. — *L'art en
France au Moyen Age,* 1972-1973, nᵒ 42.

Lille, musée des Beaux-Arts
OA 102

146
Diptyque :
Scènes de la Passion

Paris, second quart du XIVᵉ siècle
Anc. coll. Lescalopier (nᵒ 7)
Ivoire accidenté à hauteur des charnières
H. 0,260 ; L. d'un feuillet : 0,120

Les feuillets sont divisés en trois registres par
des bandeaux à décor de roses ; les scènes se
lisent de haut en bas et de gauche à droite
(*en bas, à g. :* Judas reçoit le prix de sa
trahison, Arrestation du Christ et épisode de
Malchus ; *à dr.,* le Christ devant Pilate, Lavement des mains, Christ aux outrages ; *au
centre, à g. :* Pendaison de Judas, Flagellation, Portement de croix ; *à dr. :* Crucifixion,
Descente de croix ; *en haut, à g. :* Mise au
tombeau avec onction du corps du Christ,
Saintes Femmes au tombeau ; *à dr. : Noli*

146

147

me tangere, Descente aux Limbes). Koechlin a placé ce diptyque comme celui de Lille (n° 145) dans le « groupe pittoresque » des diptyques « à décor de roses » mais les deux pièces ne peuvent être attribuées au même atelier : le diptyque d'Amiens est caractérisé par des scènes moins touffues, des personnages plus grands, aux drapés amples travaillés par plus grandes masses, des visages largement modelés, au nez fort. Il peut être rapproché pour son style et son iconographie de celui « à décor de roses » de Leningrad, de deux diptyques « à frises d'arcatures » du Victoria & Albert Museum et du musée des Beaux-Arts d'Amiens, et du diptyque « à décor de roses » de l'ancienne coll. Mège aujourd'hui au Louvre (*cf.* Koechlin, 1924, II, n°ˢ 241, 288, 289, 251).

BIBL. : X. Barbier de Montault, « Iconographie du chemin de croix », *Annales archéol.*, XXV, 1865, p. 297-301. — J.O. Westwood, 1876, p. 181-182. — R. Koechlin, *G.B.A.*, 1918, p. 231. — R. Koechlin, 1924, I, p. 151-152, II, n° 240, pl. LXIII.

Amiens, Bibliothèque municipale

147
Diptyque : Scènes de la Vie de la Vierge et de la Passion

Paris, second quart du XIVᵉ siècle
Anc. coll. Timbal (n° 37) ; acq. 1882
Ivoire très fendillé
H. 0,195 ; L. d'un feuillet : 0,115

Chaque feuillet est divisé par des frises de trois arcatures (celle du centre plus large) agrémentées de crochets, couronnées de fleurons et dont les écoinçons sont ornés de trèfles. Les scènes se lisent de gauche à droite et de bas en haut (Nativité et Annonce aux bergers, Adoration des Mages, Crucifixion, Couronnement de la Vierge). La représentation de la Crucifixion, où la poitrine de la Vierge évanouie est touchée par un jet de sang jailli de la plaie du torse du Christ doit être soulignée : cette particularité iconographique que l'on retrouve dans les œuvres de plusieurs ivoiriers contemporains indique l'influence de sources germaniques et italiennes dans le milieu parisien mais ne saurait à elle seule, entraîner une attribution à un atelier germanique (*cf.* Ch. R. Morey, *Art Bull.*, 1936, p. 199-212). La présence de cette iconographie alliée à d'autres particularités (attitude contournée des anges du Couronnement, crochets très serrés des frises d'arcatures annonçant les « diptyques de la Passion » de la seconde moitié du siècle) permettent de placer cet ivoire à la fin de la première moitié du XIVᵉ siècle.

Le diptyque du Louvre est issu du même atelier qu'un autre diptyque à grands quadrilobes du Louvre, un feuillet à pignon de Bruxelles (Jansen, 1964, n° 279) et les diptyques à « frises d'arcatures » du Kunstgewerbemuseum de Cologne, du Metropolitan Museum de New York et du Victoria & Albert Museum de Londres (*cf.* Koechlin, 1924, II, n°ˢ 315, 283, 308, 324, 481). Bien que l'iconographie de la Crucifixion soit différente, un autre diptyque du Metropolitan Museum (n° 148) semble devoir être rattaché à cet atelier. Malgré leurs indéniables ressemblances stylistiques et le fait qu'elles font appel, pour la plupart, à un même répertoire d'images, ces œuvres illustrent la diversité des variantes iconographiques et décoratives que pouvait utiliser un même atelier pour tenter d'individualiser ses productions. La crosse du musée de Cluny (n° 149) paraît issue de l'entourage de cet atelier dont le coffret profane de Cracovie (Koechlin, 1924, II, n° 1285) est également dépendant.

BIBL. : E. Molinier, 1896, n° 71. — R. Koechlin, 1924, I, p. 170-175, 200, II, n° 292, pl. LXXV.

Paris, musée du Louvre
OA 2607

148
Diptyque : Vierge glorieuse, Crucifixion

Paris, second quart du XIVe siècle
Anc. coll. Keele Hall, Staffordshire ; don Pierpont Morgan
Ivoire. H. 0,168 ; L. totale : 0,183

Les deux scènes s'abritent sous une arcature trilobée retombant sur des culots, surmontés de crochets et d'un fleuron. Dans les écoinçons s'ouvrent des quatrefeuilles dont le centre forme une pointe. Sur le feuillet de gauche se dresse la Vierge à l'Enfant ; elle porte un manteau ouvert devant et tient une branche fleurie ; l'Enfant joue avec une pomme. Deux anges portant des chandeliers sont placés de part et d'autre ; un ange descendu du ciel couronne la Vierge. Sur le feuillet droit, le Christ couronné est cloué sur la croix que surmontent deux anges, en buste, tenant la lune et le soleil. Deux saintes femmes soutiennent la Vierge évanouie ; saint Jean et deux juifs aux longues barbes bouclées, et coiffés de bonnet leur font pendant.

Le diptyque peut être rapproché de celui de l'ancienne collection Bardac de Baltimore (n° 151) mais ce dernier, d'un style différent, est sans doute un peu plus tardif. Le feuillet de la Vierge glorieuse est proche aussi d'un autre exemplaire du Metropolitan Museum, d'une facture plus sèche (Koechlin, 1924, II, n° 407). Le travail, en fort relief, est ici soigné et élégant bien qu'un

148

peu conventionnel. Les drapés amples, équilibrés, sans recherches excessives, les types des visages féminins, aux yeux fendus au-dessus de larges pommettes, aux joues pleines et aux mentons lourds, permettent de rapprocher cette œuvre de l'atelier du diptyque à frises d'arcatures du Louvre (malgré l'absence du jet de sang touchant la poitrine de la Vierge de la Crucifixion) et de la placer dans l'entourage de la crosse de Cluny (nᵒˢ 147, 149), vers 1340.

BIBL. : R. Koechlin, 1924, I, p. 203, 222, II, n° 404.

New York, Metropolitan Museum
n° 17-190-288

149
Crosse : La Vierge glorieuse, la Crucifixion

Paris, second quart du XIVe siècle
Anc. coll. du Sommerard
Ivoire (manquent un bras de la croix et une main du grand ange, réparations anciennes à la volute, fentes et cassures). Monture de cuivre doré et d'argent (?)
H. totale : 0,360 ; H. de la volute : 0,215 ; L. max : 0,138

La volute d'ivoire, à la base de laquelle est agenouillé un ange, sur une console de feuillages, est sculptée sur toute la surface visible de feuilles de lierre en léger relief. Au centre de la volute, travaillé à jour, se dresse, d'un côté, la Vierge à l'Enfant, couronnée, vêtue d'un long manteau ouvert devant, tenant une branche fleurie ; l'Enfant joue avec une pomme ; deux anges tenant des chandeliers sont placés de part et d'autre. De l'autre côté, le Christ en croix, couronné, surmonté par la lune et le soleil, est entouré par la Vierge et saint Jean.

La courbure de la volute est soulignée par une monture métallique hérissée de crochets ; la base est insérée dans un nœud à pans coupés où s'ouvrent six niches à décor architectural qui abritaient autrefois des

149

cette œuvre dans l'entourage du diptyque du Metropolitan Museum et du « diptyque à frises d'arcatures » du Louvre (n°ˢ 147, 148) et donc de la dater à la fin de la première moitié du siècle (vers 1340-1350).

BIBL. : A. du Sommerard, 1868, n° 407. — E. Molinier, *Les Ivoires...*, 1896, p. 194. — R. Koechlin, 1924, I, p. 271-275, II, n° 772, pl. CXXVII (avec bibl.). — J. Natanson, 1951, n° 37. — D. Gaborit-Chopin, 1978, n° 236.

Paris, musée des Thernes et de l'hôtel de Cluny
Cl. 430

150
Crosse : La Vierge glorieuse, la Crucifixion

Paris, second quart du XIVᵉ siècle. Monture de la volute : fin du XIVᵉ (bas de la monture et pierres ajoutées postérieurement)
Anc. trésor de l'abbaye de Rajhrad (Moravie)
Ivoire ; traces de polychromie (fentes). Monture émaillée, pierres précieuses
H. totale : 0,47

La crosse d'ivoire est insérée dans une monture métallique qui ne laisse voir que les reliefs ajourés du centre de la volute : sur l'un des côtés, la Vierge glorieuse, entre deux anges, tend à l'Enfant une branche fleurie ; elle est vêtue d'un manteau ouvert devant. De l'autre côté, le Christ en croix est placé entre la Vierge et saint Jean, tenant le livre et levant une main en signe de douleur. Le style est proche de celui de la crosse d'ivoire de Cluny, rehaussée comme celle-ci d'une monture d'orfèvrerie (n° 149) et du groupe du diptyque « à frises d'arcatures » du Louvre (n° 147). La monture métallique est hérissée de crochets ; de chaque côté, une inscription dorée sur fond d'émail rouge opaque souligne la courbure de la volute : du côté de la Vierge glorieuse CHRISTUS VINCIT. CHRISTUS REGNAT. CHRISTUS IMPERAT, et du côté de la Crucifixion : JESUS AUTEM TRANSIENS PER MEDIUM ILLORUM IBAT (*cf.* Luc, IV, 30). Cette dernière inscription à caractère prophylactique apparaît fréquemment sur les pendentifs, talismans, et anneaux de la se-

statuettes (points d'attache visibles). Au-dessous, une douille d'ivoire venait se visser sur la hampe.

Les crosses d'ivoire du XIVᵉ étaient souvent rehaussées d'une monture métallique : Charles V conservait celle de l'archevêque de Sens, Guillaume de Melun († 1378 ; *cf.* Inv. n° 1033) : « une crosse d'yvire garnye d'argent, esmaillée à apostres, à esmaulx de l'archevesché de Sens et de Meleun ; et est le baston virollé d'argent ». La crosse de Cluny offre avec celle de Prague (n° 150) la rare

particularité d'avoir conservé sa monture métallique. La composition de la volute d'ivoire est analogue à celles de l'une des crosses du Victoria and Albert Museum et de la crosse de Metz (Koechlin, 1924, II, n°ˢ 765 et 762). Le travail, de belle qualité, peut être rapproché de celui des crosses de Metz et de Prague : les figures d'ivoire, bien proportionnées, sont taillées avec soin. Leur style, le type des visages, l'aspect de la Vierge glorieuse, le modelé du Christ et le drapé du *perizonium* permettent de placer

150

conde moitié du XIVe siècle (*cf.* par ex. nos 168, 201). La monture émaillée a été enrichie à une date tardive de pierreries qui masquent en partie les figures d'anges et les motifs décoratifs qui rythment l'inscription.

BIBL. : R. Koechlin, 1924, I, p. 272, II, no 774, pl. CXXVIII (avec bibl.) ; Ceské umeni gotické 1450-1420, Prague, 1910, no 4388.

Prague, Consistoire capitulaire du diocèse de Hradec Králové
(Dép. au musée Saint-Georges)

151
Diptyque : Vierge glorieuse et Crucifixion

Paris, vers 1350-1360
Anc. coll. de Waroquier (Toulouse), Bardac (Paris), Walters (1922)
Ivoire. H. 0,205 ; L. d'un feuillet : 0,128

Les deux scènes sont abritées sous trois arcatures trilobées (celle du centre plus large) dont les gables sont ornées d'un trèfle incisé ; ces arcatures sont surmontées de cro-chets doubles et de clochetons ajourés de fenestrages, se détachant sur un fond appareillé. A gauche, la Vierge à l'Enfant, au visage rond, est vêtue d'un long manteau dont le pli « en écharpe » retombe en une chute de volutes ; elle tient une branche fleurie. Deux anges portant des chandeliers l'entourent. Un angelot descendu du ciel vient de couronner la Vierge ; deux autres anges brandissent des encensoirs et des navettes à encens. A droite, le Christ couronné, vêtu d'un jupon long, est cloué sur une croix écotée. A gauche de la croix, un groupe de trois saintes femmes soutient la Vierge évanouie, dont la poitrine est touchée par un jet de sang (brisé en partie) jailli de la plaie du flanc du Christ ; à droite, saint Jean est accompagné par trois Juifs aux longues barbes ondoyantes, coiffés de bonnets. Deux anges en buste pleurent au-dessus de la croix. Le travail, très soigné, est d'une qualité remarquable surtout peut-être dans la scène de la Crucifixion : les silhouettes élancées et bien proportionnées sont d'une élégance recherchée ; les visages sont très finement ciselés. Certains aspects de ce diptyque évoquent des œuvres du premier tiers du XIVe siècle (type de la Vierge glorieuse et de l'ange cérofaire de dr., groupe des Juifs de la Crucifixion au caractère très linéaire, modelé de la tête et du corps du Christ, au ventre saillant), tandis que d'autres détails (complexité des arcatures, doubles crochets, appareillage du mur, plexus solaire du Christ souligné par une ligne en arc) appellent à des comparaisons avec des œuvres de la seconde moitié du siècle (*cf.* par ex., Koechlin, 1924, II, nos 587, 608, pour les architectures, 539 et 541 pour le Christ). Plusieurs similitudes avec les œuvres du groupe du « diptyque à frises d'arcatures » du Louvre (no 147) peuvent également être relevés (arc central plus large, type des visages des saintes femmes, iconographie de la Crucifixion). L'attribution du diptyque de Baltimore à un atelier germanique pour des raisons iconographiques (Morey) ne semble pas vraiment convaincante ; le détail du jet de sang sortant de la plaie du torse du Christ et touchant la poitrine de la Vierge dans la Crucifixion est sans doute d'origine germanique ou italo-germanique mais peut parfaitement avoir été connu dans les centres pari-

151

siens du milieu du siècle où les influences étrangères sont nombreuses. Ce détail mis à part, la Crucifixion est, d'autre part, très proche de celle du diptyque du Metropolitan Museum (n° 148), certainement parisien, où le groupe des Juifs est sculpté avec le même souci d'accentuer le caractère sémite des visages.

Au dos du feuillet, une inscription à l'encre du troisième quart du XIVe siècle selon H. Stein, mentionne « *Ardenus Grassus de Morario, loci de Burossa, Lascurensis diocesis* » (Buros, près de Pau, dioc. de Lescar). Le diptyque se trouvait donc très peu de temps après son exécution, dans la région pyrénéenne.

BIBL. : Baron R. de Bouglon, « Note sur un diptyque d'ivoire du XIVe siècle », *Bull. de la Soc. archéol. du Midi*, 1901, p. 326. — R. Koechlin, 1924, I, p. 220-224, II, n° 569, III, pl. C. — C.R. Morey, *Art Bulletin*, XVIII (1936), p. 199-212, fig. 5. — R.H. Randall, *Apollo*, LXXXIV (1966-2), p. 434-435, fig. 8. — R.H. Randall, 1969, n° 16.

EXP. : *The International Style*, 1962, n° 118 (Ph. Verdier).

Baltimore, Walters Art Gallery
n° 71276

152
Diptyque : La Vierge glorieuse, la Crucifixion

Paris, vers 1340-1350
Anc. coll. Ch. Mège ; legs E. Mège, 1958
Ivoire très craquelé ; traces de polychromie
H. 0,133 ; L. d'un feuillet : 0,090

Les deux scènes sont placées sous un grand arc trilobé rehaussé de crochets et surmonté d'un fleuron en forme de couronne, retombant sur des culots. Dans les écoinçons s'ouvrent des quatrefeuilles dont le centre forme une pointe. Sur le feuillet gauche se tient la Vierge à l'Enfant que couronne un ange tombant du ciel ; sa tête est couverte par un pan de son manteau court qui cache entièrement le haut de son corps dans un drapé transversal. Elle est entourée de deux anges tenant des chandeliers à petits pieds. Sur le feuillet droit, le Christ en croix est surmonté par deux bustes d'anges portant la lune et le soleil ; il est entouré par la Vierge, dont le manteau est ouvert, et saint Jean. Dans la série des plaquettes représentant inlassa-

blement la Vierge glorieuse et la Crucifixion, le « diptyque Mège » tranche par l'indéniable originalité de sa facture : à la simplicité des architectures répond celle des drapés traités avec aisance et souplesse. La silhouette très sinueuse de la Vierge glorieuse, qui s'inscrit parfaitement sous l'arc qui l'abrite, dans l'espace délimité par les ailes des anges, constitue une des plus séduisantes réussites de l'ivoirerie gothique à laquelle répondent les figures courbées en arrière du saint Jean et de la Vierge sur l'autre feuillet. Les visages graves, bien structurés, sont caractérisés par un nez fort, aux narines très marquées. L'œuvre est sculptée en relief assez accentué, laissant des fonds très minces (traces de renforcement sur le feuillet gauche).

L'ivoire est l'œuvre du même maître que le diptyque que se partagent la Walters Art Gallery et la Wallace collection et la partie centrale d'un triptyque du musée du Louvre (n°s 153, 154). Il paraît intéressant de noter dans ces trois ivoires, la présence simultanée de drapés « en tablier », en « écharpe », de manteaux longs aussi bien que courts, à plis transversaux ou ouverts devant. Cette diversité, sur des pièces contemporaines et issues d'un même atelier sinon d'une même main, démontre la relative inutilité de ces critères pour établir la chronologie des ivoires du XIVe siècle ou tenter de les répartir par groupes.

BIBL. : R. Koechlin, 1924, I, n° 537. — H. Landais, *Rev. du Louvre*, 1961, p. 108-112. — D. Gaborit-Chopin, 1978, n° 235. — R.H. Randall, *The Journal of the Walters Art Gallery*, 1980, p. 60-69.

Paris, musée du Louvre
OA 9960

153
Feuillet gauche d'un diptyque : La Vierge glorieuse entre sainte Catherine et sainte Claire

Paris, vers 1340-1350
Anc. coll. Aynard (Lyon), Walters
Ivoire ; traces de polychromie (manque dans la partie centrale)
H. 0,134 ; L. 0,105

152

153

154
Partie centrale d'un triptyque : Le Couronnement de la Vierge

Paris, vers 1340-1350
Anc. coll. Timbal (n° 52) ; acq. 1882
Ivoire ; traces de polychromie
H. 0,104 ; L. 0,69

La scène est placée sous un arc trilobé, orné de crochets et surmonté d'une fleur de lis, retombant sur des culots ; les écoinçons sont occupés par des quatrefeuilles dont le centre forme une pointe. La Vierge et le Christ sont assis sur un banc, tournés l'un vers l'autre ; le Christ finit de poser la couronne sur la tête de sa mère. Au-dessus, deux anges en buste agitent des encensoirs. L'ivoire peut être attribué au même maître que le « diptyque Mège » du Louvre et le diptyque que se partagent la Walters Art Gallery et la Wallace Collection (n°s 152, 153).

BIBL. : E. Molinier, 1896, n° 68. — R. Koechlin, 1924, II, n° 525. — R.H. Randall, *Journal of the Walters Art Gallery,* 1980, p. 60-69.

Paris, musée du Louvre
OA 2598 (déposé au musée municipal de Metz)

155
Tablettes à écrire, étui et stylet

Paris, milieu du XIVe siècle
Anc. trésor de la cathédrale Saint-Aubain de Namur. Donné au musée au XIXe siècle
Tablettes : ivoire. H. 0,084 ; L. 0,044
Étui : cuir gaufré et incisé ; traces de polychromie. H. 0,095 ; L. 0,072 ; Ép. 0,034
Stylet d'acier : H. 0,085

Les tablettes à écrire étaient constituées par une plaquette de bois, de métal ou d'ivoire dont un des côtés, légèrement creusé, recevait une couche de cire ; on écrivait sur cette cire à l'aide d'un stylet ; l'usage de ces tablettes de cire, connu depuis l'Antiquité, persista en France bien après la période médiévale. Plusieurs tablettes à écrire d'ivoire du XIVe siècle ont été conservées. Celles de Namur constituent le seul exem-

Sous un arc trilobé, surmonté de crochets et d'un fleuron fleurdelysé, et retombant sur de minces colonnettes, se dresse la Vierge à l'Enfant que couronne un ange descendant du ciel. La Vierge est coiffée d'un voile court, vêtue d'une robe serrée à la taille, recouverte d'un long manteau, ramené sous son bras gauche par un pli transversal. L'Enfant est vêtu d'une longue chemise. La taille de la Vierge est nettement plus développée que celle des personnages qui l'entourent : deux anges tenant des chandeliers à la base carrée, ornée de petits pieds, sainte Catherine avec la roue et la palme du martyre, et sainte Claire, en costume monastique et portant un livre. Dans les écoinçons s'ouvrent deux quatrefeuilles dont le centre forme une pointe. Le feuillet correspondant est conservé à Londres, à la Wallace Collection (cat. n° 249. Anc. coll. Nieuwerkerke ; acheté à Paris, chez Flandrin, en 1865). Il représente, sous une arcature identique, au-dessous de deux anges portant la lune et le soleil, le Christ en croix entre la Vierge défaillante, soutenue par deux femmes, et saint Jean accompagné par un Juif tenant un phylactère.

Le diptyque est de même facture que le « diptyque Mège » et la partie centrale d'un triptyque du Louvre (n°s 152, 154) et peut être attribué au même maître : en dépit de quelques variantes dans l'architecture (colonnettes, fleur de lis en haut de l'arc, moulures de la partie supérieure), il montre le même goût pour les attitudes très sinueuses, les drapés sobres, largement traités, les visages tragiques, au nez bien accentué, aux narines fortement marquées et le même travail en fort relief. L'iconographie du feuillet de Baltimore est peu courante : il est rare, en effet, que la Vierge glorieuse soit représentée accompagnée de saints, sur les diptyques du XIVe siècle : sainte Catherine apparaît près de la Vierge sur le feuillet d'Épinal, sainte Claire sur les deux triptyques de Copenhague où elle fait pendant à saint François (cf. Koechlin, 1924, n°s 587, 564, 565).

BIBL. : R. Koechlin, 1924, I, p. 203, II, n° 400. — R.H. Randall, *The Journal of the Walters Art Gallery,* 1980, p. 60-69.

Baltimore, Walters Art Gallery
n° 71248

154

155

155

plaire complet qui soit encore accompagné par son étui de cuir et son stylet. L'étui de cuir incisé et gaufré est orné d'un côté, d'une représentation de Tristan et Yseult près de la fontaine dans laquelle se reflète le roi Marc, caché dans l'arbre et, en haut, d'un lion devant un personnage grotesque, de l'autre côté, d'une femme devant un moine (?) nimbé et de deux chevaliers et deux dames en conversation. Des figures grotesques, formant passant, occupent les petits côtés. Le carnet d'ivoire est complet : les deux feuillets sculptés à l'intérieur qui constituent sa couverture recouvrent encore six tablettes ; ces huit feuillets sont réunis entre eux par une bande de parchemin (le carnet est donc semblable à celui du Victoria & Albert Museum ; cf. Longhurst, II, 1929, pl. XIX) ; leur revers était enduit de cire rouge subsistant en partie et sur laquelle des traces d'écriture sont encore visibles (« Amour me fait souvent... Désir... »). Les deux tablettes de couverture sont sculptées de scènes courtoises : sous une arcature trilobée entourée de deux demi-arcatures, couronnée de crochets et ornées de trèfles, devant des arbres figurant un jardin, se

déroulent, d'une part, la scène de la rencontre où le jeune homme prend le menton de la dame, et la scène du « cœur percé » dans laquelle la dame perce d'une flèche le cœur que le jeune homme agenouillé tient dans ses mains ; les costumes, dans la scène de la rencontre (tunique courte retenue par une ceinture basse, surcot aux manches fendues, laissant apercevoir des manches collantes à boutons) indiquent le milieu du siècle comme *terminus post quem*. Le style est proche de celui des tablettes du Louvre (n° 156).

BIBL. : E. del Marmol, « Tablettes en ivoire avec leur étui en cuir », *Annales de la Soc. archéol. de Namur*, 1863-4 (VIII), p. 221, pl. — E. Viollet-Le-Duc, *Dictionnaire...*, 1871, II, p. 156-158. — R. Koechlin, 1924, I, p. 433, II, n° 1161-1162, pl. CXCV (avec bibl.).

Namur, musée d'Art ancien du pays namurois
n° 29

156
Tablettes à écrire : les jeux « de hautes coquilles » et de « la grenouille »

Paris, milieu ou troisième quart du XIVe siècle
Anc. collection Davillier ; don 1885
Ivoire. H. 0,095 ; L. de ch. feuillet : 0,070

Au revers des deux plaquettes sont taillées les cuvettes de faible profondeur, destinées à la cire (*cf.* n° 155) ; les trous ménagés pour le passage des lacets réunissant les tablettes sont visibles en haut et en bas. Chaque feuillet est couronné d'une frise d'arcatures ornées de crochets ; des trèfles sont gravés sur et entre les gables. Au-dessous des arcs apparaissent les feuillages des arbres qui situent la scène dans un jardin. Sur le feuillet de gauche est représenté le jeu de « hautes coquilles » dans lequel le joueur agenouillé, la tête cachée sous le surcot d'une dame, devait identifier celui qui le frappait. Ce jeu a été fréquemment confondu avec celui de « la main chaude » où le joueur, dans la même position, devait

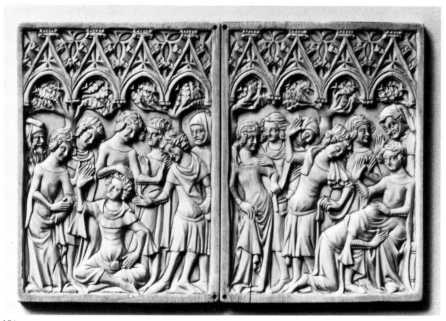

156

bouclée (et non saint Paul), prêchant dans sa prison où, selon la légende dorée, il convertit ses gardiens ; *en bas*, crucifixion de saint Pierre ; b) conversion de saint Paul jeté au bas de son cheval par une vision céleste, sur le chemin de Damas ; *en bas*, selon « la légende dorée », saint Paul, reconnaissable à son front dégarni et sa longue barbe (et non saint Pierre) ressuscite le favori de Néron, Patrocle, tombé d'une fenêtre d'où il écoutait le saint prêcher ; c) consécration de saint Denis par saint Paul ; saint Denis et l'un de ses compagnons renversant les idoles ; *en bas*, sur l'ordre du représentant de Domitien, Sisinnius, saint Denis est flagellé ; d) saint Denis est enfermé dans une fournaise puis livré aux lions ; *en bas*, il est finalement décapité et les anges le soutiennent pendant qu'il porte sa tête jusqu'à l'emplacement de la future abbaye de Saint-Denis. Les quatre feuillets d'ivoire composaient, non pas deux diptyques mais

identifier ceux qui frappaient la main qu'il tendait derrière lui (*cf.* Randall). Sur l'autre feuillet se déroule le « jeu de la grenouille » : « la grenouille » est assis au centre, en tailleur ; il doit attraper sans se lever ni décroiser les jambes, les autres joueurs qui lui donnent des bourrades ou lui tirent les cheveux. Le « jeu de la grenouille » a été représenté à plusieurs reprises dans l'art du XIVe siècle : il apparaissait déjà, dans la première moitié du siècle dans les « Heures » de Jeanne d'Évreux et de Jeanne de Navarre et sur l'aiguière émaillée de Copenhague (nos 235, 265, 183). Il fut souvent associé à celui de « hautes coquilles » sur les tablettes d'ivoire (*cf.* Koechlin, 1924, II, nos 1171-1176, 1177, 1197-1199). Certains de ces exemplaires (notamment ceux du British Museum de Londres et du musée des Beaux-Arts de Lyon) présentent les mêmes caractéristiques que la plaque du Louvre : les dames, dont les tresses sont massées au-dessus des oreilles, portent des robes collantes aux manches fendues ; les hommes sont vêtus de tuniques ajustées et courtes, maintenues sur les hanches par une ceinture. Ces vêtements correspondent à une mode qui gagna la cour de France vers

le milieu du siècle, sous le règne de Jean Le Bon. Si l'on se fie à l'aspect des vêtements, le diptyque de Ravenne (Koechlin, 1924, nos 1171, 1173) serait, par contre, un peu antérieur à celui du Louvre.

BIBL. : E. Molinier, 1896, no 91. — R. Koechlin, 1924, I, p. 438-439, II, 1173-1174, pl. CXCVII. — L. Grodecki, 1947, p. 120. — R.H. Randall, *The Metropolitan Museum of Art bull.,* 1958, p. 269-275.

EXP. : *Exp. du Travail,* Paris, 1867, no 1773.

Paris, musée du Louvre
OA 2762

157
Polyptyque : Scènes de la vie et de la mort des saints Denis, Pierre et Paul

Paris, troisième quart du XIVe siècle
Anc. coll. du Sommerard
Ivoire
H. de ch. feuillet : 0,174 ; L. 0,095

Chacun des feuillets est divisé en deux parties par des rangées d'arcatures retombant sur des culots : a) saint Pierre, bien reconnaissable à ses cheveux et sa barbe courte et

un polyptyque puisque des traces de charnières sont visibles de chaque côté de chacun d'eux, à l'exception de celui qui porte la décapitation de saint Denis et qui était, par conséquent, le dernier. Le feuillet de la vie de saint Pierre n'était pas le premier (puisqu'il portait des charnières des deux côtés) : il est possible que le feuillet de l'ancienne collection Campe de Hambourg (Koechlin, nº 346), de mêmes dimensions et représentant le martyre d'un saint non identifié, l'ait précédé.

Ainsi que Koechlin l'avait déjà noté, la plupart des scènes illustrées sur les quatre feuillets du musée de Cluny s'inspirent de l'iconographie d'un manuscrit de « la vie et de l'histoire de saint Denis » du milieu du XIIIᵉ siècle (Paris, Bibl. nat., Nouv. acq. fr. 1098) et surtout de la « légende de saint Denis » offerte en 1317 à Philippe V le Long (Paris, Bibl. nat., Fr. 1090-1092). Mais cette dépendance iconographique n'implique

nullement une dépendance stylistique et les feuillets d'ivoire du musée de Cluny sont d'une date nettement plus avancée dans le siècle que ce dernier manuscrit. Le travail en est vigoureux et large ; les personnages vivement campés, sont rendus avec justesse. Malgré la présence des frises d'arcatures, le style est assez différent de celui des diptyques religieux portant le même décor. Les visages osseux, dessinés fermement et sans complaisance, permettent de placer ces ivoires dans le courant général de réalisme et d'individualisation qui se manifeste dès le début de règne de Charles V.

L'origine de ces ivoires est inconnue. L'utilisation comme modèles des manuscrits de Saint-Denis et le choix des sujets pourraient indiquer que ces pièces ont été réalisées pour cette abbaye : en plus de saint Denis et de ses compagnons, Rustique et Eleuthère, l'abbaye comptait aussi les apôtres Pierre et Paul parmi ses saints protec-

teurs. Les diptyques et polyptyques d'ivoire du XIVᵉ siècle entièrement consacrés aux saints sont extrêmement rares. L'inventaire de Charles V en mentionne un seul peut-être comparable à celui-ci mais antérieur à 1349 : « Ung autres tableaux d'yvire de six pièces qui sont faiz comme d'enlumineure dehors, et dedans ystoriez de plusieurs saints et sont en aucuns lieux les armes de la royne Jehanne de Bourgogne... » (*Inv.* nº 2771).

BIBL. : Du Sommerard, 1883, nᵒˢ 1063-1066. — R. Koechlin, 1924, I, p. 178-180, II, nᵒˢ 344-345. — L. Grodecki, 1947, p. 100.

EXP. : *L'Art et la Cour,* 1971, nº 83, pl.. 107 (avec bibl.).

Paris, musée des Thermes et de l'Hôtel de Cluny

Cl. 395 a-c

157 B

157 C

157 D

158

158
Statuette d'ange

Paris, vers 1370-1380
Anc. coll. W. de Baré de Comogne (Gand),
Demotte (1920); don G. et Fl. Blumenthal,
1941
Ivoire (les avant-bras manquent; trous aux
coudes et au nombril; éclats à la bordure du
manteau).

La statuette représente un jeune homme,
imberbe, aux cheveux massés en grosses
boucles de chaque côté du visage. Il est vêtu
d'une longue robe serrée à la taille, retombant sur ses pieds nus, recouverte d'un
manteau retenu sur la poitrine par un fermail quadrilobé. Ce manteau retombe dans
le dos en formant un capuchon. Le dos de la
statuette plat, légèrement travaillé, ne correspond pas, à proprement parler, à celui
d'une figure d'applique mais pouvait être
visible. Ce personnage semble pouvoir être
identifié avec un ange dans la mesure où les
parties rognées et les trous bouchés au dos,
au niveau des omoplates, paraissent bien

correspondre à l'ancien point d'attache des
ailes. Trois trous ronds ont été ménagés, au
niveau des coudes et du bas du torse : l'ange
portait très probablement à l'origine un reliquaire de métal précieux, fixé dans le trou
central, qui le traverse de part en part. Les
avant-bras, d'ivoire ou de métal, étaient
travaillés à part et emmanchés dans les
deux trous latéraux.

Le travail est d'une qualité remarquable :
les plis droits de la robe sont taillés sans
raideur et viennent se casser très naturellement sur les pieds, pour animer d'un léger
mouvement transversal la frontalité de la
silhouette; ce traitement que l'on voyait
déjà sur « l'ange aux burettes » de Maubuisson (n° 29 A) apparaît également sur certains des gisants sculptés pour Saint-Denis
sous le règne de Charles V. Le modelé de la
tête est extrêmement nuancé. Les yeux bien
fendus, le nez et le menton pointus lui
confèrent une certaine parenté avec l'ange
provenant de Bussy-Rabutin du Metropolitan Museum, attribué par G. Schmidt
(1971, fig. 17, 19) à Jean de Liège, ou avec
la tête d'ange du musée d'Évreux
(n°s 80, 82). Cette ressemblance est encore accentuée par les grosses boucles de
cheveux bouffant de chaque côté du visage
(les boucles au-dessus du front de l'ange
d'ivoire sont en parties brisées). La statuette, dont le style ne semble, par contre,
évoquer aucun des grands diptyques
d'ivoire de la seconde moitié du siècle, pourrait donc avoir été exécutée dans le milieu
parisien ou sous influence parisienne.

BIBL. : R. Koechlin, 1924, II, n° 852, pl. CLII.

EXP. : *Exp. universelle*, 1905, n° 1460. — *Exp. rétrospective*, 1913. — *Masterpieces in the collection of
G. Blumenthal*, New York, 1943.

New York, Metropolitan Museum of Art
n° 41-100-164

159
Diptyque : La Vierge glorieuse, la Crucifixion

Paris, troisième quart du XIVe siècle
Anc. coll. Turpin de Crissé
Ivoire. H. 0,17 ; L. 0,21

Les scènes sont placées sous des arcatures
trilobées dont les rampants sont soulignés
de crochets doubles, surmontées de quadrilobes où apparaissent des masques de
feuillages. L'iconographie est celle que les
plaquettes avaient déjà généralisée dans le
second quart et au milieu du siècle. Ce diptyque appartient à un groupe relativement
nombreux : il est apparenté aux diptyques
du British Museum (Dalton, 1909, n° 260),
du Victoria & Albert Museum (Longhurst,
II, pl. XXIII), où l'on retrouve les mêmes
arcatures surmontées de masques feuillus, à
la reliure d'Épinal et au feuillet de Bayonne
(Koechlin, n°s 587, 573). Il est particulièrement proche de l'ivoire de la reliure du Metropolitan Museum (Inv. n° 17-190-856),
du diptyque à pans coupés du musée de
Tournai (cf. Didier, 1970, fig. 9) et surtout
du diptyque du museo civico de Bologne
(Koechlin, n° 539). Le drapé transversal en
écharpe, animé de plis fins et arrondis, n'est
certes pas nouveau dans l'art du XIVe siècle
(cf. la Vierge de Gosnay, n° 8) mais ici,
l'importance des plis transversaux, la multiplicité des chutes de volutes et surtout le très
net déploiement en largeur des silhouettes
de la Vierge glorieuse et du saint Jean permettent de situer cette œuvre dans le troisième quart du XIVe siècle. Ce courant
qu'illustrent plusieurs œuvres normandes
(cf. n° 42) a d'ailleurs persisté jusqu'à la fin
du siècle puisque le même drapé ample et
large est encore visible sur la Vierge au donateur de la clef de voûte de Notre-Dame du
Parc à Rouen, datée entre 1379 et 1411 (cf.
J.R. Gaborit, *Rev. de la Soc. savante de
Haute-Normandie*, n° 53, 1969, p. 22,
fig.). Le diptyque de la Ferté-Bernard
(Koechlin, n° 546), aux arcatures polylobées en accolades, certainement plus tardif
que celui d'Angers et d'une facture différente, paraît néanmoins assurer la transition entre ce groupe et celui des « grands
diptyques de la Passion » (cf. n° 162, 163).

BIBL. : L. de Farcy, « Épaves », *Rev. de l'Art chrétien*,
1898, p. 291-292. — R. Koechlin, 1924, I, p. 220-222, II,
n° 541, pl. XCVII. — R. Didier, *Rev. des archéol. et historiens d'art de Louvain*, 1970, p. 64-65.

EXP. : *Exp. rétrospective*, 1900, cat. n° 123.

Angers, Hôtel Pincé
M.T.C. 1098

160
Diptyque à quatre-feuilles

Paris, vers 1370-1480
Anc. coll. Justin Bousquet, Rodez (avant
1899); acq. 1900
Ivoire. H. 0,203; L. 0,225

La composition du diptyque est tout à fait
inhabituelle: les scènes de la Passion du
Christ et de sa Résurrection sont sculptées
dans des quatre-feuilles séparées, au milieu
de chaque feuillet, par des scènes de la vie
de la Vierge et de l'enfance du Christ placées
sous des arcatures trilobées, à crochets. Les
scènes se lisent sur les deux feuillets à la fois,
celles de la Passion de gauche à droite et de
haut en bas, celles de l'Enfance de gauche à
droite et de bas en haut (Résurrection de
Lazare, Entrée à Jérusalem, Paiement de
Judas, Lavement des pieds, la Cène, le
Christ à Gethsemani, Baiser de Judas, Pendaison de Judas et Christ aux outrages; Flagellation, Portement de croix, Crucifixion,
Descente de croix, Déploration du Christ
mort, Résurrection, *Noli me tangere*, Descente aux limbes, d'une part; Annonciation, Visitation, Adoration des Mages, Présentation au temple, Montée au ciel de la
Vierge, Couronnement de la Vierge, d'autre
part). Ce diptyque offre donc l'un des ensembles les plus complets de scènes de
l'Enfance et de la Passion. Malgré leurs dimensions réduites, les figures, élancées,
sont sculptées très profondément, avec le
plus grand soin et sont, à l'évidence, l'œuvre
d'un excellent ivoirier. L'œuvre peut être
mise en relation avec le diptyque de Berlin
(Koechlin n° 788) mais non avec l'ensemble, d'ailleurs hétérogène, du groupe des
« grands diptyques de la Passion »: la présence de scènes de la vie de la Vierge et de
l'Enfance le différencie d'ailleurs profondément de ce groupe. Mais le diptyque à
quatre-feuilles du Louvre doit aussi être
rapproché de certains des « succédanés des
grands diptyques », notamment de l'ivoire
de la collection Duthuit (n° 162 - Association des scènes de l'Enfance et de la Passion,
compositions des scènes de l'Arrestation, de
la Crucifixion, et de la Résurrection). Des
rapports avec des enluminures exécutées
dans les dernières années du règne de
Charles V (maître du Parement de Narbonne, et surtout maître de la Passion; *cf.*

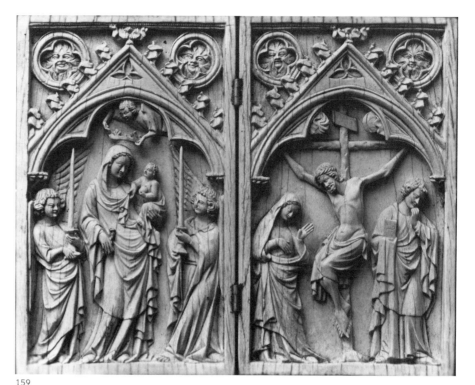

159

160

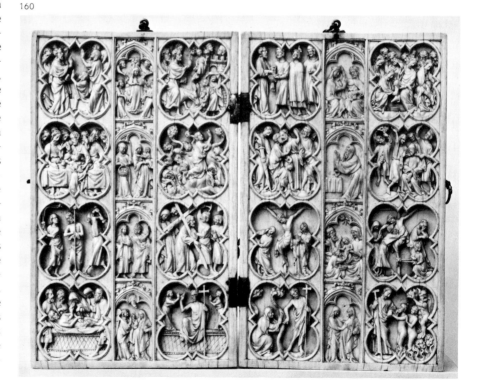

160 (détail)

Paris, Bibl. nat., lat. 18014) peuvent également être soulignés.

BIBL.: R. Koechlin, I, 155, 295, II, n° 819, pl. CXLII. — L. Grodecki, 1947, p. 105. — D. Gaborit-Chopin, 1978, p. 168, n° 254-256.

EXP.: *Europäische Kunst um 1400*, Vienne, 1962, n° 354.

Paris, musée du Louvre
OA 4089

161
Diptyque : L'Ascension, la Pentecôte

Paris, dernier tiers du XIVe siècle
Anc. coll. Timbal (n° 51) ; acq. 1882
Ivoire ; traces de polychromie
H. 0,071 ; L. d'un feuillet : 0,058

Le diptyque ne comporte que les deux scènes de l'Ascension et de la Pentecôte placées sous des frises d'arcatures surmontées d'un bandeau perlé. L'iconographie de l'Ascension, où la Vierge est représentée entre saint Jean, tenant une palme, et saint Pierre te-nant une grosse clef, est proche de celle des diptyques de Baltimore et de la collection Duthuit (nᵒˢ 163, 162) ; celle de la Pentecôte (où la Vierge, toujours entre saint Jean et saint Pierre, est assise au centre, légèrement tournée vers la droite) se répète également sur le diptyque de la collection Duthuit. La finesse et la remarquable qualité du diptyque du Louvre le différencient pourtant de ces deux exemplaires : les personnages, élancés, ont des proportions justes ; les drapés, mouvementés, n'ont aucun caractère répétitif ; les plis sont profondément fouillés et ciselés. Surtout, l'ivoirier a su disposer avec art ses personnages dans le petit espace qui lui était réservé, pour suggérer la profondeur, et donner une impression de foule, tout en laissant une grande lisibilité à la scène. Ce petit ivoire occupe donc une place un peu exceptionnelle dans le groupe et pourrait d'ailleurs être un peu antérieur aux réalisations les plus caractéristiques des «succédanés des grands diptyques de la Passion». Il est tentant de le mettre en relation avec cette mention de l'inventaire de Charles V (n° 2018): «Ungs petiz tableaux d'yvire de deux pièces où dedans sont l'Ascension et la Penthecoste».

BIBL.: E. Molinier, 1896, n° 103. — R. Koechlin, 1924, I, p. 215, II, n° 511, pl. XCIII.

Paris, musée du Louvre
OA 2599

161

162

162
Diptyque: Scènes de l'Enfance du Christ et de la Passion

Paris, dernier tiers du XIVe siècle
Anc. coll. Soltykoff (n° 253), Malinet, Duthuit (n° 1277)
Ivoire. H. 0,210; L. 0,210

Les deux feuillets sont divisés en trois registres par des arcatures trilobées à crochets: *de gauche à droite et de bas en haut,* Annonciation et Nativité, Adoration des Mages, Arrestation du Christ et Pendaison de Judas, Crucifixion et Résurrection, Ascension, Pentecôte. Les silhouettes aux proportions allongées, le nombre des personnages, le froissement fébrile des drapés, l'abondance des chutes de plis suggèrent une date avancée. L'œuvre est à placer dans la dépendance du diptyque à quatre-feuilles du Louvre et du petit diptyque de l'Ascension et de la Pentecôte (n°s 160, 161), mais peut-être un peu plus tard que ces deux pièces. Elle est particulièrement proche du diptyque de Baltimore et des ivoires du même atelier (cf. n° 163).
BIBL.: R. Koechlin, *G.B.A.*, 1906, I, p. 55. — R. Koechlin, 1924, I, 293, II, n° 808, pl. CXXXIX (zvec bibl.).

EXP.: *Exposition du travail,* Paris, 1867, n° 8767.

Paris, musée des Beaux-Arts de la Ville

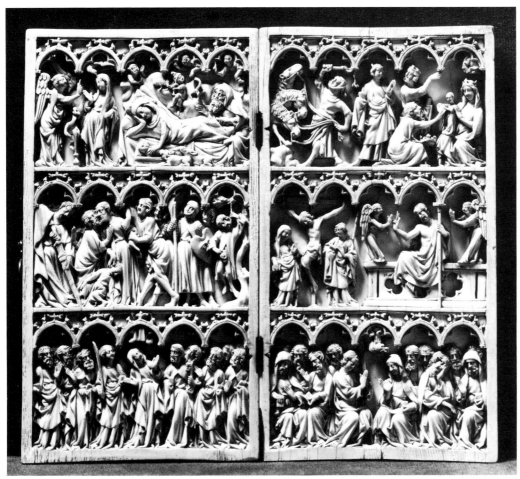

163

163
Diptyque : Scènes de l'Enfance du Christ et de la Passion

Paris, dernier tiers du XIVᵉ siècle
Anc. coll. John Malcolm de Poltahoch (1805-1893), comté d'Argyll, en Écosse ; John W. Malcolm ; colonel Edward-Donald Malcolm ; vendu à Londres en 1913 ; coll. Walters (acq. 1922)
Ivoire. H. 0,197 ; L. de ch. feuillet : 0,113

Les deux feuillets sont divisés en trois registres par des frises d'arcatures à crochets. Les scènes se lisent de gauche à droite et de haut en bas : Annonciation et Nativité, Adoration des Mages, Arrestation du Christ et Pendaison de Judas, Crucifixion et Résurrection, Ascension, Pentecôte. L'ivoire est sculpté avec le plus grand soin dans un style précieux et maniéré : les personnages, grands et minces, ont de petites têtes fixées sur un long cou flexible ; les larges drapés sont extrêmement froissés et rythmés par des chutes compliquées de volutes. Cependant, d'inexplicables fautes de proportions (Nativité, Résurrection) dénotent un peu dans cet ensemble. Le diptyque paraît dépendre de celui à quatre-feuilles du Louvre et est proche du petit diptyque de l'Ascension et de la Pentecôte (nᵒˢ 160, 161). Il peut être attribué au même atelier que les diptyques de la collection Duthuit (nᵒ 162), de New York (Inv. nᵒ 50-195) et surtout du British Museum et du musée Lazaro Galliano (Koechlin, nᵒˢ 810, 813).

BIBL. : R. Ratovska, « Un petit autel du groupe de diptyques de la Passion », *Bull. du musée international de Varsovie*, XVII, 3, nᵒ 8.

EXP. : *The International Style*, 1962, nᵒ 113, pl. XCV.

Baltimore, Walters Art Gallery
nᵒ 71-272

164

trent la permanence d'une tradition qui se manifestait déjà dans les statuettes d'ivoire des premières décennies du XIVe siècle (*cf.* nos 130, 131). Le visage de la Vierge, fin, mais très plein, au double menton accusé, sa silhouette épaisse, au ventre proéminent, sur laquelle l'ample manteau se fragmente en une multitude de plis et de retombées, la complexité des drapés de la chemise de l'Enfant sont certainement l'indice d'une date très avancée dans le siècle. La statuette de Dijon paraît annoncer par bien des aspects, l'art de la Vierge à l'Enfant du musée Vivenel de Compiègne (Koechlin, 1924, no 841) et de certaines des créations de «l'atelier de Kremsmunster» dont l'origine française n'est pas certaine, et dont l'activité se situe probablement à l'extrême fin du XIVe siècle, si ce n'est au début du XVe.

BIBL.: R. Koechlin, 1924, I, p. 242-243, 246, II, no 676, pl. CV. — L. Grodecki, 1947, p. 99. — O. Beigbeder, 1965, fig. 36.

EXP.: *La Vierge dans l'art français,* 1950, no 248.

Dijon, musée des Beaux-Arts
T 328

164
Statuette: Vierge à l'Enfant assise

France (?), dernier tiers du XIVe siècle
Anc. coll. Trimolet
Ivoire craquelé; traces de polychromie (tête de l'Enfant refaite)
H. 0,18

La Vierge, assise, se rejette en arrière devant l'Enfant qui, debout sur son genou, se jette à son cou. Elle est vêtue d'une robe ceinturée, recouverte d'un manteau et coiffée d'un voile court. Les profonds plis en V, à hauteur des genoux et l'allongement du torse mon-

Camées et vases pierres dures

Daniel Alcouffe

Les collections princières françaises du XIVe siècle, si riches en œuvres d'art de toute nature, étonnent en particulier par le grand nombre de vases en pierres dures qu'elles contiennent. Déjà en 1328 l'inventaire de la reine Clémence de Hongrie énumère seize pièces en cristal de roche et deux en jaspe. En 1360, à la mort de la reine Jeanne de Bourgogne, on compte deux objets en cristal et quatre en jaspe dont une aiguière. Ces chiffres sont dépassés dans les inventaires de Charles V et de ses frères. Celui de Charles V recense en 1379-1380, dans les diverses résidences royales, des objets profanes et religieux en calcédoine (onze, spécialement des salières) et en jaspe (trente-cinq), mais surtout d'innombrables cristaux de roche dont soixante-dix-huit objets profanes. Dans ces inventaires, tous les types de vaisselle (gobelets, coupes, aiguières, nefs, hanaps, etc.) apparaissent en pierres dures, complétés par des montures d'orfèvrerie. Incontestablement, au nombre de ces pièces, figurent des objets anciens remployés, qui sont antiques, byzantins ou fatimides. Les pièces dites au XIVe siècle en agate ou calcédoine peuvent être plus particulièrement des pièces anciennes. Antique célèbre, le vase en agate dit « vase Rubens », actuellement conservé à la Walters Art Gallery de Baltimore, a appartenu successivement, semble-t-il, au duc d'Anjou et à Charles V, avant d'être donné par Isabeau de Bavière au trésor de la cathédrale de Paris. Autre pièce vraisemblablement antérieure au XIVe siècle, l'écuelle en cristal de roche gravée d'un aigle au fond qui est en possession de Charles V, puis de Charles VI, semble réapparaître plus tard, enrichie d'une monture, dans l'inventaire de Charles le Téméraire, vers 1467 (L. de Laborde, *Les Ducs de Bourgogne,* Paris, 1849-1852, t. II, no 2335, p. 45), puis chez son arrière-petit-fils Charles-Quint : « Ung plat de cristal garni d'or, aiant sur le piet huict trousses de perles à trois et VIII rubis, armoyé au fons d'un aigle couronné, pesant V m. IIII onc. V est. [1,353 kg] » (H.-V. Michelant, *Inventaire des joyaux (...) de Charles-Quint, dressé à Bruxelles au mois de mai 1536,* dans *Compte rendu des séances de la Commission royale d'histoire,* 3e série, t. XIII (1872), p. 230). Cet objet peut sans doute être identifié avec l'écuelle en cristal gravée au revers d'un aigle couronné et ornée maintenant d'une monture parisienne du XVIIe siècle, qui, provenant de la collection du Dauphin, fils de Louis XIV, est conservée au musée du Prado.

Il est cependant évident que cette catégorie d'objets si nombreuse dans les collections du XIVe siècle, où ils portent des montures de l'époque la plupart du temps, est formée en majeure partie de créations contemporaines. Les vases en pierres dures qu'on attribue maintenant aux XIVe-XVe siècles ont eu une existence scientifique mouvementée. Ces vases épais, en cristal de roche, jaspe ou améthyste, présentent une surface lisse, facettée ou godronnée. Les formes sont gothiques et reproduisent celles de l'orfèvrerie contemporaine : aiguières à pans (n°s 172-174), vases en forme de gobelet (n°s 175-176), coupes rondes, basses et unies. Quand les objets sont pourvus d'anses et d'une base du même matériau, elles sont obtenues dans la masse comme cela a toujours été le cas depuis l'Antiquité. On commencera cependant au XVe siècle à les rapporter au moyen de la monture. Le décor éventuel ne consiste d'abord qu'en moulures simples. Au XVe siècle seulement apparaissent des motifs en creux. Les montures d'orfèvrerie contemporaines subsistent rarement. C.J. Lamm, en 1929-1930, considérait que la plupart de ces vases étaient des œuvres exécutées en Égypte pendant la période fatimide, aux Xe-XIe siècles. En 1930, O. von Falke, bâtissant son raisonnement à partir du vase en cristal de roche de Philippe le Bon conservé à la Schatzkammer de Vienne, pensait que certains de ces vases étaient bourguignons mais qu'on avait dû en produire en Allemagne aussi. La même année, G.E. Pazaurek revendiquait la fabrication d'une partie de ces objets pour Prague (cf. n° 172) où l'on relève des *politores lapidum* au XIVe siècle. H. Wentzel en 1939 affirmait que certains de ces vases avaient été exécutés au XIIe siècle, en Italie du Sud et en Sicile, où il n'existe pourtant nulle trace de cet art. En 1955, H. Hahnloser, arguant de la confirmation en 1284 des statuts des cristalliers vénitiens qui travaillaient le cristal de roche et le jaspe, et de l'existence de vases pourvus de montures vénitiennes, soutenait que ces vases avaient été d'abord exécutés à Venise.

Il semble important cependant de remarquer que, parmi les nombreuses pièces subsistant qui sont pourvues d'anses dans la masse (aiguières, coupes, vases à deux anses), aucune ne présente de monture spécifiquement vénitienne pas plus qu'on ne peut déduire des textes contemporains qu'on a exécuté à Venise des pièces à anses. L'examen de celles-ci qui sont en général des œuvres très achevées techniquement, telle l'aiguière de Prague (n° 172), exécutée avant 1354, démontre qu'elles ont été produites dans des ateliers bénéficiant déjà d'une longue expérience. Or il existe des cristalliers à Paris depuis le XIIIe siècle au moins. Le *Livre des Métiers* établi par le prévôt de Paris Étienne Boileau vers 1268, codifie rétrospectivement les statuts des « cristalliers et pierriers de pierres naturelles » de Paris. On compte à Paris dix-huit cristalliers et treize pierriers en 1292, quinze cristalliers et neuf pierriers en 1300. Le plus fameux est le cristallier Pierre Clouet qui est en 1331 l'un des gardes du métier et qui fournit des cristaux pour orner le trône d'orfèvrerie de Jean le Bon, payé en 1352-1353. D'autre part, les seuls documents du XIVe siècle connus jusqu'ici qui mentionnent clairement des vases en pierres dures pourvus d'anses exécutées dans le même matériau, sont les inventaires des Valois où ils sont nombreux. Parmi les pièces de la collection du duc d'Anjou décrites en 1379-1380 le plus explicitement, on note un pot de cristal à douze carrés (pans), muni de deux anses de cristal, qui évoque le célèbre vase de cristal de roche à deux anses et seize pans du Kunsthistorisches Museum de Vienne et une aiguière de cristal dont « l'anse et le couvercle sont de cristal » et qui est pourvue d'une monture proche de celle de l'aiguière de Londres (n° 174), en particulier par le fruitelet du couvercle (H. Moranvillé, 1906, n°s 1638 et 1929). Chez Charles V, on relève « ung ancien pot de cristal à deux ances, garny d'argent blanc » (n° 1714), une aiguière de jaspe et plusieurs en cristal dont la nature de l'anse n'est pas précisée. Plus précis, l'inventaire du duc de Berry en 1413 signale de nombreux objets de cristal à anses : « un benoistier de cristal à deux ances, non garni » ; « un goubelet de cristal, à deux ances de mesmes » ; neuf pots de cristal à anse de cristal ; deux autres à deux anses de cristal, l'un à carrés donné en 1408 par la Reine au duc qui l'a fait monter, l'autre offert au duc par l'abbé de Déols (J. Guiffrey, 1894-1896, t. I, n°s 109, 713, 718, 725, 728, 729, 733, 734, 811-813, 818, 824, 825). Or pour Berry, ainsi que le prouvent ces derniers cas, on connaît souvent la provenance des objets en pierres dures, donnés par des particuliers français ou achetés à des marchands et orfèvres parisiens, souvent d'origine étrangère il est vrai. Il est cependant invraisemblable que ces pièces si abondantes en France au XIVe siècle aient toutes été importées. L'inventaire du duc de Berry précise d'ailleurs à propos d'une petite aiguière en cristal qu'elle a été « faicte à Paris » (ibid., t. I, n° 1219). En outre, parmi les rares pièces à anses subsistant qui aient gardé une monture du XIVe siècle, deux au moins arborent une monture ou des fragments de monture qui sont indubitablement français, les aiguières n°s 173-174.

Il est certain que les vases en pierres dures de la fin du Moyen Age sont issus de plusieurs centres de fabrication. Mais la comparaison des textes et des objets conservés semble indiquer que la France a joué un rôle dans ce domaine au XIVe siècle. On ne peut exclure l'hypothèse qu'un certain nombre de ces œuvres — en particulier les pièces à anses les plus anciennes — aient été exécutées par les cristalliers parisiens.

165
Camée : Taureau furieux

Camée : période hellénistique ou début de l'ère chrétienne ; monture : France, XVIIe siècle

Anc. coll. de Charles V ; coll. royales
Sardonyx à trois couches ; or émaillé
H. 0,068 ; L. 0,086

Ce très beau camée antique a pu être identifié avec le n° 3013 de l'inventaire de Charles V : « un... camahieu sur champ blanc et a une vache noire dessus ». Le camée pourrait ne pas avoir quitté les collections royales après le XIVe siècle.

BIBL. : T. Dumersan, *Notice des monuments exposés dans le Cabinet des Médailles,* 1828, p. 34. — E. Babelon, 1897, p. 91-92, n° 184 (bibl.).

EXP. : *La Librairie de Charles V,* 1968, n° 90.

Paris, Bibliothèque nationale
Cabinet des Médailles

165

166
Camée : Dispute d'Athéna et Poséidon ou Adam et Ève

Camée antique, remanié au XIIIe siècle (?) ; monture : XVIIe siècle

Anc. coll. de Jean de Berry ; acq. par Louis XIV (1685)
Sardonyx à trois couches ; or émaillé
H. 0,095 ; L. 0,078

Les deux personnages sont représentés debout, face à face, devant un arbre. Poséidon, nu, est seulement vêtu d'un manteau rejeté sur son dos ; il tenait dans les mains deux attributs disparus ; son pied gauche, levé, est posé sur un rocher. Athéna est vêtue d'une ample tunique et d'un manteau. L'arbre est chargé de rinceaux de vignes que becquètent des oiseaux. Au pied de l'arbre sont figurés une chèvre, un serpent qu'Athéna désigne du doigt, et une source plutôt qu'une grosse racine de l'arbre. Sous la terrasse sur laquelle se dressent les personnages se tiennent deux chevaux, deux lièvres et un bœuf dont on ne voit que la tête. La scène suit dans ses grandes lignes l'iconographie antique de la dispute de Poséidon et Athéna pour la possession d'Athè-

nes au cours de laquelle Poséidon fit jaillir une source et apparaître un cheval alors qu'Athéna faisait pousser un olivier ; le serpent — image du roi Erechtée, se glisse vers la déesse pour indiquer qu'elle est victorieuse. Cependant, l'inscription hébraïque gravée sur la tranche montre que ce camée était considéré comme une représentation de la tentation d'Adam et Ève au Paradis terrestre. La question est de savoir si le camée est entièrement médiéval mais exécuté d'après un modèle antique du type de celui du musée de Naples, ou s'il s'agit d'un ca-

166

mée antique, retaillé à une date postérieure (XIIIe siècle ?) pour permettre une interprétation chrétienne de la pièce. Au cours de ce remaniement, fait avec le plus grand soin, le trident de Neptune aurait disparu de même que la chouette dans l'arbre, et le casque d'Athéna aurait été transformé en coiffure à plumet. Cette dernière hypothèse est peut-être la plus vraisemblable dans la mesure où il semble y avoir des traces de regrattage à côté de la tête d'Athéna ; de plus, la facture, de très belle qualité, paraît antique et se différencie très nettement (canons et modelés des personnages, travail des cheveux et des drapés) des camées représentant la dispute d'Athéna et Poséidon sculptés au XIIIe siècle, dans les ateliers d'Italie du Sud (Vienne, Kunsthistorisches Museum et Paris, Cabinet des Médailles, *cf.* Babelon, 1887, n° 462). Le camée a été identifié par E. Babelon avec le n° 2938 de l'inventaire de Charles V : « un cadran d'or où il a un grand camahieu auquel a un homme, une femme et un arbre au mylieu et aux deux coings dudit cadran a, par en bas, un saphir et un balay, chascun environné de troys perles et deux perles à l'un des costez, pesant quatre onces cinq estellins ». Le camée est décrit dans les mêmes termes dans le compte de Regnauld Doriac fait en 1422, après les funérailles de Charles VI (*cf.* Leber, p. 203). Le même camée semble-t-il, mais dépouillé de sa monture, se trouvait dans les collections royales françaises en 1561 (*cf.* Lacroix, *Revue uni-*

verselle des Arts, IV, n° 502). Or, Jean de Berry possédait un camée analogue (Inv. A, n° 53) qu'il avait racheté en 1407 à un procureur du Parlement : la description de ce camée « où il a la semblance d'un homme et d'une femme et un arbre au milieu et bestes dessoulz »... correspond encore mieux au camée de la Bibliothèque nationale. On peut donc se demander si ce n'est pas le camée du duc de Berry, et non celui des collections royales dont on perd la trace après 1561, que le roi racheta en 1685 au trésor d'une église qui n'a pas été identifiée.

BIBL. : Oudinet, Histoire de l'Académie royale des Inscriptions et Belles Lettres, I, 1715, p. 273-275 ; E. Babelon, 1897, p. CXIV-CXV, n° 27 (avec bibl.). — H. Wentzel, « Die grosse Kamee mit Poseidon und Athena in Paris », Wallraf-Richartz-Jahrbuch, 1954, p. 53-76.

EXP. : La Librairie de Charles V, 1968, n° 91. — Il tesoro di Lorenzo il magnifico, 1972, n° 6. — Die Zeit der Staufer, 1977, n° 886.

Paris, Bibliothèque nationale
Cabinet des Médailles

167
Camée : Noé buvant

XIIIe siècle
Anc. coll. A. Lhéric (1857)
Sardonyx à trois couches
H. 0,050 ; L. 0,034

Noé, barbu, vêtu d'une tunique et d'un manteau cueille une grappe de la main gauche et élève une coupe de la droite ; il se tient sous un cep de vigne. E. Babelon a proposé de reconnaître dans cette œuvre le n° 3022 de l'inventaire de Charles V : « Un camahieu sur champ blanc qui pend à double chesnette et y a un hermite qui boit à une coupe souz un arbre ». Cependant, la différence de couleur du champ rend cette identification très hypothétique. Charles V, tout comme son frère Berry, semble avoir possédé des camées aujourd'hui reconnus comme des œuvres d'Italie du Sud, faites dans l'entourage de Frédéric II. Plusieurs descriptions de l'inventaire rappellent, en effet, certains de ces camées existant encore, notamment les n°s 706 (aigle volant) et 3025 (homme monté sur un cheval blanc) proches de deux camées du Cabinet

167

des Médailles (cf. E. Babelon, 1827, n°s 656 et 432).

BIBL. : E. Babelon, 1897, p. 223-224, n° 393, pl. XLVI.

EXP. : La Librairie de Charles V, 1968, n° 92.

Paris, Bibliothèque nationale
Cabinet des Médailles

168
Camée : Jupiter dit de Chartres

Camée : Rome, Ier siècle après J.-C. ; monture : XIVe siècle (remaniée au XIXe siècle)
Agate à trois couches ; or, émail champlevé, argent doré
H. totale : 0,152 ; L. 0,08
Provenant de la châsse de la chemise de la Vierge à la cathédrale de Chartres

Le camée antique, d'une taille et d'une beauté exceptionnelle, représente Jupiter debout, tenant le sceptre et le foudre, accompagné de l'aigle. Il est serti dans une monture d'or émaillée de rouge et de noir portant des inscriptions tirées des Évangiles de saint Luc (IV-30) et saint Jean (VIII, 2 et début du prologue). Le choix du début du prologue de l'Évangile de saint Jean pourrait indiquer que le Jupiter était déjà considéré, au XIVe siècle, comme une figuration

de saint Jean mais ce texte avait aussi, depuis le haut Moyen Age, un caractère magique. Quant à l'inscription de la face, elle est nettement prophylactique et se trouvait fréquemment sur les bagues, les bijoux ou talismans gothiques. A la base du camée, un cartouche, grossièrement refixé, surmontant un écu émaillé semé de fleurs de lis, porte l'inscription suivante : « Charles Roy de France, fils du roy Jehan donna ce joyau l'an MCCCLXVII, le quart an de son règne ». Le camée était fixé sur la châsse de la chemise de la Vierge, à la cathédrale de Chartres, et Charles V l'offrit sans doute lors du pèlerinage qu'il fit en 1367, dans l'espoir d'avoir un fils. Des descriptions du milieu du XVIe siècle précisent que le camée était entouré de perles et d'un cercle d'or portant les noms « Jesus, Maria, Adam, Eva ». Ce cercle d'or disparut en 1578, lorsque Henri III tenta de mettre le joyau en gage ; le camée fut alors entouré de six rubis et douze perles et l'écu portant la mention du don de Charles V (décrit en 1540) fut refixé en dessous. A la Révolution, il fut déposé, avec d'autres camées provenant de la même châsse, au Cabinet des Médailles. C'est alors que les rubis et perles lui furent enlevés et remplacés par les fleurs de lis et dauphins qui l'ornent encore aujourd'hui et qui proviennent, pour la plupart, du bâton cantoral de la Sainte-Chapelle (cf. n° 204).

BIBL. : F. de Mely, Le trésor de Chartres, Paris, 1886, p. 34, 120, 121. — E. Babelon, 1897, n° 1. — M.M. Gauthier, 1972, n° 230. — D. Gaborit-Chopin, Bull. Mon., 1974, p. 68-69. — H. Swarzenski, Gesta, 1981, p. 210.

EXP. : La librairie de Charles V, 1968, n° 97.

Paris, Bibliothèque nationale
Cabinet des Médailles

169
Camée d'Auguste

Camée : 23-20 avant J.-C. ; monture : Paris, seconde moitié du XIVe siècle, renforcée au XVIIe siècle
Ancien trésor de Saint-Denis
Agate à deux couches ; argent doré, perles, saphirs, doublets
H. 0,08 ; L. 0,064

168

169

Attribué au graveur Dioscoride, le camée représente l'empereur Auguste, lauré, de profil à droite. Il est proche du camée d'Auguste fixé au centre de la croix de Lothaire (Aix-la-Chapelle, trésor de la cathédrale) et compte parmi les plus belles pierres de l'antiquité classique aujourd'hui conservées. Selon le témoignage de Claude Fabri de Peiresc, le camée était placé sur le « Tombeau des Corps Saints », sur la face antérieure du « cercueil » de saint Denis, mais il en fut détaché pour servir de fermail au chef-reliquaire de saint Hilaire, exécuté pour les moines au début du XVIIe siècle. La bordure pourrait avoir été renforcée à cette époque mais a conservé les éléments de la monture ancienne : les saphirs et doublets de verre rouge sont, en effet, sertis dans des bâtes dont la forme est caractéristique du XIVe siècle, de même que les « troches » ou bouquets de trois perles. Le camée de Domitien (cf. n° 171-a), offert par le duc de Berry, était autrefois serti dans une monture tout à fait analogue. Cette ressemblance laisse supposer que le camée fut dédié à saint Denis, protecteur de la France et « régent spirituel » du royaume, dans la seconde moitié ou à la fin du XIVe siècle, vraisemblablement par l'un de ces collectionneurs de camées passionnés que furent Charles V et ses frères.

BIBL. : E. Babelon, 1897, n° 234. — J. Evans, 1953, pl. 10-6. — M.-L. Vollenweider et D. Level, « Le camée d'Auguste de l'abbaye de Saint-Denis », Bull. de l'Association française de gemmologie, n° 32, p. 12-13. — Bl. de Montesquiou-Fezensac et D. Gaborit-Chopin, Cahiers archéol., 1975, p. 138, fig. 3. — Bl. de Montesquiou-Fezensac, 1973-1977, III, p. 102-103.

Paris, Bibliothèque nationale
Cabinet des Médailles

170
Camées provenant de la « croix aux camées » de la Sainte-Chapelle de Bourges

Jean de Berry partageait la passion de son frère aîné pour les camées et intailles. Bien que sa collection ait été beaucoup moins importante que celle de Charles V, il possédait néanmoins une trentaine de camées indépendants ou montés en bague, et nombre d'autres fixés sur des reliquaires. Comme la plupart des princes contemporains, il avait une « croix aux camées », type dont le seul exemplaire subsistant est la croix de l'empereur Charles IV, à Prague (trésor de Saint-Guy). La « croix au camahieu » de Jean de Berry était d'or, garnie de pierres précieuses et de perles et son centre était occupé par un beau camée « à deux têtes », cadeau du duc de Bourgogne, sous lequel était dissimulée la relique de la Vraie-Croix (cf. Inv. A 196 et B 1081). Le duc fit également exécuter une « croix aux camées » pour la Sainte-Chapelle de Bourges : celle qu'il avait donnée dans un premier temps ayant été fondue en 1412 (cf. n° 177), il commanda une seconde croix à laquelle travaillait encore l'orfèvre Hermann Rince (ou Ruissel), en 1416, à la mort du duc. Cette seconde croix peut vraisemblablement être identifiée avec celle décrite dans un inventaire de la Sainte-Chapelle en 1564 : elle était d'argent doré, rehaussée de perles et de pierres précieuses. Cinq camées étaient placés au centre et aux extrémités du revers. La face portait, en son centre, un Christ d'or qui renfermait une relique de la Vraie-Croix et quatre autres camées étaient fixés aux extrémités. A la Révolution, ces camées furent démontés de la croix qui fut fondue, et versés au « Museum ».

A) Camées provenant du revers de la croix

1) Prince trônant, couronné par deux Victoires

Italie du Sud, XIIIe siècle
Sardonyx à deux couches
H. 0,046 ; L. 0,06

Le camée occupait le centre du revers de la « croix aux camées » de la Sainte-Chapelle de Bourges. Il représente un jeune prince imberbe, trônant, couronné par deux Victoires ailées ; le nimbe crucifère gravé derrière la tête du prince et les noms en lettres grecques de Michael et Gabriel furent ajoutés dans un second temps, lorsque le camée fut considéré comme un couronnement du Christ. L'iconographie est la même, à part quelques détails minimes, que celle du camée de Munich (Staatliche Münzsammlung) figurant le couronnement de Frédéric II et exécuté du vivant de l'empereur ou, du moins, avant la mort de Conradin. Mais le style du camée du Louvre est très supérieur à celui du camée de Munich par l'élégance des formes, la fluidité et la souplesse des drapés. Il peut être attribué à un autre atelier travaillant en Italie du Sud, dans l'entourage frédéricien, auquel on doit notamment les camées de Naples, de Londres et de Vienne (cf. cat. exp. Staufer, 1977, n°s 883, 885, 887) et quelques autres camées ayant appartenu à Jean de Berry et aujourd'hui montés sur la « couronne de Charlemagne » (cf. n° 171). Le camée n'est pas décrit dans les inventaires du duc avant

170-1

170-2   170-3   170-4   170-5

1416 mais il évoque celui décrit au n° 720 de l'inventaire de Charles V.

BIBL.: A. Blanchet, «Les camées de Bourges». *Congrès archéol. de France, Bourges*, 1898, p. 237-253; A. de Ridder, 1924, nᵒˢ 1878, 1822, 1845, 1824, 1849. — K. Wentzel, «Die grosse Kamee mit Poseidon und Athena in Paris», *Wallraf-Richartz Jahrbuch*, 1954, p. 53-76. — E. Coche de La Ferté, «Deux camées de Bourges et de Munich...», *G.B.A.*, 1960, p. 257. — M. Meiss, 1967, I, p. 53, II, fig. 457. — Bl. de Montesquiou-Fezensac et D. Gaborit-Chopin, *Cahiers archéol.*, 1975, p. 145.

EXP.: *Die Zeit der Staufer,* 1977, n° 863 (avec bibl.).

Paris, musée du Louvre
MR 80 (B.J. 1878)

2) Jupiter?
Rome, Iᵉʳ siècle
Sardonyx à deux couches; H. 0,031

Buste de face, de trois-quarts gauche. Le camée était placé en haut du revers de la croix.

BIBL.: *Cf.* ci-dessus.

Paris, musée du Louvre
MR 58 (B.J. 1822)

3) Tibère et Germanicus (?)
Rome, début du Iᵉʳ siècle
Sardonyx à trois couches. D. 0,03

Profils à droite. Le camée se trouvait au revers de la croix, à l'extrémité du bras gauche.

BIBL.: *Cf.* ci-dessus.

Paris, musée du Louvre
MR 53 (B.J. 1845)

4) Hadès-Serapis
Rome, Iᵉʳ siècle
Sardonyx à trois couches. H. 0,037

Profil à gauche. Le camée était fixé au revers de la croix, à l'extrémité du bras droit.

BIBL.: *Cf.* ci-dessus.

Paris, musée du Louvre
MR 59 (B.J. 1824)

5) Athéna
Antique
Sardonyx à trois couches. H. 0,055

Buste de profil à droite; la déesse est coiffée d'un casque surmonté d'un griffon et couverte de l'égide. Le camée était considéré au XVIIIᵉ siècle comme un buste d'Alexandre. Il était placé au revers de la croix, en bas.

BIBL.: *Cf.* ci-dessus.

Paris, musée du Louvre
MR 60 (B.J. 1849)

B) Camées provenant de la face de la croix

6) Agrippine l'ancienne
Rome, Iᵉʳ siècle
Sardonyx à deux couches. H. 0,063

La jeune femme est représentée en buste de face, voilée, les cheveux retombant en mèches sur les épaules. Le camée occupait le haut de la croix, sur la face.

BIBL.: *Cf.* ci-dessus.

Paris, musée du Louvre
MR 56 (B.J. 1869)

7) Jupiter
Antique
Sardonyx à trois couches. H. 0,58

Tête de Jupiter, profil à gauche, les cheveux laurés. Le camée se trouvait sur la face de la croix à l'extrémité du bras droit.

BIBL.: *Cf.* ci-dessus.

Paris, musée du Louvre
MR 48 (B.J. 1861)

170-6   170-7

170-8

170-9

171A

171B

171C

8) Junon

Antique
Sardonyx à trois couches. H. 0,057

Tête d'Agrippine en Junon, couronnée et voilée, de profil à droite ; pendant du précédent. Le camée était monté sur la face de la croix, à l'extrémité du bras gauche.

BIBL. : *Cf.* ci-dessus.

Paris, musée du Louvre
MR 49 (B.J. 1846)

9) Tête d'un prince couronné de feuilles de chêne et voilé

France, fin du XIVᵉ siècle (?)
Sardonyx à deux couches. H. 0,063 ; L. 0,04
(manque en haut à gauche)

Le camée qui se trouvait sur la face de la croix, en bas, représente un buste de jeune prince de la période d'Auguste ou de Tibère, de profil vers la gauche, couronné de feuillages de chêne, la tête en partie couverte par un pan de son manteau, comme un prêtre. La facture est d'une beauté exceptionnelle et a pu faire songer à un antique mais la combinaison de la couronne et du voile paraît impossible dans la représentation d'un prince romain. D'autre part, le modelé très doux du visage, les plis serrés et fins du manteau évoquent des œuvres médiévales. Le traitement du visage est cependant très différent de celui des camées taillés en Italie du Sud, au XIIIᵉ siècle, et le buste de jeune homme voilé pourrait plutôt être un pasti-

che d'antique réalisé dans l'entourage de la cour de France à la fin du XIVᵉ siècle ou vers 1400.

BIBL. : *Cf.* ci-dessus et K. Wentzel, « Die vier Kameen im Aachener Domschatz und die französische Gemmen-schneidekunst des 13 Jahr. », *Zeitschrift für Kunstwis-senschaft*, 1954, p. 16, fig. 47.

EXP. : *Die Zeit der Staufer*, 1977, nº 865 (avec bibl.).

Paris, musée du Louvre
MR 54 (B.J. 1870)

171
Camées provenant du chef-reliquaire de saint Benoît à Saint-Denis

En échange de reliques de saint Denis obtenues en 1393, Jean de Berry offrit à l'abbaye de Saint-Denis, en 1402, un grand buste reliquaire de saint Benoît renfermant des reliques du bras et du crâne du saint. Le saint était représenté à mi-corps, coiffé de la mitre à deux pendants, le col bordé d'orfrois et fermé par une agrafe, revêtu de la chasuble aux armes de Berry et du *pallium*. Aidé par deux anges, il soutenait le bras-reliquaire contenant l'une des reliques. L'ensemble reposait sur un soubassement ajouré aux armes de Berry et pesait plus de soixante kilos d'argent. Le reliquaire était caractérisé par le fait que la mitre, les pendants, le col et le fermail du saint étaient couverts de plus de soixante camées et intailles, formant le cœur d'autant de fleurs d'oranger, sans doute émaillées de blanc.

Ces camées et intailles, démontés à la Ré-volution, furent déposés au « Museum ». Certains d'entre eux (ici présentés) passèrent dans les collections du département des Antiquités grecques et romaines mais la plupart furent remontés sur la couronne dite « de Charlemagne » (musée du Louvre), sans doute par l'orfèvre Nitot, pour le sacre de Napoléon Ier. Deux autres de ces camées vinrent orner le nœud de la Main de Justice (musée du Louvre) refaite pour la même cérémonie. Il n'est pas impossible que quelques-uns de ces camées aient fait partie des collections de Charles V avant d'entrer dans celles de son frère. Plusieurs d'entre eux en tout cas sont semblables à ceux décrits dans l'inventaire du roi.

A) Domitien (?)
Bas-Empire (?)
Sardonyx à trois couches. H. 0,066

Profil d'empereur lauré, à gauche. Le camée formait le fermail du col du chef-reliquaire et était serti dans une monture rehaussée de rubis-balais, de saphirs et de troches de perles alternés, semblable à celle du camée d'Auguste (cf. no 169).

B) Buste de Victoire
Bas-Empire ?
Sardonyx à deux couches. H. 0,055

Le camée était fixé sur la face postérieure de la mitre.

C) Chevaux galopant
Antique
Sardonyx à deux couches. L. 0,027

Ce très beau camée de forme irrégulière est sans doute le fragment d'un camée plus grand, représentant un bige conduit par l'Aurore. Un camée semblable est décrit dans l'inventaire du mobilier de Charles V (no 2940).

BIBL. : A. de Ridder, 1924, nos 1842, 1862, 1880. — Bl. de Montesquiou-Fezensac et D. Gaborit-Chopin, *Cahiers archéol.*, 1975, p. 137-162 (avec bibl.).

Paris, musée du Louvre
MR 55, MR 61, MR 71

172

172
Reliquaire de la nappe de la Cène

Paris, vers 1350?
Don de l'empereur Charles IV (1316-1378) au trésor de la cathédrale Saint-Guy de Prague
Cristal de roche, argent doré, pierres précieuses, perles
H. 0,395 ; Ép. du cristal : 0,004 - 0,005

Cette aiguière, taillée à douze pans sur la panse et la base, est un des plus grands vases en pierres dures de la fin du Moyen Age qu'on connaisse. L'anse obtenue dans la masse rassemble les caractéristiques des anses des vases des XIVe-XVe siècles en cristal de roche ou en jaspe : elles sont généralement de section quadrangulaire, biseautées le long des arêtes extérieures, ornées de saillies convexes isolées ou groupées, et se terminent souvent par une palmette. La plupart du temps, ces anses partent perpendiculairement ou obliquement par rapport à la panse et se rabattent vers celle-ci en formant un angle (cf. no 174). Plus rares sont les anses courbes et, parmi celles-ci, les anses qui forment une accolade comme sur cette aiguière, l'aiguière du Louvre (no 173) et trois autres aiguières en cristal de roche : l'une, provenant de la collection de Laurent de Médicis, conservée à San Lorenzo de Florence (D. Heikamp et A. Grote, 1974, no 28, p. 129-130, fig. 52) et deux autres conservées à Vienne (H. Fil-

litz, 1964, nos 20 et 23, p. 8-10, pl. 12-13).
Le galbe de l'une d'elles (Ibid., no 23) est
particulièrement proche de celui de l'aiguière de Prague.

Celle-ci figure déjà en tant que reliquaire
dans le trésor de la cathédrale de Prague en
1354 : à cette date un inventaire la mentionne en précisant qu'elle a été offerte par
Charles IV. Il l'a sans doute donnée avec la
relique qu'elle contient dès lors — relique
de la nappe de la Cène, que le roi Louis Ier de
Hongrie a envoyée à l'Empereur en 1348.
L'aiguière n'a vraisemblablement pas été
exécutée à Prague, comme Pazaurek a tenté
de le prouver autrefois. On peut penser que
si Charles IV avait eu des cristalliers à sa
disposition, il leur aurait fait exécuter un
véritable reliquaire. Or la relique a été placée dans cet objet profane préexistant.
L'empereur a de même offert au trésor en
1350, à l'intention des malades, une coupe
en sardoine qui est une œuvre byzantine
antérieure (A. Podlaha et Ed. Šittler, 1903,
no 194, p. 157-159, fig. 132, p. 158). L'aiguière provient vraisemblablement de
France. On connaît les liens de Charles IV
avec la cour de France où il a été élevé.

La pièce ayant été endommagée, la
monture a subi des remaniements : le couvercle, qui était sans doute en cristal de
roche à douze pans, a disparu et a été remplacé par la calotte à graine actuelle ; l'anse
a été cassée, ce qui a entraîné des additions
dans la monture autour du col et à la base de
l'anse. De la monture d'origine, française ou
praguoise, subsistent cependant le pourtour
du couvercle et la base, assortis et ajourés.
En 1368, un autre inventaire du trésor précise qu'elle est ornée de dix-sept pierres précieuses et de dix-huit perles.

BIBL. : A. Podlaha et Ed. Šittler, 1903, nos 45-46,
p. 66-68, fig. 52, p. 65 (avec bibl.). — C.J. Lamm,
1929-1930, I, p. 227-228, II, pl. 84, fig. 2 (avec bibl.). —
G.E. Pazaurek, « Mittelalterlicher Edelsteinschliff », Bel-
vedere, juillet-décembre 1930, p. 154-155, fig. 104. —
Die Parler..., III, 1978, p. 180, repr. p. 179 et 181. —
F. Seibt, Kaiser Karl IV..., 1978, fig. 106, p. 275.

EXP. : České umění gotické, 1350-1420, Prague, 1970,
no 419.

Prague, Chapitre métropolitain de la cathédrale Saint-Guy
Inv. 33-103

173

173
Aiguière

Paris, vers 1350 ? (monture en partie postérieure)
Legs Théodore Dablin, 1861
Cristal de roche, argent doré
H. 0,245 ; L. 0,125 ; D. 0,100 ; Ép. du cristal : ca. 0,005
Poinçons sur le bord du couvercle : décharge des menus ouvrages d'argent vieux,
Paris, 1750-1756 (œil) ; contremarque, Paris, 1756-1762 (branche de laurier) ; autre
poinçon non identifié. Poinçons au revers de
la base : charge, Paris, 1781-1783 (A couronné) ; maison commune, Paris, 1781-
1782 (S couronné) ; maître (illisible)

Cette pièce très bien faite, à panse ronde,
comporte douze pans qui sont à peu près
égaux (la largeur maximum est d'environ
0,025 m), à l'exception du pan plus large
correspondant à l'anse. La base cachée par
la monture présente également douze pans.
L'aiguière était vraisemblablement pourvue
à l'origine d'un couvercle en cristal de roche
à douze pans aussi. Sur les aiguières en pierres dures de cette époque, le biberon n'est
jamais prévu : quand il y en a un, il est
obtenu grâce à la monture comme ici.

La monture a été modifiée. De son état
initial, seuls subsistent le pourtour du couvercle et celui du bord, décorés de moulures
perlées aux mêmes endroits que l'aiguière

nº 174 et bordés de fleurons. Sur ceux du couvercle, la feuille supérieure a disparu, sauf pour six d'entre eux. Le pourtour du couvercle est doublé à l'intérieur de douze griffes correspondant sans doute aux pans du couvercle d'origine. La monture du bord est ornée sur les pans de branchages poinçonnés très estompés.

Le reste de la monture est par contre postérieur. Les poinçons figurant sur le bord du couvercle prouvent que la pièce se trouvait à Paris au milieu du XVIIIe siècle. La base date de 1781-1782, mais il est peu probable qu'elle ait été exécutée pour la pièce à cette date car sa forme ne correspond pas à celle de l'aiguière. Il semble en fait que le pied ait été composé au XIXe siècle au moyen du remploi de deux éléments antérieurs : d'une part, la bordure de feuillage qui enveloppe la base de cristal (XVIIe siècle?), d'autre part la base-Louis XVI. La calotte à graine du couvercle a dû être exécutée alors dans le style de celle-ci tandis que les éléments anciens étaient redorés pour uniformiser l'ensemble.

BIBL.: H. Barbet de Jouy, 1876, nº E.86, p. 40. — J.-J. Marquet de Vasselot, 1914, nº 869, p. 141. — C.J. Lamm, 1929-1930, I, nº 7, p. 224, II, pl. 80, fig. 7.

Paris, musée du Louvre
Inv. OA 62 A

174
Aiguière

Paris, vers 1360?
Anc. coll. Debruge-Duménil (vente à Paris, Hôtel des Ventes, 23 janvier-12 mars 1850, nº 905, p. 101), prince Alexis Soltykoff (vente à Paris, Hôtel Drouot, 8 avril-1er mai 1861, nº 63, p. 19, où l'aiguière est acquise par le marchand parisien Van Cuyck); acquise par le musée du marchand Henry Durlacher en 1864
Cristal de roche, argent partiellement doré et émaillé
H. 0,224; L. 0,110

L'aiguière comme le couvercle sont taillés à douze pans. L'anse prise dans la masse du cristal est complétée par une seconde anse d'orfèvrerie (rappelant celle de l'aiguière émaillée nº 183), parti unique parmi les va-

174

ses en pierres dures de cette époque qui sont conservés. L'extérieur de l'anse, émaillé, est décoré de rinceaux. Le sommet du fruitelet était également émaillé. La monture de la pièce regroupe plusieurs traits qu'on trouve fréquemment dans les descriptions de l'orfèvrerie du duc d'Anjou. Le fruitelet formé de trois feuilles à pointe dirigée vers le haut alternant avec trois autres à pointe dirigée vers le bas appartient à un type souvent mentionné dans les deux inventaires du prince, ainsi sur une aiguière en cristal de roche dont le couvercle est en cristal « et le fretel d'argent doré à VI fueilles, trois montans et trois avalans: et a dessus un glaon [gland] » (Inv. de Louis d'Anjou, nº 1931,

p. 411). Une autre aiguière du duc d'Anjou, en vermeil, réunit deux des particularités de celle de Londres: « le biberon yst de la gueule d'un lion ; et le martelet est de deux glaons » (Ibid., nº 2042, p. 433). Les fleurs de lis sont également souvent présentes sur les pièces de la même collection, comme un verre en cristal de roche dont la base en vermeil pouvait être assez proche de celle de l'aiguière: « le pié est fait en manière de roze, à un souage à orbevoies et un greneté, et sur le plat est le pié cizellé à fleurs de lis » (Ibid., nº 1232, p. 331). Enfin l'aiguière de Londres rappelle spécialement une des aiguières en cristal de roche du duc, dont la monture en vermeil comprend, outre une base en manière de rose, trois « bandes » à charnières servant à unir le col à la base (appelées aussi « liens » ou « bandelettes » dans le second inventaire du duc) : « Ladicte aiguière est quarrée [à pans] et a du lonc deux bandes dorées, et *sur l'anse une autre* ; et le biberon passe par la gueule d'un serpent » (*Ibid.*, nº 1928, p. 410). Il semble, d'après ces rapprochements, que l'aiguière a pu être montée vers 1360.

BIBL. : R.W. Lightbown, *Victoria and Albert Museum Cat. French Silver*, Londres, 1978, nº 5, p. 7-9, repr. (avec bibl.). — R.W. Lightbown, 1978, p. 54-55, pl. XXVI-XXVII.

EXP. : *Loan Exhibition*, Londres, South Kensington Museum, 1862, nº 994.

Londres, Victoria and Albert Museum
Department of Metalwork
Inv. 15-1864

175
Vase-reliquaire du Paraclet

Paris, troisième quart du XIVe siècle?
Ancien trésor de l'abbaye du Paraclet (Somme)
Cristal de roche, argent doré et émaillé, grenats, perles
H. 0,304 ; D. pied : 0,123. Cristal de roche seul : H. ca. 0,125 ; D. ca. 0,080

Le vase en cristal de roche à douze pans, orné d'une moulure, est très bien exécuté. Comme sur de nombreux vases en pierres dures contemporains en forme de coupes ou de gobelets, on a ménagé au revers de la partie inférieure un tenon destiné à s'insérer dans le pied d'orfèvrerie. Le tenon n'est cependant pas utilisé ici, la base en vermeil étant assujettie au moyen de griffes rabattues sur la panse. Le recours à ce type de monture, qu'on trouve sur d'autres vases de la même époque, n'est pas suffisant pour laisser supposer que la monture a pu être changée, car elle correspond à l'époque vraisemblable de fabrication du vase. Elle comporte cinq de ces « souages à croisettes » si fréquemment mentionnés dans les descriptions de l'orfèvrerie du duc d'Anjou (*cf.* par exemple : « Un pot d'argent doré..., garni par le pié, la gueule et le couvercle de trois souages ferus [estampés] à croiset-

175

tes... », Inv. de Louis d'Anjou, nº 1631, p. 366). Le centre du couvercle en émail vert translucide est rehaussé de cinq cercles concentriques de points en émail opaque blanc ou rouge foncé, isolés ou groupés. Ce décor, qui représente l'un des plus anciens exemples de l'emploi de l'émail peint, correspond en outre à un parti ornemental apparaissant assez fréquemment sur des objets décrits dans les deux inventaires d'Anjou, qui présentent des éléments en émail vert « goutté de blanc et de vermeil » : « Et sur le fretel de l'aiguière a une terrace vert, goutée de vermeil et de blanc, sur laquelle a une beste à esle... » (*Ibid.*, nº 658, p 230 ; cf. *Ibid.*, nºˢ 325, 553, 652, 663, etc.) ; le fond

est plus rarement azur (*Ibid.*, nºˢ 1890, « l'asur a poins blans et vermeils », 1898, 2008, etc.). Le couvercle est orné de six troches comportant chacune un grenat et quatre perles. Tous les grenats, perforés de part en part, sont des remplois. La base était également ornée de six troches disparues.

Sans doute d'usage profane à l'origine, le vase a été transformé en reliquaire au moyen du remplacement du fruitelet d'origine par la croix actuelle. Celle-ci, datant peut-être aussi du XIVe siècle, décorée sur les deux faces, est perforée à l'extrémité des quatre bras et provient par conséquent d'un autre objet. Le fleuron inférieur a perdu sa feuille terminale pour être fixé sur une petite calotte rapportée au sommet du couvercle.

BIBL. : R.W. Lightbown, 1978, p. 55 et 103, pl. XVIII.

EXP. : *Les Trésors des églises de France*, 1965, nº 61, p.30, pl. 115 (avec bibl. et liste des exp. antérieures).

Amiens, Trésor de la cathédrale

176
Gobelet

Paris, XIVe siècle?
Anc. coll. de Louis XIV ; versé au Louvre en 1796
Améthyste. H. 0,112 à 0,115 ; D. 0,095 ; Ép. de la pierre : ca. 0,008 ; Poids : 0,531 kg

L'améthyste utilisée aux XIVe-XVe siècles dans la fabrication des vases est souvent mêlée de jaspe rouge comme sur cette pièce ou, à divers degrés, sur d'autres objets de formes diverses créés dans la même ambiance, dont certains ont gardé une monture médiévale : l'aiguière à anse dans la masse provenant de l'église de Reinkenhagen (New York, Metropolitan Museum of Art) ; trois coupes basses rondes également pourvues d'une anse dans la masse, conservées au Muséum d'Histoire naturelle de Paris (Inv. 7.206), au Museo di Mineralogia de Florence (D. Heikamp et A. Grote, 1974, nº 53, p. 152-153, fig. 96) et au Kunsthistorisches Museum de Vienne (H. Fillitz, 1964, nº 34, p. 14) ; plusieurs coupes basses rondes sans anse, telles que la « coupe de sainte Hélène » (Trêves, Trésor de la cathédrale), une coupe des collections royales suédoises (E. Steingräber, *Schatzkammern Europas*,

176

177

Munich, 1968, repr. p. 151), une autre ayant appartenu à Laurent de Médicis, conservée au Palazzo Pitti (D. Heikamp et A. Grote, *op. cit.,* n⁰ 44, p. 146, fig. 86), et une autre conservée à Vienne (H. Fillitz, *op. cit.,* n⁰ 35, p. 14) ; enfin la coupe ronde à onze pans du Grünes Gewölbe de Dresde (J. Menzhausen, *La Voûte verte,* Leipzig, 1968, pl. 9).

Taillé à neuf pans, le gobelet présente la même originalité que cette dernière pièce ; généralement en effet, le nombre des pans est pair sur les vases de la fin du Moyen Age. Bien qu'il soit épais, que sa hauteur ne soit pas constante et que les pans convexes ne soient pas tous de la même largeur (elle varie en haut entre 0,032 et 0,035 m), le vase est bien fait, notamment en ce qui concerne les arêtes au tracé régulier. A l'intérieur, particularité intéressante, le fond du vase a gardé la trace des deux cylindres de diamètre différent au moyen desquels la pièce a été évidée. La gorge de la partie inférieure de la panse était destinée à servir de point d'appui à une monture, c'est pourquoi la base, qui devait être cachée, n'a pas été polie. Le revers de la base, concave, est par contre poli, de même que le rebord et l'intérieur du vase.

On ne relève pas d'objets en améthyste dans les inventaires de Charles V et du duc d'Anjou. Plus tard par contre, dans celui du duc de Berry, rédigé en 1413, figurent huit objets en améthyste : trois vaisseaux, trois écuelles, une salière (Inv. A, n⁰ˢ 308, 314, 325, 650, 653), ainsi qu'«un petit goubelet d'une amatiste, sans couvercle, garni d'argent doré ; pesant I marc II onces », soit 0,306 kg (*Ibid.,* n⁰ 716). Le duc avait en outre donné à la Sainte-Chapelle de Bourges en 1404 deux burettes d'améthystes qu'on lui avait offertes l'année précédente (Inv., II, n⁰ 117, p. 173).

Ce vase de provenance inconnue est entré entre 1681 et 1684 dans la collection de Louis XIV dont l'*Inventaire* le décrit comme : «Un vaze d'amatiste en forme de gobelet, taillé à neuf pams *(sic)* ».

BIB. : J. Guiffrey, *Inventaire général du Mobilier de la Couronne sous Louis XIV,* I, Paris, 1885, n⁰ 199, p. 199. — *Inventaire des Diamans de la Couronne,* Paris, 1791, 2e partie, n⁰ 283, p. 82.

Paris, musée du Louvre
Inv. OA 2042

177
Plat du chef
de saint Jean-Baptiste

Paris, fin du XIVe siècle?
Anc. coll. du duc de Berry ; donné par lui en 1404 à la Sainte-Chapelle de Bourges ; versé en 1757 au trésor de la cathédrale de Bourges ; Muséum départemental du Cher (1794) ; Bibliothèque de l'École centrale du Cher (1795) ; Bibliothèque municipale de Bourges (1806) ; déposé en 1836 par la Bibliothèque au musée de Bourges
Jaspe. H. 0,115 à 0,119 ; D. 0,295 ; Ép. du jaspe : 0,006 - 0,007

Cette coupe constitue, comme l'a démontré Mater, le seul élément subsistant d'un objet décrit en 1402 parmi les joyaux du duc de Berry conservés dans la « grosse tour » de Bourges : «un chep *(sic)* d'or, fait en reverence de saint Jehan Baptiste, lequel est en un plat de jaspe goderonné, bordé d'or autour et garni de perrerie, c'est assavoir : de quatre balais, huit saphirs, quatre esmeraudes et sèze trochés de perles, contenent chascun trochet quatre perles, qui font soixante-quatre perles ; pesant tout ensemble trente mars, cinq onces (7,495 kg) ». La représentation du martyre du saint sous la forme d'un plat portant une tête se répand à la fin du Moyen Age. Il n'est pas étonnant d'en trouver un chez Berry dont l'un des patrons est saint Jean-Baptiste. Un grand entablement d'argent doré aux armes du duc, reposant sur sept pieds de griffon, supportait deux grands anges et une petite colombe qui servaient «à tenir ledit chep de saint Jehan » ; ce socle pesait 208 marcs 1/2 (51 kg).

Le duc fit de nombreux dons à la Sainte-Chapelle du château de Bourges qu'il avait fait construire et qui fut consacrée en 1405. La dotation initiale du 10 mai 1404 comportait cent soixante-quatorze objets dont le chef de saint Jean-Baptiste et son socle. Mais le 5 juin 1412, alors que Bourges allait être assiégée, le duc reprit à la Sainte-Chapelle un certain nombre d'objets afin de les faire fondre, et notamment le chef de saint Jean-Baptiste. La coupe fut cependant laissée au trésor de la Sainte-Chapelle où elle est mentionnée dans un inventaire de 1564. Avec tout ce trésor, elle rejoignit celui de la cathédrale de Bourges lorsque la Sainte-Chapelle fut détruite en 1757.

Quoique la taille godronnée rappelle certaines coupes en pierres dures byzantines antérieures à l'époque gothique, la coupe du duc de Berry semble bien être un travail occidental : le jaspe dont elle est faite, rouge et jaune, comportant des impuretés, est caractéristique du jaspe utilisé aux XIVe-XVe siècles en Europe occidentale. Deux vases à deux anses et plusieurs coupes de la collection de Laurent de Médicis ou l'aiguière du Museu Gulbenkian (P. Verlet, *Objets d'art français de la Collection Calouste Gulbenkian,* Lisbonne, 1969, no 10, repr.) par exemple ont été obtenus dans un jaspe d'aspect voisin. La coupe à seize godrons est très bien exécutée, les arêtes convergeant à l'intérieur vers le centre plat et circulaire de 0,055 m de diamètre environ. Les pièces en pierres dures godronnées occidentales de la fin du Moyen Age sont beaucoup plus rares que les pièces à surface unie ou facettée. Il est cependant mentionné quelques objets godronnés en pierres dures (en cristal de roche principalement), à usage profane, dans l'inventaire de Charles V (nos 436, 1726, 1727, 2046), dans celui du duc de Berry en 1413 (nos 545, 694) et peut-être aussi dans ceux du duc d'Anjou (nos 894 et 897). On peut d'autre part rapprocher la coupe de Bourges de quelques pièces qui datent vraisemblablement de la même époque et présentent les mêmes godrons : une coupe en jaspe rouge à six godrons, munie d'une anse dans la masse, conservée au Kunsthistorisches Museum de Vienne (H. Fillitz, 1964, no 32, p. 13-14), une grande coupe en améthyste en forme de coquille à dix godrons, appar-

tenant au musée de l'Ermitage de Léningrad (Inv. 3423), ainsi que, semble-t-il, deux coupes couvertes en jaspe données par Clément VII à la basilique San Lorenzo de Florence, disparues et connues par des dessins anciens (D. Heikamp et A. Grote, 1974, nos 58-59, p. 156-157, fig. 104-105). Le revers de la base de la coupe est concave comme sur le gobelet en améthyste no 176. Le bord du vase moins poli que le reste était caché par la monture. La coupe a sans doute été conçue comme un objet profane, car il est peu probable, étant donné sa forme, qu'elle ait été destinée dès l'origine à recevoir un chef de saint Jean-Baptiste. La façon dont celui-ci lui a été adapté peut être imaginée grâce à un objet analogue, conservé au trésor de la cathédrale de Gênes, qui est formé par un plat en sardoine antique, devenu plat de saint Jean-Baptiste au XVe siècle : la tête du saint, en or émaillé, reposant au fond du plat, est reliée par une lanière d'orfèvrerie à la monture du bord (C. Marcenaro, *Il museo del tesoro della cattedrale a Genova,* Gênes, 1969, pl. II).

BIBL. : A. Hiver de Beauvoir, *Description... du trésor... donné par Jean, duc de Berry, à la Sainte-Chapelle de Bourges,* Bourges, 1855, p. 14 et 50 (extrait des *Mém. de la Soc. historique du Cher,* I). — A.J. de Girardot, 1859, p. 44-45, 59, 64. — J. Guiffrey, 1894-1896, II, no 652, p. 80. — D. Mater, «Études sur le musée de Bourges. Bassin de jaspe rouge de la Sainte-Chapelle», *Mém. de la Soc. des Ant. du Centre,* XXVIII (1904) (1905), p. 201-209, repr. — M. Meiss, 1967, p. 51, fig. 472.

EXP. : *Mécènes et amateurs d'art berrichons du Moyen Age et de la Renaissance,* Bourges, Palais Jacques-Cœur, 1956, no 48, p. 35.

Bourges, musées de la Ville
Inv. 836.5.1

178
Camée : Le Christ soutenu par un ange

Camée : France, fin du XIVe siècle ; monture : Paris ? XVIIe siècle
Anc. coll. d'Antoine de Bourbon et Jeanne d'Albret, de Henri IV et de Marie de Médicis
Sardonyx, or émaillé
H. 0,070 ; L. 0,075

Kris a le premier attiré l'attention sur cet objet en signalant chez Charles V la pré-

sence d'un camée de forme polygonale analogue, ce qui est inhabituel («ung autre camahieu à huit costez, et à une teste couronnée de cheveulx», Inv. no 699), et en attribuant le camée de Florence à l'art bourguignon de la fin du XIVe siècle. Le thème du Christ mort soutenu par un ou plusieurs anges est exploité dans tous les domaines de l'art français à la fin du XIVe siècle et au début du XVe, peut-être plus spécialement dans l'ambiance du mécénat du duc de Berry. Le sujet est traité par les enlumineurs (*cf.* M. Meiss, 1967, fig. 15, 622, 806, 810) de même que par les sculpteurs, comme le prouve un bas-relief provenant de l'ancien couvent des Jacobins de Bourges (Bourges, musée Jacques-Cœur, *ibid.,* fig. 433). La même iconographie est adaptée en émail, par exemple sur le triptyque du Rijksmuseum d'Amsterdam (*Ibid.,* fig. 572) ou, ainsi que l'a remarqué Kris, sur un reliquaire offert au duc de Berry par son gendre Bourbon en 1403 («une Pitié de Nostre Seigneur et un angel qui la soustient, esmaillié de blanc», Inv. A, no 68). Plus tard, en 1537, l'inventaire du trésor de la cathédrale de Bourges mentionne une croix d'or aux armes de l'archevêque de Bourges Jean Cœur, fils de Jacques Cœur, «en la quelle y a un grand ange qui tient ung Dieu de Pitié esmaillé de blanc et led. ange a quatre elles esmaillées de noir en fasson de plumes» (A.-J. de Girardot, 1859, p. 11). Il n'est donc pas étonnant que le sujet ait été abordé aussi par les graveurs en pierres fines de l'époque. Dans l'inventaire de Charles V figure une croix d'or «où il a ung camahieu ou mylieu qui fait une Pitié» (Inv. no 2881). Stylistiquement, le camée de Florence rappelle la façon dont le thème est traité dans la première partie des Très Belles Heures de Notre-Dame, manuscrit de la bibliothèque du duc de Berry (*cf.* M. Meiss, 1967, fig. 15 et 28), tandis que l'ange est assez proche de l'ange portant les armes de Berry (no 107).

Le camée, décrit dans l'inventaire du château de Pau rédigé en 1561-1562 sous Antoine de Bourbon et Jeanne d'Albret, passe à leur fils Henri IV qui le fait venir à Fontainebleau en 1602 avec sa collection béarnaise. En 1613, le camée, monté comme en 1561, figure dans l'«Inventaire des pièces, meubles et hardes que la Royne

178

Régente a faict prendre et choisir parmy les besongnes que le feu Roy (...) a faict venir de Paux, et c'est pour icelles faire mectre dans son Cabinet du Louvre » : « Un grand soleil d'or où est enchassé une grande agathe d'une figure de Jésus Crist soustenue par ung ange [à six pans, précise-t-on en 1561], led. soleil pozé sur une soubaze faicte en tombeau d'argent doré où sont enchassez trois camayeux d'agathe anticque, avec une petite chaisne d'or, pezant ung marc deux onces six gros [0,328 kg] » (Archives du ministère des Affaires étrangères, Mémoires et documents, France, n° 769, fol. 17 v°). La monture actuelle a été vraisemblablement exécutée à Paris au XVIIe siècle. Le camée aurait pu parvenir à Florence par l'intermédiaire de Marguerite-Louise d'Orléans, petite-fille de Marie de Médicis et épouse en 1661 du grand-duc de Toscane Côme III.

BIBL. : E. Kris, *Meister und Meisterwerke der Steinschneidekunst in der italienischen Renaissance,* Vienne, 1929, I, p. 14 et 151, II, pl. III, fig. 6. — Th. Müller et E. Steingräber, 1954, p. 48, fig. 30, p. 50. — M. Meiss, 1967, p. 17, fig. 326. — Cr. Piacenti Aschengreen, *Il Museo degli Argenti a Firenze,* Milan, 1968, n° 960, p. 181 (avec bibl.). — D. Alcouffe, « Le collezioni francesi di gemme del XVI secolo », *Arte illustrata,* n° 59 (octobre 1974), p. 266, fig. 4, p. 265.

Florence, Museo degli Argenti
Inv. 103

Orfèvrerie et émaillerie

Danielle Gaborit-Chopin

Le XIVe siècle marque un des hauts moments de l'orfèvrerie française : jamais encore les créations des orfèvres n'avaient atteint ce luxe et ce raffinement. Or, les raisons de cet épanouissement paraissent moins liées aux circonstances économiques ou politiques qu'au goût personnel de certains rois ou de leur entourage immédiat : Clémence de Hongrie, Marie de Luxembourg, Jeanne d'Évreux, Philippe VI et Jeanne de Bourgogne, enfin Jean le Bon et ses fils firent, tour à tour, preuve d'une passion pour les objets de métal précieux, les gemmes, les perles, les émaux…, que les circonstances auraient dû, parfois au moins, freiner. Le futur Charles V, dauphin puis duc de Normandie, manifesta très tôt cet intérêt pour l'orfèvrerie qu'il devait d'ailleurs tenir de son père : en 1352, malade à Montereau, il se fit apporter par l'orfèvre Pierre des Barres une charettée de joyaux qu'il voulait regarder pour se distraire. Plus tard, en 1356, pendant la captivité de son père, alors qu'il affrontait de rudes difficultés financières, il s'attira, à l'entrevue de Metz, les remontrances de son oncle, l'empereur Charles IV, pour le luxe trop évident de son équipage. Ainsi, ni la grande peste noire, ni la captivité du roi, ni les bouleversements qui précédèrent le sacre de Charles V ne semblent avoir ralenti l'activité des orfèvres : jusqu'à la fin du siècle, ceux-ci rivalisèrent d'inventions et même d'extravagances pour susciter l'intérêt de leurs clients. Dans les premières décennies du XVe siècle, la somptuosité des « joyaux », la fabuleuse accumulation des pierres précieuses, des troches de perles et des ors émaillés apparaît comme un défi à l'effondrement de la royauté française (nos 219-221).

L'évolution de l'orfèvrerie et de l'émaillerie du XIVe siècle est liée à la mise au point ou au développement de plusieurs techniques : la production des émaux translucides sur basse-taille domine la première moitié du siècle. L'art de ces délicats bas-reliefs d'argent ou d'or dont la ciselure transparaît à travers une légère couche d'émaux translucides s'est certainement développé à Paris sous l'influence des œuvres des émailleurs toscans, connues à travers les cours de Naples et d'Avignon et surtout grâce aux importations des marchands italiens. Cependant, de nombreuses inconnues subsistent encore sur les origines et le développement de cette technique à Paris, en dépit des remarquables, travaux qui lui ont été consacrés, notamment ceux d'E. Steingräber. Plusieurs listes de pièces d'orfèvrerie émaillées parisiennes ou attribuées à Paris, ont été publiées ; aucune d'ailleurs n'est exhaustive. Mais le travail de classification de ces œuvres, leur répartition en ateliers ou du moins en « groupes » devraient être facilités par les confrontations qui ont pu être faites ici (nos 183-191). L'attribution et la datation de la plupart de ces pièces restent discutées (la présence de poinçons étant exceptionnelle) et la tendance actuelle serait peut-être de dater quelques-unes d'entre elles plus tôt, vers 1300 par exemple. Cependant, les quelques certitudes que nous ayons ne vont pas tout à fait dans ce sens : le triptyque de Philippe V, à la cathédrale de Séville, antérieur à 1322, offre encore une gamme d'émaux translucides assez réduite et une certaine sécheresse dans le ciselure qui ne semblent pas correspondre au plein épanouissement de cette technique, tel qu'on peut l'admirer sur l'aiguière de Copenhague, le médaillon de Munich ou le triptyque de Thomas Bazin (n⁰ˢ 183, 185, 187). Et la base émaillée du saint Jacques de Compostelle, antérieur à 1321, montre encore une nette dominance des émaux opaques sur les translucides (n⁰ 179). Contrairement à ce que l'on a pu écrire, l'évolution du statut des orfèvres et des émailleurs ne donne pas plus de crédit à un développement très précoce de l'émaillerie translucide : en effet, orfèvres et émailleurs ne semblent pas avoir formé dès 1309 deux corporations distinctes : plusieurs des émailleurs signataires du « statut de 1309 » sont connus par ailleurs comme orfèvres. Et le rôle de la taille de 1313 ne recense à Paris que vingt-six émailleurs pour cent soixante-quatre orfèvres. Il est évident que ces derniers étaient capables d'émailler leurs propres œuvres et qu'au cours du XIV⁰ siècle, les meilleurs des orfèvres, Symon de Lille, Jean de Touyl (n⁰ 188), Jean le Braelier, Hennequin du Vivier... ont continué à rehausser d'émaux leurs créations.

L'un des aspects les plus déconcertants de l'orfèvrerie de cette période est peut-être le nombre des orfèvres de renom qui exercèrent alors leur activité. La lecture des comptes, même dans l'état partiel que nous connaissons, et des « Journaux du trésor » révèle l'existence d'orfèvres célèbres de leur temps, dont les œuvres suscitèrent l'admiration de leurs contemporains mais que les historiens d'art ont totalement oublié : Guillaume Julien n'était pas le plus apprécié des orfèvres de Philippe le Bel qui fit plus souvent appel à Eude Calayn, Adam d'Aire ou Jean Nevelon. Thomas Nevouin, Thibaut de Damars, Pierre et Jean de Montpellier, Symon de Lille sont quelques-uns des principaux fournisseurs de Charles IV et de ses épouses, Marie de Luxembourg et Jeanne d'Évreux. Peu d'orfèvres eurent peut-être la réputation de Symon de Lille qui fournissait le roi de France (il est l'auteur du chef-reliquaire de saint Martin offert à Tours par Charles IV) mais aussi les comtes de Hainaut et de Flandre et la dame de Cassel, qui fut nommé sous Philippe VI « orfèvre des Saintes Reliques » et qui entretenait dans son hôtel parisien, rue Perrin-Gacelin, le trouvère Jean de La Motte dont il fut aussi l'inspirateur. Plus longue encore est la liste des orfèvres de Charles V que l'on voit d'ailleurs souvent travailler pour les frères du roi avant de passer au service de Charles VI : Conrart l'Alemant, Jean de Maucreux, Jean de Lille (qui mourut aux côtés d'Étienne Marcel), Robin Aufroy, Hans Croist, Claux de Fribourg, et même Jean le Braelier et Hennequin du Vivier restent pour nous des noms prestigieux auxquels nous avons pourtant peine à rattacher un ou deux objets conservés (n°s 202-204). Et il ne faut pas oublier que les changeurs et marchands parisiens ou d'origine italienne exerçaient contre ceux-ci une sévère concurrence dont les comptes se sont fait l'écho.

L'histoire semble cependant avoir fait preuve de justice en conservant le souvenir de Jean le Braelier. Au nom de cet orfèvre (mort dès 1352) qui travailla pour Jean le Bon, le dauphin Charles et ses frères et qui savait aussi tailler l'ivoire, sont associées les plus anciennes mentions aujourd'hui connues de quelques-unes des techniques qui dominent l'histoire de l'orfèvrerie dans la seconde moitié du siècle. Il fut payé en 1352 pour « deux roses d'or fin et d'argent émaillées de rouge cler » exécutées pour « monseigneur d'Orléans » (*cf.* Douet d'Arcq, *Nouveau recueil...,* p. 130). En effet, le « rouge cler », émail rouge translucide d'une couleur éclatante, fut surtout utilisé dans la dernière moitié du siècle (*cf.* n°s 212, 213, 216) sur un support d'or. Or, le délicat petit reliquaire de la Sainte Épine de Londres en fournit un exemple un peu antérieur à 1350 (n° 190) et il est possible que le fermail d'or perdu de la Vierge de Jeanne d'Évreux, dont on sait qu'il était émaillé de rouge, en ait été un exemple encore plus précoce (n° 186).

La technique du « poinçonné » qui fait naître sur l'or de la coupe de sainte Agnès ces merveilleux oiseaux et ces fleurs irréelles (n° 213) n'est pas plus caractéristique des dernières décennies du siècle. Bien que les exemples aujourd'hui connus décorent des œuvres tardives (n°s 210, 213, 221), Jean le Braelier « poinçonnait » déjà ses œuvres de « feuillages nervez » (Douet d'Arcq, *Nouveau recueil...,* p. 129). A la même date (1352), le même orfèvre ornait le couvercle d'un hanap d'un « fruitelet d'une fleur de liz esmaillée après le vif » (Paris, Arch. nat., KK 8, f° 7). Cette fleur de lis émaillée de blanc, analogue à la fleur de lis, autrefois « émaillée au naturel », du sceptre de Charles V (n° 202) change singulièrement les données de l'histoire des émaux sur ronde-bosse d'or : ainsi les « joyaux » fastueux, hérissés de troches de perles et de pierres précieuses, des environs de 1400, tels le « Rossel » d'Altötting, le « calvaire » d'Estergom (que les travaux d'E. Kovacs ont permis de dater de 1402) ou la délicieuse sainte Catherine de New York (n° 219) ne constituent pas une nouvelle étape dans l'évolution de l'orfèvrerie gothique mais sont, au contraire, l'ultime point d'aboutissement des recherches des orfèvres de Jean le Bon et de Charles V dont les œuvres ont été perdues.

Les inventaires sont là pour rendre compte de ces œuvres disparues et évoquer ces fabuleux trésors amassés par ces princesses et princes français du XIVe siècle. Les inventaires des biens de Louis d'Anjou, de Philippe le Hardi, de Jean de Berry et de Charles V sont, certes, les plus riches. Mais les fils de Jean le Bon n'ont pas innové dans ce domaine et n'ont fait que développer un mouvement amorcé déjà dans la première moitié du siècle, particulièrement par les reines : en 1328, l'inventaire après décès des biens de Clémence de Hongrie révèle déjà un petit trésor plein d'intérêt. Celui de Jeanne d'Évreux (1371) est beaucoup plus important : la reine avait sans doute déjà commencé à réunir sa collection du vivant de Charles IV mais il est probable que cette jeune veuve, dont l'action politique pendant la Régence ne fut pas négligeable, trouva ainsi un remède à l'ennui de son long veuvage. Le rôle qu'a joué dans ce domaine Jeanne de Bourgogne, la « male reine boiteuse », épouse de Philippe VI, est moins connu. L'exécution de sa succession testamentaire (cf. Douet d'Arcq, *Nouveau recueil...,* et Paris, Arch. nat., KK 8) montre pourtant qu'elle avait réuni, avant 1349, une collection nombreuse et diverse, où les pièces raffinées de vaisselle d'orfèvrerie (nefs, quarte « émaillée de chauve-souris », aiguière d'or semée d'émaux de plique, salière d'argent à couvercle « à deux singes emmantellés »...) voisinaient avec des vases de pierres dures et des fontaines de forme étonnante pour cette date, comme cette « grant fontaine en guise de chastel a pilliers de maçonnerie, a hommes d'armes entour, avec le hanap et une quarte semée d'esmaux ».

Cette tradition fut reprise et amplifiée dans la seconde moitié du siècle par les petits-fils de Jeanne de Bourgogne : l'inventaire du trésor de Louis d'Anjou dont on dit qu'il fut en partie dicté par le duc lui-même, stupéfait par le luxe et la complexité des joyaux et de la vaisselle précieuse qu'il décrit (n° 300). Jean de Berry ne le cède en rien sur ce point mais ses inventaires (publiés par J. Guiffrey) montrent chez ce célèbre amateur d'art une curieuse désinvolture pour le travail de ses orfèvres, trait que l'on retrouve d'ailleurs un peu chez Charles VI : à peine achevées, certaines des œuvres et non des moindres, ont été modifiées, transformées, remises au goût du jour et même dépecées pour permettre la confection de nouveaux joyaux. Quelle que soit la réputation de celles de ses frères, la collection de Charles V fut, de loin, la plus importante par son nombre (3 906 numéros), par sa richesse et sa variété (cf. n° 293). En effet, elle était loin d'être uniquement composée d'objets exécutés sur l'ordre du roi. En véritable collectionneur, curieux et cultivé, amateur d'objets insolites, le roi y avait entassé, à côté de sa vaisselle d'or et d'argent, de ses reliquaires précieux et des *regalia,* des pièces de dates et de provenances diverses : pierres prophylactiques, talismans, verreries de Damas, œuvres « à la morisque » ou ornées de caractères coufiques y voisinaient avec des coupes taillées dans des bois exotiques, des œufs d'autruche, des porcelaines, des astrolabes... ou l'horloge de Philippe le Bel (Inv. n° 2598). L'intérêt du roi pour les formes d'art plus anciennes est évident : en plus des camées et des vases de pierres dures, antiques ou byzantins, l'inventaire recense plusieurs objets « d'ancienne façon », coupe de Charlemagne, objets ayant appartenu à saint Louis, mais aussi vieux reliquaires et staurothèques, telle la croix de « Godefroy de Bouillon » (Inv.

n° 2925) ou des icônes ou tableaux anciens (Inv. n°s 1778, 1995). En dehors des cadeaux faits par l'entourage du roi pour sa fête ou certaines cérémonies, le trésor comprenait encore de nombreux objets dont les armoiries montrent qu'ils avaient été conçus pour d'autres propriétaires. En effet, l'un des traits les plus caractéristiques de la collection de Charles V est qu'elle a englobé des collections antérieures : elle comprenait d'abord une bonne partie de la première collection que s'était constituée Charles, encore duc de Normandie : la comparaison de l'inventaire de 1379-1380 avec celui de 1363 montre que, contrairement à ce que l'on a cru, ce premier trésor ne fut pas entièrement fondu en raison des circonstances difficiles. D'autre part, les pièces les plus intéressantes de la collection de Jeanne d'Évreux (qui avait elle-même recueilli certains des objets et manuscrits de Clémence de Hongrie) y furent intégrées, de même que des épaves des trésors des derniers Capétiens et des premiers Valois, notamment de la collection de Jeanne de Bourgogne. Ainsi, tel objet qui peut paraître caractéristique du goût un peu compliqué des dernières décennies du siècle, comme cette « pye en un nic sur un pié d'argent » ou ce « Samson Fortin (Samson ou David) qui chevauche un lion » (Inv. n°s 1735, 1731) ont appartenu à Jeanne de Bourgogne tandis que ce reliquaire des cheveux du Christ « d'un gros ballay en façon d'un cueur qui est soustenu de deux mains... et sur le cueur a une esmeraude et deux perles » (Inv. n° 2929) provient de Jeanne d'Évreux. Ce simple fait pourrait être l'une des raisons de la permanence de certains courants artistiques au cours de la seconde moitié du XIVe siècle, ou de ces déroutants retours à des formes archaïsantes ou du moins plus anciennes (n°s 94, 205) que l'on constate dans l'art de l'époque de Charles V, parallèlement aux manifestations d'une imagination parfois exubérante.

179
Statuette-reliquaire:
saint Jacques

Paris, avant 1321
Donné par Geoffroy Coquatrix à la cathédrale de Santiago de Compostelle
Argent doré, émaux opaques et translucides. Reliquaire: or (?), pierres précieuses,
cristaux
H. max. 0,53; L. max. de la base 0,23; H. de
la statuette 0,46; H. du reliquaire 0,18

Le saint, pieds nus, se dresse sur un socle
reposant sur six petits lions: la base du socle
s'évase par une double moulure tandis que
la partie supérieure est ornée de motifs
émaillés de bleu et rouge opaques et d'un
vert translucide (?) dont il reste des traces
(monstres dans des demi-cercles, entourant
des écussons portant un sautoir engrêlé
cantonné par quatre oiseaux fantastiques).
Le saint est vêtu d'une robe recouverte
d'une tunique plus courte, dont le col se
retourne pour former deux longues pointes; il est coiffé d'un large chapeau aux
bords souples, décoré de fleurons d'émail
rouge opaque et d'écus semblables à ceux
de la base (autrefois émaillés), et sommé
d'une coquille Saint-Jacques. Il soutient de
la main droite un petit reliquaire, maintenu
par deux grosses goupilles, et tient dans la
droite son bâton en haut duquel est fichée
une pancarte portant une inscription en
lettres gothiques sur fond d'émail bleu soutenu (IN HOC VASE AURI QUOD TENET ISTE IMAGO
EST DENS B(eat)I JACOBI AP(osto)LI QUE GAUFRIDUS
COQUATRIZ CIVIS PAR(isiensis) DEDIT HUIC ECC(lesi)E
ORATE PRO EO). Un élément de fixation visible
sous le bras droit, à hauteur de la hanche,
pourrait avoir servi à attacher la besace qui
fait partie du costume traditionnel du pèlerin. Le reliquaire-monstrance (refixé et restauré ou remanié après l'incendie de 1921,
faussé à la partie supérieure) en forme de
tourelle, est renforcé par de légers contreforts dont la base est ornée d'un cabochon
de pierre précieuse; son nœud est formé de
quatre arcatures; sa base est marquée de
gros cabochons.
    La pancarte émaillée que tient la statuette
atteste qu'il s'agit d'un don de Geoffroy Coquatrix; ce témoignage est conforté par la
présence sur le socle et le chapeau du saint
des armes des Coquatrix (cf. P. Lauer, In-

179

vent. des sceaux de la coll. Clairambault, 1923, III, nᵒˢ 2761-2763). Geoffroy Coquatrix est un personnage bien connu de la bourgeoisie parisienne de la fin du XIIIᵉ et du début du XIVᵉ siècle. Familier de plusieurs rois, il joua un rôle important sous les règnes de Philippe IV le Bel, de Louis X et de Philippe V le Long. Il occupa de nombreuses fonctions, notamment celle de Maître de la Chambre des Comptes, de 1315 à juin 1316 et de juillet 1319 à 1321. Il mourut sans doute dès 1321 puisque sa seconde femme, Marie la Marcelle (de la famille du Prévost des Marchands Étienne Marcel) est citée comme veuve dans un acte de 1322 (cf. J. Viard, 1899, II, p. 55-72; 1917, nᵒ 88; 1940, col. 4, nᵒ 1). Il faut noter toutefois que cette date de 1321 paraît en contradiction avec l'acte notarié du 23 janvier 1324 par lequel vingt-cinq notables parisiens, dont Geoffroy Coquatrix, s'obligèrent à contribuer aux dépenses de la confrérie des Pèlerins de Saint-Jacques à Paris, à moins que cet acte n'ait eu, en ce qui concerne Geoffroy, un caractère commémoratif (cf. H. Bordier et L. Brièle, «la confrérie de Saint-Jacques», Archives hospitalières de Paris, 1877, 2ᵉ partie, p. 13). De toute façon, c'est très probablement dans les dernières années de sa vie que Geoffroy Coquatrix fit faire le reliquaire : la confrérie des Pèlerins de Saint-Jacques dont il faisait partie et qui comprenait quelques-uns des représentants les plus éminents de la grande bourgeoisie parisienne, ne prit une réelle importance qu'après sa reconnaissance officielle par Louis X, en 1315. Il est possible que le reliquaire ait été fait seulement vers 1321, au moment où Charles de Valois, accompagné peut-être par d'autres membres de la Confrérie fit le pèlerinage à Compostelle (cf. J. Petit, Charles de Valois, Paris, 1900, p. 232 ss.).

Le style de la statuette d'orfèvrerie, correspond parfaitement à une date aux environs de 1320 : dans le domaine de l'orfèvrerie, la statuette de vermeil du saint Blaise de Namur (musée diocésain, cf. L'Europe gothique, 1968, nᵒ 420) offre un exemple un peu antérieur de ce type d'objet, devenu rarissime, auquel appartient aussi la Vierge de Jeanne d'Évreux (nᵒ 186). On sait que Jeanne d'Évreux et son époux, le roi Charles IV offrirent en 1326 à la confrérie

des Pèlerins de Saint-Jacques un reliquaire de saint Jacques où l'apôtre était représenté debout mais, à la différence du reliquaire de Compostelle, le reliquaire proprement dit était porté par les figures des deux donateurs. En fait, le saint Jacques de Geoffroy Coquatrix est proche par son costume de celui que Pucelle a gravé sur le sceau de la confrérie et dont il subsiste un moulage (cf. F. Baron, Bull. Mon., 1975, p. 31, fig. 3). Le détail du col de la tunique aux revers pointus que l'on devine sur le sceau, se retrouve sur la statue du saint Jacques assis du musée de Beauvais (Ibidem, p. 46, fig. 19). Le visage du saint Jacques d'argent doré de Compostelle n'est d'ailleurs pas très éloigné de celui de la statue de Beauvais, non plus que de celui de la statue de saint Jacques faite par Robert de Lannoy pour l'hôpital Saint-Jacques-aux-Pèlerins de Paris (ibidem, p. 43, fig. 15). Mais le rapprochement le plus convaincant pour le visage est celui que l'on peut faire avec la tête d'un apôtre attribuée à Guillaume de Nourriche et sculpté pour le même hôpital Saint-Jacques, en 1319-1324, donc à peu près contemporain de la statuette de Geoffroy Coquatrix (ibidem, p. 43, fig. 16; cf. nᵒ 10) : le modelé fin et nerveux du visage aux pommettes saillantes, aux sourcils légèrement froncés est analogue et les abondantes boucles des cheveux, de la moustache et de la barbe sont rendues avec la même précision dans la ciselure et la même virtuosité. Il est évident que la statuette de Compostelle sort des mains de l'un des meilleurs orfèvres parisiens et soutient la comparaison avec les plus belles œuvres de la première moitié du siècle, même dans ses plus petits détails. Bien qu'ils aient souffert, les émaux de la base offrent un témoignage tangible de ces objets armoriés et émaillés que décrivent les inventaires du début du siècle, où les émaux opaques sont encore nettement dominants.

BIBL.: J. Villa Amil y Castro, Pasatiempos eruditos... Mobiliario liturgico de Galicia en la Edad Media, Madrid, 1907, p. 183, 191 (avec bibl.). — J.G., Relicario de S.M. Iglesia catedral de Santiago de Compostella, Santiago, 1960, nᵒ 22.

Santiago de Compostelle, Relicario de la cathédrale

180
Pot

XIVᵉ siècle
Prov. de l'abbaye de Maubuisson (inv. de 1463 et 1768). Transféré en 1793 au Directoire du district de Pontoise, puis en 1798 au musée de l'École française créé à Versailles ; déposé en 1803 (ou 1806) à la bibliothèque de la ville
Noix de coco, cuivre doré, argent niellé, ambre
H. 0,34 ; L. 0,17

Le «pot» de Maubuisson est un exemple rare de ces vases utilisant l'écorce de la noix de coco complétée par une monture d'orfèvrerie, dont les inventaires du XIVᵉ siècle conservent de nombreuses mentions. Le recours à des matériaux et techniques variés, ici «patenôtre» d'ambre sur le couvercle et bandes d'argent niellé sur l'anse et le long de la panse, est également typique du goût du XIVᵉ siècle. L'objet a pu être identifié dans les inventaires de l'abbaye de Maubuisson dressés en 1463 et 1768 ; l'inventaire de 1768 le décrivant comme «Le cocmart de Madame Blanche, seconde abbesse de céans, fait de l'écorce d'un fruit, garnis de vermeil», le «pot» a toujours été daté de l'abbatiat de Blanche d'Eu (1275-1309). La description de l'inventaire de 1463 pose cependant un problème complexe ; l'objet y est en effet ainsi décrit : «Un pot d'argent doré esmaillé d'azur dedens et dehors, dont le gros du pot est en manière d'une nois, et dessus a une patenostre d'ambre, et l'ance néellée» ; il ne subsiste sur l'objet actuellement conservé au musée Lambinet aucune trace d'émail ; on pourrait être tenté de conclure que celui-ci n'est pas le «pot» décrit en 1463 ; mais cette description étant par ailleurs suffisamment précise, il faudrait alors admettre que l'abbaye de Maubuisson possédait deux vases pratiquement identiques, l'un émaillé, l'autre doré, le second n'apparaissant pas dans l'inventaire : une telle solution est tout de même assez invraisemblable. Il faut alors penser que l'aiguière conservée est bien celle décrite en 1463, dont le décor émaillé a disparu, probablement entre 1463 et 1768, et a été remplacé par une dorure, ou dont la monture aurait été refaite à l'identique, émail excepté ; la

180

monture actuelle paraît cependant bien médiévale. Il faut alors s'interroger sur la nature de l'émail que cette monture aurait pu recevoir ; le métal de base étant le cuivre, et celui-ci présentant une surface totalement lisse, il n'est guère possible qu'il ait pu recevoir un revêtement d'émail translucide ; aucune trace ne permet par ailleurs de penser que des plaquettes émaillées aient pu être fixées sur l'objet ; on est donc conduit à songer à un revêtement d'émail peint, ce qui n'est guère compatible avec une date vers la fin du XIIIe ou le début du XIVe siècle : les plus anciens exemples ne remontent pas avant la fin du XIVe siècle (nos 175, 221).

Tel qu'il se présente actuellement, le « pot » de Maubuisson ne se prête guère à une datation précise : la forme générale

semble répandue du XIIe au XVe siècle, le décor niellé — motifs végétaux sur l'anse, fleurs de lis et rosettes sur les bandes placées le long de la panse — est également difficile à dater ; on peut cependant noter que le semis de fleurs de lis sur fond niellé se retrouve sur le plat de la reliure de l'« Apocalipse » de la Sainte-Chapelle, daté de 1379 (no 205).

BIBL. : A. Dutilleux et J. Depoin, 1882, p. 219 et sq. — A. Dutilleux, *Inv. de l'abbaye Notre-Dame la royale dite Maubuisson-les-Pontoise, Recueil d'anciens inv.*, I, Paris, 1896, p. 6 et 24. — R. Lightbown, 1978, p. 26.

EXP. : *Saint Louis*, 1960, no 123. — *Trésors des églises de France*, 1965, no 108. — *La France de Saint Louis*, 1970-1971, no 84. — *L'Art et la Cour*, 1972, no 45.

Versailles, musée Lambinet
Inv. 1141

181
Reliquaire porté par deux anges

Byzance, XIe-XIIe siècles et Champagne, vers 1320-1340
Provient de l'église de Jaucourt (acq. 1915)
Argent doré et peint, cuivre doré, émaux sur cuivre champlevé, cabochons
H. 0,26 ; L. 0,38 ; l. 0,17

Le socle porte une inscription gravée : « + CEST SAINTUAIRE OU IL A DE LA VRAIE CROIS FIST AINSI A ESTOFER NOBLE DAME MADAME MARGUERITE DARC DAME DE IAUCOURT PRIES NOSTRE SEGNIEUR POUR LI QUI LI DOINT BONE VIE ET BONE FIN AMEN + ». C'est donc Marguerite Darc qui fit ajouter au reliquaire byzantin les cabochons qui ornent son cadre, les deux anges d'argent doré et le socle de cuivre doré. Les manteaux des anges sont retenus par des fermaux armoriés, l'un aux armes de Jaucourt, « de sable à deux lions léopardés l'un sur l'autre », l'autre mi-parti, à dextre de Jaucourt, à senestre d'armes non identifiées, « de gueules à trois bandes d'argent » ; le socle conserve par ailleurs une plaquette armoriée, à dextre de Jaucourt, à senestre d'armes qui seraient celles de la famille Darc, « d'or semé de croisettes de sable au lion du même ». Les plaquettes qui ornaient les autres angles du socle avaient déjà disparu en 1861.

Les documents d'archives apportent quelques renseignements sur la donatrice, Marguerite Darc (+ 1380), femme d'Erard II de Jaucourt (+ 1348), mais ne fournissent pour la datation de l'objet qu'une «fourchette» très large : le *terminus ante quem* se place en 1369, date à laquelle Marguerite céda au duc de Bourgogne ses droits sur la terre et le château de Jaucourt ; le *terminus post quem* est moins précis, mais Pierre III de Jaucourt, père d'Erard II est encore mentionné en 1309, et il est par ailleurs fort peu vraisemblable que Marguerite Darc, morte en 1380, soit née avant 1300-1310 : elle ne peut donc guère avoir épousé Erard de Jaucourt avant 1320 environ.

On est cependant conduit à penser que Marguerite Darc fit «étoffer» le reliquaire peu de temps après son mariage avec Erard de Jaucourt ; en effet, le style des anges se situe dans la suite des créations de l'orfèvre-

181

rie parisienne aux environs de 1300 : l'effet « blousant » de la partie supérieure des robes, les plis à becs élargis « en écuelle » des manteaux, les coiffures aux boucles serrées « en tire-bouchon » sont autant de traits caractéristiques ; certains détails comme le caractère à la fois plus menu et plus plat des visages ou le traitement un peu systématique des chevelures doivent probablement être considérés comme des indices d'une date un peu plus avancée dans le XIVe siècle et d'une exécution « provinciale » : bien qu'aucun rapprochement très précis avec la sculpture monumentale champenoise ne puisse être mis en évidence, les visages au nez droit et très court et à la toute petite bouche rappellent ceux de certaines Vierges de cette région.

Par sa composition comme par le type des anges, le reliquaire de Jaucourt est par ailleurs très proche du pied de croix ou de reliquaire conservé dans le trésor de la cathédrale de Tolède. (Cf. cat. L'Europe gothique, 1568, no 459.)

Les visages et les mains peints « au naturel » sont l'un des plus anciens exemples connus de l'utilisation par les orfèvres de ce procédé, auquel ils semblent recourir beaucoup plus fréquemment à la fin du siècle.

BIBL. : A. Roserot, *Dictionnaire historique de la Champagne méridionale (Aube)*, II, Langres, 1843, p. 712-716. — A. Gaussen, *Portefeuille archéol. de la Champagne*, s.l., 1861, VII, p. 9118 et pl. III.

EXP. : *Exp. rétrospective*, 1900, no 1661. — *Exp. de l'art byzantin*, 1931, no 448 bis. — *Exhibition of french art*, 1932, no 576. — *Trésors d'art de l'école troyenne*, 1953, no 97, pl. 7. — *L'art en Champagne au Moyen Age*, 1959, no 97 — *Art byzantin*, 1964, no 518.

Paris, musée du Louvre
OA 6749

182
Croix-reliquaire

Ile-de-France ou Champagne, début du XIVe siècle?
Trésor de la cathédrale de Sens ; rachetée en 1792 par M. Thomas, orfèvre à Sens ; rendue à la cathédrale en 1804
Or niellé, émaillé, saphirs, perles, bois
H. 0,37 ; L. 0,24 et 0,095

La staurothèque ou reliquaire de la Vraie Croix est en forme de croix à double traverse. Le bois de la Vraie Croix est laissé presque totalement à découvert sur les deux faces ; il est serti dans une légère monture d'or, allégée par une moulure sur les deux faces et aux extrémités. Les extrémités de la croix sont seules enserrées dans des bouterolles rectangulaires. Les éléments décoratifs sont concentrés sur ces extrémités et à la croisée des traverses : sur la face, les extrémités sont rehaussées de six gros cabochons de saphirs retenus dans de hautes bâtes à grosses griffes ; les deux rubis-balais des croisées des traverses (montés de la même façon) sont placés au centre d'une feuille d'or en forme de croix grecque, ajourée de quatre-feuilles. Quatre grosses perles en poire enfilées sur une tige d'or et retenues par un gros bouton, rayonnent autour de chacune des croisées des traverses. L'épaisseur des extrémités de la croix et son sommet sont occupés par des animaux fantastiques dont la queue dessine un rinceau. Au revers, l'intersection des traverses supérieures est marquée par une croix grecque ajourée de cinq quatre-feuilles, celle des traverses inférieures par un Christ en croix gravé et ciselé sur une lame d'or ajourée. Les symboles des évangélistes, se détachant sur un fond d'émail bleu, sont placés aux extrémités des traverses inférieures et en haut et en bas de la croix. La croix était autrefois placée sur un pied, disparu ; elle a été grossièrement refixée sur le support actuel. La relique de la Vraie Croix, de très grandes dimensions, serait, selon la tradition, le fragment qui fut extrait de la châsse de sainte Paule offerte par Charlemagne, que citent les inventaires de 1095 et 1192. Cette identification paraît toutefois très fragile.

Rien dans les inventaires n'indique à quelle date la monture a pu être réalisée : le type des sertissures des cabochons, placés dans de grosses bâtes d'or polyédriques renforcées de griffes, est assez fréquent dans le dernier tiers du XIIIe et au début du XIVe siècle. Mais la rigueur des lignes, le dépouillement des parties métalliques sans filigranes, le mode de fixation des grosses perles suggèrent plutôt une datation au XIVe siècle. La forme rectiligne des extrémités, l'importance des gros cabochons de pierres précieuses et l'effacement de la

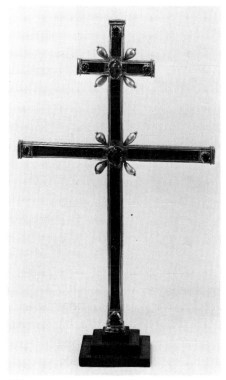

182

182 (détail)

monture au profit du bois de la Vraie Croix annoncent déjà le parti qui fut adopté avant 1377 par l'orfèvre travaillant pour Louis d'Anjou à la monture de la croix de Baugé. Les monstres et les animaux fantastiques des extrémités de la croix, dont les queues s'épanouissent en rinceaux feuillus, s'inspirent des dessins marginaux des manuscrits de la première moitié du siècle. La virtuosité et la fermeté de leur dessin, la beauté des châtons de la face contrastent avec la facture molle et incertaine du Christ en croix et des symboles des évangélistes du revers.

BIBL. : Abbé E. Chartraire, *Inventaire du trésor de Sens*, 1897, nᵒ 187 C. — A. Frolow, 1961, nᵒ 75-5.

EXP. : *Trésors des églises de France*, nᵒ 821.

Sens, Trésor de la cathédrale

183
Aiguière émaillée

Paris, vers 1320-1330 (poinçon de Paris)
Au XVᵉ siècle en possession de Heyne Boltzen, marchand de Lübeck († 1473) ; aurait été remise à Frederick II en 1559 par les Dithmarses ; en 1703 dans le Cabinet des Curiosités fondé par Frederick III ; en 1849 au musée national de Copenhague
Argent doré, émaux opaques et émaux translucides sur basse-taille
H. 0,225 ; L. 0,13

L'aiguière hexagonale, à la panse renflée, est munie d'un pied bas, évasé, et d'un couvercle couronné par un bouton de feuillages ; le bec émerge d'une tête de dragon ; l'anse est émaillée de « drôleries » et, sur les côtés, de rinceaux de feuillages. D'autres figures grotesques (monstres à torse humain, animaux fantastiques, personnages chevauchant un coq ou des monstres) apparaissent sur le pied, le couvercle et dans la partie basse de la panse. Le milieu de la panse est divisé en six tableaux illustrant un roman : l'identification de ces scènes avec l'histoire de l'Enfant prodigue paraît contestable mais aucune autre proposition plus satisfaisante n'en a encore été donnée. Sur le col de l'aiguière, sous des arcs trilobés, sont figurés de petits personnages jouant : jeu de la grenouille, course sur échasses, « jeu de la crosse » (sorte de hockey) et jeu dans lequel les partenaires, face à face, s'opposaient en appuyant leurs pieds l'un contre l'autre. Le poinçon fleurdelisé de Paris est insculpé sous le pied de l'aiguière, à côté du nom gravé d'Heyne Boltzen. C'est à bon droit que l'aiguière de Copenhague a été attribuée à l'entourage de Pucelle : si un émail peut être donné à ce célèbre enlumineur qui fut aussi orfèvre, c'est bien celui-ci où le traitement plein d'humour de certains thèmes, l'aisance, l'élégance des personnages des scènes principales, la souplesse et la vivacité du dessin, la finesse de la ciselure évoquent en effet son style. Seul le triptyque émaillé du musée diocésain de Namur peut rivaliser sur ce plan avec l'aiguière ; le mé-

183

ractère religieux alors que la troisième est profane, et qu'elles sont d'un style différent: la date de 1333 n'est donc pas fondée. Cependant une date, vers 1320-1330, rendrait compte à la fois de l'évidente influence de Pucelle et du fait que l'aiguière représente certainement une étape de l'émaillerie parisienne postérieure à celle qu'illustre le polyptique émaillé de la cathédrale de Séville offert par Philippe V (*cf.* E. Steingräber, 1975).

BIBL.: F. Knudsen, *Særtryk af Gymnastisk Tidsskrift*, 1917, II. — O. Von Falke et H. Frauberger, 1904, p. 119. — M. Mackeprang, 1921, 13 p. — T.E. Christiansen, *The National Museum of Denmark*, 1957, n° 98. — R.H. Randall, *The Metropolitan Museum of Art Bull.*, XVI, 1958, p. 269. — M.B. Freeman, *The Metropolitan Museum of Art Bull.*, 1963, p. 337. — M.M. Gauthier, 1972, p. 254-256, n° 204. — E. Steingräber, *Pantheon*, XXXIII-2, 1975, note 7. — R. Lightbown, 1978, p. 8, 70-71, pl. XXX-XLI.

EXP.: *L'Europe gothique*, 1968, n° 430.

Copenhague, musée national de Danemark 10710

184
Couronne-reliquaire du Paraclet

Ile-de-France, vers 1320-1330
Prov. du trésor de l'abbaye du Paraclet; déposée en 1856 à la cathédrale d'Amiens
Argent doré, or, émaux translucides sur basse-taille, gemmes, perles
H. 0,108; D. max 0,203

La couronne, entièrement bordée d'un perlé, comporte six grands fleurons fleurdelysés alternant avec six petits. Chaque grand fleuron était à l'origine rehaussé d'un cabochon central, entouré de quatre cabochons; chaque petit fleuron comportait quatre cabochons dans des bâtes perlées, la tige de la fleur de lis étant ornée d'un grenat rond, entouré de six perles rayonnantes. A l'exception du cabochon central des grands fleurons (serti dans un châton à griffes), toutes les pierres de la partie supérieure de la couronne sont montées dans des bâtes en forme d'entonnoir, cernées d'une collerette perlée; les pierres du bandeau sont, au contraire, serties dans des bâtes à griffes. Sur le bandeau sont fixés sous chaque grand fleuron, des médaillons dont certains ren-

daillon de Munich (n° 185) et le pied de croix de la cathédrale de Pampelune pourraient aussi dépendre de ce groupe. Les «drôleries» et les représentations de jeux apparaissent à plusieurs reprises dans l'enluminure de la première moitié du XIVe siècle et dans les œuvres même de Pucelle; ces thèmes furent également exploités par l'ivoirerie (*cf.* n° 156) et l'émaillerie: la reine Jeanne d'Évreux possédait une pièce comparable à l'aiguière de Copenhague, «un pot esmaillié à plusieurs jeux d'enfants» (*cf.* Leber, *inv.,* p. 138).

L'aiguière avait été datée de 1333, par comparaison avec la patène de Sainte-Marie d'Elseneur (Copenhague, musée national) qui porte cette date, et la calice qui l'accompagne. Mais les trois pièces ne font évidemment pas partie d'un même ensemble puisque deux d'entre elles ont un ca-

ferment encore des reliques (de la Sainte Épine, de la Vraie Croix, de sainte Agnès, de sainte Marguerite); le réceptacle de la Sainte Épine d'or, monté à charnières, entouré de petits grenats alternant avec des perles, est d'un type différent des autres et pourrait avoir été refait. Sous les petits fleurons sont serties des plaquettes hexagonales d'émaux translucides (monstre à tête de femme coiffée d'un béguin, lapin devant un arbre, monstre à tête de femme tenant une couronne, arbre, joueur de rebec aux ailes de chauve-souris, chien poursuivant un lièvre devant un arbre) dont la gamme est très nuancée et la facture très soignée (bleu vif, gris, vert, jaune d'or, fauve, rose-violet). La couronne est suspendue par des chaînes fixées derrière le bandeau; les points d'attache primitifs sont encore visibles en haut du revers des grands fleurons.

Si les couronnes votives ont de très lointains antécédents, la mode des couronnes-reliquaires paraît liée au culte de la Sainte-Couronne et à la diffusion des Saintes Épines en Occident (cf. Couronne du musée diocésain de Namur, et celle de Liège aujourd'hui au Louvre), il est possible que les reliques de la Passion que contient aujourd'hui la couronne d'Amiens aient été apportées de Terre Sainte par Enguerrand de Boves, fondateur en 1219 de l'abbaye de Paraclet. Mais la couronne elle-même ne fut exécutée que beaucoup plus tard: le métal lisse, sans filigranes, sur lequel se détachent des cabochons surélevés, la forme des fleurons fleurdelisés ne permettent guère une datation antérieure à 1300. Le type des châtons à collerettes perlées, analogues, bien que dépourvus de griffes, à ceux du fermail fleurdelisé de Saint-Denis (n° 192), se rencontre déjà à la fin du XIIIe siècle mais semble avoir persisté pendant tout le premier tiers et même la première moitié du XIVe siècle; d'autre part, les bâtes à griffes en forme « d'entonnoir » du bandeau indiquent nettement le XIVe siècle. La présence des émaux translucides sur basse-taille et leur style offrent une précision supplémentaire: le lapin courant devant un buisson ou poursuivi par un chien peut être comparé à ceux qui sont si fréquemment décrits sur la vaisselle d'orfèvrerie profane des derniers Capétiens et des premiers Valois et dont témoignent encore le décor de la « coupe au

184

Tournoi » de Milan (musée Poldi-Pozzoli) et l'un des hanaps du trésor de Gaillon (n° 206). Les monstres à torse humain sont très proches de ceux de l'aiguière de Copenhague (n° 183), en particulier le musicien aux ailes de chauve-souris que l'on retrouve, jouant de la trompette, au bas de la panse de l'aiguière. Par comparaison avec ces derniers émaux, la couronne doit donc pouvoir être datée vers 1320-1330.

BIBL. : Dusevel et Duthoit, *Bull. du Comité hist. des Arts et Monuments*, VI, 1853, p. 82. — F. de Mely, *Exuviae sacrae Constantinopolitanae*, Paris, 1904, p. 360-361. — J. Taralon, *Trésors des églises de France*, 1966, p. 270, pl. 107-108.

EXP. : *Exp. rétrospective de l'Art français*, 1900, n° 244. — *Exhibition of French Art*, 1932, n° 576 i. — *Trésors des églises de France*, n° 62. — *L'Art et la Cour*, 1972, n° 57 (avec bibl.).

Amiens, Trésor de la cathédrale

185
Médaillon : Jeune fille à la Licorne

Paris, vers 1320-1330
Prov. du couvent de Sauer-Schwabenheim (Rheinhessen). Acq. 1883
Argent, émaux translucides sur basse-taille, émail opaque
D. 0,07

Le médaillon est bordé d'un motif polylobé souligné d'émail opaque. La partie centrale est occupée par une figure de jeune femme assise, élevant un miroir de la main droite et retenant de la gauche la corne d'une licorne agenouillée devant elle et dont la tête repose sur ses genoux. Un chasseur, grimpé dans l'arbre à gauche de la scène, transperce l'animal de sa lance. Cette capture de la licorne, animal fantastique que, selon la légende médiévale, seule une Vierge pouvait apprivoiser, fait allusion à l'incarnation du Christ (représenté par la licorne) dans le giron de la Vierge. La scène fut fréquemment représentée, sans peut-être que son

185

caractère mystique ait toujours été perçu (cf. nᵒˢ 127, 341). Les couleurs des émaux où se mêle le rouge opaque, l'aspect des personnages, les traits du visage de la jeune fille proches des enluminures de Pucelle, permettent de placer cet émail dans le groupe des émaux parisiens du second quart du XIVᵉ siècle, dans l'entourage du triptyque émaillé du musée diocésain de Namur et de l'aiguière de Copenhague (cf. nᵒ 183); l'élongation très caractéristique du torse de la jeune fille assise se retrouve sur des statuettes de Vierges d'ivoire contemporaines (cf. nᵒ 130). Le médaillon, autrefois serti sur un objet d'orfèvrerie, a l'aspect d'une valve de miroir. Mais il pourrait plutôt avoir orné un hanap, une coupe ou un vase, comme le montrent plusieurs mentions de l'inventaire de Louis d'Anjou (cf. Inv. nᵒˢ 804, 878, 882, 922, 2222, 2270, 2286), en particulier le nᵒ 904 : « une coupe... en l'émail du dedans du couvercle a une dame qui tient un mirouer et en son giron a une unicorne et sur un arbre est un homme qui la tue ».

BIBL. : J. Helbig, « La légende de la licorne ou monoceros », Rev. de l'Art chrétien, 1888, p. 16 à 22. — E. Steingräber, 1956, p. 38, nᵒ 35. — M.M. Gauthier, 1972, nᵒ 208.

Munich, Bayerisches Nationalmuseum
MA 2202

186
Vierge à l'Enfant
de Jeanne d'Évreux

Paris, entre 1324 et 1339
Donné en 1339 par Jeanne d'Évreux à l'abbaye de Saint-Denis
Argent doré, émaux opaques et émaux translucides sur basse-taille, or, perles, grenats, saphirs, verres, cristal de roche
H. totale 0,69 ; H. de la Vierge 0,56

La Vierge, debout, tient sur son bras gauche l'Enfant à demi-nu qui lui caresse la joue. La statuette est faite de feuilles de métal superposées et façonnées, sans âme de bois. Elle se dresse sur un socle rectangulaire soutenu par quatre petits lions, dont le décor architectural encadre quatorze panneaux émaillés illustrant des scènes de l'Enfance et de la Passion du Christ. Les armes de Jeanne d'Évreux sont fixées sur ce socle, de même que l'inscription attestant la donation à Saint-Denis faite par la reine, veuve du roi Charles IV, le 28 avril 1339. La donation, confirmée en 1343, comprenait encore une statuette d'or de saint Jean (qui fut fondue pendant la Ligue), la châsse dite de « la Sainte-Chapelle » et la couronne de la reine qui disparurent à la Révolution. La Vierge de vermeil tient dans sa main droite la fleur de lis de cristal de roche et d'or, rehaussée d'émail vert translucide, ornée de perles et de cabochons (des grains de verre bleu ont remplacé les rubis d'origine), qui constitue le reliquaire proprement dit et qui contenait des reliques des cheveux, des vêtements et du lait de la Vierge. La statuette était autrefois ornée d'une couronne d'argent dorée rehaussée de pierreries, perles et émaux d'or cloisonnés « de plique » et d'un fermail d'or émaillé de rouge en forme de fleur.

La Vierge de Jeanne d'Évreux est un des rares témoins subsistant de ces grandes statuettes d'orfèvrerie dont les textes donnent de nombreuses mentions. Elle paraît correspondre à un type à la mode dans le second quart et au milieu du XIVᵉ siècle : Jeanne de Bourgogne en laissa une, analogue, aux Carmes de Paris. Jeanne d'Évreux légua à l'abbaye de Maubuisson une autre Vierge, de bois, mais tenant également une fleur de lis à la main. La beauté de la statuette, son élégance sans mièvrerie en font

une œuvre exceptionnelle avec laquelle peuvent rivaliser bien peu de créations de la statuaire monumentale ou des arts précieux : parmi les Vierges sculptées du XIVᵉ siècle, celles de Lisors, de Beauficel (cf. nᵒˢ 28, 42) et la petite statuette d'orfèvrerie placée au centre du polyptyque de Thomas Bazin (nᵒ 187) en sont cependant assez proches. De plus, les émaux du socle, datés avant 1339, constituent un point de référence essentiel pour la chronologie de l'émaillerie parisienne (cf. nᵒˢ 183-191). Ils semblent pouvoir être attribués à un atelier bien distinct de celui qui produisit l'aiguière de Copenhague et les pièces apparentées (cf. nᵒˢ 183-185) mais auquel on peut, par contre, attribuer la monture émaillée de l'ampoule de jaspe d'Upsal (cf. L'Europe gothique, 1968, nᵒ 428).

L'auteur de la Vierge de Jeanne d'Évreux ne peut malheureusement pas être nommé : le nom de Pucelle souvent prononcé devant cette œuvre, n'entraîne pas réellement l'adhésion. Il est vrai que Pucelle travailla à plusieurs reprises pour Jeanne d'Évreux et Charles IV et qu'il grava le sceau de l'hôpital Saint-Jacques-aux-Pèlerins de Paris (cf. F. Baron, Bull. mon., 1975, p. 31, fig. 3). Mais si l'élégance de la Vierge évoque des enluminures de Pucelle, le dessin des émaux du socle est bien moins proche du style de cet artiste que celui des émaux du triptyque de Namur, de l'aiguière de Copenhague ou du médaillon de Munich. Or, il paraît impossible que la Vierge et son socle ne fassent pas partie du même projet initial. D'autre part, les « Journaux du Trésor » de Charles IV montrent que bien d'autres orfèvres, dont certains portaient le titre « d'orfèvre du roi » ou « de la reine » (Symon de Lille, Thibault de Damars, Thomas Nevouin, Nicolas de Lenz, par ex.) furent, plus souvent que Pucelle, chargés d'importantes commandes royales. Enfin, s'il est possible que la Vierge d'argent doré ait été réalisée avant la mort de Charles IV, elle peut aussi bien avoir été commandée par la reine dans les dix premières années de son long veuvage. En l'absence de toute nouvelle précision, il faut donc renoncer à attribuer à un orfèvre donné la Vierge du Louvre et continuer à la dater entre 1324, date de son mariage avec Charles IV, et 1339, date de la donation à Saint-Denis.

186

BIBL.: J. Labarte, 1864-1866, II, p. 337-339. — E. Molinier, IV, s.d. (1901), p. 214. — J.J. Marquet de Vasselot, 1914, nº 150. — M.M. Gauthier, 1972, p. 256, nº 206 (avec bibl.). — Bl. de Montesquiou-Fezensac, 1973-1977, I et II, nº 8, III, p. 28-30 (avec bibl.).

EXP.: *Exhibition of French Art,* 1932, p. 48.

Paris, musée du Louvre
MR 342, MR 419

187
Polyptique de Thomas Bazin

Paris, vers 1320-1340
Légué en 1491 par Thomas Bazin, sans doute à l'église Saint-Jean d'Utrecht; anc. coll. du comte Wolff Metternich; coll. Pierpont Morgan (acq. 1911)
Argent doré, émaux translucides sur basse-taille, émail opaque, pierres précieuses, perles (parties restaurées)
H. 0,283

La partie centrale du polyptyque forme un dais surmonté d'arcs trilobés retombant sur des colonnettes; cette niche dont le fond est émaillé de fenestrages, abrite une statuette de Vierge à l'Enfant: la tête ceinte d'une couronne fleuronnée rehaussée de perles, la Vierge est vêtue d'une robe serrée à la taille et d'un manteau court, ramené par devant; elle porte sur son bras gauche l'Enfant à demi-nu qui lui caresse la joue et retient de la main droite un pan de son manteau. La partie supérieure du polyptyque a été remaniée. Les volets sont émaillés sur les deux faces: à l'intérieur se tient un collège apostolique réparti sur deux rangs en douze panneaux. A l'extérieur, entre deux anges sonnant de la trompette, trône le Christ-Juge, entouré par la Vierge et saint Jean agenouillés et deux anges portant les instruments de la Passion. Des animaux fantastiques s'ébattent dans les tympans. Des oiseaux, des lapins et des dragons ailés sont émaillés dans les étoiles à huit branches de la base en talus. Cette base qui repose sur des petits lions est bordée d'un cordon de perles et de cabochons et d'une double bande de quatre-feuilles ajourés et de croisettes. Une inscription gravée sous le pied commémore le legs du polyptyque, en 1491, par Thomas Bazin, chanoine de Bayeux, évêque de Lisieux puis archevêque de Césarée.

187

187 (détail)

188
Calice de Jean de Touyl

Paris, 1328-1348 (poinçon de Paris)
Donné en 1553 à l'église de Wipperfürth par Johannes Steynhoff, vicaire à Saint-André de Cologne
Argent doré, émaux translucides sur basse-taille, émail opaque
H. 0,177 ; D. du pied 0,165

Le calice est composé d'une coupe profonde, lisse, fixée sur une tige à huit pans gravée de fenestrages ; le nœud, côtelé, est orné de bossettes en losanges émaillées ; la base, aplatie, en forme d'octogone mouvementé, porte huit émaux translucides sur basse-taille illustrant des scènes de la Passion (Crucifixion, Descente de Croix, Résurrection du Christ, Saintes Femmes au tombeau, *Noli me tangere,* Incrédulité de Thomas, Ascension, Pentecôte) ; le poinçon fleurdelisé de Paris est visible entre la Crucifixion et la Pentecôte. Au pied de la Crucifixion, un personnage agenouillé est désigné par l'inscription « Jehan de Touil (ou Toull) orfevre ». Ce calice est donc la seule pièce signée d'orfèvrerie parisienne que l'on connaisse pour le XIVe siècle. Les documents mentionnent à plusieurs reprises Jean de Touyl : en 1328, il fut chargé d'un inventaire du trésor de la Sainte-Chapelle et de l'inventaire après décès de la reine Clémence de Hongrie ; il fut nommé garde de la corporation des orfèvres en 1348. Il s'agit donc d'un orfèvre célèbre et réputé. Selon F. Baron (« Orfèvres du M.A. à Saint-Jacques-l'Hôpital », à paraître), il mourut en 1349-1350. Ses émaux où seuls les visages et les mains étaient réservés, ont beaucoup souffert ; cependant, l'aspect des personnages longilignes, aux épaules étroites, leurs visages aux mentons peu accusés, suggèrent un rapprochement avec le polyptyque émaillé du musée Poldi Pezzoli à Milan (où le cycle des scènes de la Passion est également développé) et celui de sainte Elisabeth du musée des Cloîtres à New York.

BIBL. : G. Panofsky-Soergel, *Festschrift Kauffmann. Munuscula Discipulorum,* 1968, p. 225-233. — M.M. Gauthier, 1972, nº 209.

EXP. : *Rhin-Meuse,* 1972, nº p. 209

Wipperfurth, église paroissiale Saint-Nicolas

La structure du polyptyque est très proche de celles du polyptyque du musée Poldi-Pezzoli à Milan (vers 1320-1330 - *cf.* M.M. Gauthier, 1972, nº 207) et surtout du polyptyque-reliquaire de Philippe V à la cathédrale de Séville, antérieur à 1322 (*cf.* Steingräber, 1975). Mais les émaux sont bien différents de ceux de Séville : leur palette est plus large, leur dessin plus souple et plus ample. Leur style est également distinct de celui du beau triptyque émaillé du musée diocésain de Namur où l'on retrouve pourtant une représentation comparable du Jugement Dernier. Le décor de la base du polyptyque est très proche de celui des fonds d'une enluminure de Pucelle, dans les « Heures de Jeanne d'Évreux » (Nativité, *cf.* nº 239, fº 54). C'est encore au mécenat de cette reine que nous ramène la statuette de la Vierge à l'Enfant : sa silhouette, le drapé du manteau retombant en chutes de plis de chaque côté du corps, le geste même de l'Enfant rappellent très précisément la Vierge de vermeil de Jeanne d'Évreux ; les lions qui supportent le polyptyque sont du même type que ceux de la base de la Vierge de Saint-Denis (*cf.* nº 186).

BIBL. : P. Clemen, 1900, p. 70, pl. IV. — O. Von Falke et H. Frauberger, 1904, p. 120, 135, pl. 113. — Ch. Samaran, « La châsse de Thomas Bazin », *Humanisme actif. Mélanges... J. Cain,* Paris, 1968, p. 365-368. — E. Steingräber, *Pantheon,* XXXIII-2, 1975, p. 91-99 (avec bibl.).

New York, Pierpont Morgan Library

188

188 (détail)

189
Piéfort émaillé

Paris, 1338-1339
Anc. coll. Thomas
Argent, émaux translucides et opaques
D. 0,03

Le piéfort émaillé reproduit la monnaie du « lion d'or » de Philippe VI, émise entre novembre 1338 et juin 1339. Au droit, le roi est assis de face, sous un dais, tenant la main de Justice et le sceptre surmonté d'une fleur de lis ; ses pieds reposent sur un lion couché (émail vert translucide pour le fond, bleu pour le manteau royal, rouge opaque pour la bordure et les détails du trône et du dais.

189

Inscription : FRANC. REX. PH. DEI. GRA. »). Au revers (semblable à celui du « royal d'or »), sur fond d'émail translucide, croix aux extrémités qualilobées et feuillues, dans un quatre-feuilles cantonné de couronnes. (*Inscription :* XPC VINCIT : XPC REGNAT : XPC IMPERAT.) Cet exemplaire unique d'un piéfort émaillé, donc bien daté, est particulièrement précieux pour l'histoire de l'émaillerie parisienne de la première moitié du XIVe siècle.

BIBL. : R. de Lasteyrie, « Notice sur un pied-fort émaillé », *Mém. de la Soc. archéol. du Limousin,* XIV, p. 15-20. — J. Lafaurie, 1951, I, n° 253. — M. Campbell, *Apollo,* 1980, p. 422.

EXP. : *L'Europe gothique,* 1968, n° 522.

Londres, lent by courtesy of the Trustees of the British Museum
MLA OA 316

190
Bijou-reliquaire de la Sainte Épine

Paris, vers 1340
Anc. coll. du baron Pichon ; coll. Salting
Or, améthystes, émaux translucides
H. 0,036 ; L. maximum 0,029 ; L. max. ouvert 0,055 ; Ép. 0,025

Le reliquaire, de forme ovale irrégulière, est recouvert sur ses faces extérieures par deux gros cabochons d'améthyste, formant en quelque sorte la « reliure » d'un livret dont les pages seraient constituées par trois feuilles d'or émaillé et une enluminure sur parchemin. Les trois « pages » d'or émaillé sur basse-taille sont divisées en deux registres par une bande décorative : elles représentent - (a) la Vierge à l'Enfant trônant entre deux anges tenant un chandelier et un encensoir ; en dessous sont figurés un roi agenouillé, pieds nus, et une reine agenouillée, de face - (b) La Présentation au temple et la Fuite en Égypte - (c) la Descente de croix et la Crucifixion. Le feuillet enluminé (placé sous une mince couche de cristal) porte une représentation de la Nativité. Cette enluminure, très effacée, paraît être contemporaine des émaux et faisait certainement partie de la conception initiale du reliquaire. Sous ce feuillet de parchemin, amovible, se trouve une cachette à reliques divisée en sept compartiments, dont le centre est occupé par la logette de la Sainte Épine, surmontée d'une petite couronne d'or à trois fleurons. La relique est désignée par une inscription en lettres d'émail alternativement bleues et rouges. Les couleurs des émaux translucides révèlent une palette

190 A

190 B

190 C

assez large où il faut noter un « rouge cler », c'est-à-dire translucide.

L'origine de ce bijou est inconnue. Bien que le reliquaire ait été destiné à une Sainte Épine provenant très vraisemblablement de la Sainte-Chapelle, le roi agenouillé devant la Vierge ne peut être une figuration de saint Louis : l'absence de nimbe serait tout à fait inexplicable dans le milieu royal au XIVe siècle. Étant donnée la date probable du reliquaire, le couple royal pourrait, par contre, représenter Philippe VI et Jeanne de Bourgogne. En effet le style des figures émaillées du reliquaire tout comme celui de l'enluminure recouvrant la relique, paraît un peu antérieur au milieu du siècle. D'autre part, la présence de « rouge cler » suggère une date relativement avancée dans le siècle si l'on considère que le rouge translucide ne s'est guère répandu en France, même sur des objets d'or, avant le milieu du XIVe siècle. Le petit reliquaire-pendentif de Londres en apporte certainement un des plus anciens témoignages aujourd'hui connus.

BIBL. : F. de Mely, *Exuviae sacrae Constantinopolitanae,* III, Paris, 1904, p. 321, fig. 36. — Ch. H. Read, *Tribute on his retirement from the British Museum,* Londres, 1921, pl. XV. — L. Gonse, *L'art gothique,* Paris (s. date), p. 457. — O. Dalton, *Guide to Medieval antiquities,* British Museum, Londres, 1924, p. 139, fig. 84. — J. Evans, 1953, pl. 12. — M. Campbell, *Apollo,* 1980, p. 422.

EXP. : *Jewellery through 7000 years,* Londres, 1976, n° 368.

191
Fontaine de table

Paris, second tiers ou milieu du XIVe siècle
Aurait été trouvée dans un jardin d'Istambul
Argent doré, émaux translucides sur basse-taille
H. 0,31 ; L. 0,242

La fontaine est un monument complexe, à trois étages. Sa base et le bassin dans lequel elle reposait ont disparu. Sur un stylobate de plan étoilé, s'élèvent huit colonnes supportant des arcs aigus entourant un pilier central décoré de losanges. La première terrasse est rythmée par huit tourelles surmontées d'une pomme de pin ; à la base de chaque tour surgissent des gargouilles en forme de têtes de lions, de serpents ou de grotesques ; entre chaque tour est fixé un écu portant un soleil rayonnant sur champ de gueules. Sur la terrasse, quatre petits hommes nus assis, tiennent une roue munie de grelots que le jet sorti de leur bouche faisait tourner. Sur la terrasse supérieure, octogonale, deux dragons manœuvraient des roues semblables. Sur la dernière terrasse, supportée par une galerie d'arcatures trilobées se tiennent deux lions et deux dragons, entourant la tourelle qui forme la partie supérieure. Il manque peut-être un dernier élément couronnant cette tourelle. La terrasse inférieure est rehaussée de trèfles

d'émail translucides représentant des animaux fantastiques. La terrasse centrale est bordée de plaques rectangulaires d'émaux translucides où sont figurés une famille d'hommes sauvages, un couple de musiciennes et des monstres à tête humaine affrontés de part et d'autre d'un buisson.

La fontaine de Cleveland est la seule « fontaine de table » gothique conservée presque intégralement mais il subsiste quelques fragments d'autres pièces semblables (pilier central, Anvers, musée Mayer van den Bergh ; fragment transformé en monstrance, Compostelle, San Pelayo ; peut-être horloge de Philippe Le Bon, Nüremberg). La mode des fontaines de table, dont les premiers exemples apparaissent au XIIIe siècle, s'est développée au XIVe siècle : dès 1311, Louis comte de Flandre en avait plusieurs dont une « à un chastel » (cf. Deshaisnes, I, p. 435). Philippe VI en reçut une, en 1328, « ad bestias sylvestres ». Jeanne de Bourgogne, sa femme, en possédait également plusieurs ; celle de Jeanne d'Évreux portait un joueur de vielle. La collection de Louis d'Anjou en comptait trente-huit mais, en dépit des affirmations de Christine de Pisan, Charles V n'en avait que trois en 1379-1380. La datation de la fontaine à la fin du XIVe siècle et son attribution à un atelier franco-bourguignon auraient pu expliquer, par un cadeau de la cour de Bourgogne à Constantinople, la provenance romanesque de cet objet qui passe pour avoir été trouvé dans un « jardin d'Istambul ». Cependant, la forme d'un château ou d'une construction en hauteur pour les fontaines paraît avoir été répandue et n'est pas caractéristique de la fin du siècle puisqu'elle est attestée dès les premières décennies du XIVe. D'autre part, l'architecture ne présente aucun trait du gothique flamboyant et les chapiteaux à crochets-boules, les arcs aigus, surmontés de crochets peu développés, relèvent, au contraire, du plus pur gothique et peuvent être rapprochés des arcatures de diptyques d'ivoire de la première moitié du siècle. De plus, les émaux translucides paraissent nettement antérieurs à la fin du règne de Charles VI : grotesques, animaux fantastiques, hommes sauvages et musiciens apparaissent dès le début du siècle dans les manuscrits et furent largement diffusés par les continuateurs de Pucelle. Par leurs thèmes et dans une certaine mesure, par leur style, ces émaux peuvent être comparés à ceux de l'aiguière parisienne de Copenhague, datable vers 1320-1330, et de la couronne du Paraclet du trésor d'Amiens (cf. n°s 183, 184) : ils peuvent aussi être rapprochés de ceux qui ornent les ceintures d'orfèvrerie de Baden-Baden (Zähringer Museum) et de Nikopol (musée de Sofia). La fontaine est donc très vraisemblablement parisienne. Étant données ces comparaisons, la date vers 1370 ou à la fin du XIVe siècle qui a été proposée paraît trop avancée : si l'on tient compte des dates probables de l'aiguière et de la couronne, la fontaine pourrait avoir été réalisée au même moment que ces deux objets, dans le second quart ou, à la rigueur, au milieu du XIVe siècle.

BIBL. : W.M. Milliken, « A table Fountain of the Fourteenth Century », *Bull. of the Cleveland Museum of Art,* 12, 1925, p. 36-39. — N.M. Penzer, « The great wine coolers », *Apollo,* LXVI, sept. 1957, p. 40-41. — C. Eisler, *Arts de France,* IV, 1964, p. 288-290. — N. Miller, *French Renaissance Fountains,* New York, 1977, p. 347, n°s 8, 11, 12. — R. Lightbown, 1978, p. 43-46.

EXP. : *Twentieth Anniversary Exhibition,* Cleveland, 1936, n° 15. — *The International Style,* 1962, n° 126. — *Gothic Art,* Cleveland, 1963, n° 33. — *Treasures from Medieval France,* (W.D. Wixom), 1966, n° VI-18 (avec bibl.).

Cleveland, The Cleveland Museum of Art 24.859

192
Fermail orné d'une fleur de lis

Paris, deuxième quart du XIVe siècle et 1365-1367
Provenant du trésor de Saint-Denis
Argent doré, émail champlevé, pierres précieuses
H. 0,189 ; L. 0,167

Le fermail en forme de losange est orné d'une grande fleur de lis d'argent doré se détachant sur un fond d'émail bleu sombre, semé de fleurs de lis. La bordure du fermail, soulignée d'une double moulure perlée, est ornée de cabochons de rubis et de saphirs ; la fleur de lis est rehaussée de pierres de plus grande taille, améthystes, primes d'émeraudes et rubis. La plupart des pierres sont montées dans des bâtes surélevées, « en gouttière », cernées d'un perlé ; la fixation

192

des plus grosses pierres est renforcée par des griffes ; les deux améthystes des pétales latéraux de la fleur de lis sont maintenues par des bâtes à griffes, d'un type différent des précédentes. Les griffes doivent correspondre à la réparation du fermail que mentionnent les comptes de Saint-Denis vers 1365-1367 par l'orfèvre parisien Jean de Picquigny. L'orfèvre, qui travaillait dès 1363 pour Charles V, avait, en effet, été chargé de « resartir et remettre tout sur » ; il répara en même temps d'autres agrafes du trésor et la couronne donnée à l'abbaye par la reine Jeanne d'Évreux. Plusieurs pierres manquantes furent remplacées avant 1634. Le fermail fleurdelisé de Saint-Denis est encore décrit en 1589 comme un « fermoir de chape » et la tradition qui en faisait l'« agrafe du manteau royal de saint Louis » n'est pas antérieure à la fin du XVIIᵉ siècle. Étant donnés la forme de la fleur de lis centrale et le type des bâtes, l'objet ne peut guère être antérieur au début du XIVᵉ siècle. De plus, le décor en semis de fleur de lis apparaît sur plusieurs pièces d'orfèvrerie du XIVᵉ siècle (cf. nᵒˢ 168, 192, 205, 211). D'autre part, rien ne prouve que le fermail ait été fait pour un manteau royal. Il est vrai que le « fermail du Sacre » de Charles V, conservé dans ce même trésor de Saint-Denis, était de forme analogue (nᵒ 203). Mais bien que plusieurs rois et reines (Philippe le Bel, Jeanne de Bourgogne, Jean Le Bon, Jeanne de Boulogne, Charles V) aient eu des agrafes semblables, cette forme de fermail ne paraît nullement avoir été un privilège strictement royal : Mahaut d'Artois, Louis de Nevers, Marie de France, la fille du comte de Hainaut, Isabelle de France en possédaient également. Enfin, un « fermail de chape » d'or en forme de fleur de lis est cité dans un inventaire de 1480 du trésor de la Sainte-Chapelle (cf. Vidier, inv. K, nᵒ 423).

BIBL. : H. Barbet de Jouy, 1868, nᵒ 33. — J.J. Marquet de Vasselot, 1914, nᵒ 120. — W.M. Conway, 1915, p. 151. — J. Evans, 1953, pl. 21. — H. Pinoteau, *Itinéraires*, nᵒ 162, avril 1972, p. 149. — Bl. de Montesquiou-Fezensac, 1973-1977, I, nᵒ 42, II, nᵒ 42, III, p. 48-49, pl. 30.

EXP. : *Dix siècles de joaillerie française*, 1962, nᵒ 13.

Paris, musée du Louvre
MR 345

193

193
Chef-reliquaire de saint Martin

Avignon (?), second quart du XIVᵉ siècle
Provient de l'église Saint-Martin de Soudeilles (Corrèze) ; acq. 1911
Argent doré, cuivre doré, émaux translucides sur argent de basse-taille, cabochons
H. 0,38 ; L. 0,31

Le chef-reliquaire, autrefois conservé dans l'église de Soudeilles, fut vendu clandestinement à l'amateur américain Pierpont Morgan en 1906, tandis qu'une copie, exécutée à une date inconnue mais devant se situer entre 1900 et 1906, était vendue en 1910 à un antiquaire bruxellois, également clandestinement et avec fraude sur son authenticité. Après la découverte de ces deux transactions illégales, le chef-reli-quaire fut restitué par Pierpont-Morgan et déposé au Louvre en 1911, la copie étant rendue à l'église de Soudeilles en 1913. L'examen des deux œuvres et la comparaison avec les photographies antérieures à 1900 permet de préciser que le buste authentique est bien celui conservé au Louvre ; mais la mitre du Louvre ne conserve que trois plaques émaillées du XIVᵉ siècle (orfroi horizontal de la face), les autres ayant été remplacées par des copies reconnaissables à leur dessin simplifié et à leurs couleurs ternes et moins subtiles ; huit autres plaques anciennes — orfrois verticaux et plaques tréflées — ont été transférées sur la copie lors de sa fabrication et sont encore conservées sur la mitre de Soudeilles ; les trois plaques manquantes avaient déjà disparu en 1882.

Les plaques émaillées qui ornent la mitre sont incontestablement l'œuvre d'un artiste siennois : le dessin des oiseaux inscrits dans les quadrilobes et les couleurs — bleu, vert, jaune safran, violet — sont en effet ceux des émaux analogues placés sur de nombreuses œuvres siennoises des années 1320-1340. Le décor de « vigneture » — feuillages au naturel inspirés de ceux de la vigne — s'enlevant sur un fond poinçonné de petits cercles se rencontre en France, notamment à Montpellier (n° 206) et en Italie, où il orne le pied de nombreux calices siennois de la première moitié du Trecento ; on doit noter cependant que l'adaptation parfaite des plaques émaillées au galbe de la mitre suggère qu'elles ont été fabriquées directement pour cet objet, tandis que le dessin dentelé très particulier des contours des feuilles ne se rencontre sur aucune œuvre française connue mais se retrouve sur les feuilles de la Rose d'or du musée de Cluny, probablement exécutée en Avignon dans la première moitié du XIVe siècle.

Le chef proprement dit se rattache davantage à une tradition française qu'à des exemples italiens ; la comparaison avec celui de Nexon (n° 194) laisse d'ailleurs apparaître d'incontestables parentés ; le chef de saint Martin semble cependant moins « provincial » et moins archaïque ; de plus, l'adaptation parfaite de la mitre au chef plaide pour une origine commune des deux parties. Le décor damassé du buste est, lui aussi, fréquent en France (n° 226) comme en Italie, mais le « pointillé » qui orne les feuillages est beaucoup plus rare et semble se rattacher plutôt à des exemples français ; l'adaptation peu soignée du chef au buste, l'utilisation du cuivre, le dessin un peu raide des feuillages forment contraste avec le raffinement de la mitre et suggèrent une origine différente ; ici encore, cependant, la comparaison avec le chef de Nexon, dont l'amict porte un décor beaucoup plus archaïque, ne témoigne guère en faveur d'une origine limousine ; seul le fermail semble typiquement limousin : les pierres et leurs bâtes sont pratiquement identiques à celles qui ornent le chef de Nexon, mais il n'est pas impossible que cet élément ait été rapporté, puisqu'il ne correspond pas exactement au dessin prévu sur le buste.

L'hypothèse d'une origine avignonnaise, suggérée par certains rapprochements précis, permet de rendre compte des influences

194

diverses révélées par les différentes parties de l'objet ; ce que les textes nous apprennent du milieu artistique avignonnais sous le pontificat de Clément VI (1342-1352), où se côtoyaient orfèvres venus de Sienne, Paris, Limoges ou Montpellier, semble en effet trouver une illustration dans cette œuvre, qui est d'ailleurs peut-être le fruit de la collaboration d'orfèvres d'origine différente. On remarque en outre que Soudeilles est situé à quelques kilomètres du château de Maumont, lieu de naissance de Clément VI : il n'est donc pas interdit de penser que c'est à ce pape — ou à un membre de son proche entourage — qu'est dû le don de cette œuvre d'une grande qualité à la petite église rurale de Soudeilles.

BIBL. : E. Rupin, « Chef de Saint-Martin en argent doré et émaillé, XIVe siècle, église de Soudeilles », *Bull. de la Soc. scientifique, historique et archéol. de la Corrèze*, IV, 1882, p. 435-456. — E. Rupin, *l'Œuvre de Limoges*, Paris, 1890, p. 181-182, fig. 254-255. — M.M. Gauthier, 1972, p. 253, n° 199, p. 401. — G. Isnard, *Le musée imaginaire du faux*, Dammarie-les-Lys, 1980, p. 265.

EXP. : *Exp. rétrospective*, 1900, n° 1699 bis. — *Exp. de l'Art français*, 1889, n° 595.

Paris, musée du Louvre
Inv. OA 6459

194
Chef-reliquaire de saint Ferréol

Aymeric Chrétien, Limoges, 1346
Cuivre doré, émaux champlevés sur cuivre
H. 0,60 ; L. 0,37

La longue inscription fixée au dos de l'amict indique que l'objet fut commandé par

Guido de Brugières, «de la paroisse de saint Martin le Vieux, chapelain de l'église de Nexon», et exécuté par Aymeric Chrétien, «orfèvre du château de Limoges», en 1346.

L'œuvre est constituée de pièces fabriquées séparément et assemblées à l'aide de clous, rivets ou charnières. La relique du chef de saint Ferréol, évêque de Limoges mort en 595 ou 597, était conservée dans la tête. Les fanons de la mitre ont été rognés.

Le visage se distingue par son aspect massif et une certaine simplification du traitement ; la bouche mince au léger sourire, la moustache frisée, les mèches serrées «en épingle à cheveux» qui dépassent de la mitre au revers, laissent cependant percevoir l'influence de la sculpture monumentale de la seconde moitié du XIIIᵉ et du début du XIVᵉ siècle. L'utilisation d'émaux champlevés sur cuivre comme les motifs du décor de la mitre et de l'amict se rattachent pour leur part beaucoup plus à la production limousine du siècle précédent qu'à l'art du XIVᵉ siècle : les anges inscrits dans des médaillons comme les fleurons ornant les rinceaux sont des motifs typiques de l'émaillerie limousine du XIIIᵉ siècle, tandis que les oiseaux affrontés placés au revers de la mitre rappellent ceux d'un médaillon de la châsse de Bellac. En revanche, si le bleu turquoise et le rouge appartiennent à la gamme des émaux limousins antérieurs, le vert olive qui domine le coloris des émaux (médaillons de la mitre, plaque portant l'inscription) n'apparaît ni dans la tradition limousine ni parmi les émaux champlevés connus datables du XIVᵉ siècle ; ceux-ci sont d'ailleurs généralement marqués bien davantage par l'influence de l'art parisien. Aymeric Chrétien adopte cependant le procédé consistant à pénétrer les parties gravées de minces filets d'émail — parti qui renoue avec une tradition du XIIᵉ siècle mais qui correspond probablement à une volonté d'imiter les effets de certains émaux translucides contemporains.

BIBL. : E. Rupin, *l'Œuvre de Limoges*, Paris, 1890, p. 175-177, fig. 251 à 253, pl. XXI.

EXP. : *Exposition rétrospective...*, 1900, nᵒ 1678. — *Trésors des églises de France*, 1965, nᵒ 370, pl. 138.

Nexon (Haute-Vienne), église paroissiale

195

195
Plaques de gants épiscopaux

Sud-Ouest de la France (Montpellier?), second quart ou milieu du XIVᵉ siècle
Trouvées dans le chœur de la cathédrale d'Albi en 1893
Argent de basse-taille autrefois recouvert d'émail translucide
D. 0,03

Les deux petites plaques furent découvertes en 1893, dans un tombeau situé en avant du maître-autel de la cathédrale d'Albi, tombeau dans lequel se trouvaient également une crosse limousine, un anneau du XIVᵉ siècle, un sou parisis de Philippe-Auguste et deux monnaies de Charles VIII dauphin du Viennois (1470-1483). Il semble qu'aucun évêque de la fin du XVᵉ siècle n'ait été enterré dans le chœur de la cathédrale : il est donc probable que la tombe découverte en 1793 est une tombe antérieure, déjà mise au jour lors des travaux effectués dans le chœur sous l'épiscopat de Louis d'Amboise (1473-1502). Le seul évêque dont l'obituaire d'Albi, rédigé vers 1410, mentionne l'inhumation dans le chœur est Bernard de Camiat (juill.-déc. 1337), mais une tradition indiquerait qu'Hugues d'Albert (1355-1379) fut également enterré dans le chœur de sa cathédrale, au pied des degrés du grand autel.

On considère généralement que ces deux plaques représentent la Vierge et saint Jean ; les gestes des deux personnages semblent cependant correspondre davantage à une Vierge et un ange de l'Annonciation.

Le style des figures présente certains rapprochements avec les émaux montpelliérains, notamment avec ceux de la monstrance de Cincinnati, mais s'en distingue cependant par une influence italienne plus marquée, sensible dans la «mise en page» comme dans le dessin des visages et la coiffure de l'ange. L'hypothèse d'une origine montpelliéraine est cependant appuyée par le fait que le dessin denté très particulier des étoiles qui parsèment le fond du médaillon figurant la Vierge se retrouve sur une croix au poinçon de cette ville conservée dans l'église d'Oreilla (Pyrénées-Orientales). Le style conduit à dater ces plaques dans le second quart ou vers le milieu du XIVᵉ siècle, date qui n'est donc pas incompatible avec l'hypothèse selon laquelle elles auraient été exécutées pour Bernard de Camiat ou Hugues d'Albert.

BIBL. : Ch. Portal, «Sépultures faites dans le chœur de la cathédrale d'Albi», *Revue du Tarn*, X, 1893, p. 317-329. — M. Gaïda, «Découvertes faites dans le chœur de la cathédrale d'Albi», *Rev. du Tarn*, XI, 1894, p. 275-277. — H. Crozes, *Le diocèse d'Albi, ses évêques et ses archevêques*, Toulouse, 1878, p. 82-85.

EXP. : *Trésors des églises de France*, 1965, nᵒ 514.

Albi (Tarn), Trésor de la cathédrale

196
Monstrance

Sud-Ouest de la France (Montpellier?), second quart du XIVᵉ siècle
Mentionnée dans le trésor de l'église de Fanjeaux en 1584
Argent doré, émaux translucides sur argent de basse-taille
H. 0,46 ; L. 0,26

La monstrance de Fanjeaux est une variante originale du reliquaire à cylindre horizontal porté par deux anges : elle se distingue en

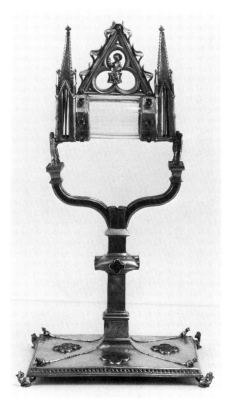

196

Christ bénissant placée dans le gâble se rattachent à des types connus depuis la seconde moitié du XIIIᵉ siècle. La forme du nœud, le type du socle, et surtout les émaux translucides (bleu moyen, vert profond, brun-rosé, auxquels s'ajoute le rouge opaque) ornant les quadrilobes du nœud, les médaillons du socle et l'inscription, conduisent cependant à placer la fabrication de l'objet dans le second quart du XIVᵉ siècle ; ces émaux, notamment les médaillons du socle figurant les symboles des Évangélistes, ne sont pas sans relations avec ceux du reliquaire de Roncevaux, qui porte le poinçon de Montpellier, tandis que le pied de la monstrance est pratiquement identique à celui de la croix de Recoules-Prévinquières, autre œuvre au poinçon de cette ville. Mais on sait que les orfèvres de Toulouse ont également fabriqué des émaux translucides.

Plusieurs éléments ont été refaits : ailes de trois des anges, têtes de plusieurs dragons du socle, couronnement des tourelles ; seuls trois des médaillons émaillés du socle sont conservés.

BIBL. : J. Thuile, 1968, pl. XXVI, fig. 43.

EXP. : *Art religieux audois*, 1935, nº 136. — *Trésors d'orfèvrerie...*, 1954, nº 22, pl. 76. — *Trésors d'art gothique en Languedoc*, 1961, nº 37. — *Trésors des églises de France*, 1965, nº 595.

Fanjeaux (Aude), Trésor de l'église

197
Bijoux du « trésor de Colmar »

Un ensemble de bijoux et monnaies provenant d'un « trésor » découvert en mai 1863 dans le mur d'une maison située rue des Juifs à Colmar, restés en possession du propriétaire de la maison puis de son fils, fut acquis en 1923 par le musée de Cluny ; quelques pièces, dérobées ou vendues lors de la trouvaille, sont aujourd'hui conservées au musée de Colmar. Les monnaies, d'origine variée : Bavière, vallée du Rhin, Lorraine, France, datent de la seconde moitié du XIIIᵉ siècle et de la première moitié du XIVᵉ : on y trouve notamment six tournois de Philippe le Bel et un florin d'or de Louis IV de Bavière († 1347). Cette trouvaille peut

être rapprochée de celle faite en 1953 à Cologne, également dans le quartier juif, qui comportait aussi des monnaies d'origine géographique diverse, permettant de dater l'enfouissement vers 1348-1349 (cat. *Rhin-Meuse*, 1972, nº III 95 p. 66). L'importante persécution dont les Juifs firent l'objet en 1348-1349 explique probablement ces enfouissements contemporains.

Bien que Colmar soit située hors du royaume de France, les objets découverts en 1863, datables, comme les monnaies, de la fin du XIIIᵉ et de la première moitié du XIVᵉ siècle, fournissent cependant de bons exemples des bijoux portés en France à cette époque ; la plupart de ces objets appartiennent d'ailleurs à des types répandus dans les principaux pays d'Europe occidentale, sans qu'il soit possible d'individualiser des caractères permettant d'établir l'origine précise de telle ou telle pièce. On ne trouvera pas ici tous les objets composant ce trésor, mais quelques exemples représentatifs des principaux types de bijoux portés au XIVᵉ siècle : ceintures, fermaux, anneaux.

A) Fragments de ceinture
Premier tiers du XIVᵉ siècle
Soie et argent doré ; trois fragments
L. 0,017 ; 0,015 ; 0,021

La miniature et la sculpture du XIIIᵉ et de la première moitié du XIVᵉ siècle offrent de

197A (détails)

effet par son développement en hauteur et par l'association d'un reliquaire et d'un ostensoir ; ce dernier a disparu, mais une fente est ménagée au sommet du pied, et l'inscription figurant sur les deux bras (+SCE CORPUS DOMINI IHUS / VERE FILIUS DEUS EST ISTE ; +SCE CORPUS DOMINI IHU / SCE FILIUS DEUS EST), désignant le corps du Christ, ne laisse aucun doute sur la nature de l'élément qui y était inséré ; cet ostensoir était probablement une simple capsule ronde. L'inventaire du trésor de Fanjeaux dressé en 1584 (Arch. Aude, 3E 5312) nous apprend par ailleurs que le cylindre abritait un fragment de la Sainte Colonne. Ce type de monstrance verticale associant reliquaire et ostensoir semble caractéristique du Sud-Ouest, puisqu'on en connaît au moins deux autres exemples, plus tardifs et portant tous deux le poinçon de Rodez, conservés à Flagnac et Salles-Curan (Aveyron).

Les anges au manteau ouvert formant des plis à becs sur le côté et la jolie figure de

nombreux exemples de ce type de ceinture étroite constituée d'un ruban de soie sur lequel sont fixées de petites appliques métalliques. La coiffure caractéristique des petites têtes féminines, où les cheveux massés sur les oreilles sont maintenus par une résille — dont le quadrillage est nettement indiqué malgré les petites dimensions des appliques — apparaît à l'extrême fin du XIIIe siècle: on la rencontre notamment dans les *Heures de Yolande de Soissons* (Pierpont Morgan Library), et la mode semble s'en prolonger pendant le premier tiers du XIVe siècle. L'objet peut être rapproché d'un cercle de tête conservé au musée de Stockholm, orné de fleurs de lis et de petites têtes humaines, parmi lesquelles des têtes féminines très proches de celles qui ornent cette ceinture.

Paris, musée des Thermes et de l'hôtel de Cluny
Inv. 20674

B) Fermail
Premier tiers du XIVe siècle
Argent doré; H. 0,018; L. 0,016

Ce petit fermail trilobé est orné de deux petites têtes féminines coiffées de façon analogue à celles qui ornent la ceinture précédente, ce qui conduit à proposer une date voisine.

Paris, musée des Thermes et de l'hôtel de Cluny
Inv. 20678

C) Fermail
Second quart du XIVe siècle
Argent doré, pierres précieuses (4 saphirs, 3 rubis, 2 grenats), perles
H. 0,047; L. 0,047

Les inventaires du XIVe siècle mentionnent de nombreux fermaux ornés de perles et pierres précieuses, de forme ronde, quadrangulaire, ou, comme celui-ci, «en façon de quatre demi-compas». Quelques objets conservés appartiennent au même type: on peut citer un fermail du musée du Bargello (Florence) et le fermail qui forme le fond du reliquaire de sainte Elisabeth du Dôme

197 B

197 C

197 D

197 E

d'Udine, tous deux en forme de carré posé sur la pointe mais également couverts de pierres précieuses et perles montées dans des bâtes dentelées. Ce type de bâtes se rencontre sur des œuvres d'origine variée, datant généralement du second ou du troisième quart du XIVe siècle: outre les objets cités précédemment, on peut mentionner le fermail de Saint-Denis (n° 192), la couronne du Paraclet (n° 184), un fermail trouvé à Oxwich Castle (Angleterre), et le fermail à l'aigle du musée de Cluny, œuvre probablement originaire de Bohème.

Paris, musée des Thermes et de l'hôtel de Cluny
Inv. 20.672

D) Anneau
Second quart du XIVe siècle
Or et grenat
D. 0,022; H. 0,023

Le chaton à bordure dentelée, analogue aux bâtes des pierres qui ornent le fermail précédent, est le seul élément permettant de préciser la date de l'objet. Plusieurs autres

exemples d'anneaux du même type sont connus, notamment parmi ceux conservés au British Museum (O. Dalton, *Catalogue of finger rings in the British Museum,* Londres, 1912, n°s 866 et 1028).

Paris, musée des Thermes et de l'hôtel de Cluny
Inv. 20659

E) Anneau
Second quart du XIVe siècle
Or et grenat
D. 0,023; H. 0,027

Le chaton est de même type que celui de l'anneau précédent.

Paris, musée des Thermes et de l'hôtel de Cluny
Inv. 20662

F) Anneau
Première moitié du XIVe siècle
Or et saphir
D. 0,020; H. 0,030

197 F

197 G

197 J

197 H-I

de lis, aux pétales recourbées vers l'extérieur à leur extrémité, semble apparaître dans le second quart du XIVe siècle: on le trouve notamment sur la Couronne du Paraclet (no 184) et le fermail de Saint-Denis (no 192).

Paris, musée des Thermes et de l'hôtel de Cluny
Inv. 20681

La pierre est maintenue par quatre griffes; la verge porte aux extrémités un décor de petites têtes chimériques stylisées, qui se retrouve sur plusieurs autres anneaux connus, notamment un exemplaire autrefois dans les collections Gay et Guilhou (Seymour de Ricci, *Catalogue of a collection of ancient rings formed by the late E. Guilhou,* Paris, 1912, no 1175) et deux au British Museum (O. Dalton, *op. cit.* nos 866 et 1028).

Paris, musée des Thermes et de l'hôtel de Cluny
Inv. 20667

G) Anneau
Première moitié du XIVe siècle
Or et onyx
D. 0,019 ; H. 0,023

La pierre est maintenue par quatre griffes, comme sur l'exemple précédent. La verge porte l'inscription «AUDI VIDI», de chaque côté et, à l'arrière, deux mains croisées. Ce motif, assez fréquent, se retrouve notam-

ment sur plusieurs anneaux du British Museum, parmi lesquels un exemplaire trouvé à Lark Hill, près de Worcester (O. Dalton, *op. cit.,* no 1025) et un autre portant une inscription italienne (*ibid.,* no 1029); on le rencontre également sur un fermail du musée de Cluny (no 197 bis) et sur la ceinture dite «de sainte Foy» du trésor de Conques; ces exemples suffisent à prouver le caractère international du motif.

Paris, musée des Thermes et de l'hôtel de Cluny
Inv. 20668

H) Cinq appliques en forme de fleurs de lis
Second quart du XIVe siècle
Argent, pierres, verre coloré
H. 0,008 à 0,011 ; L. 0,008 à 0,023

Il s'agit probablement d'éléments surmontant un cercle de tête, du type de celui du musée de Stockholm (*cf.* (a)), qui porte des fleurs de lis d'un dessin proche, ou servant d'agrafes de vêtements. Le type des fleurs

I) Trois petites appliques
Première moitié du XIVe siècle
Argent, pierres, verre coloré
D. 0,011 et 0,012 ; H. 0,008

Ces appliques étaient probablement destinées à être cousues sur les vêtements ou à orner une ceinture; on trouve des appliques pratiquement identiques sur la *Sacra Cintola* de la cathédrale de Pise, où elles accompagnent des éléments de date variée mais se situant toujours dans la première moitié du XIVe siècle; d'autres objets italiens, notamment un fermail du Bargello et le coffret-reliquaire de l'hôpital de Santa-Maria della Scala à Sienne, portent des pierres montées dans des bâtes présentant le même entourage. Il semble donc que l'on soit ici en présence d'un type d'objet dont l'origine géographique peut être précisée, offrant de plus l'exemple de ces importations d'objets italiens dont les textes portent témoignage.

Paris, musée des Thermes et de l'hôtel de Cluny
Inv. 20681

J) Fauconnier à cheval

Première moitié du XIVe siècle
Argent doré
H. 0,023 ; L. 0,022

L'anneau fixé au revers de l'objet suggère qu'il a pu servir d'attache de vêtement ou de médaillon de chapeau. Le fond est guilloché et gravé : on distingue une tête grotesque coiffée d'un chapeau et un oiseau ; il n'est pas impossible que ce fond ait reçu un décor d'émail translucide. Le cavalier est proche de ceux qui figurent dans les *Miracles de Notre-Dame* de Gautier de Coincy, enluminés par Pucelle vers 1330.

Paris, musée des Thermes et de l'hôtel de Cluny
Inv. 20671

BIBL. : M. Gaulard, *Les accessoires métalliques du vêtement civil au Moyen Age,* Mémoire de maîtrise, dactyl., Paris IV, s.l.n.d.

197 bis
Fermail

Première moitié du XIVe siècle
Provient de la collection Wasset ; acq. 1906
Or et perle. H. 0,028 ; L. 0,026

Ce fermail simple mais élégant et d'une très grande finesse de facture appartient à un type connu depuis le XIIIe siècle, mais dont l'usage se prolonge pendant au moins la première moitié du XIVe siècle ; le motif des mains croisées le rapproche d'un anneau du trésor de Colmar (no 197G) ; les lettres gravées ne forment pas une inscription déchiffrable, mais correspondent peut-être à des initiales. Trois des perles qui ornaient le fermail ont disparu.

Paris, musée des Thermes et de l'hôtel de Cluny
Inv. 15146

197 bis

198 B

198
Trésor de Maldegem

4 écuelles trouvées à Maldegem près d'Eecloo (Belgique)
Argent blanc

A) Écuelle à large bord

Paris, avant 1346
D. 0,24 ; H. 0,043

L'écuelle sans décor, au fond convexe, est bordée d'une simple moulure. Elle porte sur le bord, près du marli, un poinçon représentant une fleur de lis surmontant un *B* couché. Au revers, au-dessous de l'ombilic, est gravé un écu portant un lion passant, réservé sur un fond gravé de losanges serrés, irréguliers.

B) Écuelle à large bord

Paris, avant 1346
D. 0,24 ; H. 0,043

Même forme, même écu et même poinçon que la précédente.

C) Écuelle à large bord

Arras, entre 1320 et 1346
D. 0,235 ; H. 0,042

L'écuelle est bordée d'une double moulure. Toute la surface de l'objet porte les traces d'un martelage, beaucoup plus nettes que sur les autres écuelles provenant de la même trouvaille. Sur l'aile est gravé un écu

198 B

198 C

198 D

mi-parti, à dextre au lion passant (simplement gravé sur un fond lisse), à senestre semé de fleurs de lis. Au revers, sous l'ombilic, est insculpé un poinçon représentant un quadrupède à longue queue surmontant un T.

D) Écuelle à large bord

Paris ou Besançon ? entre 1320 et 1346
D. 0,24 ; H. 0,042

Même forme que la précédente. Sur l'aile, près de la bordure, est gravé un blason analogue, mi-parti de Flandre et de France mais d'une autre main que le précédent (lion gravé de traits entrecroisés, se détachant sur un fond réservé ; fleurs de lis réservées sur un fond de chevrons irréguliers).

Le trésor de Maldegem est, avec celui dit de « Gaillon-Rouen » un des rares ensembles d'orfèvrerie civile gothique subsistant. Les quatre pièces qui le composent, à l'aile large et plate, différentes par leur forme des hanaps ou coupes du trésor de Gaillon, sont des « écuelles à larges bords » (cf. *Inv. de Louis d'Anjou,* no 717). Selon J. d'Estrée, les armes correspondent à celles de Louis de Nevers ou de Crécy, comte de Flandre, mort à Crécy en 1346, épous en 1320 de Marguerite d'Artois, fille de Philippe V le Long et de Jeanne de Bourgogne. Il est probable que les écuelles, achetées sans décor pour le comte, reçurent par la suite un écu gravé aux armes de leur propriétaire, selon un usage fréquemment attesté au XIVᵉ siècle, pour « la vaisselle d'argent blanc ».

L'identification des poinçons, qui comptent parmi les plus anciens spécimens connus, reste délicate. Le poinçon à la fleur de lis surmontant un *B* couché de deux des écuelles se retrouve sur une autre pièce (la « coupe du fondateur » à Oriel College, à Oxford) alors que la coupe d'argent blanc du trésor de Nikopol (Bulgarie) porte également une fleur de lis surmontant un B dressé. Dans les deux cas, il s'agit très vraisemblablement de poinçons de maîtres parisiens. Le poinçon avec un quadrupède surmontant un T a été identifié de façon convaincante, par Destrée, comme celui d'Arras (poinçon de maître). L'interprétation du dernier poinçon reste problématique : la main bénissante est la marque de Besançon mais elle ne paraît pas avoir été associée à la fleur de lis avant le XVIIᵉ siècle, lors du rattachement de la Franche-Comté à la France. L'hypothèse la plus satisfaisante (S. Brault-Lerch) est qu'il s'agit soit d'un poinçon bisontin datant du court moment où, au XIVᵉ siècle, les sceaux des chancelleries comtoises ont substitué la fleur de lis au lion de Bourgogne, soit du poinçon d'un orfèvre bisontin travaillant à Paris.

BIBL. : *Catalogue des Collections... Musée royal d'Antiquités, d'Armures et d'Artillerie, Moyen Age et Renaissance*, Bruxelles, 1878, p. 5. — M. Rosenberg, 1929, p. 221, 248, 249. — S. Brault-Lerch, *Les orfèvres de Franche-Comté*, Genève, 1976, p. 96. — R. Lightbown, 1978, p. 22-23.

EXP. : *Argenterie*, Dierne-Bruxelles, 1955, nᵒ 305. — *Gent, 1000j. Kunst en Cultuur*, Gand, 1975, II, nᵒ 360, p. 264.

Bruxelles, musées royaux d'Art et d'Histoire 1576 A, B, C, D

199
Polyptyque émaillé : scènes de la Passion

Paris, milieu ou troisième quart du XIVᵉ siècle
Acheté en 1933 au trésor de la cathédrale de Salzbourg
Argent doré ; émaux translucides sur basse-taille ; émail rouge opaque (manques dans l'émail)
H. 0,09 ; L. 0,155 ; Ép. 0,005

199

Le polyptyque est composé de quatre panneaux bordés de croisettes estampées, surmontés d'un élément architectural ajouré, lui-même couronné d'une toiture sur laquelle est fixé un arc trilobé à crochets. L'extérieur des panneaux porte des scènes émaillées sur basse-taille, abritées sous des frises de trois arcatures : Christ à Gethsémani, Baiser de Judas, Flagellation et Portement de croix. L'intérieur du polyptyque présente d'autres scènes de la Passion, où des figures d'applique en argent doré se détachent sur un fond émaillé de bleu translucide : Crucifixion, Déploration du Christ mort (reprenant une iconographie italienne que Pucelle introduisit en France dans les « Heures » de Jeanne d'Évreux. *Cf.* nᵒ 239, fᵒ 82 vᵒ), Résurrection, *Noli me tangere*. Ces scènes sont également placées sous une triple arcature à crochets. Les lettres émaillées du nom de la Vierge (M-A-RI-A) occupent la fenêtre centrale de l'élément architectural surmontant chaque panneau.

Les figures d'applique en argent doré montrent des drapés compliqués, dans la scène du *Noli me tangere* en particulier, qui correspondent à une date assez avancée dans le siècle. Elles ont été rapprochées de celles, également d'applique, qui ornent le calice d'Osnabruck antérieur à 1341 et maintenant attribué à l'Ile-de-France (*cf.* E. Steingräber, 1973). Cependant, les émaux de l'extérieur du polyptyque suggèrent une date plus tardive que celle du calice d'Osnabruck. La présence sur ces panneaux d'un émail rouge opaque n'implique nullement que l'objet a été exécuté dans les premières décennies du siècle puisqu'il est d'argent. Le style des figures émaillées, un peu sec, rappelle celui du petit reliquaire d'or de la Sainte Épine de Londres (nᵒ 190). Mais le fait que les bourreaux de la Flagellation portent une tunique très courte et très moulante, ornée d'une ceinture basse retombant sur les hanches, indique, si le polyptyque est bien français, qu'il fut fait au moins après le milieu du siècle puisque l'on ne connaît pas d'exemples de cette mode en France, avant le règne de Jean le Bon. Le polyptyque peut être rapproché du diptyque de la collection Blumka (*cf.* cat. de l'exp. *Treasures form medieval France*, 1967, nᵒ V-12), du triptyque du musée de Boston (*cf.* cat. de l'exp. *L'Art et la Cour*, 1972, nᵒ 61, pl. 83) et du diptyque du Louvre (nᵒ 199 bis) où l'on retrouve cette association de figures d'applique sur un fond émaillé translucide et de scènes entièrement émaillées d'émaux translucides sur basse-taille. Si ce groupe d'émaux paraît bien pouvoir être attribué à l'Ile-de-France, l'usage de figures d'applique de métal précieux sur un fond d'émail translucide n'est pas propre à la France puisque le reliquaire du « Thile Dagister von Lorich » en fournit un exemple fait à l'Est du Saint-Empire, vers 1388 (cf. cat. *Die Parler*, 1978, II, p. 522-523).

BIBL. : E. Steingräber, *The Connoisseur*, 1957, p. 16 ss. — *Catalogue der Sammlung für Plastik und Kunstgewerbe. I-Führer durch des Kunsthistorische Museum*, Vienne, 1964, n° 84. — E. Steingräber, « Der Kelch des Gerhart Keleman in Osnabrück », *Intuition und Kunstwissenschaft, Festschrift H. Swarsenski*, Berlin, 1973, p. 355-362. — M. Campbell, *Apollo*, juin 1980, p. 422.

EXP. : *Die Zeit der frühen Habsburger*, 1979, n° 292, fig. 25 (avec bibl.).

Vienne, Kunsthistorisches Museum, Samml. für Plastik und Kunstgewerbe
8878

199 bis

199 bis
Diptyque émaillé

Paris, milieu ou troisième quart du XIVe siècle

Anc. coll. Sauvageot ; don 1856

Argent doré ; émaux translucides sur basse-taille, émail rouge opaque (manques) ; perles et pierres précieuses

H. 0,051 ; L. d'un feuillet 0,037 ; Ép. de l'ensemble 0,012

L'extérieur du diptyque est émaillé d'émaux translucides : sous une double arcature à crochets, au-dessus de laquelle apparaissent des animaux fantastiques, sont représentés d'une part : le Baptême du Christ où un ange tient la robe du Christ, d'autre part la Crucifixion ; la gamme des émaux comprend, outre un rouge opaque, un bleu vif, un turquoise, un violet clair, un jaune safran, un vert vif et un vert olive. L'intérieur de chaque feuillet, dont les angles sont marqués par quatre perles, est bordé sur trois côtés de petits cabochons d'émeraudes et de grenats alternés, sertis dans des montures tronconiques à pans coupés, bordées d'un léger perlé. Les figures sont d'applique, en argent doré, se détachant sur un fond d'émail translucide bleu : à gauche est représentée l'Annonciation, un vase contenant une branche feuillue, d'émail translu-

199 bis

cide, est placé entre l'Ange et la Vierge (restaurée?). A droite apparaît sainte Marguerite mains jointes, tenant une croix ; elle surgit du dos du dragon qui l'avait avalée et dont le corps est constitué par une grosse perle. L'iconographie est proche de celle de la statuette d'ivoire de Londres (n° 142). Les deux scènes sont surmontées d'un large arc en accolade au-dessus duquel s'ouvrent de hauts fenestrages.

Le diptyque peut être rapproché du polyptyque émaillé de Vienne (n° 199), du triptyque de Boston (cf. cat. de l'exp. *L'Art et la Cour*, 1972, n° 61) et surtout du diptyque de la collection Blumka (cat. de l'exp. *Treasures from medieval France*, 1967, V. 12) où l'on retrouve deux des scènes représentées ici. Le style des figures émaillées

sur basse-taille pourrait correspondre à une date dans le second quart du XIVe siècle, de même que le type des bâtes des pierres précieuses (cf. par ex. le fermail à émail de plique de la coll. Piet-Lataudrie du musée de Cluny, ou la couronne du Paraclet, n° 184). Mais les fenestrages ajourés et l'arc en accolade qui surmontent les scènes intérieures sont plus tardifs : l'arc en accolade n'implique nullement une origine anglaise puisque la sculpture monumentale française du XIVe siècle en fournit quelques exemples (cf. le relief de Vaudémont, n° 11). Cette même forme d'arc accompagnée ou non de fenestrages, est visible sur plusieurs dessins de tombeaux du recueil de Gaignières (cf. J. Adhémar, *G.B.A.*, I, 1974, n°s 653, 767, 796, 798) et dans le motif central du sarcophage de Charles V (n° 68). Par comparaison avec la date de ces tombeaux et celle du polyptyque de Vienne, le diptyque émaillé du Louvre pourrait être attribué à un atelier actif vers 1350-1360.

BIBL.: A. Darcel, 1867, n°s 175-176, 727. — J.J. Marquet de Vasselot, 1914, n° 130. Pour les éléments de comparaison, cf. aussi la bibl. du n° précédent.

Paris, musée du Louvre
OA 739

200

201

200
Anneau « de saint Louis »

Paris, XIVe siècle
Prov. du trésor de Saint-Denis
Intaille de saphir, or, émail champlevé, nielle
D. 0,23 ; H. du saphir 0,012 ; L. du saphir 0,010

L'anneau est composé d'un saphir en table gravé monté sur un jonc ouvert, orné d'un semis de fleurs de lis se détachant sur un fond sombre. A l'intérieur du jonc est gravée l'inscription suivante, en lettres gothiques : « C'EST LE SINET DU ROI SA(I)NT LOUIS ». L'intaille représente un roi debout de trois-quarts face, couronné et nimbé, tenant le sceptre et le globe. De part et d'autre de cette figure sont gravées les lettres S et L (*sigillum Ludovici* plutôt que *sanctus Ludovicus*). L'hypothèse d'E. Babelon selon laquelle ce sceau aurait été fait pour Louis XI ou Louis XII paraît peu soutenable dans la mesure où l'anneau est déjà mentionné dans l'inventaire de 1505 de Saint-Denis comme une relique de saint Louis, ce qui suppose une tradition déjà bien établie. Selon H. Pinoteau, il pourrait s'agir d'un sceau de Louis X (mais dont il ne subsiste pas d'empreinte), modifié au moment de son remontage. Le décor de l'anneau est en effet caractéristique de plusieurs monuments d'orfèvrerie du XIVe siècle où l'on retrouve ce semis de fleurs de lis se détachant sur un fond de nielle ou d'émail sombre opaque (médaillons restaurés du vase d'Aliénor (Louvre), fermoir de la bible de Géronne, armes de Jeanne d'Évreux sur le socle de la Vierge à l'Enfant de vermeil, fermail dit « de saint Louis », plat de reliure de « l'Apoca-

lypse » de la Sainte-Chapelle, monture du camée de Chartres - cf. n°s 186, 205, 168). Le rapprochement avec la reliure de « l'Apocalypse » datée de 1379, où le dessin des fleurs de lis est très proche de celui de l'anneau impliquerait une date analogue. Le nimbe du roi sur l'intaille et l'inscription à l'intérieur du jonc peuvent avoir été ajoutés à la même époque.

Le culte de saint Louis fut particulièrement vif dans l'entourage royal, sous les règnes des derniers Capétiens et des premiers Valois. La plupart des princes et princesses possédaient des reliques du saint et Jean le Bon et Charles V avaient des objets passant pour lui avoir appartenu : coupes, aiguières, hanaps, anneaux (*cf.* Inv. de Charles V, n°s 363, 364, 370, 372, 491, 498). Deux mentions de l'inventaire de Charles V méritent d'être rapprochées de l'anneau de Saint-Denis : l'une (n° 498) décrit un anneau orné d'un rubis, donné à Charles V par la reine Jeanne d'Évreux, « où est escript en la verge qu'il fut saint Loys ». La seconde (n° 607) signale deux sceaux : un... « où est un saphir... et dedans est taillé un roy séant en une chayère, en son estat royal, tenant les sceptres »..., l'autre : « à un autre saphir beslong où est taillé ung demy roy en estant, tenant une épée en sa main ».

BIBL.: H. Barbet de Jouy, 1868, n° 34. — E. Babelon, 1902, p. 115-117. — J.J. Marquet de Vasselot, 1914, n° 123. — P. Verlet, *Musée du Louvre. La Galerie d'Apollon*, s.d., p. 9. — H. Pinoteau, *Itinéraires*, n° 162, avril 1972, p. 149-150, n. 63. — Bl. de Montesquiou-Fezensac, 1973-1977, I et II, n° 57, III, p. 50-51 (avec bibli.).

EXP.: *Dix siècles de joaillerie française*, 1962, n° 48.

Paris, musée du Louvre
MR 92

201
Anneau dit « du Prince Noir »

Angleterre ? troisième quart du XIVe siècle
Trouvé à Montpensier en 1865 ; anc. coll. V. Jusserand, baron Pichon (cat. 1897, n° 41), Guilhou (cat. 1937, n° 587), J. Chappée ; don M. et Mme J. Chappée, 1955
Or, traces d'émail, intaille de rubis
L. max. 0,025 ; H. du chaton 0,013 ; L. 0,012

L'anneau sigillaire est formé d'un chaton octogonal dans lequel est sertie une intaille de rubis-balais représentant une tête d'enfant de face, aux cheveux courts et bouclés. L'intaille est entourée par l'inscription, à l'envers : + SIGILLUM SECRETUM. Sur l'épaisseur du chaton des groupes de lettres, séparées par des rosettes champlevées, forment le nom : S. GEORGIUS. Une double ligne d'inscription, dont chaque mot est séparé du précédent par une rosette, se déroule sur l'anneau : + IESUS AUTEN *(sic)*. TRANSIENS.PER.ME / DIUN *(sic)*. ILLORUN *(sic)* IBAT.ET.VERBUM.C. (Cependant Jésus passant au milieu d'eux allait son chemin [*cf.* Luc IV, 30]. Et le verbe s'est fait chair.) L'identification du propriétaire de ce précieux signet avec Edouard, prince de Galles fils d'Edouard III, surnommé « Le Prince Noir » (1330-1370) reste tout à fait hypothétique. L'anneau a été attribué à l'Angleterre en raison de l'invocation à saint Georges du chaton, de la présence de roses, et du fait que les monnaies d'Edouard III portent une tête de face et un fragment du même verset de saint Luc. Seule l'invocation à saint Georges paraît un argument valable. Les rosettes sont fréquentes dans l'ivoirerie et l'émaillerie parisiennes du XIVe siècle; l'inscription volontairement fautive de l'anneau avait au Moyen Age un caractère prophylactique et apparaît sur de nombreux bijoux ou anneaux de provenances diverses (cf. no 168). D'autre part, le type même de ce signet au chaton octogonal, dont l'anneau est orné d'une double ligne d'inscription n'est pas du tout caractéristique des bagues anglaises et paraît même plus fréquent dans les bijoux italiens (cf. par ex. O.M. Dalton, *Franks Bequest, cat. of the finger rings,* Londres, 1912, nos 229-231). L'anneau du Prince Noir a été rapproché du « signet d'or où est entaillée une teste d'enffant » que possédait Jean de Berry (Inv., I, no 471, p. 141). Le duc acquit Montpensier en 1381.

BIBL.: *Mém. de l'Académie des sciences, belles-lettres et arts de Clermont,* 1865, p. 591. — M. Deloche, *La bague en France,* Paris, 1929, p. 14, no 47. — R. Seve, *Introduction auvergnate à la sigillographie,* LXX, 1956, no 61 (avec bibl.).

EXP.: *Vingt ans d'acquisitions,* Paris, 1968, no 240. — *Kaiser Karl IV,* 1978-1979, p. 162.

Paris, musée du Louvre
OA 9597

202
Sceptre de Charles V

Paris, 1365-1380
Anc. trésor de Charles V; trésor de Saint-Denis
Or autrefois émaillé, gravé, repoussé, argent, perles, rubis, verres bleus et verts
H. totale 0,60

202

Le sceptre comprend quatre parties distinctes enfilées sur un axe: a) le haut du bâton, gravé de fleurs de lis et de nœuds en rosettes. b) Le nœud, bordé en haut et bas d'un rang de feuilles d'or alternant avec des perles, rehaussé de cabochons dans de hautes bâtes à griffes et de troches de perles; la surface du nœud est divisée en trois médaillons, représentant, en repoussé, saint Jacques apparaissant à Charlemagne pour lui ordonner d'aller délivrer l'Espagne, le miracle des lances fleuries des chevaliers qui devaient mourir au combat, saint Jacques arrachant au démon l'âme de Charlemagne. c) La fleur de lis autrefois recouverte d'émail blanc opaque. d) La statuette de Charlemagne assis sur un trône aux pan-

neaux ajourés sur un fond d'argent dont la base porte l'inscription en lettres ajourées: « SANTUS KAROLUS MAGNUS ITALIA ROMA GALIA ET (?) ALIA ». Le sceptre est précisément décrit dans l'inventaire du mobilier de Charles V (no 3449) parmi les objets préparés pour « le sacre des roys de France », confiés par Charles V à l'abbé de Saint-Denis le 7 mai 1380. Cette description, diverses mentions des inventaires de Saint-Denis et une gravure du XVIIe siècle du « Traicté du lis » de Tristan de Saint-Amant permettent de connaître avec certitude quelles modifications le sceptre a subies au cours des siècles (fleur de lis désémaillée, saphirs

et diamant du nœud remplacés, couronne et sceptre du Charlemagne refaits, lions et aigles du trône remplacés par quatre aigles, bâton raccourci). Déposé au *museum* à la Révolution, le sceptre figura parmi les « Honneurs de Charlemagne » au sacre de Napoléon Ier.

Il est possible que le sceptre ait été fait dès 1365 pour le sacre de Charles V: les enluminures du « Livre du Sacre » (British museum, Tiberius B. VIII), entrepris après cette cérémonie, montrent en effet un sceptre surmonté comme celui-ci d'une statuette de Charlemagne mais où l'on ne reconnaît ni le nœud, ni la fleur de lis. Le sceptre pourrait donc avoir été remanié et enrichi par la suite sur l'ordre du roi, en vue du sacre du futur Charles VI. La mention au début de l'inventaire de Charles V (no 38) concernant douze perles ôtées à une couronne le 7 juillet 1379 « pour le ceptre du Roy » et données à Symon de Dampmartin pourrait correspondre à la dernière étape du remaniement du sceptre ou au remboursement en nature d'une avance consentie par ce changeur. La présence d'une statuette de Charlemagne en haut du sceptre s'explique par la volonté politique de rattacher les premiers Valois à l'empereur carolingien mais aussi par une allusion au prénom du roi et du dauphin (*Karolus*). De plus, le culte de saint Charlemagne à la cour de France dans la seconde moitié du XIVe siècle est attesté par de nombreuses allusions et représentations figurées (cf. no 212) et par la présence d'objets passant pour avoir appartenu à l'empereur carolingien (cf. inv. de Charles V no 2656) ou même de reliques: en 1367, l'empereur Charles IV envoya à son neveu Charles V, une dent de Charlemagne. Lors de la visite de l'empereur en France, Charles V lui offrit à son tour des flacons d'or en forme de coquille où était représenté, comme sur le nœud du sceptre, saint Jacques ordonnant à Charlemagne de partir en Espagne.

BIBL.: H. Barbet de Jouy, 1868, no 41. — J.J. Marquet de Vasselot, 1914, no 149. — Bl. de Montesquiou-Fezensac, 1973-1977, I et II, no 116, III, p. 79-81 (avec bibl.). — D. Gaborit-Chopin, *Bull. mon.,* 1975, p. 74-79.

EXP.: *Exhibition of french art,* 1932, no 568, p. 260. — *La Librairie de Charles V,* 1968, no 93.

Paris, musée du Louvre
MS 83

203

203
Aquarelle de Gaignières:
Agrafe du sacre

Aquarelle du XVIIe siècle
H. 0,105; L. 0,076
Fermail: Paris, Hans Croist, 1379-1380

« L'agrafe du sacre » qui fermait le « soc » ou manteau royal, fit partie des *regalia* préparés par Charles V pour son fils et confiés par lui à la garde de l'abbé de Saint-Denis le 7 mai 1380 (Inv. no 3448). Les mentions de l'inventaire de Charles V permettent de dater précisément cet objet: des rubis et des perles furent retirés à trois couronnes (Inv. nos 26, 28, 38) entre janvier et septembre 1379 et confiés à l'orfèvre Hance Croist (ou Hance Karast) qui travailla plus tard pour le duc d'Orléans. L'agrafe presque terminée, sur laquelle il ne restait à sertir que quatre diamants, fut inventoriée au château de Vincennes le 11 avril 1380 (Inv. no 3043). D'or, en forme de losange, elle était bordée de quarante perles; elle portait une grande fleur de lis émaillée d'un semis de fleurs de lis, sur laquelle étaient fixés neuf rubis et quatre diamants. Le fermail, conservé à Saint-Denis, servit au sacre de plusieurs rois

de France; il fut déposé au *Museum* en 1793 mais vendu, sur l'ordre du ministère de l'Intérieur, en 1798. Il a disparu depuis. En dépit de quelques inexactitudes dans le nombre des perles et des pierres, l'aquarelle de Gaignières constitue un des plus intéressants témoignages graphiques concernant cet objet. Le « fermail du sacre » était d'un type relativement courant au XIVe et au début du XVe siècle, dont il subsiste un exemplaire, également, conservé au trésor de Saint-Denis avant la Révolution (cf. no 192). Charles V lui-même possédait six autres agrafes d'or en forme de fleur de lis, en racheta une autre, provenant de la succession de Jeanne de Boulogne et en offrit une à sa sœur Marie de France (cf. *Mandements de Charles V,* nos 87, 130). Enfin, il faut citer les deux fleurs de lis d'or gemmées que le roi offrit en 1369, pour orner les deux bustes exécutés par l'orfèvre Giovanni di Bartolo da Sienna pour le Latran (cf. E. Müntz, *Archivio Storico Italiano,* 1888).

BIBL.: W.M. Conway, 1915, p. 151, 157. — B. de Montgolfier et J. Wilhelm, « La Vierge de la famille de Vic. et les peintures de François II Pourbus dans les églises de Paris », *Rev. des Arts,* no 5, 1958, p. 221-228. — Bl. de Montesquiou-Fezensac, 1973-1977, I et II, no 127, III, p. 82-83, pl. 75 (avec bibl.).

Paris, Bibliothèque nationale
Ms. Fr. 20070 (fo 5)

204
Sommet du bâton cantoral
de la Sainte-Chapelle

Camée: premières décennies du IVe siècle.
Monture: Hennequin du Vivier, avant 1368
Ancien trésor de la Sainte-Chapelle
Camée d'agate, vermeil, argent autrefois émaillé
H. 0,310; L. 0,236

Le sommet du bâton cantoral est formé par un buste d'agate grise de Constantin (?), habillé d'une tunique et d'un manteau de vermeil; l'empereur élève de la main gauche une couronne d'épines, autrefois émaillée de vert; il tenait dans la main droite une croix à double traverse, disparue. Le buste émergeait de nuées, jadis émaillées

de bleu. L'ensemble repose sur une galerie ajourée, surmontant un chapiteau de feuillages, lui-même placé sur un nœud émaillé de fleurs de lis. Ce « couronnement » se vissait sur le bâton cantoral d'ébène de la Sainte-Chapelle; un autre « couronnement », une fleur de lis d'argent doré, pouvait se visser en haut du bâton pour les cérémonies solennelles. Une gravure de Morand, de 1790, montre que les médaillons de la galerie ajourée du haut du chapiteau, étaient occupés par des fleurs de lis et deux dauphins (aujourd'hui fixés sur le camée de Chartres. *Cf.* no 168). La présence de ces dauphins mêlés aux fleurs de lis et la technique de la ronde-bosse émaillée employée pour les nuées et la couronne d'épines ne permettent pas de dater cette monture avant le règne de Charles V. Or, le trésor de la Sainte-Chapelle renfermait un premier bâton de chantre d'ébène, aux armes de France et de Bourgogne. Ce bâton se trouvait en 1363, sur l'ordre de Charles V, entre les mains de « Hennequin l'orfèvre » que l'on peut identifier avec Hennequin du Vivier, orfèvre et valet de chambre du roi; il n'apparaît plus ensuite dans les inventaires du trésor mais est remplacé par le bâton cantoral d'ébène à deux sommets amovibles décrit plus haut. Le montage du buste d'agate antique en haut du bâton d'ébène se place donc entre 1363 et 1368, moment où Charles V abandonna les dauphins dans ses armes au profit de son fils nouveau-né. Par sa structure générale, son style et les techniques employées, le sommet du bâton cantoral peut être comparé au sceptre de Charles V (cf. no 202). Il est possible que le buste d'agate de Constantin ait fait d'abord partie des collections de Charles V car, contrairement à l'opinion répandue, rien ne prouve qu'il ait été compris dans les œuvres envoyées de Constantinople à saint Louis: il n'apparaît pas, en effet, dans les inventaires de la Sainte-Chapelle avant d'avoir été monté en haut du bâton cantoral.

BIBL.: S.J. Morand, 1790, p. 56-57. — A. Vidier, 1911. — E. Babelon, 1897, no 309. — D. Gaborit-Chopin, *Bull. mon.,* 1975, p. 67-81. — H. Swarzenski, *Gesta,* 1981, p. 212.

Paris, Bibliothèque nationale,
Cabinet des Médailles

205
Reliure de « l'Apocalipse » de la Sainte-Chapelle

Paris, XIIIe siècle et 1379
Ancien trésor des rois de France (?) ; trésor de la Sainte-Chapelle
Or, argent doré, filigranes, nielles, pierres précieuses, perles ; ais de chêne et de frêne
H. 0,39 ; L. 0,285 et 0,28

La reliure dite de « L'Apocalipse » recouvrait, un manuscrit d'Évangiles ottonien, exécuté à Trèves, au début du XIe siècle, par le « maître du Registrum Gregorii ». On ignore, en fait, à quel moment et dans quelles circonstances ces Évangiles entrèrent dans le trésor royal français. Le manuscrit devait pourtant se trouver à Paris au XIIIe siècle puisque la tranche du *codex* est peinte de fleurs de lis et de tours de Castille, décor que l'on retrouve sur d'autres manuscrits contemporains du règne de saint Louis.

Le plat inférieur (autrefois supérieur), plus épais que l'autre, est entouré d'une double bordure entourant une croix filigranée et gemmée, sur laquelle est fixée une statuette d'or du Christ, entre deux figures de la Vierge et saint Jean. Le style de ces statuettes permet de les dater du troisième quart du XIIIe siècle. La plupart des pierres et perles de ce côté ont disparu, laissant apparaître leur trou de fixation ou des bâtes vides, en couronnes de feuillages ; toutes les pierres (sauf celles de la croix) et perles subsistant se trouvent dans des bâtes en « cupule », surélevées, les unes clouées directement sur le fond de métal uni (restauration tardive selon M.M. Gauthier), les autres ayant leurs bases enserrées dans une couronne de feuillages. Mais ce dernier type de chaton ne semble pas homogène, les bâtes surélevées paraissant plutôt caractéristiques du XIVe siècle alors que les chatons en corolle de feuillages se font extrêmement rares dans l'orfèvrerie française après le milieu du XIIIe siècle. D'autre part, il n'est pas certain que le Christ ait été fait pour la croix à filigranes de feuillages : bien que les proportions soient respectées, il recouvre partiellement ou totalement trois des rubis (sous les deux mains et sous la pliure des genoux). Et les très belles statuettes de la Vierge et de saint Jean, de même facture

que celle du Christ, sont en remploi : complètement travaillées en ronde-bosse, elles ont un relief beaucoup trop accentué pour l'emplacement qu'elles occupent (tête de la Vierge reposant sur la bordure ; main du saint Jean faussée) ; le trou, visible entre les pieds de chacune d'elles pourrait correspondre à leur premier système de fixation. On peut donc se demander si, plutôt qu'un ensemble d'orfèvrerie des environs de 1250-1260, ce plat n'est pas un remontage du XIVe siècle incorporant divers éléments du XIIIe siècle (croix et chatons de feuillages d'une part, statuettes de l'autre).

Le second plat, d'or niellé, bordé d'un rinceau gravé, est couvert d'un semis de fleurs de lis insérées dans un réseau losangé. La partie centrale de la plaque est consacrée à une représentation de saint Jean, assis à son pupitre, écrivant les mots *« in principio »*, il est placé sous un arc, entre quatre médaillons des symboles des Évangélistes ; le tympan de l'arc est occupé par un ange, tenant un rouleau *(et verbum caro factum est)* à mi-corps ; sous l'ange, une inscription précise la date de la donation : « Ce livre bailla à sa Sainte Chappele du palais Charles le Ve de ce nom roi de France qui fu fils du roi Jehan l'an mil troiz cens LXXIX ». La composition de cette plaque est, en fait, un hommage à l'artiste ottonien qui décora le manuscrit auquel elle était destinée puisqu'elle s'inspire étroitement de l'enluminure de saint Mathieu (f° 15v°) en y mêlant quelques éléments pris dans les autres représentations des Évangélistes de ce même manuscrit. Bien que le résultat soit surprenant au point qu'un article récent a conclu, avec quelque légèreté, qu'il s'agissait d'un faux de la fin du XVIIIe siècle imitant une œuvre du « Muldenstil », l'authenticité de ce plat ne peut être mise en doute. Le fait que l'inscription reprenne presque mot pour mot celle qui avait été placée par Charles V sur la monture du « grand camée » qu'il rendit en 1379 à la Sainte-Chapelle n'a rien d'étonnant ni de suspect, bien au contraire, puisque les deux objets furent offerts la même année et par le même personnage. D'autre part, le plat niellé et l'inscription qu'il porte sont cités à plusieurs reprises par les inventaires du trésor de la Sainte-Chapelle, en des termes suffisamment clairs : les inventaires de 1480 et de 1536 le décrivent ainsi :

« ...est la semblance des quatre évangélistes, l'image de saint Jean ou milieu d'eux escrivant en un livre et au haut [au-dessus] desdits évangélistes un ange tenant un roole ouquel est escrit *« verbum caro factum est »* lesquels images devant dits sont tous neeslez. Lequel livre... fut donné par le roy Charles le Quinct ainsy qu'il appert par la lettre escrite sur iceluy livre » *(inv. de 1480 : « sicut apparet per litteram scriptam supra dictus latus »).* Cf. A. Vidier, invent. N n° 207, K n° 413). Ces renseignements sont complétés par l'inventaire de 1740 *(ibidem, Q, n° 42)* qui précise que, selon l'inscription, « ce livre a été donné par Charles V, fils du roy Jehan en 1379 » puis par le texte de Morand *(Histoire de la Sainte-Chapelle..., 1790)* et l'inventaire de 1791 *(cf. A. Vidier, inv. GG).* Devant tant de preuves accumulées, l'hypothèse d'un plat de reliure « refait pour remplacer un original du XIIIe siècle » *(sic)* paraît un pur exercice de style. De plus la confection d'un plat d'or niellé engage des fonds trop importants pour qu'une administration française — fût-elle d'ancien régime ou révolutionnaire — n'en garde pas soigneusement la trace ou le souvenir précis nécessaire à sa justification.

En fait, le plat niellé de « l'Apocalipse » de la Sainte-Chapelle, d'une beauté et d'une finesse remarquables, prouve la virtuosité qu'avaient atteint les orfèvres de Charles V. L'intelligence de ce pastiche du XIVe siècle tout comme la « restauration » de l'autre plat, montrent le respect tout particulier qu'avaient pour les monuments anciens Charles V et son entourage : l'inventaire du trésor royal fournit de nombreuses preuves de ce goût « d'antiquaire » du roi dont sa passion pour les camées et les vases antiques n'est que l'aspect le plus connu *(cf. n°s 165-175).* La plaque funéraire de son conseiller Philippe de Mézières († 1405, *cf.* n° 94) donne sans doute l'exemple dont l'esprit est le plus proche de la reliure de la Sainte-Chapelle. En dépit de cet aspect peu connu, le plat niellé de « l'Apocalipse » peut d'ailleurs être rapproché d'autres œuvres d'orfèvrerie contemporaines : la bordure gravée d'un rinceau et le décor en rinceaux de roses de l'arc surmontant saint Jean trouvent des équivalents sur la reliure provenant de Saint-Denis du Louvre (n° 210). Le fond de fleurs de lis insérées dans des

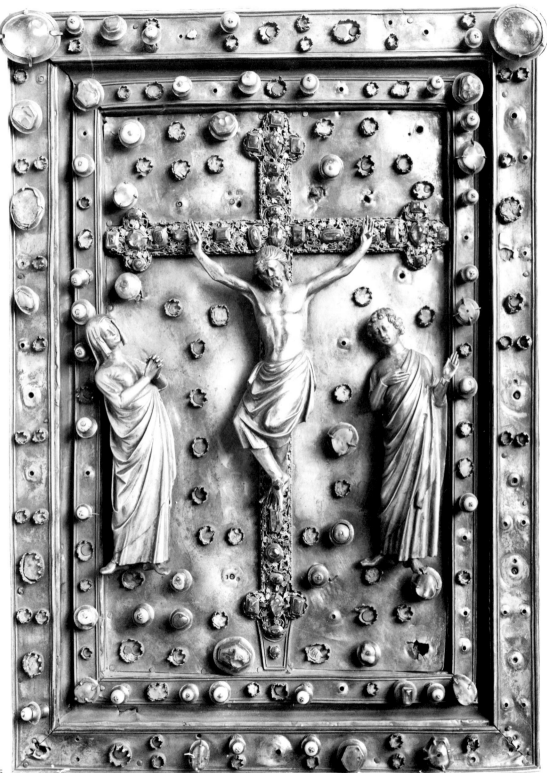

205

ce liure baïlla a la sainte chappele du palais
charles le Ve de ce nom roi de france qui fu
filz du roi ïehan lan mïl troï cens lxxïx

losanges (qui rappelle la vogue du semis de fleurs de lis dans la seconde moitié du XIVᵉ siècle) est absolument identique, y compris pour le dessin des fleurs de lis, à celui qui couvre les volets des extrémités du « libretto » de Florence, offert par Charles V à son frère Louis d'Anjou (cf. nº 211).

BIBL.: J. Morand, 1790, p. 49-52. — C. Nordenfalk, *Münchner Jahrbuch für bildende Kunst*, 3ᵉ série, I, 1950, p. 66 ss. — M.M. Gauthier, *Mon. Piot*, t. 59, 1974, p. 171-208 (avec bibl.). — H. Swarzenski, *Gesta*, 1981, p. 207-212.

EXP.: *La librairie de Charles V*, 1968, nº 99.

Paris, Bibliothèque nationale
Ms Lat. 8851

206
Trésor de Rouen-Gaillon

Charles Oman a proposé de reconnaître comme des éléments d'un même trésor une série de pièces d'argenterie profane (onze hanaps ou écuelles, deux paires de cuillers, un gobelet et un écu d'or de Philippe VI) répartie entre les musées du Victoria & Albert, de l'Ermitage, des Thermes et de l'hôtel de Cluny, et du Louvre.

La provenance des hanaps de l'Ermitage (coll. Basilewsky) et du Louvre (coll. Sauvageot) est inconnue. Les pièces de Londres furent acquises à Paris en 1864, lors de la vente de la collection Van Cuyck, et auraient été trouvées à Rouen, dans une boîte, lors de la démolition d'une maison. Celles du musée de Cluny furent vendues, en 1851, comme provenant de Gaillon, par la famille Ethis de Corny qui posséda jusqu'en 1834, le domaine de la chartreuse de Gaillon. Les ressemblances qui unissent entre eux certains de ces objets et surtout la présence des mêmes armes gravées sur des coupes de Londres, Paris et Leningrad, justifient l'attribution à un même ensemble. Les divers renseignements permettent donc de supposer que le trésor fut trouvé, à Gaillon ou à Rouen avant 1851; l'identification des armes devrait donner une précieuse indication sur son origine.

Ce très rare ensemble d'orfèvrerie profane auquel on ne peut comparer que le trésor de Maldegem (cf. nº 198) n'est pas homogène: les pièces sont, de dates et de provenance diverses. Elles nous offrent un échantillonnage des décors utilisés pendant le XIVᵉ siècle pour les objets profanes. Si les témoignages contemporains et les descriptions des inventaires du mobilier de Charles V et de ses frères prouvent en effet que cette orfèvrerie profane était très abondante et d'un luxe impressionnant, les pertes, les destructions et les fontes systématiques ont entraîné sa presque totale disparition. L'intérêt de ce trésor pour l'histoire de l'orfèvrerie médiévale est d'autant plus grand qu'il constitue aussi un répertoire de quelques-uns des anciens poinçons de ville connus. La présence de poinçons de Rouen, Amiens, Paris n'a rien de surprenant étant donnée la relative proximité de ces villes; celle du poinçon de Montpellier serait plus étonnante si l'on oubliait la réputation des orfèvres de cette région: Louis d'Anjou qui fut gouverneur du Languedoc, possédait dans son trésor de nombreuses pièces méridionales. D'autre part, le clergé normand entretenait d'étroites relations avec la papauté d'Avignon tel Pierre Roger, abbé de Fécamp, archevêque de Rouen puis pape sous le nom de Clément VI (+ 1352). Les descriptions et les inventaires du XIVᵉ siècle montrent qu'il faut reconnaître dans les coupes plates aux bords relevés qui forment l'essentiel de ce trésor, des écuelles ou hanaps sans couvercle et sans pied.

— *Pièces acquises en 1865, en même temps qu'un écu d'or de Philippe VI de Valois, comme provenant de Rouen.*

A) Hanap ou écuelle
Paris, premier tiers du XIVᵉ siècle (poinçon de Paris)
Argent. D. 0,183; H. 0,045

Coupe creuse largement évasée, simplement moulurée, semblable à une écuelle du musée de Cluny (H). Au revers écu maladroitement gravé, semblable à celui des hanaps G, H, K. Poinçon à la fleur de lis de Paris.

Londres, Victoria and Albert Museum
109-1865

B) Hanap
Montpellier, avant 1355 (poinçon de Montpellier)
Argent en partie doré, repoussé, émaux sur basse-taille
D. 0,184; H. 0,04

Motif géométrique en forme d'étoile et décor de feuillages de vigne; au centre, médaillon d'émail représentant un animal fantastique. Le décor « vigneté » rappelle celui de la mitre du chef de saint Martin de Soudeilles (cf. nº 193). Poinçon de ville de Montpellier (« MOP »). L'absence du poinçon de maître pourrait indiquer une date antérieure à 1355.

Londres, Victoria and Albert Museum
106-1865

206 B

206 A

206 B

C) Hanap
France, milieu du XIVe siècle (poinçon)
Argent en partie doré, repoussé, émaux sur basse-taille
D. 0,21 ; H. 0,054

Décor de rosettes et de trèfles, grand motif centré à six lobes. Autour du médaillon, rinceau de feuilles de chêne et de glands. Selon Ch. Oman, le médaillon émaillé qui représente une femme et un ours sortant d'un château, a été refait avant 1864. Poinçon non identifié (écu portant une rosette entre trois agrafes?).

Londres, Victoria and Albert Museum
107-1865

D) Hanap ou écuelle
Paris, dernier quart du XIVe siècle (poinçon de Paris)
Argent partiellement doré
D. 0,23 ; H. 0,045

Le hanap en forme de coupe très évasée est décoré d'un effet de martelage régulier ; son bord est doré ; il repose sur un petit pied circulaire. Poinçon de Paris (fleur de lis couronnée) surmontant un masque bicéphale à deux têtes barbues (poinçon de maître non identifié). La conjugaison des poinçons de ville et de maître semble indiquer une date postérieure à l'ordonnance de 1378 de Charles V.

Londres, Victoria and Albert Museum
108-1865

E) Paire de cuillers
Paris, début du XIVe siècle
Argent. L. 0,175

Le cuilleron est arrondi ; le manche se termine par une pointe de diamant. Lettres G. et S. gravées, surmontées d'une croix.

Londres, Victoria and Albert Museum
112-1865

206 C

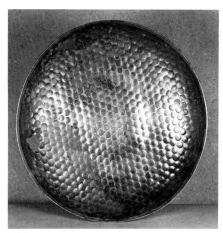

206 D

206 E   206 F

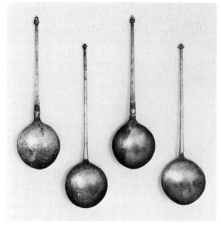

F) Paire de cuillers
Rouen, XIVe siècle (poinçon de Rouen)
Argent. L. 0,167

Le cuilleron est arrondi ; le manche se termine par un gland. Poinçon à l'*Agnus Dei* de Rouen.

Londres, Victoria and Albert Museum
110-1865

—*Pièces achetées par Du Sommerard en 1851 comme provenant de Gaillon*

G) Hanap
France, première moitié du XIVe siècle
Argent partiellement doré, repoussé ; émaux sur basse-taille
D. 0,183 ; H. 0,055

La coupe est ornée, au centre, de dix bossettes formant les pétales d'une rose stylisée, entourant un médaillon émaillé représentant un pélican. Au revers est gravé, assez maladroitement, un écusson non identifié, identique à celui des hanaps A, H et K.

Paris, musée des Thermes et de l'hôtel de Cluny
Cl. 1951

H) Hanap ou écuelle
Paris, première moitié du XIVe siècle (poinçon de Paris)
Argent. D. 0,182 ; H. 0,045

La coupe creuse est simplement moulurée. Au revers, mêmes armes que sur le hanap de Londres (A) d'ailleurs très proche de celui-ci et sur les hanaps G et K. Poinçon fleurdelisé de Paris.

Paris, musée des Thermes et de l'hôtel de Cluny
Cl. 1952

206 G

I) Gobelet
Amiens, avant 1355 (poinçon d'Amiens)
Argent. H. 0,114 ; D. 0,086

La timbale, haute et cylindrique, est légèrement évasée à sa partie supérieure. Elle porte le poinçon « AM » de la ville d'Amiens. *Cf.* aussi n° 207.

Paris, musée des Thermes et de l'hôtel de Cluny
Cl. 1953

— *Pièce entrée en 1861 avec la collection Sauvageot*

206 I

J) Hanap
France, première moitié du XIVe siècle
Argent partiellement doré, repoussé
D. 0,195 ; H. 0,044

Le décor du marli est fait de cercles et de rinceaux tréflés ; la rosace centrale entoure un médaillon autrefois émaillé orné d'un cerf bondissant sur un fond de feuillages. La pièce est analogue à celle de Leningrad (N), à l'exception du motif émaillé.

Paris, musée du Louvre (dép. au musée de Cluny)
OA 396

— *Pièces provenant de la collection Basilewsky*

206 H

206 J

K) Hanap
France, première moitié du XIVe siècle
Argent partiellement doré, repoussé, émail translucide sur basse-taille
D. 0,20

Le marli est orné de grands trèfles. Au centre, entourant un médaillon d'émail, six bossettes forment une rose semblable à celle du hanap G. Au revers, se trouve le même écu gravé que sur les hanaps A, G et H.

Leningrad, musée de l'Ermitage

206 K

L) Hanap

France, première moitié du XIVe siècle
Argent partiellement doré, repoussé, émail
translucide sur basse-taille
D. 0,20

Six grandes rosettes sont réparties sur le
marli. Le médaillon émaillé est au centre
d'une étoile.

Leningrad, musée de l'Ermitage

M) Hanap

Montpellier, avant 1355 (poinçon de Montpellier)
Argent partiellement doré, émail translucide sur basse-taille
D. 0,205

De grands feuillages sont disposés sur le
marli. Un décor de trèfles entoure le médaillon central qui représente un oiseau (pélican). Poinçon de Montpellier. L'absence de
poinçon de maître suggère une date antérieure à 1355.

Leningrad, musée de l'Ermitage

N) Hanap

France, première moitié du XIVe siècle
Argent partiellement doré, repoussé, émail
translucide sur basse-taille
D. 0,020

Le hanap est presque identique à celui du
musée du Louvre (J) mais le médaillon
d'émail représente un lapin, thème que l'on
retrouve sur la couronne du Paraclet
(no 184) et sur un hanap au poinçon de
Paris d'une collection parisienne (cf.
L. Helft, Les nouveaux poinçons..., Paris,
1980, p. 303).

Leningrad, musée de l'Ermitage

BIBL. : A. Sauzay, 1861, no 396. — A. du Sommerard,
1883, nos 5109 à 5111. — Ch. Oman, Pantheon, XIX,
1961, p. 82-87 (avec bibl.). — J. Thuile, I, 1966,
pl. VII. — R. Lightbown, 1978, p. 20, 33, 76, 97, pl. VI à
XI.

EXP. : Trésors des églises du Languedoc, 1954, no 1. —
Trésors des abbayes normandes, 1979, no 303.

206 L

206 M

206 N

207 A et B
Paire de gobelets

France, XIVe-XVe siècles
Anc. coll. Campana ; acq. 1861
Argent. H. 0,110 ; D. 0,096

Les deux gobelets, de proportions élancées,
sont légèrement renflés à la partie supérieure ; leur base forme un petit pied en
anneau ; la partie supérieure est soulignée
d'une moulouration. Leur forme est proche
de celle du gobelet du trésor de Gaillon-
Rouen (no 206) mais la bordure moulurée
indique une date plus avancée, vers la fin du
siècle : un gobelet de forme identique dont
le fond est orné d'un médaillon d'émaux
translucides (France, XIVe siècle), a été
trouvé à Nikopol, en Bulgarie (cf. cat. exp.
La Bulgarie médiévale, Paris, 1980, no 285).

BIBL. : A. de Ridder, 1924, no 1918-1929.

Paris, musée du Louvre
C. 7345-7346

208
Hanap

Paris, deuxième moitié du XIVe siècle
Argent. D. 0,158 ; H. 0,042

Le hanap, de forme très pure, sans décor,
porte le poinçon fleurdelisé de Paris, surmontant un anneau ou une couronne torsadée. Il peut être rapproché de celui également d'argent, trouvé en Bulgarie, à Nikopol, et portant le poinçon fleurdelisé de
Paris surmontant un B dressé (cf. cat. exp.
La Bulgarie médiévale, Paris, 1980, no 384).

BIBL. : J. Helft, 1980, p. 302-304.

Paris, collection privée

209
Pomme-reliquaire

France, deuxième moitié du XIVe siècle
Acq. 1913
Argent, argent doré, nielles
H. totale 0,044

La pomme est décorée à l'extérieur de nielles présentant des feuillages où courent des

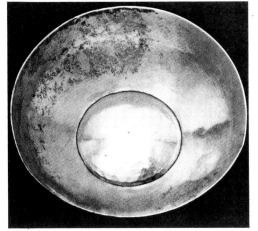

207A

208

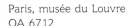
209

quadrupèdes; un anneau de rinceaux marque la partie supérieure. La pomme s'ouvre en quatre quartiers, dégageant la partie centrale ajourée où glissait la tige de fermeture (disparue, de même que la base). Chaque quartier, orné de palmettes disposées dans un réseau de losanges ou d'imbrications, est muni d'un couvercle coulissant portant une inscription désignant les reliques qu'il contenait; la bordure porte une inscription plus longue, en français: «Ci sunt les reliques des s. Martirs — Ci sunt les reliques des Confessors — Ci sunt les reliques des Virges — Ci sunt les reliques des Apostres». Les inventaires du XIVe siècle mentionnent de nombreuses pommes

d'ambre ou d'orfèvrerie ouvrantes mais presque toutes étaient destinées à contenir des parfums, de même que les exemplaires plus tardifs aujourd'hui conservés. Cependant, la burette ouvrante de Saint-Menoux, dans l'Allier (cf. cat. exp. Trésors des églises de France, 1965, no 457 - XIVe-XVe siècle) montre une disposition analogue pour un objet religieux. L'inventaire de Charles V décrit en outre une pomme-reliquaire exactement semblable à celle du Louvre (no 2853): «une pomme d'argent, neellée par dehors, à bestes, laquelle se euvre par quartiers pour mectre reliques». Le décor niellé des quartiers et de la partie supérieure de la pomme peut, dans une certaine mesure, être rapproché de celui de la reliure de «l'Apocalipse» et des volets du «Libretto» (cf. nos 205, 211).

Paris, musée du Louvre
OA 6712

210
Reliure de Saint-Denis

Paris, vers 1360-1380 (iv.) et dernier tiers du XIVe (orf.). Remaniement au XVIIe siècle
Prov. du trésor de Saint-Denis
Ivoire, argent, argent doré, niellé, saphirs, primes d'émeraudes, perles
H. 0,31; L. 0,21; H. de l'ivoire 0,185; L. 0,086

La reliure recouvre depuis le XVIIe siècle le manuscrit grec de Denis Aréopagyte que Manuel Chrysoloras apporta à Saint-Denis, en 1408, de la part de Manuel II Paléologue; les têtes d'angelots qui soulignent les coins des ais datent de ce remontage. La reliure recouvrait auparavant un livre des Épîtres (no 99 de l'inv. de Saint-Denis, 1634). Le centre de chaque ais est occupé par une plaque d'ivoire découpée en trois registres par des rangées d'arcatures, où se déroulent des scènes de la Passion (face: Entrée à Jérusalem, Jardin des Oliviers, Flagellation, Descente de croix, ensevelissement du Christ; revers: Arrestation du Christ, mort de Judas, Crucifixion, Saintes Femmes au tombeau, Noli me tangere). Le fait que la lecture dans l'ordre chronologique des scènes se fasse horizontalement, sur les deux feuillets à la fois, et la présence de légères traces de charnières montrent qu'il s'agissait, à l'origine, d'un diptyque dont les deux feuillets ont été séparés lors de sa transformation en reliure. Ses rangées d'arcatures sont semblables à celles que l'on trouve dans le groupe «des grands diptyques de la Passion» (cf. nos 161-163). Mais son style n'en est que le lointain reflet: les personnages dégingandés, aux drapés étriqués, hâtivement sculptés sont d'une qualité inférieure. Cependant, la médiocrité du travail de cet atelier auquel d'autres œuvres sont attribuables (cf. par ex. Baltimore, Walters Art Gallery, nos 71-273 ou New York, Metropolitan Museum, nos 17-190-188 et 32-100-204) n'implique pas forcément un décalage chronologique par rapport aux «succédanés des grands diptyques de la Passion» et peut illustrer les différences de qualité dans les productions parisiennes contemporaines.

La monture d'argent doré, d'une facture très soignée, ne semble pas beaucoup plus tardive que l'ivoire. Sur le plat supérieur, la bordure extérieure est ornée d'un rinceau gravé, la bordure intérieure, clouée de douze roses d'argent blanc, est soulignée d'un rinceau «poinçonné». Au revers, sur une bande niellée, se déroule un rinceau en relief de branches de rosiers fleuris d'argent doré. La bordure intérieure est rythmée par des cabochons, dans des bâtes simplement rabattues, alternant avec des troches de trois perles. Le rinceau de branches de rosier

210

210

évoque la bordure et certains détails niellés de la reliure de « l'Apocalypse » (n° 205). Le type des troches, est analogue à celui du camée d'Auguste (n° 169). La présence d'un décor « poinçonné » n'implique nulle-ment une date dans les dernières décennies du siècle puisque cette technique était déjà pratiquée par l'orfèvre de Jean Le Bon, Jean Le Braelier, en 1352 (*cf.* Douet d'Arcq, *Compte de l'argenterie...*, 1851, p. 129).

BIBL. : E. Molinier, 1897, n° 100. — R. Koechlin, *Rev. de l'Art chrétien*, 1911, p. 3. — R. Koechlin, 1924, II, n° 823. — Bl. de Montesquiou-Fezensac, 1973-1977, I et II, n°s 99, 154, 349, III, pl. 53, p. 68-69.

EXP. : *Exhibition of French Art*, 1932, n° 5764, p. 281. — *Byzance et la France médiévale*, Paris, 1958, n° 51. — *L'Art byzantin, art européen*, Athènes, 1964, n° 351.

Paris, musée du Louvre
MR 416

211
Reliquaire dit « Libretto »

Paris, avant 1380. Monstrance de Paolo di Giovanni Sogliani, 1500-1501
Don de Charles V à Louis d'Anjou ; cité en 1465 dans l'inv. du trésor de Pierre de Médicis dit « Le Goutteux », puis dans l'inv. après décès des coll. de Laurent Le Magnifi-que ; racheté en 1493 au cardinal Piccolo-mini (le futur Pie III) par « l'arte dei Merca-tanti di Calimala », pour San-Giovanni de Florence
Reliquaire : or, émail opaque, perles, rubis balais. H. 0,075 ; L. totale 0,244 ; L. partie centrale 0,063 ; H. du parchemin 0,065
Monstrance : argent en partie doré, émaux translucides sur basse-taille, cristaux. H. 0,90 ; L. du pied 0,46

La monstrance d'argent doré, ornée d'émaux translucides dans laquelle est en-fermé le reliquaire est l'œuvre de l'orfèvre florentin Paolo di Giovanni Sogliani (1455-1520) ; deux statuettes d'anges soutiennent le reliquaire à l'intérieur du tabernacle. Le

211

reliquaire, dont la forme évoque celle d'un petit livre, d'où son nom de « libretto », est composé d'une partie centrale autour de laquelle s'articulent de chaque côté, trois volets où des rangées de légers fenestrages trilobés abritent soixante-douze reliques de saints identifiées par des authentiques. Ces six volets se replient sur la partie centrale, laissant voir, lorsqu'ils sont fermés, le semis de fleurs de lis sur fond d'azur, dans un réseau losangé, qui couvrent le revers de chacun des panneaux des extrémités. La partie centrale est bordée sur sa hauteur de deux rangées de grosses perles alternant avec des rubis-balais sertis dans des bâtes à griffes ; un volet de parchemin monté sur

glissière découvre, en se relevant, des cachettes à reliques dont la forme évoque la relique qu'elles contiennent, groupées autour d'un fragment de la Vraie Croix. Ces reliques de la Passion (auxquelles s'ajoutent des reliques de la « Verge de Moïse » et des « Tables de Moïse ») que l'inscription émaillée au revers de la partie centrale permet d'identifier, provenaient de la Sainte-Chapelle de Paris, à l'exception du fragment du Saint Clou conservé à l'abbaye de Saint-Denis. Le début de l'inscription précise que « le roy Charles le Quint a donné ce reliquaire et les reliques... A Loys son aisné frere, premier duc d'Anjou... ». Le feuillet de parchemin, porte des enluminures très effa-

cées, représentant le Christ en croix entre la Vierge, saint Jean et la Madeleine et au revers, la Trinité devant laquelle sont agenouillés une femme et un homme : ce dernier n'est pas couronné. Il n'est donc pas certain que ce couple puisse être identifié avec Charles V et Jeanne de Bourbon. Il pourrait tout aussi vraisemblablement s'agir de Louis d'Anjou et de son épouse, Marie de Blois, d'autant plus que (autant que l'usure de la peinture permet d'en juger) le personnage masculin présente un type assez différent de celui qu'ont popularisé les portraits de Charles V. Il est probable que le reliquaire resta en Italie en 1384, lorsque Louis d'Anjou mourut à Bisceglie,

212

212

près de Bari. Il ne semble figurer dans aucun des inventaires du trésor du duc.

Charles V avait fait faire pour lui-même un reliquaire exactement semblable (cf. Hanhloser, 1971). Ce dernier fut perdu en 1495 par Charles VIII, à la bataille de Fornoue et recueilli par les Vénitiens qui le déposèrent au trésor de San Marco. Il ne subsiste aujourd'hui à Venise, que la cassette d'argent doré massif qui contenait le reliquaire, décorée de fleurs de lis et de figures d'applique représentant l'Annonciation et saint Louis.

Le parti d'abriter les reliques sous une rangée d'arcatures, parti que l'on retrouvait sur les deux reliquaires faits sur l'ordre de Charles V est assez traditionnel pour les reliquaires-tableaux. Le procédé qui consiste à cacher les réceptacles à reliques sous un feuillet de parchemin enluminé est analogue à celui que l'on peut voir encore sur le petit reliquaire de la Sainte Épine de Londres (n° 190). Mais la composition de la partie centrale, où les logettes regroupées autour de la Croix ont la forme des reliques de la Passion est tout à fait originale. Les fleurs de lis, dans un réseau losangé, sont identiques à celles qui recouvrent le champ du plat niellé de la reliure offerte par Charles V à la Sainte-Chapelle en 1379 (n° 205). La monture des perles rappelle celle des perles de la croix de Baugé, faite pour Louis d'Anjou avant 1377.

Les deux reliquaires semblables qu'avait fait faire Charles V ont été datés vers 1370. Il est possible, en effet, que Charles V ait prélevé à la Sainte-Chapelle l'échantillonnage de reliques nécessaires aux deux reliquaires en 1371-1372, au moment où il prenait pour un autre de ses frères, Jean de Berry, un fragment de la Vraie Croix. Mais le roi avait déjà pris un fragment de la Vraie Croix de la Sainte-Chapelle, en 1368, pour Viviers-en-Brie (cf. Frolow, n°s 754, 746). D'autre part, l'absence de mention du « libretto » dans le dernier inventaire de Louis d'Anjou (comme le pensait Moranvillé, il ne peut s'agir du n° 3574 de cet inventaire) et le fait que le reliquaire de Venise n'apparaisse pas dans l'inventaire de 1379-1380 de Charles V, ni dans les inventaires du trésor de Charles VI, ne permettent pas de préciser la date de ces deux objets qui pourraient aussi bien avoir été faits dans les dernières années du règne.

BIBL.: G. Poggi, « Il reliquario del Libretto nel Battistero fiorentino », extr. Rivista d'Arte, IX, n° 3, 1916, 14 p. — Th. Müller et E. Steingräber, 1954, p. 31-32. — A. Frolow, La relique de la Vraie Croix, 1961, n° 753. — H. Hanlhoser, « Opere occidentali dei secoli XII-XIV », Il tesoro di san Marco..., Florence, 1971, II, n° 170, pl. CLXIV-CLXV (avec bibl.). — L. Becherucci et G. Brunetti, Il museo dell'Opera del Duomo, Florence, s.d. (1972), II, p. 250-253 (avec bibl.).

EXP.: La librairie de Charles V, 1968, n° 101.

Florence, musée dell'Opera del Duomo

212
Paire de valves de miroir

Paris, avant 1379
Anc. coll. Louis d'Anjou ; coll. E. Durand ; acq. 1824
Or, émaux translucides sur basse-taille
D. 0,068

Les deux valves présentent le même décor architectural : une tribune au parapet ajouré, surmonté d'une triple arcature formant une sorte de dais. Sous ces arcatures se dressent trois figures à mi-corps : sur l'une, Dieu le Père coiffé d'une triple tiare entre les saints Charlemagne et Jean-Baptiste ; sur l'autre, la Vierge allaitant entre saint Jean et sainte Catherine. Les fonds sont couverts de fins rinceaux poinçonnés, visibles à travers la mince couche d'émail qui recouvre entièrement les surfaces. Les visages osseux et les paupières lourdes des personnages masculins ont pu faire penser à une origine germanique mais les valves ont certainement été émaillées à Paris : elles peuvent, en effet, être identifiées avec celles décrites dans l'inventaire de Louis d'Anjou (n° 3577), rédigé en 1379. Elles constituent donc l'une des très rares épaves de l'énorme trésor réuni par ce prince, qu'il dispersa de son vivant pour soutenir sa politique italienne. La gamme très raffinée des émaux, où l'on remarque particulièrement des gris et un rouge « cler » éclatant, et le style des personnages font de ces émaux un des points de comparaison les plus convaincants avec la coupe de sainte Agnès (cf. n° 213). L'iconographie de ces valves atteste la vogue à cette époque à la cour de France du culte de Charlemagne dont témoigne également le sceptre de Charles V (cf. n° 202).

BIBL.: J.J. Marquet de Vasselot, 1914, n°s 188-189. — M.M. Gauthier, 1972, p. 286-288, n° 232 (avec bibl.).

EXP.: Europaïsche Kunst um 1400, 1962, n° 500.

Paris, musée du Louvre
MR 2608-2609

213
Coupe de sainte Agnès

Paris, vers 1370-1380 (avant 1391); fût: époque Tudor; bague avec inscription: 1610. Bélière de suspension moderne.
Don de Jean de Berry à Charles VI en 1391; trésor du duc de Bedford (avant 30 juin 1434); transférée au Blackfriars de Ludgate sur l'ordre du cardinal Henri Beaufort (après la mort du duc en 1435); trésor d'Henri VI (avant le 27 nov. 1449); trésor royal anglais (avant 1521-1604); donnée par Jacques Iᵉʳ à don Juan Velasco, duc de Frias, ambassadeur du roi d'Espagne à Londres (22 août 1600); donnée par Velasco au couvent de Sainte-Claire de Medina de Pomar, dioc. de Burgos (1610); vendue par le prêtre Simon Campo au baron Pichon (1883); après jugement de la Cour civile de la Seine contre le duc de Frias (17 avril 1885), coll. Wertheimer; coll. A. Franks (1891); acq. 1892
Or ciselé, poinçonné (plus de 23 carats); émaux translucides sur basse-taille (2 bleu, bleu-gris, vert vif, jaune, brun, noir, rose, rouge), émail blanc opaque; perles
Fût: or (20-21 carats), émail; H. 0,235; D. de la coupe 0,172; D. du pied 0,102

Selon l'inventaire du trésor de Charles VI (1391), le couvercle était garni d'une crête de trente-six perles, correspondant à celle du pied, et surmonté d'un fruitelet de quatre saphirs, quatre balais et quinze perles. La coupe reposait sur un trépied orné en son milieu d'une figure de « Notre-Dame en un soleil sur rouge clair », monté sur trois pieds en forme de serpents ailés. Ce trépied n'apparaît pas dans les inventaires du duc de Bedford, mais après sa mort la coupe fut associée à une aiguière d'or. Avant 1521, le « fruitelet » du couvercle fut remplacé par une « couronne impériale » (telle que sur le grand sceau d'Angleterre depuis 1471); sans doute y fut-elle placée au moment où la tige ornée de roses des Tudor fut ajoutée à la coupe (entre 1486 et 1521?). L'anneau au-dessus des roses est émaillé d'une inscription relative au traité de paix entre les rois d'Angleterre et d'Espagne, symbolisé par un rameau d'olivier; il fut ajouté par Juan Velasco en 1610, lors de sa donation au couvent de Medina de Pomar. On ignore si la coupe avait (*cf.* Lasko) ou non (*cf.* Dalton) une tige dès l'origine.

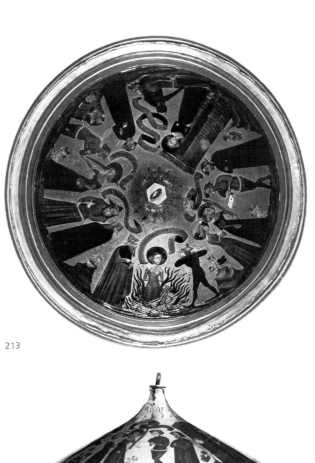

213

213

213 (détail)

213 (détail)

213 (détail)

Les symboles des évangélistes sont émaillés sur le pied ; à l'intérieur de la coupe est représenté le Christ bénissant dans un médaillon, le calice à la main. Toutes les autres scènes, accompagnées d'inscriptions, illustrent la vie et les miracles de sainte Agnès : à l'intérieur du couvercle, Agnès enfant, agenouillée devant un vieillard lit les premiers mots d'un Psaume pénitentiel, illustration de sa piété. Sur le couvercle, quatre épisodes séparés par des rochers racontent la vie et le martyre d'Agnès : 1) Accompagnée de sa sœur, la sainte, tenant la palme du martyre et un livre, un agneau (son emblème) à ses pieds, refuse la demande en mariage de Procopius, fils du préfet de la ville, qui tient un coffret de joyaux ; elle déclare qu'elle est l'épouse du Christ. 2) Dénoncée comme chrétienne, condamnée à vivre dans un lupanar, elle est assaillie par Procopius qui, à son tour, est étranglé par un démon. 3) Procopius, ressuscité par Agnès, reçoit son pardon. 4) Agnès est condamnée au bûcher ; indemne, elle est finalement tuée d'un coup de lance. Sur la coupe, séparées par des arbres, quatre scènes se rapportent au culte de la sainte : 1) l'enterrement d'Agnès ; 2) la lapidation de sa sœur, Emerentienne, devant la tombe d'Agnès ; 3) la sainte, avec d'autres vierges et martyres, apparaît à ses parents ; 4) la princesse Constance, atteinte de lèpre, s'étend sur la tombe. Miraculeusement guérie, elle s'agenouille devant son père Constantin, et lui parle des vertus d'Agnès. La *Vita* de sainte Agnès (*gesta* du Pseudo-Ambroise), contient la plupart des éléments du récit ici illustré, cinq des inscriptions adoptant les termes de la liturgie, soit des offices de sainte Agnès et *secundo Agnès* (21 et 28 janvier), soit du « commun » des Vierges, chanté à la fête de sainte Agnès. Il est probable que les deux crêtes de perles du pied et de la coupe sont une allusion à l'un des chants des services de sainte Agnès (*« Dexteram meam et collum meum auxis lapidis preciosis, tradidit auribus meis inestimabiles margaritas »*).

Malgré la présence d'un médaillon eucharistique à l'intérieur de la coupe, l'objet est décrit dès 1391 comme un hanap : il s'agit donc probablement d'un vase à boire réservé aux grandes occasions, peut-être spécialement pour la fête de sainte Agnès. La coupe n'est pas mentionnée avant 1391. Delisle proposa le premier d'y voir un cadeau préparé par Jean de Berry pour son frère aîné, Charles V, dont Agnès était la sainte protectrice puisqu'il était né le jour de sa fête. L'inventaire de Charles V mentionne, en effet, nombre d'objets portant des représentations de sainte Agnès, dont une coupe d'or émaillé « de la vie de saincte Agnes » (*cf.* inv. n° 392). Mais la dévotion à sainte Agnès, dont le nom était porté par plusieurs femmes de la maison de Valois, n'était pas l'exclusivité du roi. Néanmoins, le style de la pièce correspond aux dernières années du règne de Charles V.

Bien que l'on connaisse des exemples de l'utilisation précoce du rouge translucide (n°s 190, 213), la coupe est une pièce exceptionnelle en raison de la beauté de son style et de sa perfection technique. Elle pourrait peut-être être rapprochée pour son style et quelques détails techniques de la « Paix de Tongres » (n° 214). Le délicat travail de « pointillé » poinçonné sur la coupe avant qu'elle ne soit émaillée, comprend des figures d'oiseaux exotiques, coqs combattant, perroquets, semblables aux oiseaux tissés sur les soies orientales, si appréciées en Europe à cette date et imitées par les soies de Lucques et d'autres centres italiens. Il est possible aussi que le travail de « poin-

tillé » qui se développe dans l'orfèvrerie à la fin du XIVe siècle, ait été inspiré par les fonds de certains panneaux peints. Le style des scènes peut être rapproché d'enluminures contemporaines mais les « italianismes » que l'on peut y relever ne sont pas nouveaux dans le milieu parisien de la seconde moitié du XIVe siècle. Une disposition identique des groupes de figures isolées sur un fond uni encadrées de rocs et d'arbres, apparaît sur les bas-de-pages du « Maître aux Boqueteaux », par exemple dans la bible de Jean de Sy (n° 280) ; les œuvres du même maître apportent des parallèles pour les détails des costumes (poitrines rembourrées, ceintures basses, détails des casques et des chapeaux). Certains vieillards sont semblables à ceux du « Maître du Parement de Narbonne » (n° 324). Un peintre d'un talent inférieur (British Library, Royal Ms. 19. B. XVII - daté de 1382) fut clairement formé dans un milieu artistique où le style de la coupe était implanté. Ainsi, sans exclure la possibilité que l'auteur de la coupe, l'un des plus grands artistes de la cour de France dans la seconde moitié du XIVe siècle, ait pu poursuivre son activité jusqu'aux années 1390, la coupe de sainte Agnès doit probablement être datée des dernières années du règne de Charles V.

BIBL. : E. Molinier, 1901, p. 227-228. — C.H. Read, 1904. — L. Delisle, 1906, p. 233-239. — H. Vuagneux, 1907. — O.M. Dalton, 1924. — H. Maryon, 1951-1952, p. 56-58, pl. XXIV. — T. Müller, E. Steingräber, 1954, p. 32. — A.J. Collins, 1955, p. 279-281. — P.E. Lasko, 1962, p. 43-46. — M. Meiss, 1967, I, p. 51 ; II, pls. 471n 473. — M.M. Gauthier, 1972, n° 231 ; p. 284-286, 412. — R.W. Lightbown, 1978, p. 78-82, pl. LXI-LXVIII.

EXP. : *Europäische Kunst um 1400*, 1962, n° 498, pl. 27 (avec bibl.).

214

214
« Paix » : Noli me tangere

Paris (?), vers 1380-1390
Prov. de Saint-Jean de Tongres ; acq. 1896
Argent doré, émaux translucides sur basse-taille
H. 0,122 ; L. 0,108

Le tableau cintré, porte en son centre un émail représentant la rencontre du Christ et de la Madeleine (émaux translucides bleu, vert clair, fauve, jaune d'or, violet, violet-rose). Le Christ, à demi-retourné, vêtu d'un grand manteau violet, et s'appuyant sur un long bâton sommé d'une croix, marche vers la gauche. La Madeleine, nimbée, est agenouillée à droite. En arrière-plan se dresse un grand arbre, au milieu d'un paysage planté de petits arbres et de touffes d'herbes. La bordure intérieure, d'argent doré, est soulignée d'un double rinceau fleuri en « poinçonné ». La bordure extérieure, ajourée, est formée d'une tige continue, rattachée à la bordure intérieure par des vrilles, des fleurettes à cinq pétales, autrefois émaillées de rouge et de blanc, et de larges feuilles bombées, aux bords dentelés ; deux anneaux de suspension sont fixés à la partie supérieure. La bordure rappelle celle de l'un des ais de la reliure de Saint-Denis et est analogue à celle de l'émail de saint Jean du Louvre et surtout de la sainte Catherine de Londres, qui associe également les rosettes, les feuillages et le décor poinçonné (*cf.* n⁰ˢ 210, 217, 215). Les visages aux paupières lourdes, les larges drapés, le dessin des feuillages évoquent le style des émaux (peut-être un peu plus tardifs ?) représentant saint Jean et saint Jean-Baptiste prêchant du Louvre et suggèrent une attribution au même centre (*cf.* n⁰ˢ 216, 217). La « paix » de Tongres était en réalité un « tableau » destiné à être suspendu ; le revers émaillé de vert des rosettes indique que le dos de l'objet était visible ; le montage de l'émail dans sa bordure devait donc être caché, peut-être par un système semblable à celui du revers de la sainte Catherine de Londres, qui transformait ce « tableau » en reliquaire.

BIBL. : A. Jansen, 1964, p. 32, pl. LIX, fig. 107.

Bruxelles, musées royaux
122 3352

215
« Tableau-reliquaire » émaillé : Sainte Catherine d'Alexandrie

Paris, vers 1380
Anc. coll. J.E. Taylor ; acq. 1912
Argent doré, gravé, cristal, émaux translucides sur basse-taille
H. 0,065 ; L. 0,05

Sainte Catherine, couronnée et nimbée, tenant une palme et la roue, instrument de son supplice, est assise dans un siège gris à haut dossier ; elle est vêtue d'une robe vert clair, recouverte d'un ample manteau bleu ; ses cheveux sont jaune d'or. Le champ de l'émail est animé de légers feuillages poinçonnés : cette plaque émaillée et rectangulaire est entourée d'une bordure rehaussée de branchages feuillus « poinçonnés » et de rosettes cruciformes ; une seconde bordure, ajourée, formée d'une tige écotée, est rattachée à la première par de larges feuilles dentelées et bombées ; deux anneaux de suspension sont placés à la partie supé-

215

216

rieure. Le revers est recouvert d'une plaque de cristal, sertie dans une bordure d'argent octogonale, ornée de quatre palmettes gravées, derrière laquelle on aperçoit un fragment de tissu. La bordure est analogue à celle de la « Paix » de Tongres et du saint Jean du Louvre (n⁰ˢ 214, 217) ; elle peut aussi être rapprochée de celle de la plaque émaillée de la Vierge à l'Enfant de la collection Wallace (cat. : *Objects of Art in the Wallace collection*, Londres, 1905, n⁰ 297). La figure de sainte Catherine est de belle facture ; l'élégance de ses drapés, la qualité des émaux translucides, en particulier du bleu et du gris, en font une des rares pièces comparables à la « coupe de sainte Agnès » (n⁰ 213).

BIBL. : M. Campbell, *Introduction to medieval enamels in the Victoria & Albert Museum* (à paraître).

Londres, Victoria and Albert Museum
M 350-1912

216
Plaque émaillée : Saint Jean-Baptiste prêchant

Paris, vers 1380-1400
Anc. coll. Durand ; acq. 1825
Or, émaux translucides sur basse-taille
H. 0,067 ; L. 0,053

Dans un paysage rocheux semé de touffes d'herbes et d'arbustes, saint Jean-Baptiste prêche à un groupe d'hommes et de femmes assis à ses pieds. Le saint, nimbé, à la barbe et aux cheveux longs, est vêtu d'une robe jaune d'or, presque entièrement recouverte par un grand manteau rouge translucide, doublé de bleu. Il tient à la main une banderole portant l'inscription « ecce agnus Dei ». Sur la colline, l'agneau de Dieu, portant un nimbe crucifère vert, tient la croix rouge au pennon blanc. Le groupe d'auditeurs est vêtu d'amples manteaux et coiffés de bonnets (vert, bleu, rouge, brun-gris translucides). Les carnations sont gris-doré ; les cheveux et les barbes jaune d'or. Malgré les manques de l'émail dans la partie centrale, la pièce se révèle d'une qualité remarquable : les couleurs des émaux rappellent celles de la coupe de sainte Agnès et des valves de miroir de Louis d'Anjou (n⁰ˢ 213, 212) ; le style n'est pas très éloigné de celui de la Paix de Tongres (n⁰ 214). Les personnages aux nez bien accentués, aux paupières tombantes, aux houppes de cheveux frisés, aux drapés amples et fluides évoquent l'art du Pseudo-Jacquemart et de ses assistants, dans les dernières décennies du siècle. Les feuillages des arbustes bien dessinés, semblables à ceux de la Paix de Tongres, rappellent ceux de certaines enluminures parisiennes, notamment du Bré-

217

viaire de Belleville et de « l'Ovide moralisé » de Charles V (Paris, Bibl. nat., lat. 10483-4 et Fr. 871). Le « saint Jean » du Louvre (cf. n° 217) peut être attribué au même atelier : malgré une différence chromatique peut-être liée à la différence des supports métalliques, les personnages sont très proches ; les arbres aux feuillages hérissés et retombants sont identiques, qu'ils soient isolés ou serrés en haies.

BIBL. : L. Laborde, 1857, n° 124. — J.J. Marquet de-Vasselot, 1914, n° 145.

Paris, musée du Louvre
MR 2674

217
« Tableau émaillé » : Saint Jean l'Évangéliste

Paris, vers 1380-1400
Anc. coll. Durand ; acq. 1825
Argent doré, émaux translucides sur basse-taille
H. totale 0,082 ; L. 0,072 ; H. de l'émail 0,042 ; L. 0,036

Sur la plaque centrale, rectangulaire, se dresse saint Jean, nimbé, pieds nus, drapé dans un ample manteau bleu (cheveux et nimbe jaune d'or, carnation gris-doré). Il bénit de la main droite le calice d'or qu'il

tient de la gauche et d'où jaillissent trois serpents bleu-turquoise. La scène fait allusion à la coupe empoisonnée que Jean but sans en ressentir de mal, après avoir tracé au-dessus d'elle le signe de la croix. Le saint se tient dans une prairie semée de touffes d'herbes, entre quatre arbustes en caisse. A l'arrière-plan se dessine un petit bois aux troncs serrés et aux feuillages bien dessinés, à la fois dressés et retombants (troncs dorés, feuilles vert vif, turquoise, vert-olive). La bordure intérieure était autrefois semée de rosettes à cinq pétales émaillés de rouge ; la bordure extérieure, ajourée, est faite d'une tige reliée à la première bordure par des vrilles et de larges palmettes bombées, dentelées ; deux anneaux de suspension sont fixés à la partie supérieure. Les bordures sont très proches de celles des émaux de Bruxelles et de Londres (n°s 214, 215) et, dans une moindre mesure, de celle de la Vierge à l'Enfant de la coll. Wallace (cat. : Objects of Art in the Wallace collection, Londres, 1905, n° 297). Le style de l'émail rappelle celui de la Paix de Tongres (n° 214) où l'on retrouve des arbustes semblables et surtout du saint Jean-Baptiste prêchant du Louvre, que l'on peut attribuer au même atelier (cf. n° 216).

BIBL. : L. de Laborde, 1857, n° 125. — A. Darcel, 1867, n°s 185 et 736. — J.J. Marquet de Vasselot, 1914, n° 140.

Paris, musée du Louvre
MR 2651

218
Médaillon-reliquaire

Paris?, vers 1370-1380
Anc. coll. Du Sommerard
Argent doré, émail translucide et opaque, perles et pierres précieuses
D. 0,064

Le médaillon abritait au revers plusieurs reliques : au centre, une relique de la couronne du Christ, entourée de perles et pierres précieuses, et sous le bourrelet d'argent formant le pourtour, d'autres reliques désignées par des inscriptions champlevées et émaillées de vert, rouge et noir opaque, parmi lesquelles un fragment de la Sainte Colonne et un fragment de la tombe de sainte Catherine. Le reliquaire de sainte Elisabeth du Dôme d'Udine, probablement exécuté à Prague peu après 1357, offre un exemple comparable de ce type de médaillons-reliquaires décorés au centre de pierres précieuses ; l'objet peut aussi être rapproché de la description du n° 2547 de l'inventaire de Charles V : « Ung reliquaire d'or carré à façon d'un fermail, plein de reliques, garny de quatre saphirs, ung balay ou milieu et seize perles ».

Sur l'autre face, le médaillon du musée de Cluny porte un décor d'émail translucide sur argent de basse-taille se détachant sur un fond guilloché : le Christ à la Colonne est entouré de deux personnages agenouillés, portant des phylactères inscrits (« IHESUS XTE

218

218

FILII DEI VIVI ; MISERERE NOBIS AMEN) et accompagnés de leurs armoiries ; ces armoiries, répétées sur les vêtements, n'ont pu être identifiées avec certitude.

Le décor émaillé est d'une grande richesse et originalité de coloris : bleu moyen, vert clair, vert profond, jaune clair, jaune d'or, orangé, blanc translucides, rouge et noir opaques ; un fin glacis gris (vernis?) recouvre l'armure et les armoiries du donateur. Les coiffures, les costumes et le style permettent de placer l'exécution de l'objet sous le règne de Charles V. Le Christ à la colonne est proche du Christ de la Flagellation des *Très Belles Heures* de Jean de Berry, attribuée au Maître du «Parement de Narbonne» vers 1380 (Bibl. nat. n.a. lat. 3093, fol. 63 v°). La coiffure de la donatrice est typique de l'époque de Charles V, tandis que son costume : longue robe recouverte d'un grand manteau d'apparat, apparaît dès avant le milieu du siècle, notamment dans les *Heures de Jeanne de Navarre* (n° 265), mais se rencontre encore vers 1370-1380, par exemple dans les *Grandes Chroniques de France* (Bibl. nat. ms. fr. 2813, fol. 350). Le costume militaire du donateur, court et collant, ouvert sur la cotte de maille par une fente triangulaire, est également celui du règne de Charles V, tel qu'il se rencontre notamment dans les *Grandes Chroniques* ; de même, la coiffure aux cheveux raides coupés court et rejetés en arrière est fréquente dans l'enluminure, et se rencontre aussi sur la Coupe de sainte Agnès (n° 213). Les visages, surtout celui du donateur, s'opposent en revanche au style élégant et raffiné de la Coupe de sainte Agnès et se distinguent par l'épaisseur des traits : nez fort, grands yeux, élargis encore par l'arc prononcé des sourcils, large bouche aux lèvres épaisses ; ce style peut cependant être rapproché de manuscrits enluminés pour Charles V, notamment du *Polycratique* de Jean de Salisbury, exécuté en 1372 (Bibl. nat. ms. fr. 24287).

BIBL. : E. Du Sommerard, 1883, n° 5006.

Paris, musée des Thermes et de l'hôtel de Cluny
Inv. 676

219

219
Statuette :
Sainte Catherine d'Alexandrie

Paris, vers 1400-1410
Proviendrait d'un couvent de Clermont-Ferrand ; anc. coll. d'un cardinal espagnol (?), Comtessa de Munter, Pierpont Morgan
Or en ronde-bosse, émail opaque (légères restaurations sur le nez et les doigts ; traces d'usure et petits manques) ; pierres précieuses, perles
H. 0,095

La sainte est représentée à mi-corps, de face. Elle porte une robe d'or et un manteau émaillé de blanc, bordé d'or, retenu par un gros fermail formé d'un rubis balais serti à griffes, entouré de six perles. Ses cheveux dorés, dont les boucles très serrées sont massées tout autour de la tête (selon une mode attestée vers 1400), sont coiffés d'une couronne à grands et petits fleurons alternés ; la base du grand fleuron, dans l'axe du visage, est marquée par un saphir ; celle des deux petits fleurons qui l'entourent, par deux troches de trois perles (il est possible que la troche de perles du haut du grand fleuron ait été ajoutée) ; des traces d'attaches pour les pierreries sont visibles au bas

de chacun des autres grands fleurons. La sainte tient dans la main droite un tuyau d'or creux, vraisemblablement destiné à fixer une palme ; de la gauche, elle retient un quart de roue d'or dont le moyeu est indiqué par un saphir serti dans une haute bâte à pans coupés tandis que la roue est soulignée par deux rubis et un saphir alternant avec des troches de deux perles.

Les traces de pierreries disparues sur la couronne, le fait que le dos, bien qu'aplati, soit animé de quelques plis et émaillé, indiquent qu'il ne s'agit pas d'une figure d'applique mais d'une statuette. Plus que de la partie centrale d'une Paix, elle pourrait provenir d'un reliquaire où elle était intégrée dans un ensemble architectural, comme, par exemple, les statuettes de la partie supérieure du reliquaire du Saint-Esprit (n° 227). Elle pouvait être associée à d'autres statuettes de saints puisque rien ne prouve qu'il s'agisse d'une statuette isolée dès l'origine. Les grands inventaires des dernières décennies du XIVe siècle et du début du XVe signalent un certain nombre de statuettes d'or rehaussées de gemmes et de perles de sainte Catherine, seule ou en compagnie d'autres saints. L'une des plus proches de celle de New York est décrite dans un inventaire des biens de la duchesse d'Orléans (cf. B. Young).

Le travail extrêmement soigné, le modelé très délicat du visage permettent de la rapprocher de la Madone d'or émaillé de Tolède qui fut faite pour Jean de Berry avant 1402 (cf. E. Kovacs, *Rev. de l'Art*, 1975, p. 28-29). Une provenance dans l'entourage de Jean de Berry pour la sainte Catherine de New York ne serait pas contredite par la tradition qui la rattache à Clermont-Ferrand. Bien que le style en soit différent, la sainte peut être comparée pour sa coiffure bouclée, au fragment de bijou représentant une jeune femme de la Residenz de Munich, attribué aux ateliers franco-bourguignons du début du XVe siècle (cf. Th. Müller et E. Steingräber, 1954, fig. 55).

BIBL. : Th. Müller et E. Steingräber, 1954, p. 45-46, n° 9, pl. 23 (avec bibl.). — V. Middeldorf, *G.B.A.*, 1960, p. 233. — B. Young, «A jewel of Ste Catherine», *Metropolitan Museum of Art Bull.*, 1966, p. 16-19.

EXP. : *Dix siècles de joaillerie française*, 1962, n° 30.

New York, Metropolitan Museum
17-190-905

220
Pendentif : la Vierge allaitant

Paris (?), premier quart du XVᵉ siècle
Donné en 1708 par Mme de Montespan au
R.P. Mathieu Gilbert, moine de Saint-Be-
noît-sur-Loire
Or en demi-ronde-bosse ; émaux opaque et
translucides ; vermeil
H. totale 0,059 ; L. 0,036 ; H. de
l'émail 0,052

Le pendentif est, en fait, un remontage,
peut-être du XVIIᵉ siècle. Le revers est occupé par des rosaces filigranées qui semblent avoir été coupées par la bordure en
forme de « cordon de saint François ». Le
travail des filigranes rappelle celui que l'on
trouve dans de nombreuses œuvres d'origine méditerranéenne ; il n'est pas exclu
qu'il soit espagnol. Sur la face est remonté
un fragment de forme irrégulière, provenant d'une Paix ou d'un reliquaire d'or
émaillé, représentant la Vierge allaitant. La
Vierge à mi-corps tient dans la main droite
un tube creux, destiné à une branche fleurie. Elle est vêtue d'une robe bleue pointillée
de blanc, et d'un manteau blanc opaque

bordé d'or, l'Enfant, à demi-nu, est enve-
loppé dans un tissu rouge translucide pointillé de blanc et bordé d'or. Ce fragment d'or
émaillé (signalé Ph. Verdier) est en tous
points semblable à celui du Victoria & Albert Museum de Londres, en dehors du fait
que les couleurs ne sont pas réparties de la
même façon et que la Vierge de Londres est
couronnée. Une même date et une même
origine sont donc vraisemblables pour ces
deux pièces (cf. Th. Müller et E. Steingräber,
1954, nᵒ 14, p. 51, fig. 32).

Le pendentif était attaché au chapelet
offert à Dom Mathieu Gilbert par Mme de
Montespan qui le tenait de la reine-mère
Anne d'Autriche. Mais à la différence du
présent pendentif, ce chapelet et les deux
autres médaillons qui y sont attachés paraissent bien dater du XVIIᵉ siècle.

BIBL. : E. Martene et V. Durand, *Voyage littéraire de deux religieux bénédictins de la Congrégation de St-Maur*, Paris, 1717, 1ʳᵉ partie, p. 65. — Marquis de Fayolle, « Le chapelet de Madame de Montespan et le reliquaire de st Mommole à St-Benoît-sur-Loire », *Congrès archéol.*, 1892, p. 301.

Saint-Benoît-sur-Loire, trésor de l'abbaye
de Fleury

221
Reliquaire de l'Ordre du Saint-Esprit

Londres (?), vers 1410
Don de Jeanne de Navarre, reine d'Angleterre, à son fils Jean, duc de Bretagne (vers
1412) ; anc. coll. des ducs de Bretagne puis
des rois de France ; don d'Henri III au trésor
de l'Ordre du Saint-Esprit (1578) ; entré au
Louvre avec le trésor du Saint-Esprit (1830)
Or, émaux opaques et translucides sur
ronde-bosse d'or, rubis, saphirs, perles, fleurettes du pied en émail peint
H. 0,445 ; L. 0,15

Sur un pied bordé de fleurettes émaillées de
bleu, soutenu par quatre tourelles crénelées, surmontées chacune d'une perle reposant sur des feuillages d'or, s'élèvent plusieurs étages d'architecture flamboyante ;
ils sont enrichis de troches de perles et de
gros cabochons de saphirs et de rubis, sertis
dans de très hautes bâtes à griffes en forme
d'entonnoirs renversés, et surmontés par
trois flèches dont le haut est orné d'une
perle et de feuillages d'or. Sous ces arcatures
sont logées des figures en ronde-bosse d'or,
recouvertes d'émaux blanc opaque et
rouge, vert et bleu translucides. La grande
statuette centrale de la Trinité (il manque le
crucifix que tenait Dieu le Père ; la colombe
est désémaillée) est surmontée par la Vierge
assise, qui soutenait autrefois le corps du
Christ mort ou un reliquaire. Au sommet, le
Christ ressuscité tient l'oriflamme et le
globe, symbole de sa victoire sur la mort. De
part et d'autre de la Vierge se trouvent
sainte Catherine d'Alexandrie, tenant une
roue, et sainte Elisabeth de Hongrie avec sa
couronne, et, de chaque côté de la Trinité,
quatre apôtres reconnaissables à leurs attributs : Barthelémy (avec un couteau), Thomas (avec une lance), Pierre (tenant les
clefs), Paul (avec une épée). Enfin, au-dessous de la Trinité, apparaît sainte Barbe,
tenant sa tour et son livre. Le revers est orné
de grands feuillages ciselés et est enrichi de
petites perles dont un certain nombre a disparu. Les armes d'Henri III sont fixées sur la
base.

Le reliquaire du Saint-Esprit, décrit dans
l'inventaire royal de 1561 (cf. P. Verlet), fut
apporté dans le trésor des rois de France par

220

220

221

Anne de Bretagne. En effet, compte tenu du nombre de pierres et de perles manquant et des remaniements qu'elles ont subi, E. Kovacs a proposé d'identifier ce reliquaire avec «un tableau de la Trinité garni de dix-sept saphirs, unze balloiz, soixante-dix perles» qui avait appartenu au duc de Bretagne, François II. Le même objet est décrit en 1420 dans un inventaire des joyaux du duc Jean V «tableau d'or d'une Trinité garni de onze baloiz, dix-sept saphirs, soixante et dix perles lequel la reine d'Angleterre envoia à mondit seigneur».

Le reliquaire de l'Ordre du Saint-Esprit a été placé par Th. Muller et E. Steingräber, en tête de la production parisienne des émaux sur ronde-bosse, avant le Rössel d'or d'Altötting (1400) et le calvaire «de Mathias Corvin» d'Estergom aujourd'hui daté de 1402 (cf. E. Kovacs, Rev. de l'Art, 1975, p. 25-28). Le développement des architectures du reliquaire et le style de ses personnages l'apparentent en effet au courant du style international des années 1370-1400. Cependant, la composition générale est beaucoup plus conventionnelle que celle des deux pièces d'Altötting et d'Estergom; et les statuettes figées, alourdies, d'un travail un peu mou s'intègrent passivement à l'architecture. Ces différences peuvent faire douter de l'origine parisienne du reliquaire du Saint-Esprit et, dans la mesure où d'autres centres d'émaillerie sur ronde-bosse influencés par les orfèvres parisiens ont été actifs en Europe, vers 1400, il semble possible de conclure, avec E. Kovacs, que ce cadeau envoyé en 1412 par la reine d'Angleterre au duc de Bretagne, a été exécuté à Londres, à une date voisine de 1410.

BIBL.: J. Labarte, II, 1864, p. 352. — H. Barbet de Jouy, 1868, n° 78. — J.J. Marquet de Vasselot, 1914, n° 147. — W. Burger, Abendländische Schmelzarbeiten, 1930, p. 151. — P. Verlet, «L'inventaire de l'orfèvrerie royale de 1561», Bull. de la Soc. nationale des antiquaires de France, 1948, p. 36-37. — T. Muller et E. Steingräber, 1954, p. 33-34, n° 2. — E. Kovacs, «la dot» d'Anne de Bretagne: le reliquaire du Saint-Esprit», Rev. du Louvre, 1981, à paraître (avec bibl.).

EXP.: Europaïsche Kunst..., 1962, n° 468 (avec bibl.).

Paris, musée du Louvre
MR 552

222

222
Plaque: Vierge à l'Enfant au donateur

Paris (?), vers 1380-1400
Don Garnier, 1916
Argent doré, gravé, ciselé, autrefois émaillé
H. max 0,092; L. 0,125

La Vierge couronnée, nimbée, tenant le sceptre de la main droite, est assise, devant un tissu précieux, dans une large cathèdre surmontée de pinacles et de crochets. Elle retient de la main gauche l'Enfant nu, assis sur ses genoux, qui joue avec une branche fleurie. Devant elle est agenouillé un homme, vêtu d'une longue robe dont la ceinture soutient un fourreau garni d'un poignard; il tient un chapelet; un ange (saint Michel?) présente le donateur: il s'appuie sur un long bâton sommé d'une croix où flotte un pennon à deux pointes évoquant la lance de saint Michel. Devant le donateur, au centre de la plaque malheureusement accidentée, se déroulent les volutes d'une longue inscription: «AVE VI [RGO MA] RIA TUA PER SUFRAGIA SOLITA CLEMENCIA NOSTRA D... CIA». Le bas de la plaque a été cisaillé, les trois autres côtés sont bordés de fleurettes quadrilobées. Les émaux translucides qui recouvraient autrefois la plaque ont complètement disparu, les parties qui n'étaient pas émaillées à l'origine ont conservé des traces de dorure. Le style de la plaque a été rapproché (M.M. Gauthier) des enluminures des peintres de Jean de Berry. La composition, inversée, est analogue à celle de l'enluminure représentant Pierre de Luxembourg devant la Vierge (1386. Avignon, musée Calvet). Le très beau drapé de la Vierge peut être rapproché de créations de Jacquemart (cf. M. Meiss, II, fig. 279-280) mais la structure du visage de la Vierge et son expression évoquent plutôt une forte influence rhénane. L'éclectisme du milieu parisien dans le dernier quart du XIVe siècle pourrait expliquer ces divers aspects de l'œuvre.

BIBL.: M.M. Gauthier, 1972, n° 233 (avec bibl.).

Paris, musée du Louvre
OA 7008

223

223
Statuettes : la Vierge et saint Jean

Paris (?), début du XVe siècle
Don E. Corroyer, 1923
Or. H. de la Vierge 0,162 ; H. du saint Jean 0,165

Les deux statuettes d'or creux se dressent sur une base octogonale fixée sur un chapiteau à décor végétal. Juchées à l'origine au sommet de deux tiges latérales partant de la base d'une croix, elles entouraient un Christ d'orfèvrerie. La Vierge, vêtue d'une robe serrée à la taille, est couverte d'un long manteau ouvert devant, dont un pan, rabattu sur sa tête, retombe jusqu'à hauteur des yeux en masquant une partie de son visage ; l'étoffe, animée sur la gauche, tombe derrière et à droite en longs plis parallèles, qui se cassent sur les pieds. Les mains croisées, la Vierge paraît se détourner de la croix dans un mouvement de douleur. Cette sobriété contraste avec l'agitation des drapés du saint Jean qui, ayant rassemblé devant lui tous les plis de son manteau, semble se recroqueviller sur lui-même et soutient de sa main droite sa tête

aux longs cheveux bouclés. Les deux statuettes sortent visiblement d'un excellent atelier où l'habileté technique a été remarquablement mise au service d'une intensité dramatique qui atteint, pour le saint Jean, des accents presque slutériens. La permanence sur les deux statuettes, de plis à bec profondément creusés, la retombée en volutes du manteau du saint Jean, le drapé traditionnel, en éventail, des dos, montrent encore un profond attachement à certaines formules du XIVe siècle. Le contraste entre les attitudes des deux figures, l'aspect de la longue silhouette de la Vierge voilée suggèrent un rapprochement avec les deux statuettes d'or émaillé du calvaire d'Estergom (trésor de la cathédrale) offert par Marguerite de Flandre à son époux Philippe Le Hardi, en 1402 (cf. E. Kovacs, Rev. de l'Art, 1975, p. 25 s.). Ce rapprochement autorise une attribution des deux statuettes d'or au milieu parisien dans la première décennie du XVe siècle.

BIBL. : E. Molinier, « L'exposition universelle en 1900, les Beaux-Arts et les Arts décoratifs », G.B.A., 1900, p. 190. — E. Molinier, R. Marx, F. Marcou, L'exposition rétrospective de l'art français des origines à nos jours, Paris, 1900, pl. 32, nº 1. — J.J. Marquet de Vasselot, « La donation Corroyer au musée du Louvre », Beaux-Arts, 1er juin, 1923, p. 149-150.

EXP. : Exp. universelle, 1900, nº 1679.

Paris, musée du Louvre
OA 7753-7754

224
Deux prophètes

Paris, Guillaume Boey, Gautier Dufour, Jean de Clichy, 1409 (1408, a.s.)
Châsse de Saint-Germain-des-Prés ; Cleveland : anc. coll. Sestieri, Herbert Bier ; acq. 1964 ; Paris : don J. Maciet (1903)
Bronze doré. H. 0,14

Les deux prophètes (pour la première fois réunis) de Paris et Cleveland sont de même taille, de même style ; ils sont tous deux enveloppés d'un ample manteau, coiffés d'un bonnet et tenaient autrefois un phylactère ; ils présentent au dos un décrochement prouvant qu'ils étaient des figures de support. La puissance de leur modelé, la

224B

vigueur de la ciselure des têtes, l'ampleur de leur drapé, en particulier de celui de Cleveland, ont suggéré des attributions aux meilleurs artistes de la seconde moitié et de la fin du XIVe siècle. Ils ont notamment été rapprochés des œuvres de l'entourage de Beauneveu, en raison de leur ressemblance avec les apôtres sculptés de la Sainte-Chapelle de Bourges et les figures des vitraux de ce même monument (cf. nº 104), tout comme ils ont été placés, par comparaison avec les consoles de l'hôtel de ville de Bruges et celles du portail de Champmol, dans l'entourage de Claus Sluter. Enfin, leurs affinités avec les figures de bronze de Ghiberti à la porte du baptistère de Florence (surtout dans la scène de « Jésus parmi les docteurs ») ont été soulignées. Or, ces deux statuettes sont parisiennes. Une gravure de 1724 illustrant l'ouvrage de Dom Bouillart permet de les reconnaître parmi les figures qui supportaient la châsse de saint Germain à Saint-Germain-des-Prés. La châsse d'orfèvrerie, ornée des figures des apôtres et sur les petits côtés, de saint Germain et de la Trinité, reposait sur un socle de cuivre soutenu par six atlantes. Elle fut détruite à la

224A

septentrional ou le rôle qu'a pu jouer la connaissance des œuvres de maître Gusmin, l'orfèvre de Louis d'Anjou, dans le milieu florentin de cette période.

BIBL. : G. Migeon, 1904, n° 666. — R. Krautheimer, *The Art Bulletin*, XXIX, 1947, p. 25-35. — W.D. Wixom, *Bull. of the Cleveland Museum of Art*, LIII, 1966, p. 350-355. — P. Verdier, *L'œil*, 1968, p. 47. — V. Egbert, *The Burlington Magazine*, juin 1970, p. 359-363. — A. Erlande-Brandenburg, *Bull. Mon.*, CXXX, 1972, p. 338-339. — W.D. Wixom, *Renaissance bronzes from Ohio Collections. The Cleveland Museum of Art*, 1975, n° 3 (avec bibl.).

EXP. : *Europaïsche Kunst um 1400*, 1962, n° 362. — *Treasures from medieval France*, 1966, VI-20. — *Masterpieces of World Art from American Museums*, Tokyo-Kyoto, 1976, n° 15. — *Die Parler...*, 1978, I, p. 64-65. — *Lorenzo Ghiberti*, 1978, n° 31-33 (avec bibl.).

A) Cleveland, Museum of Art
64.360 (achat sur le legs L. Hanna, 1964)

B) Paris, musée du Louvre
OA 5917

225

Révolution et seules les deux statuettes d'atlantes de Paris et Cleveland furent épargnées, pour des raisons inconnues. Mais le contrat passé en 1409 (1408 a.s.) entre l'abbé Guillaume et les trois orfèvres parisiens chargés de l'exécution de la châsse nous livre les noms de leurs auteurs : Guillaume Boey, Gautier Dufour et Jean de Clichy. Les deux premiers orfèvres sont inconnus par ailleurs. Plusieurs orfèvres parisiens du XIVe siècle ont porté le nom de Jean de Clichy; celui qui travailla à la châsse de Saint-Germain-des-Prés pourrait être, à l'extrême rigueur, celui qui est cité une cinquantaine d'années plus tôt (en 1356 et 1361) comme «garde des orfèvres». Les deux statuettes peuvent donc être regardées comme une expression du gothique international. Cependant, leurs indéniables ressemblances avec les œuvres d'André Beauneveu montrent qu'elles sont aussi le point d'aboutissement d'un courant stylistique dominant dans la seconde moitié du XIVe siècle. Et leurs rapports avec des œuvres de Ghiberti s'expliquent peut-être moins par leur caractère novateur que par les contacts que Ghiberti a eus avec l'art

225
Saint André

Début du XVe siècle
Donné à la cathédrale de Reims par les exécuteurs testamentaires de Jean de Chehery (+ 1434); attribuée à l'église Saint-André à la Révolution
Cuivre doré. H. 0,51

Exemple rare d'un type de reliquaire particulièrement répandu aux XIVe et XVe siècles, le saint André de Reims abritait une relique de la croix sur laquelle l'apôtre fut crucifié: l'inventaire du trésor de la cathédrale dressé en 1669 (Bibl. mun. Reims, ms 1794[58], p. 124-125) indique en effet que le saint portait une croix d'argent doré «au milieu de laquelle est un cristal rond avec plusieurs pierres précieuses et dans icelle un morceau de la croix en laquelle saint André fut crucifié»; la relique était accompagnée d'une lettre de l'archevêque de Patras qui en avait fait don.

L'inscription figurant sur le socle indique que l'œuvre fut donnée à l'église de Reims par les exécuteurs testamentaires de Jean de Chehery (+ 1434): «de bonis executio-

nis domini Johannis de Chehery can(onici) rem(ensis)»; cette formulation pose un problème d'interprétation: doit-on comprendre que l'œuvre fut exécutée à la demande des exécuteurs testamentaires de Jean de Chehery, ou qu'elle appartenait à Jean de Chehery, et fut déposée par ses exécuteurs testamentaires au trésor de la cathédrale? La seconde solution semble plus probable, et est d'ailleurs confirmée par le recueil manuscrit de Weyen, *Dignitates Ecclesiae remensis* (Bibl. mun. Reims), compilation du XVIIe siècle, qui indique que la statue de saint André fut «léguée» en exécution du testament du chanoine. Il faut ajouter que le style s'accorde assez mal avec une date en 1434 ou peu après, mais conduit à placer l'œuvre vers le début du siècle. De nombreux aspects la rattachent en effet à l'art du XIVᵉ siècle : le traitement très particulier des plis transversaux du manteau se rencontre sur la statue de Charlemagne qui surmonte le sceptre de Charles V (nᵒ 202), mais le drapé du saint André de Reims est plus épais et plus monumental. La composition d'ensemble du drapé, où le mouvement transversal du manteau est équilibré par la chute verticale tombant de la main droite se rencontre à l'extrême fin du XIVᵉ et au tout début du XVᵉ siècle : saint Mathias du Psautier de Jean de Berry, enluminé par Beauneveu avant 1402 (Bibl. nat. fr. 13091, fol. 30) ou certaines statues d'apôtres du Bec-Hellouin, aujourd'hui à Bernay, dont les visages présentent également une parenté avec celui du saint André de Reims. En revanche, le dessin des yeux et le traitement de la chevelure formant une masse épaisse s'écartant du visage ne trouvent pas d'équivalent et révèlent un artiste doué d'une personnalité originale. On ne connaît pas en Champagne d'œuvres comparables à cette monumentale statue-reliquaire, que son style conduirait à considérer plus vraisemblablement comme une œuvre parisienne.

BIBL. : P. Tarbé, *Trésors des églises de Reims,* Reims, 1843, p. 56. — C. Givelet, H. Jadart, L. Demaison, *Répertoire archéol. de l'arrondissement de Reims,* Reims, 1885, p. 117-119.

EXP. : Exp. rétrospective, 1900, nᵒ 1686.

Reims, trésor de la cathédrale, Palais du Tau (dépôt de l'église Saint-André)

227

226
Buste-reliquaire

Pierre Boucaut, Toulouse, entre 1383 et 1422
Mentionné dans le trésor de l'église de Fanjeaux en 1584
Argent en partie doré, pierres précieuses
H. 0,49 ; L. 0,33

Le buste-reliquaire de Fanjeaux porte le poinçon de Toulouse, sur la face de l'amict et au revers de la chape, et, au revers du buste, un poinçon de maître aux initiales P.B., identifié comme celui de Pierre Bou-

caut, « argentier » mentionné à Toulouse entre 1383 et 1422, auteur de différents travaux pour la confrérie des corps saints de Saint-Sernin de Toulouse, mais aussi pour Rodez, Carcassonne et Barrans (Gers).

S'appuyant sur la seule présence de couronnes, d'un dessin cependant peu héraldique, parmi les motifs ornementaux de la chape, les auteurs récents considèrent l'objet comme un reliquaire de saint Louis de Toulouse ; cette identification se heurte à de nombreuses objections, alors qu'on ne voit guère les raisons d'écarter celle fournie par l'inventaire du trésor de Fanjeaux dressé en 1584 (Arch. Aude, 3E 5312), qui le désigne comme un reliquaire de saint Blaise ; la relique est abritée dans la logette ménagée sur

le devant du buste. L'objet est composé de quatre pièces : mitre, chef, buste, amict. L'inventaire de 1584 décrit des fanons dont aucune trace n'apparaît sur la mitre actuelle ; par ailleurs, celle-ci, faite d'un argent de plus bas titre que celui utilisé pour les autres parties, s'adapte mal, au revers, à l'emplacement prévu sur le chef, et son décor « criblé » est également différent du traitement « poinçonné » des fonds de l'amict et de la chape : il semble donc que l'on soit en présence d'une réfection tardive.

Le décor damassé de la chape est fréquent au XIVᵉ siècle (nᵒ 193) ; le type des anges servant de support, le décor de rosaces des médaillons de l'amict, et surtout le traitement du visage, qui témoigne d'une recherche de réalisme, distinguent en revanche l'œuvre des chefs-reliquaires antérieurs, mais le rapprochent des bustes-reliquaires de la cathédrale de Saragosse, notamment de celui de saint Valère, don du pape Benoît XIII en 1397, probablement exécuté en Avignon.

BIBL.: B. de Gauléjac, 1938, p. 76-77. — J. Thuile, 1964, p. 274 et pl. XVII. — J. Thuile, 1968, p. 231 et 237.

EXP.: *Art religieux audois*, 1935, nº 137. — *Trésors d'orfèvrerie...*, 1954, nº 20, pl. 85. — *Trésors de la cathédrale Saint-Michel de Carcassonne...*, 1961, nº 38. — *Trésors d'art gothique en Languedoc*, 1961, nº 14, pl. VI. — *Trésors des églises de France*, 1965, nº 594, pl. 137.

Fanjeaux (Aude), trésor de l'église

227
Monstrance-reliquaire

Sud-Ouest de la France, fin du XIVe ou début du XVe siècle
Argent doré, cuivre doré, cabochons
H. 0,36; L. 0,33

Comparée à celle de Fanjeaux (nº 196), la monstrance de Saint-Polycarpe offre un exemple plus simple et plus traditionnel, mais plus tardif, du type du reliquaire à cylindre horizontal porté par deux anges; en effet, le cylindre horizontal est, comme à Fanjeaux, monté dans deux bandes d'argent doré ornées de cabochons et flanquées de pinacles, mais les anges reposent directement sur la base rectangulaire portée par quatre lions: l'objet se rattache ainsi directement au type connu depuis le début du siècle — dont l'exemple le plus célèbre est le reliquaire de saint Louis conservé à Bologne —, et dont le Sud-Ouest connut également des exemples, comme le reliquaire de Montpezat (Tarn-et-Garonne). En revanche, le style des anges, vêtus d'une longue robe serrée à la taille dont la partie supérieure retombe en flottant légèrement sur les hanches et la partie inférieure est creusée de profonds plis verticaux, indique une date nettement plus tardive; ce type se rencontre en effet dans le Sud-Ouest à l'extrême fin du XIVe et au début du XVe siècle: il caractérise notamment les anges de la monstrance de Salles-Curan, œuvre de Guillaume

226

Ito, orfèvre mentionné à Rodez entre 1380 et 1415 et ceux qui portent le chef-reliquaire de Fanjeaux (nº 226). Les rinceaux et feuillages s'enlevant sur un fond guilloché qui ornent le socle sont très fréquents dans la région: on en trouve des exemples parmi les œuvres exécutées à Perpignan (socle du chef-reliquaire de saint Polycarpe conservé à Saint-Polycarpe) ou Montpellier (socle de la monstrance-reliquaire de Cincinnati), mais les feuillages sont particulièrement proches de ceux du socle de la croix de Fanjeaux, œuvre toulousaine.

Les ailes des anges et les cabochons ont fait l'objet d'une réfection récente.

BIBL.: J. Thuile, 1968, pl. XXVII, fig. 44.

EXP.: *Art religieux audois*, 1935, nº 149. — *Trésors d'orfèvrerie...*, 1954, nº 69, pl. 75. — *Trésors des églises de France*, 1965, nº 610, pl. 41.

Saint-Polycarpe (Aude), trésor de l'église

Manuscrits

François Avril

Par rapport à ceux du siècle précédent, les manuscrits enluminés français du XIVᵉ siècle présentent des différences marquées. Sur le plan de la mise en page, la décoration du livre s'articule, suivant un schéma désormais classique, sur trois éléments étroitement associés : l'illustration proprement dite ou « histoire », le plus souvent enfermée dans un cadre et toujours intégrée dans le texte dont elle ponctue normalement les principales articulations, préfaces, livres ou autres divisions du texte. Subordonnée à l'image et lui succédant, est l'initiale ornée marquant le début de chaque partie du texte. Celle-ci peut apparaître indépendamment pour annoncer d'autre subdivisions du texte à l'intérieur des divisions principales. Il arrive assez souvent que les scènes narratives soient intégrées dans l'initiale : on désigne alors celle-ci sous le nom d'initiale historiée. A l'initiale ornée ou historiée sont associés presque toujours deux autres éléments décoratifs, l'encadrement ou la bordure, l'emploi de ces deux éléments étant fonction de la situation de l'initiale dans le texte : aux divisions principales correspondent des initiales à encadrement, les simples bordures étant réservées aux initiales des divisions secondaires. En France, ces encadrements se présentent sous forme de minces tiges s'étendant dans les marges et se cassant à angle droit à chaque côté. Ces tiges sont agrémentées de petites feuilles à forme épineuse évoquant des feuilles de vigne, d'où le nom de « vignettes » ou de « vigneture » qui était donné à cette époque à cette partie de la décoration. Elles sont souvent accompagnées dans les marges de figures grotesques ou de monstres hybrides dont la présence est généralement sans lien direct avec le texte. Quelquefois ces hors-d'œuvres, qui sont particulièrement fréquents dans les manuscrits du Nord de la France, sont agencés en scènes plus élaborées, d'esprit satirique ou parodique, ou illustrent simplement des aspects de la vie quotidienne. C'est probablement la multiplication de ces scènes qui donnera l'idée aux enlumineurs du XIVᵉ siècle d'utiliser la tige d'encadrement de la marge inférieure comme support à de véritables scènes en rapport avec le contenu du texte et prolongeant l'action de la miniature principale intégrée dans celui-ci. Un des emplois les plus systématiques de ce procédé apparaît dans le Bréviaire de Belleville (nº 240). A ces différents composants de la décoration du livre manuscrit, il convient d'ajouter un élément trop souvent négligé jusqu'ici, celui des lettres filigranées : c'était une pratique ancienne dans la décoration du livre d'exécuter les initiales des subdivisions secondaires du texte d'une seule couleur (ordinairement rouge ou bleu), celles-ci étant tracées simplement au pinceau, et de les agrémenter de petits filaments ornementaux d'une couleur différente (bleu pour une initiale rouge ou inversement). Peu à peu au cours du XIIIe siècle, ces motifs filiformes, ou filigranes, atteignent une grande complexité ornementale. Les artistes spécialisés dans l'exécution des lettres filigranées (qu'on appelait à l'époque « lettres fleuries ») se mirent à leur tour à déborder dans la marge et à tracer dans leur technique particulière de véritables éléments de bordure ou d'encadrement, tout en introduisant à l'occasion des éléments figuratifs à l'intérieur de l'initiale proprement dite. Un des plus remarquables représentants au XIVe siècle de cette ornementation calligraphique fut l'artiste parisien Jaquet Maci (n°s 238 et 268 à 270).

Des différences très nettes séparent également les scènes peintes dans les manuscrits de cette époque de celles des manuscrits du XIIIe siècle. Ceux-ci se caractérisaient par une exécution essentiellement graphique, les formes étant enserrées dans un cerne épais, et la couleur, réduite à deux dominantes, bleu et rosé, se détachant sur fond d'or, et étant posée par à-plats, sans indication de modelé ou presque, ce qui a pu faire dire que l'enluminure de cette époque ressemblait à du dessin colorié. Si le goût du graphisme élégant et des formes menues domine encore et pour longtemps l'enluminure française, des changements importants se font jour cependant à partir du XIVe siècle dans le domaine du coloris : échappant à la monotone alternance rouge, bleu, or, celui-ci devint plus varié et plus châtoyant. Par un curieux paradoxe, cet élargissement de la palette picturale va de pair avec l'utilisation de plus en plus fréquente d'un procédé nouveau, dont l'apparition se constate dans d'autres techniques à la même époque, celui de la grisaille. On a émis diverses hypothèses pour expliquer le succès soudain de ce procédé : peut-être résulta-t-il entre autre d'un impératif technique, l'opposition du blanc et du noir se prêtant mieux aux effets de relief et de modelé que redécouvraient alors avec ravissement les peintres septentrionaux.

Un autre élément des miniatures connaît alors des transformations importantes : il s'agit du fond. C'est peut-être dans ce domaine, que se manifeste le plus clairement le goût du précieux, de la fragmentation et de la variété des formes propres à l'art du XIVe siècle. On voit en effet se multiplier, à l'arrière-plan des scènes peintes, non plus l'écran de la feuille d'or polie au brunissoir, mais des fonds divisés en petits cubes dorés et fleurdelisés alternativement, ou des fonds de couleur ornés des motifs les plus divers : réseau de filets, blancs ou dorés, rinceaux et arabesques, ou plus sophistiqués encore, motifs naturalistes traités en camaïeu : ce dernier type de fond se trouve presque exclusivement dans les manuscrits exécutés pour la Cour de France, ceux de Pucelle et de ses continuateurs (n°s 239 et 267). L'or lui-même continue d'être employé, bien que moins souvent, mais sa surface n'est plus uniforme et brillante comme au XIIIe siècle, elle aussi est parsemée de motifs en pointillé ou guillochée, suivant un procédé qui fait son apparition dans la peinture sur bois (n°s 305 et 315). Le rôle des fonds, s'il persista tout au long du XIVe siècle était cependant condamné à terme du fait de l'apparition de la troisième dimension dans la peinture de manuscrit.

Des mutations plus profondes encore affectaient au même moment l'aspect des miniatures elles-mêmes sur le plan du style et de la conception artistique : l'une des plus importantes conquêtes de cette période fut, on le sait, l'apprentissage lent et progressif, par les enlumineurs français, sous l'influence des grands novateurs de la peinture florentine et siennoise, de la représentation de l'espace. On ignore ce qui s'est passé dans ce domaine au niveau de la peinture monumentale, mais il est établi que ce phénomène de creusement de l'espace s'amorce très vite dans l'enluminure, grâce à un artiste de génie, le parisien Jean Pucelle, le premier des enlumineurs français à avoir assimilé, dans les Heures de Jeanne d'Évreux (n° 239) exécutées entre 1325 et 1328, le concept d'espace à trois dimensions redécouvert par les Italiens.

Suivant l'exemple italien également, les artistes septentrionaux explorèrent à leur tour d'autres voies correspondant mieux à leur génie propre, tourné vers l'observation de la vie dans ses manifestations spécifiques et éphémères. Avec la complexité croissante des éléments scéniques introduits dans les miniatures, ils redécouvrent peu à peu, la notion de paysage, dont un artiste remarquable, le maître du *Remède de Fortune* donnera vers le milieu du XIVe siècle, une des versions les plus précoces dans la peinture de manuscrit (n° 271). L'effort sans relâche des artistes français pour se conformer à la réalité du modèle, pour capter la ressemblance individuelle, débouchera d'autre part, sur la notion de portrait. Celui-ci se répand brusquement dans toutes les techniques artistiques, à partir du milieu du siècle là encore, avec un léger décalage, toutefois, dans le cas de l'enluminure, par rapport à la peinture et à la sculpture.

Certes, toutes ces innovations ne furent pas adoptées d'emblée et simultanément par l'ensemble des enlumineurs de l'époque. L'organisation de la profession était en effet trop propice à la routine pour que la métamorphose de l'enluminure française se soit opérée sans résistance. Rappelons en effet que le métier d'enlumineur, dans sa pratique la plus répandue, était étroitement intégré au système de production du livre contrôlé par les Universités. Aussi bien les mutations subies par la peinture de manuscrit à cette époque n'émanent-elles pas de cette catégorie d'enlumineurs, mais d'artistes affranchis des servitudes commerciales et travaillant uniquement pour la Cour. Entre ces artistes exceptionnels, dont Pucelle est l'exemple type, et les mécènes royaux qui les employaient, se tissent au cours du temps des rapports de plus en plus intimes et personnels. Travaillant moins souvent au coup par coup, en fonction de commandes éphémères, les artistes de Cour se voient peu à peu attachés de façon durable à la personne de leur maître du moment, faisant partie de leur «hôtel» et touchant des gages journaliers. Pour un artiste, obtenir la faveur d'un prince, et, surtout, la faveur royale, était la consécration suprême et la fortune assurée : il n'est que de voir avec quelle fierté Jean Bondol de Bruges proclame sa qualité de *pictor regis* dans la Bible de Jean de Vaudetar (n° 285).

Déjà pratiqué au cours de la première moitié du siècle, surtout parmi les membres féminins de la famille royale (on songe à Jeanne de Navarre, à Jeanne de Bourgogne, épouse de Philippe VI et surtout à Mahaut d'Artois et à Jeanne d'Évreux), le mécénat artistique fut repris à son compte à partir du milieu du siècle par Jean le Bon, le premier roi de France qui semble avoir pris conscience de l'importance de la création artistique comme moyen de propagande politique, le premier également dont on ait la preuve qu'il s'intéressait personnellement aux questions de l'art, à la peinture et à l'enluminure, en particulier. Quatre enlumineurs différents ayant servi le roi sont mentionnés dans les comptes : Jean Susanne, Jean de Wirmes, Jean de Montmartre et Jean Le Noir. Nous conservons encore plusieurs manuscrits enluminés pour le roi Jean, dont une Bible historiale saisie par les Anglais à Poitiers (n° 277) et surtout une belle Bible moralisée (n° 272) qui montre que le goût du roi n'était pas retardataire, mais qu'il employait au contraire les artistes les plus avancés de son temps. Ce goût intense pour les beaux livres se retrouve chez ses fils, tout particulièrement chez Charles V, le fondateur de la «librairie» du Louvre, dont le mécénat avant tout littéraire ne doit pas faire oublier qu'il eut à son service quelques-uns des meilleurs enlumineurs de son temps, notamment Jean Le Noir, auteur probable du bréviaire du roi (n° 287). Le cas le plus extraordinaire dans la bibliophilie de cette époque est, sans conteste, celui de Jean de Berry, fils de Jean le Bon et cadet de Charles V. Grand découvreur de talents, cet amateur raffiné et éclectique collectionna avec passion les œuvres de Jean Pucelle, et employa, par un caprice d'esthète singulier, un sculpteur comme Beauneveu et des peintres comme le maître du Parement de Narbonne et Jacquemart de Hesdin à la décoration de ses manuscrits (*cf.* n°s 295 à 299). Il résulte de cette évolution nouvelle que les œuvres les plus achevées de ce temps reflètent, beaucoup plus qu'auparavant, les goûts de leur destinataire, tout autant que le génie personnel des artistes qui les ont exécutées.

Quintessence de l'art de son temps, l'enluminure de Cour était naturellement appelée, dans un pays aux structures politiques aussi centralisées que la France, à donner le ton aux miniaturistes du reste du royaume et à jouer un rôle déterminant dans l'évolution du style. Rappelons quelques-unes des étapes essentielles de cette évolution. Au départ, le style de l'enluminure française restait profondément ancré dans la tradition du siècle précédent : les figures graciles et élégantes inscrites dans un espace résolument plat et sans épaisseur constituent la norme des œuvres du commencement du XIVe siècle. Seul un artiste comme le maître de la Bible de Jean de Papeleu, disciple et continuateur du célèbre Honoré, témoigne par moments d'un intérêt nouveau, hérité de son maître, pour les valeurs tactiles et le modelé, jusqu'alors négligés (n° 228). Il faut attendre la troisième décennie du siècle cependant pour voir apparaître un novateur de génie, Jean Pucelle qui, au cours d'une carrière relativement brève, contribua à la transformation radicale de l'enluminure de son temps : préservant la part de lyrisme inhérente au tempérament français et qui s'exprime chez lui par un dessin aux lignes fluides et par l'harmonie des formes, l'artiste a su intégrer dans ses œuvres une partie de l'acquis des Trecentistes italiens en matière de représentation de l'espace. Créateur fécond et adulé de la Cour, Pucelle apparaît un peu, dans son chef-d'œuvre, les Heures de Jeanne d'Évreux, comme l'équivalent des trouvères du siècle précédent, un inventeur délicat à l'imagination toujours en éveil et se renouvelant sans cesse. L'influence de cet artiste, pourtant disparu dès 1334, sur le destin de l'enluminure française et parisienne tout particulièrement, a été profonde et durable. On ne compte plus les imitateurs qui pastichèrent son style. Au niveau qui était le sien, Pucelle a formé quelques excellents disciples, dont le plus personnel est, sans conteste, l'illustrateur du Bréviaire de Charles V (n° 287) et d'une partie des *Petites Heures* de Jean de Berry (n° 297), artiste probablement identifiable avec l'enlumineur Jean Le Noir, dont les documents permettent de suivre l'activité jusqu'en 1375. A la fin du règne de Charles V, un peintre aussi remarquable que le maître du Parement de Narbonne paraît encore subir l'ascendant de Pucelle dont il a retenu le rythme tranquille et les compositions harmonieuses.

Dès le milieu du siècle cependant, la prééminence du style pucellien allait être battue en brèche par un nouveau courant stylistique, dont les sources semblent devoir être recherchées en dehors du milieu parisien, dans les cités frontalières de la Flandre, dont la culture avait su garder une indépendance certaine par rapport aux modes de la capitale : ce nouveau style se caractérise par l'abandon du type physique idéalisé promu par Pucelle et ses imitateurs, et son remplacement par une représentation qui se veut véridique, plus naturelle de la figure humaine. Au demeurant, le meilleur représentant à Paris de ce nouveau style, le maître du *Remède de Fortune* (n° 271), n'a pas rejeté pour autant les innovations spatiales introduites par Pucelle : il les a mises au contraire au service de sa nouvelle vision du monde, où une part grandissante est faite à l'évocation de la nature. Ce style sera désormais celui de l'enluminure parisienne jusqu'à la fin du règne de Charles V et l'arrivée à la Cour d'un peintre comme le Flamand Jean Bondol ne contribua qu'à le renforcer.

A la fin du siècle, le centre de gravité de la vie artistique française s'éloigne momentanément de Paris pour gagner des centres périphériques, Dijon, capitale des états de Philippe le Hardi, duc de Bourgogne et surtout Bourges, résidence du plus fastueux des frères de Charles V, Jean, duc de Berry. C'est autour de ce foyer berrichon que se jouera désormais, pour quelque temps, le destin de l'enluminure française. Cette période est marquée par les dernières grandes créations du siècle, créations expérimentales s'il en fut. Avec les monumentales figures de prophètes et d'apôtres peintes par Beauneveu dans le Psautier de Jean de Berry, c'est l'art d'un des derniers grands « ymagiers » du Moyen Age gothique qui fait irruption de façon imprévue dans le domaine du manuscrit (n° 296). Pour terminer ses *Petites Heures* laissées inachevées par Jean Le Noir, Jean de Berry fait venir d'Artois en 1384 un jeune peintre au talent prometteur, Jacquemart de Hesdin. Reprenant en profondeur la méditation de Pucelle sur l'art des peintres du Trecento, l'artiste s'imprègne encore davantage de la leçon siennoise dont il nous livre une interprétation transfigurée dans une des grandes miniatures des *Grandes Heures* de Jean de Berry (n° 298) le *Portement de Croix* du Louvre, chef-d'œuvre de sa maturité (n° 299). Mais nous voilà déjà transportés au cœur d'une toute autre période, celle du Gothique international.

Ce que nous venons d'évoquer dans ses grandes lignes, c'est l'histoire de l'enluminure française du XIVe siècle à travers ses œuvres les plus représentatives, celles dues aux grands artistes attachés au service de la Cour. Ce serait une erreur que de croire, cependant, que la production française de l'époque se réduit à ces quelques chefs-d'œuvre prestigieux certes, mais peu nombreux. Il y eut à côté de ceux-ci, beaucoup d'œuvres plus modestes dans leurs moyens d'expression et leur ambition, mais néanmoins attachantes. A Paris même, où pullulaient les ateliers et les artistes, les modèles de la Cour furent copiés et imités, pour être à leur tour, diffusés vers les centres provinciaux. Tout en subissant le plus souvent l'ascendant de la capitale, les artistes installés dans ces centres ont su partout préserver leur originalité. Certes l'influence du style linéaire d'Ile-de-France est prépondérante en Languedoc et dans le Sud-Ouest, à Toulouse notamment, toutefois l'interprétation qu'en donnent les artistes méridionaux présente des caractères spécifiques qu'on ne saurait confondre avec ceux d'aucune autre région.

Face à l'hégémonie parisienne, deux foyers artistiques ont su davantage s'affirmer et servir de contrepoids : au sud, c'est Avignon qui, depuis l'installation de la papauté et jusqu'au pontificat de Clément VI (1342-1352), constitua une véritable enclave artistique italienne (n° 258). L'influence de cet art italo-avignonnais qui impressionna fortement Jean le Bon au cours des séjours qu'il fit dans la cité des papes, reste encore mal évaluée en ce qui concerne l'évolution de la peinture et de l'enluminure parisienne. Après une courte pause, l'enluminure avignonnaise connaît un regain remarquable dans les dernières années du siècle, au temps du Grand Schisme, Avignon accentuant plus que jamais sa vocation cosmopolite et son originalité entre les influences croisées venues de la France du Nord, d'Italie, de Catalogne et même d'Europe centrale (n⁰ˢ 312-315). A l'autre bout de la France, dans les cités de l'Artois, de Picardie et du Hainaut, se développe vers la fin du second quart du XIVe siècle un art primesautier, à tendance naturaliste, reflet d'une culture communale vivace, qui contribua sans aucun doute, nous l'avons dit, au renouvellement de style de l'enluminure parisienne à partir du milieu du siècle (*cf.* n⁰ˢ 301, 302, 303). Au cours de la seconde moitié du siècle, ces régions septentrionales deviennent une véritable pépinière d'artistes, contribuant plus que nulle autre à l'éclat de l'art de Cour, témoins André Beauneveu et Jacquemart de Hesdin. A l'Est, un autre centre à l'originalité marquée est celui de Metz, dont provient une série de manuscrits enluminés interprétant de façon savoureuse les modèles français. Quelques œuvres éparses témoignent d'une activité sporadique dans d'autres parties de la France. Toutes ces œuvres contribuent à diversifier notre vision de l'enluminure de ce temps, et annoncent l'extraordinaire essor de la production provinciale du siècle suivant.

Papeleu (n° 229), la plus ancienne œuvre datée attribuable à son atelier, au milieu des années 1330, époque où il illustre pour Jean, duc de Normandie (le futur Jean le Bon) une partie d'un *Miroir historial* de Vincent de Beauvais (n° 245) : ces œuvres exécutées de façon plus expéditive, et d'un caractère graphique accentué, n'atteignent jamais la qualité picturale du présent manuscrit. Cette différence, que rend particulièrement sensible la comparaison des deux peintures du Canon avec les scènes équivalentes d'un missel de Senlis (Paris, Sainte-Geneviève, ms. 103) issu du même atelier, s'explique peut-être par la destination royale du manuscrit, destination suggérée par le décor héraldique apparaissant sur le fond de la peinture du Christ en majesté : disposé en damier, ce décor fait alterner les armes de France et de Navarre et semble indiquer que le manuscrit fut exécuté pour Louis X le Hutin, le seul des fils de Philippe le Bel à avoir arboré les armes de France parties avec celles de sa mère Jeanne de Navarre.

En raison de sa dépendance par rapport au style d'Honoré, on a parfois suggéré d'identifier l'artiste avec le gendre de celui-ci, Richard de Verdun, mentionné en même temps que son beau-père dans les rôles de la taille. L'hypothèse est séduisante mais n'est étayée par aucune preuve documentaire.

BIBL. : V. Leroquais, 1924, II, p. 248-249. — F. Avril, 1978, p. 10, 34, pl. 2.

EXP. : *L'Europe gothique*, 1968, n° 250.

Paris, Bibliothèque nationale
ms latin 861

228
Missel à l'usage de Paris

Prov. : Donné au XVe siècle par maître Jean Le Duc à la Grande confrérie de Notre-Dame de Paris ; J.-B. Colbert
Paris, vers 1315
Parchemin, XI-444 ff., 300 · 210 mm

Les deux grandes peintures et les initiales historiées de ce luxueux missel parisien révèlent l'empreinte profonde et durable exercée sur l'enluminure de la capitale par le plus grand artiste parisien de la fin du XIIIe siècle, maître Honoré, auteur présumé du bréviaire de Philippe Le Bel (Paris, Bibl. nat., lat. 1023) et d'une *Somme le Roi*

de la British Library (Ms. Add. 54180). Les deux peintures illustrant le Canon de la Messe (fol. 147v : la Crucifixion ; fol. 148 : Dieu de majesté) sont plus particulièrement remarquables par leur exécution picturale élaborée qui s'élève presque au niveau des meilleures œuvres d'Honoré dans le bréviaire royal et dans la *Somme le Roi* londonienne : la maîtrise consommée de l'artiste se manifeste notamment dans le raffinement extrême du modelé et dans la grâce flexible des figures, qui annoncent déjà l'élégance des œuvres siennoises.

L'abondante production qu'on peut regrouper autour de l'enlumineur de ce missel s'étend de 1317, date de la Bible de Jean de

229
Bible historiale de
Jean de Papeleu

Prov. : Charles d'Albret, connétable de France († 1415) ; cardinal d'Estrées ; marquis de Paulmy
Paris, 1317
Parchemin, 506 ff. 410 × 290 mm

Un colophon à la fin du manuscrit apprend que la copie de celui-ci fut achevée en 1317

229

229

BIBL.: S. Berger, *La Bible française*, Paris, 1884, p. 188. — G. Vitzthum, 1907, p. 173-174, pl. XXXVI. — H. Martin, 1923, p. 90-91, pl. 26-27. — H. Martin, *Miniaturistes français*, p. 64-65, 79, 113. — H. Martin et Ph. Lauer, 1929, p. 24, pl. XXIV et XXV.

EXP.: *Mss. à peintures XIIIe-XVIe s.*, 1955, nº 36. — *L'Art et la Cour*, 1972, nº 6, pl. 9. — *Trésors de la Bibliothèque de l'Arsenal*, 1980, nº 91.

Paris, Bibliothèque de l'Arsenal
ms. 5059

230
Chrétien Legouais, *Ovide moralisé*

Prov.: Peut-être l'exemplaire de présentation à Clémence de Hongrie, seconde femme de Louis X le Hutin. A appartenu à la fin du XVe siècle à un membre de la famille de Poitiers dont les armes figurent au bas du fol. 16
Paris, vers 1315-1320
Parchemin, 432 ff., 395 × 270 mm

Les 453 miniatures de ce manuscrit, le plus ancien et le plus richement illustré de cette adaptation française des *Métamorphoses* d'Ovide due, semble-t-il, au franciscain Chrétien Legouais, transposent de façon purement médiévale les mythes païens relatés dans le poème ovidien. De place en place des scènes de la vie du Christ nous rappellent que le poème de Chrétien Legouais interprète les thèmes de l'œuvre d'Ovide à la lumière du message chrétien. D'un format presque carré ne dépassant jamais, à l'exception de celle du premier feuillet, la largeur d'une colonne d'écriture, les miniatures sont dotées chacune d'un chiffre romain répété, comme en titre courant, à la partie supérieure des feuillets, ce chiffre correspondant au numéro de la table des chapitres placée en tête du volume.

Dans leur grande majorité, ces illustrations sont l'œuvre d'un artiste qui fut à la tête d'un des ateliers les plus en vogue de la capitale, artiste dont l'activité s'est étendue des environs de 1315 jusqu'à une époque

facture moins soignée, qui caractérise la production ordinaire du maître, dont le style n'évoluera plus guère jusqu'à la fin de sa carrière sinon vers un plus grand relâchement dans l'exécution (nº 245).

par le scribe Jean de Papeleu installé rue des Écrivains *(in vico scriptorum)*. Si cette date est exacte, il s'agit là d'un des plus anciens témoins datés de l'adaptation française de l'*Historia scolastica* de Pierre Comestor. Composée vers 1295 par un chanoine d'Aire-sur-la-Lys, Guiart des Moulins, cette adaptation, qui mettait à la portée du public laïc, la matière historique contenue dans la Bible, a connu un indéniable succès jusqu'au XVe siècle, succès attesté par les nombreux exemplaires qui en sont conservés.

Les 176 illustrations du manuscrit sont l'œuvre de deux artistes distincts, le principal, qui s'est réservé la première moitié du volume, étant l'émule d'Honoré dont nous avons rencontré la main dans le manuscrit précédent (nº 228). La remarquable plasticité des figures qui distingue les deux grandes peintures du missel fait place ici à une

230

tend à se relâcher à partir du fol. 158. Le maître du *Roman de Fauvel* a été secondé pour une partie des illustrations par un artiste au style bien distinct qui a exécuté les miniatures des ff. 48 à 55, ainsi que celles de deux cahiers successifs occupant les ff. 64 à 79 : le style de ce second artiste le place au rang des précurseurs immédiats de Pucelle, au même titre que le maître du Cérémonial de Gand (n° 248).

BIBL.: J. Dupic, « Ovide moralisé, ms. du XIVe siècle », *Précis des travaux de l'Académie des sciences, belles lettres et arts de Rouen 1945-1950*, 1952, p. 67-77. — C. Lord, *Art Bull.*, LVII, 1975, p. 161-175. — C. Lacaze, 1979, p. 226-227, fig. 203-204.

EXP.: *Mss. à peintures XIIIe-XIVe siècles*, 1955, n° 40.

Rouen, Bibliothèque municipale

231

avancée des années 1330. On peut désigner par commodité cet artiste anonyme, auquel on doit l'illustration d'un autre exemplaire un peu moins soigné de l'*Ovide moralisé* (Arsenal, ms. 5069), sous le nom de maître du *Roman de Fauvel*, d'après le ms. français 146 de la Bibliothèque nationale (n° 231) l'une de ses œuvres les plus représentatives avec le présent manuscrit. Il n'est pas impossible que cet artiste soit identifiable avec le libraire parisien Geoffroy de Saint-Léger dont le nom apparaît dans une de ses productions tardives (n° 244).

Comme le *Roman de Fauvel*, l'*Ovide* de Rouen appartient à la phase précoce d'activité de cet artiste, phase dans laquelle se rangent également les manuscrits français 574, 2615 et 24365, les manuscrits latins 12726 et 13963 de la Bibliothèque nationale, le registre JJ5 des Archives nationales et un missel parisien de la British Library (Harley 2891). Très soignée dans la première moitié du volume, l'exécution

230

231
Gervais du Bus, *Le Roman de Fauvel* - Geoffroy de Paris et Jean de Lescurel, *Dits, ballades et rondeaux* - Geoffroy de Paris, *Chronique métrique*

Prov.: Apparaît pour la première fois dans l'inventaire de la bibliothèque du roi à la fin du XVIe siècle (*cf.* H. Omont, *Anciens inventaires et catalogues de la Bibliothèque nationale*, I, Paris, 1908, p. 355, n° 1914 ou 1926)
Paris, vers 1320
Parchemin, 98 ff. (3 ff. blancs non chiffrés + 2 ff. chiffrés A et B + 88 ff. + 5 ff. blancs non chiffrés), 460 × 330 mm

Ce célèbre manuscrit contient une série de textes composés peu après 1316 par différents auteurs appartenant au milieu de la chancellerie royale : le premier et le plus important de ces textes est le fameux *Roman de Fauvel,* long poème satirique dû à un certain Gervais du Bus, clerc d'origine normande qui fut notaire du roi sous Philippe le Bel et ses successeurs. Le poème de Gervais du Bus a été interpolé et farci de pièces lyriques et d'additions qui n'existent que dans le présent manuscrit : ces ajouts sont attribués dans le texte (fol. 23v) à « messire Chaillou de Pesstain », que Ch. V. Langlois a proposé d'identifier avec Raoul

de Chaillou, personnage qu'on suit au service de Philippe le Bel et de ses fils de 1313 à 1324. Une partie des Dits et la chronique rimée qui font suite au *Roman de Fauvel* sont l'œuvre de Geoffroy de Paris, qui appartenait lui aussi au personnel de la chancellerie royale.

Seul le *Roman de Fauvel* a été doté d'illustrations. Celles-ci sont traitées dans une technique assez rarement utilisée à Paris à l'époque ; il s'agit de « portraits d'encre » rehaussés d'un coloris léger, dont le trait incisif s'accorde bien avec le ton caustique du poème. Dans le premier livre de son œuvre, Gervais du Bus fustige les vices de la société de son temps, vices incarnés par l'âne Fauvel dont les six lettres sont les initiales de Flatterie, Avarice, Vilenie, Variété, Envie et Lâcheté. L'auteur y prend à partie les milieux ecclésiastiques, spécialement les ordres mendiants, mais critique également avec une grande liberté de ton, certains aspects de la politique royale. Le second livre du poème raconte la tentative manquée de Fauvel pour épouser dame Fortune. C'est dans cette partie que se place la longue interpolation de Chaillou de Pesstain, interpolation contenant un vibrant dithyrambe de la ville de Paris et une évocation de la Fontaine de Jouvence. Ce hors-d'œuvre doit beaucoup au *Tournoiement Antéchrist* et au *Roman du Comte d'Anjou* de Jean Maillart, autre clerc de la chancellerie de France au XIVe siècle.

On reconnaît dans l'illustrateur du *Roman de Fauvel* l'artiste principal de l'*Ovide*

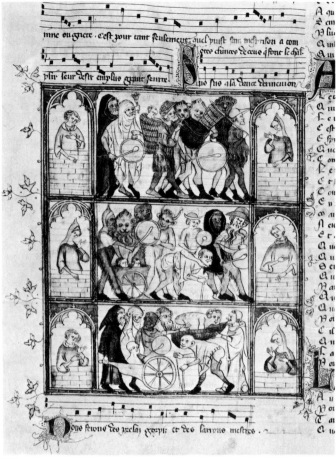

231

moralisé de Rouen (n° 231). Celui-ci révèle ici sa capacité à dessiner des compositions de grand format, et a su traduire avec beaucoup de verve certains des tableaux les plus animés du poème, tels que le « charivari » organisé durant la nuit de noces de Fauvel, et l'évocation de la Fontaine de Jouvence.

Nous retrouverons cet enlumineur au cours des années 1330, dans une série de manuscrits en langue vulgaire (Bibles historiales, Grandes chroniques de France, romans de la Table ronde, etc.) à l'exécution rapide et relâchée, conséquence sans doute du succès considérable que rencontra l'artiste et son atelier à cette époque (cf. n° 244).

BIBL.: G. Paris, *Histoire littéraire de la France*, XXXII, p. 109-153. — C.-V. Langlois, *La vie en France au Moyen Age*, 1908, p. 280-290. — P. Aubry, 1907. — A. Langfors, éd. *Le Roman de Fauvel*, Paris, 1914-1919, p. 135-145 (Société des Anciens textes français). — A. Diverrès, *La Chronique métrique de Jean de Paris*, Paris, 1956. — F. Avril, 1978, p. 11, fig. I.

EXP.: *Mss. à peintures XIIIᵉ-XVIᵉ s.*, 1955, n° 46, pl. VIII.

Paris, Bibliothèque nationale
ms. français 146

232
Yves de Saint-Denis
Vie et martyre de saint Denis et de ses compagnons

Prov.: Philippe V le Long; Charles V; Charles VI; Jeanne de Laval, deuxième femme de René d'Anjou; Philippe et Hippolyte comtes de Béthune
Paris, 1317

Parchemin, 3 vol. de 178, 133 et 112 ff., 250 × 155 mm

Commencée sous le règne de Philippe le Bel, cette compilation dionysienne du moine Yves ne fut achevée qu'en 1317, date à laquelle elle fut présentée au roi Philippe V le Long par l'abbé de Saint-Denis, Gilles de Pontoise. Aujourd'hui séparé en trois volumes, le manuscrit de dédicace dut être très tôt amputé de sa partie historique finale, relative aux rois de France, partie dont un fragment subsiste dans le ms. latin 13836 de la Bibliothèque nationale. Une copie contemporaine illustrée de dessins à la plume (Bibl. nat., ms. latin 5286) nous donne aujourd'hui une idée de ce que devait être l'exemplaire remis à Philippe V lorsqu'il était complet. L'examen codicologique de cet exemplaire révèle les importants remaniements dont il fit l'objet en cours d'exécution, remaniements commandés par l'insertion, entre les feuillets du texte latin primitif, d'une traduction française de celui-ci.

Les soixante-dix-sept miniatures illustrant le manuscrit dans son état actuel se rapportent essentiellement aux scènes de l'enfance, de la conversion, de la prédication et du martyre final de saint Denis et de ses compagnons Rustique et Eleuthère. Serties dans des encadrements à motifs architecturaux évoquant l'orfèvrerie, ces miniatures sont l'œuvre d'une équipe d'artistes de formation homogène, dont le style plastique et construit constitue un phénomène relativement nouveau dans l'enluminure parisienne. Une des initiales historiée du second volume (fr. 2091, fol. 17) annonce curieusement l'art de Pucelle, sans qu'il soit possible pour autant de lui en attribuer la paternité, ou d'envisager une quelconque responsabilité du grand artiste dans le manuscrit.

L'intérêt iconographique des peintures est accru pour certaines d'entre elles par la présence dans la moitié inférieure des compositions de scènes qui évoquent la batellerie, l'activité artisanale et divers aspects de la vie quotidienne du Paris de l'époque. Suivant une ingénieuse interprétation de Mme Charlotte Lacaze, il s'agirait d'un hommage voilé au « bon gouvernement » exercé par les Capétiens dans la capitale du royaume.

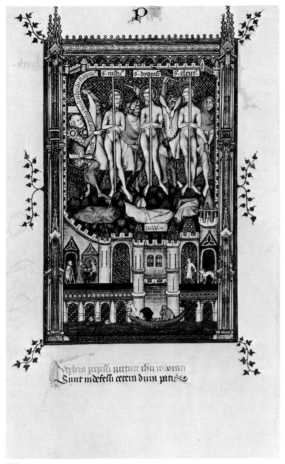

232

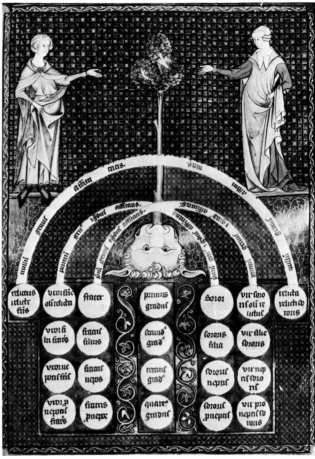

233

BIBL. : L. Delisle, « Notice sur un recueil historique présenté à Philippe le Long par Gilles de Pontoise, abbé de Saint-Denis, *Notices et extraits des manuscrits de la Bibliothèque impériale*, XXI, 2ᵉ partie, 1865, p. 249-265. — L. Delisle, 1907, I, p. 306-307. — G. Vitzthum, 1907, p. 185-190, pl. XXXIX-XL. — H. Martin, *Légende de saint Denis*, 1908. — H. Martin, 1923, p. 24-25, pl. 28-29. — C. Nordenfalk, *Apollo*, 1964, p. 362. — J. Porcher, 1959, p. 48, pl. L. — C. Lacaze, *Marsyas*, XVI, 1972-1973, p. 60-66. — V.W. Egbert, 1974. — F. Avril, 1978, p. 10-11, 34, pl. I. — C. Lacaze, 1979.

EXP. : *Mss. à peintures XIIIᵉ-XVIᵉ s.*, 1953, nº 33, pl. 11 ; *L'Art et la Cour*, 1972, nº 10, pl. 14.

Paris, Bibliothèque nationale
mss. français 2090-2092

233
Décret de Gratien, avec gloses de Barthélémy de Brescia

Prov. : Écrit en 1314 par le copiste Thomas de Wymonduswold ; a appartenu à Arnaud Leroy *(A. Regis)*, archidiacre de Cambrai, dont le nom apparaît sur grattage dans le colophon du f. 387 (sur Arnaud Leroy, collecteur apostolique sous le pape Jean XXII, *cf.* P. Gasnault, dans *Mélange de l'École fr. de Rome*, 69, 1957, p. 313, n. 13) ; cardinal Mazarin
Paris, 1314
Parchemin, II-388 ff., 355 × 210 mm

L'activité législative de l'Église ayant donné lieu au cours des âges à une masse considérable de prescriptions, décrétales ou canons, les autorités ecclésiastiques avaient assez tôt tenté de les réunir dans des recueils cohérents. La plus célèbre compilation de droit canonique médiévale fut celle que rédigea au XIIᵉ siècle le juriste bolonais Gratien, dont l'œuvre connut une immense diffusion sous le titre de Décret de Gratien. Celui-ci formait la base de l'enseignement du droit canon dans les universités au XIIIᵉ et au XIVᵉ siècles et fit l'objet de nombreux commentaires dont celui de Barthélémy de Brescia, qui accompagne, sous forme de gloses marginales, le texte du décret contenu dans le présent manuscrit.

L'œuvre est divisée en un long premier livre, suivi de 36 causes et de 5 distinctions. On a intercalé en outre dans le présent exemplaire le traité sur l'arbre de parenté et l'arbre de consanguinité du canoniste Jean

233

d'André (ff. 351v-354). Chacune de ces articulations est précédée d'une enluminure illustrant un cas juridique évoqué dans le texte. Ces illustrations contiennent souvent des détails intéressant la vie quotidienne de l'époque : ainsi la scène de mariage du f. 302v (cause 32) représente-t-elle les époux recevant la bénédiction nuptiale sous le « poêle ». Une inscription à la marge supérieure a servi de guide à l'illustrateur : *« Un prestre qui espouse e(t) l. home et l. fame »*. Le traité de Jean d'André est doté de deux grandes peintures illustrant l'arbre de parenté tenu par un personnage royal (f. 352v) et l'arbre des degrés de consanguinité entouré par un couple (f. 353) : ce dernier schéma servait en effet à calculer les cas d'interdiction de mariage.

On a parfois pensé que le manuscrit était d'origine anglaise en raison du scribe anglais, Thomas de Wymonduswold, qui en a signé la copie. En fait le manuscrit a sûrement été écrit à Paris, car ce copiste, qui a également signé une grande Bible en deux volumes de la Bibliothèque de la Sorbonne (ms. 9), a fait carrière dans la capitale française où il accéda dès 1323 à la fonction de libraire juré de l'Université.

On peut distinguer trois mains dans le manuscrit : les illustrations des causes 1 à 16 sont l'œuvre d'un enlumineur aux figures mal construites mais expressives, et aux accords de coloris acides, dont le style cadre mal avec la tradition parisienne et pourrait s'expliquer par une origine anglaise ou septentrionale. Les deux peintures de l'ar-

bre de parenté et de l'arbre de consanguinité sont dues à un second enlumineur au style plus équilibré. Le plus intéressant de ces artistes est incontestablement le troisième, auteur de la miniature du f. 1, et de celles des causes 17 à 32 et du traité *De penitentia*. Avec leurs figures aux proportions harmonieuses et leurs compositions clairement articulées, les œuvres de cet artiste anticipent de façon remarquablement précoce le style qui se développera par la suite dans l'enluminure parisienne sous l'influence de Jean Pucelle.

BIBL.: G. Vitzthum, 1907, p. 78-83, pl. XVIII-XIX. — P. Durrieu, *Journal des Savants*, 1909, p. 16-17. — H. Martin, 1921, p. 90, pl. 25. — R. Freyhan, *Marburger Jahrbuch für Kunstwissenschaft*, VI, 1931, p. 1-9. — K. Morand, *Burlington Magazine*, 103, 1961, p. 208, n. 16. — V.W. Egbert, 1974, p. 12, fig. 20. — A. Melnikas, 1975, *passim*. — C. Lacaze, 1979, p. 224, fig. 193.

EXP. *Mss. à peintures XIIIᵉ-XVIᵉ s.*, 1955, n° 32. — *L'Art et la Cour*, 1972, n° 9.

Paris, Bibliothèque nationale
ms. latin 3893

234
Décret de Gratien avec glose de Barthélémy de Brescia

Prov.: Dominicus de Casanova (ex-libris manuscrit fin XIVᵉ siècle, fol. 394. Il s'agit certainement du personnage du même nom qui apparaît dans un rotulus de l'Université de Toulouse adressé en 1378 à l'antipape Clément VII (*cf.* P. Fournier, *Les Statuts et privilèges des Universités françaises*, I, Paris, 1890, p. 635) ; J.-B. Colbert Languedoc (Montpellier ou Toulouse?) vers 1320
Parchemin, 386 ff. (ff. 34 et 114 répétés deux fois), 430 × 285 mm

Les miniatures de ce manuscrit résument les qualités essentielles de l'enluminure parisienne à la veille de la rénovation profonde imposée par Jean Pucelle à partir du milieu des années 1320 : élégance souveraine du dessin et densité des formes déjà puissamment modelées, comme à la même époque chez les illustrateurs de la vie de saint Denis (n° 232) qu'on a parfois rapproché de l'enlumineur du présent manuscrit.

Du point de vue codicologique, celui-ci soulève un délicat problème de localisation : écrit en *littera bononiensis,* l'écriture ronde et moulée pratiquée à Bologne mais qui fut également imitée au nord des Alpes, le texte est agrémenté d'une multitude d'initiales de couleurs à filigranes rouges ou violets qui dénotent une main méridionale, et a reçu aux ff. 60 et 71v un décor de lettres ornées de style italianisant là encore attribuable à un artiste méridional. Ces deux feuillets sont les seuls de ce style et semblent avoir été exécutés à titre d'échantillon à un moment où le manuscrit n'avait pas encore reçu sa

234

234

décoration peinte. Ce n'est qu'après que l'enlumineur parisien a dû être choisi et qu'il exécuta les illustrations et les initiales à figures du volume. Mais a-t-il peint celles-ci à Paris même, ou travaillait-il dans le midi de la France ? Le fait que le manuscrit appartenait à la fin du XIVe siècle à un étudiant de l'Université de Toulouse, Dominicus de Casanova, tendrait à faire pencher pour la seconde hypothèse. Des considérations d'ordre iconographique viennent à l'appui de celle-ci : dans leur ensemble les miniatures de ce *Décret* appartiennent à l'une des deux familles d'illustrations que l'on distingue à partir de la fin du XIIIe siècle dans les *Décrets* enluminés à Paris, qui se caractérisent par l'accent mis sur le rôle de l'autorité civile, au contraire des manuscrits bolonais et du midi de la France plus enclins à insister sur celui de l'Église. Une seule des illustrations, celle de la cause 20 (fol. 223), est d'un type iconographique inconnu dans les exemplaires parisiens ; elle représente un jeune homme à cheval quittant l'habit monacal et s'éloignant de l'abbaye où ses parents l'avaient fait entrer contre son gré. Ce thème du départ à cheval n'apparaît que dans certains exemplaires du *Décret* originaires du midi de la France (*cf.* Melnikas, *Corpus of the miniatures in the manuscripts of the Decretum Gratiani,* Rome, 1975, II, cause XX, pl. I et II et fig. 23-26), et sa présence dans le manuscrit latin 3898 tendrait à indiquer que l'enlumineur a été influencé sur ce point précis par la tradition méridionale. Le fait que la main du même artiste

apparaît dans un autre manuscrit dont la décoration filigranée est également de main méridionale (Bibl. nat., ms. lat. 11226) donne également du poids à l'hypothèse de son activité au moins momentanée dans un centre du sud de la France, probablement une ville universitaire comme Montpellier ou Toulouse. L'activité de cet artiste exceptionnel en Languedoc pourrait expliquer alors la remarquable emprise du style parisien qui se fait sentir dans l'enluminure du Sud-Ouest dès le second quart du siècle, et qui est attestée par maintes productions d'origine méridionale assurée.

BIBL.: G. Vitzthum, 1907, p. 189-191, pl. XLI. — H. Martin, 1923, p. 23, pl. 12. — K. Morand, *Burlington Magazine,* 103, 1961, p. 208, n. 16. — A. Melnikas, 1975, *passim.* — C. Lacaze, 1979, p. 241-242.

Paris, Bibliothèque nationale
ms. latin 3898

235
Heures de Jeanne de Savoie

Prov.: Jeanne de Savoie, duchesse de Bretagne ; coll. Guyot de Villeneuve
Paris, vers 1325-1330
Parchemin, 152 ff., 180 + 130 mm

La destinataire de ce livre d'heures, représentée à maintes reprises dans les initiales, a pu être identifiée avec assez de vraisemblance avec une princesse de la maison de Savoie, Jeanne, fille d'Édouard, comte de Savoie et de Blanche de Bourgogne, qui mourut en 1344 après avoir épousé en 1329 Jean III duc de Bretagne. Cette identification s'appuie sur les armes de Savoie peintes à six reprises dans le volume, et sur la mise en valeur de saint Jean l'Évangéliste, qui figure en tête des suffrages des saints.

235

Le manuscrit comporte un riche cycle iconographique de 56 images réparties entre le calendrier, les offices de la Vierge, de la Passion et du Saint-Esprit, et les suffrages des saints. Du point de vue du style, l'appartenance de ces miniatures au groupe d'œuvres regroupées autour de l'enlumineur Jean Pucelle a été depuis longtemps reconnue. Il ne s'agit cependant pas d'une œuvre du maître lui-même, mais d'un de ses contemporains et plus brillants émules, travaillant visiblement dans son orbite, comme en témoignent son art de la composition et du récit clairement ordonné, la découpe de ses personnages, l'imagination et la variété de ses drôleries, dont certaines s'approchent en qualité de celles de Pucelle. L'artiste se distingue du maître par une plus grande attention à traduire l'expression physionomique des passions, particulièrement visible dans la représentation des bourreaux. Comme la plupart des contemporains de Pucelle, même les plus liés avec le maître, l'enlumineur des Heures de Jeanne de Savoie se montre relativement peu préoccupé par la représentation d'un espace à trois dimensions : ses structures architecturales restent le plus souvent plates et sans épaisseur sauf dans la scène de la prédication de saint Paul (fol. 107) qui se place devant un édifice traité en relief. Ainsi que l'a remarqué K. Morand, la composition de l'Arrestation du Christ (fol. 66) a servi de modèle une vingtaine d'années plus tard à la scène équivalente du Psautier de Bonne de Luxembourg (n° 267).

BIBL. : S.C. Cockerell, 1905, p. 13-14. — P. Durrieu, *G.B.A.,* 1912, p. 85-88. — J. Porcher, 1959, p. 52, fig. 57. — K. Morand, 1962, p. 15, 47, pl. IIa, XXXa. — C. Lacaze, 1979, p. 226, fig. 199-202.

EXP. : *Mss. à peintures XIIIe-XVIe s.,* 1955, n° 108.

Paris, musée Jacquemart-André

236
Victor de Capoue,
Concordances des Évangiles

Prov. : Figure dans les inventaires de la librairie des ducs de Bourgogne depuis Philippe le Hardi
Paris, vers 1320-1325
Parchemin, 301 ff., 160 × 110 mm

236

236

Les concordances des Évangiles de Victor de Capoue, basées sur le *Diatessaron* de Tatien, fondent en un récit unique les divers éléments narratifs contenus dans les quatre Évangiles. Ce texte est suivi dans le présent manuscrit de *Méditations* que la tradition médiévale attribuait à tort à saint Bernard, et s'achève par des prières à différents saints, dont le choix a fait penser que Mahaut d'Artois n'était peut-être pas étrangère à la commande du manuscrit (*cf.* K. Morand, *Burlington Magazine,* 103, 1961, p. 209). Celui-ci est calligraphié et enluminé avec un soin inusité pour ce type de texte, et une somptueuse reliure encore décrite dans l'inventaire dressé en 1420 après la mort de Jean sans Peur, montre qu'il avait été conçu dès l'origine comme un joyau précieux.

La décoration du manuscrit se compose de deux initiales historiées et de treize miniatures, dont certaines de format rectangulaire allongé, comportent deux scènes successives. Cinq miniatures à pleine page supplémentaires, encore mentionnées dans l'inventaire de 1420, ont aujourd'hui disparu. Le cycle évangélique formé par les miniatures subsistantes révèle ainsi que l'a bien vu K. Morand, la main d'un excellent disciple de Pucelle dont on retrouve la main un peu antérieurement dans le calendrier et le sanctoral du Bréviaire du Blanche de France (Bibl. vaticane, ms. Urb. lat. 603). Une partie au moins de la décoration de la

Bible de Fiesole (n° 237) semble pouvoir également lui être attribuée.

BIBL. : C. Gaspar et F. Lyna, 1937, p. 290-291, pl. LXI c. — K. Morand, *Burlington Magazine,* 103, 1961, p. 209, fig. 16. — K. Morand, 1962, p. 46, pl. XXX d.

EXP. : *La librairie de Philippe le Bon,* 1967, n° 11. — *Le Livre illustré en Occident,* 1977, n° 29, pl. VIII.

Bruxelles, Bibliothèque royale
ms. 11053-54

237
Bible latine

Prov. : Abbaye S. Bartolomeo de Fiesole
Paris, vers 1325-1330
Parchemin. 377 ff., 410 × 265 mm

Bien que d'un format plus important, cette Bible trop mal connue et qui n'a fait jusqu'ici l'objet d'aucune étude, est en quelque sorte la jumelle de la Bible de Robert de Billyng (n° 238) à laquelle elle est étroitement apparentée sur le plan du style et de l'iconographie. Malgré leur exceptionnelle qualité, il n'est cependant pas possible d'attribuer à Pucelle lui-même les initiales historiées de ce manuscrit, qui semble bien être l'œuvre de son excellent collaborateur du bréviaire de Blanche de France, c'est-à-dire l'enlumineur du Victor de Capoue de Bruxelles (n° 236). Par rapport à cette œuvre, l'artiste s'est notablement rapproché de son maître, qu'il imite avec habileté dans la représenta-

237

tion des personnages et dans l'exécution raffinée du modelé. En revanche, on ne trouve nulle trace de l'expérience italienne de Pucelle dans les architectures de la Bible de la Laurentienne, qui sont figurées de façon traditionnelle et le plus souvent sans effort particulier pour évoquer la troisième dimension. De ravissantes figures en bout d'antenne accompagnent de place en place l'illustration principale, tel l'ange encensant la Vierge à l'Enfant de l'initiale des Cantiques des Cantiques (fol. 179), figure qu'on retrouve presque identique dans une des bordures des Heures de Jeanne de Savoie.

BIBL.: G. Vitelli et C. Paoli, 1884-1897, série latine, pl. 19. — G. Haseloff, 1937, p. 32-33. — C. Lacaze, 1979, p. 230, 246, fig. 208-210, 227.

Florence. Bibliothèque Medicea-Laurenziana
ms. Fiesole 1

238
Bible de Robert de Billyng

Prov.: Donnée en 1472 par Louis XI à son confesseur Jean Boucart, évêque d'Avranches; Jacques de Matignon, baron de Torigny; Jacques de Silly, évêque de Séez (1511-1539); Pierre de Silly, abbé de Saint-André-en-Gouffern (1550); Pierre Séguier, chancelier de France; léguée en 1731 à Saint-Germain-des-Prés par Charles de Cambout de Coislin, évêque de Metz

238

238

avec l'ensemble des manuscrits du chancelier Séguier; entré à la Bibliothèque nationale en 1795-1796 avec les manuscrits de Saint-Germain-des-Prés.
Paris, 1327
Parchemin, 705 ff. 293 × 190 mm

Écrite sur un parchemin d'une grande finesse et admirablement calligraphiée, cette Bible a été copiée par Robert de Billyng, un scribe d'origine anglaise comme il en existait un grand nombre à l'époque dans le milieu de la librairie parisienne. Entre les deux lignes de texte où ce copiste a indiqué son nom (fol. 642), L. Delisle a déchiffré la précieuse mention suivante, écrite en minuscules caractères à l'encre rouge: *Jehan Pucelle, Anciau de Cens, Jaquet Maci, il hont enluminé ce livre-ci. Ceste lingne de vermeillon que vous vées fu escrite en l'an de grace M.CCC. et XXVII., en un jueudi darrenier jour d'avril, veille de mai, V° die.*
L'interprétation de ce document essentiel pour la reconstitution de l'œuvre de Jean Pucelle a fait difficulté aussi longtemps qu'on a cru que les trois artistes qui y étaient mentionnés travaillaient tous dans le même registre technique, autrement dit comme

enlumineurs peintres. La facture des scènes et des personnages figurés dans les lettres historiées du volume paraît homogène d'un bout à l'autre, ce qui rend vain les tentatives de répartition de ces lettrines entre trois mains différentes. En réalité, la collaboration des trois artistes paraît s'expliquer de manière différente: à Jean Pucelle cité en tête, semble être incombée l'exécution des histoires; Anciau de Cens qui ne fait probablement qu'un avec l'Ancelet du Bréviaire de Belleville (n° 240), s'est sans doute contenté, comme dans ce dernier manuscrit, d'exécuter la décoration peinte, autrement dit les initiales contenant les scènes historiées, et les bordures à feuillages qui les prolongent (leur comparaison avec les parties équivalentes peintes par Ancelet dans le bréviaire, vient à l'appui de cette hypothèse); à l'échelon le plus modeste, Jaquet Maci, qui est sans doute l'auteur de l'inscription, apparaît comme l'artiste chargé de la décoration filigranée, très abondante, de la Bible: ce virtuose de l'ornement filiforme eut une carrière assez longue, et a signé près de vingt ans plus tard un décor filigrané plus exubérant encore que celui de la Bible, dans un manuscrit daté de 1345 (Bible vaticane, ms. Rossi 259).

C'est donc au seul Pucelle que reviendrait, si cette interprétation est exacte, le mérite des scènes illustrées dans la Bible. Celles-ci apparaissent bien comme l'œuvre d'un novateur par rapport à des Bibles un peu antérieures comme la Bible dite de Philippe le Bel, exécutée dans l'atelier des enlumineurs de la Vie de saint Denis (Bibl. nat., latin 248): l'élégance et le dynamisme des figures, leurs mouvements aisés et naturels, une nouvelle conception de l'espace due à une connaissance des développements récents de la peinture italienne, la qualité du modelé et le raffinement des coloris, tous ces éléments qui se retrouvent avec plus d'éclat encore dans le chef-d'œuvre de l'artiste, les Heures de Jeanne d'Évreux (n° 239), permettent de mesurer la distance qui sépare cet artiste exceptionnel de ses émules les plus doués, et de comprendre l'engouement dont il fut l'objet dans le milieu de la Cour de France.

BIBL.: L. Delisle, *Rev. de l'Art ancien et moderne*, 1910, p. 297-308. — S.C. Cockerell, 1905, p. 14. — H. Martin, 1923, p. 32, 92, pl. 34-35. — R. Blum, *Scriptorium*, III, 1949, p. 211-217. — E. Panofsky, 1953, p. 32. —

K. Morand, *Burlington Magazine,* 103, 1961, p. 206-209. — K. Morand, 1962, p. 45-47, pl. XIIa, b, c, XXIXb, XXXb, XXXa et b. — C. Nordenfalk, *Apollo,* 1964, p. 360, fig. 1 et 3. — F. Avril, *Bull. mon.,* 129, 1971, p. 256-259. — F. Avril, 1978, p. 19, fig. IV. — C. Lacaze, 1979, p. 227-229 et 237, fig. 205, 206, 226.

EXP.: *Mss. à peintures XIIIe-XVIe s.,* 1955, n° 107.

Paris, Bibliothèque nationale
ms. latin 11935

239
Heures de Jeanne d'Évreux

Prov.: Jeanne d'Évreux; Charles V; Charles VI; Jean de Berry; Baron Louis Jules du Chatelet; Baron Edmond de Rothschild; Baronne Adolphe de Rothschild; Baron Maurice de Rothschild
Paris, entre 1325 et 1328
Parchemin, 209 ff., 90 × 60 mm

Entre 1325 et 1328, le roi de France Charles IV avait fait enluminer par Jean Pucelle « un bien petit livret d'oraisons » qu'il offrit à sa seconde femme Jeanne d'Évreux. En 1371, dans un codicille ajouté à son testament, celle-ci léguait le précieux manuscrit à son petit neveu, le roi de France Charles V, en même temps qu'un couteau ayant appartenu à saint Louis. On a parfois mis en doute l'identification proposée par L. Delisle entre ce « bien petit livret » et le livre d'heures de l'ancienne collection Rothschild, aujourd'hui conservé au musée des Cloîtres. Ce qui n'est pas douteux en tout cas est l'identité de ce dernier avec un livre d'heures à l'usage dominicain, enluminé de blanc et de noir, « nommé heures de Pucelle », décrit dans les inventaires de Jean de Berry, et qui paraît ne faire qu'un avec un livre d'heures « à l'usage des Jacobins » et aux armes de la reine Jeanne d'Évreux, qui apparaît dans l'inventaire des joyaux de Charles V conservés en « l'estude du roy » au château de Vincennes. La conjonction des éléments descriptifs contenus dans ces différents inventaires répond de façon frappante au livre d'heures des Cloîtres : de petites dimensions, celui-ci est à l'usage dominicain (usage rarissime pour un livre d'heures), et était destiné à une reine représentée deux fois dans le manuscrit. Sa décoration d'autre part, entièrement en grisaille (« de blanc et de noir »), est d'un style étroitement apparenté aux deux œuvres documentées de l'enlumineur Jean Pucelle, le bréviaire de Belleville (n° 240) et surtout la Bible de Robert Billyng (n° 238). On peut donc légitimement le considérer comme une œuvre de cet artiste, œuvre exceptionnelle au surplus et la seule qui soit entièrement autographe, où Pucelle fait étalage des multiples facettes et des possibilités sans cesse renouvelées de son art.

Deux cycles d'images se succèdent dans le livre d'heures, le premier accompagnant l'office de la Vierge, et juxtaposant pour chaque division de cet office une scène de la Passion et une scène de l'Enfance du Christ, le second étant consacré à saint Louis. La présence de ce second cycle, très apparenté du point de vue iconographique à deux ensembles muraux de la même époque consacrés au saint roi, celui de la chapelle basse de la Sainte-Chapelle, et celui des Cordelières de Lourcine, au faubourg Saint-Marcel, n'étonne pas dans un livre d'heures destiné à une arrière petite-fille de saint Louis. Un charmant calendrier illustré des signes du Zodiaque et des travaux des mois, et tout un monde grouillant de figures grotesques et d'hybrides figurés dans les marges ou en bout de ligne, introduisent une note profane inattendue dans ce livre de dévotion.

Presque toutes les scènes illustrées sont inscrites dans un cadre évoquant l'orfèvrerie et tracé avec une rigueur d'épure, les

239

239

239

239

fines silhouettes des personnages, traitées en grisaille, se détachant sur un fond coloré aux motifs décoratifs peints dans le même ton. Par deux fois cependant, dans la scène de l'Annonciation et celle figurant Jeanne d'Évreux dans un oratoire (ff. 16 et 102v), Pucelle abandonne ce parti précieux qui rappelle l'émaillerie translucide de l'époque (cf. n⁰ˢ 186 et 187), pour mettre en pratique le langage spatial qui venait d'être forgé par les Trécentistes italiens, et qu'il a sans doute appris à utiliser au cours d'un séjour dans la péninsule. Des particularités iconographiques, notamment dans la scène de la Crucifixion (f. 68v) où l'on reconnaît des emprunts patents au Siennois Duccio confirment l'hypothèse de ce séjour italien. Des italianismes analogues se rencontrent dans le Bréviaire de Belleville, dans la Bible de Robert Billyng, et dans le chef-d'œuvre ultime de l'artiste, les Miracles de Notre-Dame (n⁰ 241). Par rapport à ces différentes œuvres, Pucelle fait preuve dans les Heures de Jeanne d'Évreux d'une exceptionnelle liberté créatrice, ce qui tient sans doute au fait que l'artiste, affranchi de toute contrainte technique, s'exprime ici dans son medium favori, le dessin, qui lui avait valu en son temps sa réputation de « pourtrayeur ». Outre leurs qualités graphiques et plastiques, les compositions de Pucelle révèlent en celui-ci un illustrateur aux intentions profondes ; les scènes de jeux ajoutées dans les marges au bas de la Crucifixion et de l'Annonciation (ff. 15v et 16) ne sont pas des hors-d'œuvres gratuits, mais commentent de façon voilée, comme l'a montré L. Randall, le sens de ces deux scènes. Ces différents aspects révélateurs d'un artiste exceptionnellement doué, expliquent la renommée dont il jouit longtemps après sa mort, renom dont témoigne sa mention dans le codicille de Jeanne d'Évreux et les inventaires de Jean de Berry.

BIBL. : L. Delisle, G.B.A., 29, 1884, p. 108. — L. Delisle, 1910. — R. Blum, Scriptorium, 3, 1949, p. 211-217. — E. Panofsky, 1953, I, p. 29-32, II, pl. 3, fig. 5, 7. — J.J. Rorimer, 1957. — R.H. Randall Jr, E. Winternitz, S.V. Grancsay, Bulletin of the Metropolitan Museum of Art, juin 1958. — K. Morand, Burlington Magazine, 103, 1961, p. 206-209. — K. Morand, 1962, p. 13, 41-42, pl. VIII-IXd. — L.M.C. Randall, 1966. — M. Meiss, 1967, p. 19 et passim, fig. 250, 335-338, 342, 360. — J.M. Hoffeld, « An image of saint Louis and the Structuring of Devotion », Bull. of the Metropolitan Museum of Art, 1971, p. 261-266. — E.H. Flinn, « A Magnificent Manuscript, A Historical Mystery », ibid., 257-260. — L.M.C. Randall, « Games and the Passion in Pucelle Hours of Jeanne d'Évreux, Speculum, 47, 1972, p. 246-257. — F. Avril, 1978, p. 13-16, 34, pl. 3-10. — C. Lacaze, 1979, p. 205, 226, 246, fig. 157, 158, 178, 181, 183, 202, 211, 228.

EXP. : Treasures from Medieval France, 1965-1966, n⁰ V-15. — In the presence of Kings, 1967, n⁰ 10. — La Librairie de Charles V, 1968, n⁰ 133, pl. 13. — The Middle Ages, 1970, n⁰ 82.

New York, The Metropolitan Museum of Art, The Cloisters
Acc. 54.1.2

240
Bréviaire de Belleville

Prov. : Jeanne de Belleville, femme d'Olivier de Clisson ; Charles V ; offert par Charles VI à Richard II d'Angleterre ; offert par Henri IV d'Angleterre à Jean duc de Berry ; donné par Jean de Berry à sa nièce Marie de France, religieuse à Poissy ; ex-libris de Marie Jouvenel des Ursins et de ses nièces religieuses à Poissy (tranches peintes aux armes de la famille Jouvenel des Ursins).
Paris, vers 1323-1326
Parchemin, 2 vol. de 446 et 430 ff., 240 × 170 mm

Les deux volumes de ce luxueux bréviaire à l'usage dominicain apparaissent pour la première fois cités dans l'inventaire des joyaux de Charles V dressé en 1380, où il est précisé qu'ils étaient dotés de fermoirs aux armes de Belleville. Ce détail a permis à L. Delisle d'identifier leur première destinataire comme étant Jeanne de Belleville, épouse d'Olivier de Clisson, l'un des seigneurs qui participèrent en 1343 à la rébellion de la Normandie et de la Bretagne contre Philippe VI de Valois, et dont les biens furent confisqués peu après par le roi de France. C'est probablement à cette occasion que le manuscrit passa dans les collections royales. Les données liturgiques ont permis au chanoine Leroquais de situer la date d'exécution des deux volumes entre 1323 et 1326, l'office de saint Thomas d'Aquin, adopté en 1326 par les Dominicains, ne figurant pas dans le sanctoral.

Par le raffinement de son style comme par son iconographie élaborée, le bréviaire de Belleville apparaît comme une des œuvres capitales de l'enluminure parisienne de cette époque. Les illustrations du calendrier du premier volume et celles des Psaumes, qui se trouvent répétées dans les deux volumes, présentent des traits iconographiques singuliers, dont les intentions sont précisées au début du premier volume, par une « Exposition des images des figures qui sont au kalendrier et au psautier, et est proprement l'accordance du Vieil Testament et du Nouvel » (lat. 10483, ff. 2-4), texte vraisemblablement composé par un théologien dominicain. L'idée originale du calendrier consiste à faire correspondre les articles du

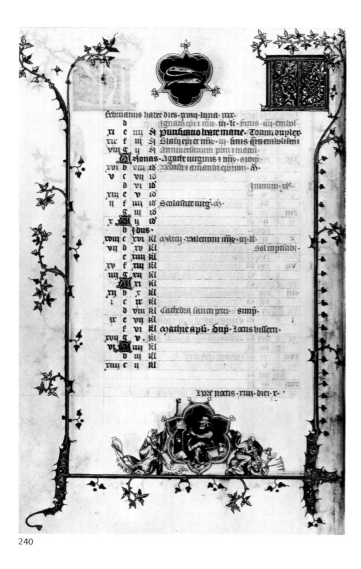

240

Ces illustrations, et celles plus traditionnelles réservées au cycle liturgique, se signalent par une disposition assez rare dans l'enluminure parisienne de l'époque, qui consiste à prolonger dans la marge inférieure le thème représenté dans la scène principale, toujours située dans le texte. Ce parti se retrouve dans d'autres œuvres de Pucelle et de son école.

De minuscules inscriptions à la fin de certains cahiers du premier volume fournissent le nom de différents artistes ayant collaboré à la décoration du manuscrit : Mahiet, Ancelet et Jean Chevrier. De toute évidence, le rôle de ces artistes s'est limité à l'exécution de la décoration secondaire : bordures à « vignettes », bouts de ligne et éventuellement personnages ou figures hybrides en bout d'antenne. De ces trois artistes, le meilleur et le plus proche de Pucelle est Ancelet, qui est probablement identifiable avec l'Anciau de Cens qui collabore avec le maître dans la Bible de Billyng (n° 238). Mahiet n'est autre que le maître des Vies de saint Louis (n° 247), artiste facile et fécond dont on a conservé un grand nombre d'œuvres remontant aux années 1330-1340. Le dernier, Jean Chevrier, est un artiste subalterne. L'une de ces inscriptions fait clairement apparaître Pucelle comme un maître d'œuvre rétribuant un de ses collaborateurs : « Mahiet. J. Pucelle a baillié XX et III (s(ous) VI (d(eniers) » (lat. 10483, f. 33).

L'examen stylistique confirme sans équivoque le rôle essentiel de Pucelle dans la conception de la partie noble de la décoration, autrement dit des pages contenant des illustrations : ce rôle est évident aussi bien dans l'agencement des scènes, que dans la découpe élégante des personnages, dans la multiplication des éléments architecturaux traités à l'italienne, et dans l'infinie variété des figures grotesques. A deux reprises, l'artiste introduit des motifs marginaux d'un étonnant naturalisme : ainsi l'œillet du f. 17v. Si son inspiration est partout présente, la part réelle de l'artiste dans l'exécution matérielle des peintures est plus difficile à cerner : ni les détails du dessin, ni l'exécution picturale, ni les coloris aux tons riches et saturés ne correspondent aux autres œuvres documentées du maître. Tout se passe comme si Pucelle avait fourni les modèles des compositions et des mises en page, et

Credo aux douze mois de l'année, chacun de ces articles étant présenté comme l'accomplissement d'une prophétie de l'Ancien Testament : cela se traduit visuellement par la juxtaposition en bas de chaque feuillet d'un prophète et d'un apôtre tenant chacun un phylactère doté l'un d'une citation prophétique, le second d'un article de la Foi chrétienne au sens équivalent. A la partie supérieure figurent des scènes complémentaires dont la traditionnelle représentation des signes du zodiaque. Seul le dernier feuillet de ce curieux calendrier (novembre et décembre) nous a été conservé dans le Bréviaire de Belleville, mais son pro-

gramme d'ensemble peut être reconstitué grâce à plusieurs copies postérieures dont la plus fidèle est celle des Heures de Jeanne de Navarre (n° 265). Deux autres peintures minutieusement décrites dans l'*exposition* : une allégorie de l'Église et une allégorie de la Croix, s'intercalaient, dans le premier volume, entre le calendrier et le cycle des sept sacrements illustrant les différentes divisions des Psaumes : elles ont malheureusement disparu et ne nous sont connues par aucune copie postérieure. Le cycle des Psaumes en revanche a été reproduit une quarantaine d'années plus tard dans le bréviaire de Charles V (n° 287).

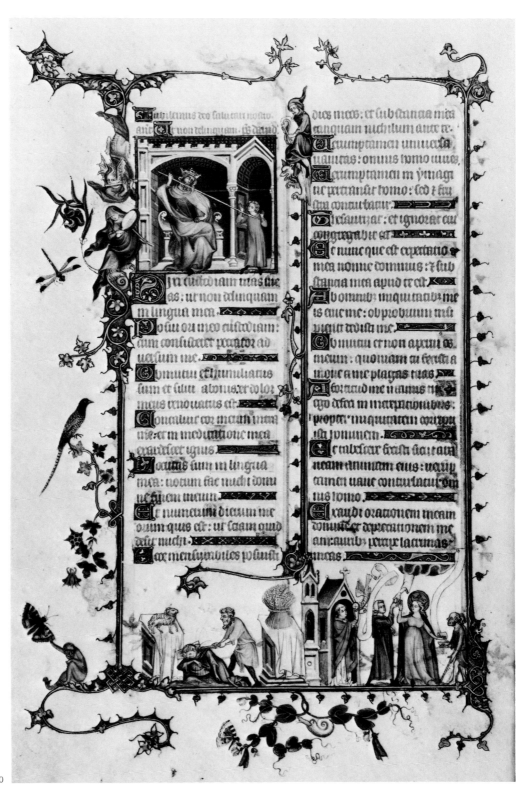

s'en était remis à d'autres pour l'achèvement des peintures. Dans sa tâche il a probablement été secondé, comme l'a bien vu K. Morand, par le maître du Cérémonial de Gand (nº 248) dont on reconnaît le style dans un certain nombre d'illustrations.

BIBL. : L. Delisle, 1907, I, p. 182-185. — H. Martin, 1923, p. 33, 92, pl. 36 à 38. — Leroquais, 1934, III, p. 198-210. — R. Blum, *Scriptorium*, 3, 1949, p. 211. — F.G. Godwin, *Speculum*, 26, 1951, p. 609-614. — E. Panofsky, 1953, I, p. 32-35, fig. 10-12. — K. Morand, *Burlington Magazine*, 103, 1961, p. 206-209. — K. Morand, 1962, p. 9-12, 34-36, 43-45, pl. IV a et b, V-VII, XXIIb, XXIIId, XXVIIb, XXVIIId, XXXIIa. — C. Nordenfalk, *Apollo*, 1964, p. 361, fig. 2, 4, 7, 8. — M. Meiss, 1967, I, p. 20 et passim, fig. 260, 344, 374. — F. Avril, 1978, p. 17-18, 34-35, pl. 11, 12.

EXP. : *Mss. à peintures XIIIᵉ-XVIᵉ s.*, 1955, nº 106. — *La Librairie de Charles V*, 1968, nº 132, pl. 14.

Paris, Bibliothèque nationale
mss. latins 10483-10484

241
Gautier de Coincy
Miracles de Notre Dame

Prov. : Jeanne de Bourgogne, reine de France?; Jean le Bon; Charles V; Jean de Berry; Grand Séminaire de Soissons
Paris, vers 1330-1335
Parchemin, II-244 ff., 340 × 240 mm

Le long poème des *Miracles de Notre Dame* composé au début du XIIIᵉ siècle par Gautier de Coincy, prieur de Vic-sur-Aisne, est un recueil de cinquante-huit miracles accomplis par la Vierge en faveur de divers de ses dévôts. Le présent manuscrit est probablement le plus bel exemplaire conservé de ce texte destiné à promouvoir la piété mariale. Il a été probablement exécuté pour la reine Jeanne de Bourgogne, épouse de Philippe VI, qu'on voit représentée à plusieurs reprises dans les initiales historiées illustrant les prières de la partie finale du manuscrit. Saisi avec les bagages de Jean le Bon à la bataille de Poitiers (1356), il fut considéré comme assez précieux pour être racheté aux Anglais par Charles V, dont l'un des inventaires nous a conservé le souvenir de cette péripétie. Le manuscrit vint ensuite enrichir les collections de Jean de Berry.

L'illustration consiste en miniatures de la largeur d'une colonne d'écriture, à l'excep-

241

tion de la grande peinture allégorique servant de frontispice au volume, qui représente la Vierge assise sur le trône de Salomon, thème peu répandu en France et surtout connu par des exemples conservés dans la région rhénane dans le domaine du vitrail et de la sculpture notamment (gable du porche central de la cathédrale de Strasbourg). L'exécution de l'ensemble de ce cycle est attribuable sans aucun doute à Jean Pucelle dont on retrouve à maintes reprises, la capacité de maîtriser les données spatiales, ainsi dans la scène figurant Gautier de Coincy travaillant dans son étude (f. 4). L'aspect incontestablement toscan du château assiégé représenté au f. 70v, confirme ce que nous savons de l'expérience italienne de Pucelle, qui a dû séjourner à Sienne où il a été fortement impressionné par l'œuvre de Duccio (*cf.* nº 239). La facture picturale parfois un peu pâteuse nous révèle un Pucelle coloriste faisant usage d'un pinceau tantôt large et hardi, tantôt minutieux et précis dans le modelé des détails. Partout la même noblesse d'inspiration, le même classicisme mesuré dans l'interprétation de la figure humaine, trahissent l'inspiration du maître.

BIBL. : Delisle, 1907, I, p. 285-305. — Focillon, 1950. — M. Meiss, *G.B.A.*, 57, 1961, p. 290-291, fig. 35. — F. Wormald, 1961, I, p. 532-533, II, pl. 176, fig. 4. — K. Morand, 1962, p. 42-43, pl. XIId, XIIIb, XXXc et d. — M. Meiss, 1967, p. 19-20, 128, 316, fig. 340, 562. — F. Avril, 1978, p. 18-19, 35, fig. V-VI, pl. 13.

EXP. : *Mss. à peintures XIIIᵉ-XVIᵉ s.*, 1955, nº 113. — *La Librairie de Charles V*, 1968, nº 151.

Paris, Bibliothèque nationale
ms. n. a. fr. 24541

242
Missel de Montier-en-Der

Prov. : Abbaye de Montier-en-Der (Haute-Marne) ; Bibliothèque du couvent des Feuillants à Paris (XVIIᵉ siècle)
Paris, vers 1330-1335
Parchemin, 240 ff. (deux foliotations successives : ff. I-CXL et 1-100), 190 × 130 mm

La décoration de ce missel à l'usage de l'abbaye de Montier-en-Der est un élément nouveau à verser au dossier de l'œuvre de Pucelle, à laquelle elle se rattache clairement du point de vue du style. Cette décoration consiste en dix-neuf initiales historiées, onze réparties dans la partie d'hiver du missel, les huit autres illustrant la partie d'été. Seule une initiale historiée (Crucifixion, f. XVII de la partie d'hiver) et trois scènes marginales de la partie d'été (ff. 22v, 24v et 37) sont l'œuvre d'un artiste distinct.

La partie pucellienne de cette décoration ne peut être considérée comme une œuvre autographe du maître, il s'agit plutôt d'une production d'atelier comme l'indique l'exécution plus rapide et le modelé moins poussé. Nombre de détails dérivent manifestement d'un recueil de modèles conçus par le maître : ainsi la tête du bourreau vu de dos du martyre de saint Étienne (f. 1 de la deuxième foliotation) reprend-elle, inversée, le personnage vu de dos figuré en bout de ligne au f. 168 des Heures de Jeanne d'Évreux. De même l'architecture italianisante représentée dans l'Entrée du Christ à Jérusalem (f. LXIV de la première foliotation), tire certainement sa source d'un modèle créé par Pucelle lui-même. Signé par un copiste nommé « J. de Marchia », ce manuscrit montre que l'atelier de Pucelle ne fonctionnait pas uniquement pour les mi-

242

242

Ce manuscrit est un missel abrégé ne contenant que les principales fêtes de l'année liturgique, les prières du Canon et une série de messes votives. La messe de la Fête Dieu y est rejetée à la fin, ce qui indique que le manuscrit fut exécuté à une époque où cette fête, promulguée en 1318 par le pape Jean XXII, était de création récente. La présence d'une messe en l'honneur de saint Vaast évêque d'Arras montre que ce missel était destiné à l'importante abbaye bénédictine arrageoise placée sous le patronage de ce saint ; la destination monastique du manuscrit est confirmée par l'existence, parmi les messes votives d'une messe *pro fratribus nostrae congregationis* (fol. 56).

D'un format très réduit, ce missel « portatif » est d'une exécution particulièrement soignée tant du point de vue de l'écriture, une « lettre de forme » admirablement moulée, que de la décoration. Celle-ci se compose de vingt et un initiales historiées illustrant les principales fêtes. Le style de ces initiales, leurs scènes clairement agencées, leurs personnages élégants, et leurs coloris aux nuances raffinées, permettent de les rattacher sans hésitation à l'œuvre Jean Pucelle. S'il ne s'agit probablement pas d'une œuvre autographe du maître, mort dès 1334, l'auteur de ce décor n'en apparaît pas moins comme profondément imprégné par le style et les conceptions artistiques très modernes et marquées d'italianisme de ce dernier. L'existence supposée d'un recueil de modèles dessinés par Pucelle et utilisés par ses disciples trouve ici une confirmation dans la scène de la Fête-Dieu : d'une conception audacieuse, celle-ci représente un officiant auréolé d'un nimbe crucifère, vu de dos et élevant l'hostie. Qu'un modèle préexistant soit à l'origine de cette composition est prouvé par le fait qu'on la trouve répétée, avec de menues variantes, dans deux manuscrits d'obédience pucellienne plus tardifs, un missel de la Bibliothèque municipale de Lyon (n° 268) et le Bréviaire de Charles V, ce dernier étant l'œuvre du plus brillant disciple de Pucelle, Jean Le Noir (*cf.* n° 287).

D'après les données stylistiques, le missel d'Arras paraît avoir été exécuté aux alentours de 1330-1340, soit vers la fin du long et fécond abbatiat de l'abbé de Saint-Vaast, Nicolas Le Caudrelier (1308-1337), qui

243

243

fonda en 1327 le collège d'Arras à Paris. Un manuscrit jumeau de celui-ci et certainement copié par le même scribe, mais de plus grand format, a été exécuté pour l'abbaye, vers la même époque semble-t-il : il s'agit du manuscrit 869 de la Bibliothèque d'Arras, lui aussi enluminé par un artiste pucellien qui n'est probablement autre que le maître du Cérémonial de Gand (n° 248).

BIBL. : K. Morand, 1962, p. 46.

EXP. : *Mss. à peintures du VIᵉ au XVIIIᵉ s.*, 1920, n° 22. — *Cinq années d'enrichissement...*, 1980-1981, n° 294.

Paris, Bibliothèque nationale
ms. N.a.lat. 3180

lieux de Cour, mais qu'il a pu occasionnellement se mettre au service, comme dans le manuscrit suivant, d'une clientèle ecclésiastique moins fortunée.

BIBL. : V. Leroquais, 1924, II, p. 305-308.

Paris, Bibliothèque Mazarine
ms. 419

243
Missel à l'usage de Saint-Vaast d'Arras

Paris, vers 1330-1340
Ex-libris Ambroise Firmin-Didot. Anc. coll. Gélis-Didot et Charles Gillet
Parchemin, 75 ff., 180 × 130 mm

244

244
Guyart de Moulins
La Bible historiale

Prov. : Hervé de Léon, seigneur breton (XIVe siècle) ; abbaye Sainte-Geneviève de Paris
Paris, vers 1330
Parchemin, 545 ff., 455 × 320 mm

Malgré leur facture hâtive et peu soignée, les 125 miniatures de cette *Bible historiale* appartiennent à la lignée stylistique du maître du *Roman de Fauvel* (no 230 et 231) et sont très représentatives d'une certaine production commerciale qui envahit le marché parisien autour des années 1320-1335. Une des œuvres les plus tardives de ce groupe très nombreux, dont le savant belge F. Lyna avait situé à tort l'origine en Brabant, est un *Roman de Godefroi de Bouillon* daté de 1337 (Bibl. nat., ms. fr. 22495).

Le présent manuscrit compte au bas du fol. 37 vo l'inscription suivante : *C'est Geufroi de S. Ligier,* nom qui apparaît également au bas du fol. 56, début d'un cahier contenant plusieurs miniatures. La simple initiale G accompagnant diverses autres illustrations du volume se rapporte sans doute au même personnage, en qui S. Berger et A. Boinet avaient déjà proposé de voir l'enlumineur. Il y a tout lieu de croire que ce Geoffroy de Saint-Léger ne faisait qu'un avec le personnage du même nom qui fut admis au nombre des libraires jurés de

l'Université de Paris en 1316, date qui cadre bien avec le début de l'activité du maître du *Roman de Fauvel.* Sa fonction de libraire, fonction qui n'était pas incompatible à l'époque avec le métier d'enlumineur, explique sans doute la production surabondante et négligée de cet artiste que nous proposons d'identifier ici avec le maître du *Roman de Fauvel* à l'apogée de sa carrière.

Le manuscrit est ouvert au fol. 175, à la miniature qui marque le début du troisième livre des Rois et figure la rencontre de Salomon et de la reine de Saba. La robe de celle-ci présente un bel effet de drapé, caractéristique du maître du *Roman de Fauvel.* On remarquera dans la marge inférieure la lettre G qui constitue très probablement l'initiale du nom de l'artiste.

BIBL. : S. Berger, *La Bible française au Moyen Age,* Paris, 1884, p. 213, 288, 304 et 376-377. — A. Boinet, *Bull. de la Soc. française de reproduction de manuscrits à peintures,* 5, 1921, p. 73-75.

Paris, Bibliothèque Sainte-Geneviève
ms. 22

245
Vincent de Beauvais
Miroir historial

(traduction française par Jean de Vignay)

Prov. : Jean II le Bon ; Charles V ; Louis de Bavière ; Bibliothèque des Augustins déchaussés de Lyon ; Baron d'Heiss ; Marquis de Paulmy

Paris, vers 1335
Parchemin, 418 ff., 380 × 270 mm

La traduction française du *Speculum historiale* de Vincent de Beauvais fut entreprise en 1332 à la requête de la reine de France Jeanne de Bourgogne par le dominicain Jean de Vignay qui la termina en novembre de l'année suivante. Avec le ms. Voss. Gall. fol. 3 A de la Bibliothèque de l'Université de Leyde, le manuscrit présenté ici est tout ce qui subsiste d'un exemplaire de cette traduction qui comptait primitivement quatre volumes, et qui était destiné au propre fils de Jeanne de Bourgogne, Jean, duc de Normandie, le futur Jean le Bon, dont l'ex-libris effacé a pu être déchiffré par Delisle dans le volume de Leyde. Selon toute vraisemblance, cet exemplaire a dû être exécuté très peu de temps après l'achèvement de la traduction, soit aux alentours de 1335.

L'essentiel de l'illustration du volume de Leyde est dû à l'émule d'Honoré dont nous avons rencontré la main dans le missel de Paris (no 228) et la Bible de Jean de Papeleu datée de 1317 (no 229). Seules les peintures des derniers feuillets de ce volume (ff. 347-359) sont de la main du maître des Vies de saint Louis, autrement dit du Mahiet du Bréviaire de Belleville (no 240). L'émule d'Honoré a également illustré une grande partie du volume de l'Arsenal en collaboration avec le maître de la Crucifixion du ms. 157 de Cambrai (no 246). Il est intéressant de retrouver Mahiet collaborant avec le

245

maître du Missel de Cambrai dans un autre manuscrit également destiné à Jean duc de Normandie, un exemplaire des *Grandes Chroniques de France* de la British Library (*Ms. Royal 16 G. VI*).

BIBL. : L. Delisle, *Gaz. archéol.*, 11, 1886, p. 99-100. — L. Delisle, 1907, I, p. 371-372. — G. Vitzthum, 1907, p. 178-179. — H. Martin, 1923, p. 24, 93, pl. 40. — H. Martin et Ph. Lauer, 1929, p. 24-25, pl. XXVI.

EXP. : *La Librairie de Charles V*, 1968, n° 150. — *Trésors de l'Arsenal*, 1980, n° 92.

Paris, Bibliothèque de l'Arsenal
ms. 5080

246
Missel de Robert de Coucy
(Partie d'été)

Prov. : Robert de Coucy, chanoine de Cambrai ; cathédrale de Cambrai
Paris, vers 1335-1340
Parchemin, 6 + 230 ff., 346 × 242 mm

Ce manuscrit constitue la seconde partie d'un missel de Cambrai en deux volumes exécuté pour Robert de Coucy, chanoine et chantre de la cathédrale de Cambrai, personnage qui joua un rôle assez important dans l'embellissement de sa cathédrale, à qui il légua ses manuscrits. Les deux volumes sont nécessairement postérieurs à 1333, année de la mort de la mère du chanoine, Christine de Lindeseye, dont l'obit est rappelé en tête du premier volume, le *terminus ante quem,* étant fourni par la promotion de Robert de Coucy à la dignité de prévôt de la cathédrale en 1354.

Le style de la peinture de la Crucifixion figurée au Canon de la Messe permet de resserrer cette datation et de placer le manuscrit vers 1335-1340. L'auteur de cette peinture est en effet un artiste dont on retrouve la main dans divers manuscrits parisiens remontant à cette période : il a collaboré notamment à l'illustration d'une Bible historiale de la Bibliothèque publique de Genève (main E distinguée par B. Gagnebin dans son étude sur cette Bible, dans *Genava*, n.s., IV, 1956, p. 53, fig. 22 et 24), et à deux manuscrits exécutés pour Jean duc de Normandie (le futur Jean le Bon), un Vincent de Beauvais (n° 245) et des *Grandes*

246

Chroniques de France (Londres, British Library, ms. Royal 16.G.VI). Comme tous les artistes de sa génération, cet enlumineur apparaît clairement influencé par le style de Jean Pucelle, dont il se distingue cependant par un dessin plus heurté et par un coloris chaud et contrasté. Particulièrement caractéristique de l'artiste est sa manière de séparer les fonds en zones de couleurs aux motifs ornementaux différents. Le terrain étagé et fissuré servant de support à la scène est un autre élément qui se retrouve fréquemment dans les miniatures de l'artiste. Ce procédé d'origine italo-byzantine est destiné à créer une impression d'espace à trois dimensions.

BIBL. : A. Durieux, *Les miniatures des manuscrits de la Bibliothèque de Cambrai*, 1860, p. 312. — V. Leroquais, 1924, II, p. 230.

Cambrai, Bibliothèque municipale
ms. 157

247
Guillaume de Saint-Pathus
Vie et miracles de saint Louis

Prov. : Charles V ; acquis en 1733 avec les manuscrits de la collection Châtre de Cangé
Paris, vers 1330-1340
Parchemin, 666 pp., 225 × 150 mm

Composé pour Blanche de France, fille de saint Louis, morte en 1320 au couvent des Cordelières de Lourcine fondé par elle au faubourg Saint-Marcel, cet ouvrage est la traduction française d'un original latin perdu qui servit au procès de la canonisation du saint roi.

Le présent exemplaire qu'on a cru, à tort, être l'exemplaire même de Blanche, ne saurait être antérieur aux années 1330-1340 en raison du style de ses 90 illustrations, où l'on reconnaît la main d'un épigone de Pucelle dont l'activité se situe vers le second

247

quart du siècle. Cet enlumineur prolifique, mais le plus souvent expéditif et superficiel, a également illustré vers la même époque un exemplaire de la *Vie de saint Louis* de Joinville (Bibl. nat. ms. fr. 13568) et a exécuté la partie finale des illustrations des *Heures de Jeanne de Navarre* (*cf.* n° 265). Une vingtaine d'autres manuscrits dont l'exécution s'étend de 1330 jusqu'aux environs de 1350, peuvent être rattachés à sa production. Des similitudes frappantes entre les personnages de cet artiste et les figures en bout d'antenne payées par Pucelle à l'enlumineur Mahiet dans le *Bréviaire de Belleville* (n° 240) permettent d'identifier en toute certitude le maître des *Vies de saint Louis* avec cet artiste. Étant donné le nombre relativement considérable de manuscrits enluminés par lui à partir des années 1330, il est vraisemblable que Mahiet dirigeait un important atelier et qu'il eut sans

doute le statut de libraire. Il paraît assez tentant dans ce contexte d'identifier Mahiet, encore jeune au moment de sa collaboration au *Bréviaire de Belleville* vers 1323-1326, avec un clerc normand, Mathieu Le Vavasseur, qui obtint la charge de libraire juré de l'Université de Paris en 1342 et qui mourut probablement aux environs de 1350.

BIBL. : H.-F. Delaborde, éd., *Vie de saint Louis par Guillaume de Saint-Pathus*, Paris, 1899. — L. Delisle, 1907, I, p. 319. — H. Martin, 1923, p. 91, pl. 30. — K. Morand, 1962, p. 49.

EXP. : *Mss. à peintures XIIIᵉ-XIVᵉ s.*, 1955, n° 37. — *Saint Louis*, 1960, n° 199. — *La Librairie de Charles V*, 1968, n° 152. — *La France de saint Louis*, 1970, n° 214.

Paris, Bibliothèque nationale
ms. français 5716

248
Cérémonial de l'abbaye Saint-Pierre au Mont Blandin

Prov. : Abbaye Saint-Pierre au Mont Blandin
Paris? Gand? Tournai?
1322
Parchemin, 161 ff., 229 × 154 mm

D'après le colophon final, ce cérémonial à l'usage de l'abbaye Saint-Pierre au Mont Blandin, près de Gand, a été copié en 1322 par Henri de Saint-Omer et Guillaume de Saint-Quentin à la demande d'un religieux de Saint-Bavon de Gand, le frère Maghelinus. Le colophon ne précise malheureusement pas le lieu d'exécution du manuscrit, ce qui est particulièrement regrettable, la décoration peinte du volume étant l'œuvre d'un enlumineur dont la carrière semble s'être partagée entre Paris, le Hainaut et peut-être l'Artois. Le style de cet artiste, dont la personnalité a été reconnue pour la première fois par K. Morand, révèle en lui un émule du plus remarquable enlumineur parisien des années 1320-1330, Jean Pucelle, dont il partage le même graphisme élégant dans le traitement de la figure humaine, et le même sens du drapé. Comme le montre la peinture du fol. 70v où sont représentées sur deux registres la Crucifixion et les Saintes Femmes au tombeau, cet artiste ignore cependant les recherches spatiales de son grand contemporain, et sa palette brillante aux couleurs à peine modelées, où s'opposent notamment l'azur et l'orangé, le distingue également du coloris discret et nuancé de Pucelle tel qu'il apparaît dans la Bible de Billyng (n° 238).

L'activité de l'artiste à Paris est attestée par une série de manuscrits à l'origine incontestable : il a notamment collaboré avec Pucelle dans une œuvre précoce de ce dernier, le Bréviaire de Blanche de France de la Vaticane (Urb. lat. 603) dont il a illustré le psautier, et sa main se reconnaît en outre dans un missel à l'usage de Paris (Paris, Bibl. nat., ms. n.a.lat. 2649) datable vers 1315-1320. De sa période parisienne datent également deux manuscrits de type universitaire, un Averroès de la Bibliothèque laurentienne (ms. San Marco 175, daté de 1317) et un Guy de Baysio de la Bibliothèque de Rouen (ms. 751). L'enlumineur semble avoir poursuivi sa carrière en Hainaut dont proviennent sûrement deux de ses œuvres les plus tardives, le Roman de la Rose de la Bibliothèque de Tournai (cf. n° 249) et un bréviaire de Maubeuge (n° 250). Il est possible que le Cérémonial de Gand, malgré sa décoration filigranée de style très parisien, soit un des plus anciens témoins de l'activité tournaisienne de notre artiste avec une Généalogie et une Vie de la Vierge appartenant au Fitzwilliam Museum de Cambridge (ms. 20) d'un an postérieur au manuscrit de Gand. K. Carlvandt a trouvé un écho du style de cet artiste dans un psautier d'origine gantoise de la Bibliothèque royale de Copenhague (Ms. Ny. kgl. Saml. 41, 8°).

BIBL.: K. Morand, 1962, p. 43-44. — F. Masai, M. Wittek, 1968, p. 29-30, pl. 105-107.

EXP.: Gent, Duisend Jaar Kunst en Cultuur, 1975, n° 574, pl. 81 (notice de K. Carlvandt).

Gand. Bibliothèque universitaire ms. 233

249
Guillaume de Lorris et Jean de Meung
Le Roman de la Rose
(Remaniement de Guy de Mori)

Prov.: Chanoine de Villers
Tournai, 1330
Parchemin, 172 ff., 265 × 195 mm

248

Ce manuscrit, l'une des copies peu nombreuses du *Roman de la Rose* contenant les remaniements composés vers 1290 par le clerc picard Guy de Mori, a été achevé, d'après une mention finale, en 1330. Sa décoration est l'œuvre d'une équipe d'au moins trois artistes parmi lesquels on reconnaît, dans la peinture du fol. 5, le maître du Cérémonial de Saint-Pierre au Mont Blandin (n° 248). La grande miniature qui occupe la partie supérieure de ce feuillet figure l'arrivée de l'Amant devant les murailles du jardin de Déduit. Derrière les murailles sculptées de figures personnifiant les vices, apparaissent les frondaisons peuplées d'oiseaux des arbres du Jardin d'Amour. Bien que traitée de façon plate, cette composition constitue l'une des rares tentatives de l'artiste pour évoquer la profondeur spatiale. Une initiale historiée représentant un clerc écrivant (peut-être Guillaume de Lorris ou Guy de Mori) et un encadrement à feuillages de style typiquement parisien, accompagné de volatiles et de figures grotesques, complètent cette décoration. Sur la barre horizontale du cadre figure le dieu Amour assis sur la ramure d'un arbre, dardant ses flèches en direction d'un couple agenouillé de part et d'autre. L'écu armorié suspendu à l'arbre situé derrière le personnage masculin en costume de chevalier est celui de la famille tournaisienne des Pourrés, à laquelle appartenait sans doute le destinataire du manuscrit. L'ensemble de ces figures est traité avec l'élégance déliée de certains prédécesseurs immédiats de Pucelle, tels que le deuxième illustrateur du *Décret de Gratien* de 1314 (n° 233) ou le second artiste de l'*Ovide moralisé* de Rouen (n° 230). Malgré le style très parisien de cette page, l'origine tournaisienne du manuscrit est attestée, outre les données héraldiques, par le fait que la majeure partie du reste des illustrations est due à un artiste sans aucun doute identifiable avec Pierart dou Tielt, enlumineur tournaisien bien connu dont on a conservé une œuvre signée, la *Queste du Graal* de la Bibliothèque de l'Arsenal, datée de 1351 (n° 301). La collaboration de Pierard dou Tielt et du maître du Cérémonial de Gand, que nous retrouverons associés dans un bréviaire de Maubeuge (n° 250), éclaire d'un jour nouveau le problème de la forma-

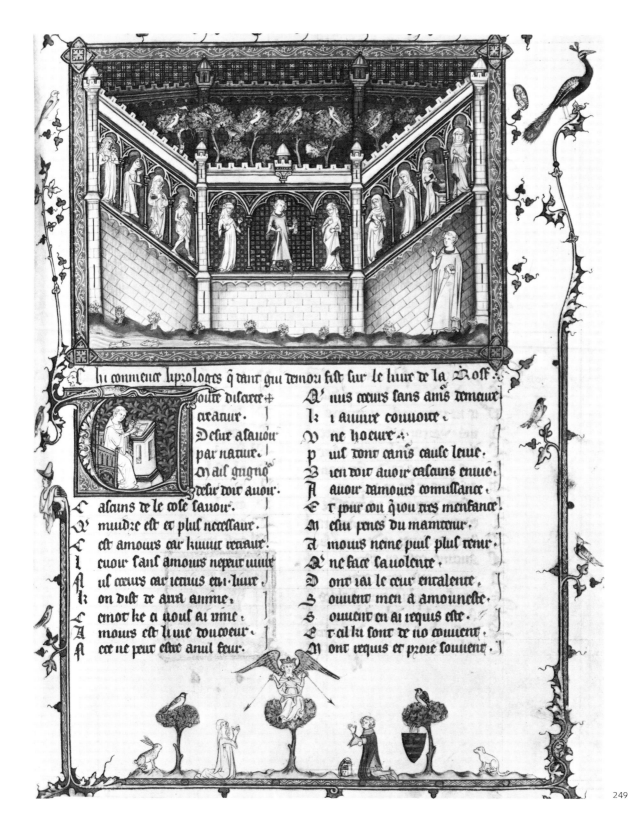

Chi commenche li prologues q̃ tant gui d'amou fist sur le liure de la Rose.

Toute discrece ⁓
créature.
Desir asauoir
par nature.
On ail gagnó
desir doit auoir.
C ascuns de le cose sauoir.
P muudre est et plus necessaire.
C est amours car kiuiut reaire.
I cuour fans amours nepeur uiute.
A ul cœurs car letuus en.liure.
K on dist de aura aumne.
C emot ke a uous ai urme.
A mours est li liue douceeur.
A cœ ne peur estre anul leur.

Q' uus cœurs fans amis demeure.
I: i Auuue conuoite.
V ne hoeure ⁓
p uil dont canis cause leue.
B ien doit auoir eascuns enuie.
A auoir damours conuissance.
E t pour cou q̃ou tres menkance.
M esui preues du mantenur.
A mous nenie puil plus tenir.
Q' ne face sa uiolence.
D ont rai le cœur entralente.
S ouuent men à amouneste.
S ouuent en ai requis este.
E t ail ki sont de no couuent.
M ont requis et proie souuent.

tion artistique de l'enlumineur tournaisien qui devait être encore assez jeune à l'époque, et dont les miniatures du *Roman de la Rose* constituent sans doute une des toutes premières œuvres.

BIBL. : E. Langlois, Gui de Mori et le Roman de la Rose, *Bibl. de l'École des Chartes*, 68, 1907, p. 249-271. — L. Fourez, *Scriptorium*, I, 1946-1947, p. 213-239. — P. Faider, *Cat. des manuscrits conservés à Tournai*, Gembloux, 1950, p. 107-109. — F. Masai et M. Wittek, 1968, p. 30-31, pl. 110-115.

Tournai, Bibliothèque de la Ville
ms. 101

250
Bréviaire de Sainte-Aldegonde de Maubeuge (partie d'été)

Prov. : Sainte-Aldegonde de Maubeuge ; Saint Sépulcre de Cambrai
Tournai ? vers 1330
Parchemin, 582 ff., 147 × 108 mm

La plus grande partie de la décoration de ce petit bréviaire est de la main de l'enlumineur du Cérémonial de Saint-Pierre au Mont Blandin (n° 248). Il débute par un calendrier incomplet, juxtaposant dans les polylobes de formes variées les occupations des mois de février, mars, avril, mai, juin, juillet, août et les signes du Zodiaque correspondant. Une série de minuscules lettres historiées à bordures accompagnées de grotesques ou de volatiles introduisent l'office des principales fêtes contenues dans le volume. Il y a tout lieu de penser que l'artiste a exécuté la décoration de ce manuscrit après sa période d'activité parisienne, et qu'il était alors installé à Tournai : une partie de la décoration du bréviaire est due en effet de toute évidence à l'artiste tournaisien Pierart dou Tielt, que nous avons vu déjà collaborer une autre fois avec le maître du Cérémonial dans le *Roman de la Rose* de Tournai (n° 249). La main de Pierart dou Tielt se reconnaît nettement par exemple dans les initiales des Psaumes du bréviaire.

BIBL. : Leroquais, 1924, I, p. 209-213, pl. XXVI.

Cambrai, Bibliothèque municipale
ms. 133

250

250

251
Pontifical de Guillaume de Thiéville

Prov. : Guillaume de Thiéville, évêque de Coutances (1315-1347) ; acheté par la Bibliothèque royale en 1708
Normandie, XIVe siècle (vers 1325-1335)
Parchemin, 38 ff., 420 × 295 mm

Seul fragment subsistant d'un pontifical qui devait être beaucoup plus important puisqu'une foliotation ancienne permet d'établir qu'il comptait au moins 188 ff., ce manuscrit comporte des armoiries indiquant qu'il a été copié et enluminé pour un

251

252
Apocalypse dite de Saint-Victor

Prov. : Abbaye Saint-Victor de Paris
Normandie, vers 1330
Parchemin, 42 ff., 300 × 220 mm

Avec l'Apocalypse du musée des Cloîtres à New York (ancienne collection Rothschild) et le ms. Add. 17333 de la British Library, le présent manuscrit est le troisième représentant d'un groupe d'Apocalypses illustrées, qui, étant donné leur quasi-identité du point de vue iconographique, et leur parenté stylistique, peuvent être attribuées à un même artiste, ou à un même atelier, et qui ont dû voir le jour à un intervalle de temps rapproché. Dans deux des exemplaires, ceux de New York et de Paris, les personnages et les différents éléments des il-

lustrations, finement dessinés et peints, se détachent sur le fond du parchemin. Seul l'exemplaire de Londres comporte des fonds peints à motifs ornementaux pour l'ensemble de ses miniatures. C'est le seul exemplaire également où le texte apocalyptique latin soit accompagné d'une traduction française. Du point de vue iconographique, le cycle d'illustrations de ce groupe (assez incomplet dans le volume de New York) dérive manifestement d'un modèle anglais analogue à l'Apocalypse de Lambeth Palace. Il est possible qu'un manuscrit de ce groupe ait servi au peintre Jean Bondol pour la réalisation des cartons de la tapisserie de l'Apocalypse d'Angers.

Malgré d'indéniables rapports avec les manuscrits anglais du premier quart du siècle, le style de ces illustrations, d'un graphisme très contrôlé, est dénué du dyna-

252

prélat de souche normande, Guillaume de Thiéville, qui occupa le siège épiscopal de Coutances de 1315 à 1347.

Bien que fortement marqué par l'enluminure parisienne du premier quart du siècle, le style de la décoration révèle néanmoins la main d'un artiste provincial certainement installé en Normandie, peut-être dans le diocèse de Coutances. A ce titre, le manuscrit est un témoin important d'une production locale mal connue, et permet de localiser par le biais des rapprochements stylistiques un groupe d'Apocalypses illustrées dont l'origine était jusqu'à une époque récente, discutée (cf. n° 252). Les quinze initiales historiées de ce pontifical présentent en effet des similitudes frappantes avec un des plus beaux représentants de ce groupe, l'Apocalypse du musée des Cloîtres (ancienne collection Rothschild), manuscrit dont les éléments héraldiques nous ramènent également vers le Cotentin. Guillaume de Thiéville possédait un second pontifical, de format plus modeste, dont la décoration présente des affinités avec celle du présent manuscrit (Paris, Bibl. Mazarine, ms. 539).

BIBL. : V. Leroquais, 1937, II, p. 105-106. — F. Deuchler, J.M. Hoffeld, H. Nickel, 1971, II, p. 14, fig. 3 et 4.

Paris, Bibliothèque nationale
ms. latin 973

misme et des élans lyriques propres aux œuvres insulaires. La technique picturale assez versatile va de la peinture couvrante savamment modelée à de simples rehauts aquarellés, les parties dessinées étant tracées tantôt d'une plume légère, tantôt au moyen de contours appuyés.

La localisation de ce groupe, jusqu'alors incertaine, peut être établie grâce aux liens stylistiques étroits qui unissent ces Apocalypses à un pontifical aux armes de l'évêque de Coutances, Guillaume de Thiéville (cf. n° 251). Il y a tout lieu de penser que ces divers manuscrits ont été exécutés dans un atelier situé en Normandie occidentale, ce que confirme l'étude héraldique de l'Apocalypse des Cloîtres, qui oriente, comme le pontifical, vers la région du Cotentin. Il est intéressant de noter en outre que l'Apocalypse de Londres était conservée au XVIIe siècle à la chartreuse du Val-Dieu près de Mortagne.

BIBL.: L. Delisle, P. Meyer, *L'Apocalypse en français au XIIIe siècle*, Paris, 1901, p. IV, LXXXIX-XC. — R. Planchenault, s.d. — F. Deuchler, J.M. Hoffeld, H. Nickel, 1971.

Paris, Bibliothèque nationale
ms. latin 14410

253
Le Grand Coutumier de Normandie

Prov.: Hôtel de ville de Rouen; collection Dutuit
Normandie, vers 1330-1340
Parchemin, 105 ff., 310 × 210 mm

Précédé d'un calendrier, cet exemplaire du Grand Coutumier de Normandie est illustré d'une miniature représentant le roi Louis X le Hutin assis sur un trône architectural remettant le texte de la « charte aux Normands » à l'archevêque de Rouen entouré de ses évêques suffragants et de clercs. Assez maladroitement massés en rangs superposés et se détachant sur un fond doré, les personnages s'inscrivent dans un espace plat et sans profondeur. Le dessin des figures et le coloris permettent de rapprocher cette œuvre du groupe des Apocalypses normandes et du pontifical de Guillaume de Thiéville (n°ˢ 252 et 251). Un ex-libris ancien au contreplat supérieur de la reliure

253

atteste de la présence de ce manuscrit parmi les manuscrits rassemblés au XVe siècle à l'hôtel de ville de Rouen. Deux miniatures représentent l'arbre de parenté et l'arbre de consanguinité ont été ajoutées au volume vers 1350-1360, et sont dues à un artiste parisien, le maître du Jean de Mandeville de Charles V (Bibl. nat., ms. n. a. fr. 4515). Celui-ci les a probablement exécutées au début de sa carrière.

BIBL.: E.J. Tardif, *Coutumiers de Normandie*, Rouen, 1881, 2 vol. — E. Rahir, *La collection Dutuit. Livres et manuscrits*, Paris, 1889, p. 45, n° 95.

EXP.: *Mss. à peintures XIIIe-XVIe s.*, 1955, n° 103. — *La France de saint Louis*, 1970, n° 133. — *Trésors des musées de la ville de Paris*, 1980, n° 59.

Paris, musée du Petit-Palais
Collection Dutuit, n° 95

254
Pontifical romain de Guillaume Durand

Prov.: Jean de Cherchemont, évêque d'Amiens; Philippe le Bon, duc de Bourgogne
Amiens, vers 1340
Parchemin, 440 ff., 342 × 250 mm

A l'exception de l'initiale historiée du f. 6 (scène de la Confirmation) peinte par un enlumineur nettement tributaire de Pucelle, l'ensemble de la décoration de ce manuscrit est dû à un seul et même artiste dont le style et la technique picturale dénotent une très forte empreinte italienne. Particulièrement caractéristique à cet égard est la scène du f. 12v figurant un barbier rasant un prêtre: les couleurs gaies et lumineuses des vête-

254

tifical romain mise au point par l'évêque de Mende Guillaume Durand, s'en distingue cependant par l'introduction d'une bénédiction en l'honneur de saint Firmin, saint patron d'Amiens, et par la présence d'un *ordo* du Jeudi saint comportant des indications topographiques propres à cette ville. De plus, on distingue sur la tranche peinte du volume, des traces d'armoiries qui semblent bien identifiables avec celles de Jean de Cherchemont, neveu d'un chancelier de France du même nom, qui occupa le siège épiscopal d'Amiens de 1325 à 1373. Cette origine picarde est confirmée par le fait que l'artiste italianisant du pontifical a collaboré dans un autre manuscrit, également aux armes de l'évêque Jean de Cherchemont (Paris, Bibl. nat., ms. lat. 3234) avec un enlumineur dont le style se rattache nettement à la production amiénoise du premier quart du siècle. Les éléments de style autorisent à placer l'exécution du pontifical aux environs de 1340.

BIBL. : C. Gaspar et F. Lyna, 1937, p. 323-326, pl. LXVIIId. — M. Andrieu, *Le Pontifical romain au Moyen Age*, III, *Le Pontifical de Guillaume Durand*, Vatican, 1940, p. 45-56 et 291-292. — F. Avril, 1977, p. 32-42, pl. 5-11.

EXP. : *La Librairie de Philippe le Bon*, 1967, n° 14, pl. 15.

Bruxelles, Bibliothèque royale Albert Ier ms. 9216

laissé dans le tableau des degrés de consanguinité du f. 185v et le tableau des degrés de parenté du feuillet suivant, deux de ses œuvres les plus travaillées. La deuxième de ces compositions est particulièrement séduisante avec ses personnages élégants, un jeune seigneur et une dame séparés par un arbre symbolisant l'arbre de parenté. Le modelé à l'italienne est traité avec une particulière subtilité dans la figure masculine.

255

ments des personnages (orange, vert clair) y sont ravivées de lumières qui s'inspirent des procédés picturaux employés dans la péninsule. A l'arrière-plan de la scène figure un édifice polygonal au toit bombé évoquant un baptistère italien, et dont la présence inattendue suggère que, comme Pucelle, l'enlumineur du pontifical eut une expérience directe de l'architecture méditerranéenne. Il n'est pas aisé pour autant de déterminer le ou les centres de la péninsule ayant exercé une influence sur l'artiste : si celle de la Toscane et plus spécialement de Sienne paraît vraisemblable, il n'est pas impossible que Bologne ait contribué quelque peu à la formation du style de l'artiste, comme semblent le confirmer certains éléments de son style dans le seul manuscrit juridique qu'on peut lui attribuer, un manuscrit de la *Summa copiosa* d'Henri de Suse (n° 255).

Deux éléments convergents, l'un d'ordre liturgique, l'autre d'ordre héraldique, permettent de localiser l'activité de cet enlumineur à Amiens. Le texte de ce pontifical, qui reproduit pour l'essentiel la version du pon-

255
Henri de Suse, *Summa copiosa*

Prov. : Guillaume Martin, chanoine de la collégiale de Beaune (1427) ; J.-B. Colbert
Amiens, vers 1340
Parchemin, 264 ff., 440 × 290 mm

Deux artistes aux tempéraments foncièrement opposés se sont partagés la décoration de ce commentaire sur les *Décrétales* du cardinal Henri de Suse. Le graphisme linéaire et le coloris aux tonalités terreuses et ternes du premier s'inscrivent dans la tradition gothique des provinces septentrionales et présentent une influence partielle du style parisien. Le second est l'enlumineur italianisant du pontifical de Jean de Cherchemont (*cf.* n° 254). Cet artiste nous a

Les détails vestimentaires des deux personnages (tunique longue et ample, et manches à languettes courtes de l'homme et de la femme) permettent de dater le manuscrit, de même que le précédent, des alentours de 1340. Le fond à rinceaux de feuillages stylisés dorés de la peinture précédente apparaît vers la même époque dans l'œuvre de l'enlumineur bolonais anonyme désigné sous le nom de pseudo-Niccolo (l'*Illustratore*) et suggère un possible contact du maître de Jean de Cherchemont avec les milieux artistiques de la grande ville universitaire émilienne.

BIBL. : F. Avril, 1977, p. 32-42, pl. 5-11.

Paris, Bibliothèque nationale
ms. latin 4000

256
Boèce, *Consolation de Philosophie*

Prov. : Jean Bouhier, président du Parle-
ment de Dijon
Metz, vers 1340-1350
Parchemin, 66 ff., 380 × 270 mm

Les douze miniatures de ce manuscrit, qui
contient la traduction française due à Jean
de Meung du *De Consolatione Philosophiae*
de Boèce, sont l'œuvre d'un atelier lorrain
installé à Metz et dont l'activité semble
s'être placée vers la fin du second quart du
siècle. Leur style apparaît assez profondément marqué par l'enluminure française,
mais s'en distingue néanmoins par une
certaine tendance à la recherche de l'expressivité qui nous rappelle que le centre
messin n'était pas éloigné de la sensibilité
des artistes de la région rhénane. Le coloris
aux tonalités fauves et sombres se différencie également de la palette française.

On retrouve ce style dans un assez grand
nombre de livres d'heures originaires de
Metz, dont l'un des plus caractéristiques est
le ms. 570 de la Bibliothèque de l'Arsenal.
Un recueil de traités de dévotion (Paris, Bibl.
nat., ms. français 17115) et un missel d'origine lorraine conservé aux Archives de
l'évêché de Trèves (ms. 407) appartiennent
également à ce groupe, qui témoigne de la
vitalité artistique des ateliers messins, qui
tout en se montrant tributaires depuis le
XIIIe siècle des influences d'Ile-de-France,
poursuivent une évolution indépendante et
originale.

BIBL. : J. Porcher, 1959, p. 49, fig. 53. — P. Courcelle, *La
Consolation de Philosophie dans la tradition littéraire*,

256

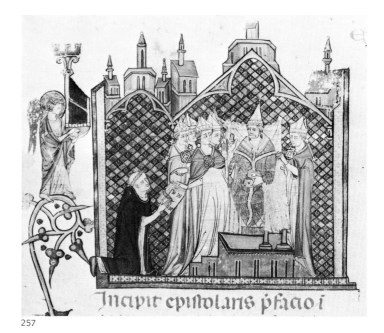
257

Paris, 1967, p. 83, 96, 146, 197, pl. 30, fig. 1-2, 62,
fig. 2, 119, fig. 1.

EXP. : *Mss. à peintures XIIIe-XVIe s.,* 1955, n° 100.

Montpellier, Bibliothèque de la Faculté de
Médecine
ms. 43

257
Dominicus Grima, *Lectura in Genesim*

Prov. : Jean XXII, dédicataire ; Librairie des
papes d'Avignon ; antipape Benoît XIII ;
cardinal Pierre de Foix ; Collège de Foix, à
Toulouse ; J.B. Colbert
Avignon, vers 1319
Parchemin, 228 ff., 445 × 290 mm

Premier volume d'un prolixe commentaire
du dominicain Dominique Grima sur les livres de la Bible, ce manuscrit est certainement l'exemplaire personnel du pape Jean
XXII à qui l'auteur dédia son œuvre en
1319. La copie et la décoration en ont été
assurées par une équipe de scribes et d'enlumineurs dont on retrouve la main dans
deux autres manuscrits également exécutés
pour Jean XXII, qui les a annotés de sa
main : le premier est constitué par une série

de manuscrits contenant les œuvres de saint
Thomas conservés à la Bibliothèque Vaticane (Vat. lat. 731, 732, 738, 745, 747,
757, 784, 785, 787, 807 et 2106) certainement copiés et enluminés aux alentours
de 1323, le second étant une copie du *De
Trinitate* de saint Augustin (Bibl. Vaticane,
Ms. Rossi 304). Une inscription laissée par le
scribe principal dans un des volumes de la
collection des œuvres de saint Thomas indique clairement qu'il était attaché depuis
plusieurs années au service du pape, et
permet donc de localiser cet ensemble de
volumes à Avignon.

La décoration peinte du présent volume
se compose de deux grandes initiales ornées
à antenne de feuillages, celle du f. 1 accompagnant une miniature représentant la remise par Dominique Grima de son œuvre au
pape Jean XXII. La stylisation graphique
des figures, le coloris plat et sans effet de
modelé, le fond en damiers losangés ornés
de petites fleurs de lis révèlent l'ascendant
prépondérant qu'exerçait alors sur les ateliers méridionaux l'enluminure d'Ile-de-
France. La superstructure architecturale qui
abrite la scène avec ses éléments à pans
coupés ou en perspective rudimentaire tra-
hit en revanche une certaine contamination
de l'artiste par l'enluminure italienne.

Deux autres enlumineurs qu'on retrouve associés dans la collection des œuvres de saint Thomas, ont exécuté la décoration filigranée du volume. Le premier est un artiste certainement formé à Paris, en qui le Père A. Dondaine a proposé de reconnaître Jaquet Maci au début de sa carrière. Les motifs ornementaux du second révèlent en celui-ci un ornementiste d'origine méridionale.

BIBL.: L. Delisle, *Le Cabinet des Manuscrits*, I, Paris, 1868, p. 488, 507. — M. Faucon, *La Librairie des papes d'Avignon*, Paris, 1886, p. XX-XXI, pl. en frontispice. — C. Samaran, P. Marichal, *Cat. des manuscrits en écriture latine*, Paris, 1962, II, p. 11, pl. XLIV. — F. Avril, *Bull. mon.*, 129, 1971, p. 259, n. 1. — F. Avril, «Autour du Bréviaire de Poissy» (Chantilly, musée Condé, ms. 804), *Le musée Condé*, nº 7, oct. 1974, p. 6, n. 10. — A. Dondaine, « La collection des œuvres de saint Thomas dite de Jean XXII et Jacquet Maci», *Scriptorium*, 29, 1975, p. 145-146, pl. 13 b, 14 c, 15 a.

Paris, Bibliothèque nationale
ms. latin 365

258
Pontifical romain

Avignon? vers 1320-1330
Parchemin, 165 ff., 375 × 253 mm

La présence de ce manuscrit, partie d'un pontifical romain contenant l'*ordo* de la consécration du pape et les prières de l'ordinaire de la messe, peut surprendre dans le contexte d'une exposition consacrée à l'art français. Elle se justifie cependant, non pas que la décoration de ce manuscrit soit représentative d'un courant artistique ayant eu cours dans la France du XIVᵉ siècle, mais parce qu'elle témoigne du cosmopolitisme artistique qui règne à la Cour pontificale d'Avignon dès le début du second quart du siècle, et de l'interaction qui peut résulter dans l'œuvre d'un artiste exceptionnel, de la rencontre entre culture latine et culture septentrionale.

L'auteur de la décoration du pontifical de Boulogne a été identifié pour la première fois par S. Ameisenowa: il s'agit d'un artiste toscan bien connu, désigné sous le nom de maître du Codex de Saint-Georges, d'après son œuvre principale conservée à la Bibliothèque Vaticane. Cet enlumineur, auquel on a pu attribuer également quelques panneaux peints, le plus souvent de dimensions réduites, tend de plus en plus à être

258

rattaché au milieu artistique florentin et à la descendance de Giotto, nonobstant l'indéniable influence que le Siennois Simone Martini a exercé sur son art, et semble avoir été presque exclusivement attaché au service d'un prélat romain, Jacopo Cajetano Stefaneschi, cardinal de Saint-Georges du Velabre, mécène averti qui résida en Avignon au cours des vingt dernières années de sa vie. Malgré la pureté de son style, malgré l'écriture d'aspect très italien du texte, il y a de bonnes raisons de croire que ce pontifical, comme presque tous les manuscrits liturgiques décorés par ce maître, a été exécuté pendant le séjour avignonnais de Jacopo Stefaneschi, qui en a été sans doute le commanditaire. L'un des arguments les plus forts en faveur de cette hypothèse est l'aspect de la décoration secondaire (initiales filigranées) du Codex du Vatican et d'un pontifical conservé à la Bibliothèque nationale (ms. lat. 15619) dont la première initiale est due à notre artiste. Le séjour prolongé de celui-ci dans la cité rhodanienne pourrait expliquer la saveur gothique marquée que la plupart des critiques italiens ont

relevée dans son œuvre et dont témoigne dans le présent manuscrit le traitement de la figure de l'apôtre saint Pierre représenté au premier feuillet. L'art du maître du Codex de Saint-Georges n'est pas sans avoir exercé lui-même une certaine influence, au moins dans sa partie décorative, sur la production avignonnaise: ainsi les feuillages épineux de ses bordures ont-ils été imités par exemple dans un pontifical aux armes de Pierre de Saint-Martial évêque de Rieux (Paris, Bibl. Sainte-Geneviève, ms. 143).

BIBL.: V. Leroquais, Paris, 1937, I, p. 91, pl. XCV. — S. Ameisenowa, *Rivista d'Arte*, 21, 1939, p. 97-125. — P. Toesca, Turin, 1971, p. 817, n. 20. — M. Dykmans, *Le Cérémonial papal... II. De Rome en Avignon ou le Cérémonial de Jacques Stefaneschi*, Bruxelles, Rome, 1981, p. 100-101, 111-112.

Boulogne-sur-Mer, Bibliothèque municipale
ms. 86

259
Missel de Vienne

Prov.: Jérôme de Villars, archevêque de Vienne (1599-1626)
France, Sud-Est, XIVᵉ siècle (second quart)
Parchemin, 254 ff., 315 × 217 mm

Les deux grandes peintures illustrant le Canon de ce missel, représentent, conformément à l'iconographie traditionnelle, un

259

Dieu de majesté, entouré ici d'anges musiciens (f. 110v) et sur la page opposée, la Crucifixion (f. 111). Chacune des compositions s'inscrit dans une sorte de losange polylobé, lui-même compris dans un cadre presque carré cantonné aux angles de médaillons historiés : les symboles des Évangélistes sont figurés dans ceux de la page de la Majesté, tandis que l'Annonciation, qui est ici séparée en deux, la Visitation et la Nativité occupent les médaillons d'angle de la Crucifixion. Dans les marges se déploie un décor de rinceaux complété par des armoiries apparaissant au milieu de chaque côté des peintures. Celles-ci (de gueules à deux clefs d'argent accompagné en chef d'une étoile du même) ont pu être identifiées avec celles d'une famille du comtat Venaissin, celle des Manissi. Un décor de rinceaux dorés occupe le fond des deux miniatures.

Le graphisme un peu sec et la forte stylisation des figures sont caractéristiques de la production méridionale et semblent indiquer que ces peintures sont l'œuvre d'un artiste languedocien fortement influencé par le gothique linéaire du nord de la France.

BIBL. : V. Leroquais, 1924, III, p. 206-207. — F. Cotton, « Les manuscrits à peintures de la Bibl. de Lyon », G.B.A., 1965, p. 284, n° 43, fig. 36 a et b.

EXP. : Bibl. de la ville de Lyon. Exp. de mss à peintures VIᵉ-XVIIᵉ siècles, 1920, n° 32, pl. XXXIV-XXXV.

Lyon, Bibliothèque de la ville
ms. 526

260
Missel d'Arles

Prov. : J.-B. Colbert
Arles ? vers 1340-1350
Parchemin, 162 ff. 300 × 210 mm

La décoration primitive de ce missel à l'usage d'Arles consiste en une Crucifixion d'exécution assez rudimentaire au Canon de la Messe (f° 113v), scène qu'accompagnent trois grandes initiales filigranées. Plus intéressante est la composition, probablement ajoutée à une date un peu postérieure, qui occupe les ff. 112v-113 : celle-ci représente un Dieu de majesté entouré des quatre symboles évangéliques, l'ensemble étant

260

inscrit dans un médaillon quadrilobé étiré dans le sens vertical. Sur la page opposée figure un personnage tonsuré en habit de clerc, identifié par une inscription voisine comme étant un certain Rostagnus Rebotini. Le style très linéaire et le coloris plat et sans modelé révèlent une influence indéniable de la peinture gothique septentrionale et plus précisément parisienne. Le dessin aux cernes épais, tracés d'une main experte, dénote un artiste habitué à des travaux décoratifs monumentaux plutôt qu'un enlumineur.

BIBL. : V. Leroquais, 1924, II, p. 279-280. — J. Billioud, « Manuscrits à enluminures exécutés pour des bibl. provençales (890-1704) », Encyclopédie départementale des Bouches-du-Rhône, II, Marseille, 1924, 31, 40, pl. X, fig. 19, XI, fig. 22.

Paris, Bibliothèque nationale
ms. latin 839

261
Missel franciscain

Prov. : Marie-Madeleine de Chatillon, abbesse de Saint-Jean de Bonneval, près de Thouars (1652) ; Nicolas-Joseph Foucault
France du Sud-Ouest ou Navarre ? vers 1330-1340
Parchemin, 433 ff., 273 × 216 mm

L'illustration de ce remarquable missel est d'une abondance inhabituelle pour un manuscrit liturgique de ce type, et présente des particularités iconographiques singulières : outre de très nombreuses illustrations dans le corps du missel proprement dit, le manuscrit comporte six grandes scènes à pleine page dont une première Crucifixion, placée au début du volume, et une suite de peintures représentant la Flagellation, la Crucifixion, la Déposition de Croix et la Mise au tombeau (ff. 233v-236) intercalées au Canon de la messe. D'un style fortement influencé par celui de Pucelle, ces œuvres remplies de personnages aux attitudes expressives, frappent par l'ampleur et la hardiesse de leur construction spatiale et témoignent d'une connaissance précoce des derniers développements accomplis en Italie, et notamment à Sienne, dans la manière d'intégrer les figures dans un paysage ou dans un intérieur. Divers motifs iconographiques, notamment la présence de saint Jean assis au pied de la Croix dans la première Crucifixion, sont également d'origine siennoise, et ont permis à Millard Meiss de supposer un probable séjour de l'artiste en Toscane, comme dans le cas de Pucelle.

L'origine du peintre du missel d'Oxford et le centre où il exerça son activité restent énigmatiques, et leur identification n'a pas jusqu'ici été résolue de façon satisfaisante : la localisation en Artois ou dans le nord de la France proposée par Meiss est basée sur des arguments fragiles. Faute d'indices liturgiques, l'usage franciscain n'admettant aucune particularité locale, seul un examen codicologique détaillé permettra peut-être de résoudre le problème. Nous proposons ici de façon provisoire une localisation dans le sud-ouest de la France, ou peut-être même en Navarre, où pourraient s'expliquer la composante très nettement pucellienne du style de l'artiste, le rythme saccadé et heurté de ses figures, et les tonalités à dominantes brune, vert acide et mauve de sa palette, posées directement sur le parchemin sans dessin préalable, suivant une technique très picturale sans doute apprise en Italie.

BIBL. : G. Vitzthum, 1907, p. 182-183. — J. Sokolova, 1937, p. 36, fig. 33. — M. Meiss, G.B.A., LVII, 1961, p. 285-291, fig. 22, 29, 32, 33. — O. Pächt, J.J.G. Alexander, Illuminated Manuscripts in the Bodleian Library Oxford, I, Oxford, 1966, n° 603, pl. XLV et XLVI. — M. Meiss, 1967, p. 103, 106, etc., fig. 372,

373, 536, 663, 672. — A.G. et W.D. Hassall, *Treasures from the Bodleian Library*, Londres, 1976, p. 105-109, pl. 24. — V. Condon, *Ms Douce 313, a fourteenth Century Franciscan Missal in the Bodleian Library*, Oxford, thèse inédite, Université de Melbourne, 1977.

EXP.: *Latin Liturgical Manuscripts*, Oxford, 1952, n° 28, pl. XVI.

Oxford, Bodleian Library
ms. Douce 313

262
Décret de Gratien

Prov.: les armoiries qui figurent dans certaines initiales ont été identifiées par J. Claparède comme étant celles du cardinal Raymond de Canillac, prévôt de Maguelonne puis archevêque de Toulouse en 1345
Toulouse ou Montpellier, vers 1345-1350
Parchemin, 338 ff., 463 × 300 mm

Les vingt-neuf miniatures de ce *Décret de Gratien* sont de la main d'un excellent enlumineur méridional dont le style révèle une influence parisienne très marquée, sensible notamment dans le traitement très graphique des personnages, dans la manière de modeler les drapés, qui rappelle certaines œuvres pucelliennes, ainsi que dans le coloris. Les lettrines à rinceaux de « feuilles de vigne » du manuscrit relèvent également de la tradition parisienne. On remarquera en

262

outre la scène de baptême illustrant la cause XXX (fol. 280), scène qui se déroule sous un édicule à quatre colonnes. Malgré certaines maladresses, cette peinture montre que l'artiste n'ignorait pas les recherches les plus récentes pour restituer l'impression d'un espace à trois dimensions.

Le traitement des fonds présente en revanche un détail assez particulier à l'enluminure méridionale et plus spécialement toulousaine: la surface de ces fonds est rarement uniforme, comme c'est l'habitude à Paris, mais est divisée le plus souvent en bandes verticales juxtaposées ou en grands carrés formant damier, chacun de ces éléments étant doté d'un motif décoratif différent. L'iconographie des illustrations où l'accent est mis sur la prééminence juridique de l'Église, contrairement à l'usage parisien, est également caractéristique des copies du *Décret* enluminées en France méridionale et à Bologne.

L'origine précise du manuscrit reste problématique: il y a de fortes chances pour qu'il ait été exécuté à Toulouse, qui était alors un des principaux centres d'enseignement du droit dans le sud-ouest de la France, et Raymond de Canillac, destinataire probable du volume, a pu très bien le commander à un atelier toulousain peu après son élévation sur le trône archiépiscopal de Toulouse. Toutefois, étant donné les hautes positions ecclésiastiques occupées vers la même époque par différents membres de la famille de Canillac à Maguelonne et à Montpellier, une origine montpelliéraine n'est pas exclue.

On connaît un second manuscrit juridique attribuable à l'enlumineur du *Décret* de Montpellier: il s'agit d'un volume de Décrétales conservé au Musée national de Stockholm. D'après le style et les détails du costume des personnages, l'exécution de ces deux manuscrits doit se placer dans les années 1345-1350.

BIBL.: A. Melnikas, Rome, 1975, passim. — C. Nordenfalk, Stockholm, 1979, p. 64 et fig. 214-215.

EXP.: *Miniatures médiévales en Languedoc méditerranéen*, Montpellier, 1963, n° 32. — *Montpellier, Richesses de la Bibl. municipale*, Montpellier, 1980, n° 5.

Montpellier, Bibliothèque municipale
ms. 34

263

263
Matfré Ermengaud,
Breviari d'Amor

Prov.: entré à la Bibliothèque royale au cours de la seconde moitié du XVIIe siècle
Toulouse? vers 1340
Parchemin, 237 ff. (foliotés 3-239), 410 × 255 mm

Entrepris en 1288 par Matfré Ermengaud, clerc de Béziers appartenant au milieu spirituel franciscain, ce long poème de 34 000 vers est une des œuvres les plus considérables de la littérature médiévale occitane, et peut être comparée dans ses ambitions encyclopédiques au *Roman de la Rose* dont il est à peu près contemporain. L'esprit en est pourtant bien différent de l'œuvre de Guillaume de Lorris et de Jean de Meung, centré qu'il est sur l'exaltation de l'Amour divin et ses diverses manifestations dans le monde et dans l'histoire. Partant de la nature de Dieu, l'auteur examine ensuite Sa création, utilisant les connaissances sur le monde rassemblées par Barthélemy l'Anglais. Un exposé sur les œuvres de miséricorde l'amène ensuite à polémiquer avec les erreurs des Juifs. Après une évocation des peines de l'Enfer, le poème s'achève par une paraphrase de la Vie du Christ d'après les Évangiles.

Un nombre relativement important de manuscrits nous a été conservé de cette œuvre qui fit également l'objet, dès la fin du XIVe siècle, d'une adaptation en langue catalane. Ce succès s'explique sans doute en partie par le très riche programme iconographique dont le texte fut d'emblée accompagné, sans doute sur les directives mêmes de l'auteur : ce programme très varié faisait défiler devant les yeux du lecteur plus de deux cents illustrations comprenant notamment des représentations cosmogoniques (Zodiaque, planètes, constellations, travaux des mois), des allégories historiques (les six âges du monde), les œuvres de miséricorde, une généalogie du Christ, et les peines de l'Enfer, l'ensemble s'achevant par un cycle christologique très détaillé.

Les philologues attribuent une origine toulousaine à la plupart des copies de la version languedocienne du poème de Matfré Ermengaud. C'est le cas du présent manuscrit, dont les miniatures d'un caractère encore très fortement francisé, sont dues à un artiste local dont on retrouve la main dans un Décret de Gratien de la Bibliothèque Laurentienne de Florence (ms. Edili 97).

BIBL. : G. Azaïs et P. Meyer, *Le Breviari d'Amor de Matfré Ermengaud*, I, Paris, Béziers, 1862, p. XII. — K. Laske Fix, Munich, Zürich, 1973, p. 123-124.

Paris, Bibliothèque nationale
ms. français 9219

264
Barthélemy l'Anglais
De Proprietatibus rebus
(traduction languedocienne)

Prov. : Gaston Phébus, comte de Foix († 1391) ; Jean I de Grailly, comte de Foix (1412-1436) ; Henri d'Albret, roi de Navarre
Toulouse, vers 1350
Parchemin, 304 ff., 385 × 270 mm

Cette traduction du traité de Barthélemy l'Anglais, véritable somme des connaissances du temps dans le domaine des sciences de la nature, a été composée vers le milieu du siècle à l'instigation d'un comte de Foix qui ne peut être que le fameux Gaston Phébus, qui laissa lui-même un souvenir dans l'histoire littéraire avec son *Livre de la Chasse* (cf. n° 314). Certaines particularités dialectales indiquent que le traducteur anonyme, très probablement le dominicain représenté dans une des images du f° 9v, était originaire de la région de Toulouse. Il y a

264

tout lieu de croire que le présent manuscrit, unique témoin de cette traduction, était l'exemplaire personnel du comte : les armes de Foix figurent en effet en tête du volume, et celui-ci passa ensuite à un des successeurs de Gaston Phébus, Jean de Grailly dont l'ex-libris et la devise *« J'ay belle dame »* apparaissent au dernier feuillet. Gaston de Foix était encore jeune au moment de la rédaction de cette traduction, car il est décrit sous l'aspect d'un « bel donzel » dans le curieux prologue intitulé le « Palais de Sagesse », placé en tête du volume, ce qui permet de dater celui-ci des alentours de 1350, datation confirmée par le style des miniatures et certains détails vestimentaires des personnages masculins.

Trois artistes distincts ont collaboré à l'illustration du manuscrit. Le premier est l'illustrateur du « Palais de Sagesse » des ff. 8-9v. D'un beau coloris à dominantes rouge et bleue, ses œuvres qui représentent l'arrivée du comte de Foix devant le Palais de Sagesse, et le dialogue qui s'ensuit entre Sagesse et le comte, sont traitées dans un style plat et linéaire qui révèle une influence encore assez marquée de l'enluminure septentrionale, et plus précisément parisienne. Les initiales historiées et les scènes marginales du texte de la traduction proprement dite sont dues à un enlumineur plus médiocre. D'une troisième main est la peinture qui ouvre la traduction : cette composition représente le comte de Foix et différents membres de sa famille agenouillés devant un Dieu de majesté (f° 10). Le modelé plus poussé et le dais architectural à toit pyramidal qui abrite la figure divine

révèlent une certaine connaissance de l'art pictural transalpin, peut-être acquise par l'intermédiaire de manuscrits catalans de style italianisant.

BIBL. : A. Boinet, *Bull. de la Soc. française de reproduction de manuscrits à peintures*, 6, 1921, p. 112-122, pl. XXXIV-XXXVI.

EXP. : *Mss à peintures XIIIᵉ-XVIᵉ s.*, Paris, 1955, n° 140.

Paris, Bibliothèque Sainte-Geneviève
ms. 1029

265
Heures de Jeanne de Navarre

Prov. : Sœur Anne Belline (ex-libris effacé fin XVᵉ siècle, f. 271v) ; couvent des Cordelières de Lourcine (XVIIᵉ siècle) ; comtes d'Ashburnham ; Henry Yates Thompson ; Edmond et Alexandrine de Rothschild
Paris, vers 1336-1340
Parchemin, 271 ff., 180 × 135 mm

Les armoiries de Navarre, d'Évreux et de Bourgogne qui apparaissent à maintes reprises dans ce superbe livre d'heures ont permis à Sidney Cockerell d'identifier sa destinataire comme étant Jeanne de Navarre, fille du roi Louis X le Hutin et de Marguerite de Bourgogne. Écartée du trône de France par le jeu de la loi salique, Jeanne s'était vu reconnaître par Philippe VI de Valois ses droits au royaume de Navarre hérités de son père, et fut couronnée reine de Navarre en 1329. Elle avait épousé en 1318 son cousin Philippe, comte d'Évreux. L'absence des armes de Champagne dans le manuscrit incite à placer l'exécution de celui-ci après 1336, année où Jeanne avait renoncé à ses prétentions sur ce comté au profit du roi de France. Morte en 1349, Jeanne de Navarre fut la mère du fameux Charles le Mauvais, l'irréductible ennemi de Jean le Bon et de Charles V.

Outre un calendrier, illustré sur le modèle du premier volume du Bréviaire de Belleville (*cf.* n° 240), le manuscrit comporte une riche série de miniatures illustrant quatre offices successifs assez rarement rassemblés dans un même livre d'heures : les heures de la Trinité, celles de la Vierge, de saint Louis

265

et de la Passion. Le cycle illustrant l'office de saint Louis, qui avait déjà attiré l'attention de l'érudit Peiresc lorsque le manuscrit se trouvait chez les Cordelières de Lourcine au faubourg Saint-Marcel, diffère assez nettement de celui des Heures de Jeanne d'Évreux (nº 239) : mettant l'accent sur l'adhésion du saint roi à l'idée de Croisade, il contient probablement, ainsi que l'a suggéré Marcel Thomas, une allusion aux projets de Croisade nourris par Philippe VI vers 1330-1334. Différentes prières occupent la partie finale du manuscrit, dont certaines mettent en scène la destinataire agenouillée devant la Vierge. L'une des plus ravissantes de ces compositions représente Jeanne de Navarre conduite par son ange gardien et distribuant des aumônes.

Cockerell, auteur d'une description fouillée du volume lorsqu'il appartenait au collectionneur londonien Henry Yates Thompson, a distingué quatre artistes différents dans le manuscrit. Les trois premiers forment une équipe homogène et soudée dont le chef de file, qui s'est réservé l'illustration des deux offices les plus importants, celui de la Vierge et celui de la Passion, se distingue par son coloris plus riche et plus brillant et par ses personnages aux proportions plus tassées et à la gesticulation parfois outrée. Certainement formé auprès de Jean Pucelle, dont il a repris, mais en en modifiant l'esprit, des compositions entières (l'Arrestation du Christ du f. 109 est calquée sur la scène équivalente des Heures de Jeanne d'Évreux), ce remarquable enlumineur présente déjà en germe la virulence dramatique qui caractérise ses créations postérieures, comme les Heures de Yolande de Flandre, le Bréviaire de Charles V, et les Petites Heures de Jean de Berry (cf. nºˢ 287 et 297), œuvres que de fortes présomptions permettent d'attribuer à l'enlumineur Jean Le Noir. Très proche de cet artiste est l'auteur du cycle de saint Louis des Heures de Jeanne de Navarre, au tempérament plus mesuré toutefois et aux compositions rythmiquement scandées. Comme l'a remarqué Cockerell, cet artiste est probablement l'auteur des illustrations du procès de Robert d'Artois (cf. nº 266). On peut lui attribuer également les initiales historiées illustrant deux manuscrits des œuvres de saint Thomas d'Aquin (Florence, Bibl. laurentienne, ms. Fiesole 89 et Bibl. vaticane, Vat. lat. 744) exécutés à Paris en 1343 pour le dominicain Parisius de Dyna.

Le dernier enlumineur distingué par Cockerell n'est autre que le maître des Vies de saint Louis (cf. nº 247), autrement dit l'enlumineur Mahiet rétribué par Pucelle pour sa participation au décor du Bréviaire de Belleville (cf. nº 240). Son intervention dans le manuscrit semble s'être faite après coup, et ses peintures bariolées dont certaines apparaissent sur grattages, tranchent désagréablement avec le raffinement des œuvres des trois artistes précédents. A cet artiste on doit une grande partie des miniatures illustrant les suffrages des saints dont l'une représente, semble-t-il, le roi Philippe VI et sa famille priant devant les reliques de la Sainte-Chapelle.

BIBL. : H. Yates Thompson, *Thirty two Miniatures from the Book of Hours of Joan III, Queen of Navarra*, Londres, 1899. — S.C. Cockerell, 1902, p. 151-183. — S.C. Cockerell, 1905, p. 15-15, fig. 1, 3-5, 8-9. — K. Morand, 1962, p. 20-21, 48-49, pl. XVIIc, XVIII, XXVa, XXXe. — M. Meiss, 1967, p. 120, 139, 161-163, etc., fig. 341, 345-348, 350, 544, 601. — M. Thomas, «L'iconographie de saint Louis dans les Heures de Jeanne de Navarre», *Septième centenaire de la mort de saint Louis. Actes du colloque de Royaumont et de Paris (21-27 mai 1970)*, Paris, 1976, p. 209-231. — F. Avril, 1978, p. 20-22, 35, pl. 15-17.

EXP. : *Primitifs français*, 1904, section des manuscrits, nº 28. — *La France de saint Louis*, 1970, nº 234. — *Le Livre*, 1972, nº 645. — *Enrichissements de la Bibl. nat.*, 1974, nº 639.

Paris, Bibliothèque nationale
ms. n. a. lat. 3145

266
Procès de Robert d'Artois

Prov. : Achille de Harlay, premier président du Parlement de Paris (1689-1707); abbaye Saint-Germain-des-Prés
Paris, 1336
Parchemin, 145 ff., 350 × 270 mm

Robert III d'Artois (1287-1343), arrière-petit-fils du frère de saint Louis, s'était dressé pour réclamer l'Artois dont sa tante, la célèbre Mahaut d'Artois, avait été mise en possession. Débouté une première fois en 1309, puis en 1316, il avait obtenu, avant même la mort de sa tante en 1329, la révision de son procès, mais convaincu de falsification, d'empoisonnement et de sorcellerie, il fut

266

banni du royaume et se réfugia en Angleterre.

Le présent manuscrit contient le procès-verbal du dernier procès et s'ouvre par une composition à pleine page représentant le déroulement des débats en présence du roi de France Philippe VI de Valois et de ses pairs. L'enlumineur a réparti ceux-ci suivant leur appartenance à l'état laïc ou ecclésiastique : huit pairs laïcs, tous membres de la famille royale, figurent à gauche, les six pairs ecclésiastiques étant regroupés à droite de la peinture. Deux autres personnages, tous deux de rang royal et identifiables à leurs armoiries, sont assis dans le voisinage immédiat du roi de France : il s'agit de Philippe d'Évreux, devenu roi de Navarre par son mariage avec Jeanne II de Navarre, et du roi de Bohême Jean de Luxembourg. Père de l'empereur Charles IV, Jean de Luxembourg, surnommé Jean l'Aveugle, entretenait des relations étroites avec la Maison de France, résidant fréquemment à la cour, et mariant en 1332 sa fille, Bonne, avec l'héritier du trône, le futur Jean le Bon (cf. nº 267). Il trouva une mort héroïque en 1346, à la bataille de Crécy, en combattant dans les rangs de l'armée française.

Ainsi que l'avait déjà remarqué S. Cockerell, l'auteur de cette composition est certainement l'enlumineur du calendrier et du cycle de saint Louis des Heures de Jeanne de Navarre (nº 265).

BIBL. : A. Lancelot, «Mém. pour servir à l'histoire de Robert d'Artois», *Mém. de l'Académie des Inscriptions*, X, 1736, p. 576-663. — S.C. Cockerell, 1902, p. 164. — S.C. Cockerell, 1905, p. 14, fig. 6. — C. Couderc, 1907, p. 5-6, pl. XIV. — K. Morand, 1962, p. 46.

EXP.: *Primitifs français*, 1904, section des manustrits, nº 26. – *Exp. de portraits du XIIIᵉ au XVIᵉ s.*, 1907, nº 9. – *Mss à peintures XIIIᵉ-XVIᵉ siècles*, 1955, nº 110, pl. XIII. — *L'Art du Moyen Age en France*, 1978-1979, nº 88.

Paris, Bibliothèque nationale
ms. français 18437

267
Psautier de
Bonne de Luxembourg

Prov.: Bonne de Lusembourg; anciennes collections Ambroise Firmin-Didot, baron Horace Landau et Martin Bodmer
Paris, vers 1345-1350
Parchemin, 333 ff., 126 × 88 mm

Les armes répétées au bas des peintures en grisaille de ce manuscrit (mi-parti de Valois et de Luxembourg) indiquent que celui-ci était destiné à Bonne de Luxembourg, première femme de Jean, duc de Normandie, le futur Jean le Bon. Le mariage de ce dernier, en 1332, avec la fille du roi de Bohême, Jean de Luxembourg, dit Jean l'Aveugle, père du futur empereur Charles IV (*cf.* nº 266) illustre bien les relations privilégiées qui s'étaient nouées sous le règne de Philippe VI entre la Maison de France et celle des Luxembourg. Bonne mourut en 1349, à quelques mois de l'accession de son époux au trône de France, et c'est vraisemblablement assez peu de temps avant sa mort, si l'on en juge d'après le style, que le psautier fut exécuté à son intention.

L'illustration du manuscrit commence par un calendrier unissant les thèmes traditionnels des occupations des mois et des signes du Zodiaque, ces derniers étant combinés ici avec des représentations botaniques dont la source remonte au calendrier du premier volume du Bréviaire de Belleville (nº 240). Viennent ensuite les illustrations des psaumes, qui se conforment à la tradition iconographique propre aux psautiers français. Suit une Arrestation du Christ, reprise de la composition équivalente des Heures de Jeanne de Savoie (nº 235). Les prières qui occupent la partie finale du manuscrit présentent des thèmes iconographiques peu communs, tel celui du trône de Charité (f. 315). Deux autres scènes illustrent bien les nouvelles formes de dévotion prises à cette époque par le culte de la Pas-

267

sion du Christ: la première nous montre le couple princier à genoux devant le Christ attaché à la Croix et montrant d'une main la plaie de son côté (f. 329), la seconde représentant cette plaie en grandeur naturelle, entourée des instruments de la Passion (f. 331). Une grande variété d'oiseaux dont certains ont sans doute une signification symbolique, animent les encadrements des grisailles, celles-ci étant accompagnées, en dehors du cadre, à la partie supérieure gauche, de demi-figures dont l'attitude fait écho au thème traité dans la scène principale.

D'une exécution raffinée, ces grisailles se rattachent de toute évidence, comme le Missel et l'Évangéliaire de la Sainte-Chapelle (nᵒˢ 268 et 269) à la production de l'enlumineur Jean Le Noir, avec quelque chose de moins ferme et de plus mièvre

267

cependant que l'art de celui-ci dans les Heures de Jeanne de Navarre : on envisagerait assez volontiers pour ce manuscrit une collaboration du maître et de sa fille, Bourgot, qui était associée, semble-t-il aux travaux de son père.

Deux miniatures se détachent de l'ensemble et pourraient avoir été exécutées par Jean Le Noir lui-même ou sous son inspiration directe : la première, d'une verve caricaturale incisive, représente le fou évoqué par le psaume 52 ; la seconde illustre sur deux pages opposées le Dit des trois Morts et des trois Vifs. La représentation de ces derniers, montés sur des chevaux, s'écarte de la tradition iconographique française et semble indiquer que l'artiste connaissait l'interprétation italienne de ce thème, telle qu'elle apparaît notamment dans les fresques du Campo Santo de Pise.

BIBL.: E. Panofsky, 1953, p. 34, pl. 6. — K. Morand, 1962, p. 21-22, 40, pl. XIX b et c. — M. Meiss, 1967, p. 20, 31, 287, fig. 352-355, 361. — F. Deuchler, « Looking at Bonne de Luxembourg's Prayer Book », *Bull. of the Metropolitan Museum of Art*, fév. 1971, p. 267-278. — C. Vaurie, « Birds in the Prayer Book of Bonne de Luxembourg », *ibid.*, p. 279-281. — F. Avril, 1978, p. 20, 35, pl. 18.

EXP.: *Die Parler...*, 1978, III, p. 96. — *Kaiser Karl IV*, 1978, n° 42.

New York, The Metropolitan Museum of Art (The Cloisters)
Inv. 69.88

268
Missel de Paris

Prov.: Sainte-Chapelle de Paris ; Mgr de Bonald, archevêque de Lyon ; Primatiale de Lyon
Paris, vers 1345-1350
Parchemin, 410 ff., 424 × 295 mm

C'est à tort que le R.P. de Jerphanion, dans sa monographie consacrée à ce manuscrit, l'a intitulé Missel de la Sainte-Chapelle. En fait ce missel, ainsi que l'Évangéliaire (n° 269) et l'Épistolier (Londres, British Library, ms. Yates Thompson 34) qui en sont complémentaires, ne sont entrés à la Sainte-Chapelle qu'à une date assez postérieure à l'époque présumée de leur exécution, celle-ci pouvant être située, d'après des considérations stylistiques, vers 1345-

268

268

1350 : ils n'apparaissent en effet dans les inventaires de la Sainte-Chapelle qu'en 1363 pour les deux lectionnaires et qu'en 1366 pour le missel. Leur contenu liturgique se conforme à l'usage général dans le diocèse de Paris, et les fêtes spécifiques de la Sainte-Chapelle n'y ont été insérées qu'après coup, aux environs de 1400. Il est probable que les trois volumes avaient été prévus à l'origine pour quelque chapelle royale et ne furent versés qu'après coup au trésor de la Sainte-Chapelle.

Outre un très beau dessin réunissant sur deux registres la Crucifixion et le Christ en

majesté (f. 142 v), le décor du volume se compose d'initiales historiées d'un style homogène, mais de facture plus ou moins soignée, dont les meilleures se rattachent très nettement au style pucellien pratiqué par les trois premiers artistes des Heures de Jeanne de Navarre (n° 265). Les nombreux rapports, allant de simples figures isolées jusqu'à des compositions entières, entre les illustrations du missel et de ses deux volumes complémentaires, avec les Heures de Jeanne de Navarre, confirment ce rapprochement, et présupposent un recueil de modèles circulant dans l'atelier. D'autres compositions du missel seront reprises par Jean Le Noir, le maître d'œuvre des Heures de Jeanne de Navarre, dans ses œuvres plus tardives, les Heures de Yolande de Flandre et le Bréviaire de Charles V (n° 280).

La décoration peinte est complétée par une superbe ornementation filigranée, d'une richesse parfois exubérante où l'on reconnaît la main de l'enlumineur Jaquet Maci dans la dernière phase de sa carrière.

BIBL.: J.B. Birot et J.B. Martin, *Rev. archéol.*, 1915, II, p. 37-65. — V. Leroquais, 1924, II, p. 250-251. — G. de Jerphanion, *Le Missel de la Sainte-Chapelle à la Bibl. de la ville de Lyon*, Lyon, 1944. — F. Cotton, *G.B.A.*, 1965, p. 280-281, n° 33, fig. 28 a et b. — F. Avril, *Rev. de l'Art*, n° 9, 1970, p. 37-48. — F. Avril, *Bull. mon.*, 129, 1971, p. 249-264.

EXP.: *Mss à peintures du VIIIe-XVIe siècles*, 1920, n° 21, pl. XXIII-XXIV. — *French Art*, 1932, n¹ 40. — *Saint Louis et la Sainte-Chapelle*, 1960, n° 220. — *La France de saint Louis*, 1970, n° 234.

Lyon, Bibliothèque de la ville
ms. 5122

269
Évangéliaire à l'usage de Paris

Prov.: Sainte-Chapelle de Paris
Paris, vers 1345-1350
Parchemin, 243 ff., 417 × 280 mm

Ce volume contenant les lectures des Évangiles disposées suivant le cycle de l'année liturgique servait de complément, avec l'Épistolier ms. Yates Thompson 34 de la British Library, au missel exposé sous le numéro précédent. Il est doté de sept initiales historiées, illustrant les principales fêtes

269

269

(f. 1: le Christ envoyant ses disciples chercher l'ânesse, 1er dimanche de l'Avent; ft. 10: Nativité; f. 12: Circoncision; f. 13: Épiphanie; f. 116: Résurrection du Christ; f. 132: Ascension; f. 139v: le Christ célébrant la messe, Fête-Dieu). On retrouve dans ces scènes les mêmes caractères stylistiques que dans le Missel de Paris et l'Épistolier de la British Library, caractères qui permettent de voir dans ce groupe de manuscrits une œuvre d'atelier du maître principal des Heures de Jeanne de Navarre, autrement dit Jean Le Noir (cf. n° 265). Particulièrement intéressante dans l'Évangéliaire de l'Arsenal est la scène du Christ envoyant chercher l'ânesse. Cette scène se déroule sur les deux plans séparés par un décor montagneux formant coulisse derrière lequel émerge le groupe du Christ et des apôtres. Le petit édifice à colonnades du premier plan reprend un motif architectural utilisé dans le calendrier des Heures de Jeanne de Navarre, calendrier qui tire lui-même sa source de celui du Bréviaire de Belleville.

Le décor filigrané du volume est un des plus beaux qu'ait exécuté Jaquet Maci. Celui-ci se livre dans les marges de certains feuillets à des exercices de plume d'une fantaisie débridée et d'une éblouissante

virtuosité qui font de lui un des artistes les plus étonnants de son temps dans sa spécialité.

BIBL.: F. Avril, *Rev. de l'Art*, n° 9, 1970, p. 37-48. — F. Avril, *Bull. mon.*, 129, 1971, p. 250, fig. 3. — J.J.G. Alexander, *The decorated Letter*, New York, 1978, p. 21, fig. XVIII.

Paris, Bibliothèque de l'Arsenal
ms. 161

270
Bible latine

Prov.: Jean Bouhier, président au Parlement de Dijon
Paris, vers 1345-1350
Parchemin, 804 ff., 218 × 143 mm

Cette jolie Bible illustre bien le rayonnement persistant de Pucelle longtemps après sa mort en 1334. Sa décoration peinte est d'ailleurs l'œuvre de deux enlumineurs pucelliens de la seconde génération. L'un

270

d'eux, auteur des cinq premières initiales historiées du volume (ff. 1, 5, 112 v, 143 v et 215 v) faisait certainement partie de l'équipe qui illustra le Missel de Paris et ses deux volumes complémentaires (n⁰ˢ 268, 269). Ses emprunts aux modèles pucelliens sont flagrants, ainsi dans l'initiale de la Genèse du f. 5, réplique exacte de celle de la Bible de Robert Billyng (n° 238). Un second artiste probablement un peu plus jeune, mais dont le style est également tributaire de celui de Pucelle, l'a relayé à partir du f. 252 (livre d'Esdras). Son style un peu plus évolué se retrouve dans un assez grand nombre de manuscrits enluminés à Paris aux alentours de 1350, parmi lesquels la Bible moralisée de Jean le Bon (n° 272).

L'ornementation de la Bible est complétée par un luxuriant décor filigrané, finement tracé à l'encre rouge et azur. Là encore le parallélisme avec la Bible de 1327 est frappant, puisque, à vingt ans de distance, cette décoration a été confiée à Jaquet Maci, le « filigraneur » de la Bible de Robert Billyng. Le répertoire ornemental que celui-ci utilise dans la Bible de Montpellier est caractéristique de ses œuvres les plus tardives.

BIBL. : F. Avril, *Bull. mon.,* 129, 1971, p. 259, n. 2, fig. 8. — F. Avril, *Monuments et Mémoires de la Fondation Eugène Piot,* 58, 1972, p. 102, n. 1.

Montpellier, Bibliothèque de la Faculté de médecine
ms. 195

271
Œuvres de Guillaume de Machaut

Paris, vers 1350-1355
Parchemin, 321 ff., 300 × 210 mm

Poète et musicien novateur, le champenois Guillaume de Machaut est l'un des plus importants représentants de la littérature française du XIVᵉ siècle. Sa célèbre messe du Couronnement mise à part, son art est d'inspiration essentiellement profane, et trouve son expression la plus achevée dans une série de *Dits,* fictions narratives versifiées, farcies de place en place de pièces lyriques et musicales (lais, virelais, ballades et rondeaux) où l'auteur célèbre avec bonheur les thèmes traditionnels de l'amour courtois, qu'il traite d'un ton libre et direct, affranchi de toute rhétorique. S'il termina sa vie à Reims où il avait obtenu un canonicat, Machaut passa le plus clair de sa carrière au service de différents protecteurs influents, et notamment auprès du roi de Bohême Jean de Luxembourg, qu'il suivit dans ses expéditions en Prusse, en Pologne et en Lithuanie, et dont il a évoqué la mémoire dans maints passages de ses œuvres.

Le volume présenté ici est le plus ancien manuscrit illustré du vivant de l'auteur, et ne contient que les œuvres composées par Machaut avant le milieu du siècle (seules quelques pièces lyriques contenues dans la partie finale du manuscrit sont postérieures, de très peu, à 1350). La qualité de ses illustrations indique un destinataire de haut rang, probablement quelque dignitaire important de la cour de France. Trois artistes distincts mais au style homogène, se sont partagés l'exécution de ses 104 miniatures, toutes exécutées en grisaille. Le plus remarquable, qui s'est réservé l'illustration du *Remède de Fortune,* est un des tous premiers représentants du renouvellement stylistique qui affecta l'enluminure parisienne à partir du troisième quart du XIVᵉ siècle, renouvellement qui se traduit par un intérêt accentué pour une représentation directe et sans préjugé du monde extérieur. Les scènes courtoises du *Remède de Fortune* fournissent à l'artiste l'occasion d'exprimer son goût de l'observation réaliste. Les personnages dont les particularités vestimentaires sont détaillées avec complaisance, se meuvent dans un cadre cohérent, où une large place est faite au monde de la nature. Les deux autres collaborateurs du maître principal sont étroitement tributaires de son style. Le premier est l'auteur des illustrations du *Jugement du roi de Bohême* (ff. 1-22) et du *Dit du Lion* (ff. 103-120). Le second se distingue par un style plus sec et anguleux, et par le teint livide et maladif de ses personnages, souvent d'aspect souffreteux : il est l'auteur des illustrations du *Dit de l'Alérion,* du *Dit du Verger* (ff. 59-102) et des ballades et rondeaux contenus dans la partie musicale finale (ff. 121-196). Il semble bien qu'on puisse identifier cet artiste avec le Maître du *Livre du Sacre* au tout début de sa carrière.

271

BIBL. : E. Hoepffner, éd. : *Œuvres de Guillaume de Machaut*, Paris, 1908-1921, 3 vol. (Société des anciens textes français). — F. Ludwig, *Guillaume de Machaut, Musikalische Werke*, II, Leipzig, 1928, p. 10. — U. Günther, « Chronologie und Stil der Kompositionen Guillaume de Machauts », *Acta Musicologica*, XXX, 1963, p. 96-114. — S.S. Williams, « An Author's Role in Fourteenth-Century Book Production : Guillaume de Machaut's livre où je mets toutes mes choses », *Romania*, 90, 1969, p. 433-454. — F. Avril, *Monuments et mémoires de la Fondation Eugène Piot*, 58, 1972, p. 112-114. — G. Schmidt, 1975, p. 57-58. — G. Schmidt, *Wiener Jahrbuch für Kunstgeschichte*, 30-31, 1977-1978, p. 192-193, fig. 101. — F. Avril, 1978, p. 25-26, pl. 23-26. — F. Avril, « Les manuscrits enluminés de Guillaume de Machaut », *Colloque Guillaume de Machaut*, Reims, 1978 (à paraître).

Paris, Bibliothèque nationale
ms. français 1586

272
Bible moralisée

Prov. : Jean le Bon ? Charles V ? Philippe le Hardi, duc de Bourgogne ; Philippe le Bon, duc de Bourgogne ; Pierre II de Beaujeu, duc de Bourbon ; entré dans les collections royales lors de la saisie en 1523 des biens du Connétable de Bourbon
Paris, vers 1349-1352
Parchemin, 321 ff., 340 × 290 mm

La Bible moralisée est une gigantesque somme d'exégèse biblique dont la conception remonte au début du XIIIe siècle. Les manuscrits de ce texte, où alternent des extraits de la Bible et leur interprétation moralisée, furent accompagnés dès l'origine d'un abondant matériel d'illustrations à raison de deux colonnes de quatre médaillons à la page. Étant donné l'important support iconographique qu'il requérait, ce texte n'a connu qu'une diffusion restreinte, limitée au cercle de la famille royale pour laquelle il semble avoir été composé. Le présent manuscrit est une copie tardive de cette compilation. Il y a de solides raisons de l'identifier avec une « Bible toute historiée » du roi Jean le Bon décrite en 1380 dans un inventaire de la librairie du Louvre, et pour la confection de laquelle le roi de France, avant même son accession sur le trône, avait engagé des sommes considérables. Atteint par l'humidité au cours de circonstances que nous ignorons, mais qui pourraient bien avoir un lien avec la défaite de Poitiers, au cours de laquelle nous savons que le roi Jean perdit un certain nombre de ses livres (cf. nos 241 et 277), le manuscrit a fait l'objet par la suite d'une très habile restauration qui affecte particulièrement les 60 premiers feuillets du volume. Celle-ci a consisté à découper sur trois côtés les parties dégradées et à les remplacer par des languettes de parchemin sur lesquelles ont été redessinées les parties des illustrations disparues. Ces parties redessinées sont l'œuvre d'un enlumineur de Charles V, le maître de la grisaille du Couronnement de Charles VI (no 284), ce qui permet de dater la restauration vers 1370-1380.

Pour exécuter les 5 112 illustrations en grisaille que compte le manuscrit, il a été fait appel à une équipe d'une quinzaine d'artistes différents, qui se sont partagé le travail suivant des modalités complexes, et dont la participation est d'importance variable. La réunion de ces différents artistes dans un même manuscrit rend celui-ci particulièrement intéressant pour la connaissance des divers courants stylistiques qui se côtoyaient dans l'enluminure parisienne vers le milieu du siècle. On distingue parmi les collaborateurs de la Bible deux groupes d'artistes différents : les uns s'affilient très nettement, d'après leur style, à la tradition instaurée par Jean Pucelle, tout en introduisant un certain maniérisme dans le traitement des figures. L'un des tenants de ce courant stylistique est le second enlumineur de la Bible de Montpellier (no 270). Le style des artistes du second groupe marque une assez nette rupture avec le classicisme pucellien. Chez eux le souci de l'élégance passe au second plan au profit d'un certain naturalisme empirique et d'une approche sans préjugé de la réalité. Il est assez probable que certains des meilleurs représentants de ce nouveau courant stylistique ont reçu leur formation en dehors du milieu parisien, probablement dans les provinces septentrionales du royaume, voire en Flandre ou aux Pays-Bas. Ce que nous savons de l'enluminure de ces régions, et notamment de celle de Tournai, ne contredit pas cette hypothèse (cf. no 302). Deux artistes se distinguent particulièrement dans ce second groupe : l'un d'eux n'est autre que l'excellent maître du *Remède de Fortune* du ms. fr. 1586 (no 271), artiste dont la chronologie peut être établie de façon certaine grâce à deux manuscrits de sa main, un pontifical exécuté entre 1350 et 1356 pour l'évêque de Senlis, Pierre de Treigny (Paris, Bibl. Sainte-Geneviève, ms. 148), et un missel de Saint-Denis (no 273). Le second de ces artistes novateurs est un enlumineur peut-être de souche flamande ou néerlandaise. Dans la représentation de ses personnages vigoureux et bien campés, on remarque une recherche de l'expression aux dépens sou-

vent de la correction des proportions anatomiques. La carrière parisienne de cet excellent artiste semble avoir été de courte durée : on ne retrouve sa main en effet que dans deux autres manuscrits (cf. n° 274).

Les comptes dans lesquels il est question de la Bible historiée de Jean le Bon montrent que le roi avait choisi comme maître d'œuvre pour l'exécution de celle-ci, un enlumineur visiblement d'attache parisienne, nommé Jean de Montmartre. Il serait hasardeux de proposer une identification de cet artiste, étant donné le grand nombre des enlumineurs ayant participé à l'illustration de la Bible.

BIBL. : P. Durrieu, *Le Manuscrit,* II, 1895, p. 103 et 114-118. — A. de Laborde, *Étude sur la Bible moralisée illustrée,* V, Paris, 1927, p. 92-102, pl. 724-738. — F. Avril, *Monuments Piot,* t. 58, 1972, p. 95-125. — G. Schmidt, 1975, p. 57. — F. Avril, 1978, p. 23, 25, 35, pl. 19 et 20.

EXP. : *Mss à peintures XIIIe-XVIe siècles,* 1955, n° 147. — *La librairie de Charles V,* 1968, n° 165.

Paris, Bibliothèque nationale
ms. français 167

273
Missel de Saint-Denis

Prov. : Ferry de Clugny, évêque de Tournai
(† 1483) ; W. Horatio Crawford ; acquis en
1891 à la vente de sa collection par le Victoria and Albert Museum
Paris, vers 1350
Parchemin, 439 ff., 233 × 164 mm

L'usage liturgique de ce manuscrit est celui de l'abbaye royale de Saint-Denis. Différentes mentions d'obit de rois de France et d'abbés de Saint-Denis qui figurent au calendrier permettent de le dater de 1350, l'obit le plus récent étant celui de l'abbé Guy de Castres, mort en février 1350, alors que celui de Philippe VI de Valois, mort en août de la même année, n'y figure pas. Le luxe de la présentation et la qualité de l'illustration, pour laquelle il a été fait appel à l'un des artistes les plus remarquables de l'époque, le maître du *Remède de Fortune* (n° 271), semblent indiquer que le manuscrit était destiné à un abbé, peut-être Gilles Rigaud, le successeur de Guy de Castres, ou qu'il s'agit d'une donation royale à l'abbaye.

273

Outre le cycle d'initiales historiées habituel dans les missels de l'époque, le manuscrit présente deux scènes d'un intérêt iconographique exceptionnel en raison de leurs liens avec le culte dionysien : au f° 256v, pour la fête de la dédicace de l'église de Saint-Denis est représenté un épisode légendaire rapporté par les historiens de Dagobert : la veille de la consécration du sanctuaire construit par celui-ci, un lépreux assista à la consécration du nouvel édifice par le Christ assisté de saint Denis et de ses compagnons. Guéri de la lèpre à cette occasion, l'homme raconta le lendemain à Dagobert et à sa cour le fait miraculeux dont il avait été témoin, apportant comme preuve de ses dires le masque de lépreux dont il avait été délivré par le Christ. L'initiale de la fête de l'invention des reliques de saint Denis au fol. 261 est consacrée à la chasse au cerf au cours de laquelle Dagobert découvrit fortuitement l'oratoire où étaient ensevelis saint Denis et ses compagnons. Deux épisodes complémentaires de cette légende sont représentés dans la marge : l'apparition de saint Denis à Dagobert réfugié dans l'oratoire, et la réconciliation de Dagobert et de son père Clotaire. L'entrelacement de l'initiale et de l'édifice contribue efficacement à créer une impression d'espace dans la première scène. Celle-ci est également intéressante pour ses notations de paysage : les arbres en forme de champignon de cette page sont les plus anciens témoins de ces boqueteaux qui deviendront courants par la suite dans l'enluminure parisienne sous le règne de Charles V. De même le décor de papillons et de volatiles qui accompagne l'encadrement de la page se rencontre souvent dans les manuscrits enluminés pour le roi vers 1370-1380. Le style de la riche décoration filigranée du missel est apparenté à celui de Jaquet Maci (cf. n°s 268, 269).

BIBL. : A. de Laborde, 1909, p. 207, 232, n. 5, pl. X. — A. Wilmart, « Les anniversaires célébrés à Saint-Denis au milieu du XIVe siècle », Rev. Mabillon, 14, 1924, p. 22-31. — J. White, 1957, p. 222-223, pl. 52 b. — F. Avril, Monuments et mémoires de la Fondation Eugène Piot, t. 58, 1972, p. 112-114. — G. Schmidt, 1975, p. 57-58, fig. 42. — F. Avril, 1978, p. 25, 35-36, pl. 21-22.

Londres, Victoria and Albert Museum
ms. 1346-1891

274

274
Guillaume de Digulleville, *Le Pèlerinage de Vie humaine*

Prov. : Nicolas-Joseph Foucault ; Daniel Bourcard ; Prince de Stolberg-Wernigerode
Paris, 1348
Parchemin, 105 ff., 250 × 152 mm

Le *Pèlerinage de Vie humaine* est un long poème moral de 13 540 vers, traité sur le mode allégorique à la manière du *Roman de la Rose* dont il est partiellement inspiré dans la forme sinon dans l'esprit. Il fut composé vers 1330-1332 par un cistercien d'origine normande, Guillaume de Digulleville, moine puis prieur de Châalis. Le poème, qui fut suivi en 1355 d'un *Pèlerinage de l'Ame*, puis d'un *Pèlerinage de Jésus-Christ*, a connu de son temps et jusqu'en plein XVe siècle un indéniable succès. Les assez nombreuses copies qui en sont conservées sont dotées très souvent d'un cycle abondant de miniatures représentant les différents personnages, parfois hauts en couleur, rencontrés par le moine pèlerin au cours de son périple.

Le texte du moine de Châalis a été admirablement servi par l'illustrateur du présent exemplaire. Malgré le format réduit des miniatures, l'artiste a su évoquer de façon très vivante les péripéties du récit. Ses personnages puissamment individualisés sont traités avec une verve truculente qu'on ne rencontre que rarement dans l'enluminure française de l'époque. Cet artiste d'un tempérament foncièrement étranger à la tradition parisienne et d'un style étonnamment avancé pour l'époque (le manuscrit est daté de 1348), était probablement originaire des provinces septentrionales du royaume et peut-être même de Flandre. On ne retrouve sa main que dans un nombre limité de manuscrits : il a collaboré à l'illustration d'un autre exemplaire du *Pèlerinage de Vie humaine* (Munich, Staatsbibliothek, Cod. Gall. 30) ainsi qu'à la Bible moralisée de Jean le Bon (n° 272).

BIBL. : F. Avril, Monuments et mémoires de la Fondation Eugène Piot, 58, 1972, p. 110, n. 1 et 116, fig. 18. — G. Schmidt, Kölner Domblatt, 44-45, 1979-1980, p. 299, fig. 10.
EXP. : The Pierpont Morgan Library. Exhibition of Illuminated Manuscripts, 1933-1934, n° 71, pl. 64.

New York, Pierpont Morgan Library
ms. M. 772

275
Scène courtoise

Prov. : collection v. Nagler (Lugt 2529)
France (Paris?), vers 1350-1355
Dessin à l'encre et au pinceau
Parchemin, 81 × 191 mm

Ce beau dessin est un des rares exemples de dessin autonome que nous ayons conservé du XIVe siècle. Le trait fouillé et le modelé savant paraissent indiquer la main d'un artiste entraîné à la peinture de chevalet. Malgré son style avancé, cette œuvre aux lignes subtilement cadencées, s'inscrit dans la tradition gothique française.

La scène qui représente une conversation galante entre deux couples assis sur une terrasse herbue, est traitée avec un naturalisme tempéré, qui n'est pas sans rappeler celui du maître du *Remède de Fortune* dans les illustrations du manuscrit de Machaut (n° 271). Les détails de costume, en particulier le chaperon très découpé du personnage de gauche permettent d'assigner à cette œuvre une date voisine de celle de ce manuscrit.

BIBL. : F. Lippmann-G. Grote, Zeichnungen alter Meister im Kupferstichkabinett der Kgl. Museen zu Berlin, 1re édition, n° 131b (2e éd., n° 130). — E. Bock, M.J. Friedländer, Die deutschen Meister. Beschreibendes Verzeichnis sämtlicher Zeichnungen, Berlin, 1921, p. 90.

Berlin, Staatliche Museen Preussischer Kulturbesitz, Kupferstichkabinett

276
Roman de la Rose

Prov. : P. Florimond (1567) ; Jean Bouhier, président au Parlement de Dijon
Paris, vers 1350-1360
Parchemin, 157 ff., 305 × 216 mm

Les illustrations de ce *Roman de la Rose* sont attribuables au troisième collaborateur du Guillaume de Machaut, manuscrit 1586 de la Bibliothèque nationale (n° 271). Tout suggère que cet enlumineur, qui a certainement reçu sa formation auprès du maître du *Remède de Fortune,* est identifiable avec le maître du *Livre du sacre de Charles V* (n° 279). Avec la Bible historiale de Jean le Bon (n° 277) et un *Livre des neuf anciens*

275

et dans la miniature du *Livre des neuf anciens juges*. L'artiste a illustré vers la même époque un autre *Roman de la Rose* conservé à Bruxelles (ms. 9577) dont quelques fragments forment aujourd'hui le ms. 11187 de la même bibliothèque.

BIBL. : E. Langlois, *Les manuscrits du Roman de la Rose. Description et classement,* Paris, Lille, 1910, p. 134-135.

Montpellier, Bibliothèque de la faculté de médecine
ms. 245

277
Bible historiale de Jean le Bon

Prov. : Jean le Bon ; William Montague, comte de Salisbury
Paris, avant 1356
Parchemin, 1 + 526 ff., 422 × 285 mm

Une note en anglo-normand au début du manuscrit nous apprend les vicissitudes de celui-ci : d'après cette note, le volume aurait été pris par les Anglais « avec le roi de France » à la bataille de Poitiers (1356), puis aurait été racheté pour cent marcs par William Montague, comte de Salisbury qui en

juges destiné à Charles, duc de Normandie, le futur Charles V (Bruxelles, Bibl. royale, ms. 10319), ce dernier daté de 1361, le manuscrit de Montpellier appartient à la première phase de la carrière de l'artiste : on retrouve dans les trois œuvres, ainsi que dans la part qui lui revient dans le ms. français 1586, le même type de personnages au physique malingre et à la mine bilieuse. Du point de vue iconographique, le manuscrit se classe dans le sixième groupe défini par A. Kuhn (*Die Illustration der Rosenromans*, Freiburg i. b., 1911, p. 38), groupe qui se distingue par la présence au début du texte du *Roman*, d'une grande miniature en quatre compartiments représentant l'auteur endormi, à sa toilette, se promenant et arrivant devant le château d'Amour. Les quatre scènes sont disposées ici dans un cadre architectural surmonté d'arcs en accolades dont l'artiste a également fait usage dans la Bible historiale de Jean le Bon (f. 1)

276

277

fit don à Elizabeth son épouse. Ces indications permettent d'établir que le manuscrit est antérieur à 1356. Deux copistes se sont partagés la tâche: le premier a écrit les 308 premiers feuillets, puis a été relayé par un second scribe que son écriture permet d'identifier avec un des « écrivains » les plus fréquemment employés par Charles V, Henri du Trévou.

Le très riche cycle d'illustrations qui accompagne le texte de Guyart des Moulins dans cet exemplaire est l'œuvre du maître du *Livre du sacre de Charles V,* peut-être aidé par quelque compagnon dans certaines miniatures de qualité inférieure. L'artiste utilise le même coloris intense et saturé que dans une autre de ses œuvres de jeunesse, le *Livre des neuf anciens juges* de Bruxelles (ms. 10319). Les fonds d'or à motifs estampés qui apparaissent fréquemment dans les miniatures de la Bible confirment également la date précoce du manuscrit dans l'œuvre du maître du *Livre du sacre*: les mêmes fonds sont utilisés par le maître du *Remède de Fortune* et ses équipiers dans le Guillaume de Machaut et le Missel de Saint-Denis (n°s 271 et 273). La Bible s'ouvre par une grande miniature représentant le Christ entouré des quatre Évangélistes. La composition se présente à l'intérieur d'un cadre architectural analogue à celui de la première miniature du *Roman de la Rose* de Montpellier (n° 276). Au commencement des Proverbes de Salomon (f. 273) figure une composition en quatre compartiments à polylobes tricolores représentant différents traits de la sagesse de Salomon: en haut, Salomon instruisant le jeune Roboam, et le Jugement de Salomon. Les deux scènes de la partie inférieure figurent un épisode attribué par erreur à Salomon: pour mettre à l'épreuve leur légitimité, un roi (ici Salomon) ordonna à trois fils de tirer à l'arc sur le cadavre de leur père; seul le fils légitime refusa d'obéir à l'ordre du roi. Cet apologue répandu dans la littérature médiévale (on le trouve dans certains recueils de fabliaux et dans les *Gesta Romanorum*) a connu une fortune iconographique considérable (*cf.* W. Stechow, Shooting at his father's corpse, *Art Bulletin*, 24, 1942, p. 213-225). La réunion de ces quatre scènes deviendra de règle pour l'illustration des Proverbes dans les Bi-

bles historiales à partir de cette époque et la présente Bible en est peut-être le témoin le plus ancien.

BIBL.: L. Delisle, 1907, I, p. 291, 330. — G.F. Warner et J.P. Gilson, *Cat. of Western Manuscripts in the Old Royal and King's Collections*, Londres, 1921, II, p. 341, pl. 111. — E.G. Millar, 1933, p. 29, pl. XXXV. — F. Avril, *Monuments et mémoires de la Fondation Eugène Piot*, t. 58, 1972, p. 123, n. 4.

Londres, British Library
ms. Royal 19 D II

278
Petite Bible historiale de Charles V

Prov.: Charles V; Jean de Berry; Marie duchesse de Bourbon, fille de Jean de Berry; Henri III; cardinal Charles de Bourbon; Henri IV; Louis XIII; Louis XIV
Paris, 1362-1363
Parchemin, 369 ff., 214 × 145 mm

Un poème acrostiche composé par le copiste Raoulet d'Orléans (f. 368) nous donne le nom du destinataire de cette Bible historiale, dont seul le second volume nous a été conservé: *Charles aisné fils du roy de France, duc de Normandie et dalphin de Viennoy,* et la date d'achèvement du manuscrit: 1363. Au-dessus de cette pièce de vers, une petite miniature représente le dauphin agenouillé devant le groupe de la Vierge à l'Enfant dont il reçoit la bénédiction. Charles arbore encore la barbe légère qu'il quittera lorsqu'il succèdera à son père sur le trône de France. Cette image a été

278

rapprochée récemment du célèbre portrait dit de Jean le Bon du Louvre (n° 323), dans lequel R. Cazelles et G. Schmidt proposent de reconnaître Charles V encore dauphin, et non plus son père.

L'illustration de cette Bible exécutée en grisaille est l'œuvre du maître du *Livre du Sacre* (n° 279), artiste que l'on trouvera désormais au service de Charles V jusque dans les dernières années de son règne. Le volume qui débute par les Proverbes de Salomon, s'ouvre sur une miniature en quatre compartiments présentant exactement la même iconographie que la scène équivalente de la Bible historiale enluminée quelques années plus tôt par le même artiste pour le roi Jean le Bon (n° 277).

BIBL.: S. Berger, 1884, p. 348. — L. Delisle, *Bibl. de l'École des Chartes*, 62, 1901, p. 551-554. — L. Delisle, *Fac-similés de livres copiés et enluminés pour le roi Charles V*, 1907, pl. I et II. — L. Delisle, 1907, I, p. 71-73, 153-156. — C. Couderc, 1910, p. 8, pl. XIX. — H. Martin, 1923, p. 5, pl. 44. — C.R. Sherman, 1969, p. 46-47, fig. 38. — G. Schmidt, *Zeitschrift für Kunstgeschichte*, 1971, p. 82, fig. 7. — R. Cazelles, *Bull. des ant. de France*, 1971, p. 227-229.

EXP.: *Primitifs français*, 1904, section des manuscrits, n° 36. — *Exp. de portraits du XIIIe au XVIe s.*, 1907, n° 12. — *Mss à peintures XIIIe-XVIe s.*, 1955, n° 117. — *La librairie de Charles V*, 1968, n° 167, pl. 3, 18.

Paris, Bibliothèque nationale
ms. latin 5707

279
Livre du sacre de Charles V

Prov.: Charles V; Sir Robert Cotton
Paris, 1365
Parchemin, 45 ff. (ff. 35-80), 290 × 190 mm

Le sacre de Reims constituait un moment privilégié et unique dans la vie des rois de France: c'est à cette occasion que chaque nouveau monarque se voyait investi au cours d'une cérémonie complexe qui culminait avec l'onction par l'huile miraculeuse apportée au premier évêque de Reims, saint Rémi, par le Saint-Esprit, d'un pouvoir d'essence divine qui en faisait non seulement un souverain temporel mais un véritable représentant du Christ sur terre. Le présent manuscrit contient le texte du cérémonial ou *ordo* qui fut suivi à l'occasion

tum suſapiant eum duo predicti epi dextera

leua aqȝ honozifice et ipm reuerenter ducant

279

Charles V au Louvre », *Bull. historique et philologique du Comité des travaux historiques*, 1896 (1897), p. 613-625. — E.S. Dewick, *The Coronation Book of Charles V of France*, Londres, 1899. — L. Delisle, 1907, I, p. 218-219. — R. Delachenal, *Histoire de Charles V*, III, 1927, p. 66 et 76-93. — E.G. Millar, 1933, p. 26-27, pl. XXIX. — P.E. Schramm, « Ordines-Studien 2 : Die Krönung bei den Westfranken und Franzosen », *Archiv für Urkundenforschung*, 15, 1938, p. 42-47. — P.E. Schramm, *Der König von Frankreich. Das Wesen der Monarchie von 9. bis 16. Jahrhundert*, 2e éd., Weimar, 1960, I, p. 237-241. — C.R. Sherman, 1969, p. 34-36, fig. 16-19, 22-23. — R.A. Jackson, Les manuscrits des « ordines » du couronnement de la bibliothèque de Charles V, roi de France, *Le Moyen Age*, 1976, p. 67-68. — C.R. Sherman, The Queen in Charles V's « Coronation Book » : Jeanne de Bourbon and the « ordo ad reginam benedicendam », *Viator*, 8, 1977, p. 255-297, fig. 1-18. — F. Avril, 1978, p. 24-28, pl. 27-28.

EXP.: *La librairie de Charles V*, 1968, nº 170, pl. VI.

Londres, British Library
ms. Tib. B VIII

du sacre de Charles V, cérémonial qui contient un certain nombre de modifications significatives par rapport à l'*ordo* capétien utilisé antérieurement. Une inscription autographe du roi au f. 74v ne nous laisse aucun doute sur la date d'achèvement de ce manuscrit et sur l'intérêt personnel qu'il prit à son élaboration : *Ce livre du sacre des rois de France est à nous Charles le Ve de notre nom, roy de France, et le fimes coriger, ordener, escrire et istorier l'an M.CCC.LX.V. Charles.* Un passage relatif à l'inaliénabilité du domaine royal inséré sur grattage dans le texte du serment prêté par les rois de France à l'occasion du sacre, semble avoir été ajouté vers 1374 dans le manuscrit. Celui-ci ne servit qu'en 1380 à l'occasion du sacre de Charles VI, étant ensuite passé en Angleterre après l'achat en bloc en 1424 de la librairie de Charles V au Louvre où il était jusqu'alors conservé.

Le manuscrit est illustré d'un cycle de trente-huit miniatures (sur un total primitif de plus de quarante), les vingt-neuf premières figurant les différentes étapes, annoncées dans les rubriques du texte, du sacre du roi, les neuf autres étant réservées au couronnement de la reine. La plupart s'inscrivent dans la justification du texte, seules quelques-unes ayant été rejetées dans la

marge inférieure. Exécutées un an à peine après la cérémonie, ces miniatures constituent un témoignage de premier ordre sur le déroulement du sacre de Charles V et de la reine Jeanne de Bourbon. Un soin particulier a été attaché pour rendre avec exactitude le visage du roi, presque toujours représenté ici de profil, suivant la formule des portraits de l'époque. De même les *regalia* (sceptres, mains de justice, etc.) ont-ils été figurés avec une remarquable précision.

Ces illustrations constituent le chef-d'œuvre d'un des artistes qui semblent avoir été le plus en faveur auprès de Charles V, le maître du *Livre du Sacre* ainsi désigné d'après le présent manuscrit. Le style de cet enlumineur apparaît encore très nettement tributaire ici de celui du maître du *Remède de Fortune* dont il fut le collaborateur et le disciple (nº 271). Ses personnages secs et malingres aux têtes souvent disproportionnées, n'ont pas cependant l'aisance de ceux de son maître, et le cadre spatial dans lequel ils s'inscrivent paraît étriqué par rapport aux miniatures du *Remède de Fortune*.

BIBL.: L. Delisle, « Notes sur quelques manuscrits du Musée britannique », *Mém. de la Soc. de l'histoire de Paris*, 4, 1877, p. 226-229. — G. Leroy, « Le livre du sacre des rois de France ayant fait partie de la librairie de

280
Bible de Jean de Sy

Prov.: Jean le Bon; Charles V; Louis Ier d'Anjou; Louis et Charles d'Orléans; Jean de Berry; Famille Arbaleste, de Melun; Pierre Séguier, chancelier de France; entré en 1731 à Saint-Germain-des-Prés avec l'ensemble des manuscrits du chancelier Séguier légués par Charles du Cambout de Coislin, évêque de Metz; entré à la Bibliothèque nationale en 1795-1796 avec les manuscrits de Saint-Germain-des-Prés.
Paris, vers 1355-1357 et 1380-1390
Parchemin, 371 ff., 420 × 300 mm

Les quarante-six cahiers du présent manuscrit sont tout ce qui subsiste d'une traduction de la Bible glosée et accompagnée de commentaires marginaux, entreprise par maître Jean de Sy à l'initiative du roi Jean le Bon. Le financement de cette œuvre ambitieuse devait être assumé par une contribution imposée aux Juifs. Cette traduction fut brutalement interrompue en 1356 par la défaite de Poitiers et la captivité du roi. Trois éléments différents de cette Bible sont décrits dans les inventaires de la « librairie » aménagée par Charles V au château de Louvre. L'un d'entre eux qui comprenait soixante-deux cahiers, fut livré en 1382 au duc Louis d'Anjou, frère du défunt roi. Le présent manuscrit semble correspondre à

280

un autre des fragments décrits en 1380, et qui contenait les livres du Pentateuque. Il a dû appartenir un temps au duc Jean de Berry dont la signature grattée a été relue par Durrieu à la fin du volume. Les comptes de Louis d'Orléans et de son fils Charles, montrent que ces deux princes s'étaient attachés à parachever l'œuvre commencée sous le règne de Jean le Bon.

Le cycle d'illustrations qui devait accompagner cette énorme compilation, et qui prévoyait notamment un certain nombre de cartes, a été poussé jusqu'au sixième cahier seulement. Encore ces illustrations se présentent-elles à des degrés variés d'avancement: seules celles du cinquième cahier (ff. 33-40) ont été entièrement achevées. D'autres se présentent à l'état d'esquisse (ff. 16, 26, 29v, 30v) et permettent d'apprécier le talent de dessinateur de l'artiste. Celui-ci est l'enlumineur désigné par H. Martin sous le nom de «maître aux boqueteaux», appellation à laquelle nous préférons celle de maître de la Bible de Jean

de Sy d'après le présent manuscrit qui semble être sa plus ancienne œuvre datée avec une Bible historiale de la British Library (ms. Royal 17 E VII) datée de 1357. Comme le maître du *Livre du sacre*, cet artiste a travaillé fréquemment pour Charles V jusqu'à la fin de son règne (*cf.* nos 281 et 282). Du point de vue stylistique, il adhère lui aussi à la nouvelle tendance naturaliste introduite dans l'enluminure parisienne par le maître du *Remède de Fortune*.

A une époque postérieure qui semble se situer vers 1380-1390, quelques esquisses tracées par le maître de la Bible de Jean de Sy ont été complétées (ff. 3, 12v, 14, 16v, 19, 20v, 22v, 24v, 27v, 32v). Là encore le travail est resté inachevé, certaines de ces esquisses n'ayant reçu qu'une première couche de couleur (ff. 41-42v, 47-48v). Le style de l'artiste responsable des peintures exécutées au cours de cette seconde campagne se rapproche de celui de certains collaborateurs de Jacquemart de Hesdin dans les Petites Heures de Jean de Berry (no 297).

BIBL.: L. Delisle, *Le Cabinet des Manuscrits*, I, 1868, p. 16, 55, 101, 105. — S. Berger, *La Bible française au Moyen Age*, Paris, 1884, p. 238-243 et 357-358. — P. Durrieu, *Le Manuscrit*, I, 1894, p. 93. — L. Delisle, 1907, I, p. 146, 328-330, 404-410. — H. Martin, 1923, p. 37-40, 95, pl. 45-46. — J. Sokolova, 1937, p. 124-125, 142-143, fig. 34, 41. — E. Panofsky, 1953, p. 38, 40, fig. 24. — J. Porcher, 1959, p. 53, fig. 58, pl. LXV. — M. Meiss, 1967, p. 20, 141, 152, 315, fig. 298, 301, 376, 377, 583. — F. Avril, 1978, p. 28, fig. XI.

EXP.: *Mss. à peintures XIIIᵉ-XVIᵉ s.*, 1955, no 116, pl. XVI. — *La librairie de Charles V*, 1968, no 136, pl. 16.

Paris, Bibliothèque nationale
ms. français 15397

281
Aristote. *Politiques et Économiques*

(traduction française de Nicole Oresme)

Prov.: Charles V; Louis Iᵉʳ d'Anjou; Philippe le Hardi, duc de Bourgogne; librairie des ducs de Bourgogne
Paris, vers 1375-1376
Parchemin, 396 ff., 315 × 210 mm

De 1371 à 1374 Charles V fit verser d'importantes sommes d'argent à son conseiller Nicole Oresme, doyen du chapitre de Rouen et l'un des savants les plus distingués de son temps, pour accomplir la traduction en français de deux œuvres capitales d'Aristote, l'*Ethique à Nicomaque* et les *Politiques*, «*desquels... le premier aprent estre bon home et l'autre estre bon prince*». Après son achèvement, le roi fit exécuter deux copies différentes de cette traduction, toutes deux en deux volumes : la première paire, de format *in quarto*, est aujourd'hui séparée entre la Bibliothèque royale de Bruxelles (ms. 9505-6) et une collection particulière (c'est le présent manuscrit), la seconde, datée de 1376 et de format plus réduit, étant partagée entre Bruxelles (ms. 11201-02) et La Haye (musée Meermanno-Westreenianum, ms. 10 D I).

Les deux exemplaires de chaque texte sont accompagnés d'un cycle identique d'illustrations dont C.R. Sherman a souligné à juste titre le caractère didactique. Dans chaque cas, il s'agissait d'interpréter visuellement des concepts abstraits de morale et de politique peu familiers à l'époque même au public cultivé. Suivant toutes vraisemblances, des directives très précises ont dû être fournies par le traducteur lui-même pour les thèmes à représenter dans ces illustrations. Celle du livre V des *Politiques* contient certainement, comme l'a suggéré C.R. Sherman, une allusion précise à des événements vécus personnellement par le roi : elle représente sur deux registres superposés «*sédition ou conspiration occulte*» et «*sédition apperte*». Ces deux notions sont traduites de façon très vivante : au niveau supérieur, un roi dîne dans son palais, tandis qu'à l'extérieur se rassemblent de petits groupes de conspirateurs. Au-dessous, le roi s'est mis à l'abri dans une place forte, tandis qu'au dehors, un homme en armes monté sur un piédestal harangue des soldats. Une légende précise que l'orateur est «*le démagogue qui presche au peuple contre le prince*». Cette dernière image devait certainement rappeler à Charles V la pénible période où, régent du royaume, il eut à faire face à l'insurrection parisienne animée par Étienne Marcel et soutenue en sous-main par Charles le Mauvais. Le livre VI, où il est question de la condition des serfs sous bonne démocratie, est introduit par une charmante miniature évoquant dans un paysage campagnard, des paysans vaquant à diverses occupations. Avec celles des livres I (ff. 3v-4), IV (f. 126) et VII (f. 254), ces deux miniatures sont dues, dans le présent exemplaire, au maître de la Bible de Jean de Sy. Celles des livres II (f. 32v), III (f. 75) et VIII (f. 328) sont l'œuvre d'un enlumineur qui apparaît tardivement au service de Charles V, le maître de la grisaille du couronnement de Charles VI peinte en tête des *Grandes Chroniques de France* de Charles V (n° 284). Les deux enluminures des *Économiques* (ff. 370 et 381) ont été laissées au maître du *Livre du Sacre* et sont représentatives de sa production tardive. La petite miniature du f. 1 figurant Nicole Oresme, est de la main d'un quatrième artiste ayant collaboré aux *Grandes Chroniques* de Charles V.

BIBL. : L. Delisle, *Mélanges de paléographie et de bibliographie*, 1880, p. 275-278. — C. Dehaisnes, *Histoire de l'art dans la Flandre, l'Artois et le Hainaut avant le XVᵉ siècle*, 1886, pl. XV. — L. Delisle, 1907, I, p. 104-105, 256. — C.R. Sherman, *Art Bull.*, 69, 1977, p. 320-330.

EXP. : *Les Primitifs français*, 1904, section manuscrits, n° 47. — *La librairie de Charles V*, 1968, n° 203, pl. 3, 22-23.

Collection particulière

281

282
Le Songe du Verger

Prov. : Charles V ; Charles VI ; Jean, duc de Bedford ; Humphrey, duc de Gloucester
Paris, 1378
Parchemin, 244 ff., 315 × 240 mm

Sous le titre poétique du *Songe du Verger*, c'est un véritable traité de doctrine politique qui nous est proposé dans ce texte probablement inspiré par Charles V, et dont l'auteur n'a pu jusqu'ici être identifié de façon certaine. D'abord rédigé en latin en 1376, le traité fit l'objet deux ans plus tard d'une traduction française, dont nous avons ici l'exemplaire dédié à Charles V où le roi de France a apposé son ex-libris autographe. Avec la traduction du *Policraticus* de Jean de Salisbury par Denis Foullechat, et celle de l'*Éthique* et de la *Politique* d'Aristote par

282

Nicolas Oresme (n° 281) également com-
mandées par Charles V, le *Songe du Verger*
forme un véritable corpus des principales
théories sur le pouvoir, dont le roi a pu
s'inspirer dans la conduite des affaires politiques.

Le thème essentiel de l'œuvre est celui,
jugé crucial à l'époque, des rapports entre
pouvoir spirituel et pouvoir temporel. La
miniature à pleine page qui tient lieu de
frontispice au manuscrit est l'illustration
littérale de la fiction qui sert de point de
départ à l'auteur : dans son prologue, celui-ci raconte comment, s'étant endormi
dans un verger, il vit en songe un roi entouré
de deux dames couronnées dont l'une vêtue
de bure monastique symbolise la Puissance
spirituelle, l'autre, en costume de reine, la

Puissance temporelle. Celles-ci discutent
pour savoir qui d'entre elles a la prééми-
nence, et s'en remettent pour trancher leur
litige à un clerc et un chevalier. Le débat, au
terme duquel le chevalier aura gain de
cause, constitue le corps même de l'œuvre.
Même si elle n'est pas spatialement très cohérente, la composition illustrant ce prologue est sans doute une des plus belles réussites du maître de la Bible de Jean de Sy :
entouré d'une double rangée de ces arbres
en forme de champignons mis à la mode par
le maître du *Remède de Fortune* (*cf.* n°s 272
et 273), le verger s'étend comme en vue
cavalière, sur toute la hauteur de la page. A
l'intérieur, les divers acteurs évoqués dans
le prologue sont disposés sur un pré fleuri
parsemé de terriers. Cette évocation cham-

pêtre est symptomatique de l'intérêt nouveau apporté depuis le milieu du siècle à la
représentation de la nature.

BIBL. : L. Delisle, *Mém. de la Soc. de l'histoire de Paris et de l'Ile-de-France*, 1877, p. 229-230. — L. Delisle, 1907, I, p. 320-321. — G.F. Warner et J.P. Gilson, *Cat. of Western Manuscripts in the Old Royal and King's Collection*, Londres, 1921, II, p. 334, pl. 110. — E.G. Millar, 1933, p. 28, pl. XXXII. — M. Lièvre, «Notes sur le manuscrit original du Songe du Verger», *Romania*, 77, 1956, p. 352-360. — C.R. Sherman, 1969, p. 30-31, fig. 13. — C.R. Sherman, *Medievalia et humanistica*, n.s., 2, 1971, p. 91, fig. 13. — F. Avril, 1978, p. 101, pl. 31. — M. Schnerb-Lièvre, Evrart de Trémaugon et le Songe du Verger, *Romania*, 101, 1980, p. 527-530.

EXP. : *La Librairie de Charles V*, 1968, n° 187.

Londres, The British Library
ms. Royal 19 C IV

283
Œuvres de Guillaume de Machaut

Prov. : acquis par Louis XII avec les manus-
crits de Louis de La Gruthuyse, seigneur de
Bruges
Reims? vers 1372-1377, et Paris, autour de
1377
Parchemin, 506 ff., 320 × 220 mm

Ce manuscrit où se trouve rassemblé l'essentiel de l'œuvre poétique et musicale de
Guillaume de Machaut, y compris son œuvre la plus tardive, le dit de la *Prise
d'Alexandrie* composé vers 1370-1371,
remonte sans doute aux toutes dernières
années de la vie du poète. Une table des
œuvres contenues dans le volume est précédée de la rubrique suivante : *Vesci l'ordo-
nance que G. de Machaut wet qu'il ait en
son livre,* qui semble indiquer que Machaut
a surveillé lui-même la composition du recueil. Ceci joint au fait qu'une des illustrations à l'encre figurant dans le volume, celle
de la Fortune selon Fulgence et Tite Live
(f. 297) à la fin du *Voir Dit,* est manifestement basée sur des indications de l'auteur
(les inscriptions en latin qui sont intégrées
dans cette image ne figurent qu'en français
dans le poème lui-même et n'ont pu être
fournies que par Machaut), incite à penser
que le manuscrit pourrait avoir été copié et
enluminé à Reims, où Machaut passa les

283

dernières années de sa vie, sous les yeux mêmes du poète.

Le style des illustrations, toutes exécutées suivant la technique du « portrait d'encre » et légèrement rehaussées à l'exception des deux miniatures du prologue, ne contredit pas cette hypothèse. Il est certes influencé de façon prépondérante par l'enluminure parisienne de l'époque, mais présente un caractère plus spontané et certains traits provinciaux qui cadrent bien avec la production de l'Est de la France telle qu'elle nous est connue par les manuscrits messins du milieu et troisième quart du siècle (cf. nº 256).

Les deux célèbres miniatures illustrant le prologue qui ont été insérées sans doute peu après en tête du volume, appartiennent, elles, sans le moindre doute à l'art parisien et constituent le chef-d'œuvre incontesté du maître de la Bible de Jean de Sy qui s'est ici surpassé : inversées par suite d'une erreur de reliure, elles figurent, dans l'ordre, Dame Nature présentant à Machaut ses enfants Sens, Rhétorique et Musique (f. E), et Amour présentant au poète ses enfants Doux Penser, Plaisance et Espérance (f. D). Les deux scènes se déroulent au premier plan d'un charmant cadre champêtre qui démontre une fois de plus le goût de l'artiste pour les évocations de la nature. Avec les scènes analogues contenues dans le plus ancien recueil des œuvres de Machaut (nº 272), ces peintures comptent parmi les incunables du paysage médiéval.

BIBL. : E. Hoepffner, éd. *Œuvres de Guillaume de Machaut*, Paris, 1908-1921, 3 vol. — C. Couderc, 1910, p. 8, pl. XVIII. — H. Martin, 1923, p. 45-47, 53, 94-95, pl. 47-48. — F. Ludwig, *Guillaume de Machaut. Musikalische Werke*, II, Leipzig, 1928, p. 9. — J. Sokolova, 1937, p. 138, 295, fig. 37. — J. Porcher, 1959, p. 54, pl. LVI. — U. Günther, « Chronologie und Stil der Kompositionen Guillaume de Machauts », *Acta musicologica*, XXX, 1963, p. 96-114. — M. Meiss, 1967, p. 23, 141, 218, 221, 225, fig. 385. — S.S. Williams, « An Author's Role in Fourteenth Century Book Production : Guillaume de Machaut's livre où je mets toutes mes choses », *Romania*, 90, 1969, p. 433-454. — F. Avril, 1978, p. 28, 36, pl. 29-30. — F. Avril, « Les manuscrits enluminés de Guillaume de Machaut », *Colloque Guillaume de Machaut, Reims, 1978* (à paraître).

EXP. : *Mss à peintures XIIIᵉ-XVIᵉ s.*, 1955, nº 119, pl. XVII. — *Kaiser Karl IV.*, 1978, nº 136.

Paris, Bibliothèque nationale
ms. français 1584

284
Grandes chroniques de France de Charles V

Prov. : Charles V ; Jean de Berry ; figure dans les inventaires de la Bibliothèque royale depuis la fin du XVIᵉ siècle
Paris, vers 1375-1379
Parchemin, 543 ff., 350 × 240 mm

Les *Grandes Chroniques de France* constituent le texte officiel de l'histoire de la monarchie française depuis le XIIIᵉ siècle. Commencées à la fin du règne de saint Louis par le moine de Saint-Denis, Primat, elles furent régulièrement tenues à jour dans l'abbaye jusqu'à la fin du règne de Philippe VI. Comme ses prédécesseurs, Charles V s'est intéressé à ce texte et s'en fit exécuter un luxueux exemplaire (le manuscrit présenté ici), copié directement pour la partie due à Primat sur le plus ancien exemplaire conservé, le ms. 782 de la Bibliothèque Sainte-Geneviève. Il y fit ajouter une relation détaillée du règne de son père Jean le Bon et du sien propre, relation qui se poursuit jusqu'en 1378 et s'achève avec le récit de la visite de l'empereur Charles IV de Luxembourg et le début du Grand Schisme. Contrairement aux précédentes, cette addition ne fut pas rédigée à Saint-Denis, mais dans l'entourage direct du roi, peut-être par son chancelier, Pierre d'Orgemont.

Le manuscrit se présentait primitivement en deux volumes de grosseur à peu près égale qui furent assez tôt reliés en un seul comme le prouve le décor fleurdelisé de la tranche. La copie en est due aux deux scribes attitrés de Charles V, Henri du Trévou et Raoulet d'Orléans. A la fin du premier volume primitif (f. 263v) se déchiffre l'ex-libris effacé du roi, qui avait échappé à L. Delisle :

284

Ces croniques de France sont à nous Charles le Ve de notre nom, roy de France... Charles.

Le texte est accompagné d'une abondante illustration qui fut en partie remaniée sur l'ordre du roi lui-même, afin de mieux faire ressortir la vassalité des rois d'Angleterre, comme ducs de Guyenne, vis-à-vis des rois de France (ff. 290 et 357-357v). D'abord exécutées en grisaille jusqu'à la fin du règle de Philippe VI (f. 388), les miniatures sont peintes en couleur et présentent des formats variés à partir du règne de Jean le Bon. Cinq artistes différents ont participé à cette illustration : deux d'entre eux font partie de l'équipe habituelle des enlumineurs du roi, le maître de la Bible de Jean de Sy, qui a surtout travaillé dans la première moitié du volume (ff. 103v, 105v, 106v, 108, 109, etc.), le maître du *Livre du Sacre*, auteur notamment de la scène du couronnement de Charles V et de Jeanne de Bourbon (f. 439) et des funérailles de cette reine (f. 480v). A cette vieille garde vient s'adjoindre un troisième artiste, entré plus tardivement au service de Charles V, et qui, outre de nombreuses petites miniatures, a exécuté la grisaille en quatre compartiments du f. 4, et surtout le superbe frontispice du f. 3v, inséré sans doute peu après 1380, représentant le couronnement du jeune Charles VI. Cet artiste se distingue par la fluidité des formes et le fini du modelé. Trois autres grandes peintures du manuscrit sont dues à un artiste apparenté au maître de la Bible de Jean de Sy dont il fut peut-être un disciple : il s'agit des scènes de la vie de saint Louis (f. 265), de la scène du banquet de l'ordre de l'Étoile (f. 394), et du banquet offert par Charles V à son oncle l'empereur Charles IV dans la grande salle du Palais (f. 473v). Un dernier artiste, probablement plus jeune car il n'apparaît qu'exceptionnellement et dans les manuscrits les plus tardifs de Charles V, a collaboré au volume : il s'agit d'un enlumineur qui fit surtout carrière dans les vingt dernières années du siècle, et qu'on trouve notamment dans un Guillaume de Digulleville daté de 1393 (n° 294). Du point de vue iconographique, l'exemplaire des *Grandes Chroniques* de Charles V tire son principal intérêt du cycle très détaillé de miniatures relatives à la visite de l'empereur Charles IV de Luxembourg à son neveu Charles V (ff. 467

284

Paris, 1372
Parchemin, 580 ff., 292 × 215 mm

Cette magnifique Bible fut offerte à Charles V par son conseiller Jean de Vaudetar le 28 mars 1372, ainsi que nous l'apprend une pièce de vers rédigée à la fin du volume par le copiste Raoulet d'Orléans. Celui-ci précise qu'il dut faire : *Pluseurs alées et venues, / Soir et matin parmi les rues, / Et mainte pluye sus son chief, / Ains [avant] qu'il en soit venu à chef*. Ces déplacements fréquents que dut faire Raoulet pour aller porter les cahiers qu'il venait d'écrire dans l'atelier de l'enlumineur s'expliquent évidemment par le nombre important d'illustrations qui avaient été prévues pour cette

Bible : 269 au total, ce qui est un chiffre considérable pour une Bible historiale. Ce cycle biblique est ponctué par trois grandes peintures : un Christ entouré des Évangélistes en tête du Prologue (f. 3), les quatre scènes relatives à Salomon que nous avons déjà rencontrées dans la Bible historiale de Jean le Bon (n° 277) et dans la première Bible historiale de Charles V (n° 278) (f. 317), et une composition à quatre médaillons représentant la Nativité, l'Épiphanie, le Massacre des Innocents et la Fuite en Égypte, au début des Évangiles (f. 467). Ces peintures, comme la plupart de celles de moindre dimension, sont l'œuvre d'un excellent disciple du maître de la Bible de Jean de Sy, artiste que nous retrouvons dans un

à 480), événement qui frappa l'imagination des contemporains par le faste qui y fut déployé.

BIBL. : J. Lacabane, «Recherches sur les Grandes Chroniques de France», *Bibl. de l'École des Chartes*, II, 1840-1841, p. 68-74. — L. Delisle, 1907, I, p. 312-314. — C. Couderc, 1910, p. 11, pl. XXIII, XXVII, XXXIX-XLI. — *Chronique du règne de Jean II et de Charles V*, éd. R. Delachenal, Paris, 1910-1920 (Société de l'Histoire de France). — *Grandes Chroniques de France*, éd. J. Viard, Paris, 1920-1953 (Soc. de France). — H. Martin, 1923, p. 48, 95, pl. 55-57. — J. Sokolova, 1937, p. 127-128. — C.R. Sherman, 1969, p. 41-44, fig. 32-36. — M. Thomas, «La visite de l'empereur Charles IV en France d'après l'exemplaire des «Grandes Chroniques» exécuté pour le roi Charles V», *VIe Congrès international des bibliophiles, Vienne, 29 sept.-5 oct. 1969*, Vienne, 1971, p. 85-89. — F. Avril, 1978, p. 28-29, pl. 34-35.

EXP. : *Les Primitifs français*, 1904, section manuscrits, n° 51. — *Exp. de portraits du XIIIe au XVIe s.*, 1907, n° 23. — *Mss à peintures XIIIe-XVIe s.*, 1955, n° 123, pl. B. — *La librairie de Charles V*, 1968, n° 195, pl. VIII et 21. — *Kaiser Karl IV.*, 1978, n° 180.

Paris, Bibliothèque nationale
ms. français 2813

285
Bible historiale de Jean de Vaudetar

Prov. : Charles V ; Louis Ier, duc d'Anjou ; Jean de Berry ; Librairie du Louvre ; Jean, duc de Bedford ; Collège des Jésuites de La Flèche ; Nicolas-Joseph Foucault ; Louis-Jean Gaignat ; Gérard Meerman ; baron de Westreenen

285

autre manuscrit exécuté pour Charles V, le Traité sur la sphère de Nicole Oresme et les Traités astrologiques de Pèlerin de Prusse (n° 289).

En tête du volume, sur un bifolium exécuté indépendamment du reste du manuscrit, figure la célèbre scène de dédicace représentant Charles V assis sous un dais conique fleurdelisé recevant la Bible que lui offre Jean de Vaudetar. Une inscription en lettres d'or sur le feuillet opposé nous dévoile l'identité de l'auteur de ce chef-d'œuvre : il s'agit de Jean de Bruges, connu par d'autres documents sous le nom de Jean de Bondol, artiste que l'on suit dans les comptes de Charles V de 1368 à 1381 (*Anno Domini millesimo trecentesimo septuagesimo primo, istud opus pictum fuit ad praeceptum ac honorem illustri[s] principis Karoli regis Francie, etatis sue trecesimo quinto et regni sui octavo, et Johannes de Brugis, pictor regis predicti, fecit hanc picturam propria sua manu*). Malgré son médiocre état de conservation (une malencontreuse tache brune défigure le bas du visage du roi), cette scène, la seule œuvre autographe de Bondol qui nous soit conservée, est d'une importance capitale dans l'histoire de la peinture septentrionale de la seconde moitié du XIVe siècle, en ce qu'elle intègre les acquis italiens en matière de construction de l'espace et la nouvelle tendance à aborder de façon naturaliste la représentation de la réalité. Ce dernier aspect est illustré ici par le réalisme plein de bonhomie avec lequel sont représentés le roi et son serviteur. La scène vue comme à travers une fenêtre, avec son pavement en perspective, reprend comme l'a montré Panofsky, la formule de l'intérieur par implication utilisée pour la première fois par Ambrogio Lorenzetti. Il y a un écart insurmontable entre l'art savant et raffiné de cette page et les miniatures du maître de la Bible de Jean de Sy qu'on a voulu lui rattacher.

BIBL. : L. Delisle, 1880, p. 222-226. — C. Dehaisnes, *Histoire de l'art dans la Flandre*, 1886, p. 154-155. — L. Delisle, 1907, p. 74-76, 148-149. — R. Delachenal, *Bibl. de l'École des Chartes*, 71, 1910, p. 711-712. — P. Durrieu, *Histoire de l'art* d'A. Michel, III, 1, 1911, p. 117. — A.W. Byvanck, 1924, p. 104-110, pl. XLVIII-LI. — J. Sokolova, 1937, p. 125-126. — E. Panofsky, 1953, I, p. 35-36, II, fig. 23. — L.M.J. Delaissé, « Enluminure et peinture dans les Pays-Bas », *Scriptorium*, 11, 1957, p. 110-111. — M. Meiss, 1967, p. 21, 100, 113, 204, 310, fig. 378, 382, 386. — C.R. Sherman, 1969, p. 26-28, fig. 10. — F. Avril, 1978, p. 30, pl. 36.

EXP. : *La librairie de Charles V*, 1968, n° 168, pl. V. — *Die Parler...*, 1978, I, p. 68-69 et III, p. 223. — *Verluchte Handschriften mit eigen Bezit*, 1979-1980, n° 15.

La Haye, Museum Meermanno-Westreenianum
ms. 10 B 23

286
Bible historiale de Charles V

Prov. : Charles V ; Jean de Berry ; marquis de Paulmy
Paris, vers 1370-1375
Parchemin, 417 ff., 285 × 190 mm

Un ex-libris de Charles V, effacé mais lisible, à la fin de ce volume permet d'établir la provenance royale de ce superbe manuscrit, première partie d'une Bible historiale dont le volume complémentaire a été redécouvert récemment à la Kunsthalle de Hambourg. Par une curieuse volonté de

286

contraste, les deux volumes ont été enluminés suivant deux techniques différentes : le manuscrit de l'Arsenal est entièrement exécuté en grisaille, alors que les illustrations du volume de Hambourg sont de véritables peintures. Les deux manuscrits avaient dû séduire l'amateur raffiné qu'était Jean de Berry, auquel ils furent offerts en 1403 par Charles VI.

Alors que le volume de Hambourg a été entièrement enluminé par le maître de la Bible de Jean de Sy, le cycle d'illustrations remarquablement étoffé de la Bible de l'Arsenal est le fruit d'une collaboration entre plusieurs artistes, parmi lesquels on reconnaît notamment le maître de la Bible de Jean de Sy là encore, et le maître du couronnement de Charles VI. Les grisailles dues à ces deux enlumineurs se présentent ici non seulement sous forme de miniatures indépendantes, inscrites dans un polylobe ou dans un encadrement architectural, mais aussi, fait exceptionnel dans l'enluminure française de l'époque, sous forme d'initiales historiées, dont le dessin est constitué par des personnages ou des êtres animés, suivant une formule dont on ne retrouve d'antécédents en France que dans les Heures de Jeanne d'Évreux (n° 239). Une composition de plus grand format occupe le premier feuillet du manuscrit. D'une extraordinaire finesse d'exécution, elle constitue en outre, du point de vue iconographique, un véritable tour de force, et prétend évoquer sous forme allusive, l'ensemble des livres bibliques contenus dans le volume. Elle consiste en quatre compartiments séparés au centre par un espace vertical dans lequel est représenté le roi en prière devant la Trinité (pour laquelle Charles V avait une dévotion particulière) : dans le compartiment supérieur gauche sont contenus *« les V livres de la loy Moïse »*. Les scènes du compartiment inférieur, subdivisé en trois registres, représentent *« des hystoriaus la devise »*. Les trois personnages figurés à la partie supérieure droite symbolisent *« les V livres de Sapience »*, le compartiment du dessous donnant *« des prophétes la contenance »*. Cette composition synthétique, qui a son exact pendant dans le volume de Hambourg, présente tous les caractères stylistiques de l'enlumineur Jean Le Noir et appartient avec les *Petites Heures*

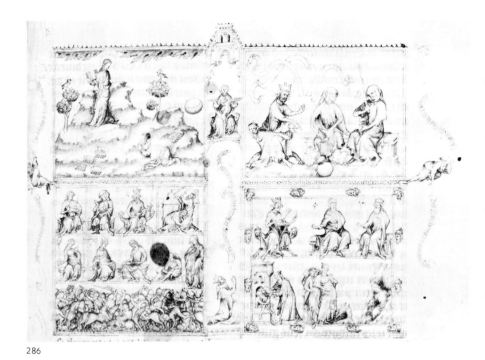

286

probablement été exécuté pour le roi lui-même dont on reconnaît le profil caractéristique dans le personnage royal représenté agenouillé devant le Christ dans la dernière miniature du psautier (f. 261).

Une bonne partie des illustrations de ce bréviaire (elles sont au nombre de 243) s'inspirent directement de celles du Bréviaire de Belleville (n° 240). Ceci est particulièrement flagrant dans le cycle des psaumes, dont le programme iconographique élaboré plagie littéralement celui de ce manuscrit. Celui-ci, conservé de longue date dans les collections royales, a pu fort bien être communiqué à l'artiste comme modèle à imiter. Toutefois la reprise des compositions pucelliennes du Bréviaire de Belleville dans le Bréviaire de Charles V se complique du fait que l'enlumineur de ce dernier manuscrit était lui-même un des meilleurs disciples de Pucelle, et qu'il a dû recueillir les carnets de modèles réunis par son maître : en témoigne la présence dans le

287

de Jean de Berry (n° 297) à la dernière phase de la carrière de cet artiste.

BIBL. : S. Berger, *La Bible française*, 1884, p. 368. — L. Delisle, 1907, I, p. 152-153, II, 273-274. — H. Martin, 1923, p. 45, 95, pl. 49-50. — H. Martin, Ph. Lauer, 1929, p. 28-29, pl. XXXII-XXXIV. — J. Sokolova, 1937, p. 128-129, fig. 35. — K. Morand, 1962, p. 23-24, 42, pl. XXI. — M. Meiss, 1967, p. 300-301 et 312. — F. Avril, *Jahrbuch der Hamburger Kunstsammlungen*, 14-15, 1970, p. 45-76. — F. Avril, 1978, p. 20, 36-37, pl. 38.

EXP. : *Mss à peintures XIIIᵉ-XVIᵉ s.*, 1955, n° 112. — *La librairie de Charles V*, 1968, n° 169. — *Trésors de la Bibl. de l'Arsenal*, 1980, n° 93.

Paris, Bibliothèque de l'Arsenal
ms. 5212

287
Bréviaire de Charles V

Prov. : Charles V ; Charles VI ; Louis d'Orléans ; Jean de Berry ; Charles VII
Paris, vers 1364-1370
Parchemin, 617 ff., 235 × 170 mm

Ce précieux manuscrit décrit en 1380 dans l'inventaire des livres et joyaux de Charles V conservés au donjon de Vincennes, a très

Bréviaire de Charles V de compositions dont la source n'est pas le Bréviaire de Belleville mais d'autres manuscrits de Pucelle et de son atelier.

L'artiste, auquel on doit l'essentiel de l'illustration du Bréviaire de Charles V (il n'a été secondé par le maître de la Bible de Jean de Sy que pour quelques miniatures mineures situées dans le sanctoral), est de toute évidence le maître principal des Heures de Jeanne de Navarre, autrement dit Jean Le Noir, à une phase avancée de sa carrière. Stylistiquement le manuscrit se situe en effet entre les Heures de Yolande de Flandre exécutées probablement entre 1353 et 1358 (date à laquelle l'artiste est passé depuis quelque temps déjà au service de Jean le Bon et de son fils, le futur Charles V) et les Petites Heures de Jean de Berry (nº 297) son œuvre la plus tardive, entreprise probablement dès les années 1375-1378. Dans ces trois œuvres le contraste s'accentue entre le maniement extraordinairement subtil du pinceau, le raffinement de la palette, et la souplesse mélodieuse des formes d'une part, et la représentation d'une humanité de caractère plébéien aux expressions souvent triviales, voires animales, d'autre part. A cet égard, Jean Le Noir s'écarte du strict canon pucellien, épris de beauté classique, et semble avoir été contaminé par le courant naturaliste qui se développe dans l'enluminure française à partir du milieu du XIVᵉ siècle.

BIBL.: L. Delisle, *Notice de douze livres royaux,* 1902, p. 89-93, pl. XVII-XVIII. — L. Delisle, 1907, I, p. 187-190. — C. Couderc, 1910, p. 13, pl. XXX. — H. Martin, 1923, p. 63, 65, pl. 69, fig. XCIV. — V. Leroquais, 1934, III, p. 49-57, pl. XLIII-XLVII. — J. Sokolova, 1937, p. 110-112, fig. 30-32. — J. Porcher, 1959, p. 52, pl. LV. — K. Morand, 1962, p. 25-28, pl. jy XXIIc, XXIIIb et c, XXVc, XXVIc, XXVIIIc. — M. Meiss, 1967, p. 159-164 et passim, fig. 351, 359, 362, 367, 371, 839. — C.R. Sherman, 1969, p. 47-48, fig. 39. — F. Avril, *Revue de l'Art,* nº 9, 1970, p. 43-45. — M. Thomas, 1971, fig. 6. — F. Avril, 1978, p. 20, 22, pl. 37.

EXP.: *Les Primitifs français,* 1904, section des manuscrits, nº 41. — *Exposition de portraits XIIIᵉ-XVIIᵉ s.,* 1907, nº 19. — *Mss à peintures XIIIᵉ-XVIᵉ s.,* 1955, nº 111. — *Chefs-d'œuvre des peintres enlumineurs de Jean de Berry,* 1951, nº 4. — *La librairie de Charles V,* 1968, nº 173, pl. 17.

Paris, Bibliothèque nationale
ms. latin 1052

288

288
Le Livre du roi Modus et de la reine Ratio

Prov.: Charles de Trie, comte de Dammartin; Librairie des ducs de Bourgogne
Paris, 1379
Parchemin, 178 ff., 305 × 215 mm

Sous le titre de *Livre du roi Modus et de la Reine Ratio* se trouvent réunies deux œuvres distinctes, mais dues à un même auteur, Henri de Ferrières, dont l'anagramme, disposé dans une roue, apparaît à la fin du texte. La première de ces œuvres est un traité sur l'art de la chasse, le *Livre des déduits,* qui précède de quelques années l'ouvrage analogue que rédigea le comte de Foix Gaston Phébus (nº 314). Ce traité est suivi d'un récit allégorique, le *Songe de pes-*

tilence, où l'auteur évoque les temps troublés et les calamités diverses que connut la France pendant le troisième quart du XIVᵉ siècle. Les armoiries de Dammartin, peintes de première main au f. 2v, se rapportent certainement au destinataire du manuscrit: il s'agit très probablement de Charles de Trie, comte de Dammartin, compagnon d'armes de du Guesclin dont les exploits sont célébrés dans la partie finale de l'œuvre d'Henri de Ferrières.

Dans le séquence des 63 miniatures du manuscrit, distribuées à part à peu près égale entre les deux œuvres, on reconnaît la main d'un seul et même artiste. Celui-ci a su concilier dans la partie cynégétique du texte la précision exigée par l'illustration d'un traité technique, et un sens décoratif certain, tirant parti avec bonheur des diverses

288

possibilités offertes par les compositions, ainsi dans la section du *Livre des déduits* relative aux pièges et aux appâts. Les épisodes de chasse proprement dite sont traités avec une verve narrative au ton direct et sans prétention, animés qu'ils sont de petits personnages aux yeux vifs, courtauds et mal proportionnés. L'auteur de ces miniatures, dont on suit la carrière jusque vers les années 1390, apparaît pour la première fois en 1374 dans un manuscrit exécuté pour Charles V, le *Rational des divins offices* (Bibl. nat., ms. français 437) ainsi que dans une charte enluminée la même année pour l'abbaye de Royaumont (n° 319 bis). Cet artiste pourrait avoir été formé auprès du maître du *Livre du Sacre*.

BIBL. : *Les Livres du roy Modus et de la reine Ratio*, éd. G. Tilander, Paris, 1932 (Société des anciens textes français). — C. Nordenfalk, *Kung Praktiks och drottning Teoris jaktbok*, Stockholm, 1955, p. 14, 39, 40-43, 91, fig. 1-3, ll, 19, 27-33. — F. Avril, « L'étude de la décoration des manuscrits et son apport à la codicologie : le cas de l'enluminure parisienne de la seconde moitié du XIVe siècle » (à paraître dans *Codicologica*).

EXP. : *Mss à peintures XIIIe-XVIe s.*, 1955, n° 127.

Paris, Bibliothèque nationale
ms. français 12399

289
Nicole Oresme, *Traité sur la sphère*
Pèlerin de Prusse, *Traités astrologiques*

Paris, vers 1377
Parchemin, 161 ff., 200 × 142 mm

Ce curieux manuscrit est très révélateur du goût de Charles V pour l'astrologie. Outre un traité de Nicole Oresme sur la sphère, datable de 1377, il contient divers ouvrages composés en 1361 et 1362 par Pèlerin de Prusse et dédiés à Charles V encore dauphin. Le premier traite de l'influence des planètes, le second de l'usage de l'astrolabe. Ces deux traités sont suivis de la traduction en français de l'*Introductorium* d'Alcabitius.. A la fin du volume a été ajouté un cahier contenant les horoscopes de Charles V et de ses enfants : le dauphin Charles, Louis, comte de Valois (le futur

289

Louis d'Orléans), Marie et Isabelle de France (ff. 158-160). La rédaction de ces horoscopes doit se placer entre 1373, date de la naissance d'Isabelle dernière née de Charles V, et 1377, année où mourut Marie de France. Le manuscrit est mentionné en

1418 comme se trouvant à Vincennes, en l'étude du roi.

Deux peintures introduisent le traité de Nicole Oresme (f. 1) et celui de Pèlerin de Prusse sur les planètes (f. 33) : toutes deux montrent le roi couronné, assis dans sa librairie. Devant lui une « roue », dont l'axe est surmonté d'une sphère armillaire au f. 1, et derrière lui une sorte d'armoire à livres en forme de niche, suspendue. Ces deux peintures sont dues à un proche disciple du maître de la Bible de Jean de Sy, dont on retrouve la main dans les miniatures de la Bible de Jean de Vaudetar (n° 285).

L'horoscope de Charles V (f. 158v), écrit en lettres d'or, est compris dans un cadre orné de K et de couronnes alternés. Celui du dauphin qui fait face, est orné de dauphins et de fleurs de lis.

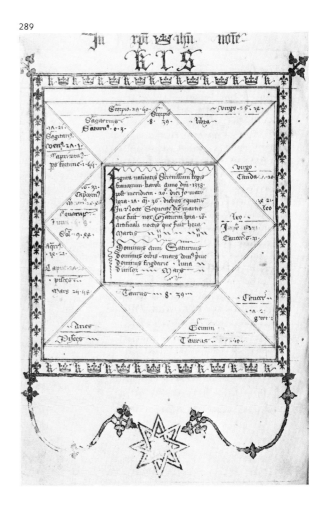

289

BIBL.: L. Delisle, 1907, I, p. 266-269. — R. Delachenal, *Histoire de Charles V*, I, p. 1-2, III, p. 336, 534, IV, p. 390, 392. — L. Thorndike, *A History of magic and experimental science*, III, p. 586-587. — E. Poulle, « Horoscopes princiers des XIVᵉ et XVᵉ siècles », *Bull. de la Soc. des ant. de France*, 1969, p. 63-69. — C.R. Sherman, 1969, p. 22, 31, fig. 6, 70. — C.R. Sherman, *Medievalia et Humanistica*, n.s., 2, 1971, p. 87, fig. 4-5.

EXP.: *La librairie de Charles V*, 1968, nº 199.

Oxford, Saint-John's College
ms. 164

290
Hommages du comte de Clermont-en-Beauvaisis

Prov.: Robert de Gaignières
Paris, fin du XVIIᵉ siècle
Papier, 589 pp., 520 × 340 mm

En 1371, Louis II duc de Bourgogne, beau-frère de Charles V, fit entreprendre un recensement des terres et seigneuries relevant de son comté de Clermont dans le Beauvaisis, afin d'en rendre hommage à son suzerain le roi de France. Ce recensement fut mené de 1373 à 1376 sous la direction du gouverneur du comté, Gilles de Nédonchel. Deux exemplaires originaux de l'acte de dénombrement semblent avoir existé, dont l'un, conservé à la Chambre des comptes, était accompagné de très remarquables peintures. Il a malheureusement disparu en 1737 dans l'incendie qui ravagea la Chambre des comptes, et ne nous est plus connu aujourd'hui que par deux copies, l'une du XVᵉ siècle (Arch. nat., K K 1093), la seconde exécutée vers la fin du XVIIᵉ siècle pour l'érudit et « antiquaire » Robert de Gaignières. C'est cette copie qui est présentée ici.

Bien que certainement interprétées et déformées par rapport à l'original, les aquarelles de la copie de Gaignières permettent néanmoins de se rendre compte de l'importance et de l'intérêt exceptionnels de ce document dans l'histoire de la peinture de l'époque. Intérêt du point de vue de l'histoire du portrait tout d'abord, avec l'étonnante vérité physionomique que l'on pressent dans les représentations des divers personnages prêtant hommage à Louis II de Bourbon. La scène de la prestation de

290

l'hommage de Louis de Bourbon à Charles V, qui occupait originellement la p. 37 du présent manuscrit, a malheureusement disparu, mais nous est connue par une autre copie également exécutée par Gaignières et conservée au Cabinet des Estampes (Oa 12, f. 8): c'est une étonnante galerie de portraits, dont on peut contrôler le degré d'exactitude grâce à la présence des effigies de Charles V et de du Guesclin. Les scènes d'hommage à Louis de Bourbon sont généralement accompagnées de la représentation du château ou de la ville pour lesquels le duc reçoit l'hommage: ces évocations architecturales, dont nous avons d'autres exemples à l'époque (*cf.* nº 311), semblent avoir été exécutées avec une certaine volonté d'exactitude topographique, et nous acheminent vers ces véritables « portraits » de châteaux que constituent les miniatures du calendrier des *Très riches Heures* de Jean de Berry.

BIBL.: Cte de Luçay, « Le comté de Clermont-en-Beauvaisis », *Rev. historique, nobiliaire et biographique*, 13, 1876, p. 265-310, 388-427, 467-513, et 14, 1877, p. 42-81, 227-260, 310-358, 376-404. — C. Couderc, 1910, p. 11-12, pl. XXIX. — C.R. Sherman, 1969, p. 40-41, fig. 28-30. — M. Popoff, « Armoiries non nobles dans le comté de Clermont-en-Beauvaisis à la fin du XIVᵉ siècle », *Rev. française d'héraldique et de sigillographie*, 1980, 50, p. 7-21. — M. Popoff, « Les signes du pouvoir dans les armoiries des officiers domaniaux dans le comté de Clermont-en-Beauvaisis à la fin du XIVᵉ siècle », *Actes du 105ᵉ congrès national des Soc. savantes*, Caen, 1980, Section de philologie et d'histoire jusqu'en 1610 (sous presse).

EXP.: *Les Primitifs français*, 1904, section des manuscrits, nº 57

Paris, Bibliothèque nationale
ms. français 20082

291
Inventaires de la librairie du Louvre dressés en 1380 et 1411

Prov.: J.B. Colbert
1380 et 1411
Papier, 405 × 295 mm

Ce document est particulièrement précieux car il contient deux des plus importants inventaires de la librairie du Louvre. Le premier, qui occupe les feuillets 2 à 37, est un récolement de l'inventaire dressé en 1373 par Gilles Malet dont l'original ne nous est pas parvenu. Ce travail de récolement fut confié deux mois après la mort de Charles V à Jean Blanchet, qui recopia l'inventaire de 1373, en y ajoutant des notes expliquant l'absence de certains volumes. Un nouvel inventaire fut rédigé en 1411 après la mort de Gilles Malet, par Jean le Bègue, greffier de la Chambre des comptes. Après avoir constaté les déficits (ff. 41-49), Jean le Bègue inventoria les livres se trouvant dans les trois étages de la librairie (ff. 53-133). Cet inventaire est d'un intérêt tout particulier car il indique pour chaque volume décrit les premiers mots du second et du dernier feuillet, ce qui permet de les identifier de façon certaine.

BIBL. : L. Delisle, 1907, I, p. 23-30.

EXP. : *La librairie de Charles V*, 1968, n° 113.

Paris, Bibliothèque nationale
ms. français 2700

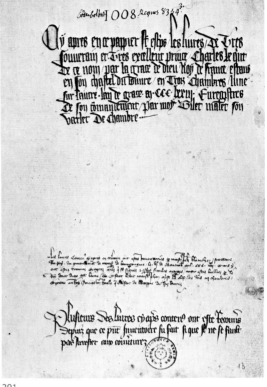

291

292
Inventaire de la librairie du Louvre dressé en 1380

Prov. : Étienne Baluze
1380
Papier. Rouleau

Ce rouleau contient la copie que fit faire Jean Blanchet de l'inventaire de la librairie du Louvre établi par lui en 1380. Jean Blanchet le remit au roi Charles VI en même temps que les clefs des trois chambres de la librairie.

BIBL. : L. Delisle, 1907, I, p. 24.

EXP. : *La librairie de Charles V*, 1968, n° 114.

Paris, Bibliothèque nationale
ms. Baluze 397

293
Inventaire général des joyaux de Charles V

Prov. : Librairie de Blois
Paris, XVe siècle (fin)
Parchemin, 327 ff., 350 × 280 mm

Au début de 1379, sentant sa santé décliner, Charles V ordonna de rédiger l'inventaire de son mobilier. Une commission composée de Philippe de Savoisy, Gilles Malet, garde de la librairie du roi, Jean de Vaudetar, Gabriel Fatinant et Jean Creté, fut chargée d'assister à l'inventaire que le roi ordonna de faire copier en trois exemplaires. Le premier devait être conservé par lui dans ses « coffres », le second déposé à la Chambre des comptes, et le dernier, divisé en autant de parties qu'il y avait de résidences abritant des éléments du mobilier royal. L'inventaire fut commencé le 21 juin 1379. La dernière partie inventoriée, celle des habits et insignes royaux remis à l'abbaye de Saint-Denis, est datée du 7 mai 1380. Cet

292

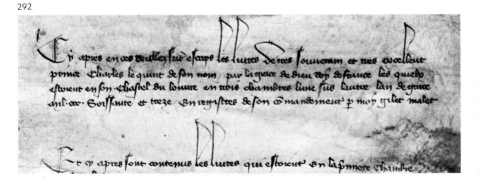

293

Guillaume de Digueville
Le Pèlerinage de vie humaine.
Le Pèlerinage de l'âme.
Le Pèlerinage de Jésus-Christ

Prov. : Jean Bourré, trésorier de France sous
Louis XI ; Charles VIII
Paris, 1393
Parchemin, 246 ff., 325 × 230 mm

Malgré sa date tardive, la décoration de ce
manuscrit illustre bien la continuité stylistique et le conservatisme de certains ateliers
parisiens à la fin du siècle. Tout dans cette
décoration prolonge en effet les usages décoratifs et le style inaugurés depuis la fin du
règne de Jean le Bon : bordures à feuilles de
vigne animées à l'occasion de volatiles variés, compositions divisées en quatre compartiments, cadres polylobés à bordure tri-
colore, traitement des personnages, répertoire ornemental des fonds, et emploi de la
grisaille. Ce style routinier et retardataire
montre le cloisonnement qui existait entre
les grands novateurs travaillant auprès de
Jean de Berry et les enlumineurs ordinaires
installés dans la capitale. L'enlumineur
principal de ce manuscrit, auteur des illustrations du *Pèlerinage de vie humaine*
(ff. 1-94) et du *Pèlerinage de Jésus-Christ*
(ff. 169-245) est un artiste dont la carrière a
débuté vers la fin du règne de Charles V : il a
notamment participé à l'illustration des
Grandes Chroniques de France exécutées
pour le roi de France (nº 284). Cet artiste

inventaire ne décrit pas moins de 3 906 objets : joyaux, camées, reliquaires, vaisselle
d'or et d'argent, tapisseries, qui montrent le
luxe inouï des collections royales, avec lesquelles seule semble avoir rivalisé à l'époque la fabuleuse collection de joyaux et
d'orfèvrerie réunie par le frère du roi, Louis
d'Anjou (nº 300). On trouve également
dans cet inventaire le signalement des livres
les plus précieux que Charles V conservait à
l'abri dans son donjon de Vincennes.

Les collections royales ne demeurèrent
pas longtemps intactes. Des prélèvements
incessants destinés à alimenter les prodiga-
lités du jeune Charles VI, à financer la pour-
suite des guerres et à servir de caution auprès de différents prêteurs, réduisirent peu à
peu le trésor royal dont il ne restait que des
lambeaux à la mort de Charles VI en 1422.
Différents inventaires dressés en 1391,
1400, 1413 et 1422 permettent de suivre
l'appauvrissement continu des collections
d'orfèvrerie amassées par Charles V, au
cours du règne malheureux de son fils.

L'inventaire de 1380 n'est connu que par
la présente copie. Celle-ci a été exécutée
tardivement, probablement sous le règne
de Louis XII d'après un exemplaire remontant au règne de Charles VI dont l'effigie en
majesté, l'emblème (le genêt) et la devise
Ja mès apparaissent dans la magnifique
peinture du f. 1. Rattachée à tort à l'œuvre
de Fouquet, celle-ci nous paraît présenter
tous les caractères stylistiques de l'œuvre de
Jean Perréal tel que l'a reconstitué
C. Sterling (*L'Œil*, nº 103-104, 1963,
p. 2-15, 64).

BIBL. : J. Labarte, 1879. — C. Couderc, 1910, p. 19,
pl. XLIII. — K. Perls, *Jean Fouquet*, 1940, p. 239,
fig. 268. — P. Henwood, « Administration et vie des
collections d'orfèvrerie royales sous le règne de
Charles VI (1380-1422) », *Bibl. de l'École des Chartes*,
138, 1980, p. 173-215.

EXP. : *La librairie de Charles V*, 1968, nº 89.

Paris, Bibliothèque nationale
ms. français 2705

294

294

prolifique mais monotone a laissé une très abondante production, parmi laquelle plusieurs manuscrits illustrés de grisailles, exécutés dans les dernières années du siècle pour le duc Louis d'Orléans.

Au feuillet 18v, en face d'un espace laissé en blanc dans le texte, se lit la note suivante, sans doute écrite par le chef d'atelier : « *Remiet, ne faites rien cy, car je y feray une figure qui y doit estre.* » Un enlumineur de ce nom apparaît dans divers documents de l'époque. Il n'est pas certain que cette note se rapporte au maître principal. Elle pourrait avoir été rédigée par celui-ci à l'intention de l'enlumineur qui a collaboré avec lui dans le volume (ff. 95, 102v).

BIBL. : L. Delisle, I, 1868, p. 37. — P. Durrieu, *Bibl. de l'École des Chartes,* 53, 1892, p. 122. — P. Durrieu, *Le Manuscrit,* I, 1894, p. 173-174. — P. Durrieu, *Histoire de l'art* d'A. Michel, III, 1re partie, p. 157-158. — F. Avril, *Bibl. de l'École des Chartes,* 127, 1970, p. 307-308.

EXP. : *Primitifs français,* 1904, section des manuscrits, no 76. — *Mss à peintures XIIIe-XVIe s.,* 1955, no 143.

Paris, Bibliothèque nationale
ms. français 823

295
Très Belles Heures de
Notre Dame de Jean de Berry

Prov. : Jean de Berry ; Robinet d'Estampe ; Duplessis-Chatillon (reliure aux armes) ; comte Victor de Saint-Mauris ; comte Auguste de Bastard ; baron Adolphe de Roth-

schild ; don du baron Maurice de Rothschild, 1956
Paris, vers 1380, et Bourges ? vers 1400-1405
Parchemin, 126 ff., 290 × 205 mm

Les *Très Belles Heures de Notre Dame* de Jean de Berry, dont le présent fragment constitue à peu près le premier tiers, offrent un cas analogue à celui des *Petites Heures ;* comme ce dernier manuscrit, leur décoration a fait l'objet de plusieurs campagnes successives ; comme à propos des *Petites Heures,* on a émis récemment l'hypothèse que Jean de Berry n'en était peut-être pas le destinataire premier (Delaissé, 1963 ; Spencer, 1969). Mais rappelons tout d'abord à grands traits, les principales étapes de ce que nous savons de son histoire. Le manuscrit apparaît pour la première fois décrit dans une section de l'inventaire de Jean de Berry, prouvant qu'il ne fut enregistré dans les collections ducales qu'en 1405-1406. L'inventaire de 1413 en donne alors décharge à Robinet d'Estampe à qui il avait été offert par le duc, probablement à Noël 1412 (Meiss, 1971), en échange d'un autre livre d'heures que lui avait donné ledit Robinet. Malgré les deux campagnes d'illustration successives dont le manuscrit avait déjà fait l'objet, la décoration des Très Belles Heures était encore loin d'être achevée à l'époque où elles devinrent la propriété du garde des joyaux de Jean de Berry. Robinet décida très tôt, semble-t-il, de ne conserver que la première partie du manuscrit, la seule dont les peintures avaient été terminées, et qui constituait à elle seule un livre d'heures complet. Le restant, qui se composait d'une série de prières et de messes des principales fêtes, fut aliéné et se retrouve très tôt entre les mains d'un membre de la famille de Hainaut-Bavière, comte de Hollande pour qui il fut complété, en plusieurs étapes là encore, par divers artistes de formation eyckienne. Nous n'insisterons pas ici sur la destinée de cette partie des *Très Belles Heures.* Signalons simplement qu'elle fut, à son tour, divisée en deux, le premier fragment étant entré dans les collections des ducs de Savoie et ayant disparu en 1904 dans l'incendie de la Bibliothèque de Turin, le second reparaissant à Milan dans la collection des princes Trivulzio, et étant

conservé aujourd'hui au Museo Civico de Turin.

Le manuscrit présenté ici correspond à la partie gardée par Robinet d'Estampe, chez les descendants duquel elle fut conservée jusqu'au XVIIIe siècle. Il comportait primitivement 31 pages à peintures, dont seules 25 subsistent aujourd'hui. M. Meiss, auquel on doit l'étude la plus fouillée et la plus récente sur le manuscrit, a départagé ces peintures entre quatre mains différentes. La part la plus importante en revient à l'auteur de la campagne primitive qui nous retiendra plus particulièrement ici : il s'agit d'un artiste dans lequel chacun s'accorde aujourd'hui à reconnaître le maître du Parement de Narbonne (no 324). Celui-ci a été secondé pour l'exécution des scènes à représenter dans les initiales historiées et les bas de page accompagnant chaque peinture, par un enlumineur dont le style se rapproche du maître du Couronnement de Charles VI (no 284). La main du maître du Parement se reconnaît dans les huit grandes peintures des heures de la Vierge, dans celles de l'office des Morts, et des oraisons de la Passion (p. 104-255) et dans les quatre premières des heures de la Croix. Cette première campagne d'illustrations remonte très probablement à une date voisine de celle du Parement de Narbonne, soit aux alentours de 1380. Interrompue pour une raison ignorée (peut-être la mort de l'artiste principal comme dans le cas des *Petites Heures*), l'illustration a dû être reprise et en partie complétée à une époque un peu antérieure à 1405-1406, années où le manuscrit est enregistré pour la première fois, semble-t-il, dans les inventaires de Jean de Berry, certainement avant 1409, en tout cas, puisque certaines compositions dues aux enlumineurs de cette seconde campagne, ont été reproduites par le pseudo-Jacquemart dans les *Grandes Heures* (no 298). Le premier de ces enlumineurs, auteur du groupe du Baptême du Christ de la p. 162 (c'est le *Baptist Master* de M. Meiss), s'est contenté de terminer les trois dernières peintures des heures de la Croix dont l'exécution avait déjà été très avancée par le maître du Parement. Il s'agit d'un artiste manifestement de souche flamande, voire rhénane dont on ne connaît pas d'autres œuvres. Son collaborateur, responsable de

eus in adiutorium meum intende
Domine ad adiuuandum me
festina.
Gloria patri.

la majorité des peintures des heures du Saint-Esprit (M. Meiss le désigne pour cette raison sous le nom de *Holy Ghost Master*) est plus difficile à situer : son style présente certains points communs avec celui de Jacquemart. L'identification proposée par H. Kreuter-Eggemann avec Jacques Daliwe n'emporte pas l'adhésion. Les deux peintures finales du manuscrit sont dues aux Limbourg (Paul et Jean d'après M. Meiss) et ont dû être ajoutées encore postérieurement, en 1412 au plus tard, dans le manuscrit.

Seules nous intéressent ici les scènes peintes par le maître du Parement. A la date qui est la leur (vers 1380), elles représentaient sans aucun doute ce qu'il y avait de plus avancé dans la peinture française. Le style de l'artiste est profondément ancré dans la tradition parisienne, comme le montrent ses compositions clairement agencées et équilibrées qui le font apparaître, à sa manière, comme un lointain descendant de Pucelle. Son art s'est toutefois enrichi de dimensions nouvelles au contact du courant naturaliste qui rénova l'enluminure française à partir du milieu du siècle : en témoigne sa recherche de l'individuel dans la représentation des personnages, tous différenciés par des traits physionomiques particuliers, ce qui est peu courant dans la peinture de l'époque malgré l'intérêt récent apporté au portrait. Non moins remarquable est la maîtrise de l'artiste dans le maniement des données spatiales, qui montre qu'il a poursuivi et approfondi la réflexion de Pucelle et de ses émules sur la leçon des trécentistes italiens. Bien que vu de façon frontale et disposé parallèlement au plan de l'image, le volume spatial de ses compositions, toujours très convaincant, n'en annonce pas moins les développements futurs donnés à la représentation de l'espace par les Limbourg et le maître de Boucicaut. Les *Très Belles Heures* apportent enfin un témoignage irremplaçable et unique sur le technique picturale, très élaborée, et le coloris aux tonalités riches et contrastées d'un artiste qui apparaît comme le plus grand peintre français de sa génération. L'idée d'employer un artiste de cette envergure pour enluminer un de ses manuscrits correspond bien à ce que nous savons du goût de l'expérimentation d'un Jean de Berry.

BIBL. : L. Delisle, *G.B.A.*, 1884, XXIX, p. 290-292, 391-392. — L. Delisle, 1907, II, p. 240, 295-297. — P. Durrieu, *Rev. archéol.*, XVI, 1910, p. 30-51, 246-279. — P. Durrieu, *Rev. de l'art ancien et moderne*, 1911, p. 91-103. — G. Hulin de Loo, 1911, p. 11-16. — P. Durrieu, 1922. — E. Panofsky, 1953, I, p. 45-46, fig. 39. — J. Porcher, 1959, p. 60, pl. LXVI. — L.M.J. Delaissé, *G.B.A.*, 62, 1963, p. 123-139. — H. Kreuter-Eggemann, 1964, passim, fig. 20, 21, 23, 24, 27, 30, 33, 63, 77, 78, 80, 81, 86, 88, 89. — M. Meiss, 1967, p. 107-134, 337-340, fig. 6-29, 570. — E.P. Spencer, *Scriptorium*, XXIII, 1969, p. 145-149. — M. Meiss, *Art Bulletin*, LIII, 1971, p. 229-239. — M. Thomas, 1971, M. Thomas, 1979, p. 10, 12, 23-25, fig. X, XII.

EXP. : *Enrichissements de la Bibliothèque nationale*, 1960, n° 9, pl. II *L'Art européen vers 1400*, 1962, n° 106, fig. 134. — *La librairie de Charles V*, 1968, n° 175.

Paris, Bibliothèque nationale
ms. nouv. acq. lat. 3093

296
Psautier de Jean de Berry

Prov. : Jean de Berry
Paris (ou Bourges), vers 1386
Parchemin, 272 ff., 250 × 177 mm

Comme l'a montré L. Delisle dès 1868, ce superbe manuscrit est sans aucun doute identifiable avec un psautier décrit à partir de 1402 dans les inventaires de Jean de Berry, qui précisent à son propos qu'il comportait au commencement « *pluseurs histoires... de la main maistre André Beauneveu* ». Cette précieuse indication authentifie de façon irréfutable l'une des plus singulières fantaisies qui ait germé dans l'imagination d'un prince bibliophile : celle de trans-

296

296

beaucoup trop bas dans la page. Comme l'a remarqué M. Meiss, ce n'est que vers la fin du cycle que l'artiste a su résoudre ce problème spatial en installant les cathèdres sur un terrain herbeux dont la ligne d'horizon remonte plus haut dans la composition. L'ensemble baigne dans une atmosphère de mélancolie sereine qui émane des visages aux paupières lourdes, au regard comme embrumé de tristesse, propres à presque tous les personnages de l'ensemble. D'autres œuvres issues du milieu artistique dont était originaire Beauneveu présentent ce même caractère : ainsi la Crucifixion d'un Missel de Cambrai (n° 305).

L'illustration du psautier proprement dit est l'œuvre d'une autre équipe d'artistes : M. Meiss a reconnu dans le meilleur d'entre eux Jacquemart de Hesdin à ses débuts. Le fou croquant un fruit du f. 106 est de sa main et constitue en quelque sorte l'antithèse de l'art de Beauneveu enlumineur par le refus délibéré de la part de son auteur d'accentuer les effets du modelé. K. Morand a montré que cette figure dérivait d'un modèle pucellien tiré du Bréviaire de Jeanne d'Évreux. Le David sauvé des eaux du f. 127, dû sans doute au même artiste, a la même origine. Le reste des illustrations revient au médiocre collaborateur de Jacquemart que Meiss désigne sous le nom de pseudo-Jacquemart (cf. n°s 297 et 298).

BIBL. : L. Delisle, I, 1868, p. 62-63, III, 1881, p. 173. — L. Delisle, *G.B.A.*, 1884, XXIX, p. 392-397. — C. Dehaisnes, *Histoire de l'art dans la Flandre*, 1886, p. 254-256. — P. Durrieu, *Le Manuscrit*, 1894, p. 51-56, 83-95. — P. Durrieu, *Mon. Piot*, I, 1894, p. 185-202. — R. de Lasteyrie, *Mon. Piot*, III, 1896, p. 71-119. — L. Delisle, 1907, II, p. 228, 275-277. — P. Durrieu, *Histoire de l'Art* d'A. Michel, t. III, 1re partie, 1907, p. 158-160. — E. Mâle, 1908, p. 251. — H. Martin, 1923, p. 61-62, 97, pl. 67-68. — J. Sokolova, 1937, p. 143-144. — V. Leroquais, 1941, II, p. 144-146, pl. CXVIII-CXXVII. — E. Panofsky, 1953, p. 40-41, fig. 26-27. — M. Meiss, *Art Bulletin*, 1956, p. 191. — J. Porcher, 1959, p. 57, pl. LXIII. — K. Morand, 1962, p. 29-30, pl. XXVIII. — M. Meiss, 1967, p. 135-154, 331-332, fig. 51-82. — S.K. Scher, *Rev. de l'Art*, n° 13, 1971, p. 11, fig. 1-2, 13. — M. Thomas, 1979, p. 11, pl. 12.

EXP. : *Primitifs français*, 1904, section des manuscrits, n° 67. — *Chefs-d'œuvre des peintres-enlumineurs de Jean de Berry*, 1951, n° 1, pl. 1. — *Mss à peintures XIIIe-XVIe s.*, 1955, n° 180, pl. XX. — *L'art européen vers 1400*, 1962, n° 102, pl. 135. — *Die Parler*, 1978, I, p. 63-64.

Paris, Bibliothèque nationale
ms. français 13091

former un sculpteur âgé et réputé en peintre de manuscrit. Cette incursion, probablement unique dans sa carrière, dans le domaine de l'enluminure n'a pas mal réussi à l'artiste qui s'est tiré plus qu'honorablement de l'épreuve. La part qui lui revient dans le manuscrit se limite aux vingt-quatre grisailles du début réunissant par paire un prophète et un apôtre alternativement. C'est en effet, une fois de plus, le vieux thème de « l'accordance du vieil Testament et du nouvel », déjà traité dans le calendrier du Bréviaire de Belleville (n° 240) qui est ici à l'honneur, mais interprété cette fois avec une grandeur et une simplicité monumen-

tale inconnue de l'œuvre pucellienne. Le métier de sculpteur de l'artiste transparaît dans le modelé très plastique des amples draperies qui habillent les figures de ce collège prophétique et apostolique. Non moins caractéristique de ses goûts de « tailleur d'image » est la complaisance avec laquelle l'artiste a su varier les motifs sculptés des chaires sur lesquelles siègent les personnages. Beauneveu se montre un peu moins à l'aise dans la suggestion de l'espace : ses sols carrelés sont disposés, surtout au début, dans une perspective incertaine et parfois franchement déficiente, tandis que les fonds mosaïqués de l'arrière-plan les rejoignent

297
Petites Heures de Jean de Berry

Prov. : Jean de Berry ; donné par lui à la femme de Robinet d'Estampe (1416) ; Charles III duc de Lorraine (1606) ; Robert de Gaignières ; Louis César de la Baume Le Blanc, duc de La Vallière († 1780) ; acheté à la vente de sa collection en 1784 par la Bibliothèque du roi.
Paris (ou Bourges), vers 1375-1380 et vers 1385-1390 ?
Parchemin, 292 ff., 215 × 145 mm

Exécuté dans deux styles profondément différents, l'un rétrospectif, tirant sa source de l'art de Pucelle, le second annonçant au contraire les développements ultérieurs du style gothique international, ce livre d'heures est une œuvre charnière et un témoin capital qui nous fait assister dans des conditions privilégiées à la rupture de style qui se produisit dans l'enluminure française au cours des vingt dernières années du XIVe siècle.

Malgré la présence répétée des armoiries de Jean de Berry dans le manuscrit, on a parfois douté que ce prince ait été le destinataire premier de l'œuvre : se basant sur une note du XVIIe siècle, faisant état du nom de Louis d'Anjou et de la date de 1390 qui apparaissaient sur une reliure recouvrant antérieurement le volume, et observant les nombreuses variations et repentirs décelables dans les portraits de donateur figurés dans les prières, Delaissé a suggéré, après C. Couderc, que le manuscrit pourrait avoir été commandé par un membre de la famille Anjou-Valois, probablement Louis Ier, puis continué pour son fils Louis II. Ce n'est qu'après coup que Jean de Berry en serait devenu possesseur. Les remaniements du manuscrit et la transformation supposée des armes d'Anjou-Valois (de France à la bordure de gueules) en celles de Berry (de France à la bordure engrelée de gueules) remonteraient à l'époque de ce transfert. De nombreux arguments se liguent cependant pour rendre la thèse de Delaissé intenable, héraldiques, tout d'abord, mais surtout stylistiques. Du point de vue héraldique, ce ne sont pas les simples armoiries d'Anjou-Valois qu'arborait Louis II d'Anjou : après l'adoption de son père

297

Louis Ier par la reine Jeanne de Naples en 1382, les armes de la seconde maison d'Anjou étaient devenues un tiercé en pal d'Anjou ancien, de Jérusalem et d'Anjou-Valois, beaucoup moins faciles à transformer en Berry. La faiblesse de l'argumentation du savant belge réside surtout dans l'absence de toute étude stylistique du décor peint du manuscrit. Celle-ci a été menée de façon magistrale par le regretté M. Meiss (1967) qui a montré qu'il fallait distinguer au moins quatre artistes dans les *Petites Heures*. Le plus ancien est l'enlumineur pucellien que nous avons déjà rencontré dans le cycle de la Passion des Heures de Jeanne de Navarre (n° 265) et dans le Bréviaire de Charles V (n° 287), artiste qui a toutes les chances d'être identifiable avec Jean Le Noir, documenté depuis 1358, et qu'on trouve au service de Jean de Berry en 1372 et 1375. La comparaison du cycle de la Passion, qu'il a entièrement exécuté dans les *Petites Heures,* avec celui des Heures de Jeanne de Navarre de plus de trente ans antérieur, révèle une remarquable continuité, celle-ci allant dans le sens d'un ap-

profondissement des tendances expressionnistes déjà manifestes dans le livre d'heures de la reine de Navarre.

Les trois autres artistes distingués par Meiss appartiennent à une génération plus récente, et leur chef de file, que Meiss propose d'identifier avec le jeune Jacquemart de Hesdin, présente une toute autre orientation stylistique, marquée par un intérêt renouvelé pour les innovations italiennes en matière de suggestion de l'espace, et par une vision plus aiguë et plus naturaliste, autant de traits qui le font apparaître comme un émule de Jean Bondol (n° 285). Alors que Jean Le Noir dont les personnages sont toujours disposés en frise, tend à éluder la notion d'espace à trois dimensions, Jacquemart introduit volontiers dans ses compositions des éléments en diagonale qui contribuent à creuser le volume spatial, ainsi dans l'Adoration des Mages (f. 42v) et dans la scène de saint Jean-Baptiste devant Hérode (f. 211). Le jeune maître fait déjà usage dans les *Petites Heures* d'une technique picturale lustrée et soyeuse que nous retrouverons dans ses œuvres ultérieures (no 299). A Jacquemart est étroitement associé du point de vue du style et de la facture le troisième artiste des *Petites Heures,* baptisé par Meiss, maître de la Trinité d'après la peinture du f. 183. Un dernier enlumineur, auteur notamment des illustrations du calendrier (imitation servile de celles du Bréviaire de Belleville) et de la majorité de celles qui s'intercalent entre l'office de la Passion et celui de la Trinité, appartient lui aussi à la génération de Jacquemart. Se contentant le plus souvent de peindre des scènes préalablement conçues par Jean Le Noir, le pseudo-Jacquemart, ainsi que le baptise Meiss, est un artiste dépourvu de toute capacité d'invention, et que ses œuvres ultérieures nous montrent mettant astucieusement en œuvre des morceaux entiers de composition «empruntés» aux artistes les plus divers (no 298).

Un problème se pose à propos des modalités de collaboration de ces différents enlumineurs. Le manuscrit a-t-il été exécuté en étroite association entre Le Noir et ses cadets, comme le pensait M. Meiss, qui se basait notamment sur l'extraordinaire Annonciation du f. 22, œuvre dont Jacquemart a exécuté la majeure partie à l'exception des figures de l'ange Gabriel et de la Vierge certainement peints par Le Noir? Personnellement nous ne le croyons pas, tant il est difficile d'imaginer que deux artistes aux conceptions si affirmées et opposées que Le Noir et Jacquemart aient pu travailler côte à côte sur un pied d'égalité. Il est beaucoup plus raisonnable de penser que le livre d'heures, confié à Le Noir dans les dernières années de sa vie, fut interrompu, à un stade déjà très avancé de l'exécution, par la mort du vieux maître, dont les dernières mentions au service de Jean de Berry remontent à 1375. Ce n'est sans doute qu'après un certain nombre d'années, en 1384 au plus tôt, que le duc aura pu retrouver en la personne de Jacquemart un artiste digne de parachever l'œuvre de Le Noir. On ne s'expliquerait pas, autrement, l'inspiration prédominante de ce dernier, qui affleure dans presque toutes les pages du manuscrit, même dans celles dont l'exécution picturale revient à Jacquemart, comme la Nativité (f. 38) et la Fuite en Égypte (f. 45v). Ce n'est donc pas un changement de propriétaire, mais un change-

ment d'artiste qui explique à notre avis les traces de remaniements et de reprises décelées par Delaissé dans les *Petites Heures.*

La miniature finale du volume, une œuvre des Limbourg, représentant Jean de Berry partant en voyage (f. 288v), montre le prix que le duc attachait encore à la fin de sa vie à ce manuscrit.

BIBL. : L. Delisle, *G.B.A.,* 1884, p. 397-399. — R. de Lasteyrie, *Mon. Piot,* III, 1896, p. 98, 111. — L. Delisle, 1907, II, p. 239, no 102. — C. Couderc, 1910, p. 13-16, pl. XXXIII-XXXVII. — H. Martin, 1923, p. 63-64, 98, pl. 70. — V. Leroquais, 1927, II, p. 175-187, pl. XIV-XIX. — J. Sokolova, 1937, p. 144-146, fig. 42-43. — E. Panofsky, 1953, I, p. 42-49, fig. 30-36. — M. Meiss, *Art Bulletin,* 1956, p. 191-193. — O. Pächt, *Burlington Magazine,* 1956, p. 149-152. — J. Porcher, 1959, p. 57, pl. LXIV. — M. Meiss, *G.B.A.,* 1961, p. 285, fig. 16. — K. Morand, 1962, p. 26-28, pl. XXIV, XXVb, XXVI. — M.J.L. Delaissé, *G.B.A.,* 1963, p. 129-133. — H. Kreuter-Eggemann, 1964, passim, fig. 1-2, 9, 31-32, 71. — M. Meiss, 1967, p. 155-193, 334-357, fig. 83-176. — F. Avril, *Rev. de l'Art,* 9, 1970, p.44-45 et note 46. — M. Thomas, 1971, fig. 1, 5, 7, 8. — F. Avril, 1978, p. 20, 37, pl. 39. — M. Thomas, 1979, p. 12, pl. 15.

EXP. : *Primitifs français,* 1904, section des manuscrits, no 69. — *Exp. de portraits du XIIIe au XVIIe s.,* 1907, no 21. — *Chefs-d'œuvre des peintres-enlumineurs de Jean de Berry,* 1951, no 5, 13, pl. II, IV, XII. — *Mss à peintures XIIIe-XVIe s.,* 1955, no 182, pl. XXI. — *L'art européen vers 1400,* 1962, no 103, pl. 131.

Paris, Bibliothèque nationale
ms. latin 18014

298

298
Grandes Heures de Jean de Berry

Prov. : Jean de Berry ; Charlotte de Savoie? ; Charles VIII ; Louis XII
Paris (ou Bourges), 1409
Parchemin, 126 ff., 400 × 300 mm

Ce manuscrit d'un format inusité pour un livre d'heures (d'où l'appellation de «tres grant, moult belles et riches Heures» qui lui est donnée dans les inventaires de Jean de Berry) a été achevé en l'an 1409, suivant une longue inscription calligraphiée par Flamel, secrétaire du duc. L'inventaire de 1413 précise que les grandes «histoires» du manuscrit étaient «de la main de Jacquemart de Hesdin et autres ouvriers de Monseigneur», mention précieuse qui fait regretter la disparition de ces grandes peintures (dix-sept environ d'après une estimation de Delisle) qui sont encore mentionnées en 1488 à l'occasion d'une opération de reliure ordonnée par Charles VIII. La miniature du Portement de Croix du Louvre (no 299) est très probablement, comme l'a suggéré O. Pächt, l'unique survivante de cette série de peintures.

Dans son état actuel, le manuscrit ne comporte que 28 petites miniatures situées «en belle page» et réparties aux articulations de chaque office, les trois principaux d'entre eux (heures de la Vierge, de la Passion et du Saint-Esprit), étant dotés chacun de huit images correspondant aux huit heures canoniales de l'office. Un calendrier richement illustré sur le modèle du Bréviaire de Belleville, déjà imité dans les *Petites Heures* (no 297) précède le texte des heures proprement dites (ff. 1-6). Ce décor est complété par des encadrements de type inusité, repris eux aussi d'un livre d'heures antérieur de Jean de Berry, les *Belles Heures* de Bruxelles : on y voit alterner dans des sortes de quarte-feuilles, les armes, les emblèmes (l'ours et le cygne «navré») et le chiffre (un V et un E entrelacés) du destinataire. Un autre trait extraordinaire de ce manuscrit est l'abondance des figures grotesques représentées en bout de ligne : K. Morand a démontré que, pour une bonne part, ces éléments drôlatiques étaient empruntés à deux manuscrits de Pucelle, les Heures de Jeanne d'Évreux (no 239) et le Bréviaire de

298

299

(f. 97). Il n'est pas impossible que ces deux artistes aient exécuté également, conjointement avec Jacquemart, certaines des grandes miniatures disparues.

BIBL. : L. Delisle, *G.B.A.*, 1884, I, p. 393-397. — P. Durrieu, *Le Manuscrit*, II, 1895, p. 133 et 147. — L. Delisle, 1907, II, p. 283-290. — H. Martin, 1923, p. 64-65, 98, pl. 71-72. — V. Leroquais, 1927, I, p. 9-15, pl. XXVII-XXXII. — J. Sokolova, 1937, p. 147-151, fig. 44-47. — E. Panofsky, 1953, I, p. 42, 49-50, 55, fig. 47-49. — O. Pächt, *Burlington Magazine*, 1956, p. 149. — M. Meiss, *Art Bulletin*, 1956, p. 191, 194. — O. Pächt, *Rev. des Arts*, 1956, p. 149-160. — J. Porcher, 1959, p. 59, pl. LXVII. — K. Morand, 1962, p. 28-29, pl. XX-VIIa, etc. — M. Meiss, 1967, p. 256-285, 332-334, fig. 216-244, 249-251. — M. Thomas, 1971, p. 10, pl. 20. — M. Thomas, 1979, p. 10, pl. 20.

EXP. : *Primitifs français*, 1904, section des manuscrits, n° 68. — *Chefs-d'œuvre des peintres-enlumineurs de Jean de Berry*, 1951, n° 6, pl. V-VII. — *Mss à peintures XIIIᵉ-XVIᵉ s.*, 1955, n° 183, pl. XXII. — *L'art européen vers 1400*, 1962, n° 104.

Paris, Bibliothèque nationale
ms. latin 919

299
Le Portement de Croix

Prov. : collection Percy Moore Turner ; acquis par le Louvre en 1930
Bourges, vers 1409
Enluminure sur parchemin, marouflée sur toile, 379 × 283 mm

Cette ample composition qui occupe la surface entière d'un feuillet de parchemin de très grand format, révèle à l'évidence l'influence des portements de Croix siennois et, en particulier, du petit panneau de Simone Martini sur ce thème (musée du Louvre). C'est par comparaison avec cette œuvre, longtemps conservée à Avignon, que la miniature a été considérée un temps comme une production avignonnaise sous influence siennoise. Dès 1941, cependant, C. Sterling décelait très perspicacement chez l'auteur de cette page une importante composante parisienne et une sensibilité nordique. Bien que Beenken l'ait mise dès 1933 en relation avec l'art de Jacquemart, ce n'est qu'en 1956 que l'œuvre a été restituée définitivement à cet artiste par O. Pächt, qui a montré qu'elle devait très probablement être identifiée avec une des grandes peintures réputées perdues des *Grandes Heures* de Jean de Berry (n° 298).

Belleville (n° 240), qui faisaient partie alors des collections ducales.

Dans sa majeure partie, la décoration peinte du manuscrit, telle qu'elle se présente actuellement, est l'œuvre du pseudo-Jacquemart, en qui Jean de Berry a trouvé un artiste complaisant et disposé à réaliser son désir de faire de ce livre d'heures, suivant la formule de M. Thomas, une sorte d'anthologie de l'enluminure française, telle qu'elle était représentée dans ses collections. Les emprunts de l'artiste ne se limitent pas au calendrier du Bréviaire de Belleville et aux grotesques de ce même manuscrit et des Heures de Jeanne d'Évreux. Nombre de ses compositions tirent leur source de chefs-d'œuvre plus récents comme le Bréviaire de Charles V (Résurrection du f. 81), les *Très Belles Heures de No-* *tre Dame* de Jean de Berry (Noces de Cana du f. 41, Funérailles du f. 106), les *Petites Heures* même, où il reprend des idées de Jacquemart (Vierge à l'Enfant de l'initiale du f. 8) ou même ses propres compléments à des compositions inachevées de Le Noir (Pieta du f. 77, scène de baptême du f. 97). Il est surprenant de voir ces œuvres au caractère rétrospectif marqué et probablement volontaire, côtoyer des créations d'artistes véritables comme Jacquemart, le maître de Boucicaut et le maître du duc de Bedford. Ces deux derniers, qui préparent l'avenir de l'enluminure française, ont exécuté l'un la Descente aux Enfers du f. 84, et le saint Grégoire du f. 100, le second la charmante scène représentant saint Pierre accueillant les élus (parmi lesquels Jean de Berry est mis en évidence) à l'entrée du Paradis

Le cortège constitué par le groupe de la montée au calvaire occupe le premier plan et se dirige vers la droite. A la partie supérieure, dans une troupe de ciel, la scène de la pendaison de Judas crée une diversion à l'égard du thème principal. Sa présence tout à fait inhabituelle dans l'iconographie du Portement de Croix constitue un argument supplémentaire en faveur de la provenance du feuillet du Louvre des *Grandes Heures*: on retrouve en effet le même thème dans le Portement de Croix des *Belles Heures* enluminées par les Limbourg pour le duc de Berry à peu près vers la même époque. La figure de Judas dans les deux peintures semble d'autre part s'inspirer de celle du Bréviaire de Belleville que Jacquemart et les Limbourg ont pu examiner dans la « librairie » ducale.

Comme dans ses œuvres antérieures, Jacquemart montre ici son intérêt pour les problèmes de représentation de l'espace. Les deux grandes croix disposées en diagonale contribuent d'une façon quelque peu autoritaire à étager les plans et à scinder en petits groupes la foule des participants. La porte de Jérusalem vue en perspective et tournée vers l'extérieur de la scène, crée un sentiment d'instabilité bien en accord avec l'instant dramatique représenté. Cette impression de drame est accentuée encore davantage par la sombre et menaçante masse montagneuse qui dévale de façon abrupte de l'angle supérieur droit. Par rapport à la représentation du même thème dans les *Belles Heures de Notre Dame* de Bruxelles, cette page marque un approfondissement certain, sensible notamment dans l'utilisation de tonalités restreintes et atténuées qui confère partiellement à l'œuvre le caractère d'une grisaille. Un détail iconographique de cette page demeure énigmatique : celui des très jeunes filles représentées de profil, en prière, au premier plan à gauche. Les liens de parenté supposés entre ces deux personnages et Jean de Berry restent simples spéculations. Les deux chiens de Poméranie figurés également au premier plan nous ramènent en revanche vers le duc, et rappellent ceux de la Bible Vaticane offerte par Jean de Berry à l'anti-pape Clément VII.

BIBL.: R. Huyghe, *Bull. des Musées de France*, 1930, p. 99. — H. Beenken, *Walraf-Richartz Jahrbuch*, n.s., II-III, 1933-1934, p. 216, n. 41. — C. Sterling, 1942, p. 27-42, répertoire A, nº 40, pl. 42. — G. Bazin, 1944. — G. Ring, 1949, p. 126, pl. 9. — F. Bologna, *Paragone*, nº 37, 1953, p. 50. — J. Porcher, *Les Belles Heures du duc de Berry*, 1953, p. 17. — E. Panofsky, 1953, I, p. 82. — M. Meiss, *Art Bulletin*, 1956, p. 192. — C. Nordenfalk, *Kunstchronik*, IX, 1956, p. 185. — O. Pächt, *Rev. des Arts*, 1956, p. 149-160. — J. Porcher, 1959, p. 59. — C. Sterling, H. Adhémar, 1965, p. 3, pl. 13. — M. Laclotte, 1966, p. 12, pl. III. — M. Meiss, 1967, p. 267-274, fig. 277-278. — O. von Simson, *Jahrbuch der Hamburger Kunstsammlungen*, 14/15, 1970, p. 79-82. — M. Thomas, 1971, pl. 110.

EXP.: *Chefs-d'œuvre de la peinture française du Louvre*, 1946, nº 4. — *Treasures from Mediaeval France*, 1967, p. 266, VI-26.

Paris, musée du Louvre

300
Inventaire de l'orfèvrerie et des joyaux de Louis Iᵉʳ d'Anjou

Prov.: Chartrier du comté de Saint-Fargeau; M. Le Pelletier de Saint-Fargeau, avocat général (XVIIIᵉ siècle)

1379-1380
Parchemin, 977 ff., 310 × 215 mm

De tous les fils de Jean le Bon, pourtant célèbres par leur faste, Louis d'Anjou fut peut-être l'amateur le plus effréné d'objets d'orfèvrerie et de joyaux. Alors qu'il n'a laissé que peu de souvenir en tant que bibliophile (les seules marques de son intérêt pour les livres nous sont révélées par divers emprunts opérés dans la librairie de son frère Charles V après la mort de ce dernier, et de sa bibliothèque personnelle on ne connaît jusqu'ici que deux manuscrits de qualité moyenne), il avait amassé, en pressurant trop souvent les populations du Languedoc où il représentait l'autorité royale, une masse tout à fait prodigieuse de bijoux et de pièces d'orfèvrerie dont il fit établir plusieurs inventaires successifs, qui permettent de suivre l'enrichissement incessant de ses collections. L'un des premiers de ces inventaires, daté de 1369, ne comporte

300

encore que 793 numéros. Le dernier et le plus complet décrit le nombre extraordinaire de 3 602 objets : c'est le présent manuscrit. Celui-ci a été rédigé, semble-t-il, sous la dictée du duc lui-même à une date que Moranvillé, l'éditeur de ce monumental inventaire, a pu situer d'après les données internes, entre 1379 et le début de 1380, soit à l'époque même où Charles V faisait rédiger l'inventaire de son propre mobilier. Une superbe page de titre en grandes lettres gothiques aux formes plissées et torsadées, ou simplement dorées, introduit le texte de l'inventaire, qui est précédé d'une table détaillée où les objets sont répartis par catégories (joyaux d'or de chapelle, vaisselle d'or, joyaux et vaisselle d'argent, cuisine d'argent, joyaux d'or à pierrerie, etc.). Chaque pièce a fait l'objet d'une description détaillée qui prouve, si le duc en est bien l'auteur, qu'il était un véritable connaisseur. La précision de cet inventaire en fait un document capital pour la connaissance des techniques et de la terminologie de l'orfèvrerie de l'époque. De cet immense trésor, où l'on relève un certain nombre de pièces reçues par le duc par voie d'héritage, d'échange ou de cadeaux, il ne reste à peu près rien : Louis d'Anjou le dilapida au cours des quatre dernières années de sa vie pour financer ses coûteuses expéditions en Italie du Sud destinées à faire valoir ses droits au trône de Naples. Un seul objet jusqu'ici a pu être rapproché d'un article de l'inventaire : il s'agit d'une double valve de miroir que M. M. Gauthier a proposé d'identifier avec l'article n° 3577 de cet inventaire (n° 212).

BIBL. : H. Moranvillé, 1901, p. 181-222. — H. Moranvillé, 1903-1906.

Paris, Bibliothèque nationale
ms. nouv. acq. française 6838

301
La queste du saint Graal
Prov. : marquis de Paulmy
Tournai, 1351
Parchemin, 106 ff., 285 × 196 mm

Une mention finale en picard fournit l'indication de la date, du copiste et de l'enlumineur de ce manuscrit : *Chius livre fu pares-*

301

crips la nuit Nostre Dame en mi aoust, l'an mil trois cens et LI. Si l'escripst Pierars dou Tielt et enlumina et loia [relia]. C'est H. Martin qui le premier a proposé de localiser l'activité de Pierars dou Tielt à Tournai : il se basait pour cela sur la présence à la fin du manuscrit de notes annalistiques intéressant cette ville, et sur le fait que la main de l'artiste se retrouve dans plusieurs manuscrits des œuvres de l'historien Gilles Le Muisis, abbé de Saint-Martin de Tournai. Un document récemment retrouvé par A. d'Haenens a confirmé l'hypothèse de Martin : le nom de Pierars dou Tielt apparaît en effet dans un recueil relatif à l'administration abbatiale de Gilles Le Muisis qui l'avait chargé des opérations relatives à l'entretien des livres de son abbaye, en remplacement d'un certain Jean de Bruielles. Les liens de l'artiste avec le grand monastère tournaisien sont confirmés par l'existence d'un Évangéliaire à l'usage de Saint-Martin de Tournai (Washington, Library of Congress, ms. De Ricci 127) : ce manuscrit du XIIe siècle, dont l'origine n'avait pas été reconnue jusqu'ici, a été doté au XIVe siècle d'une grande initiale historiée représentant le Christ entouré des quatre Évangélistes, où l'on reconnaît le style très caractéristique de Pierars dou Tielt.

Les trois miniatures du présent manuscrit (ff. 1, 10 et 88), dont la première est malheureusement fort usée, présentent le style de l'artiste à sa maturité. Probablement formé, au moins en partie, auprès du maître du Cérémonial de Gand, avec lequel on le voit collaborer deux fois une vingtaine d'années auparavant (n°s 249 et 250), l'artiste n'en manifeste pas moins une grande indépendance vis-à-vis du style d'obédience parisienne de son maître, indépendance qui se traduit par une facture plus large et plus négligée, par un art moins soucieux d'élégance et plus épris d'observation directe. En cela l'artiste se montre très tôt comme partie prenante du renversement d'orientation stylistique qui se dessine dans l'enluminure septentrionale vers le milieu du siècle. Caractéristique du courant « picard » auquel se rattache Pierars dou Tielt est son goût prononcé pour les drôleries marginales.

Artiste fécond, il semble avoir été à la tête d'un atelier fort actif : outre les manuscrits qu'il enlumina pour Gilles Le Muisis, on peut lui attribuer deux autres manuscrits de Bruxelles à propos desquels son nom ne paraît pas avoir été prononcé jusqu'ici, un Roman de *Pamphile et Galathée* (ms. 4783) et un livre d'heures (ms. IV 453). Il semble qu'on puisse reconnaître sa main également dans une partie des illustrations du fameux *Roman d'Alexandre* de la Bibliothèque Bodléienne (ms. Bodley 264), œuvre capitale généralement attribuée à Bruges mais qui semble devoir être rattachée décidément au milieu artistique tournaisien, ainsi que l'avait déjà pressenti H. Bober (*Revue belge d'archéologie et d'histoire de l'art*, 17, 1947-1948, p. 16, n. 8).

BIBL.: H. Martin, *G.B.A.*, 51, 1909, p. 89-102. — A. D'Haenens, *Scriptorium*, 23, 1969, p. 88-93, pl. 23-30.

Paris, Bibliothèque de l'Arsenal
ms. 5218

302
Jacques de Longuyon,
Les Vœux du Paon
Jean Brisebarre,
Le Restor du Paon

Prov.: Joseph von Lassberg; Fürstlich Fürstembergische Hofbibliothek, Donaueschingen; collection André Hachette
Tournai? vers 1350
Parchemin, 141 ff., 240 × 175 mm

Les *Vœux du Paon* de Jacques de Longuyon et le *Restor du Paon* du poète douaisien Jean Le Court, dit Brisebarre, texte qui se présente ici de façon incomplète, sont des œuvres romanesques versifiées qui se présentent comme des continuations du *Roman d'Alexandre le Grand,* lointain avatar médiéval de la légende inspirée par le Conquérant. Le présent exemplaire est illustré de vingt-deux remarquables miniatures dont l'auteur a su évoquer avec beaucoup d'animation et de verve les différents épisodes du poème de Jacques de Longuyon. Le style de ces miniatures est caractéristique du courant « picard » qui régnait vers le milieu du siècle aux confins du Hainaut et du comté de Flandre, et se rapproche d'œuvres comme le *Roman d'Alexandre* de la Bodléienne (Bodley 264) et des manuscrits enluminés par le Tournaisien Pierars dou Tielt (n° 301) que l'artiste du présent manuscrit surpasse cependant très nettement en qualité : on retrouve dans ces différentes œuvres la même approche franche et directe dans la représentation des êtres et des choses, le même intérêt pour les détails de la vie quotidienne, qui en font une mine précieuse pour la connaissance de la vie matérielle et des mœurs de l'époque. Cet intérêt pour la réalité ambiante s'exprime également dans les grotesques et les figures parodiques et souvent truculentes répandus

302

à profusion dans les marges, et exécutés le plus souvent sous forme de dessin à la plume rehaussé d'aquarelle. En fonction de ces divers éléments, une localisation à Tournai du manuscrit Glazier paraît vraisemblable.

BIBL. : L.S. Olschki, *Manuscrits à peintures des bibliothèques d'Allemagne*, Genève, 1932, p. 55, pl. LXVII. — L.C. Randall, 1966, passim. — J. Plummer, *The Glazier Collection of illuminated Manuscripts*, New York, 1968, p. 30-31, pl. 6, 36. — F. Avril, *Mon. Piot*, 58, 1972, p. 116, n. 1. — G. Schmidt, *Kölner Domblatt*, 44-45, 1979-1980, p. 299-301, fig. 11.

New York, Pierpont Morgan Library
ms. Glazier 24

303

303
Missel de Saint-Vaast d'Arras

Prov.: abbaye Saint-Vaast d'Arras
Arras, XIVᵉ siècle (troisième quart)
Parchemin, 280 ff., 365 × 260 mm

La grande Crucifixion de ce Missel à l'usage de Saint-Vaast d'Arras constitue un très intéressant jalon de l'évolution que connut l'enluminure artésienne après le milieu du XIVᵉ siècle, et témoigne du détachement progressif des centres artistiques de la France septentrionale de l'emprise jusque-là prépondérante de l'art parisien. Seule la fine silhouette du Christ aux bras trop courts par rapport au reste du corps semble encore inspirée de quelque modèle d'Ile-de-France. La scène retient surtout l'attention en raison de l'aspect très évolué et progressif du groupe des saintes femmes soutenant la Vierge défaillante: la recherche de l'expression et du pathétique, le savant modelé donné aux amples draperies dénotent une assimilation personnelle de la leçon italienne interprétée à travers la sensibilité d'un artiste septentrional. Également d'origine italienne est le socle rocheux et crevassé qui sert de support à la scène, et dont on trouve une interprétation analogue dans la peinture bohémienne du milieu du XIVᵉ siècle. L'impression d'espace créée par cet élément du paysage est curieusement contredite par le fond doré de la peinture et par le décor architectural orfévré qui lui sert d'encadrement. L'archaïsme de ce décor et le traitement encore assez graphique des visages autorisent à dater cette œuvre peu après le milieu du siècle, vers 1360-1370 au plus tard.

BIBL.: V. Leroquais, 1924, II, p. 292. — M. Meiss, 1967, p. 106, fig. 534.

EXP.: *Mss à peintures XIIIᵉ-XVIᵉ s.*, 1955, nº 74.

Arras, Bibliothèque municipale
ms. 517

304
Bible en français

Prov.: Philippe Hurault, évêque de Chartres; entré en 1622 à la Bibliothèque du roi avec l'ensemble de ses manuscrits (*cf.* H. Omont, *Anciens inventaires,* II, p. 426, nº 142)
Saint-Quentin? 1350
Parchemin, 157 ff., 215 × 160 mm

Ce manuscrit contient une adaptation en langage picard des livres historiques de l'Ancien Testament depuis le Genèse jusqu'au chapitre 15 du premier livre des Macchabées. Certains passages de ce texte qui n'est connu que par ce seul manuscrit, présentent des ressemblances avec la Bible historiale de Guyart des Moulins. Une inscription au f. 106v, dont il ne subsiste que les deux dernières lignes, indique, semble-t-il, que le manuscrit fut exécuté dans un centre du Vermandois, probablement Saint-Quentin, « en l'an de grace M CCC. et L, u mois de juing ».

Le manuscrit a été doté d'un très riche cycle d'illustrations, un grand nombre de feuillets comportant jusqu'à deux scènes à la page, comprises solidairement dans le même cadre, et entre lesquelles le texte n'a droit qu'à une place réduite. Dessinées à l'encre et rehaussées de couleurs d'un effet parfois bariolé, ces images ne témoignent pas d'un grand raffinement, mais valent surtout par leur allègre spontanéité et par l'animation du récit. Fourmillant de notations pittoresques, elles apportent en outre un témoignage concret et véridique sur les détails de la vie pratique, la mode et l'armement de l'époque. A cet égard, elles se rapprochent d'œuvres plus nordiques comme celles du Tournaisien Pierars dou Tielt et de l'illustrateur des *Vœux du Paon* (nᵒˢ 301 et 302).

304

305

Au f. 42, figure une intéressante représentation de l'Arche d'Alliance : la mise en page de cette composition, étalée sur toute la hauteur de la page, est significative des tâtonnements de l'époque dans le domaine de la suggestion de l'espace. Avec sa disposition en vue cavalière et la délimitation du champ de l'image par un élément concret (ici les toiles tendues autour de l'Arche), cette page rappelle la solution analogue adoptée vingt-cinq ans plus tard par le maître de la Bible de Jean de Sy dans la peinture initiale du *Songe du Verger* (n° 282).

BIBL. : *Histoires tirées de l'Ancien Testament*, éd. Hugo Loh, Münster, 1911.

Paris, Bibliothèque nationale
ms. français 1753

305
Missel de Cambrai

Prov. : cathédrale de Cambrai
Cambrai, vers 1360-1370
Parchemin, 195 ff., 278 × 190 mm

Le Canon de la messe de ce Missel comporte les deux peintures traditionnelles du Christ en majesté et de la Crucifixion. L'influence parisienne y est encore sensible dans le traitement clair et ordonné des draperies, mettant en valeur la monumentalité des figures, et dans la figuration du Christ crucifié, dont le canon grêle et allongé reprend une formule mise au goût du jour par certains continuateurs maniéristes de Pucelle. L'exécution picturale, d'une grande qualité, dénote en revanche un peintre dont la formation provient d'un tout autre milieu artistique que celui de la capitale. Le travail au pointillé du fond d'or derrière le Christ bénissant, détermine par épargne des rinceaux de feuillages stylisés qui ont leur équivalent dans la peinture et l'enluminure de Cologne, tandis que l'encadrement orfévré, traité en trompe-l'œil, comme pour renforcer l'aspect de tableau de ces peintures, dénote un goût de la réalité tangible propre aux artistes flamands et que l'on retrouve au même degré dans la scène de dédicace peinte par le Brugeois Jean Bondol dans la Bible de Jean de Vaudetar (n° 285).

Stylistiquement, les deux peintures du Missel de Cambrai ne sont pas très éloignées des scènes de la vie du Christ peintes à l'intérieur des volets d'une Vierge ouvrante du musée de Morlaix, dont C. Sterling a signalé les affinités avec certaines peintures de la région rhénano-mosane (*Monuments historiques de la France*, 1966, p. 139-149) : mêmes particularités dans le traitement des visages, et plus spécialement dans la représentation des chevelures tombant du visage en boucles séparées, même recherche attentive à rendre l'expression des émotions humaines. Un style assez proche se retrouve dans les illustrations d'une Apocalypse de la John Rylands Library de Manchester, qui provient sans doute du même milieu artistique septentrional dont semble issu également l'enlumineur des *Vœux du Paon* de la Pierpont Morgan Library (n° 302), et où dut recevoir sa formation le sculpteur André Beauneveu.

BIBL. : V. Leroquais, 1924, II, p. 380-381. — H. Kreuter-Eggemann, 1964, p. 21, fig. 12.

Cambrai, Bibliothèque municipale
ms. 232

306
Vie et miracles de saint Martin

Prov. : abbaye Saint-Martin de Tours
Tours, XIᵉ siècle (fin)-XIIᵉ siècle (début) et XIVᵉ siècle (troisième quart)
Parchemin, 217 ff., 220 × 160 mm

Copié et décoré vers 1100 dans le *scriptorium* du monastère de Saint-Martin de Tours, ce manuscrit a été doté au XIVᵉ siècle d'une série de neuf illustrations destinées à compléter le cycle prévu dès l'origine mais laissé inachevé. La liberté du dessin, sobre et épuré, la clarté des compositions réduites aux éléments narratifs essentiels et la compréhension remarquable des données spatiales confèrent à ces peintures, malgré la rusticité probablement volontaire de l'exécution technique, un caractère d'originalité marqué dont on n'a que trop peu de témoignages dans la production provinciale de l'Ouest de la France au XIVᵉ siècle. L'artiste a transposé les épisodes de la vie de saint Martin dans l'atmosphère de l'époque, représentant les personnages laïcs dans les costumes étroits et moulants qui étaient de mode en son temps ; ainsi dans la scène du f. 42 représentant saint Martin à la table de

306

l'empereur Maxime. Ces détails vestimentaires permettent de dater les peintures vers 1370-1380.

EXP. : *Mss à peintures VIIᵉ-XIIᵉ s.*, 1954, n° 228.

Tours, Bibliothèque municipale
ms. 1018

307
Heures à l'usage de Metz

Prov. : Jean Ballesdens ; J.B. Colbert
Metz, vers 1380
Parchemin, 176 ff., 125 × 90 mm

Deux inscriptions du XVIIᵉ siècle, dont l'une signée de l'érudit Jean Ballesdens, prétendent que ce livre d'heures aurait appartenu à Isabeau de Bavière. L'authenticité de cette tradition est invérifiable, et il est certain en tout cas que le manuscrit ne fut pas à l'origine destiné à la reine, même avant son mariage avec Charles VI : la dame repré-

sentée agenouillée auprès de la Vierge, au f. 15, ne semble pas avoir été une personne de haut rang.

L'usage liturgique du manuscrit est celui de Metz, origine confirmée par les particularités dialectales des prières rédigées en français de l'Est. Le style et l'iconographie de la décoration peinte permettent également de rattacher le manuscrit à la production messine : la main de l'enlumineur, qui est partiellement redevable aux œuvres parisiennes du troisième quart du siècle, et dont les miniatures présentent une séduisante intensité de coloris, se retrouve dans plusieurs autres manuscrits originaires de Metz, en particulier dans un recueil de traités d'édification avec calendrier messin de la Bibliothèque nationale (ms. français 9558) ainsi que dans une production d'atelier, le livre d'heures de Linköping, étudié par C. Nordenfalk. L'activité de l'artiste ne semble pas s'être limitée à la grande métropole lorraine : on le retrouve en effet au service de l'archevêque de Trèves, Kuno de

Falkenstein dont il a enluminé plusieurs manuscrits : un Évangéliaire daté de 1380, encore conservé dans le Trésor de la cathédrale de Trèves, une chronique universelle de Rudolf von Ems, datée de 1383 (Stuttgart, Landesbibliothek, Bibl. fol. 5) et un exemplaire du poème de Thomasin von Zerclaere, *Der wälsche Gast* (New York, Pierpont Morgan Library, ms. Glazier 54).

La Vierge d'humilité allaitant figurée au f. 15 est un thème qui semble avoir été particulièrement prisé dans le milieu messin. On notera également que l'office de la Vierge, comme déjà antérieurement dans le livre d'Heures de Jeanne d'Évreux, combine un cycle de l'Enfance et un cycle de la Passion.

BIBL. : V. Leroquais, 1927, I, p. 167. — C. Nordenfalk, En Medeltida bönbok från Metz i Linköping Stifts-och Landesbibliothek, *Linköpings Biblioteks Handlingar*, n.s. IV, 1953, p. 65-88. — M. Meiss, 1967, p. 185-186, fig. 625, 646.

EXP. : *Die Parler...*, 1978, I, p. 265.

Paris, Bibliothèque nationale
ms. latin 1403

307

308

308
Heures à l'usage de Troyes

Prov. : famille Berthier, de Troyes (armes d'origine, f. 17) ; à la Bibliothèque du roi depuis le XVIIe siècle
Troyes, vers 1400-1405
Parchemin, 312 ff., 250 × 175 mm

Ce luxueux livre d'heures a été exécuté pour un personnage appartenant à une famille de la grande bourgeoisie troyenne, les Berthier, dont les armes apparaissent au bas de la peinture du f. 17, représentant saint Jean l'Évangéliste. Ce personnage est représenté au f. 13v en prière devant saint Michel, tandis que son épouse invoque sainte Catherine sur la peinture du f. 37v.

Les vingt-trois grandes peintures qui ponctuent les différentes parties du texte des offices et des prières, sont d'une exécution extrêmement soignée et homogène, et sont dues à un artiste certainement installé dans la cité champenoise, d'où le nom de maître de Troyes que lui a donné M. Meiss. Si l'on en juge d'après l'abondante production que Meiss a pu réunir autour de lui — il s'agit le plus souvent de manuscrits destinés à une clientèle troyenne ou champenoise —, ce maître semble avoir dirigé un atelier assez important. Parmi les meilleures œuvres de l'artiste et de son atelier, on mentionnera un missel de Châlons-sur-

Marne (New York, Pierpont Morgan Library, ms. 332), un missel de l'église d'Ervy-le-Chatel, près de Troyes (Bibl. nat., ms. latin 864) et un pontifical de Sens (Bibl. nat., ms. latin 962).

Le style de l'artiste, malgré sa technique très soignée et «finie», apparaît quelque peu retardataire pour son époque et rappelle sous certains aspects celui du pseudo-Jacquemart. Le linéarisme appuyé des figures, la part restreinte faite au modelé, s'inscrivent dans la tradition du siècle précédent. Les motifs décoratifs variés utilisés dans les fonds sont un autre indice d'archaïsme : les rinceaux à filets dorés, et surtout les pointes de diamants du f. 99 relèvent d'un répertoire en usage à Paris sous le règne de Charles V. Également archaïques sont les fonds tapissés d'anges en camaïeu bleu des peintures des ff. 30 et 136. Ces différents éléments permettent de penser que le maître de Troyes a reçu sa formation vers les années 1380, peut-être dans le milieu parisien.

BIBL. : C. Couderc, 1910, p. 23, pl. LII. — V. Leroquais, 1927, I, p. 39-42, pl. XX-XXII. — E. Panofsky, 1953, p. 52, 381 n. 52, 410 n. 129. — M. Meiss, 1967, passim, fig. 533. — M. Meiss, 1974, p. 258, 260, 407, 464 n. 455, fig. 819.

EXP. : *Exp. de portraits XIIIᵉ-XVIIᵉ s.*, 1907, nᵒ 31. — *Mss à peintures XIIIᵉ-XVIᵉ s.*, 1955, nᵒ 311.

Paris, Bibliothèque nationale
ms. latin 924

309
Pontifical d'Arles

Prov. : Armoiries non identifiées et en partie effacées (écartelé au 1 et 4 d'argent au lion d'azur, au 2 et 3 d'or) ; Guillaume d'Estouteville, archevêque de Rouen (1453-1483) ; Matthieu de Reneaulme
Toulouse, entre 1370 et 1378
Parchemin, 220 ff., 330 × 240 mm

Les litanies de ce pontifical correspondent à la liturgie du diocèse d'Arles. Pourtant ses vingt et une miniatures à demi-page, où sont représentées différentes scènes d'ordinations et de bénédictions, ainsi que la consécration de l'empereur, du roi et de la reine, appartiennent sans doute possible à la production toulousaine : on peut les com-

309

parer par exemple aux illustrations d'un missel écrit en 1362 pour les Augustins de l'Isle-en-Albigeois (Toulouse, Bibliothèque municipale, ms. 91). Particulièrement caractéristique de l'enluminure toulousaine est l'utilisation de fonds découpés en larges bandes verticales présentant des motifs décoratifs différents. Le style essentiellement linéaire et d'une exécution quelque peu desséchée s'inscrit dans la tradition graphique instaurée dans les ateliers languedociens depuis la première moitié du XIVe siècle sous l'influence de l'enluminure gothique septentrionale. Les silhouettes figées et sans épaisseur des personnages, l'absence de profondeur spatiale témoignent d'un art sclérosé où n'apparaît nulle trace de la rénovation stylistique et esthétique qui affecta les ateliers du Nord de la France à partir du milieu du siècle.

L'illustrateur de ce pontifical est particulièrement proche de l'enlumineur des Capitouls de 1369 et 1370 (n° 310). Il semble qu'on puisse reconnaître sa main dans les miniatures d'un Guillaume de Digulleville

aux armes de Louis Ier d'Anjou (Heidelberg, Universitätsbibliothek, Cod. Pal. lat. 1969) probablement exécuté pour le frère de Charles V du temps où il était lieutenant du roi en Languedoc, de 1365 à 1378.

BIBL. : V. Leroquais, 1937, II, p. 154-157, pl. LVI-LXVII. — K. Laske-Fix, 1973, p. 189, note 233.

Paris, Bibliothèque nationale
ms. latin 9479

310
Les capitouls de 1369-1370 et de 1370-1371

Prov. : acquis à Londres en 1952
Toulouse, 1369 et 1370
Parchemin, 1 f., 400 × 260 mm

C'est en 1295 que les consuls de Toulouse, ou capitouls, décidèrent d'ouvrir un registre où seraient consignés les principaux événements advenus dans la ville. Intitulées *Livre des Histoires* de Toulouse, ces annales

municipales se bornèrent tout d'abord à l'indication, année par année, de la date de l'élection consulaire, des noms des consuls, des quartiers qu'ils représentaient, et des noms de leurs assesseurs. Ce premier livre fut clos en 1532 et fut suivi jusqu'en 1787 de douze autres volumes. Du premier et du plus ancien volume de ces Annales, qui fut détruit en 1793, il ne subsiste plus que quelques feuillets conservés aux Archives municipales de Toulouse, et le présent feuillet. Précieux pour l'historien, ces documents, en raison de leur décor peint, sont également d'un grand intérêt pour l'historien de l'art, auquel ils permettent de suivre pas à pas, malgré de nombreuses lacunes, l'évolution de l'art de l'enluminure dans la capitale languedocienne. Le présent fragment qui provient également du premier volume des Annales, est conservé au musée des Augustins. On y voit figurer au recto les capitouls élus pour 1369-1370, et au verso les capitouls de 1370-1371. Les douze capitouls, vêtus de simarres mi-parties amarante et écarlate, sont disposés par paire sous six gables gothiques séparés par des tours. A la partie supérieure, au-dessus d'un mur crénelé, figurent les armoiries des titulaires.

Une grande lettre ornée A marque, au-dessous, le début du texte et se prolonge par une bande à motifs en échiquier formant encadrement. Ce cadre est lui-même ponctué au milieu de chaque côté par un disque bombé traité en trompe-l'œil. Ce motif d'origine giottesque apparaît également dans l'encadrement d'un autre manuscrit toulousain un peu antérieur, un exemplaire du *Bréviaire d'Amor* de Matfré Ermengau (Bibl. nat., ms. français 857), et a été également utilisé dans les œuvres de Pucelle et de son groupe. Malgré la présence de nombreux éléments décoratifs inspirés de l'enluminure parisienne, cette double page présente une saveur méridionale accusée et une indéniable originalité. Il semble possible de rapprocher l'auteur de ces deux compositions de l'enlumineur du pontifical d'Arles (n° 309).

EXP. : *Dix siècles d'enluminure et de sculpture en Languedoc*, 1954-1955, n° 54, pl. X. — *Les enluminures du Capitole*, 1955, n°s 9 et 10. — *Mss à peintures XIIIe-XVIe s.*, 1955, n° 51.

Toulouse, musée des Augustins
D 1952-6

310

311
Registre des hommages rendus au comte d'Armagnac (1377-1417)

Prov. : archives du comté d'Armagnac
Languedoc, fin du XIVᵉ siècle?
Dessin à la plume sur parchemin, 263 × 202 mm

Ce curieux dessin figurant un château a été utilisé comme couverture d'un registre sur papier où ont été transcrits, par le notaire Pierre de Mayres, les hommages rendus au comte d'Armagnac pour les années 1377 à 1417. Bien qu'exécutée par un artiste non professionnel, peut-être le notaire qui a copié le registre (si toutefois le feuillet, d'un format beaucoup plus réduit, était bien destiné dès l'origine à en faire partie), cette page retient l'attention par le soin apporté aux détails d'architecture, et ne semble pas être une représentation imaginaire. Elle constitue en outre un témoignage intéressant sur l'évolution des châteaux seigneu-

riaux languedociens. Plusieurs groupes de personnages animent la scène. Les détails vestimentaires de certains de ces personnages au premier plan (le plastron bombé et bourré d'étoupe du hallebardier, le voyageur en pèlerine plissée et au chapeau à bec orné d'une plume de faisan) permettent de placer l'exécution de ce dessin vers les dernières années du XIVᵉ siècle. Identifiée tantôt avec le château de Lectoure, tantôt avec celui de Gages, cette vue de château annonce malgré sa maladresse, le développement des vues topographiques du siècle suivant.

BIBL. : A. Maisonobe, *Inventaire sommaire des archives départementales antérieures à 1790. Tarn-et-Garonne. Archives civiles. Série A. Fonds d'Armagnac*, Montauban, 1910, p. 222-230. — M. Méras, *Guide des archives de Tarn-et-Garonne*, 1972, pl. 9.

EXP. : *Trésors d'enluminure en Languedoc*, 1963, nº 21.

Montauban, Archives de Tarn-et-Garonne
A 262

312
Missel de Clément VII

Possesseurs : Clément VII (1378-1394) ; Alain de Coëtivy, évêque d'Avignon (1437-1448 ; † 1474) ; Marguerite de Penmarch, veuve de son petit-neveu, qui donne le missel à Jean Liepmant, doyen et chanoine de Saint-Brieuc (1534) ; acheté au Père Le Brun, oratorien, pour la bibliothèque du roi (1725)
Avignon, vers 1390
Parchemin, 356 ff., 382 × 265 mm

En plusieurs emplacements de ce missel à l'usage de Rome, les armoiries de Clément VII, pape d'Avignon après le Schisme de 1378, sont reconnaissables bien que recouvertes par celles d'un possesseur ultérieur, le cardinal Alain de Coëtivy. Peut-être ce manuscrit de luxe ne fait-il qu'un avec le missel dont les comptes pontificaux, en novembre 1390, attestent la réalisation pour le pape.

Cette date correspond en tout cas à la pleine période d'activité de l'atelier avignonnais auquel se rattache le décor de ce manuscrit : on reconnaît ici certains détails décoratifs (notamment les fins rinceaux dorés surchargeant les fonds) ou iconographiques, certaines mises en page, particulièrement caractéristiques.

Mises à part les bordures de vignettes et les lettres peintes non historiées, confiées à un collaborateur de goût français, le décor du missel est l'œuvre d'un enlumineur qui

312

semble avoir connu le système ornemental des ateliers bohémiens : on ne peut nier la similitude des cadres en trompe-l'œil entourant certaines scènes (telle la Crucifixion du fol. 153 bis vº) ni la parenté des fleurons de bordures (acanthes se retournant sur elles-mêmes, agencées de différentes manières).

De la même main, les scènes historiées, qui se distinguent par la qualité de l'exécution, le type physique et le canon allongé des personnages, la souplesse des drapés, le sens décoratif, posent un autre problème d'influence — celui des apports réciproques, difficiles à démêler, entre le peintre du missel et le chef de l'atelier avignonnais : lequel a transmis à l'autre son goût du détail, son intérêt pour le paysage, lequel a essayé le premier de sortir du cadre étroit de la lettre (voir le folio 27 vº où c'est précisément le paysage rocheux qui unifie la composition, de part et d'autre du tracé de la lettre derrière lequel la scène semble passer) ?

Le décor peint d'un autre missel, réalisé à Avignon vers 1402 pour l'abbaye catalane de San Cugat del Vallès (Barcelone, Archivo de la Corona de Aragon, ms. S. Cugat 14), est en partie l'œuvre de cet artiste, et plusieurs scènes de l'un et l'autre missels offrent des compositions rigoureusement identiques.

BIBL. : M. Prinet, *Bull. de la Soc. nat. des ant. de France*, 1924. — M. Prinet, *Le Bibliographe moderne*, XXII (1924-1925), p. 18-21. — V. Leroquais, 1924, II, p. 328-330, nº 449, pl. LXIV-LXVII. — G. Schmidt, dans M. Swoboda, *Gotik in Böhmen*, 1969, p. 317, n. 528. — M.C. Leonelli, 1978, p. 67-68, nº 84, et p. 39, nº 23.

EXP. : *Mss à peintures XIIIᵉ-XVIᵉ s.*, 1955, nº 137.

Paris, Bibliothèque nationale
ms. latin 848

313
Vitæ Romanorum Pontificum

Possesseurs : Benoît XIII (1394-1424) ; cardinal Pierre de Foix (1424) ; collège de Foix à Toulouse (1457) ; J.-B. Colbert (1680)
Avignon, dernières années du XIVᵉ siècle, et Catalogne, début du XVᵉ siècle
Parchemin, 336 ff., 385 × 290 mm

Les traités et tables composant ce volume ont été compilés pour Benoît XIII, mais

313

semble-t-il en deux temps : à Avignon d'abord, puis — au moins en ce qui concerne son ornementation — en Catalogne (ff. 86-219 v°), sans doute lors de l'exil de Pedro de Luna à Peniscola, ainsi qu'en témoignent les caractères de la décoration à la plume et de l'enluminure du folio 102.

A Avignon, les traités d'Anastase le Bibliothécaire (ff. 3-85 v°) et de Martin le Polonais (ff. 232-334 v°) ont été copiés séparément car les numérotations de leurs cahiers sont indépendantes l'une de l'autre, mais simultanément : même écriture italienne, mêmes lettres filigranées. Confié à l'atelier d'enlumineurs dont il a déjà été question (notice 312), le volume passe par les mains de trois d'entre eux.

Les pages peintes illustrent la chronique martinienne (ff. 232, 243 v° et 244) montrent la collaboration, sur chaque feuillet, de deux mains : celui qu'on peut considérer comme le chef de l'atelier a peint les scènes historiées dans le champ des grandes lettres, ainsi que l'écu et les deux anges qui le soutiennent dans la marge du folio 232 ; le peintre du missel de Clément VII, qui nous apparaît comme plus sensible, plus doué, a mis tous ses soins à fouiller les fleurons de bordure et les tracés des lettres. La bonne intégration des anges à la bordure montre que les deux hommes travaillaient vraiment de concert. Une remarque analogue, concernant les mêmes personnalités, peut être faite à propos d'autres livres sortis de cet atelier.

Sur le troisième peintre, qui a semé dans le manuscrit de petites lettres ornées de bustes de papes ou du Christ, on peut mettre un nom : Sanche Gontier, payé pour l'*illuminatura* d'un autre volume exécuté pour Benoît XIII (Paris BN lat. 968, folio 186 v°). Très caractéristique, le style de ces lettres ornées atteste que ce religieux espagnol vivant à Avignon avait appris son métier à Bologne. A la cour de Clément VII et de de Benoit XIII à Peniscola, ainsi qu'en témoignent les caractères de la décoration à la plume et de l'enluminure du folio 102.

BIBL. : L. Delisle, I, 1868, p. 492, 508. — L.H. Labande, *G.B.A.*, 1907, p. 298-300. — Ch. Samaran et M. Marichal, *Cat. mss datés*, II, 1962, p. 261, pl. LXXV.

Paris, Bibliothèque nationale
ms. latin 5142

314
Gaston Phébus.
Livre de la Chasse

Possesseurs : armes de Foix, d'origine, folio 1 ; Jean Ier du Grailly, comte de Foix (1412-1436)
Avignon, fin du XIVe siècle
Parchemin, 113 + 3 ff., 345 × 255 mm

Le *Livre de la Chasse* du comte de Foix a connu une célébrité attestée par de nombreuses copies ; cet exemplaire est le plus ancien de ceux qui nous sont conservés. Il est possible qu'il ait été réalisé du vivant même de Gaston Phébus, il est certain qu'il le fut à Avignon, dans le principal atelier actif à cette époque.

L'unité de main discernable dans le décor, en grisaille sur fond de parchemin nu, permet d'attribuer celui-ci au chef d'atelier, celui dont on conserve par ailleurs la production la plus abondante.

Son sens de l'observation, son habileté à croquer le geste juste, le détail significatif, que l'on remarque dans tous les manuscrits sortis de ses mains, le qualifiaient tout particulièrement pour illustrer les « planches » de ce manuel. Il fait preuve d'une grande fidélité au texte : ainsi les valets de chiens sont des enfants faisant leur apprentissage de veneurs, comme le veut Phébus, tandis que les exemplaires postérieurs montreront à l'œuvre des adultes. S'il a placé bêtes et gens sur des registres parallèles, ce n'est pas par manque d'intérêt pour le traitement de l'espace, mais parce que guidé par un souci didactique, afin d'offrir tout un échantillonnage d'attitudes aisément lisibles.

En tout ceci, l'illustrateur du manuscrit français 619 apparaît plus soucieux de s'effacer derrière le texte que l'artiste parisien auquel est dû le célèbre exemplaire français 616. La plupart des compositions du second sont copiées de façon très littérale sur les feuillets correspondants du manuscrit avignonnais. Il est difficile de dire si cette copie a été effectuée directement, ou par l'intermédiaire d'un autre exemplaire aujourd'hui perdu. Il faut remarquer en tout cas, d'un manuscrit à l'autre, la perte de

314

sens de nombreux détails : par exemple, au chapitre enseignant à reconnaître la piste du cerf, un valet se retourne et montre du doigt des branches brisées, sur le fr. 619, tandis qu'au folio correspondant du fr. 616, l'homme a la même attitude mais sa main levée ne désigne rien de précis et le passage du gibier n'a laissé aucune trace dans la végétation. Le sens de la nature est présent à un degré supérieur dans le manuscrit avignonnais et sans doute l'artiste parisien lui est-il redevable de cette caractéristique souvent remarquée à propos du fr. 616.

BIBL. : C. Couderc, 1910, p. 19-20, pl. XLVII. — H. Martin, 1923, p. 71, 100, pl. 83. — C. Nordenfalk, « Hatred, Hunting and Love. Three themes relative to some manuscripts of Jean sans Peur », *Studies in late Medieval and Renaissance Painting in honor of Millard Meiss,* New York, 1977, p. 333, fig. 6. — M.C. Leonelli, « Un exemplaire avignonnais du Livre de la chasse de Gaston Phébus », à paraître dans *Annuaire de la Soc. des Amis du Palais des Papes,* 1982.

EXP. : *Exp. de portraits XIIIe-XVIIIe s.,* 1907, n° 28.

Paris, Bibliothèque nationale
ms. français 619

315
Livre d'Heures à l'usage de Rome

Possesseurs : écu surchargé et gratté ff. 12 et 200 ; Petrus de Tarnesieu (XVIIe siècle ?)
Avignon, vers 1385
Parchemin, 235 ff., 173 × 115 mm

315

Le principal intérêt de ce manuscrit réside dans les rapprochements avec la « grande » peinture que permettent le style et l'exécution des cinq pleines pages composant la partie la plus originale de son décor peint.

La Crucifixion du folio 1 v° semble transposée telle quelle d'un panneau ; la présence du donateur agenouillé contribue à la rapprocher des diptyques ou triptyques portatifs destinés à la dévotion privée. Les deux évangélistes du folio 233 v°, l'un de face, l'autre de profil en train d'écrire, évoquent irrésistiblement les prophètes peints par Matteo Giovannetti à la voûte de la Grande Audience. La technique employée — hâchures modulant les couleurs, guillochage des fonds d'or à la pointe et au poinçon, bandeaux formés sur le pourtour de ces fonds — est plus proche de celle d'un peintre de panneau que de celle d'un enlumineur. Le fait que les trois premières de ces peintures, en tête du volume, ne soient accompagnées d'aucun texte et ne se rattachent précisément à aucun office, renforce cette impression de « tableau ».

Au début de certaines prières, des scènes historiées avaient été prévues dans la panse des lettres. L'inachèvement de ce décor peint permet d'en reconstituer les étapes : dessin à l'encre noire sur le parchemin nu, sous-couches de vert puis de rose pour les visages et les chairs, couleur d'abord uniforme des vêtements, ombrés ensuite par des rehauts d'un ton plus soutenu. Sans doute pressé par trop de besogne, c'est le chef de l'atelier avignonnais déjà mentionné (notices n°s 313 et 314) qui a ainsi négligé de terminer la part qu'il s'était lui-même assignée.

Plusieurs collaborateurs ont participé à l'abondante décoration des marges des feuillets. L'un peint vignettes et chimères avec une certaine naïveté (ff. 68-83 v° et 174-181 v°). Un autre dessine et colore chacune des feuilles de vigne d'une façon reconnaissable en d'autres manuscrits avignonnais conservés, datés — ce qui constitue l'un des indices de la datation proposée pour ce livre d'heures. Un autre peintre, laissant libre cours à son imagination, agrémente les marges de personnages aux attitudes vivantes et variées, formant parfois de véritables petites scènes, en rapport ou non avec le texte.

Un autre livre d'heures et de prières (Oxford, Keble College, ms. 15) offre le même double décor : des tableaux rectangulaires portant sur un fond d'or encadré ou recouvert de motifs gravés à la pointe, des saints en pied groupés deux à deux comme sur les ff. 231 v° et 233 v° du manuscrit parisien, et attribuables au même peintre ; en tête de chaque office une scène l'illustrant, peinte dans le champ de la lettre initiale, de la main d'un membre de l'atelier avignonnais.

L'existence de ce second manuscrit prouve que les pleines pages ne constituent pas des ajouts postérieurs à la confection du livre d'heures de la Bibliothèque nationale. L'italianisme diffus qui imprègne ces pages, joint à une connaissance précise de certaines modes parisiennes (l'architecture du trône du folio 3 v° par exemple), renvoient bien, de toute façon, à l'aire culturelle avignonnaise.

BIBL. : V. Leroquais, 1927, I, p. 316-322. — M.B. Parkes, *Medieval Manuscripts...*, 1979, p. 41-46.

EXP. : *Mss à peintures XIIIᵉ-XVIᵉ s.*, 1955, n° 131.

Paris, Bibliothèque nationale
ms. latin 10527

316
Recueil de traité de médecine et Image du monde

XIVᵉ siècle
144 feuillets parchemin, sur 2 colonnes
290 × 195 mm
Reliure veau gr.

Folios 135 v° et suivants : « *Traité que les Maistres de Médecine et les astronomiens de Paris firent de la pestilence que fisique apelle épidimie, en l'an de l'Incarnation de Nostre-Seigneur MCCCXLVIII au mandement de tresnoble et trespoissant prince le Roi de France, pour cause de la tresgrant et tresmerveilleuse épydimie qui lors couroit par son royaume* ».

Ce manuscrit, écrit probablement au milieu du XIVᵉ siècle est la traduction française abrégée du « *Compendium de Epidemia* » rédigé en octobre 1348 par le Collège des Médecins de la Faculté de Paris, à la demande du roi Philippe VI de Valois. Ce texte propose :

— une explication astrologique du fléau : la peste est due à la conjonction néfaste de trois planètes provoquant la corruption de l'air, surtout en provenance du sud. L'air empesté attaque le cœur et les poumons. Cette théorie « miasmatique » de la peste va conditionner pendant des siècles la prévention et la thérapeutique ;

— des conseils préventifs : fermer portes et fenêtres donnant au sud ; n'ouvrir que celles donnant au nord. Éviter les courants d'air. Purifier l'air des maisons en brûlant des bois secs et odorants. Respirer des aromates ;

— hygiène corporelle : éviter les exercices accroissant le besoin de respirer. Faciliter l'évacuation de l'air corrompu inhalé par un entretien du corps : pas de nourritures épicées de digestion difficile ; des boissons saines (eau pure ou bouillie, vins légers) ;

— hygiène de l'âme : éviter colère et tristesse qui affaiblissent le cœur. Rechercher la joie qui réconforte ;

— des remèdes : purgation et saignée débarrassant le corps de toute entrave compromettant l'évacuation de l'air inhalé. Pose de ventouses sur les bubons. Absorption de cordiaux raffermissant le cœur ;

— antidotes : pilules préservatives dont la formule varie selon qu'elles sont destinées au roi et à la reine, aux riches, aux pauvres, aux femmes, etc.

316

Ces thèmes, inspirés d'Hippocrate, se retrouveront dans la plupart des nombreux traités de peste écrits à partir de 1348 dans l'Europe entière, témoignant de la recherche inlassable, bien qu'infructueuse, du corps médical pour comprendre et combattre le fléau.

BIBL. : R. Arveiller, « Textes médicaux français d'environ 1350 », *Romania*, 1973, 94, 157-177. — L.A.J. Michon, « Étude d'histoire médicale. Documents inédits sur la Grande Peste de 1348. Consultation de la Faculté de Médecine de Paris. Consultation d'un praticien de Montpellier. Description de Guillaume de Machaut », *Thèse de Médecine*, Paris, 1860. — E. Rebouis, *Étude historique et critique sur la peste*, Paris, 1888. — M. Da Costa Roque, « As pestes medievais europeias e o Regimento proueytoso contra ha pestenença », Paris, *Fondation C. Gulbenkian*, 1979.

Paris, Bibliothèque nationale
ms. fr. 12323

317
Viandier de Taillevent

XIVᵉ siècle
18 feuillets non chiffrés sur vélin, couverture en parchemin In-4° Cy comence le viandier taillevant maistre queux du Roy nostre s(ire)

Ce manuscrit, un recueil de recettes, est le livre de cuisine le plus ancien que nous connaissons en langue française. On a longtemps cru, en se basant sur une étude de Pichon et Vicaire, que l'auteur en fut un certain Guillaume Tirel, dit Taillevent, qui était chef de cuisine de Charles V entre 1371 et 1380. Ce manuscrit aurait été composé durant cette période, car le titre identifie Taillevent comme « maistre queux du Roy ». Une inscription en bas du dernier feuillet prouve qu'il date, au plus tard, de la fin du XIVᵉ siècle : « C'est viandier fu achete par moy pierre buffat lan m.ccc.iiijˣˣxij [1392] ou pris de vj.s. par. ».

Mais vers 1952, Aebischer a découvert un autre manuscrit contenant ces mêmes recettes ; son étude paléographique prouvait qu'il avait été écrit ou copié entre 1250 et 1300. Or, Guillaume Tirel, né en 1312, n'a donc pu en être l'auteur. Aebischer suggère que Tirel possédait un exemplaire de ce manuscrit que son entourage avait l'habitude d'appeler « le viandier de Taillevent », et il accepte l'hypothèse de Pichon et Vicaire selon laquelle le roi lui aurait demandé de lui en faire faire une copie.

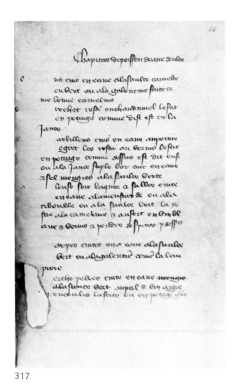

317

La cuisine de ce viandier garde bien des secrets. Les recettes sont très brèves, et les temps de cuisson, ainsi que les mesures, ne sont presque jamais indiqués; néanmoins, le manuscrit donne beaucoup d'indications sur les ingrédients employés. On voit l'importance de certaines viandes et poissons par rapport à d'autres, et les assaisonnements qui sont propres à chacun. Une étude approfondie de ce manuscrit apporterait de précieux renseignements sur la cuisine en France à cette époque, et servirait de base à des études comparatives sur la cuisine française à travers les siècles, et sur les influences qu'elle a pu subir (Orient, par les Croisades ou autres cuisines européennes).

BIBL.: J. Pichon et G. Vicaire, *Le Viandier de Guillaume Tirel dit Taillevent*, Paris, 1892. — P. Aebischer, «Un manuscrit valaisan du «Viandier» attribué à Taillevent», *Bull. annuel de la Bibl. et des archives cantonales du Valais, des musées de Valère et de la Majorie*, n° VIII, 1953, p. 73-101.

EXP.: *Le Livre*, Paris, 1972, n° 588

Paris, Bibliothèque nationale
ms. fr. 19791

318
Atlas catalan

Prov.: librairie de Charles V; librairie de Blois
Majorque, 1375
Parchemin, 12 ff. collés sur 5 planches de bois et les contreplats des ais de la reliure
640 × 250 mm

Il existe une incertitude quant à l'identification de cet atlas, témoin capital de la cartographie catalane au XIVᵉ siècle. S'agit-il de la carte marine «faicte par manière de unes tables, painte et historiée, figurée et escripte», que décrit l'inventaire de la librairie du Louvre récolé en novembre 1380 par Jean Blanchet, ou de la «mappemonde» établie par Cresques le Juif, et que l'infant Jean d'Aragon ordonna de remettre à Guillaume de Courcy à l'intention du roi de France, en novembre de l'année suivante? Même dans la seconde hypothèse, il paraît vraisemblable de penser que cet envoi fut fait à la demande de Charles V lui-même, et que l'atlas n'arriva en France qu'après sa mort.

Composé à l'origine de six planches de bois, revêtue chacune sur un côté d'une feuille de parchemin, l'atlas correspondait parfaitement à la description plus détaillée qu'en donne l'inventaire de 1411: «laquelle quarte contient six grans feuillez qui sont de bois, sur lesquels fueillez est colé le parchemin». Au début du XVIᵉ siècle ces panneaux semblent avoir été sciés en deux et les bandes de parchemin collées au recto et au verso de cinq d'entre eux, le sixième servant de plat et de contreplat à la reliure.

L'atlas se divise en trois parties: sur le feuillet collé au revers du plat supérieur apparaissent des données astrologiques, cosmographiques et un calendrier perpétuel. Ces indications techniques sont complétées à la partie inférieure par la représentation d'un homme zodiacal. Au recto et au verso de la planche II se trouve une composition circulaire figurant le cosmos au centre duquel, conformément à la conception géocentrique du monde qui régna jusqu'à Galilée, la terre occupe la place centrale, entourée par les trois éléments de l'eau, du feu et de l'air. Les cercles concentriques extérieurs correspondent aux planètes Mars, Saturne, Jupiter, la Lune, Mercure, Vénus et le Soleil. Ce schéma est animé par différentes figures: personnifications des planètes, signes du zodiaque, et dans les angles, les quatre saisons. La mappemonde proprement dite occupe les planches III à VI, la carte se déroulant de gauche à droite, de l'Europe à l'Asie. Tandis que pour le monde méditerranéen, l'Atlas offre la précision d'un portulan, du Levant à l'Asie, les données géographiques se basent sur des indications variées tirées de la Bible ou de récits de voyage. Cette partie est abondamment illustrée et comporte des représentations des villes et des souverains des différents pays, ainsi que des scènes montrant l'activité de différents peuples.

BIBL.: *El Atlas catalán de Cresque Abraham*, Primera edición completa en el sexcentésimo aniversario de su realización 1375-1975, Barcelone, 1975 (ouvrage collectif). — H.C. Friesleben, *Der Katalanische Weltatlas vom Jahre 1375, nach dem Bibliothèque Nationale, Paris, verwahren Original farbig wiedergegeben*, Stuttgart, 1977. — G. Grosjean, *Mapamundi: der Katalanische Weltatlas vom Jahre 1375*, Dietikon-Zurich, 1977. — *Bibliothèque nationale. Département des Manuscrits. Manuscrits enluminés d'origine espagnole, VIIᵉ-XVIIᵉ/ siècle*, par J.P. Aniel, M. Mentré, A. Saulnier, Y. Zaluska, sous la direction de F. Avril (à paraître).

EXP.: *La librairie de Charles V*, 1968, n° 207. — *Kaiser Karl IV*, 1978, n° 8.

Paris, Bibliothèque nationale
ms. espagnol 30

319
Charte de Charles V interdisant l'aliénation de l'hôtel Saint-Paul (juillet 1364)

A la suite des événements tragiques qui s'étaient déroulés au palais royal de la Cité durant sa régence, Charles V fit de l'hôtel Saint-Paul, situé alors à la périphérie de la ville, sa résidence favorite. L'acte exposé ici déclare ledit hôtel uni inséparablement au domaine de la Couronne de France, et en interdit l'aliénation.

Ce document est une des chartes historiées que le roi faisait confectionner par sa chancellerie à certaines occasions solennelles. Le C du mot Charles figure le roi assis sur un trône à têtes de dauphin, ayant à ses pieds deux lions adossés. Cette représentation est manifestement inspirée du sceau royal qui devait être autrefois suspendu au

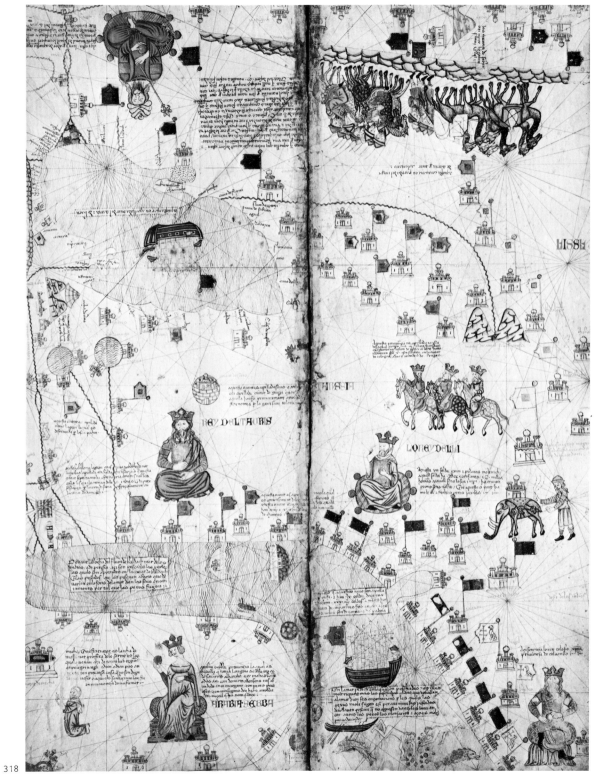

document. Dans les écoinçons de la lettre, un sergent d'armes, et deux anges présentant à la bénédiction du Christ les insignes de la monarchie, la couronne et la fleur de lis. Cette lettrine semble due au maître du *Livre du Sacre*.

BIBL. : *Musée des Archives nationales. Documents originaux de l'Histoire de France exposés dans l'hôtel Soubise,* Paris, 1872, p. 217-218, nº 383. — L. Delisle, 1907, I, p. 61.

EXP. : *La librairie de Charles V,* 1968, nº 22, pl. 4.

Paris, Archives nationales
AE 11383 (J. 154, nº 5)

319 bis
Charte de Pierre, abbé de Royaumont (14 septembre 1374)

Dans cette belle charte, Pierre, abbé de Royaumont, et les religieux de cette abbaye,

s'engagent à célébrer des messes à l'intention de Charles V, de la reine et de leurs enfants. Le texte débute par une initiale historiée représentant l'abbé de Royaumont et ses religieux agenouillés devant le roi et lui remettant la charte. Charles V est entouré de ses deux fils, Charles (le futur Charles VI) et Louis, le futur duc d'Orléans. Le premier, placé à la droite de son père, semble soutenir le sceptre tenu par son père. Louis pointe l'index vers un lion assis à terre, vu de face, discret rappel du goût de Charles V pour cet animal, qu'il utilisait comme support de ses armes dans certains de ses manuscrits. Derrière le groupe des moines apparaît la reine Jeanne de Bourbon, abritant sous un pan de son manteau ses deux filles, Marie et Isabelle. Cette dernière était née le 23 juillet de l'année précédente. L'auteur de cette œuvre, le maître du *Rational des divins offices* (*cf.* nº 288), a représenté la famille royale de façon analogue dans ce dernier manuscrit, qui fut exécuté pour Charles V, la même année 1374.

BIBL. : F. Delaborde, « Une charte historiée des Archives nationales », *Centenaire de la Société nationale des antiquaires de France,* Paris, 1904, p. 93-99. — L. Delisle, 1907, I, p. 58, 61. — C.R. Sherman, 1969, p. 38, fig. 24. — F. Avril, « L'étude de la décoration des manuscrits et son apport à la codicologie : le cas de l'enluminure parisienne du XIVe siècle », à paraître dans *Codicologica.*

Paris, Archives nationales
J. 465, nº 48

319

319 bis

Peintures

Dominique Thiébaut

Tenter d'évoquer ce que fut la peinture de chevalet en France au XIVᵉ siècle relève presque de la gageure. Si, au mépris des XVIIᵉ et XVIIIᵉ siècles pour la peinture dite « gothique », l'on ajoute les destructions iconoclastes des Guerres de Religion et de la Révolution (dont on a souvent surestimé l'importance), les dégradations naturelles, le bilan est bien maigre : à peine une dizaine de tableaux ! D'autant que, pour des raisons de commodité, l'on accorde souvent au domaine royal du temps l'étendue de la France actuelle, y annexant par exemple l'enclave pontificale d'Avignon. De la première moitié du siècle, subsistent essentiellement des œuvres « italiennes » produites ou importées dans le Midi, quelques témoignages isolés tels le *Diptyque de Rabastens* (Périgueux, musée), la *Châsse d'Albi* (nᵒ 322)... Le catalogue des panneaux exécutés à partir de 1350 a considérablement évolué depuis l'exposition des Primitifs français de 1904 : ces dernières années encore, on a vu passer certaines des créations les plus prestigieuses de l'« école de Paris » à d'autres centres, l'*Annonciation Sachs* (The Cleveland Museum of Art) et le *Petit Diptyque du Bargello* au Luxembourg ou aux Pays-Bas, le *Grand Diptyque du Bargello* au Rhin inférieur, le *Diptyque Wilton* (Londres, National Gallery) à l'Angleterre. Un des rares dessins « français » du XIVᵉ siècle, *La Mort, l'Assomption et le Couronnement de la Vierge* (Louvre), parfois assigné à Beauneveu, pourrait être de main italienne (outre son iconographie spécifique, signalons sa provenance du fonds Baldinucci). Inversement certaines attributions récentes à la France, par exemple la *Crucifixion* de l'ancienne collection Hirsch donnée à la Normandie par G. Schmidt, n'emportent pas vraiment l'adhésion. De plus, vers 1400, la diffusion en Europe d'un style commun qui deviendra le « style gothique international » vient également compliquer toute tentative de localisation : où placer de façon satisfaisante le dessin de Bâle représentant trois *Vierges à l'Enfant,* le carnet d'esquisses de la Pierpont Morgan Library, le groupe de feuillets des Offices, rapproché de l'école de Valence ?

Or, même si la France est au XIVᵉ siècle le principal centre de production de livres illustrés, même si dans le domaine des tableaux de chevalet l'Italie possède une avance indéniable, il semblerait abusif de nier pour autant l'existence et la spécificité d'une véritable école française de peinture, ainsi qu'a pu le faire un Dimier par réaction contre les excès « nationalistes » de l'exposition de 1904. Les inventaires de Charles V et du duc de Berry livrent des mentions de «tableaux de boys paints», les comptes royaux ont conservé le souvenir de Girard d'Orléans, Jean Coste, Jean d'Orléans «peintres du Roi» et une liste dressée en 1391, les noms de vingt-cinq des principaux maîtres-peintres de la ville de Paris que Ch. Sterling croit avoir pratiqué tour à tour les deux techniques de l'enluminure et de la peinture sur chevalet. Les dessins exécutés sur l'ordre de l'érudit Roger de Gaignières transmettent l'image de trois tableaux perdus (Paris, Bibl. nat., Est., Oa 11) décorant autrefois la Sainte-Chapelle et la chapelle Saint-Michel du Palais royal de Paris, la chapelle Saint-Hippolyte de la basilique de Saint-Denis. Plusieurs historiens se sont intéressés dernièrement à ces compositions ambitieuses qui semblent avoir revêtu une signification politique. Quelle que soit la date précise de ces trois œuvres — la fourchette chronologique s'étend au maximum sur une trentaine d'années entre 1342 pour la première et 1372 pour la dernière —, elles ne paraissent pas spécialement «retardataires» lorsqu'on compare les relevés généralement fidèles de Gaignières avec l'abondante production de miniatures des règnes de Jean le Bon et de Charles V. Comme l'écrit Ch. Sterling en 1978, «si la production parisienne (de peinture sur chevalet) reste mystérieuse, elle est loin d'être mythique».

La rareté et la disparité des œuvres conservées compliquent singulièrement la tâche de l'historien d'art. A partir de ces jalons épars, comment retracer l'évolution de la peinture en France du règne de Philippe le Bel à celui de Charles VI? La première moitié du siècle semble avoir connu la persistance d'une tradition purement française de linéarisme gothique, élaborée à la fin du XIIIe siècle. Incarné dans l'enluminure par Maître Honoré, ce style essentiellement calligraphique se maintiendra tout au long du siècle suivant dans des œuvres de qualité moyenne comme la *Châsse d'Albi* (nº 322) ou les fresques de Sorgues (nº 325). Mais des découvertes récentes dans le domaine de la peinture murale du Sud de la France offrent quelques exemples antérieurs de cette tendance, les remarquables *Scènes de chasse* de la livrée de la rue du Collège de la Croix à Avignon (vers 1335-1336), un *Couronnement de la Vierge* et une *Scène agreste* mis à jour dans le quartier de la Balance de cette même ville, les fresques de Viviers dans la vallée du Rhône...

Parallèlement se manifeste un intérêt précoce pour les nouvelles recherches transalpines : Philippe le Bel envoie dès 1298 son peintre Étienne d'Auxerre à Rome et fait appel en 1309 à une équipe italienne pour décorer son château de Poitiers. Exécutées vers 1307, les peintures romaines de la cathédrale de Béziers traduisent dans l'organisation de l'espace, l'influence de Giotto. Assimilées très tôt, vers 1320, par l'enluminure soucieuse d'échapper à une forme d'académisme, en particulier par le génial Pucelle, ces innovations italiennes rencontrent bien sûr un terrain d'élection privilégié en Avignon. Malgré les restrictions de Panofsky, il est incontestable que la capitale pontificale a joué sur le plan artistique un rôle d'avant-garde dans l'Europe du temps, et cela très tôt, dès le règne de Jean XXII. La précarité politique du reste de l'Occident, la sécurité du comtat Venaissin, la multiplicité des échanges commerciaux, la présence enfin à la cour d'une clientèle riche et raffinée, celle des curiaux surtout, favorisent le développement d'un mécénat prestigieux. Aussi voit-on affluer certains des artistes italiens les plus réputés : le délicat Maître du Codex de Saint-Georges essentiellement attaché à la personnalité du cardinal Jacopo Stefaneschi, Simone Martini et peut-être quelques membres de la famille Memmi, le « peintre du Pape » Matteo Giovannetti. Libérés des contraintes toscanes et stimulés par le faste de la curie, ils sauront tirer profit de l'esthétique gothique française et mettre au point certaines inventions audacieuses, sur le plan de l'iconographie ou de la suggestion de l'espace par exemple, qui rayonneront jusqu'en Bohême ou en Catalogne. Plus qu'une simple colonie italienne, plus qu'un simple relais des innovations transalpines, Avignon semble avoir suscité, grâce à une confluence extraordinaire de courants variés, un climat particulier qui trouve son expression privilégiée dans l'art du portrait et l'évocation de la nature : M. Laclotte ne suppose-t-il pas à l'origine du renouveau du portrait peint individuel un prototype perdu de Simone Martini, peut-être ces effigies de Laure et de Napoleone Orsini chantées par Pétrarque, dont le *Portrait de Jean le Bon* (n° 323) serait un des premiers reflets ? Rappelons que dans son château de Bicêtre, Jean de Berry s'était constitué une galerie de portraits, détruite par l'incendie de 1411. Parallèlement, le paysage lacustre du *Codex de Saint-Georges* (Rome, Bibl. Vaticana, ms. C 129), la miniature du *Virgile* de Simone (Milan, Bibl. Ambrosiana), la Chambre du Cerf au Palais des Papes, l'arrière-plan de la *Nativité* du musée Granet (n° 320) disent une curiosité pour la nature qui n'a pas manqué d'essaimer en France royale ; le futur Jean le Bon demande en 1349 à Jean Coste de peindre sur les murs de son château de Vaudreuil « une liste (frise) de bestes et d'images », Charles V fera de même dans la grande salle du palais du Louvre peuplée « d'oiseaux et d'animaux qui se jouaient dans de grandes campagnes » et de « figures de cerfs », dans une des galeries de l'hôtel Saint-Paul.

A côté de cette tendance italianisante vivifiée par la proximité du fécond foyer avignonnais où Jean le Bon séjourne à plusieurs reprises, une vague réaliste fait irruption à Paris dans les années 1350 avec l'arrivée de peintres venus du Nord : le style d'un Jean de Bondol, mentionné à Paris en 1368, frappe d'emblée par son accent familier, direct, la suggestion étonnante des valeurs tactiles. On ne saurait dissocier le profil bonhomme de son Charles V dans la *Bible de Vaudetar* (n° 285) de celui, moins inspiré certes, du chanoine Hendrik van Rijn sur le *Calvaire* d'Anvers (vers 1363). A l'inverse, ces artistes originaires des Pays-Bas mais installés en France — d'où leur sur-nom de « franco-flamands » — ne resteront pas insensibles à cette manière parisienne, élaborée depuis Pucelle, éprise de clarté, d'élégance et de stylisation dont le chef-d'œuvre est le *Parement de Narbonne* (n° 324). Cet art complexe et raffiné qui naît sous le règne de Jean le Bon — il est d'ailleurs significatif de voir dernièrement remonter aux années 1350 la date de l'*Annonciation Sachs* et du *Petit Diptyque du Bargello,* auparavant situés vers 1380-1390 — se poursuivra après la mort de Charles V, avec le mécénat de ses frères : quelques-uns des artistes du « roi sage » passeront au service de Berry et de Bourgogne. Jean d'Orléans, Beaumetz et Malouel, Beauneveu, les frères Limbourg plus tard, ont d'abord travaillé à Paris. Creuset exceptionnel, carrefour de toutes les influences, françaises, italiennes, nordiques, voire bohémiennes, Paris dans le dernier quart du XIVe siècle, jouera sans doute dans l'élaboration du style gothique international, le rôle d'Avignon dans les années 40.

Est-ce à dire que cette suprématie parisienne ait étouffé en France tout particularisme local ? S'il est impossible d'évoquer ce que fut en peinture le « style Berry », sans doute très proche de celui de la capitale — il n'y a plus aucune raison pour lui rattacher la médiocre *Crucifixion* de Bruxelles dont les armes se sont avérées repeintes —, nous connaissons mieux la production bourguignonne : les deux *Calvaires* de l'atelier de Beaumetz (n° 326) et la *Grande Piétà ronde* du Louvre (n° 327) sont largement tributaires du goût siennois qui règne à Paris, mais Ch. Sterling l'a montré, elles sont en même temps à l'origine d'une véritable tradition de Champmol, renforcée, il est vrai, au début du siècle suivant par l'ascendant de la puissante sculpture slutérienne, et celui de la peinture vigoureuse et sensuelle importée de Flandre à Dijon (le *Polyptyque* aujourd'hui partagé entre Baltimore et Anvers, les volets de Broederlam surtout). Parmi tout un groupe d'œuvres des années 1410, difficile à localiser (la *Petite Piétà ronde* et la *Mise au Tombeau* du Louvre, la *Piétà* du musée de Troyes, le *Couronnement de la Vierge* de Berlin, le *Tondo* de Baltimore…), la *Vierge aux Papillons* attribuée à la fin de la vie de Malouel (en dépôt à la Gemäldegalerie de Berlin-Dahlem) et le *Martyre de saint Denis* de Bellechose (Louvre) étonnent, en dépit de leurs liens évidents avec la *Grande Piétà ronde,* par une monumentalité, une plasticité, qui caractériseront l'art de cette région au cours du XVe siècle.

320

320

320
L'Annonciation. La Nativité

Atelier avignonnais de Simone Martini ; se-
cond quart du XIVe siècle
Provenant du : Couvent des religieuses de
Sainte-Claire d'Aix ; coll. Fauris de Saint-
Vincens à la fin du XVIIIe siècle ; acquis en
1820 par la Ville d'Aix avec l'ensemble de
cette collection
Peintures sur bois
H. 0,594 ; L. 0,392 et H. 0,596 ; L. 0,389

L'*Annonciation* et la *Nativité* du musée
Granet, l'*Adoration des Mages* de la coll.
Lehman (New York, The Metropolitan Mu-
seum of Art) faisaient partie d'un retable

(un triptyque ?) offert par le roi de Naples,
Robert d'Anjou († 1343) et son épouse, la
reine Sanche, au couvent des religieuses de
Sainte-Claire d'Aix. L'érudit Fauris de
Saint-Vincens, qui était propriétaire des
trois panneaux à la fin du XVIIIe siècle,
mentionnait d'ailleurs au revers les traces
des armoiries d'Anjou et d'Aragon, aujourd'hui invisibles. La similitude des dimensions, la parenté des poinçons et l'analogie évidente du style viennent confirmer
cette commune origine, décelée dès 1920
par F. Mason Perkins. Il semble que le tableau newyorkais ait connu une destinée
mouvementée (Boyer 1966). Sans doute
est-ce l'*Adoration des Mages*, attribuée à

Giotto, que l'on rencontre — à la suite d'une
erreur ou d'une intention délictueuse ? —
dans la première vente de la collection de
Clérian, l'ancien directeur de l'École de dessin et du musée d'Aix, mort en 1851 (Aix,
14-16 mars 1853, no 28). Achetée par le
peintre Gérôme, l'œuvre devint ensuite la
propriété du collectionneur américain Philip
Lehman.

S'agit-il d'un retable exécuté à Naples et
expédié à Aix avant 1343, date de la mort
de Robert d'Anjou, ou bien d'une commande faite à un artiste italien installé en
Provence au début des années 1340 ? La
critique diverge considérablement sur ce
point, tout comme sur l'attribution des

panneaux. Meiss (1956) a proposé notamment de reconnaître ici la main d'un peintre florentin d'obédience giottesque, actif à Naples vers 1365-1375, le maître principal du fameux manuscrit de la *Bible angevine* (Paris, Bibl. nat., ms. fr. 9565), ou en tout cas l'un de ses contemporains à Naples (id. 1967). En réalité, l'hypothèse lancée dès 1908 par F. Mason Perkins apparaît plus satisfaisante : les deux panneaux d'Aix — il ignorait à cette date celui de la collection Lehman — lui semblaient appartenir à un disciple de Simone Martini, établi en Provence, du vivant même de l'artiste siennois ou peu après sa mort (1344). Les armoiries du roi et de la reine au revers posent de toute façon un terminus *ante quem* à la réalisation de ce retable, l'année 1343, date de la mort de Robert.

Les panneaux d'Aix trahissent l'influence évidente des dernières œuvres avignonnaises de Simone Martini, en particulier du *Polyptyque Orsini* (aujourd'hui partagé entre les musées d'Anvers, de Berlin et le Louvre) dont on retrouve ici le raffinement dans l'audacieuse gamme chromatique, la délicatesse du modelé, la préciosité des bordures poinçonnées et l'aspect des revers. Le goût des perspectives complexes, l'évocation poétique du quotidien, la présence d'un véritable naturalisme, précurseur du style gothique international, caractérisent le climat avignonnais des années 1340, incarné par le « peintre du pape », Matteo Giovannetti. Mais cette curiosité pour le paysage et les activités de la vie agreste — citons par exemple la décoration contemporaine de la Chambre du Cerf au Palais des Papes, confiée à une équipe franco-italienne — semble remonter non pas à l'arrivée en Avignon de Simone Martini (1336), mais plus tôt, aux pontificats de Jean XXII et de Benoît XII, avec par exemple le mystérieux Maître du Codex de saint Georges actif au service du cardinal Stefaneschi dès les années 20 ou l'atelier probablement français qui décore vers 1335 le tinel de la livrée de la rue du Collège de la Croix.

BIBL. : Fauris de Saint-Vincens, *Tableaux et ouvrages de sculptures attribués au Roi René ou qui lui ont appartenu*, Aix, Bibl. Méjanes, ms. 770 (1009), p. 131. — M. Logan, « Notes sur les œuvres des maîtres italiens dans les musées de province », *La Chronique des arts et de la curiosité*, 28 décembre 1895, p. 396-397. — F. Mason Perkins, « Due Tavole ad Aix-en-Provence », Spigolature, *Rassegna d'arte senese*, IV, 1908, p. 86-87. — B. Berenson, *The Central Italian Painters of the Renaissance*, 1909, p. 139 (éd. 1932, p. 528 et éd. 1968, I, p. 404). — F. Mason Perkins, « Some Sienese Paintings in American collections », II, *Art in America*, 1920, p. 272, 277. — R. Van Marle, *Simone Martini et les peintres de son école*, Strasbourg, 1920, p. 127. — P. Toesca, *Il Trecento*, Turin, 1951, p. 546. — M. Meiss, « Primitifs italiens à l'Orangerie », *Rev. des Arts*, octobre 1956, p. 142-145. — E. Castelnuovo, « Avignone rievocata », *Paragone*, novembre 1959, n° 119, p. 51. — M. Laclotte, 1960, p. 121. — E. Castelnuovo, 1962, p. 142. — L. Malbos et J. Boyer, « Des Rois Mages aixois qui ont pris le chemin de New York », *La Provence Libérée*, samedi 19 mars 1966, p. 1-4. — M. Meiss, 1967, p. 28-29, 120, 367. — C.L. Ragghianti, « Codicillo », *Critica d'Arte*, n° 122, 1972, p. 84. — G. Szabó, *The Robert Lehman Coll., A guide*, The Metropolitan Museum, New York, 1975, p. 19. — M. Laclotte et D. Thiébaut (à paraître).

EXP. : *De Giotto à Bellini, Les primitifs italiens dans les musées de France*, Paris, 1956, n° 42 (cat. par M. Laclotte).

Aix-en-Provence, musée Granet
Inv. 820-I-II et II bis

321
La Vierge et l'Enfant

Matteo Giovannetti, vers 1345-1350
Acquise dans le commerce parisien au cours des années 1940 par le père du propriétaire actuel
Peinture sur bois. H. 0,446 ; L. 0,296
(surface peinte originale ovale. H. 0,355 ; L. 0,260)

Remarquée dès 1948 par R. Longhi qui la donne d'emblée à Matteo Giovannetti, cette *Vierge et l'Enfant* a subi au cours des siècles plusieurs remaniements : la mise à l'ovale du support a entraîné à une date ancienne la disparition probable de la partie inférieure des personnages, de la main droite de la Vierge, des pieds de l'Enfant, et celle,

321

partielle, du trône et de l'encadrement. L'œuvre présente cette apparence ovale sur l'illustration du catalogue de la vente de la collection léguée par le comte Cernazai au Séminaire archiépiscopal d'Udine (Udine, 24-31 octobre 1900, nº 168) où elle porte l'attribution à un anonyme siennois du XIVᵉ siècle. Le restaurateur qui a cherché par la suite à lui rendre un aspect « trecentesque », s'il n'a pas reconstitué entièrement le bas de la robe de la Vierge, assise et certainement en pieds à l'origine, a réinventé certains éléments disparus et un encadrement rectangulaire de fantaisie. En effet ce panneau se terminait, ainsi que l'a démontré L. Vertova (1968), par un long pinacle central sur lequel venaient se rabattre, à la manière toscane, deux demi-pinacles comportant les traditionnelles figures de l'Ange et de la Vierge de l'Annonciation, reproduites sur la même planche que la *Vierge* dans le catalogue de la vente Cernazai (nº 169) et retrouvées par F. Zeri (1976) dans une collection privée new-yorkaise. Dans ce même triptyque figuraient à l'intérieur des volets, un *Saint Hermagore* et un *Saint Fortunat* conservés depuis 1832 au musée Correr de Venise, et à l'extérieur de ceux-ci, une *Sainte Catherine* et un *Saint Antoine Abbé,* aujourd'hui disparus mais reproduits dans le même catalogue de vente, cette fois-ci indépendamment des trois autres éléments, sous l'attribution à Antonio d'Udine (nº 78).

La provenance ancienne de chacun des éléments de ce triptyque en même temps que la présence sur les deux panneaux du musée Correr de deux saints particulièrement vénérés en Vénétie suggèrent une commande vénitienne. Peut-être, selon l'hypothèse de L. Vertova (1968), sont-ils même entrés dès la fin du XIVᵉ siècle dans la famille Manin — dont la collection devint plus tard un des noyaux de la « Galerie Cernazai » —, à l'époque de ce Manino Manin, diplomate actif et homme de confiance du patriarche d'Aquilée. Cependant l'attribution incontestable à Matteo Giovannetti laisse supposer leur exécution à Avignon où une ambassade vénitienne est d'ailleurs signalée entre mai et juillet 1345 (Castelnuovo, 1962).

Cette dernière date semble trouver une confirmation dans le style de l'œuvre appa-

322

renté au cycle profondément original de la chapelle Saint-Martial au Palais des Papes d'Avignon, décorée par Matteo et son équipe d'octobre 1344 à janvier 1346 : même interprétation libre et raffinée des modes de Simone Martini, évidente par exemple dans le rythme des draperies traitées en larges arabesques, la préciosité des laques, la précision des notations de parure, même description alerte et familière de la physionomie humaine qui éclate ici dans le visage spirituel de cet Enfant aux cheveux crépus, la tendresse attentive de la Vierge, si différente d'une autre *Vierge* du même artiste (New York, coll. part.), plus lointaine et aristocratique, et sans doute contemporaine des fresques postérieures de la chapelle Saint-Jean.

BIBL. : R. Longhi, « Ancora del Maestro dei Santi Ermagora e Fortunato », *Arte Veneta,* 1948, p. 41-43. — M. Laclotte, 1960, p. 54. — E. Castelnuovo, 1962, p. 89. — L. Vertova, « Testimonianze frammentarie di Matteo da Viterbo », *Festschrift Ulrich Middeldorf,* Berlin, 1968, I, p. 45-51. — I. Faldi, *Pittori viterbesi di cinque secoli,* Rome, 1971, p. 98-99. — F. Zeri, « Un cimelio di Matteo Giovannetti », *Diari di Lavoro 2,* Turin, 1976, p. 11-14. — M. Laclotte et D. Thiébaut (à paraître).

EXP. : *L'Enfance,* Galerie Charpentier, 1949, nº 105.

Paris, coll. part.

322
Châsse de Sainte-Cécile d'Albi

Provenant de la région d'Albi,
Première moitié du XIVᵉ siècle
Bois. H. 0,495 ; L. 0,545 ; Pr. 0,250

Vraisemblablement d'origine locale ainsi que semble l'attester, sur l'un des longs côtés, la présence de deux saintes vénérées à Albi, Cécile et Ursule dont les noms figurent d'ailleurs sous une forme typiquement languedocienne (Mesuret 1965), la *Châsse de Sainte-Cécile d'Albi,* est avec celle plus tardive (1391) de Caunes (Narbonne, église métropolitaine), un des rares témoignages d'une production sans doute abondante d'objets liturgiques peints : en effet, ce procédé était beaucoup moins coûteux que l'utilisation de l'ivoire ou de l'orfèvrerie.

Dans une région où parviennent très tôt des œuvres italiennes (citons les peintures romaines du début du XIVe siècle qui ornent deux chapelles de Saint-Nazaire de Béziers, le polyptyque ligure conservé à la cathédrale d'Albi...), elle illustre en même temps, d'une façon un peu sommaire et maladroite, ce courant pictural de tradition purement française qui met l'accent exclusivement sur le contour. L'importance des retouches effectuées au XIXe siècle, interdit malheureusement toute véritable appréciation du style. La datation vers le milieu du XIVe siècle, proposée par le comte de Toulouse-Lautrec (1863) et le baron de Rivières (1867) apparaît de toute manière plus satisfaisante que la fin du XIVe siècle avancée par Mesuret (1965). Ce dernier reconnaissait en effet dans « les deux blasons *d'or au bœuf passant de gueules à la bordure engrelée de même*, les armes parlantes de B. Vacquier, chanoine d'Albi et recteur de Cologne-sur-Gers, près de Toulouse, mort le 23 juin 1391 ».

BIBL. : Comte de Toulouse-Lautrec, *Congrès archéol. de France*, XXXe session, Rodez, Albi, Le Mans, 1863, p. 512. — Baron de Rivières, « Châsse du XIVe siècle à Albi », *Rev. archéol. du Midi*, I, mars-avril 1867, p. 219-220. — P. Mantz, *La Peinture française du IXe siècle à la fin du XVIe siècle*, Paris, 1897, p. 124-125. — P. Perdrizet, *La Vierge de Miséricorde*, Paris, 1908, p. 221-222. — R. Mesuret, « Les Primitifs du Languedoc. Essai de cat. », *G.B.A.*, janvier 1965, p. 7.

323

EXP. : *Exp. départementale de Peinture, d'Objets d'art et d'Antiquités*, Albi, 1863, n° 528. — *Exp. rétrospective...*, Paris, 1889, n° 137. — *Exp. rétrospective...*, 1900, n° 3035.

Albi, cathédrale Sainte-Cécile

323
Portrait de Jean le Bon

Paris, vers 1350

Trouvé au château d'Oiron en Poitou, ancienne propriété des Gouffier (donné par Henri II à Claude Gouffier ?) ; coll. Gaignières (n° 46) ; retiré de la vente de la coll. Gaignières (juillet 1717) sur ordre du régent pour la Bibliothèque royale ; exposé de 1852 à 1872 au Louvre, au musée des Souverains, puis à la suppression de ce musée, de retour à la Bibl. nat. ; dépôt du Cabinet des Estampes de la Bibl. nat. au Louvre en 1925
Peinture sur bois. H. 0,598 ; L. 0,446

Le célèbre *Portrait de Jean le Bon* fait l'objet d'une véritable controverse depuis une dizaine d'années. Plusieurs historiens, R. Cazelles (1971 et 1978) et G. Schmidt (1971 et 1981) suivis par Ch. Sterling (1972) ont en effet remis en cause l'identification traditionnelle du personnage représenté avec le roi Jean le Bon, en proposant d'y reconnaî-

tre les traits de son fils aîné, le futur Charles V. A l'appui de cette nouvelle hypothèse, ils invoquaient plusieurs arguments : le caractère peu soigné de l'inscription, vraisemblablement postérieure à la réalisation du portrait (sauf pour Cazelles), l'absence de couronne et la jeunesse du modèle, inconciliables avec la date de 1360 généralement conférée à l'œuvre et sa ressemblance frappante selon eux avec plusieurs effigies de Charles V. Or, loin de recevoir l'approbation de l'ensemble de la critique, cette théorie a été combattue par R. Pinoteau (1975), A. Erlande-Brandenburg (1979) et J.B. de Vaivre (1981). Les nombreux documents iconographiques reproduits dans l'article de ce dernier historien mettent bien en évidence certaines différences physionomiques indéniables entre le père et le fils : le front fuyant de Charles V, son nez long et pointu, sa mâchoire inférieure placée en retrait par rapport à l'arête nasale, ne se retrouvent ni sur le tableau du Louvre ni sur le gisant de Jean le Bon à Saint-Denis. S'il s'agit bien de Jean le Bon, reste que ce profil vif et rusé apparaît plutôt comme celui d'un homme jeune, âgé d'une trentaine d'années. Aussi Erlande-Brandenburg (1979) suggère-t-il pour notre portrait l'année 1349, ce qui justifierait en même temps l'absence de couronne, Jean n'accédant au trône qu'en 1350. L'inscription remonterait alors à une date légèrement postérieure au règne de Jean le Bon.

Dans ce cas, l'œuvre ne saurait appartenir à ce fameux quadriptyque associant les effigies de Charles V, Jean le Bon, Édouard III et Charles IV, mentionné en 1380 dans la petite étude de Charles V à l'Hôtel Saint-Paul et vraisemblablement identique à celui que l'on retrouve en 1399 dans l'inventaire de Charles VI, puis chez le duc Jean de Berry. La présence simultanée de ces quatre souverains exclut une datation antérieure aux années 1360-1364 pour des raisons historiques qu'il serait trop long d'exposer ici. De plus, la brièveté de cette mention dans l'inventaire de Charles V ne nous permet pas de savoir s'il s'agissait de figures en pied, de face ou de profil...

L'exécution du tableau du Louvre aux alentours de 1350 est-elle vraisemblable sur le plan de l'histoire de l'art ? Le *Portrait de Jean le Bon* est le premier portrait de profil indépendant qui nous soit parvenu. En effet, dans celui, également isolé, de l'archiduc d'Autriche, Rodolphe (Vienne, Dom- und Diözesanmuseum) qui remonte aux années 1360, la figure est présentée de trois-quarts, tandis que les profils bien connus de l'empereur Charles IV et de son épouse dans la chapelle Sainte-Catherine au château de Karlstein (Bohême) s'intègrent au sein d'un véritable ensemble décoratif. Or ce type d'effigie isolée, en buste et de profil, semble avoir connu une fortune singulière en France et en Italie pendant toute la première moitié du XVe siècle, en particulier avec l'éclosion du style gothique in-

ternational qui affectionne en même temps l'art voisin de la médaille (Panofsky 1953).

Le *Portrait de Jean le Bon* serait-il vraiment « l'incunable du genre » ? Son auteur — on a prononcé les noms des peintres célèbres du temps, Girard d'Orléans, Jean Coste — peut-il être tenu responsable de cette invention remarquable ? L'analyse du style n'apporte aucune précision à cet égard : de nombreuses lacunes affectent depuis longtemps (*cf.* Dibdin 1821) le modelé du visage, l'œil et la chevelure. Seuls semblent avoir été partiellement épargnés le contour inférieur du nez et la moustache, la partie supérieure de la chevelure. La forte zone d'ombre qui épouse l'arête du nez, reflet selon certains d'une influence italienne que trahiraient également la stylisation et la puissance plastique du personnage, est aussi suspecte, bien que sans doute repeinte d'après l'original. L'hypothèse la plus vraisemblable est que d'autres exemples ont précédé ce tableau énergique mais peu raffiné. E. Castelnuovo (1966) avait déjà supposé que l'auteur du tableau du Louvre avait pu accompagner le roi à Avignon, foyer artistique particulièrement fécond et dynamique, lors de son séjour de 1362 (la date est trop tardive mais pourquoi pas lors de celui de 1349 ?), où il aurait été impressionné par cette formidable série de personnages qui peuplent les murs des chapelles du Palais des Papes décorées par Matteo Giovannetti. Un autre artiste italien de génie, venu lui aussi s'installer à Avignon, a pu également jouer un rôle de précurseur dans ce renouveau, depuis l'Antiquité, du portrait individuel : Simone Martini qui a toujours montré pour la physionomie humaine un intérêt enthousiaste depuis le *Saint Louis de Toulouse* de 1317 (Naples, Gall. Naz. di Capodimonte). En 1336, deux sonnets de Pétrarque louent un portrait perdu de Laure, création fameuse du peintre siennois et sans doute très tôt imitée à la cour pontificale. On discerne un autre reflet de ce goût typiquement avignonnais pour l'analyse psychologique et les particularités physionomiques dans un tableau, perdu certes mais connu par une copie de Gaignières (Paris, Bibl. nat. Est. Oa 11, fol. 85), *La Remise d'un diptyque par Jean le Bon à Clément VI*, dont la réalisation, vraisemblablement confiée à un peintre parisien plutôt

qu'à Matteo Giovannetti, comme on l'a proposé, doit suivre de quelques années l'entrevue de ces deux personnages (1342).

BIBL. : Th. Frognall Dibdin, *Bibliographical and Picturesque Tour in France and Germany*, 1821, II, p. 140 (trad. par T. Licquet, Caen et Paris, 1825, III, p. 97-99). — Ch. Tennyson d'Eyncourt, « Notice of a Portrait of John, King of France », *Archaeologia...*, vol. XXXVIII, 1860, p. 196-201. — B. Prost, « L'auteur probable du portrait du roi Jean », *Arch. historiques, artistiques et littéraires*, II, 1891-1892, p. 81-92. — P. Durrieu, 1907, p. 110-111. — Ch. Sterling, 1941, p. 18-19 et Rép. XIVe s. A, nº 1, p. 1-2. — G. Ring, 1949, p. 13, nº 1, p. 191. — E. Panofsky, 1953, p. 36, 83, 170. — Ch. Sterling et H. Adhémar, 1965, nº 1, p. 1. — E. Castelnuovo, *Il gotico internazionale in Europa*, Milan, 1966, s.p. — R. Cazelles, « Le portrait dit de Jean le Bon au Louvre », *Bull. de la Soc. nat. des antiquaires de France*, 1971, p. 227-230. — G. Schmidt, « Buchbesprechungen (compte rendu du livre de Cl. Richter Sherman, *The Portraits of Charles V of France, 1338-1380*, New York, 1969) », *Zeitschrift für Kunstgeschichte*, 1971, p. 81-87. — Ch. Sterling, 1972, nº 47, p. 187-188. — H. Pinoteau, « Tableaux français sous les premiers Valois », *Cahiers d'héraldique*, II, 1975, p. 159. — R. Cazelles, « Peinture et actualité politique sous les premiers Valois. Jean le Bon ou Charles, dauphin », *G.B.A.*, septembre 1978, p. 57-62. — A. Erlande-Brandenburg, « La peinture à Paris sous les premiers Valois », compte rendu de ces deux derniers articles, *Bull. mon.*, 1979, 137, II, p. 170-171. — G. Schmidt, « Zu einigen Stifterdarstellungen des 14. Jahrhunderts in Frankreich », *Études d'art médiéval offertes à Louis Grodecki*, Paris, 1981, p. 270, 278 n. — J.B. de Vaivre, « Sur trois Primitifs français du XIVe siècle et le Portrait de Jean le Bon », *G.B.A.*, avril 1981, p. 146-154.

EXP. : *Les Primitifs français*, Paris, 1904, nº 1. — *French Art 1200-1900*, Londres, 1932, nº 29, p. 14. — *Les Manuscrits à peintures en France du XIIIe au XVIe siècle*, Paris, 1955, nº VII.

Paris, musée du Louvre
RF 2490

324
Parement de Narbonne

Paris, vers 1375
Acquis en 1852 du peintre Jules Boilly qui l'aurait retrouvé à Narbonne au début du XIXe siècle
Encre noire sur soie. H. 0,775 ; L. 2,860

Ce grand dessin exécuté en grisaille sur soie est l'exemple le plus ancien qui soit conservé de ces chapelles quotidiennes de carême, peintes en noir sur « samit blanc », décrites par exemple dans les inventaires de Charles V (nº 1121 et 1122) et de Philippe le Bon (nº 4101). La présence de la *Crucifixion*, au centre, tendrait à prouver qu'il s'agit là d'une « table d'amont », cette pièce

324

suspendue au-dessus et en arrière de l'autel (Smith 1959).

On ignore tout de la destination ancienne de cette tenture, commandée par Charles V ainsi que l'attestent les portraits du roi et de la reine, le chiffre K (Karolus) enfermé dans les médaillons de la bordure. Mais rien ne permet d'affirmer, à la suite de plusieurs historiens, que l'œuvre provenait de la cathédrale de Narbonne, ni qu'elle fut offerte par le roi de France pour honorer le tombeau des entrailles de Philippe V, mort dans cette ville en 1285. Aucune visite pastorale, aucun inventaire de la cathédrale (cf. Narbonne, 1898) ne mentionnent en tout cas cette singulière « donation royale » (étrange présent de la part d'un souverain que cette chapelle peinte en simple camaïeu de gris, sans aucune pierrerie, et simplement exposée quelques jours par an, à l'occasion du carême !). Le problème de l'origine de l'œuvre reste donc entier.

Exécuté semble-t-il aux environs de 1375, d'après l'âge apparent des souverains, avant la mort de Jeanne de Bourbon (1378) ou celle de Charles V (1380), le *Parement de Narbonne* est incontestablement l'œuvre d'un artiste exceptionnel. Aussi a-t-on avancé, sans preuves, les noms fameux de Jean d'Orléans (Bouchot, 1904), Beauneveu (Hulin, 1925)... A la tradition de Pucelle dont il se réclame nettement, éprise de clarté formelle, d'élégance linéaire et de recherche expressive, le Maître du Parement insuffle cependant une vigueur nouvelle : son sens de l'autorité monumentale, de la troisième dimension (disposés en frise le long d'une arcature continue qui confère

à l'ensemble rythme et unité, les personnages se répartissent également en profondeur), l'articulation plastique convaincante des figures, attestent une compréhension intime des conquêtes italiennes. Comme l'a bien montré Meiss (1967), l'artiste introduit, par rapport à Pucelle et ses disciples, certaines innovations iconographiques (le soldat vu de dos dans le *Portement de Croix* et la *Flagellation,* l'attitude de la Vierge aux bras ballants, les doigts écartés...) qui témoignent d'une connaissance, non plus seulement de l'art de Duccio, mais de celui plus récent, de Giotto et des grands Siennois (Simone Martini, les frères Lorenzetti, le pseudo-Barna). De même le Christ de la *Crucifixion* n'est plus seulement la figure agonisante chère à l'art toscan et français mais annonce déjà par sa silhouette géométrique et énergique, son allure presque triomphante, ceux du Quattrocento. A côté de cette culture italianisante, on constate dans le *Parement,* une forme de pathétisme, un goût des particularités physionomiques qui révèlent aussi des contacts avec l'art nordique. Le parti de la grisaille met en évidence la souplesse du dessin, le raffinement du modelé et du traitement des volumes.

Hulin de Loo (1911), le premier, avait donné au même artiste une partie des miniatures des *Très Belles Heures de Notre-Dame* de Jean de Berry (cf. n° 295), commencées vers 1380. Ce rapprochement, longtemps négligé, reçoit désormais l'adhésion de la plupart des critiques. Les différences dans les proportions des personnages, l'occupation de l'espace, le jeu des nuances,

dues au simple passage d'un format à un autre se rencontrent fréquemment chez les artistes qui pratiquent simultanément peinture et enluminure. D'emblée ces grandes illustrations étonnent au sein de la production parisienne de l'époque : leur force monumentale, leur complexité spatiale, la singularité de leur chromatisme, laissent deviner, non pas la main d'un simple enlumineur, mais celle d'un peintre, l'une des personnalités majeures du règne de Charles V.

BIBL. : F. de Guilhermy, « Iconographie historique. Le roi Charles V et la reine Jeanne de Bourbon », *Annales archéol.,* XXII, 1862, p. 61-76. — L. Narbonne, « La cathédrale Saint-Just », *Bull. de la commission archéol. de Narbonne,* 1898, p. 114. — P. Durrieu, 1907, p. 118-119. — G. Hulin de Loo, *Heures de Milan...,* Bruxelles-Paris, 1911, p. 11-16. — L. Berthomieu, « Le Parement de Narbonne », *Bull. de la commission archéol. de Narbonne,* 1912, p. 291-299. — G. Hulin de Loo, « Rapport », *Acad. royale de Belgique. Bull. de la classe des beaux-arts,* VII, 1925, p. 117-127. — Ch. Sterling, 1941, p. 19 et Rép. XIV e s. A, n° 2, p. 2. — G. Ring, 1949, p. 13, n° 2, p. 191. — E. Panofsky, 1953, p. 42, 46. — M. Meiss, « The exhibition of French manuscripts of the XIII-XVI centuries at the Bibliothèque nationale », *The Art Bull.,* septembre 1956, p. 190. — T. Teasdale Smith, « The use of grisaille as lenten observance », *Marsyas,* 1959, p. 43-45. — Ch. Sterling et H. Adhémar, 1965, n° 2, p. 1-2. — M. Meiss, 1967, p. 99-107. — Cl. Richter Sherman, 1969, p. 50-51. — E.S. Spencer, « The first Patron of the Très Belles Heures de Notre-Dame », *Scriptorium,* 1969, p. 145-149. — F. Avril, *L'enluminure à la Cour de France au XIV e siècle,* p. 30 et p. 118.

EXP. : *Les Primitifs français,* Paris, 1904, n° 3. — *French Art 1200-1900,* Londres, 1932, n° 34. — *Mss. à peintures XIII e-XVI e s.,* 1955, n° VIII. — *La Librairie de Charles V,* 1968, n° 95.

Paris, musée du Louvre
M.I. 1121 (Dessins)

324 (détail)

séparent les personnages des anges à mi-corps placés au-dessus d'eux.

La mitre figure à l'inventaire de 1480 de la Sainte-Chapelle de Paris (n° 407) ; on la retrouve en 1573-1575 (n° 169), enfin en 1790 et 1791 (n° 131). Transmise au dépôt des Petits-Augustins et mise en vente, elle est rachetée par A. Lenoir et inscrite sous le n° 221 du *Catalogue des Antiquités et Objets d'art* rédigé après sa mort. L'objet disparaît alors et ne se retrouve qu'en 1871 avec les documents provenant de l'ordre moderne du Temple donnés aux Archives nationales ; la mitre est enfin déposée au musée de Cluny en 1892.

Le décor noir sur fond blanc est choisi pour les ornements liturgiques à utiliser essentiellement en Carême et pour les offices des morts, ce qui explique que les scènes représentées sur la mitre soient liées au temps de Pâques et à la Résurrection. On trouve des ensembles de même technique en 1379 dans l'inventaire de Charles V et encore en 1404 dans l'inventaire de Philippe le Hardi, duc de Bourgogne.

Les rapports de style entre le décor de la mitre et l'art des peintres parisiens du XIV siècle sont très marqués ; la parenté avec le Parement de Narbonne (n° 324) a été maintes fois signalée, les rapprochements possibles avec l'œuvre des successeurs de Jean Pucelle ont été plus récemment perçus. Le geste de la Madeleine, emprunté à l'Italie, apparaît pour la première fois en France dans les Heures de Jeanne d'Évreux (n° 239) ; il semble donc possible d'assigner à la mitre de deuil du musée de Cluny une date comprise entre 1350 et 1370, qui correspond aussi à la forme de la coiffure, à sa hauteur et à son décor architectural.

324 bis

324 bis
Mitre peinte

Provenant du trésor de la Sainte-Chapelle de Paris
Encre de Chine sur soie blanche
H. 0,36 ; L. 0,31 ; L. des fanons 0,50

La Mise au Tombeau est peinte sur l'une des faces : Nicodème, Joseph d'Arimathie, la Vierge, saint Jean et la Madeleine sont réunis autour du sarcophage de Jésus dans un groupement triangulaire que souligne un cadre architectural très important ; sur l'autre face, le Christ sortant du tombeau, gardé par cinq soldats, s'inscrit dans une architecture semblable. En dessous des deux scènes principales, les apôtres à mi-corps sont alignés sous des arcades. La Vierge debout, portant l'Enfant, occupe l'un des fanons ; sur l'autre on voit un évêque agenouillé et de grands dais d'architecture

BIBL. : L. Courajod, Paris, 1978, t. I, p. 16, n° 1. — J. Labarte, *Inv. du mobilier de Charles V*, Paris, 1879, p. 147. — *Inv. des richesses d'art de la France. Arch. du musée des Monuments français*, 2e partie, 1886, p. 37. — A. Vidier, « Le trésor de la Ste-Chapelle », *Mém. de la Soc. de l'Hist. de Paris et de l'Ile-de-France*, t. XXXIV-XXXVII, 1907-1910, p. 107. — C. Jacques (Sterling), *Les peintres du Moyen-Age*, Paris, 1941, répertoire du XIVe s. A, n° 3, p. 2. — M. Teasdale-Smith, « The use of grisaille as a Lenten observance », *Marsyas*, t. VIII, 1959, p. 45. — M. Meiss, Londres, 1967, p. 100, fig. 526. — P.A. Lemoisne, *Gothic painting in France*, Londres, 1973, p. 38, pl. 16. — M. Beaulieu et J. Baylé, « La mitre épiscopale en France des origines à la fin du XVe siècle », *Bull. archéol...*, nouv. série. t. 9, 1973 (1976), p. 73-75.

EXP. : *Exposition rétrospective de 1900*, classe 84, p. 14 et 24. — *Les Primitifs français*, 1904, nº 2. — *Treasures from medieval France*, 1967, V, nº 4. — *L'Europe gothique*, 1968, nº 343. — *For the Lord Service...*, Chicago, Art Institute, 1975, nº 13. — *Die Parler...*, 1978, p. 63.

Paris, musée des Thermes et de l'Hôtel de Cluny
Cl. 12 924

325
Scène de chasse
Scène courtoise : La Carole

Avignon, vers 1380-1390
Coll. Simon-Trichard ; acquises par le Louvre en 1937
Peintures murales
H. 1,35 ; L. 3,25 et H. 1,900 ; L. 1,655

Détachées en 1936, acquises l'année suivante par le Louvre, les fresques de Sorgues ornaient à l'origine l'étage, couvert d'une charpente, d'une maison de Sorgues, à laquelle on a attribué des destinées diverses (annexe du Palais pontifical voisin, livrée cardinalice, gîte de Marie de Bretagne...). Dans la plus grande des deux pièces, au-dessus d'un soubassement en trompe-l'œil, une draperie bleue suspendue à une tringle par de doubles cordes, se déroulaient trois

325

325

scènes en longueur, deux *Scènes de chasse*, et les *Dames à la fontaine*, tandis que des fragments en hauteur (*Animal dans la forêt*, le *Valet de chiens*) constituaient les retours d'angle des chasses ; face à l'entrée, figurait un grand blason de gueules à trois tours crénelées, rechargé à des époques successives, dans lequel on a lu tour à tour les armes d'une famille Artaud, originaire du Dauphiné (R. Guilly comm. écr.) — un Guillaume Artaud est documenté à Sorgues en 1417 — et récemment, celles de Juan Fernandez de Heredia, capitaine général du comtat Venaissin, qui n'est cependant jamais signalé dans cette ville (Leonelli, 1978). Les scènes de délassement courtois, *La Carole, La Dame à l'oiseau* et *Le Baiser* prenaient place dans la petite salle adjacente sous une suite de blasons « portant des armes de ville » (Jamot, 1938) que l'on a dû renoncer à déposer étant donné leur délabrement.

Exaltées lors de leur acquisition, ces peintures que l'on croyait chargées d'une mystérieuse signification symbolique, déçoivent aujourd'hui par leur facture linéaire et sèche, la maladresse de leur composition, dépourvue d'une véritable perspective. « Reflet bien pâle des grandes inventions de la Garde-Robe » (Laclotte, 1966), les fresques de Sorgues illustrent néanmoins, en pleine période du Schisme, vers 1380-1390, ce goût caractéristique du XIVe siècle français pour les occupations de la vie seigneuriale et les sujets de « verdure », qui transparaît également dans deux fragments contemporains détachés de la livrée de Canilhac à Villeneuve-lès-Avignon (Riggisberg, Abegg-Stiftung et Cologny, Biblioteca Bodmeriana).

BIBL. : L. Desvergnes, *Histoire de Sorgues*, Pont-de-Sorgues, Résidence des Papes, Sorgues 1929, p. 94. — P. Jamot, « Fresques de Sorgues (musée du Louvre) », *Monuments Piot,* 1938, p. 137-172. — A. Coville, « Sur les fresques de Sorgues », *Comptes rendus des séances de l'Académie des inscriptions et belles-lettres,* séance du 10 octobre 1941, p. 383-406. — Ch. P. (Picard), « Ovide, Gervais de Tilbury, et les *Fresques* de Sorgues », *Rev. archéol.,* 6e série, t. XXI, janvier-juin 1944, p. 187-189. — Laclotte, 1960, p. 62. — M. Roques, *Les peintures murales du Sud-Est de la France,* Paris, 1961, p. 193-194. — P. Deschamps et M. Thibout, *La peinture murale en France au début de l'époque gothique,* Paris, 1963, p. 239-241. — Ch. Sterling et H. Adhémar, 1965, n° 12, p. 5-6. — M. Laclotte, *Les Primitifs français,* Paris, 1966, p. 23. — M. Cl. Leonelli, « Un aspect du mécénat de Juan Fernandez de Heredia dans le Comtat : les Fresques de Sorgues », *Colloque Genèse et débuts du Grand Schisme d'Occident,* Avignon, 25-26 septembre 1978, Paris, 1980, p. 1-13. — M. Laclotte et D. Thiébaut (à paraître).

Avignon, musée du Petit-Palais (dépôt du Louvre)
RF 3975 et RF 1937-22

326
Calvaire

Jean de Beaumetz, vers 1389-1395
Lyon, coll. Chalandon ; acquis par le Louvre en 1967
Peinture sur bois. H. 0,600 ; L. 0,485

En 1955, Ch. Sterling a proposé d'identifier la *Crucifixion avec un moine chartreux* de la collection Chalandon, ainsi qu'un autre panneau aujourd'hui conservé au musée de Cleveland, de dimensions, de sujet et de composition semblable, de style voisin, comme les vestiges d'une suite de tableaux commandés par le duc Philippe le Hardi à Jean de Beaumetz et destinés à la chartreuse de Champmol. Une livraison de feuilles d'or par le marchand Thévenin l'orfèvre atteste en 1389 l'existence des « 26 tableaux que ledit Beaulmez fait paindre pour les selles desdiz chartreux », les cellules des 24 moines et du prieur (quittance du 14 juillet 1389 publiée par B. et H. Prost, *Inventaires mobiliers et extraits des comptes des ducs de Bourgogne,* vol. II, 1908, n° 3743). Le thème des deux tableaux, manifestement destiné à la cellule d'un moine chartreux, leurs dimensions, sensiblement égales à celles des 26 panneaux de chêne fournis en novembre et décembre 1388 par le charpentier Jehan de Fenain (Dijon, Archives de la Côte-d'Or,

326

B 11671, fol. 189), la nature de leur support (de chêne), la présence enfin de toile sur le panneau du Louvre (le 24 avril, Gillote, femme de Ph. Arnaud vend à Beaumetz 64 aulnes de toile fine pour les peintures des cellules, cf. C. Monget, *La Chartreuse de Dijon...*, Boulogne-sur-Mer, 1898, I, p. 175), tous ces éléments viennent confirmer le rapprochement établi par Ch. Sterling avec la série de Champmol.

Si les différentes fournitures de bois, d'or, de couleurs, de toile s'échelonnent entre novembre 1388 et le 31 mai 1395, il paraît cependant difficile d'établir avec précision la date d'exécution des panneaux ; c'est seulement en août 1390 que Beaumetz achète la craie nécessaire à leur préparation (Prost id. n° 3776). Alors engagé dans de nombreux travaux au château d'Argilly, à celui de Germolles, et à l'oratoire ducal de la chartreuse, le peintre semble avoir eu recours, pour achever cette série, à deux collaborateurs, Girard de la Chapelle et Jehan Gentil. Ainsi s'éclairent de légères différences de style et d'exécution entre les tableaux du Louvre et de Cleveland. Par leur absence de véritable perspective, l'élégante simplicité de la composition, le caractère sinueux des drapés, ils se réfèrent tous deux à la tradition parisienne avec laquelle Beaumetz dut entrer en contact, peut-être dès 1371 ; en même temps l'arabesque décorative, décrite par la silhouette du Christ sur le tableau de Cleveland, le geste expressif de saint Jean et la molle pâmoison de la Vierge révèlent cette veine italianisante qui parcourt l'art de la capitale depuis Pucelle. Rappelons en outre que le *Polyptyque Orsini*, vraisemblablement exécuté en Avignon par Simone Martini, que se partagent aujourd'hui les musées d'Anvers, de Berlin — Dahlem et le Louvre, a dû parvenir en Bourgogne dès la seconde moitié du XIVe siècle. Au contraire, le canon plus trapu du corps du Christ sur le tableau du Louvre, le type plus réaliste de son visage, l'élan passionné et lyrique des deux chartreux proclament une culture septentrionale. Mais qu'on le compare au naturalisme puissant de l'extérieur des volets des deux grands retables en bois sculpté peints à Ypres par Melchior Broederlam et mis en place à la chartreuse en 1399, cet art précieux et cultivé revêt un accent archaïque.

BIBL. : L. Demonts, « Une collection française de Primitifs », *Rev. de l'Art ancien et moderne*, LXX, 1936, p. 247-248. — J. Dupont, « Les peintures de la chartreuse de Champmol », *Bull. de la Soc. d'histoire de l'Art français*, séance du 8 novembre 1937, p. 156-157. — Ch. Sterling, 1941, Rép. XIVe s. A, n° 34, p. 8. — G. Ring, 1949, n° 50, p. 198. — E. Panofsky, 1953, p. 85. — Ch. Sterling, « Œuvres retrouvées de Jean de Beaumetz, peintre de Philippe le Hardi », *Musée Royaux des Beaux-Arts, Bull. de Bruxelles (Miscellanea Erwin Panofsky)*, 4, 1955, p. 57-80. — H.S. Francis, « Jean de Beaumetz Calvary with a Carthusian Monk », *The Bull. of the Cleveland Museum of Art*, novembre 1966, p. 329-338. — G. Troescher, *Burgundische Malerei...*, Berlin, 1966, p. 53-55. — M. Meiss, 1967, I, p. 279-280. — Ch. Sterling, 1972, n° XVII, p. 188. — M. Meiss, 1974, I, p. 12-15. — Ch. Sterling, « Un nouveau tableau bourguignon et les Limbourg », *Studies in late Medieval and Renaissance Painting in honor of Millard Meiss*, New York, 1978, p. 427. — S. Laveissière, *Dictionnaire des artistes et ouvriers d'art de Bourgogne*, I, A à K, Paris, 1980, p. 33.

EXP. : *Vingt ans d'acquisitions au musée du Louvre*, 1968, n° 342.

Paris, musée du Louvre
RF 1967-3

327
Grande Piétà ronde

Attribuée à Jean Malouel, vers 1400
Achetée le 7-8 mars 1864 à la vente Pujol de Toulouse (n° 1 du catalogue comme école française du XIVe siècle)
Peinture sur bois. Diam. 0,645

Depuis Michiels (1877), la plupart des historiens se sont accordés à reconnaître dans ce chef-d'œuvre de l'art français du XIVe siècle qui joint à la représentation de l'Homme de douleurs celle de la Trinité, une commande de Philippe le Hardi, destinée à la chartreuse de Champmol, à son peintre en titre, Jean Malouel. Cette identification a récemment été combattue par quelques critiques : tout en reconnaissant l'influence de la *Piétà* sur la tradition de Champmol, Ch. Sterling (1978) pense que le tableau peut avoir été

327

peint pour le duc à Paris. A. Châtelet (1980), sans preuves, le donne à celui qu'il suppose avoir été le collaborateur de Malouel, Bellechose, payé en 1416 pour « parfaire » « ung tableau de la vie de saint Denis », sans doute le *Martyre de saint Denis* du Louvre.

Malgré l'absence de documents, l'attribution à Malouel reste fort séduisante : la présence au revers des armes de Bourgogne dans la forme adoptée par Philippe le Hardi, fixe une date *ante quem* à l'exécution du « tondo », 1404, année de la mort du duc, et permet d'établir que l'œuvre a été réalisée sur l'ordre de Philippe, à Paris par exemple, ou plus vraisemblablement à Dijon. Le thème de la Sainte Trinité évoque bien sûr la dédicace de la chartreuse, fondation chère au duc. La parenté stylistique de l'œuvre avec *Martyre de saint Denis,* exécuté semble-t-il par le seul Bellechose dont la culture artistique paraît plus avancée, appuie l'attribution de la *Piétà* à son prédécesseur, d'autant que sa qualité exceptionnelle nous autorise à y voir la main d'un artiste réputé, sans doute le peintre en titre du duc. Dans l'élégance décorative de la composition qui épouse délicatement la courbe du panneau, le contour très linéaire des figures animées d'un léger modelé, la fluidité des draperies, le raffinement de la matière miraculeusement préservée et comparable à une laque, l'évidente influence siennoise, on devine fort bien cette esthétique parisienne, teintée d'italianisme, que Malouel a connue avant de s'installer à Dijon. Enfin les liens manifestes de la *Grande Piétà ronde* avec la production des neveux de l'artiste, les frères Limbourg — Pol et Jean sont chargés dès 1402 par Philippe le Hardi « d'achever et de continuer »... « une très belle et notable Bible — viennent à nouveau renforcer notre conviction.

On a parfois voulu identifier le « tondo » du Louvre avec un panneau mentionné sous le nº 4081 dans l'*Inventaire des joyaux... de Philippe le Bon,* dressé le 12 juillet 1420 (comte de Laborde, *Les Ducs de Bourgogne,* Paris, 1851, t. II, p. 240) : « un... tableau de bois rond couvert d'or bruny par devant, ouquel a ung ymage de NS de pitié, ND et plusieurs anges, tous faiz de painture ».

BIBL. : A. Michiels, *L'art flamand dans l'Est et le Midi de la France,* Paris, 1877, p. 46-48. — P. Durrieu, 1907, p. 152. — Ch. Sterling, 1941, Rép. XIVe s. A, nº 32, p. 8. — G. Ring, 1949, nº 53, p. 198. — E. Panofsky, 1953, p. 84-85. — Ch. Sterling, « Œuvres retrouvées de Jean de Beaumetz, peintre de Philippe le Hardi », *Musées royaux des Beaux-Arts, Bull. de Bruxelles (Miscellanea Erwin Panofsky),* 4, 1955, p. 62-63. — M. Meiss et C. Eisler, « A new French Primitive », *The Burlington Magazine,* juin 1960, p. 233-240. — M. Laclotte, « Peinture en Bourgogne au XVe siècle », *Art de France,* I, 1961, p. 287-288. — Ch. Sterling et H. Adhémar, 1965, nº 8, p. 4. — M. Meiss, 1967, I, p. 279. — Ch. Sterling, 1972, nº 48, p. 188. — M. Meiss, 1974, I, p. 100-101, 280. — Ch. Sterling, « Un nouveau tableau bourguignon et les Limbourg », *Studies in late Medieval and Renaissance Painting in honor of Millard Meiss,* New York, 1978, p. 427. — A. Châtelet, *Les Primitifs hollandais...,* Paris, 1980, p. 16-18.

EXP. : *Les Primitifs français,* Paris, 1904, nº 15. — *La Vierge dans l'art français,* Paris, 1950, nº 15. — *Europäische Kunst um 1400,* 1962, nº 19.

Paris, musée du Louvre
MI 692

Vitraux

Françoise Perrot

Lorsque s'ouvre le XIVe siècle, le vitrail monumental a déjà amorcé depuis près d'un demi-siècle une véritable révolution. L'agrandissement des baies, au début du XIIIe siècle, avait conduit à un vitrail d'un coloris soutenu ayant pour but de clore nettement l'espace. Vers le milieu du siècle, la réaction à cet assombrissement de la gamme colorée s'est manifestée de façon à mieux éclairer les édifices. On assiste alors à des essais nombreux et variés pour associer panneaux de pleine couleur et panneaux décoratifs peints sur verre blanc. Un parti de composition se dégage et s'impose : une bande de couleur horizontale est placée entre deux bandes de panneaux décoratifs incolores, disposition qui apparaît vers 1270 au haut chœur de Saint-Urbain de Troyes. C'est ce mode de composition qui sera retenu et porté à son apogée par le XIVe siècle.

Le chœur de Saint-Ouen de Rouen, construit et vitré entre 1318 et 1339, en offre l'exemple le plus achevé et permet de mesurer le chemin parcouru. Aux fenêtres hautes, une série de grands personnages — de l'Ancien Testament au nord et, au sud, les apôtres, archevêques de Rouen et grands moines bénédictins — taillés en pleine couleur, debout sur des socles architecturés, se découpent sur les fonds de grisaille, amplifiant, tout en l'assouplissant, la composition troyenne. Dans les fenêtres du déambulatoire, des niches d'architecture abritent des scènes. Ces petites « demeures éternelles » ne sont pas une nouveauté en soi, elles existent depuis déjà deux siècles. La nouveauté réside dans l'importance qui leur est accordée : elles s'étendent sur cinq panneaux alors que la scène en occupe seulement deux. Le dessin de ces niches est directement inspiré de l'architecture de l'époque et leur disposition varie d'une région à l'autre, recevant un développement extrême dans l'Est de la France.

Le traitement de ces verrières fait à son tour apparaître les deux nouveautés techniques qui caractérisent le XIVe siècle : une nouvelle qualité de verre et l'introduction du jaune d'argent.

On constate en effet, dans les premières années du siècle, la présence d'un verre plus mince, plus transparent et plus régulier qui, dans toutes les nuances, s'oppose aux verres de l'époque précédente. Le verre blanc perd cet aspect glauque et translucide qui marquait les grisailles du XIIIe siècle pour devenir clair et transparent. Les verres colorés gagnent également en transparence et la gamme s'enrichit de tons plus clairs et nuancés. Ces verres semblent se couper plus facilement, ce qui conduit à tailler des pièces nettement plus grandes.

Cette découpe plus large a pour corollaire une économie dans la mise en plomb, que va renforcer une autre découverte technique, celle du jaune d'argent. En effet, le sel d'argent, qui agit par cémentation à la cuisson, colorie en jaune tout ou partie d'une pièce de verre blanc sans adjonction de plomb. C'est la première fois qu'une même pièce de verre plat peut ainsi présenter deux couleurs à la fois ; jusqu'ici, la couleur ayant toujours été fournie par un verre teint dans la masse, un plomb séparait nécessairement deux couleurs. En France, le premier exemple daté de l'emploi de cette nouvelle teinture se trouve en 1313, dans la petite église du Mesnil-Villeman (Manche) ; mais une verrière royale de la cathédrale d'York, antérieure à 1309, montrait déjà cette nouveauté. Maintenant, donc, les personnages peuvent avoir une chevelure blonde peinte sur le même verre que leur visage, un vêtement orné de pierreries, de galons ou de broderies d'or ; les architectures peuvent devenir de véritables orfèvreries dorées.

La coupe facilitée des verres et l'introduction du jaune d'argent ont contribué au développement d'un système de peinture plus ample et plus nuancé à la fois, où l'emploi fréquent d'un modelé à la brosse permet de suivre les silhouettes souples et élancées alors à la mode. Le vitrail est prêt, en effet, à reprendre à son compte le style mis au point dans les grands ateliers d'enluminure, et d'abord celui de Jean Pucelle à Paris. Dans ses meilleures réalisations, l'histoire du vitrail en France au XIVe siècle rejoint celle des autres arts, et en particulier de la peinture.

Car, en fait, nous ne serons jamais en mesure d'écrire une histoire cohérente du vitrail de cette époque, tant sont importantes les destructions. Ainsi, Paris, capitale artistique du moment, n'a-t-elle conservé aucun vitrail antérieur à la série des apôtres datant de la dernière décennie du siècle, réalisés pour Saint-Jean-de-Beauvais et remontés au XIXe siècle à Saint-Sé-verin. C'est en Normandie, la seule des provinces avoisinantes à avoir gardé cette partie de son patrimoine, qu'il faut maintenant chercher les reflets de l'art parisien. En Avignon, l'activité des verriers ne nous est plus connue que par les nombreux marchés passés, puisqu'aucune œuvre ne subsiste.

Autre partie de cette abondante production maintenant disparue, tous les vitraux destinés aux grandes demeures, châteaux, maisons et palais — vitraux civils et vitrerie des chapelles privées dont seuls les comptes gardent le souvenir.

Par bonheur, les ensembles conservés, et surtout ceux de Normandie, permettent d'apprécier l'extraordinaire qualité de cette peinture sur verre. Certains modelés vigoureux qui marquent les grands personnages du haut chœur de Saint-Ouen de Rouen semblent même avoir trouvé un écho dans la région colonaise, dans la clôture de chœur de la cathédrale de Cologne (R. Haussherr) ou encore dans la Crucifixion de la collection von Hirsch (G. Schmidt).

La nouvelle technique de peinture au modelé délicat permet d'adapter au vitrail les camaïeux de grisaille à la manière de Pucelle, ainsi dans la grisaille du chanoine Thierry (relevée de jaune d'argent), à la cathédrale de Chartres (1328). Le vitrail reprend également à son compte les drôleries des marges de manuscrits dans les bordures ou dans les fermaillets qui ponctuent les panneaux de grisaille.

Dans l'ensemble, le vitrail suit les autres arts, s'adaptant plus ou moins rapidement. En Languedoc, où l'on compte encore d'assez nombreuses verrières de qualité, les nouveautés techniques, tel le jaune d'argent, sont introduites une vingtaine d'années plus tard que dans le Nord. Mais l'évolution est difficile à suivre dans le détail. Seul le chœur de la cathédrale d'Évreux voit se succéder les différentes générations du XIVe siècle, pour aboutir dans les deux dernières décennies aux grandes verrières royales, celle de Pierre de Mortain et de Charles VI. L'identité des donateurs, longtemps discutée, maintenant acceptée, et la qualité de ces chefs-d'œuvre ont conduit J. Lafond à y voir des œuvres parisiennes. Par l'ampleur des personnages qui ont gagné en autonomie dans leur cadre et la meilleure maîtrise du volume, ces verrières d'Évreux permettent de prendre la mesure du chemin parcouru depuis le début du siècle. A la génération suivante, les ateliers du duc de Berry ouvriront l'art nouveau.

328

328

328
Le Prophète Habacuc et le Prophète Malachie

Atelier rouennais, premier quart du XIVe siècle
Vitrail. Chaque personnage en 5 panneaux rectangulaires : H. totale 2,90 ; L. 0,95

Ces grands personnages appartiennent à la vitrerie du haut chœur de Saint-Ouen de Rouen (deuxième fenêtre côté nord à partir de l'ouest), reconstruit sous la direction de l'abbé Marc d'Argent de 1318 à 1339. Comme celles des chapelles, les fenêtres du haut chœur furent vitrées au fur et à mesure de leur construction, suivant un programme iconographique et formel très strict qui fut respecté par la suite dans tout l'édifice.
Les fenêtres hautes du chœur présentent au nord 24 personnages de l'Ancien Testament : les Patriarches (une baie), les douze Prophètes mineurs (deux baies), quatre grands Prophètes, Moïse et David. Ces figures répondent aux douze Apôtres, aux Archevêques de Rouen et aux grands moines bénédictins qui se déploient au côté sud et représentent la Nouvelle Loi. Les deux séries convergent vers la Crucifixion qui occupe la fenêtre d'axe et sont comparables aux grands collèges apostoliques sculptés à la même époque.
Tous ces grands personnages sont présentés debout sur des socles, de face ou de trois-quarts, plus rarement de profil. Des deux Prophètes présentés ici sont Habacuc et Malachie, qui portent des banderoles sans texte, mais sont identifiables grâce aux inscriptions des panneaux inférieurs (à noter que l'inscription semble être une restauration ancienne).
Ces grandes figures de couleur découpées sur des losanges blancs ornés d'un motif végétal offrent un très bel exemple de cet éclaircissement général de la fenêtre qui distingue le vitrail du XIVe siècle. La gamme colorée, tout en restant vive, est plus nuancée qu'au siècle précédent. L'emploi du jaune d'argent, utilisé ici dans les cheveux et la barbe d'Habacuc et pour les trèfles de la robe de Malachie, contribue à l'allégement du coloris. Les visages sont modelés sur un lavis éclairci à la brosse par larges touches,

de même que le cou d'Habacuc fortement musclé. La même technique très contrastée — il s'agit en effet de figures destinées à être vues de loin — caractérise le drapé souple et ample des robes des Prophètes.
Ces personnages, légèrement hanchés, sont probablement l'œuvre d'un atelier rouennais, tout comme la série des archevêques de Rouen exécutés à la même époque pour la chapelle de la Vierge de la cathédrale.

BIBL. : A. Masson, *L'église Saint-Ouen*, Paris, 1927, Étude sur les vitraux par J. Lafond, p. 83-86. — J. Lafond, avec la collaboration de F. Perrot et P. Popesco, *Les vitraux du chœur de Saint-Ouen de Rouen*, Paris, 1970 (Corpus Vitrearum Medii Aevi, France IV-2/1), p. 230-243. — G. Schmidt, *Vor Stefan Lochner. Die Kölner Maler von 1300-1430*, 1974, p. 11-27.

EXP. : *Franse kerkramen - Vitraux de France*, 1973-1974, n° 12.

Rouen, Abbatiale Saint-Ouen

329
Éléments d'une verrière de saint Michel

Atelier rouennais, vers 1330
Vitrail. 4 panneaux d'architecture : H. 0,55 ; L. 0,88. 2 panneaux formant une scène : H. totale 1,24 ; L. 0,88

De cette grande baie à six lancettes du déambulatoire, côté sud, ne sont conservés qu'une scène et les éléments d'architecture qui surmontaient les gâbles coiffant les scènes. Encore cet ensemble a-t-il été largement restauré au milieu du XIXe siècle.
Parmi les panneaux ornementaux des niches d'architecture, une arcature à cinq baies trilobées coiffées de gâbles se répète dans les quatre lancettes centrales et abrite une suite de petits personnages de la société laïque du premier tiers du XIVe siècle. On

329

329

329

seuls deux ensembles subsistent, à Narbonne et à Toulouse. Dans ces deux cas figure également le saint Michel Psychopompe.

La scène de Saint-Ouen, partiellement refaite au XIXᵉ siècle, est très effacée, ce qui ne permet pas d'apprécier véritablement la qualité de la peinture. L'organisation des éléments d'architecture qui surmontent les scènes dans cette verrière est sans équivalent à Saint-Ouen et appelait la comparaison avec la maîtresse vitre du Grand Andely ; la peinture de la scène, en revanche, semble dans la ligne des verrières voisines. Il s'agit probablement, là aussi, de l'œuvre d'un atelier rouennais.

BIBL. : A. Masson, *L'Église abbatiale Saint-Ouen de Rouen*, Paris, 1927, Étude sur les vitraux par J. Lafond, p. 78. — J. Lafond, avec la collaboration de F. Perrot et P. Popesco, 1970, p. 156-164.

Rouen, Abbatiale Saint-Ouen

330
Calvaire et sainte Marguerite

Atelier non localisé, vers 1330
Vitrail. Chaque scène en 2 panneaux :
H. totale 1,60 ; L. 0,435

La provenance de ces deux vitraux, achetés pour le musée du Berry à un collectionneur de l'Allier, est inconnue. Quelques éléments du décor, tels que le feuillage qui orne les gâbles, et certaines qualités de coloration autorisent à penser qu'ils proviennent peut-être du même ensemble.

Le Calvaire ne présente aucune particularité iconographique.

Dans la sainte qui perce de la hampe d'une croix le dragon qui gît à ses pieds, on reconnaît sainte Marguerite ; l'absence d'ailes et la longue chevelure ne permettent pas la confusion avec l'archange saint Michel.

Les éléments déplacés dans l'encadrement d'architecture, le remplacement de plusieurs pièces peintes — en particulier dans les vêtements de saint Jean —, l'incertitude quant à l'origine de la tête de la Vierge rendent très délicate l'interprétation de ces panneaux. Leur localisation actuelle conduit à les comparer avec le seul ensemble du XIVᵉ siècle subsistant dans le Centre de la France, Mézières-en-Brenne. Cepen-

reconnaît un damoiseau jouant avec un faucon, un autre se préparant à la chasse au faucon, des hommes et des femmes, élégamment hanchés, présentant leur jolie coiffure et leurs plus beaux atours. Les figurines se répètent d'un panneau à l'autre. Elles constituent des exemples très particuliers des personnages qui habitent les architectures décoratives du chœur de Saint-Ouen. Il s'agit le plus souvent d'anges musiciens ou céroféraires, de saints variés sans rapport direct avec la scène représentée, voire du Calvaire. L'introduction de ces personnages laïcs est exceptionnelle et appelle la comparaison avec la figuration des âges de la vie, où l'on trouve aussi l'homme

au faucon, au tympan d'une verrière de saint Matthieu, toujours au déambulatoire de Saint-Ouen.

La seule scène conservée de cette verrière montre saint Michel introduisant une âme au paradis. L'archange porte l'âme nue dans les plis de son manteau, richement orné, et la présente au Christ qui se trouve au-dessus de l'édifice à deux étages figurant le paradis. Dans les ouvertures de cette construction, apparaissent des anges jouant du luth, de la viole, du tambourin et de l'orgue.

La représentation de la légende de saint Michel est rare dans les vitraux. Pour le XIVᵉ s., outre les panneaux de Saint-Ouen,

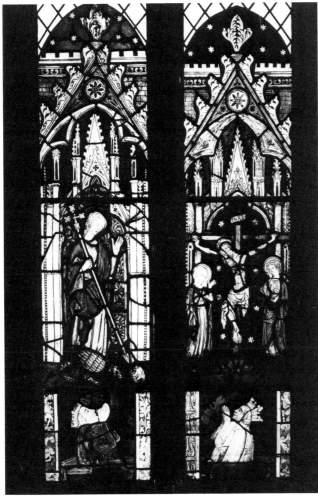

330

mâchoire d'âne, saint Pierre et saint Paul (refaits), qui convergent vers la fenêtre d'axe où se trouve le Christ tenant le globe du monde (refait), entouré d'anges musiciens. Aucun document précis ne permet de connaître le contenu des lancettes, mais un devis de 1921 faisant état de la réparation des « grisailles du chevet », il est permis de se demander si, dans les fenêtres autres que celle de l'axe, il ne s'agissait pas tout simplement d'une vitrerie décorative.

Chaque scène s'inscrit dans un carré quadrilobé dessiné dans la rose sur fond damassé, les lobes étant décoratifs — sauf dans la fenêtre d'axe. Les personnages, d'heureuses proportions, sont présentés dans des attitudes dynamiques. La peinture est très soignée, faisant un large emploi du jaune d'argent pour les modelés, ce qui donne à l'ensemble un aspect précieux.

A quel atelier attribuer ces chefs-d'œuvre? A Paris, aucune œuvre de cette époque n'est conservée. Beauvais, en revanche, offre un point de comparaison avec le saint Jean à Patmos exécuté pour la chapelle Saint-Jean l'Évangéliste fondée en 1349.

BIBL.: L. Graves, *Précis statistique sur le canton de Noailles*, Beauvais, 1840, p. 112. — E. Woillez, *Répertoire archéol. du département de l'Oise*, Paris, 1862, col. 68-69. — L. Lefrançoise-Pillion et J. Lafond, 1954, p. 223. — *Les vitraux de Paris, de la région parisienne, de la Picardie et du Nord-Pas-de-Calais* (recensement des vitraux anciens de la France, établi pour la direction de L. Grodecki, F. Perrot et J. Taralon, I), Paris, 1978, p. 210-211.

Silly-Tillard (Oise), église Saint-Blaise

---

dant on ne retrouve pas ici la finesse de peinture, ni la recherche du détail ornemental qui apparentent si fortement cet ensemble à la production normande. Les panneaux du musée du Berry, qui montrent quelques jolis morceaux de peinture comme la tête de la sainte Marguerite, sont l'œuvre d'un atelier régional travaillant dans le sillage des grands ateliers normands ou parisiens.

BIBL.: F. Gatouillat, « Les vitraux conservés au musée du Berry », *Archeologia*, nº 134, sept. 1979, p. 26-28.

Bourges, musée du Berry
Inv. 976.2.2.

331
Adam et Ève chassés du Paradis

Atelier parisien ou beauvaisis (?), milieu XIVe siècle
Vitrail. 1 rose et 5 lobes: Diam. 0,80

Dans cette petite église construite après 1340 (nº 000), les tympans de neuf baies conservent des vitraux remontant à l'époque de la construction. Il s'agit de scènes de la Genèse — la Création, Dieu introduisant Adam et Ève au Paradis, le Péché originel, Adam et Ève chassés du Paradis, Adam bêchant et Ève filant —, Samson tenant la

332
Le roi David

Atelier de Bourges sous la direction de Beauneveu (?), vers 1400-1405
Vitrail. 4 panneaux: H. tot. 2,51 ; L. 0,48

Ce personnage provient d'une des verrières qui ornaient la chapelle du duc Jean de-Berry, à Bourges. La chapelle, construite à la fin du XIVe siècle, se trouvait vitrée avant 1408 (M. Meiss, p. 150). Très endommagée par un violent orage en 1756, elle fut abandonnée et les vitraux installés dans les fenêtres de la crypte de la cathédrale le 20 août 1757 (S. Scher).

332

De cette vitrerie importante, il ne reste que l'équivalent de cinq fenêtres montrant des figures d'apôtres et de prophètes, dans de grandes compositions d'architecture, assez analogues à celles préparées un demi-siècle plus tard pour la Sainte-Chapelle de Riom.

Du programme iconographique vraisemblablement consacré au Credo apostolique, où les personnages de l'Ancien Testament répondent aux apôtres, voici le roi David : debout et tourné vers la gauche, il tient une banderole avec l'inscription : LAETAMINI DOMINO ET EXULTA TE (Psaume 31, 11).

Le personnage est bien conservé, alors que la niche comprend quelques restaurations. Cette figure, drapée dans un manteau bleu et coiffée d'un bonnet vert (application de jaune d'argent sur un verre bleu), se découpe sur un fond décoré à la grisaille. Le visage, d'une finesse de modelé, est traité à la brosse et au putois sur un lavis transparent ; quelques traits légers marquent les sourcils et dessinent les mèches de cheveux et de barbe, doublés de fins enlevés. Le drapé, ample et sculptural, est également travaillé à la brosse.

L'attitude du personnage, le dessin du visage et la conception du volume permettent de le comparer aux apôtres peints par André Beauneveu pour le Psautier du duc Jean (Paris, Bibl. nat., ms. fr. 13091). L'auteur du carton de ce vitrail et de quelques autres éléments de cette vitrerie pourrait être un membre de l'atelier de Beauneveu.

BIBL. : A. des Méloizes, *Les vitraux de Bourges postérieurs au XIIIe siècle*, Lille, 1891-1894, p. 21. — A. de Champeaux et P. Gauchery, *Les travaux d'art exécutés pour Jean de France, duc de Berry*, Paris, 1894, p. 114-118. — J. Lafond, *Le vitrail français*, Paris, 1958, p. 186. — M. Meiss, *French Painting in the time of Jean de Berry. The late XIV Century and the Patronage of the Duke*, Londres, 1967, p. 150. — S. Scher, « Note sur les vitraux de la Sainte-Chapelle de Bourges », *Cahiers d'archéol. et d'histoire du Berry*, n° 35, déc. 1973, p. 23-44.

EXP. : *Kleurenpracht uit Franse Kathedralen*, Rotterdam, 1952, n° 14. — *Vitraux de France*, 1953, n° 36. — *Treasures from medieval France*, 1967, n° VI-9. — *Cœur de France*, Darmstadt, Munich, Dusseldorf, 1967-1968, n° 123. — *Franse kerkramen - Vitraux de France*, 1973-1974, n° 13.

Bourges, cathédrale Saint-Étienne

333

333
La Pentecôte

Atelier de Bourges (?), vers 1400-1405
Vitrail. H. tot. 0,60 ; L. 0,67

Ce panneau fut déposé en 1939 d'une baie de la chapelle de la Vierge de la cathédrale de Bourges, où il était employé comme bouche-trou. A cause de son style et de sa facture, on a proposé d'y voir un fragment de la vitrerie de la Sainte-Chapelle de Bourges (voir n° 000).

La scène représentée est la Descente du Saint Esprit : des langues de feu se posent sur treize personnages assis sur le sol, c'est-à-dire les onze apôtres (après la mort de Judas) et deux femmes reconnaissables au voile qui enveloppe leur tête ; l'une d'elles peut être identifiée avec la Vierge, souvent représentée avec les apôtres le jour de la Pentecôte, mais l'identité de la seconde n'a pas été élucidée.

Il est difficile de situer ce fragment dans le programme iconographique de la Sainte-Chapelle de Bourges. Ce panneau, actuellement rectangulaire, avait une forme arrondie qui aurait pu convenir à l'ajour d'un tympan. Malheureusement aucun document n'a été retrouvé jusqu'ici sur cette partie de la vitrerie.

Dans ce panneau, se trouve la même gamme colorée que dans le roi David, augmentée du pourpre rose et de diverses nuances de jaune données par le jaune d'argent. La qualité des verres est également comparable, sensible en particulier dans le verre bleu dégradé qui habille un personnage du premier plan. En revanche, la facture du visage est différente de celle observée chez le roi David, mais se rappro-che de celle que l'on remarque chez plusieurs apôtres de la même série : un modelé à peine sensible, sur lequel ressortent les yeux, avec leur pupille dessinée au trait de grisaille noire, la ligne de la bouche et le bout du nez. Les drapés sont traités à la brosse avec ampleur.

Alors que le roi David conduisait vers A. Beauneveu, c'est du côté de Jacquemart de Hesdin que se retrouvent les affinités de ce panneau.

BIBL. : A. des Méloizes, *Les vitraux de la cathédrale de Bourges postérieurs au XIIIe siècle*, Lille, 1891-1894, p. 54. — A. Boinet, *La cathédrale de Bourges*, Paris, 1952, p. 89. — S. Scher, «Note sur les vitraux de la Sainte-Chapelle de Bourges», *Cahiers d'archéol. et d'histoire du Berry*, n° 35, déc. 1973, p. 23-44.
EXP. : *Vitraux de France*, 1953, n° 37. — *Cœur de France*, Darmstadt, Munich, Dusseldorf, 1967-1968, n° 124. — *Franse kerkramen - Vitraux de France*, 1973-1974, n° 14.

Bourges, cathédrale Saint-Étienne

Arts textiles

La tapisserie au XIVᵉ siècle

Fabienne Joubert

Le XIVᵉ siècle vit une expansion inouïe de la tapisserie. On discute encore l'antériorité des ateliers de tissage d'Arras sur ceux de Paris, mais les textes de la première moitié du siècle sont trop peu nombreux pour fournir une preuve définitive. Un fait est certain : c'est le nom d'Arras qui revient le plus souvent dans les documents. Si la mention « d'œuvre de la ville d'Arras », seule réellement explicite, reste rare, on trouve couramment celle de tapisseries « d'œuvres d'Arras », ou de « fin fil d'Arras », terme employé pour l'opposer au « gros fil de Paris », qui apparaît beaucoup moins fréquemment. On doit en conclure que ce sont les ateliers d'Arras qui ont perfectionné une technique et l'ont imposée, probablement dans toutes les villes du Nord, et sans doute à Paris.

Le commerce est quant à lui dispersé dans plusieurs villes, et si Arras a joué, ici aussi, un rôle essentiel, avec des marchands comme Vincent Boursette, Michel Bernard, Jean Cosset, Paris semble avoir eu une place équivalente, avec Nicolas Bataille, Jacques Dourdin, ou Pierre de Beaumetz. Tous ces marchands ne limitaient pas leur activité aux tapisseries historiées : ils ont fourni des surfaces considérables de tapisseries d'ameublement, et s'occupaient souvent aussi de commerce de vin. C'étaient de puissants hommes d'affaires, et il semble bien que certaines commandes passaient parfois de l'un à l'autre : l'exemple de l'*Apocalypse* du duc de Bourgogne est clair : en 1386, le duc charge Jean Cosset d'acheter le fil d'or nécessaire pour la tenture dont il a confié le tissage à Robert Poisson, mais c'est finalement Jacques Dourdin qui transporte, parmi d'autres, deux pièces de l'*Apocalypse* de Paris à Arras en 1394.

Le rôle des princes de la famille royale fut primordial dans cette énorme production. C'est peut-être le duc d'Anjou, qui possédait dès 1364 soixante-seize tapisseries historiées, qui a lancé la mode. Son exemple fut vite suivi, et l'on ne doit pas s'étonner que le duc de Bourgogne ait eu le souci d'encourager, dans les ateliers de Flandre et d'Artois, la fabrication de la tapisserie, qui permettait une reconversion de l'industrie drapière en crise.

Certains thèmes eurent la préférence, comme les faits historiques ou militaires, les scènes tirées de romans, et les simples pastorales, mettant en scène bergers et bergères — et l'on se rappelle comment le duc de Berry avait travesti son mariage avec Jeanne de Boulogne en noce de campagne. Pourtant, le choix des thèmes fut sans doute moins du ressort des princes eux-mêmes, que de celui des « entrepreneurs » de tapisserie : les documents suggèrent que les commandes étaient rares, et que les princes avaient plutôt l'habitude de faire leur choix indifféremment chez l'un ou (et) l'autre de leurs fournisseurs.

Si les princes — et leur fortune — ont été le principal moteur de la fabrication de la tapisserie du XIVe siècle, ils n'ont donc peut-être pas joué un rôle primordial dans l'élaboration de celle-ci. Certes, quelques commandes sont restées célèbres, comme l'*Apocalypse* de Louis d'Anjou, la *Bataille de Roosebeke* de Philippe le Hardi, ou les *Joutes de Saint-Denis* de Charles VI, et l'on voit la reine Ysabeau de Bavière refuser les cartons proposés par Colart de Laon pour quatre chambres de tapisserie ; mais ces cas restent rares, et l'élaboration des œuvres semble s'être faite le plus souvent à l'intérieur des ateliers, dont on connaît encore mal le fonctionnement. Peu de documents évoquent en effet les artistes qui exécutaient les modèles (les cartons à grandeur) que l'on confiait aux lissiers. L'appel à des peintres comme Jean de Bruges ou Colart de Laon ne semble pas avoir été fréquent, et ceux-ci ne fournissaient probablement que des esquisses de dimensions réduites. Il semble bien que des artisans spécialisés étaient employés au même titre que les lissiers, pour réaliser ces cartons : Boursette est payé en 1374, 20 deniers d'or, « pour le fachon et painture des patterons sur quoy on prist example a faire une cambre » (d'ameublement), et Michel Bernard reçoit 200 francs en 1387 pour les patrons de la *Bataille de Roosebeke,* faits de « pluseurs couleurs et pointures ». L'examen des rares pièces conservées suggère lui aussi la part importante que prenaient les cartonniers dans l'élaboration définitive des œuvres.

L'étude de la tapisserie comme témoignage artistique de l'époque se heurte quant à elle à deux difficultés majeures : le nombre infime de pièces parvenues jusqu'à nous — dès le XIVe siècle, et malgré le soin avec lequel il est prouvé qu'on les conservait, elles étaient déjà souvent décrites « rungiez de raz et de sourriz » — et la destruction tout aussi massive de la peinture murale contemporaine, qui seule permettrait des comparaisons valables. Cette lacune a conduit à proposer des rapprochements avec la peinture de manuscrits, qui ne se révèlent probants que dans le cas d'une pièce secondaire, comme la *Présentation au Temple* de Bruxelles (cat. 334) réalisée sans doute à partir de calques pris sur des pages de manuscrits. Ainsi, devant un chef-d'œuvre tel que l'*Apocalypse* d'Angers, il faut admettre les limites de l'historien d'art qui est réduit à des conjectures sur la part prise par le duc d'Anjou, Jean de Bruges et Nicolas Bataille, et rend difficilement compte du rôle, essentiel en vérité, des artisans de la tapisserie restés obscurs.

334

334
La Présentation de l'Enfant-Jésus au temple

Troisième quart du XIVe siècle
Acquise par les musées royaux d'Art et d'Histoire de Bruxelles au peintre Leon y Escosura, en 1894
Laine, environ 5 fils de chaîne au cm
H. 1,53 ; L. 2,85

Les éléments d'architecture et l'extrémité des ailes d'un ange visibles dans la partie inférieure de cette tapisserie ont permis d'établir qu'elle provient d'une tenture à deux registres, peut-être consacrée à l'*Enfance du Christ* ou à la *Vie de la Vierge*. La scène de la *Présentation au temple* est elle-même tronquée, puisqu'une restauration récente a fait apparaître à gauche un cierge qui permet de penser qu'une *Procession des cierges* la complétait. On a voulu reconnaître dans ce fragment un élément de la *Vie Notre-Dame* que le duc d'Anjou avait payé à Nicolas Bataille en 1379, en raison de parentés stylistiques générale-

ment admises entre cette tapisserie et l'*Apocalypse* d'Angers. Ainsi que l'a remarqué L. Von Wilckens, une comparaison attentive conduit pourtant à relever de notables différences. La juxtaposition des personnages d'allure monumentale, l'absence de recherche de composition et le manque de contenu expressif des gestes et des visages ne permettent en rien d'évoquer le climat artistique du dernier quart du siècle. L. Von Wilckens a proposé un rapprochement avec la Bible de Jean de Sy (Bibl. nat. ms. français 15397). Mais la forme triangulaire des visages féminins encadrés d'une chevelure très gonflée sur le crâne et qui s'effile en retombant sur la nuque, ou les motifs de draperie rapportés sur les bras suggèrent directement la tradition pucellienne. Une miniature des *Heures de Jeanne de Navarre* (Bibl. nat. ms. Nouv. acq. latines 3145), que l'on attribue à Jean le Noir, présente d'ailleurs une scène de l'*Adoration des Mages*, où l'un des Rois a une allure et un drapé sensiblement identique à saint Joseph dans la *Présentation* de Bruxelles.

L'utilisation de modèles tirés de l'enluminure est vraisemblable ici, et la maladresse avec laquelle le lissier a indiqué la bordure inférieure de la robe du Saint — bordure masquée par le Roi Mage agenouillé dans le modèle — confirme cette hypothèse. Les motifs de nuages ou les fleurettes sur le sol, les rinceaux de vigne sur le fond se retrouvent dans les tentures de l'*Apocalypse* et de *Jourdain de Blaye*. Mais la sécheresse et le manque d'invention qui se manifestent dans la pièce de Bruxelles — accentués peut-être par son état de conservation — suggèrent l'hypothèse d'une tenture de production courante, telle que les tapissiers devaient en fabriquer en grand nombre.

BIBL. : M. Crick-Kuntziger, *Musées royaux d'Art et d'Histoire de Bruxelles, catalogue des Tapisseries (XIVe au XVIIIe siècle)*, s.l.n.d., no 1, p. 13-15. — M. Stucky-Schürer, 1972, p. 62. — L. Von Wilckens, « Chefs-d'œuvre de la tapisserie du XIVe au XVIe siècle, Zur Austellung in Grand-Palais in Paris, *Kunstchronik*, 1974, 27, p. 176-177.
EXP. : *Chefs-d'œuvre de la tapisserie*, 1973-1974, no 2, p. 38-39.

Bruxelles, musées royaux d'Art et d'Histoire Inv. 3199

Fromons fist remer tranalter
tant que sen fil asa bailler
amour pour iourdan sauuer
sen seigneur quas tous vault suer
mais iourdains puis vengancereiht
tus fromont telle qui soufsist

Regardes deborduaus fromon
qui par mer na en sce dromon
ablames pour grart trair
son neueu sin tant abair

Girart dime nous croisse bonte
mes si nous vieng par amitie
uair enblames no maison
car mout nous aing cest bien raison

Quelles bien soues nous venus
damour sin bien a nous tenus
car noblement montes mr
honnerer nous doyet seruir

Sire girart nr
biendeuous fa
de buy porter fr
menes sc ablar

                                                                                                                335

335
Tenture de Jourdain de Blaye : Rencontre de Fromont et Gérard

Dernier quart du XIVe siècle
En possession de la famille des S. Croce, au début du XIXe siècle, dont le palais est acheté par la municipalité en 1835 ; depuis 1882 au Museo civico

Laine, 6 fils de chaîne au cm ; quelques fils de métal
H. 2,38 ; L. 3,80

Le texte de Jourdain de Blaye est conservé dans un seul manuscrit, datant de la seconde moitié du XIIIe siècle, où l'histoire de Jourdain suit immédiatement celle d'Amis et d'Amile. Les principaux épisodes de ces romans sur l'amitié et la trahison, mettant

en scène Ami et Gérard, grand-père et père de Jourdain, et les traîtres Hardré et son neveu Fromont, ont été à plusieurs reprises représentés dans la tapisserie. Les inventaires du duc d'Anjou et de Charles V mentionnent des tapis d'*Amis et d'Amile* (la Librairie du Roi possédait un manuscrit « d'Amis et d'Amile, de Jourdain de Blesves »). Les comptes du duc de Bourgogne évoquent l'achat en 1384 d'un « grant drap

                                                        Arts textiles | 391

de hautelice de l'histoire de Froimont de Bourdiaux » à Jean Cosset pour 365 francs 10 sols, et celui d'un « tapis sarrasinois ouvré à or de la fachon d'Arras... (de) l'istore de Jourdain de Blaya » en 1386, à Jehan (Jacques?) Dourdin. Dans l'inventaire du duc de Berry figure un « tapis de Charlemaigne et de Girard de Vienne », tandis que la même année 1402, la reine Ysabeau de Bavière achète chez Jacques Dourdain un « tapis de Charlemagne, qui va secourir le roi Jourdain ». Les éditions et variantes de ce roman ont donc été nombreuses. Si la pièce contient bien des fils de métal, comme l'affirme M. Viale-Ferrero, l'identification avec le premier achat du duc de Bourgogne, proposée par Lestocquoy, ne peut être retenue. Le souci de perspective qui rend confusément la troupe des soldats de Fromont, et plus habilement l'étagement d'un paysage empreint de poésie, les costumes moulants et les coiffures à la mode sous Charles V rendent cependant une date vers 1380-1390 très vraisemblable. La part du conteur dans la mise en scène n'est pas sans évoquer le poète Guillaume de Machaut, présent dans ses écrits comme leurs illustrations.

BIBL. : P.F. Dembowski, *Jourdain de Blaye*, Chicago, 1969. — M. Stucky-Schürer, 1972, p. 75-78. — J. Lestocquoy, 1978, p. 42-45.

EXP. : *Chefs-d'œuvre de la tapisserie*, 1973-1974, n° 5, p. 43-46. — *Giacomo Jaquerio e il Gotico Internazionale*, 1979, n° 62, p. 295-298 (notice de M. Viale-Ferrero).

Padoue, Museo Civico
Inv. 614

336

336
Tenture de saint Piat et saint Eleuthère

Offerte à la cathédrale de Tournai par le chanoine Toussaint Prier, en 1402 ; tissée à Arras par Pierrot Feré ; utilisée comme tapis de pied au XVIIIe siècle, restaurée au XIXe siècle
Laine, 6-7 fils de chaîne au cm
H. 1,90 ; L. 5,62

La tapisserie des saints Piat et Eleuthère constitue le plus ancien exemple conservé de tenture de chœur. Une inscription, relevée au XVIIe siècle sur une des quatre scènes aujourd'hui disparues, rappelait qu'elle avait été commandée par un chanoine de la cathédrale de Tournai, Toussaint Prier, à un artisan d'Arras, Pierrot Feré, et achevée en 1402. Les recherches entreprises par L. Guesnon dans les archives d'Arras ont clairement établi qu'il s'agissait d'un petit fabricant, sans commune mesure avec les grands marchands. Mais il est clair que de ses métiers sont probablement sorties aussi des tentures vendues par ces négociants, aux princes.

La tapisserie que l'on tendait au-dessus des stalles du chœur de la cathédrale, évoquait la vie des saints patrons de Tournai, sur deux pièces comprenant neuf tableaux chacune. Il ne subsiste aujourd'hui que six scènes de la vie de saint Piat, et huit de celle d'Eleuthère. Les premiers épisodes de l'histoire de ce dernier sont exposés ici : un baptême de païens, le départ du saint pour Rome et la visite qu'il rend au Pape, enfin sa consécration comme évêque. De frappantes analogies de motifs ont été relevées entre la tenture et le Pontifical de Sens (Paris, Bibl. nat., lat. 962). Ce manuscrit est daté vers 1400-1405 et attribué au Maître de Troyes par M. Meiss. Du même artiste, le Livre d'Heures à l'usage de Troyes (Paris, Bibl. nat., lat. 924) (n° 308). Elles ne rendent pas compte cependant de l'expression alerte et populaire de ces compositions, due selon toute vraisemblance aux cartons utilisés par Pierrot Feré. L'absence de mention de l'artiste, auteur de ces cartons, peut suggérer qu'il appartenait à l'équipe d'artisans œuvrant dans l'atelier de Feré. Une maladresse certaine apparaît dans le rendu des proportions, des gestes et des raccourcis, qui est quant à elle plutôt le fait des lissiers.

BIBL. : A. Guesnon, « Le haut-lisseur Pierre Feré d'Arras, auteur de la tapisserie de Tournai (1402) », *Rev. du Nord*, 1910, p. 201-215. — M. Stucky-Schürer, 1972, p. 66-75. — J. Lestocquoy, 1978, p. 45-47.

EXP. : *Die Parler...* 1978, I, p. 106-107 (notice de R. Didier).

Tournai, cathédrale

Tissus et broderies

Nadine Gasq-Berger

L'inventaire du mobilier de Charles V, les extraits des comptes des ducs de Bourgogne de la Maison de Valois (1363-1477), ainsi que les documents conservés dans les différents musées italiens, allemands et français, nous permettent d'avoir une idée assez précise de ce que fut la production textile au XIVᵉ siècle.

Si l'on relève de nombreuses mentions de soieries, si la broderie tant liturgique que civile tient une place prépondérante, il faut aussi constater le rôle important que jouent les draps et les toiles dans le vêtement et la vie quotidienne.

Dès le début du XIVᵉ siècle nous assistons à l'éclosion de la grande période de l'art textile italien dont la suprématie s'étendit pendant plus de trois siècles.

L'implantation d'ouvriers palermitains dans la péninsule après les Vêpres siciliennes (1282) est un des facteurs non contestable dans la création de nombreux ateliers. Ces tisserands possèdent une parfaite dextérité technique et dès 1266, ils ont subi l'influence de la vision gothique avec l'arrivée en Sicile de Charles d'Anjou suivi d'artistes imagiers.

Désormais un détachement des compositions orientales s'instaure et proscrit à jamais griffons, oiseaux, cavaliers combattants ou affrontés ; le hiératisme fait place au réalisme, à une expression plus proche de la nature. Si la faune est toujours présente, elle s'inscrit parfois dans des arcs lancéolés et se mêle à l'ondulation de tiges fleuries ou fruitées.

Lucques y introduit la symbolique chrétienne du soleil et de la pluie. Venise, dont les échanges commerciaux avec l'Orient sont prospères, sera plus lente à s'en affranchir, mais ses draps d'or et surtout ses velours coupés feront sa renommée. Gênes se spécialisera dans les velours ciselés où un décor plus proche de la nature abolit toute symétrie. Cette même nature inspirera la production florentine mais dans un rapport de dessin plus petit et une mobilité créative dans la recherche des ornements qui proscrit toute virtuosité dans la traduction d'un même thème.

Un élément subsiste, celui des inscriptions coufiques mais il devient vite une interprétation, seul le graphisme compte. On relève dans l'inventaire de Charles V plusieurs articles de soieries « à lettres de Sarrazin » avec bandes alternées de feuillages. Cette disposition est très courante : draps d'or à rayures en soie de différentes couleurs. On juxtapose de même les matériaux : velours, camocas (tissu de soie). Oppositions de couleurs, de matériaux sont une source de variété de motifs aussi bien dans le décor que le costume.

Si Charles V, par sa volonté, interdit qu'on fasse mention de ses robes communes en drap, qu'il vêt tous les jours, écarlates, serges, burels, camelins, brunettes, blanchets sont l'objet d'un commerce florissant au Moyen Age, témoin cette miniature du XIIᵉ siècle (Bibliothèque municipale de Dijon) où l'on voit des ouvriers en train de carder une pièce de drap ; l'Italie, mais surtout les Flandres produisent des draps de luxe, mais peu à peu la Normandie avec ses centres de Louviers, Caen, Rouen et Beauvais vont parfaire qualité et teinture et au XVᵉ siècle ils auront définitivement supplanté Bruxelles et Courtrai. Les draps les plus courants sont fabriqués dans le Languedoc et à Bourges. Cette matière restant l'élément principal dans la confection du costume, seules sa finesse et sa couleur démarquent les différentes classes sociales.

Il en est de même pour la broderie qui reste l'apanage des princes et du clergé. L'or, l'argent en lamelles ou roulés (cannetille), pierres précieuses, perles fines enrichissent, il faudrait dire enchâssent, les scènes représentées. Pour les broderies liturgiques l'Ancien et le Nouveau Testament sont sources d'inspiration. Ses compositions sous arcatures ou inscrites dans des quadrilobes ne se dissocient pas de l'orfèvrerie, des miniatures ou des vitraux. Si les ateliers italiens (Rome en particulier) et français connaissent un certain renom, c'est à l'Angleterre qu'en revient la primauté avec ses *opus anglicanum*. Dès 1295, ils sont mentionnés dans les inventaires du Vatican. Ces brodeurs ont travaillé en étroite collaboration avec les peintres des manuscrits d'East Anglian School, ils ont su transcrire l'harmonie des personnages, les gestes reflètent leurs émotions et les yeux brodés en noir traduisent une grande acuité. La flore qui les encadre sert à compartimenter les scènes décrites. Ces orfrois sont les plus beaux, il ne fait aucun doute que Sienne portera ombrage à cette magnificence lorsqu'elle les remplacera par le tissage.

Quant aux broderies civiles, elles découlent directement du style courtois. Si elles restent un signe de distinction les broderies perdront bientôt leur juste équilibre entre dévotion, richesse, dextérité et surabondance. A l'encontre, les soieries connaissent un plein épanouissement technique ; matériaux et décors se conjuguent avec plénitude et fournissent à l'art textile une de ses plus belles périodes.

337

337
Fragment de tissu

XIVᵉ siècle (?)
Provenant de la cathédrale Saint-Maurice d'Angers
Laine, fil de chanvre. H. 0,94 ; L. 0,48

Ce fragment de tissu est remarquable tant par sa texture que par son décor. Il s'agit d'un samit façonné en sergé. Sa particularité technique est donc l'absence d'envers :

le motif décoratif se trouve exactement inversé au revers.

Le décor se compose d'un semis de fleurs de lis jaunes, alternant avec une couronne portant un L en son milieu. Plusieurs autres fragments provenant également de la cathédrale d'Angers sont conservés, deux au trésor de la cathédrale, un autre au musée Dobrée (Nantes).

Deux hypothèses existent pour leur destination originelle. Selon Godard-Faultrier, il

s'agirait d'un grand tapis de laine qui servait de parure funéraire au tombeau de Louis Iᵉʳ d'Anjou, inhumé dans le chœur de la cathédrale. Ce tapis est attesté dans un ancien inventaire de la fabrique d'Angers en 1391 (Arch. dép. du Maine-et-Loir). En revanche, L. de Farcy, en étudiant les fragments du trésor de la cathédrale, fait référence à des inventaires beaucoup plus récents (1540, 1677...) où l'on cite de grandes pièces de tapisserie « bleue chargée d'L couronnées et de fleurs de lis jaunes » qui servaient à couvrir les bancs de la *Nation* d'Anjou lors des cérémonies de la Faculté dans le chœur de la cathédrale.

Le dessin de la fleur de lis simple et de bonne proportion peut dater du XIVᵉ siècle. Le motif des L ne peut se rapporter qu'aux deux premiers ducs d'Anjou, Louis Iᵉʳ (+ 1384) ou Louis II (+ 1417). Quant à la véritable utilisation de ce tissu, il n'est pas exclu de penser que, parure mortuaire, il ait pu servir ensuite de tapis de parement pour l'Université d'Angers qui entreposait ses tapis de cérémonie dans la sacristie de la cathédrale.

BIBL. : V. Godard-Faultrier, *Parures des tombes des rois et reines de Naples, ducs et duchesses d'Anjou dans la cathédrale d'Angers*, Paris, 1868. — V. Godard-Faultrier, *Inv. du musée d'Antiquités...*, Angers, 1884, nº 1911. — L. de Farcy, *Histoire et description des tapisseries de la cathédrale d'Angers*, Lille-Angers, s.d., p. 75. — L. de Farcy, *Monographie de la cathédrale*, Angers, 1901, p. 21. — Ch. Urseau, *Le musée Saint-Jean d'Angers*, Angers, 1924, p. 35.

Angers, musée archéologique
Inv. n.M.A.III R.4

338

338
Chasuble dite
de Saint Dominique

Ancien trésor du couvent des Jacobins de Toulouse, seconde moitié du XIVᵉ siècle
Soie. H. 1,15 ; L. 1,70

Le tissu à fond pourpre est orné de rinceaux de vigne et de rangées alternées de paons et de pélicans tissés d'or, rehaussés de vert et portant des inscriptions inversées : PAONE et HELICE pour pelice. L'orfroi brodé se compose de onze personnages nimbés abrités sous des arcades trilobées. Avant 1954, on voyait dans le dos du vêtement à la hauteur des épaules, deux M brodées d'or qui ont été retirées lors d'une restauration.

Il est impossible que saint Dominique mort à Bologne en 1221 ait porté cette chasuble, postérieure de plus d'un siècle, dont le luxe ne correspond d'ailleurs pas à la pauvreté voulue par le fondateur des Frères prêcheurs.

Les inscriptions latines indiquent une fabrication occidentale du tissu dont les motifs sont à rapprocher des mosaïques de la chambre du Palais de Palerme et aussi d'une frise de la Ziza, résidence édifiée dans la même ville par les rois normands. Il s'agit donc d'une étoffe sicilienne. Les lettres brodées évoquent un donateur et M. Prin propose la reine Marie de Hongrie, mère de Robert, roi de Sicile, qui se dépensa pour obtenir de Jean XXII la canonisation de saint Thomas d'Aquin. On sait par ailleurs qu'en 1794 la municipalité toulousaine fit déposer les restes de saint Thomas d'Aquin à Saint-Sernin avec divers objets que l'on retrouve à titre de reliques dans l'actuel trésor de la basilique (la chasuble était imposée aux infirmes).

Il est donc probable que nous sommes en présence de l'ex-voto royal de la famille d'Anjou offert au couvent des Jacobins de Toulouse après la translation des reliques de saint Thomas d'Aquin, le 28 janvier 1369.

BIBL. *Arch. dep. de la Haute-Garonne*. Série H. Dominicains Inv. de 1493-1568-1638-1682-1707-1743-1753. — J.J. Percin, *Monumenta Conventus Tolosani ordinis Fratrum Praedicatorum*, Toulouse, 1693, t. II, n° 3, p. 257. — P.P. Cahier et Martin, *Mélanges d'archéologie*, Paris, 1851, t. II, p. 260. — A. de Caumont, *Bull. mon.* 1854, 2e série, t. X, p.47. — E. Cartier, *Histoire des reliques de saint Thomas d'Aquin*, Paris, 1856, p. 165-169. — Viollet-le-Duc, *Dictionnaire du mobilier*, t.III, 1872, p. 147-149. — R.P. Kirsch et Romain, *Pélerinages dominicains*, Lille, 1920, p. 164. — R.P. Constant, *Sur les pas de saint Dominique en France*, Paris, 1926, p. 305-306. — A. Auriol et R. Rey, *L'église Saint-Sernin de Toulouse*, Paris, 1930, p.332. — M. Prin, *Mém. de la Soc. archéol. du midi de la France*, T. XXX, 1964, p. 123-130, fig.

Toulouse, basilique Saint-Sernin

339
Parement d'autel

Premier quart du XIVe siècle
Broderies de soies polychromes et métal (or) appliquées sur un fond de velours violet
H. 0,75 ; L. 1,75

Ce parement comportait à l'origine sept arcatures sous lesquelles étaient figurés saint Pierre et saint André, l'Annonciation et la Nativité (aujourd'hui disparues) au centre , le Couronnement de la Vierge, l'Adoration des Mages, la Présentation au Temple, saint Jean et saint Paul.

Un inventaire de la sacristie de la chapelle de l'Hôtel-Dieu de Château-Thierry dressé à la fin du XVIIe siècle mentionne déjà le fond de velours violet sur lequel les éléments subsistants ont été réappliqués. Cette transformation serait donc antérieure.

Les mains et les visages sont peints sur soie blanche. Les vêtements sont brodés, en soie, au point fendu ou en or au point retiré disposé en chevrons. Un cordonnet de soie travaillé au couché en souligne le tracé des plis.

L'allongement des proportions, le maniérisme des attitudes et le graphisme des plis semblent indiquer le premier quart du XIVe siècle. Les crochets découpés à l'extrados des arcades, les bustes d'anges émergeant des nuages rappellent par ailleurs le décor de certaines églises anglaises comme Wells et Lincoln, ou celui des grandes chapes d'*opus anglicanum*.

BIBL. : L. de Farcy, *La Broderie du XIe siècle jusqu'à nos jours*, Paris, 1890, p. 125. — G. Migeon, *Les Arts du tissu*, Paris, 1929, p. 171.

EXP. : *L'Europe gothique*, 1968, n° 337. — *L'Art et la Cour*, 1972, n° 90. — *L'Art du Moyen Age en France*, 1978-1979, n° 84.

Château-Thierry (Aisne), Hôtel-Dieu

339

340
Mitre brodée

Vers 1340
Provenant de l'abbaye de Sixt
Broderie de fils d'or et de soies polychromes,
sur fond de soie blanche
H. 0,30 ; L. 0,30

De forme droite, cette mitre possède un décor très sobre de quadrilobes entourant des fleurs à quatre pétales sur le cercle et le titre, de fleurons sur la bordure oblique et son prolongement vertical, et d'un semis d'étoiles dans le soufflet. Le fond uni de la soie met en valeur les scènes de l'Annonciation et du Couronnement de la Vierge qui décorent chaque face, comme les figures de saint Pierre et saint Paul sur les fanons.

Les éléments architecturaux comme la conception des figures renvoient directement au style de Pucelle, à l'atelier duquel on attribue les modèles fournis au brodeur. La commande d'un objet de cette qualité a pu être mise en relation avec la prospérité de l'abbaye de Sixt, sous l'abbatiat de Hudric de Villars (1315-1343).

BIBL. : M. Rannaud, *Histoire de Sixt*, Annecy, 1916. — M. Meiss, 1967, p. 100, fig. 525. — M. Beaulieu et J. Baylé, « La mitre épiscopale en France des origines à la fin du XVe siècle », *Bull. archéol. du Comité des travaux historiques et scientifiques*, 1973, 9, p. 71, 76. — F. Avril, 1978, p. 20, fig. VII.

EXP. : *Trésors des églises de France*, 1965, nᵒ 728.

Sixt (Haute-Savoie), trésor de l'église

341
Aumônière dite de Henri Iᵉʳ, comte de Champagne

Velours et broderie de soie, XIVe siècle
H. 0,38 ; L. 0,29

De forme trapézoïdale, l'aumônière, arrondie à sa partie supérieure, est ornée de houpettes dans le bas. Sur le recouvrement, un personnage est assis. Au-dessous, il est facile de reconnaître, malgré certaines lacunes, la représentation allégorique du chasseur luttant contre la licorne qui se réfugie auprès d'une vierge.

Ces figures sont brodées à part et cousues sur un fond de velours rouge brodé. Le

341

thème iconographique et le style de cette œuvre permettent de la dater du XIVe siècle et s'opposent à l'attribution légendaire faite à Henri Iᵉʳ, comte de Champagne, qui mourut en 1181.

BIBL. : E. Le Brun-Dalbanne, *Les aumônières brodées du trésor de Troyes*, 1864. — Ch. Fichot, *Statistiques monumentales*, III, 1889, p. 404-405.

EXP. : *Trésor d'art de l'école troyenne*, 1953, nᵒ 111. — *L'Art en Champagne au Moyen Age*, 1959, nᵒ 105. — *Trésors des églises de France*, 1965, nᵒ 176.

Troyes, trésor de la cathédrale

342
Pourpoint de Charles de Blois

France, XIVe siècle (costume) et Sicile (?),
XIVe siècle (étoffe)
Couvent de Notre-Dame des Carmes d'An-

gers jusqu'en 1790 ; acheté par M. Jouffrault de Saumur à un soldat qui dit l'avoir trouvé dans un château de Bretagne ; acquis par le costumier Eude de Paris vers 1848 ; puis par Carraud, antiquaire à Lyon (1854) ; coll. A. Goupil (1868) ; coll. R. de Madrazo (1888) ; coll. J. Chappée (1888) ; don J. Chappée (1924)
Lampas à fond de satin de 5 ; chaîne et trame de soie blanche. Décor obtenu par une trame lancée constituée d'un filé d'or (baudruche dorée enroulée sur une âme de lin)
H. 0,80 (dos) ; 0,77 (de l'échancrure du col au bas)
Tour de poitrine et de taille : 1,03 et 0,8
Ourlet du bas : 0,13

Pour l'histoire du costume, le pourpoint dit de Charles de Blois a toujours été considéré comme un document essentiel et rare. Il ne

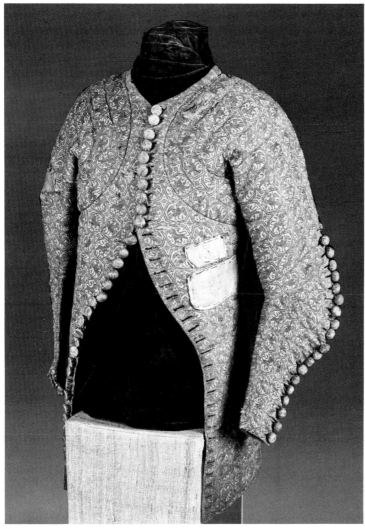

342

 La coupe raffinée des manches en forme «d'assiette» ou «à grandes assiettes» permet de considérer ce pourpoint comme un vêtement de luxe. Ces manches ainsi confectionnées interdisaient le survêtement et font de ce pourpoint l'ancêtre de la veste. La coupe du corps proprement dit est en «forme de lévrier», avec des hanches étroites et une poitrine fortement bombée exigeant un rembourrage obtenu par un gilet spécial rembourré de coton et porté sous le pourpoint. Une iconographie abondante (miniature, peinture ou sculpture) permet de dater ce vêtement, quant à sa forme, du milieu du XIVe siècle.

Le dessin de l'étoffe confirme cette datation. Son origine n'est cependant pas clairement établie. La division graphique en hexagones posés sur une pointe est, sans conteste, un parti islamique qui évoque l'Espagne, et plus encore l'art hispano-mauresque. Cependant, la figuration alternée d'un aigle et d'un lion dans le champ des hexagones rappelle la Perse ou Byzance. Cette iconographie, issue de deux courants différents, fait pencher l'attribution vers une civilisation de synthèse, entre autres la Sicile. Cependant, devant le peu de renseignements sûrs et précis que nous possédons, il paraît plus sage de laisser le débat ouvert, plus encore après l'étude systématique de Klesse sur la représentation de l'étoffe de soie dans la peinture italienne du XIVe siècle.

BIBL. : L. de Farcy, *Le Pourpoint de Charles de Blois,* Le Mans, s.d. — L. de Farcy, *Le Pourpoint de Charles de Blois...,* Angers, 1911. — M. Leloir, *A Mediaeval Doublet,* Apollo, p. 157-160. — H. d'Hennezel, *Musée historique des Tissus, cat. des principales pièces exposées,* Lyon, 1929, p. 40. — H. d'Hennezel, *Pour comprendre les tissus d'art,* Paris, 1930, p. 82. — P. Prost, «La naissance du costume masculin moderne au XIVe siècle», *Congrès international d'histoire du costume,* Venise, 1952, p. 28-42. — R. de Micheaux, «Un vêtement du Moyen Age...», *Bull. des musées lyonnais,* 1952, p. 63-68. — Fr. Boucher, *Histoire du costume en Occident, de l'Antiquité à nos jours,* Paris, 1965, p. 197. — B. Klesse, *Seidenstoffe in der italienischen Malerei des 14. Jh.,* Berne, 1967. — M. Bernus-Taylor, «Les textiles des pays islamiques», *Étoffes merveilleuse du musée historique des Tissus de Lyon,* Tokyo, 1976. — B. Schmedding, *Mittelalterliche Textilien in Kirchen und Klöstern der Schweiz,* Berne, 1978.

EXP. : *The franco-british Exhibition of Textiles,* Victoria and Albert Museum, Londres, 1921.

Lyon, musée historique des Tissus
Inv. 924.XVI.2 - no d'entrée : 30307

nous appartient pas ici d'infirmer ou de confirmer la tradition plusieurs fois séculaire qui attribue ce vêtement luxueux au prétendant du duché de Bretagne, tué le 29 septembre 1364 à la bataille d'Auray. Jusqu'à la Révolution, cette tradition fit de ce document une relique, ainsi que nous l'apprend une inscription sur parchemin fixée sur le vêtement. Le défunt étant vénéré comme un «saint», les Carmes d'Angers conservèrent son pourpoint dans leur trésor jusqu'en 1790.

Ce pourpoint, qui marque l'avènement d'une longue évolution du costume masculin au Moyen Age, est composé de quatre pièces principales pour le corps : deux pour la partie antérieure et deux pour la partie arrière. Fait assez particulier, les deux parties arrières sont réunies par une couture horizontale à hauteur de la taille. Sur le devant du pourpoint, on compte 32 boutons, les boutons supérieurs étant sphériques, et les 15 inférieurs plats. Deux boutonnières en bas sont dépourvues de boutons dans le but certain d'une aisance plus grande. Le bord inférieur à l'intérieur est muni de 7 paires de lacets pour la fixation des chausses.

Armes et armures

Jean-Pierre Reverseau

Les transformations qui interviennent au cours du XIVᵉ siècle dans le contexte de l'armement défensif ne paraissent pas résulter d'un changement radical modifiant sensiblement vers la même époque les principales données de la stratégie militaire. L'apparition et le développement très limité de l'artillerie à poudre ne peut pas être retenu comme un facteur déterminant qui expliquerait ces mutations. Les effets meurtriers sur la cavalerie des « long bow » qui équipaient les archers anglais lors des grandes batailles de la première partie du siècle, doivent cependant être pris en considération pour préciser les perfectionnements apportés à la défense de corps du chevalier. C'est à la fin du XIVᵉ siècle que fut adopté le procédé de « l'épreuve » permettant de tester au moyen d'un trait d'arc ou d'arbalète, les qualités défensives du métal constituant les pièces du harnois. Mais la mise au point de l'armure de plates, sculpture en métal, associant entre elles par des lanières de cuir une vingtaine de pièces autonomes, est la conséquence logique d'une évolution technique amorcée au siècle précédent, dont les étapes nous sont connues. Les « mailles treslies » et les « mailles de haubergerie » qui assurèrent jusqu'au début du XIVᵉ siècle la principale protection de l'homme d'armes, étaient liées à des influences culturelles lointaines, puisées à des sources romaines et orientales évidentes ; à l'inverse, l'armure de plates doit être reconnue comme un phénomène original propre à l'esprit médiéval.

Les quelques pièces de harnois de la fin du XIVᵉ siècle conservées dans le trésor de la cathédrale de Chartres révèlent les plus anciennes armures royales parvenues jusqu'à nous. Les attributions qui rattachaient ces armes au souvenir des batailles de Mons-en-Pévèle et de Cassel remportées sur les Flamands, respectivement par Philippe le Bel en 1304 et Philippe VI de Valois en 1328, ont pu être rejetées et ces pièces situées chronologiquement dans le dernier tiers du XIVᵉ siècle ; leur existence en ces lieux procède de la coutume médiévale de l'offrande votive des armes et de l'attachement traditionnel des souverains pour le sanctuaire chartrain qu'attestent de multiples témoignages. En 1367, Charles V offrait à la cathédrale un joyau (le camée « Jupiter », nᵒ 168), en 1382 Charles VI après la victoire de Roosbeck accomplissait un pèlerinage au sanctuaire et — ainsi qu'on le rapporte généralement dans les études consacrées à ces pièces — « un chevaucheur envoie hastivement de Chartres au Séjour, au pont de Charenton, querre le bacinet et l'espée du Roi pour donner à Nostre-Dame de Chartres » (Douet d'Arcq, comptes de l'hôtel des rois de Frances aux XIVᵉ et XVIᵉ siècles).

L'ensemble de ces pièces est hétérogène et peut se séparer en deux groupes distincts ; le premier correspondrait au bacinet à mézail complété de son camail et d'un haubert réalisé également en mailles treslies. Le style de ce bacinet qui porte autour de son timbre l'empreinte d'une couronne royale correspond aux années 1370-1390 et peut être rapproché avec vraisemblance du roi Charles V. La mention sur l'inventaire de 1682 et dans la description du trésor par Pintard au XVIIᵉ siècle, d'un « haubergeon » (aujourd'hui disparu) dont l'emblématique se dispose de la sorte « brodé de six fleurs de lis... savoir trois sur la poitrine, trois sur le dos... » conforte l'attribution des pièces de ce premier groupe au roi Charles V, vers la fin de son règne.

Le second groupe comprend des fragments d'une armure pour un enfant âgé de six à huit ans, une brigandine aux dimensions, semble-t-il, du même personnage, et une jacque ou pourpoint destiné à un adolescent d'environ treize ou quatorze ans. Les pièces de l'armure datent des années 1380-1400 et leur attribution au dauphin, futur Charles VI, paraît vraisemblable. Les documents qui évoquent également l'existence « d'un fourreau en velours violet semé de dauphins et de lis... renfermant une courte épée... » fournissent un indice d'identification complémentaire. Dans l'état actuel de nos connaissances, la chronologie précise de la brigandine est difficile à établir, mais aucune considération technique ne permet d'infirmer son appartenance au harnois d'enfant ; elle en constituerait la défense de torse, disposition habituelle sur les vêtements de guerre de la fin du XIVᵉ siècle. Nous ne possédons pas d'éléments pour identifier l'adolescent auquel appartenait le pourpoint en taffetas damassé que l'on peut dater de la même époque.

Les données stylistiques et techniques ne permettent pas de déterminer l'origine géographique de ces armes dépourvues de poinçons (à l'exception de la brigandine frappée d'une marque inconnue) ; notons cependant que les gantelets appartenant à l'armure d'enfant offrent dans leur construction des similitudes avec les pièces pour le même usage, réalisées par les armuriers milanais dont Christine de Pisan rappelait la faveur auprès de Charles V. Resterait alors à démontrer que le pourpoint et les autres vêtements faits de tissus seraient les œuvres des armuriers qui travaillèrent pour le roi, Estienne Castel (1372), Ymbert « brodeur et armurier » (1370), Jehan Desportes dit Benedicité (1373)... dont les noms sont connus par les comptes de Bourgogne... (Prost).

dessinent, sur le côté droit, un tracé géométrique ; les bords externes sont nettement chanfreinés pour accueillir la garniture dont l'absence altère l'aspect original, que caractérisait l'opposition entre le métal précieux de la garniture et la surface polie de l'ensemble de la pièce. Autour du timbre, se distingue, souligné par une zone bistre, le tracé des fleurons de la couronne royale qui nous est connu par l'inventaire dressé en

dans une forêt de Pologne orientale, et il est attribué au roi Casimir III (1333-1376) contemporain de Charles V ; l'étude de cette pièce, d'une construction identique à celle du bacinet de Chartres, témoigne du caractère international des armements défensifs à la fin du XIVe siècle.

Le troisième élément appartenant au bacinet est le camail monté avec des anneaux de fer que soulignent les deux rangées inférieures réalisées en cuivre ; anciennement, le camail muni d'un galon de cuir, se fixait sur les vervelles de métal disposées au pourtour inférieur du timbre.

Le haubert, dont l'étude ne paraît pas devoir être séparée de celle du bacinet, puisqu'il constitue la défense de corps complémentaire, est un vêtement défensif qui s'enfile par le haut, et dont les mailles rivées « à grain d'orge » assurent une protection souple se moulant aux contours mêmes du torse.

BIBL. : F.J. Doublet de Boisthibault, « Notice sur l'armure dite de Philippe le Bel », Rev. archéol., 1851, p. 299. — E. Lépinois, Histoire de Chartres, I, 1854, p. 527-528. — L. Merlet, Cat. de reliques et joyaux de Notre-Dame de Chartres, Paris, 1855, p. 134-138. — F. Laking, A record of European Armour and arms, Londres, 1920-1922, I, p. 248. — F.H. Cripps-Day, « The Armour at Chartres », The Conoisseur, déc. 1942, p. 91-95. — C. Blair, European Armour, Londres, 1958, p. 65. — F. Baron, Bull. mon., 1968, p. 146. — J. Wemaere, « Les armures royales au trésor de Chartres », Rev. de la Soc. des Amis du musée de l'Armée, 1976, no 80, p. 5-15.

EXP. : France-Belgique, 1958, no 164.

Chartres, musée des Beaux-Arts
Inv. 2894

343

343

343
Bacinet et haubert

Trésor de la cathédrale de Chartres, inventaire de 1682, bibliothèque 1797
Fer, cuivre. H. 0,83

D'une typologie habituelle pour le dernier tiers du XIVe siècle, le bacinet présente un timbre forgé d'une pièce que complète un mézail mobile au profil accentué « en bec de passereau » maintenu latéralement par des attaches à charnières ; il est percé à la hauteur des yeux par la « vue » et par des ouvertures verticales aménagées sur la partie saillante de la bouche. Les trous d'aération

octobre 1793, avant sa destruction, « La garniture d'un casque composé de fleurs de lis et de perles, le tout d'or pesant 2 marcs, 6 onces, 2 gros ». F.H. Cripps-Day, en étudiant les descriptions anciennes, a démontré que la couronne était complétée d'un accessoire étonnant, un « pendant » formé « d'une espèce de chaîne plate... divisée en sept charnons ou plaques carrées semées de France sur fond d'émail bleu... le tout en or... » (Pintard).

Un autre bacinet royal, portant la couronne en fer doré, subsiste dans le trésor de la cathédrale Saint-Stanislas du Wawel à Cracovie, il fut découvert au siècle dernier,

344
Armure d'enfant

Trésor de la cathédrale de Chartres, inventaire de 1682, bibliothèque 1797
Fer, tissu. H. 0,70 ; l. 0,35

Ces pièces constituent les vestiges de la plus ancienne armure de plates destinée à un enfant, qui soit parvenue jusqu'à nous ; elles réunissent une cubitière, un canon de bras droit, une paire de gantelets et, pour la protection des jambes, le cuissard et le genouillère droite, les deux grèves (ou jambières) et un fragment du soleret droit complété des petites pièces protégeant le coup de pied. Les garnitures en vermeil attestées par l'inventaire de 1793 («une armure composée de gants et de jambières argent doré pesant 2 marcs, 3 onces, 4 gros») qui ornaient les pièces, subsistent très partiellement sous la forme d'une lisière à fleurons disposée à l'extrémité du soleret qui peut être reconnu comme une pièce unique. Les gantelets sont du type appelé «gantelet-sablier» façonné aux formes de la paume de la main, dans une feuille de métal où le tracé des os métacarpes est accusé par des gorges que séparaient des éléments décoratifs allongés, terminés par des clous à forte tête qui retenaient le tissu recouvrant ancien-

344

345

nement le métal; plusieurs spécimens de ce type de gantelet, reconnu de travail milanais, sont conservés (Wallace Collection, Bargello, collection de la Churburg), ils se situent entre les années 1380-1400 et cette chronologie permet de rapprocher l'armure du dauphin, futur Charles VI.

Le brigandine, complémentaire semble-t-il, est un vêtement de guerre à l'aspect de gilet dépourvu de manches et fait dans un tissu de couleur rouge, doublé intérieurement d'un grand nombre de petites lames de fer étamé, frappées du poinçon d'un armurier resté inconnu, que retiennent des clous dont les têtes en cuivre dessinent à l'extérieur un tracé géométrique; la fermeture est assurée sur le devant par une boucle disposée à la hauteur de la ceinture et par un système de laçage répété sur les épaules. Dans l'état actuel de nos connaissances, on ne peut préciser avec exactitude l'origine et la datation de cette pièce qui nous paraît contemporaine du reste de l'armure.

BIBL. : F.J. Doublet de Boisthibault, « Notice sur l'armure dite de Philippe le Bel », Rev. archéol., 1851, p. 299. — L. Merlet, Cat. de reliques et joyaux de Notre-Dame de Chartres, Paris, 1855, 134-138. — B. Thordeman, Armour of the battle of Wisby (1361), Stockholm, 1939, p. 11 et 122, fig. 113. — F.H. Cripps-Day, « The Armour at Chartres », The Conoisseur, déc. 1942, p. 91-95. — J. Wemaere, « Les armures royales au trésor de Chartres », Rev. de la Soc. des Amis du musée de l'Armée, 80, 1976, p. 5-15.

Chartres, musée des Beaux-Arts
Inv. 2894

345
Jacque ou pourpoint

Trésor de la cathédrale de Chartres, inventaire de 1682, bibliothèque de Chartres, 1797
Taffetas, capitonnage de soie ou de coton
L. 0,75

De coupe très soignée et taillé dans un taffetas rouge damassé sur lequel se discerne encore le tracé de larges fleurs, ce vêtement manches comprises est garni de soie ou de coton capitonné maintenu entre deux épaisseurs de tissus que soulignent des piqûres apparentes sur les deux faces. La poitrine est nettement accusée par le fort rétrécissement soulignant la ceinture. L'ouverture sur le devant présente une succession de 26 boutonnières pratiquée sur deux bandes d'étoffe externe indépendante de la garniture et fermée par des boutons à têtes plates et circulaires. Les manches évasées en leur partie supérieure pour faciliter les mouvements sont nettement resserrées à la hauteur des poignets. Sur la poitrine, à gauche, se discerne l'empreinte d'une petite pièce de forme oblongue aujourd'hui disparue, décrite anciennement comme « un petit écusson de forme ovale et denté au milieu duquel était brodé en or un mufle de lion tenant dans ses dents une grosse boucle » (Pintard) destinée à maintenir la chaînette habituelle au XIVe siècle à laquelle se fixait la dague ou l'épée.

Dépourvu de tout élément emblématique permettant une quelconque identification, ce vêtement offre des analogies évidentes avec la cotte d'armes armoriée dont le Prince Noir est revêtu sur son gisant (1376) ; un vêtement identique, réalisé probablement pour les cérémonies accompagnant les funérailles du Prince, est conservé, quoique très altéré, auprès du grand heaume et des gantelets funéraires, au-dessus de la sépulture, dans la cathédrale de Canterbury.

BIBL. : F.J. Doublet de Boisthibault, « Notice sur l'armure dite de Philippe le Bel », *Rev. archéol.*, 1851, p. 229. — L. Merlet, *Cat. de reliques et joyaux de Notre-Dame de Chartres*, Paris, 1855, p. 134-138. — F. Laking, *A record of European Armour and arms*, Londres, 1920-1922, I, p. 153, fig. 187. — A. Harmand, *Jeanne d'Arc, ses costumes, son armure*, Paris, 1929, p. 117. — C. Blair, *European Armour*, Londres, 1958, p. 72, fig. 27. — J. Wemaere, « Les Armures royales au trésor de Chartres », *Rev. de la soc. des Amis du musée de l'Armée*, 80, 1976, p. 5-15.

Chartres, musée des Beaux-Arts

346
Épée d'armes

D'après une tradition orale rapportée par R.J. Charles, cette épée aurait été découverte dans une sépulture de la région de Toulouse, vers la fin du siècle dernier ; elle aurait alors été acquise par G. Pauilhac ;

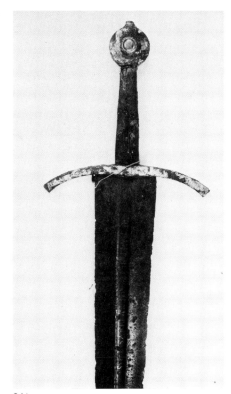

346

entrée avec l'ensemble de la coll. Pauilhac, au musée de l'Armée, en 1964.
Fer, dorure, cristal de roche, bois
L. 0,97 ; L. 0,23 ; L. lame : 0,76

La lame, large et puissante, est conçue principalement pour donner des coups de taille, ses deux tranchants sont probablement renforcés par l'adjonction de mises de fer disposées de part et d'autre de la mise centrale en acier ; une large gouttière descendant jusqu'au tiers inférieur porte, répartie sur chacune des faces, insculpée en lettres de cuivre, au-dessous d'un fleuron et d'une croix pattée, l'inscription à caractère chevaleresque :
/NULLA DE VIRTUTIBUS TUIS/ /MAJOR CLEMENTIA EST/.

La garde offre le schéma cruciforme qui subsiste au XIVe siècle, le pommeau circulaire est chanfreiné, en son centre s'ouvre un évidement obstrué par une capsule de cristal de roche destinée à maintenir les reliques ; les quillons de section rectangulaire

sont légèrement infléchis vers la pointe ; la fusée a conservé les lames de bois que recouvre le cuir destiné à accueillir la garniture en filigrane ; pommeau et quillons sont recouverts d'une feuille d'argent doré. L'ensemble aux lignes très pures, d'une exécution parfaite, peut être daté du milieu du XIVe siècle.

BIBL. : C. Buttin, « Une armerie française, la collection Pauilhac », *l'Illustration*, 28 juillet 1928, no 4456. — R.J. Charles, « La collection Georges Pauilhac au musée de l'Armée », *La Rev. française*, 1965, suppl. du no 182. — R.J. Charles, « La collection Georges Pauilhac au musée de l'Armée », *Connaissance des Arts*, mai 1968, no 195.

Paris, musée de l'Armée
Inv. J. Po. 676

Héraldique - Sigillographie

Michel Pastoureau

Vers le milieu du XIVe siècle l'héraldique européenne atteint sa pleine maturité. Apparues vers 1120-1140 entre Loire et Meuse, les armoiries sont désormais portées dans toutes les régions de la Chrétienté. En outre, le développement de l'emploi du sceau en a largement étendu l'usage dans toutes les classes et catégories sociales. Ainsi en France, à l'époque de Charles V, du haut en bas de la société, chacun, noble ou roturier, est libre d'adopter les armoiries de son choix et de les utiliser comme il lui plaît, à la seule condition de ne pas usurper celles d'autrui. D'un point de vue technique, absolument rien ne distingue les armoiries nobles des armoiries non nobles, ni les armoiries des individus de celles des personnes morales. Depuis le milieu du XIIIe siècle les règles et la langue du blason sont entrées dans leur phase classique (elle durera jusqu'au milieu du XVIe) ; mais il faut attendre la seconde moitié du XIVe siècle pour voir apparaître les premiers traités didactiques et normatifs. Les armoriaux, en revanche, existent depuis longtemps. Peints ou blasonnés, ce sont pour la plupart des aide-mémoire compilés par des professionnels du blason dont le rôle se fait de plus en plus important dans les cours princières : les hérauts d'armes. Ces armoriaux recensent les armoiries d'une région, d'un pays, de tout l'Occident, ou bien celles de participants à une campagne ou un tournoi. On présente ici l'un des plus beaux de ceux que le Moyen Age nous a laissés : l'*Armorial Bellenville* (n° 347) peint aux Pays-Bas, mais selon des habitudes et des règles françaises, vers 1364-1386. Au reste, la seconde moitié du XIVe siècle marque une certaine uniformisation du style héraldique à l'échelon de l'Europe. Le dessin des armoiries, par sa schématisation, sa vigueur, sa précision, semble alors atteindre son apogée (voir les lions, les aigles et les fleurs de lis des nombreuses armoiries présentées à l'exposition). A partir des années 1420-1430, il aura tendance à se maniériser, sous la double influence des styles bourguignon et bavarois.

A l'origine, les armoiries n'étaient que des emblèmes militaires destinés à faire reconnaître les combattants sur les champs de bataille et de tournoi. Au XIVe siècle ce rôle décline. Le développement de l'armure métallique, la réduction puis la disparition du bouclier, l'évolution des techniques de combat donnant au piéton la supériorité sur le cavalier, tendent à chasser — de Courtrai à Azincourt — l'héraldique des champs de bataille. Elle demeure cependant le principal élément décoratif des tournois, des joutes, des pas d'armes et de toutes ces fêtes chevaleresques si nombreuses dans la seconde moitié du siècle et dont plusieurs chroniqueurs, tel Froissart, nous ont conservé le souvenir détaillé et coloré. Depuis longtemps toutefois, les armoiries remplissent également une fonction « civile ». A la fois marques de possession (juridiquement les armoiries sont assimilées au nom) et motifs ornementaux, elles prennent place sur d'innombrables documents, monuments, objets d'art et objets de la vie quotidienne, à qui elles apportent de ce fait une sorte d'état-civil (un certain nombre des objets et documents présentés par l'exposition sont ainsi ornés d'armoiries ou de figures para-héraldiques). Leur étude est en effet bien souvent le seul moyen dont nous disposons aujourd'hui pour situer ces objets et ces monuments dans l'espace et dans le temps, pour en retrouver les commanditaires ou les possesseurs successifs, pour en retracer l'histoire et les vicissitudes. Les armoiries des princes, notamment, parce qu'elles changent plusieurs fois au gré de leurs héritages, mariages, conquêtes ou prétentions, apportent fréquemment des fourchettes de dates réduites ou des attributions et des localisations précises.

La pratique des armoiries est si générale à la fin du Moyen Age que leur emploi s'étend de la réalité quotidienne au domaine de l'imaginaire. Depuis longtemps déjà, les figures bibliques, les héros de la mythologie gréco-romaine, les personnages de l'Antiquité et du haut Moyen Age, les saints et les personnes divines, les souverains païens ou exotiques, les héros de romans (et tout spécialement ceux de la légende arthurienne, le seul grand mythe de l'Occident médiéval) ont été dotés d'armoiries par l'imagination des auteurs et des artistes. Au XIVe siècle, ces créations d'armoiries imaginaires se font de plus en plus nombreuses, et leur étude est aujourd'hui particulièrement instructive pour l'historien des emblèmes et celui des mentalités. Elles sont en effet plus « signifiantes » que les armoiries véritables, et l'examen des relations sémantiques existant entre le caractère ou la biographie du personnage et les figures ou les couleurs héraldiques qui lui sont attribuées, se révèle toujours riche de multiples informations culturelles, psychologiques ou symboliques.

Enfin, et c'est peut-être là le fait de civilisation le plus important de la période qui nous occupe, le XIVe siècle voit l'apparition et le développement de formules emblématiques nouvelles, plus souples et plus débridées que les armoiries : ce sont les badges, les devises, les couleurs et les livrées, les chiffres et les monogrammes, les mots et les rébus, les colliers et insignes d'ordres ou d'emprises, tous emblèmes dont les XVe et XVIe siècles feront un usage immodéré. Cette emblématique nouvelle, para-héraldique, manifeste une réaction, d'abord individuelle puis collective, contre un système armorial trop rigoureux. L'usage héréditaire des armoiries oblige en effet les individus à traduire par des éléments accessoires de la composition héraldique leurs «pulsions» emblématiques. Ce sont d'abord les cimiers et les supports, qui au fil du temps tendent à devenir eux aussi héréditaires. Ce sont surtout les *devises* (figure isolée, généralement accompagnée d'un *motto* ou d'une courte sentence qui la complète ou qui l'explique), d'où sortira toute l'emblématique de la Renaissance. Non seulement aucune règle ne préside à leur choix ni à leur composition, mais un même personnage peut simultanément posséder plusieurs devises (ainsi l'ours et le cygne du duc Jean de Berry) et la même devise peut servir à plusieurs personnages (ainsi, à la fin du XIVe siècle, les devises passe-partout que sont les cerfs ailés ou le bâton écôté). Ces devises ont pour seul but de traduire les sentiments, les goûts, les aspirations, les projets, le caractère, l'humour ou la culture de ceux qui en font usage. Leur vogue est favorisée par celle, plus générale, du «paraître», par le développement de l'étiquette et de la société de cour, par celui des décors éphémères et des accessoires du costume, par les ordres de chevalerie, les jeux mondains, la mode des livrées et du partage vestimentaire. Associées ou non aux armoiries, les devises apportent pour l'étude des objets d'art et des monuments d'importants éléments d'attribution, de datation, de localisation. Elles fournissent en outre, comme les armoiries imaginaires, un matériel incomparable à l'historien de la culture et des mentalités.

347

348

347
Armorial Bellenville

Pays-Bas (Bruxelles?), vers 1364-1386
Parchemin, 75 ff. dont 5 blancs,
254 × 145 mm

Chef-d'œuvre de l'héraldique européenne du XIVe siècle, l'*Armorial Bellenville* a probablement été peint dans un pays de langue néerlandaise, comme le laissent supposer la plupart des termes de titulature placés sous les écus (*van, here, grave, kung*). Mais le style et la composition héraldiques sont ceux de la Flandre et de la France du Nord dont l'influence s'étend alors jusqu'à la basse vallée du Rhin.

Le manuscrit se compose de deux parties : d'une part un armorial général de la Chrétienté occidentale où les écus (au nombre de 1244, sans cimier sauf pour les dynastes) sont classés par marches d'armes ; d'autre part, un armorial (478 écus, tous surmontés d'un cimier) de chevaliers venus des quatre coins de l'Europe pour participer à une croisade en Prusse vers 1382-1384.

Dans les deux cas, les armoiries flamandes, rhénanes et néerlandaises sont majoritaires. Travail d'équipe, la compilation de l'armorial général s'est étendu sur près d'un quart de siècle : 1364-1386. La marche d'armes de France (fo 1-3), où l'on peut voir les armoiries de Charles V et de ses trois frères, de son oncle le duc d'Orléans et de ses beaux-frères Charles de Navarre et Robert de Bar, et celle de Flandre (fo 36-37 vo) semblent les plus anciennes et peuvent être datées des années 1364-1368. La marche la plus récente est celle de Suède : 1385-1386.

Le dessin ferme et précis (avec notamment l'indication de toutes les brisures et surbrisures, ce qui fait de ce recueil un document d'une richesse incomparable) compte parmi les plus belles créations de l'art héraldique médiéval, qui atteint son apogée en cette fin du XIVe siècle. Un examen attentif permet de distinguer deux mains, dont l'une se retrouve, semble-t-il, dans un armorial contemporain : l'*Armorial de Gelre* (vers 1370-1386 ; 1672 écus venant de toute l'Europe, la plupart avec cimier) aujourd'hui conservé à la Bibliothèque royale de Bruxelles (mss 15652-15656).

L'Armorial Bellenville tient son nom de l'un de ses anciens possesseurs (dont l'ex-libris se trouve au fo A vo) : Antoine de Beaulaincourt, seigneur de Bellenville, roi d'armes de la Toison d'Or, qui mourut en 1559.

BIBL. : D.L. Galbreath, « Une importante découverte héraldique », *Arch. héraldiques suisses*, 1946, p. 78-79. — L. Jéquier, « L'armorial Bellenville et l'armorial du héraut Gelre », *Recueil du 11e Congrès international des sciences généalogique et héraldique*, Liège, 1972 (1973), p. 293-300. — M. Pastoureau, *Traité d'héraldique*, Paris, 1979, *passim* et fig. 114 à 122, 151 à 159, 241, 243, 296, 298, 300, 306, 311. (Une édition est en voie d'achèvement par les soins de L. Jéquier.)

Paris, Bibliothèque nationale
ms. fr. 5230

348
L'héraldique arthurienne

Paris, vers 1330
Parchemin, 272 ff., 322 × 224 mm

Dès la fin du XIIe siècle, les principaux héros de la légende arthurienne ont été dotés d'armoiries par les auteurs de romans. Au fil des décennies ces armoiries deviennent stables d'une œuvre à l'autre, et la création littéraire élabore ainsi une vaste et rigoureuse héraldique arthurienne qui est à la fois une caricature du système héraldique véritable et un réservoir sémantique où l'on peut puiser pour expliquer le sens symbolique des couleurs et des figures du blason.

Dans l'iconographie, au contraire, seuls Arthur, Lancelot et Galaad sont pourvus d'armoiries stables dès le XIIIe siècle. Pour tous les autres compagnons de la Table Ronde, y compris Gauvain, Perceval et Tristan, il faut attendre l'extrême fin du XIVe siècle pour voir le même personnage toujours doté des mêmes armoiries par les artistes. Les miniatures sont un excellent guide pour étudier cette transformation, dans les sources figurées, d'une héraldique fantaisiste purement ornementale en un système précis et constant permettant d'identifier n'importe quel personnage de l'univers arthurien. Les années 1400-1410 seront ensuite compilés les premiers « armoriaux des chevaliers de la Table Ronde », sortes d'aide-mémoire destinés aux enlumineurs, qui deviendront innombrables à la fin du XVe siècle.

Avec ce manuscrit du *Conte du Graal* de Chrétien et de ses principaux continuateurs, nous ne sommes que vers 1325-1330. Ni Perceval ni Gauvain ne portent encore leurs armoiries traditionnelles (*de pourpre semé de croisettes d'or* pour le premier, *de pourpre à l'aigle bicéphale d'or* pour le second), mais sont dotés d'écus de fantaisie ou bien, comme ici, d'armoiries que l'artiste a probablement empruntées à des familles véritables vivant autour de lui. C'est là une habitude fréquente dans la miniature médiévale, et parfois un moyen pour localiser, voire dater, le manuscrit.

BIBL. : A. Hilka, *Der Percevalroman, Li Contes del Graal,* Halle, 1932, p. VI-XLVIII. — R.S. et L.H. Loomis, *Arthurian Legend in Medieval Art,* New York, 1938, p. 101-102 et fig. 263-266. — M. Pastoureau, «Remarques sur les armoiries de Gauvain», *Mélanges Charles Foulon,* II, Liège, 1981, p. 229-236.

Paris, Bibliothèque nationale
ms. fr. 12577

349

349
Les armoiries des Preux

Savoie (ou Piémont), vers 1394-1395
Parchemin, 209 ff., 340 × 262 mm

Attesté dès le XIIIe siècle, le thème des Neuf Preux, popularisé par un poème du cycle d'Alexandre, *Les vœux du paon (no 302),* composé vers 1312 par Jacques de Longuyon pour l'évêque de Liège Thibaut de Bar, connut une vogue inouïe dans l'iconographie européenne jusqu'au milieu du XVIIe siècle. Choisis dans les trois *lois :* païenne (Hector, Alexandre, Jules César), juive (Josué, David, Judas Maccabée) et chrétienne (Arthur, Charlemagne, Godefroi de Bouillon, auxquels on ajouta plus tard Du Guesclin), ces héros étaient des modèles proposés aux chevaliers du Moyen Age finissant. Peints sur les murs et dans les manuscrits, inscrits dans la pierre ou le métal, représentés sur le vitrail et la tapisserie, ils formaient le thème ornemental préféré des milieux aristocratiques en France à l'époque de Charles V et de Charles VI. Cinq d'entre eux figurent encore sur nos cartes à jouer.

Le XIVe siècle nous a laissé plusieurs témoignages artistiques de cette vogue du thème. Ainsi la célèbre triple tenture exécutée vers 1385 pour le duc Jean de Berry et aujourd'hui conservée à New York, sous forme de fragments (aucun n'a malheureusement pu être prêté pour la présente exposition), au musée des Cloîtres. Ainsi la miniature présentée ici, peinte dans l'unique et luxueux manuscrit conservé du vaste roman allégorique et didactique de Thomas III marquis de Saluces, *Le Chevalier errant,* composé probablement vers 1394. Cette peinture servit de modèle pour une fresque sur le même thème, exécutée entre 1411 et 1430 dans la grande salle du château de La Manta en Piémont, appartenant à Valerano de Saluces, fils naturel de Thomas III.

Comme tous les personnages imaginaires et les héros de l'Antiquité et du haut Moyen Age, les Neuf Preux ont été dotés d'armoiries. Les plus anciens blasonnements de celles-ci datent des années 1330-1340. Les Preux portent ici leurs armes traditionnelles; l'erreur qui inverse parfois les armes d'Alexandre et celles d'Hector n'a pas été commise ici. Notons qu'au verso de ce même feuillet, une autre miniature représente les Neuf Preuses d'une manière similaire, porteuse d'écus armoriés. Le thème des Preuses est toutefois moins répandu que celui des Preux, et leur héraldique, beaucoup plus instable.

BIBL. : E. Gorra, «La novella della Dama e dei tre papagalli», *Romania,* 1892, p. 71-79. — N. Jorga, *Thomas III marquis de Saluces. Étude historique et littéraire...,* Saint-Denis, 1893. — R.L. Wyss, «Die neun Helden. Eine ikonographische Studie», *Zeitschrift für Schweizerische Archäologie und Kunstgeschichte,* 17, 1957, p. 73-106. — H. Schroeder, *Der Topos der Nine Worthies in Literatur und bildender Kunst,* Göttingen, 1971. — M. Pastoureau, *Traité d'héraldique,* Paris, 1979, fig. 274.

Paris, Bibliothèque nationale
ms. fr. 12599, fo 125

350
Le roman de
Godefroi de Bouillon

Paris, 1337
Parchemin, 300 ff., 401 × 302 mm

Dès la fin du XIIe siècle, l'imagination occidentale attribua des armoiries aux principaux chefs païens adversaires des croisés en Terre Sainte. Cette habitude alla en s'accentuant au fil des décennies, et les miniatures des différents romans rattachés à la légende du chevalier au cygne ou au cycle de la croisade offrent ainsi à l'historien des emblèmes ou des mentalités un vaste répertoire de l'héraldique « sarrasine » telle qu'elle était pensée par les auteurs et les artistes. Les figures du blason qui sont le

350

plus souvent attribuées aux Infidèles sont le dragon, le basilc, le serpent, la tête de more (pas toujours de *sable*), la hure de sanglier et le croissant. Les émaux *gueules* et *sable* prédominent, et enfreignent fréquemment la règle d'emploi des couleurs héraldiques.

Le manuscrit présenté est celui d'une vaste compilation des romans de la croisade (premier et deuxième cycles) : « Li rommans de Godefroy de Buillon et de Salehadin et de tous les autres roys qui ont esté outre mer jusques a saint Loys qui darrenierement y fu ». Travail parisien daté de 1337, il est orné de vigoureuses miniatures où le décor héraldique est constamment présent et signifiant.

BIBL. : A.G. Krueger, « Les manuscrits de la chanson du Chevalier au cygne et de Godefroy de Bouillon », *Romania*, 1899, p. 421-426. — A.L. Frey, *The Swan Knight Legend...*, Nashville, 1931. — S. Duparc-Quioc, *Le cycle de la croisade*, Paris, 1955, p. 98-143.

Paris, Bibliothèque nationale
ms. fr. 22495

351
Sceau de majesté de Charles VI

Paris, vers 1385-1386

+ KAROLVS : DEI : GRA / CIA : FRANCORVM : REX
Le roi assis en majesté sous une arcature gothique, deux lions couchés sous ses pieds. Il est vêtu d'un ample manteau agrafé sur l'épaule droite et tient la main de justice dans la main gauche et le sceptre dans la droite. Les accoudoirs du trône sont ornés d'une fleur de lis sortant de la corolle d'un lis au naturel
Sceau rond, 103 mm ; cire verte sur lacs de soie rouge et verte

351

Contre-sceau : Anépigraphe. L'écu de France aux trois fleurs de lis pendu par sa guiche au cou d'un ange tenant le sceptre et la main de justice. 36 mm

Contrairement à la plupart de ses prédécesseurs et successeurs, Charles VI n'utilisa qu'un seul grand sceau de majesté au cours de son interminable règne. Ce sceau ne diffère des sceaux au type de majesté des précédents rois de France (depuis Louis X) que par de menus détails concernant le manteau et la position des mains, l'arcature gothique et les bras du trône. Sur le grand sceau de Jean le Bon, ceux-ci se terminaient par des aigles ; Charles V remplaça les aigles par des dauphins et ce motif sera repris pour le premier sceau de majesté de Charles VII, nous avons un double lis, héraldique et naturaliste.

BIBL. : L. Douët d'Arcq, *Arch. de l'Empire... Coll. de sceaux*, I, Paris, 1863, nos 68 et 68 bis. — G. Demay, *Le costume au Moyen Age d'après les sceaux*, Paris, 1880, p. 77-89.

Paris, Bibliothèque nationale
Cabinet des Médailles, coll. Bastard de l'Étang, no 6

352
Grand sceau du duc Jean de Berry

Paris, vers 1377-1380

S : IOH'IS : FILII : REGIS : Z : PARIS : FRANCIE : DVCIS : BITHVRICENSIS : Z : ALVERNIE COMITIS : PICTAVENSIS : *

352

Dans une niche gothique, le duc debout, de face, barbu, la tête ceinte d'un bandeau de pierreries, vêtu d'un manteau à mante et revers d'hermine, tenant de la main droite un sceptre fleuronné ; un gant pend à son poignet gauche. Dans deux niches latérales, à gauche un ours accroupi et coiffé d'un heaume cimé d'une double fleur de lis ; à droite, un cygne portant autour du cou l'écu de Berry (un semé de fleur de lis à la bordure engrelée) suspendu par la guiche

Sceau rond, 97 mm, cire verte sur lacs de soie verte et rouge

Contre-sceau : CONTRASIGILLVM MAGNI SIGILLI NOSTRI. Écu aux armes de Berry, timbré d'un heaume cimé d'une double fleur de lis, et soutenu par un ours et par un cygne, le tout dans un trilobe à redents. 39 mm

Ce sceau est le troisième grand sceau du duc de Berry. Malgré l'absence de tout document d'archives concernant sa gravure, il est probable que la matrice a été gravée par un orfèvre parisien et non pas berruyer. Ce n'est qu'à la fin de son règne que le duc fit graver ses sceaux à Bourges (parfois par des orfèvres italiens). Ce grand sceau fut utilisé par la chancellerie ducale de 1377 à 1415. L'empreinte présentée ici a été détachée de son acte et se trouve de ce fait indatable. Les lacs de soie verte et rouge indiquent qu'elle scellait un acte solennel.

Ce type de sceau en pied fut largement utilisé dans les milieux princiers entre 1360 et 1420. On notera ici l'importance du décor héraldique : le heaume à fleur de lis carrée de la maison de France, les deux *devises* préférées du duc de Berry (formant rébus pour rappeler le nom d'une de ses maîtresses, la dame des Oursines) utilisées comme supports, et l'écu au semé de fleurs de lis brisé d'une bordure engrelée, conservé par le duc jusqu'à la fin de sa vie pour ses grands sceaux, alors que dans les armes royales le semé était réduit à trois fleurs de lis depuis 1372-1376.

BIBL. : L. Douët d'Arcq, *Arch. de l'Empire... Coll. de sceaux,* 1, Paris, 1863, nᵒˢ 421 et 421 bis. — R. Gandilhon, *Inv. des sceaux du Berry antérieurs à 1515,* Bourges, 1933, p. XLV-XLVIII et nᵒˢ 5 et 5 bis. — F. Eygun, *Sigillographie du Poitou jusqu'en 1515,* Poitiers, 1938, p. 110-111 et nᵒ 21.

Paris, Bibliothèque nationale
Cabinet des Médailles, coll. Bastard de l'Étang, nᵒ 46

353
Grand sceau du duc Louis II de Bourbon

Paris, vers 1380

Légende détruite (S' LVDOVICI DVCIS BORBO-NEN(sis) CO(m)ITIS CLAROMONTEN(sis) ET FO-REN(sis) PARIS ET CAMERII FRA-(n)CIE. Sous un pavillon fermé par une tenture frettée et semée de soleils, le duc debout, vu de face, vêtu d'une cotte aux armes de Bourbon (un semé de fleurs de lis à la bande brochant) passée sur son armure, et tenant de la main droite une épée nue. A gauche, au sol, l'écu de Bourbon posé contre une colonnette, timbré d'un heaume couronné et cimé d'une queue de paon miraillée

Fragment de sceau rond, 84 mm ; cire verte sur lacs de soie verte

Contre-sceau : + CONTRASIGILLVM MAGNI SI-GILLI NOSTRI. Les armes de Bourbon dans le champ circulaire du contre-sceau. 32 mm

Ce sceau est l'un des plus beaux sceaux français du XIVᵉ siècle. Il a été gravé par un orfèvre parisien dont le nom ne nous est pas parvenu. On notera l'habileté avec laquelle le graveur a dissimulé la brisure de la maison de Bourbon : sur la cotte d'armes la bande se confond avec le baudrier de l'épée, et sur l'écu posé à terre elle se confond avec la colonnette placée derrière l'écu. Grâce à cette subtile composition, les armes peuvent passer pour les armes pleines de la maison de France. Aux XIVᵉ et XVᵉ siècles, les brisures des branches cadettes sont en

effet mal acceptées dans les milieux aristocratiques, et des procédés artistiques de ce genre ne sont pas rares pour les rendre plus discrètes.

Louis II, duc de Bourbon, était l'arrière petit-fils de Robert de Clermont, fils de saint Louis et sire de Bourbon par son mariage avec Béatrice de Bourgogne. La seigneurie de Bourbon fut érigée en duché en 1327. Compagnon de Du Guesclin, excellent administrateur, le « bon duc Loys » fut un des régents de France à la mort de Charles V.

BIBL. : L. Douët d'Arcq, *Arch. de l'Empire... Coll. de sceaux,* I, Paris, 1863, nᵒˢ 452 et 452 bis. — Y. Metman, « Le sceau du bon duc Loys et les sceaux en pied », *Club français de la médaille. Bull.,* nᵒ 45, 1ᵉʳ trim. 1978, p. 45-47. — M. Pastoureau, *Traité d'héraldique,* Paris, 1979, p. 180-181 et fig. 101.

Paris, Bibliothèque nationale
Cabinet des Médailles, coll. Bastard de l'Étang, nᵒ 61

354
Matrice du sceau de Girard d'Albret

Bordeaux (?), vers 1390

S' : GIRART / : DE LA BRET

Type armorial : écu penché, écartelé d'un lion et d'un plain à la bordure engrelée, timbré d'un heaume cimé d'une tête de griffon, et soutenu par deux hommes sauvages au naturel

Matrice en bronze, avec appendice dorsal plat monté sur charnière. 34 mm

Probablement gravé par un orfèvre bordelais, ce sceau d'un petit seigneur appartenant à la branche cadette des Albret de Lesparre, ne présente en lui-même rien de particulièrement notable. Mais il appartient à cette série des sceaux héraldiques au type « à l'écu timbré » (écu aux armes, penché, timbré d'un heaume cimé et tenu par deux supports) qui représente les deux tiers des sceaux de personnages, tant nobles que roturiers, en Europe occidentale aux XIVᵉ et XVᵉ siècles.

BIBL. : Matrice inédite ; aucune empreinte publiée ni même repérée.

Paris, Bibliothèque nationale
Cabinet des Médailles, matrices 2004

354

355

355
Matrice du sceau de la ville de Wasseignes

Arras, vers 1380

+ SIGILLVM VILLICI : ET SCABINORVM : VILLE : DE WASEGE

Dans un polylobe orné de croisettes, écu au lion couronné

Matrice en cuivre, appendice dorsal fixe orné d'un trilobe. 48 mm

L'épigraphie de la légende, la mise en page, le lion agressif et maniéré, tout dans ce sceau indique qu'il est sorti de l'un de ces prolifiques ateliers arrageois qui, à la fin du XIVe siècle, ont fourni un grand nombre de sceaux aux personnes physiques et morales (ici une petite ville des confins du Brabant et du pays de Liège) de la France du Nord et des Pays-Bas méridionaux.

Paris, Bibliothèque nationale
Cabinet des Médailles, coll. Claudius Côte 686

356
Huit pièces de monnaies

De 1339 à 1388
Or
Pavillon d'or de Philippe VI (1339). BN 509
Ange d'or de Philippe VI (1341). BN 539
Chaise d'or de Philippe VI (1346). BN 555
Mouton d'or de Jean II (1355). BN 624
Franc à cheval de Jean II (1360). BN 706
Franc à pied de Charles V (1365). BN 776
Lion heaumé d'or de Louis de Male, comte de Flandre (1380). BN, Féod. 1163

Noble d'or de Philippe le Hardi, duc de Bourgogne et comte de Flandre (1388). BN, Féod. 1195

A la fin du XIIIe siècle, la monnaie française entre, et pour un long moment, dans une

période d'instabilité caractérisée par des dévaluations, des réévaluations et des manipulations de toutes natures. On passe rapidement d'une période de monnaie forte à une période de monnaie faible et réciproquement. Ces phénomènes ne sont du reste nullement l'apanage de la France mais jusqu'à la fin du Moyen Age, le peuple ne cesse de réclamer le retour à la « bonne monnaie du roi saint Louis », c'est-à-dire à une monnaie stable.

Philippe le Bel a gardé dans l'histoire la réputation de roi faux-monnayeur ; c'est là un jugement hâtif et injuste. D'une part, les premiers Valois Philippe VI et, surtout, Jean le Bon ont manipulé la monnaie au moins autant que lui. D'autre part, toutes ces manipulations royales n'étaient nullement destinées à enrichir la cassette personnelle du souverain ; elles étaient imposées par les

356

circonstances : la guerre, le ralentissement de l'économie, la raréfaction des métaux précieux. Jusqu'au règne de Charles V, il fallut sans cesse adapter le cours légal de la monnaie, désormais bimétallique, au cours commercial des métaux précieux qui variait selon la loi de l'offre et de la demande. D'où une incessante variation du rapport de valeur entre l'or et l'argent et un décalage permanent entre la monnaie de compte et la monnaie effectivement frappée et mise en circulation. Les transactions étaient en effet exprimées en monnaie de compte — livres, sous, deniers — monnaie abstraite, immuable, mais ne correspondant plus à des pièces réelles. Chaque fois que le roi émettait une nouvelle pièce, il devait définir son cours légal, c'est-à-dire sa valeur en monnaie de compte. Mais par la suite il pouvait aisément modifier cette valeur car sur les pièces ne figurait aucune indication, aucun chiffre. Une simple décision du souverain pouvait faire qu'une pièce valant 12 deniers n'en valût plus que 9 du jour au lendemain. Ces changements de cours continuels étaient funestes aux revenus fixes, ceux des nobles notamment (cens, rentes). En outre, le roi pouvait modifier le titre des pièces, c'est-à-dire la proportion de métal précieux entrant dans l'alliage, ou bien leur poids en ordonnant que dans une même quantité de métal on tailla un plus grand (ou un plus petit) nombre de pièces.

Ce fut Charles V qui entreprit d'assainir et de stabiliser la monnaie, puis de l'imposer dans tout le royaume au détriment des monnaies étrangères et féodales. Il commença ses réformes dès avant son avènement, alors que son père était prisonnier à Londres. Pendant cette période, se situe une date remarquable dans l'histoire du monnayage français : celle de la création du franc, le 5 décembre 1360, peu après la paix de Brétigny. L'ordonnance royale prévoyait la frappe d'une pièce d'or pur pesant 3,88 grammes et valant 20 sous en monnaie de compte, c'est-à-dire exactement une livre. Désormais, jusqu'à la fin de l'Ancien Régime, malgré la dévaluation progressive de la livre et les mutations du franc, livre et franc resteront synonymes. Cette nouvelle pièce, représentant le roi à cheval, était en partie destinée à payer sa rançon et tirait son nom de cette effigie. Malgré une situation difficile, malgré, surtout, la raréfaction de l'argent, la stabilisation de la monnaie opérée par Charles V dura une cinquantaine d'années.

Bien qu'elles soient frappées sur des flancs minces, et parfois à la hâte, les monnaies d'or du XIVe siècle présentent une qualité artistique exceptionnelle dans toute l'histoire du monnayage français. Les types sont presque tous héraldiques ou sigillaires, et le style suit, sans guère d'archaïsme, l'évolution du style ornemental tout au long du siècle. On présente ici quelques-unes de ces pièces, choisies parmi les plus belles.

Paris, Bibliothèque nationale
Cabinet des Médailles

éramique

Christopher Norton

Les pavements décorés ne comptent pas parmi les plus prestigieux des monuments artistiques du Moyen Age, ni parmi les plus connus. Cependant, dans une bonne partie de la France, presque toutes les grandes églises et tous les grands châteaux, ainsi que beaucoup d'églises paroissiales, de manoirs et d'hôtels particuliers, ont dû être ornés de ces pavements. A cette époque les tapis étaient hors de prix pour tous sauf les plus riches, et les rares qui existaient auraient été trop précieux pour les placer par terre. On utilisait donc des pavements décorés qui, avec les sculptures, les peintures murales, les vitraux, etc., constituaient un élément important dans la décoration architecturale des bâtiments.

Au XIVe siècle les pavements étaient presque sans exception composés de carreaux de céramique glaçurés. Ils étaient normalement en argile brun-rouge avec un dessin en engobe blanchâtre. Une glaçure plombifère transparente ajoutait une teinte jaunâtre brillante (no 362). Parfois on trouve des carreaux en argile blanchâtre avec dessin en engobe rouge, comme ceux fabriqués à la tuilerie de Chantemerle (nos 360-361). Les dessins comprennent normalement des motifs géométriques et floraux, des animaux, des monstres et des personnages, des armoiries et parfois des inscriptions — bref, tout ce qui est courant dans l'art décoratif de l'époque. Il est difficile, avec quelques carreaux isolés, d'évoquer l'effet splendide d'un pavement entier de carreaux glaçurés, mais les pièces exposées illustrent en quelque mesure la variété des motifs utilisés.

A cette période la plupart des carreaux étaient fabriqués dans des tuileries commerciales, parfois sans grande prétention artistique. Mais il y en a d'autres qui sont d'une qualité technique et artistique remarquable, surtout si l'on considère la grossièreté des argiles et les problèmes de fabrication. On peut citer par exemple les carreaux funéraires connus de plusieurs sites en Basse-Normandie, et le carreau provenant de Longues (no 357) et, beaucoup moins connus, les carreaux peints de faïence. Généralement associée avec le XVIe siècle, la faïence apparaît déjà sur les carreaux dans le Sud de la France à la fin du XIIIe siècle, et les carreaux de faïence, avec glaçure stannifère et dessin peint, sont connus très largement au XIVe siècle. La technique avait été sans doute introduite d'Espagne, et les carreaux de faïence provenant d'Avignon (nos 358-359) sont non seulement dans le style hispano-mauresque, mais étaient même peut-être fabriqués en Espagne. On en trouve avant le milieu du XIVe siècle en Anjou et en Flandres, et à la fin du siècle particulièrement dans certains des bâtiments construits par Philippe le Hardi et Jean de Berry. La plupart des carreaux de faïence portent des dessins peints en vert et brun, et le fragment provenant d'Hesdin (n° 364) est de ce genre. Mais Philippe le Hardi et Jean de Berry faisaient faire aussi des carreaux de faïence avec dessins en vert, brun, bleu et or, qui sont sans parallèle à cette époque, sauf en Espagne. Ce n'est donc pas une coïncidence si les carreaux pour la chartreuse de Champmol (conservés au musée des Beaux-Arts, Dijon) furent fabriqués, entre 1383 et 1388, par un Espagnol, nommé Jehan de Gironne. Les carreaux pour les châteaux ducaux de Poitiers et de Bourges furent fabriqués par un autre Espagnol (*cf.* n° 362). Ils auraient été vraisemblablement appelés en France spécialement pour exécuter ces commandes. Nous ne possédons malheureusement que quelques menus fragments de ces carreaux, mais ils sont néanmoins d'un intérêt historique et artistique exceptionnel. Les demeures de Louis d'Anjou et de Charles V, par contre, n'ont fourni jusqu'ici que des carreaux avec dessin en engobe ordinaires (*cf.* n° 361). Des carreaux de ce genre se retrouvent aussi dans plusieurs des châteaux ducaux de Bourgogne datant de l'époque de Philippe le Hardi. Les plus intéressants du point de vue iconographique sont ceux provenant du château de Germolles, dont deux sont exposés (n° 363). La documentation sur tous ces carreaux est exceptionnellement complète, et, avec les restes eux-mêmes, elle nous montre l'importance des carreaux de pavage dans la décoration architecturale des châteaux royaux et ducaux de la fin du XIVe siècle.

357

357
Carreau

Chapelle de Fumichon, abbaye de Longues-sur-Mer (Calvados), milieu du XIVe siècle
Terre cuite avec dessin en graffite en engobe blanchâtre sur fond brun-rouge ; glaçure plombifère jaunâtre
250 × 250 × 30 mm

Un des rares carreaux avec un dessin vraiment religieux, il est le seul qui reste d'un grand panneau figurant l'adoration des mages. Les scènes du Nouveau Testament étaient représentées très rarement sur les pavements, étant plutôt réservées pour les peintures murales, les vitraux, etc. L'état de conservation presque parfait de ce carreau indique qu'il provient d'un panneau mural ou peut-être d'un retable. Beaucoup plus grand que la plupart des carreaux médiévaux, celui-ci est décoré selon une technique peu commune, et est d'une qualité artistique et d'une finesse graphique exceptionnelles. Il aurait été fabriqué par le même atelier, établi probablement à Molay près de Longues, qui fabriqua les grandes plates-tombes, beaucoup plus connues, qui ont été également trouvées à Longues et dans plusieurs autres abbayes normandes.

BIBL.: F. de Mély, «Les origines de la majolique française», *G.B.A.*, 1885, p. 229-250. — P. de Farcy, *Abbayes de l'Évêché de Bayeux, IV Notre-Dame de Longues*, Laval, 1886, p. 44-45.

Angers, musée des Beaux-Arts
Inv. 12,960

358
Deux carreaux à motifs animaliers

Provenant de Châteauneuf-du-Pape
Première moitié du XIVe siècle
Terre cuite

A) Carreau décoré d'un oiseau
129 × 127 × 20 mm

Réalisé dans une argile réfractaire, ce carreau couvert d'un émail stannifère blanc porte un oiseau stylisé dans une attitude agressive. Le profil tracé au brun de manganèse est complété par un aplat au vert de cuivre sur le cou, le corps et la queue. L'aile et la cuisse sont marquées par une surface brun clair où le détail des plumes a été surchargé. Le dessin d'une grande pureté semble évoquer un rapace à cause des serres très nettement marquées et des six traits bruns ondulés issus de son long bec assimilables peut-être à des serpents. La valeur symbolique de cette figure, sans doute issue d'un répertoire hispanique, devient ici décorative.

B) Carreau décoré d'un poisson
127 × 130 × 20 mm

De même facture que le précédent, ce carreau est décoré d'un poisson allongé et recourbé. Le profil très pur tracé au brun de manganèse est agrémenté de nageoires hachurées de brun. La tête au museau aplati, uniquement réalisée au brun de manganèse, est précédée par une sorte de large collier vert marqué par un trait ondulé brun transversal. S. Gagnière y verrait assez bien l'évocation d'une murène malgré certaines invraisemblances anatomiques.

Les fouilles du château de Jean XXII, édifié entre 1317 et 1333, ont permis de recueillir une grande quantité de carreaux de pavement unis ou historiés de la première moitié du XIVe siècle. Une quantité impressionnante de carreaux de faïence ont été retrouvés à Châteauneuf-du-Pape, à Avignon ou à Narbonne.

A côté de quelques rares exemplaires à personnages, les décors se composent le plus souvent d'animaux (mammifères, oiseaux, poissons) réalistes, fantastiques ou héraldiques ; de végétaux stylisés ; de blasons ou de motifs géométriques. Ces carreaux d'une facture très particulièrement soignée se distinguent de ceux utilisés dans la demeure pontificale avignonnaise.

BIBL.: S. Gagnière, J. Granier, «Les carrelages du château de Jean XXII à Châteauneuf-du-Pape», *Mém. de l'Académie de Vaucluse*, VII, 1973-1974, p. 29-62.

Avignon, musée de l'Œuvre du Palais des Papes
Inv. 51 et 6

358 A

358 B

359 A

359 B

vales en Uzège et dans le Bas-Rhône..., Thèse de troisième cycle dactylographiée, Aix-en-Provence, 1980.

Avignon, musée de l'Œuvre du Palais des Papes
Inv. 166 et 167

360
Quatre carreaux de pavage

A, B, C) Ancien cellier Saint-Pierre, Troyes (Aube)
D) Provenance inconnue, vers 1375
Terre cuite blanchâtre avec dessin en engobe rouge ; glaçure plombifère jaunâtre
120 × 120 × 20 mm

359
Deux carreaux à motifs géométriques

Provenant du Palais des Papes ; découverts en 1978, en réemploi dans le rempart nord de Benoît XII
Milieu du XIVe siècle
Terre cuite

A) Carreau décoré d'un damier
116 × 117 × 19 mm

La face supérieure de ce carreau réalisé en argile calcaire porte un damier assez régulier de six carrés dont le tracé est réalisé au brun de manganèse sur émail stannifère blanc. Le remplissage alternatif des carrés au vert de cuivre a été exécuté de manière très rapide sans aucun soin ni respect du canevas initial. Les oxydes métalliques utilisés ici sont exceptionnellement riches, produisant des teintes vives.

B) Carreau décoré de quatre spirales
121 × 120 × 18 mm

De même réalisation et matière que le précédent, ce carreau est décoré de quatre spirales au trait brun assez malhabile, inscrites dans un cadre composé de deux traits bruns encadrant un bandeau vert. Les spirales, se détachant sur le fond blanc de l'émail stan-

nifère, sont séparées par un large trait vert qui part du cadre pour les englober totalement dans un mouvement tournant peu respectueux du tracé.

Les études menées dans les archives de la Chambre Apostolique et sur le monument ont permis de recueillir des informations capitales sur les carreaux de pavement qui y furent installés durant tout le XIVe siècle. La découverte du pavement d'origine du studium de Benoît XII montre un exemple d'organisation générale du revêtement : la répétition systématique de trois carreaux vert, jaune puis décoré, s'observe sur les bordures et sur l'ensemble du sol. Ils sont disposés en diagonale. Les motifs sont le plus souvent végétaux ou géométriques. L'origine réfractaire des argiles s'accorde avec l'un des principaux lieux de commande indiqué par les textes : Saint-Quentin-la-Poterie (Gard).

Le style des motifs et la vivacité des coloris, très éloigné du style gothique contemporain, rappelle les poteries hispano-mauresques communes dans le Nord-Est de l'Espagne et en Provence. Certains carreaux d'Avignon, d'ailleurs, ont été vraisemblablement importés d'Espagne.

360 A

360 C

BIBL. : S. Gagnière et J. Grenier, « Les carrelages en terre cuite dans les constructions de Jean XXII, de Benoît XII et de Clément VI », Guide illustré d'Avignon, avril-mai 1963. — S. Gagnière, « Découverte d'un carrelage dans le studium de Benoît XII », Guide illustré d'Avignon, 1964, p. 47-54. — S. Gagnière, J. Granier, « Les carrelages en terre cuite au Palais des Papes d'Avignon », Rev. annuelle d'information. Mairie d'Avignon, 1974, p. 13-17. — J. Thiriot, Les fabriques de poteries médié-

Ces carreaux appartiennent à une série, connue dans plusieurs sites de la région de Troyes, qui était fabriquée dans une tuilerie située à Chantemerle, près d'Esternay (Marne). L'emplacement de la tuilerie n'a pas encore été retrouvé, mais certains des carreaux portent des inscriptions avec leur lieu de fabrication et les noms des tuiliers. Ainsi sur le n° D on lit : SIT QUI FIT / CE CARREEL / HA NON RENI / ER FIUS LEN / BERT MOCAUT / DE CHANTEMEL. Les carreaux avec les noms des tuiliers sont en général très rares. Ces carreaux sont d'une qualité technique moyenne et, à part les inscriptions, les motifs sont typiques de ceux que l'on trouve habituellement au XIVe siècle. Sont exposés trois carreaux qui forment une scène de chasse, un motif qui est très répandu sur les carrelages. L'inscription sur le n° B, AVENT MARGA, transcrit probablement un cri de chasse.

BIBL. : L. Leclert, *Musée de Troyes. Carrelages vernissés, incrustés, historiés et faïencés*, Troyes, 1892, n°s 117-119. — C. Boisset, *La céramique dans le Provinois*, Provins, 1978, pl. XVII, n° 5.

Troyes, musée des Beaux-Arts
(A-B-C) Inv. Le Clert, n°s 115-117-118

Provins, musée de la Maison romaine (D)
Dépôt de la Société d'histoire et d'archéologie de l'arrondissement de Provins
Inv. 522

361
Cinq carreaux de pavage

Château de Beauté (Val-de-Marne), vers 1375
Terre cuite blanchâtre avec dessin en engobe rouge ; glaçure plombifère jaunâtre
120 × 120 × 20 mm

Le château de Beauté fut construit par Charles V vers 1373-1375, et il y mourut en 1380. Ce château, totalement disparu, est le seul château royal de la région parisienne qui a fourni des carreaux de pavage de l'époque. Ils appartiennent à la même série, produite à Chantemerle (n° 359), et cer-

360 B

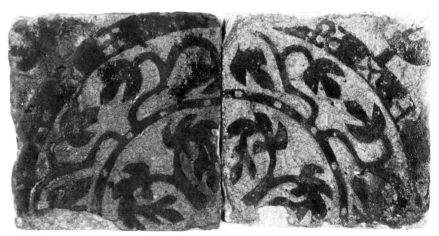

361 A-B

360 D

361 C-D

361E

362

BIBL.: R. Gauchery, « Les carrelages émaillés du duc de Berry au palais de Bourges », *Mém. de la Soc. des Ant. du Centre*, 1934-1935, p. 29-36. — L. Magne, *Le Palais de Justice de Poitiers*, Paris, 1904, p. 159-165. — G. Fombeure et M. Dehlinger, « Les incunables de la faïence française à Poitiers et à Bourges », *Mém. de la Soc. des Ant. de l'Ouest*, 1940, p. 267-305.

Bourges, musées de la ville
Inv. 936.12.3

363
Deux carreaux de pavage

Château de Germolles (Saône-et-Loire), vers 1390
Terre cuite brun-rouge avec dessin en engobe blanchâtre ; glaçure plombifère jaunâtre
130 × 130 × 25 mm

tains des mêmes motifs ont été retrouvés au château. D'autres encore furent découverts à l'hôtel d'Olivier de Clisson (aujourd'hui incorporé dans les archives nationales) : ils étaient donc utilisés dans les demeures principales de l'époque. Sur les nᵒˢ A, B, C, D, on voit des dessins qui, combinés par quatre, forment de petits motifs circulaires typiques des carreaux de pavage. Par contre on ne trouve guère de parallèle pour l'inscription du nᵒ E, qui est composée de deux vers scatologiques : TELLE A BIAU VIS ET BLONDES TRESSES QUI A DOU BRAN ANTRE LES FESSES CE DI LI NIES.

BIBL.: E.C. Norton, *Musée Carnavalet. Les carreaux de pavage du Moyen Age et de la Renaissance*, Paris, à paraître, nᵒˢ 161, 179-180.

Paris, musée Carnavalet
(A-B) Inv. AC 1244 - (C-D) Inv. AC 1245 - (E) Inv. AC 1228

362
Carreau de pavage

Palais de Justice, Bourges (Cher), vers 1380
Terre cuite avec glaçure stannifère et dessin peint en bleu
115 × 65 × 14 mm

Ce fragment, qui est malheureusement dans un mauvais état de conservation, fut découvert au palais du duc de Berry à Bourges en 1935. Il porte les armes du duc, un semé de fleurs de lis à une bordure engrêlée

de gueules. Des fragments semblables ont été trouvés aussi au Palais de Justice à Poitiers. Ils auraient été tous fabriqués par un certain Jehan de Valence, « le Sarrazin », qui est mentionné dans les comptes. En 1384 il vint de Bourges à Poitiers, et là, il fabriqua des carreaux de faïence aux armes et devises du duc entre 1384 et 1387. Les comptes donnent des références très détaillées et très importantes sur les matériaux et les étapes de la production de ces carreaux. Avec les fragments trouvés à la Chartreuse de Champmol, ce sont les seuls carreaux de faïence du XIVᵉ siècle jusqu'ici connus qui soient peints en bleu, selon une technique espagnole.

Le château de Germolles fut reconstruit et décoré pour Marguerite de Flandres par quelques-uns des plus grands artistes de la cour ducale de Bourgogne entre 1382 et 1395. Dans les comptes on trouve des références en 1388 et 1398 à des commandes de carreaux à la tuilerie d'Argilly et surtout à celle de Montot, près Dijon. Beaucoup de ces carreaux ont été retrouvés à Germolles, dont certains portent des dessins qui réapparaissent dans d'autres châteaux ducaux et à la Chartreuse de Champmol. L'iconographie des carreaux rappelle celle de la décoration sculptée et peinte du château, qui a pour la plupart disparu. La brebis (A) rappelle la « Pastorale » de Claus Sluter qui

363 A

363 B

364

ornait l'entrée du château, où l'on voyait le duc et la duchesse sous un orme dans un champ semé de fleurs, et entourés de brebis. D'autres scènes pastorales existaient à l'intérieur. Le chardon (B) était également représenté sur les peintures murales dans une des chambres. Les dessins des carreaux sont donc intimement liés à la décoration architecturale du château, et ils auraient été probablement dessinés par un des artistes qui travaillaient à Germolles.

BIBL.: L. Armand-Calliat, «Carreaux historiés de provenance chalonnaise», Mém. de la Soc. d'histoire et de l'archéol. de Chalon-sur-Saône, 1940, p. 125-137. — J. Devignes, «Le château de Germolles - demeure de plaisance ducale», Archeologia, août 1972, p. 26-31.

EXP.: Pavements de Germolles, Chalon-sur-Saône, 1973. — Les carreaux de pavage dans la Bourgogne médiévale, Autun, 1981, nos 191 et 194.

Germolles, coll. Pinette

364
Carreau de pavage

Château d'Hesdin (Pas-de-Calais), fin XIVe siècle

Jehan le Voleur; ex-coll. Camille Enlart
Terre cuite avec glaçure stannifère et dessin peint en vert et brun
110 × 95 mm

Ce petit fragment fut trouvé au siècle dernier sur l'emplacement du château des Ducs de Bourgogne à Hesdin. En 1391 Philippe le

Hardi commanda à un nommé Jehan le Voleur, ouvrier «de quarriaux pains et jolis», des carreaux «pains à ymages et chiponnés» (?) ou bien «pains à devises et de plaine couleur», sous la direction générale du peintre Melchior Broerderlam. Le grand peintre du duc, donc, avait sans doute supervisé le décor des carreaux, s'il ne l'avait pas dessiné lui-même. Malheureusement nous ne pouvons pas affirmer que ce fragment même soit un des carreaux fabriqués par Jehan le Voleur : car d'autres carreaux dans la région, par exemple à l'abbaye de Saint-Bertin de Saint-Omer et à l'abbaye des Dunes, en Belgique, témoignent d'une production de carreaux de faïence peints dans la Flandre, remontant peut-être à la première moitié du XIVe siècle. On y remarque des personnages inscrits dans des quatre-feuilles tout à fait semblables à ce fragment, et également peints en vert et brun. Néanmoins ce carreau donne une idée de la richesse des pavements dans les châteaux ducaux, et les documents montrent leur connection avec les artistes les plus renommés de l'époque.

BIBL.: J. Houdoy, Histoire de la céramique lilloise, Paris, 1869, p. 1-19. — J. Houdoy, «Les faïences de Philippe le Hardi», G.B.A., 1872, p. 93-96. — C. Enlart, II, 1920, p. 812.

EXP.: Coll. Camille Enlart, Boulogne-sur-Mer, 1977, p. 42, nº 171.

Boulogne-sur-Mer, musée des Beaux-Arts et d'Archéologie
Inv. 10621

365
Vases à usage funéraire

Seconde moitié du XIVe siècle
A) Trouvé sur l'emplacement des Jacobins de la rue Saint-Jacques à Paris, en 1875
H. 0,122 ; Diam. max. 0,125

B) Trouvé à Saint-Marcel en 1873
H. 0,107 ; Diam. max. 0,10

C) Trouvé boulevard Saint-Germain à Paris (fouilles le long de l'église, 27 avril 1876)
H. 0,13 ; Diam. max. 0,12

Ces récipients appartiennent à la catégorie des coquemars que J. Nicourt (Essai de classification des céramiques médiévales parisiennes, Mém. de l'École pratique des hautes études), définit ainsi : vase de moyenne ou de petite dimension, globulaire ou ovoïde, à col court et à embouchure largement ouverte, sans bec tubulaire et le plus souvent sans bec verseur, équipé d'une seule anse verticale. Ce type de récipient apparaît dans la seconde moitié du XIIIe siècle. Dans son usage domestique, c'était sans doute un vase à cuire. Deux exemplaires présentent ici une panse décorée de groupes de flammules rouges. C'est le col court et sans lèvre qui permet de dater ces récipients de la seconde moitié du XIVe siècle. Le coquemar le plus petit a reçu un décor de glaçure jaune sur la panse. Les coquemars composent, sinon la totalité, du moins la majeure partie des récipients funéraires dé-

365 A-B-C

couverts dans les diverses nécropoles parisiennes. Pour l'usage funéraire, les panses étaient percées de trous et on brûlait à l'intérieur de l'encens sur des morceaux de charbons de bois pendant les cérémonies (d'où les traces de combustion à l'intérieur du récipient).

Paris, musée Carnavalet
Inv. AC 2427 ; AC 2984 ; AC 2436

366
Plat à marli

Trouvé en 1977 dans le jardin du Petit-Palais
Seconde moitié du XIVᵉ siècle
Argile calcaire, glaçure stannifère
D. 225 ; H. 35 mm

Entreprise depuis 1977, les fouilles actuelles dans le jardin occidental du Palais Épiscopal d'Avignon permettent de renouveler les connaissances antérieures sur le mobilier et l'alimentation avignonnaise sous la papauté d'Avignon.

Ce plat à marli fait partie des quelques rares pièces actuellement reconstituées sur cette fouille. Cette forme décorée, également présente dans les céramiques monochromes vertes ou blanches, et bien représentée au même titre que les coupes tronconiques ou polylobées, est apparemment inconnue dans le Midi méditerranéen fran-

çais avant le milieu du XIVᵉ siècle. De dimensions très variables, ces plats généralement peu profonds possèdent un assez large marli légèrement oblique, terminé par une lèvre soulignée par un bourrelet, encadrant un large fond plat. Deux trous de suspension sont percés avant cuisson dans la partie médiane du marli. Seule la face interne est couverte d'une glaçure stannifère blanche portant un décor au vert de cuivre et au brun de manganèse. Le large fond est orné d'un quadrilobe vert aux feuilles pointues cernées d'un double trait brun. Les écoinçons sont occupés par un faisceau de trois feuilles lancéolées brunes à l'exception de la médiane au remplissage vert et à la tige marquée par de petits traits bruns. La structure des larges fonds facilite l'exécution de la plupart des thèmes décoratifs utilisés sur les formes ouvertes. Des traits bruns marquent la naissance de la panse et du marli. Ce dernier est orné ici d'un large trait ondulé vert continu remplaçant la plus classique suite de S imbriqués.

Avignon, musée du Petit-Palais

367
Une chope à boire et une cruche

Trouvées en fouille à Avignon en 1966
Seconde moitié du XIVᵉ siècle
Céramique

Les trouvailles de M. J. de Brion dans le jardin de son hôtel de la rue de Pontmartin à Avignon, à partir de 1966, ont permis de renouveler spectaculairement une connaissance jusque-là plus que sporadique.

L'abondance et la diversité du matériel céramique découvert indiquent l'enfouissement rapide de toute une vaisselle. Phénomène rare et qui, malgré les perturbations et apports successifs imposés par la continuité de l'occupation des sols, autorise la saisie au moins partielle de ce que fut l'équipement d'une grande demeure à la fin du Moyen Age et permet de susciter de nouvelles interrogations. Leur étude apporte une contribution importante à l'histoire de la céramique et à la connaissance

367 A

d'un artisanat régional sans négliger les apports de pièces d'importation. En dehors de la grande masse des poteries communes issues des ateliers de l'Uzège, les centaines de majoliques archaïques liées aux carreaux de pavement provenant du Bas-Rhône et de l'Uzège, réalisées dans une argile calcaire pour la plupart ou dans une pâte réfractaire où les formes et les décors sont empreints d'originalité, montrent la continuité de cet artisanat régional où sont présentes formes anciennes et profils nouveaux témoignant dans un certain sens d'un temps de transition.

A) Chope à boire de grand modèle
H. 127 ; Diam. fond 131 mm
LAM 5606

Réalisée dans une argile calcaire assez fine, cette pièce, légèrement tronconique à l'ouverture circulaire très faiblement pincée dans l'axe de l'anse percée pour recevoir un écusson armorié en étain, est recouverte d'une glaçure stannifère monochrome blanche aux reflets légèrement verts. Plu-

366

367 B

368 A   368 B

sieur modèles — avec ou sans bec verseur — ont été étudiés. Certaines chopes, essentiellement à boire (sans bec), portent un décor très réduit surmonté d'une croix au brun de manganèse qui a suscité l'exécution de graffitis comme celui qui figure sur la chope présentée.

L'apparition de cette forme attestée sur d'autres sites (par exemple : Brucato en Sicile) avant le milieu du XIVe siècle et son développement rapide confirme la généralisation de ces formes dans le bassin méditerranéen.

B) Cruche à décor vert et brun

H. 192 ; Diam. panse 128 mm
LAM 6424

Réservées sans doute uniquement au service de la table et parfois au décor intérieur, les céramiques décorées, moins nombreuses que les monochromes, relèvent elles aussi de formes diverses. Cette cruche très représentative de son groupe possède une panse très globulaire montée sur un fond plat légèrement saillant, et un col large et

très haut légèrement évasé et pincé du côté opposé à l'anse verticale rubannée attachée sur la partie médiane du col et de la panse. Elle est couverte de glaçure stannifère blanche (sauf le pied) portant le décor peint au vert de cuivre et au brun de manganèse. La composition de ce dernier est étroitement liée à la forme découpée en niveaux autonomes par des traits de brun parfois soulignés de bandes vertes. La panse est recouverte d'une suite tête-bêche de chevrons imbriqués alternativement verts et bruns. Deux traits bruns curvilignes interrompent cette frise au niveau de l'attache basse de l'anse. C'est essentiellement sur cette partie qu'un très riche répertoire décoratif est exécuté. Un motif de S verts imbriqués couvre la plus grande partie du col. L'anse, absente ici, est généralement dépourvue de décor. Cette décoration toujours soucieuse de distinguer chaque partie de la forme est d'une rapidité d'exécution notable sans contradiction avec une certaine habileté et un souci esthétique manifeste.

BIBL. : G. Demians d'Archimbaud, L. Vallauri, J. Thiriot, « Céramiques d'Avignon. Les fouilles de l'hôtel J. de Brion et leur matériel », *Mém. de l'Académie de Vau-*

cluse, 7e série, I, 1979-1980. — J. Thiriot, *Les fabriques de poteries médiévales en Uzège et dans le Bas-Rhône...*, thèse de troisième cycle dactylographiée, Aix-en-Provence, 1980.

Avignon, coll. Brion

368
Pichets

A)
Poterie à glaçure plombifère jaune, décor de bandeaux verticaux appliqués sur la panse
H. 0,198
Don A. Forgeais, 1860
Paris, milieu XIVe siècle

B)
Poterie à glaçure plombifère verte, usée, décor d'estampage circulaire à la molette
H. 0,192
Don A. Forgeais, 1863
Paris, fouilles de l'ancienne commanderie de Saint-Jean de Latran, milieu XIVe siècle

Jacques Nicourt, dans son *Étude de classification des céramiques médiévales* (Mémoire de l'École pratique des hautes études, inédit, Paris, s.d.) a étudié la typologie des céramiques parisiennes au Moyen Age du XIIe au XVIe siècle. C'est la découverte d'un dépotoir situé rue Soufflot, à Paris, qui lui a permis de dégager les traits les plus caractéristiques de la céramique du milieu du XIVe siècle, époque à laquelle se situent les deux pichets. A cette date, on constate un relatif appauvrissement de la céramique, tant par ses formes que par son décor (abandon des pastilles appliquées, etc.) et par sa glaçure (soit oxyde de cuivre, soit limaille de fer) dont l'emploi se restreint sur la surface du pichet, mais dont la qualité se maintient. Cette évolution se confirmera au XVe siècle, où les décors en creux (à la molette) comme en relief (par application) tendent à disparaître et où la glaçure plombifère est incolore.

Sèvres, musée de la Céramique
MNC 5522^5 et 5971

Fer forgé

369
Grille

Provenant de la cathédrale de Rouen ; dressée, avec une autre grille identique, lors de la construction du jubé ; déposées en 1480 (ou 1550) ; retrouvées à Rouen au XIXe siècle ; don de la première (inv. 581) en 1835, de la seconde en 1866
XIVe siècle
Fer forgé et étampé. H. 2,20 ; L. 1,38

Grille ouvrante à deux battants. Les montants et les traverses délimitent deux registres superposés de décor différent.

La partie supérieure est quadrillée en diagonale par des fers de section triangulaire assemblés deux à deux. Aux points d'intersection, ils sont traversés par des rivets à tête hémisphérique retenus au revers par des rondelles découpées et repoussées en forme de fleurettes. A l'intérieur de chaque carré ainsi formé, quatre fleurons redentés, disposés en rosace, s'inscrivent entre les bras d'une croix, assemblés entre eux par des bagues fermées à chaud. Croix et fleurons se croisent au centre sous un rivet à tête hémisphérique. Deux éléments techniques, confirmés par le style, situent cette partie haute de la grille au XIVe siècle : si les bagues fermées à chaud sont héritées de la tradition romane, les rivets avec ou sans rondelles sont une innovation du XIVe siècle, de même que les ornements étampés (feuilles de chêne aux extrémités des croix, masques humains alternant avec des rosettes aux terminaisons des volutes). Ces motifs se répètent, tous identiques, révélant, par ce fait, le procédé de l'étampage, c'est-à-dire l'empreinte d'un motif par refoulement au marteau du métal chauffé au rouge dans un moule, ou étampe. Les pentures du Portail Sainte-Anne de Notre-Dame de Paris sont un des premiers exem-

369

ples connus de cette technique ; elle date du XIIIe siècle.

Le soubassement de la grille s'ordonne selon un plan très différent : dans chaque espace quadrangulaire convergent quatre fleurons en fleur de lis. La combinaison de ces volutes n'appartient pas au style gothique mais se rapproche davantage des formes connues sous Louis XIII. Les procédés techniques semblent soutenir cette hypothèse. Si l'on retrouve des éléments comparables à ceux de la partie haute (masques et rosettes), leur facture est plus grossière, ce qui laisserait supposer l'intermédiaire de moules repris sur les ornements originaux. D'autres motifs sortent directement du répertoire classique : les graines étampées, sortes de perles alignées en pistils, telles qu'on les retrouve sur les grilles des XVIIe et XVIIIe siècles. Enfin, les quatre grosses bagues ne sont plus celles du Moyen Age, mais se présentent comme des étriers à clavette. La matière de ces deux panneaux inférieurs

n'a pas le même grain, le travail de forge n'est pas de même facture. Tout ceci suggère une restauration de la partie basse de la grille, au début du XVIIe siècle, réalisée peut-être en remplacement d'éléments détériorés.

BIBL. : *Délibérations capitulaires de Notre-Dame de Rouen,* arch. départementales de la Seine-Maritime, série G 2141 (1479-1482). — A. Cochet, *Guide du musée d'Antiquités,* Rouen, 1868, no 90, p. 129. — A. Cochet, *Guide du musée d'Antiquités,* Rouen, 1875, no 100, p. 175. — A. Langlois, «Notes sur les jubés de l'église métropolitaine de Rouen», *Précis analytiques de l'Académie de Rouen,* Rouen, 1868, p. 207 et 247. — J. Vernier, *musée des Antiquités,* Guide du Visiteur, Rouen, 1923, p. 32-33, fig. 39. — C. Vaudour, *La Ferronnerie architecturale,* C.R.D.P., Rouen, 2e éd., s.d.

EXP. : *Treasures from Medieval France,* 1957, no VI-17, p. 248 et 376. — *IXe Centenaire de la cathédrale de Rouen,* Rouen, 1963, no 41, p. 40. — *L'Europe gothique,* 1968, no 508, p. 324.

Rouen, musée départemental
des Antiquités
Inv. 581

Répertoire des artistes

Seuls ont été mentionnés les artistes dont les œuvres, attestées ou attribuées, sont présentées à l'exposition et dont l'existence est connue par plus d'une mention. L'ordre alphabétique suivi est celui des prénoms. Les œuvres qui subsistent en totalité ou en partie sont signalées par un astérisque.

André Beauneveu
(connu de 1359 ? à 1390)

Sans doute originaire de Valenciennes en Hainaut, André Beauneveu dont le nom apparaît pour la première fois dans les comptes de la ville en 1363-1364, est vraisemblablement aussi le « maistre Andrieu » qui travaille en 1360 à la chapelle du château de Nieppe pour Yolande de Bar, le « mestre Andrieu le pointre » mentionné dans un groupe de quittances de Yolande de Bar entre 1359 et 1362, et le « mestre Andrieu le tailleur » qui répare en 1361-1362, une statue de la salle des Jurés de Valenciennes.

En octobre 1364, Beauneveu est à Paris au service de Charles V ; il est son « aimé Andrieu Biauneveu, nostre ymager », à qui est confiée l'exécution du gisant du roi* à Saint-Denis, et de ceux de Jean le Bon*, de ses grands-parents Philippe VI* et Jeanne de Boulogne. Les paiements s'échelonnent jusqu'en juin 1366. On attribue généralement à Beauneveu le seul gisant de Charles V (n° 64), les autres à ses aides. C'est l'unique travail accompli par Beauneveu pour Charles V.

On perd ensuite la trace de l'artiste jusqu'en 1372. Il est peut-être alors allé en Angleterre comme le laisse entendre un texte de Froissart.

En 1372, il est à Tournai ; en 1374, il est payé pour des travaux de peintures à la halle des Jurés de Valenciennes. A la même date, il est au service de Louis de Mâle qui fait édifier son tombeau à Courtrai. Il y travaille jusqu'à la mort du comte (1384) ; cette activité pour la chapelle funéraire du comte de Flandres à Courtrai autorise l'attribution à Beauneveu de la statue de sainte Catherine* (n° 77). Il œuvre aussi à Mâlines où il est l'auteur d'une statue de la Vierge en 1374-1375 et d'une croix en 1383-1384, à Cambrai où il supervise les travaux du clocher de la cathédrale, et à Ypres, où il sculpte une Vierge pour le beffroi de la ville en 1377.

En 1386, il est « ymagier » du duc de Berry, et semble être alors demeuré dans la région jusqu'à sa mort. Le 10 mai 1388, Beauneveu habite à Bourges, dans une maison que vend Guy de Dammartin, architecte du duc. En 1390, d'après Froissart, il dirige les travaux de peinture et de sculpture du château ducal de Mehun-sur-Yèvre. Beauneveu est mentionné comme mort en 1401-1403. Entre 1386 et sa mort, il exécute les peintures d'un psautier destiné au duc de Berry (n° 296), et donne vraisemblablement des esquisses ou des cartons pour les vitraux de la Sainte-Chapelle de Bourges* (n° 332).

Le problème des attributions proposées à Beauneveu, sculpteur, est triangulaire : à Paris, Beauneveu a travaillé pour Charles V en même temps que Jean de Liège ; à Bourges* et à Mehun*, il a sans doute travaillé en même temps que Jean de Cambrai : dès lors se posent de difficiles questions d'attribution qui doivent tenir compte du petit nombre d'œuvres sûres et de leur écart chronologique, mais aussi de l'intervention possible d'autres artistes contemporains. Outre les œuvres discutées dans le catalogue (nᵒˢ 79, 84, 104-106), on peut signaler encore diverses attributions controversées comme les statues du Beau Pilier d'Amiens* et les statues de la Belle Cheminée de Poitiers*.

Barthélémy Cavallier
(connu dès 1372 ; meurt en 1389)

Sculpteur originaire du diocèse de Poitiers, Barthélémy Cavallier est attesté en 1372 à Avignon, où il demeure jusqu'à sa mort : il dirige alors à la Chartreuse de Villeneuve-lès-Avignon les travaux du tombeau d'Innocent VI*.

Le 5 juillet 1377, il reçoit paiement pour sa participation au monument funéraire du cardinal Cabassole* (n° 72). La même année, il est l'auteur d'une statue de saint Pierre destinée à la grande tour du pont d'Avignon.

Claus Sluter
(connu vers 1380 ; mentionné mort en janvier 1406)

Originaire de Harlem en Hollande, Claus Sluter est cité dans un document écrit vers 1380, parmi les tailleurs de pierre de Bruxelles, sous le nom de « Claes de Slutere van Herlam ».

En 1384, il est à Dijon, attaché à l'atelier de sculpteurs du directeur des travaux du duc de Bourgogne, Jean de Marville (+ 1399). En août 1389, Sluter prend la direction de cet atelier qu'il transmet à son tour, peu avant sa mort, à son neveu Claus de Werve (+ 1439). De 1484 jusqu'à sa mort, Claus Sluter a travaillé pour le duc de Bourgogne, et son nom reste attaché à l'entreprise ducale de la chartreuse de Champmol, lieu de sépulture des ducs.

Vers 1384, le projet du tombeau de Philippe le Hardi*, conçu par Jean de Marville est arrêté ; Sluter en assure la sculpture. En 1389, il est mentionné au travail ; en 1392, il achète de l'albâtre pour le tombeau, et en 1395, du marbre noir qu'il va chercher dans le Nord. A la mort de Sluter le monument reste inachevé et c'est son neveu Claus de Werve qui le complète jusqu'en 1410-1411.

Le rôle de Sluter dans le décor sculpté des bâtiments de la chartreuse fut considérable. En 1390, il taille trois statues placées derrière l'autel de l'église : une Vierge à l'Enfant, un saint Jean et un saint Antoine, dont les statues de l'église de Rouvre (Côte-d'Or) conservent aujourd'hui le reflet. En 1390-1391, il exécute d'abord la Vierge* du trumeau du portail de l'église de Champmol, puis la sainte Catherine* et le saint Jean* qui flanquent le portail ; la statue de la duchesse*, et sans doute aussi du duc*, y prennent à leur tour place en 1393. Cette même année, Sluter est envoyé à Mehun-sur-Yèvre avec Jean de Beaumetz, pour « visiter certains ouvraiges de peintures, d'ymaiges et d'entaillures et aultres que Monseigneur de Berry fait faire audit Mehun ». En 1396, Sluter entreprend pour le grand cloître de la chartreuse le célèbre « puits de Moïse » et le Calvaire qui le surmonte* (n° 95).

En dehors de Champmol, Sluter, avec les autres artistes de Champmol, participa au décor du château de Germolles, où il sculpta pour Marguerite de Flandre une scène pastorale qui montrait le duc et la duchesse assis sous un arbre au milieu de moutons.

En avril 1404, Sluter se retire comme pensionnaire libre à l'abbaye de Saint-Étienne de Dijon. Il est mentionné comme mort en janvier 1406.

Drouet de Dammartin
(connu dès 1365 ; meurt en février 1413)

Sculpteur et architecte, Drouet de Dampmartin est en 1365 à Paris, demeurant rue de Joigny et travaille avec son frère Guy au Louvre.

Dès 1369 il est à Bourges au service du duc de Berry. En 1380 il supervise les travaux de la cathédrale de Troyes. En 1383 il dirige l'entreprise de la chartreuse de Champmol, et en 1384, celle du château de Rouvres. En 1387 il œuvre au portail de la Sainte-Chapelle de Dijon

En 1396 il revient en Berry et s'occupe des chantiers de Mehun-sur-Yère, Poitiers, Bourges, Riom, Lussignan et du château de Concressault (n° 107) commencé par son frère Guy. Il meurt en février 1413.

Evrard d'Orléans
(connu dès 1292 ; meurt en 1357)

La carrière d'Evrard d'Orléans, dont le nom figure en 1292 dans les rôles de la taille de Paris, se suit sur plus d'une soixantaine d'années ; elle est liée à la faveur royale, puisqu'en 1304, il est le premier artiste à porter le titre de « peintre du roi ».

Peintre et architecte, Evrard d'Orléans, de 1308 à 1328, travaille à la décoration des châteaux royaux de Viviers-en-Brie, Villers-Cotterets et du Gué-de-Mauni (Sarthe) ; à Paris, il exécute le décor peint de la grande salle du Palais (1322-1323). Il travaille aussi pour l'entourage royal : Mahaut d'Artois l'emploie en 1313 à son autel parisien de la rue de Mauconseil, et en 1314-1315, au manoir de Conflans, en même temps qu'il dirige les artistes qui travaillent au tombeau d'Othon de Bourgogne. De 1328 à 1340, il travaille pour Philippe VI, et en 1352, il supervise les travaux de restauration de la Sainte-Chapelle de Paris.

Evrard d'Orléans fut aussi sculpteur. En 1314, Mahaut d'Artois lui commande un calvaire et une statue de Robert d'Artois pour l'abbaye de Maubuisson. En 1322-1323, il est l'auteur des statues du portail des Merciers du Palais de Paris. Vers 1340, Jeanne d'Évreux lui confie le décor sculpté du maître autel de Maubuisson* (n° 29). En 1341, il passe marché avec les exécuteurs testamentaires du chancelier de France, pour la Vierge à l'Enfant* et la statue de Guy Baudet* de Langres, complétée de celle de saint Mammès* (n° 31).

Guillaume de Nourriche
(connu de 1297 à 1324)

Cité en 1297, 1298, 1299 et 1300, dans les rôles de la taille de Paris où il est domicilié rue de Mauconseil, sur la paroisse Saint-Eustache, Guillaume de Nourrice vend en 1319 sa maison à l'hôpital Saint-Jacques en cours de construction. La graphie toujours hésitante de son nom (Noremiche, Noroee, Noroyce, Noronice, Nourriche) paraît être une simple transposition en français d'un patronyme étranger difficile à entendre pour une oreille française, qui pourrait être Norwich, ville d'Angleterre dont Guillaume était peut-être originaire.

Nous ne connaissons de son œuvre que ce qui a trait au décor sculpté de Saint-Jacques-l'Hôpital auquel il a participé, aux côtés de Robert de Lannoy, de 1319 à 1324. Il était l'auteur de deux des Apôtres du Collège apostolique ; l'une des cinq statues de cet ensemble, conservées au musée de Cluny, lui est attribuée* (n° 10). Il avait aussi taillé une statue de bois de Jean de Marigny, évêque de Beauvais.

Jacquemart de Hesdin
(connu de 1384 à 1413)

Jacquemart de Hesdin, dont la carrière se déroula entièrement au service de Jean de Berry, est connu par différents documents où son nom est orthographié de façon variée (Esdin, Esdun, Oudain, Odin, Hodin). Aucun de ces documents ne nous renseigne sur ses années de formation, mais il est probable qu'il devait être issu du même milieu artistique que son compatriote André Beauneveu, de Valenciennes, dans le sillage duquel il pourrait avoir été attiré à la cour de Bourges. Il apparaît pour la première fois dans les comptes de la chancellerie ducale en 1384, année où il est gratifié d'une somme de 30 livres tournois « pour luys deffraier d'aucuns despens que luy et sa femme firent en la ville de Bourges avant qu'il preist aucuns gaiges ou salaire de monseigneur ». L'artiste est alors qualifié de peintre. En 1398, Jacquemart est impliqué dans une affaire criminelle à Poitiers, avec son valet Godefroy et son beau-frère Jean Petit, tous trois étant accusés d'avoir dérobé « certaines couleurs et patrons » appartenant à un autre peintre employé par Jean de Berry, Jean de Hollande. L'année suivante, l'artiste est à nouveau à Bourges, où le duc lui adresse des lettres par un courrier. Deux manuscrits enluminés pour Jean de Berry lui sont d'autre part expressément attribués dans les inventaires ducaux, le premier, des « très belles heures richement enluminées et ystoriées »*, apparaissant dans l'inventaire de 1402. Données à son frère Philippe le Hardi, duc de Bourgogne, ces Heures sont certainement identifiables avec le ms. 11060-61 de la Bibliothèque royale de Bruxelles. Les inventaires de 1413 et 1416 décrivent un second livre d'heures, « unes très grant, moult belles et riches heures très notablement enluminées et historiées de très grans histoires de la main Jacquemart de Hodin et autres ouvriers de monseigneur », identifiées avec le ms. lat. 919 de la Bibliothèque nationale* (n° 298). Dans son état actuel, le manuscrit se trouve malheureusement privé de ses grandes peintures à pleine page, dont Jacquemart s'était probablement réservé l'exécution. O. Pächt a identifié l'une d'entre elles avec la grande miniature du *Portement de Croix** du musée du Louvre (n° 299). Les petites miniatures du latin 919 sont dues à divers collaborateurs, dont l'un, que l'on trouve fréquemment associé à Jacquemart dans d'autres manuscrits, a été baptisé pseudo-Jacquemart par M. Meiss. Un ex-libris du secrétaire de Jean de Berry, Jean Flamel, indique que les Grandes Heures furent achevées en 1409. A partir de ces deux œuvres documentées, M. Meiss a proposé une reconstitution assez convaincante de l'œuvre de l'artiste : Jacquemart aurait tout d'abord participé à l'illustration des Petites Heures* (n° 297) concomitamment avec Jean Le Noir, mais plus vraisemblablement en remplacement de cet artiste sans doute mort avant d'avoir achevé la décoration du livre d'heures dont il était visiblement le maître d'œuvre. C'est probablement vers la même époque, soit peu après 1384, que Jacquemart collabora avec Beauneveu au Psautier de Jean de Berry* (n° 296) dans lequel on peut lui attribuer quelques miniatures. La première commande importante que lui confie Jean de Berry est le manuscrit des Très belles Heures de Notre Dame* de Bruxelles : là encore la décoration peinte du volume n'est que partiellement de la main de l'artiste à qui Meiss attribue les peintures des Heures proprement dites, à l'exclusion du diptyque initial peint en grisaille représentant Jean de Berry priant devant la Vierge, œuvre d'un artiste distinct dont M. Meiss croit retrouver la main dans les Petites Heures et la Bible de Clément VII au Vatican. L'œuvre majeure de Jacquemart devait être les peintures à pleine page des Grandes Heures, qui ont malheureusement disparu, à l'exception du Portement de Croix du Louvre. Il n'est pas impossible que l'artiste ait été employé par le duc de Berry à des travaux de peintures, et peut-être à des esquisses ou des cartons pour la vitrerie de la Sainte-Chapelle de Bourges* (n° 333).

Jaquet Maci
(attesté de 1325 à 1345)

Une inscription finement tracée à l'encre rouge à la fin de la Bible de Robert de Billyng* (n° 238) indique que celle-ci fut enluminée en 1327 par Jean Pucelle, Anciau de Cens et Jaquet Maci. On a longtemps admis implicitement que les deux collaborateurs de Pucelle dans ce manuscrit travaillaient, tout comme celui-ci, à l'exécution des « histoires », sans tenir compte du fait que, à cette époque, le terme d'enlumineur ne désignait pas exclusivement les peintres chargés d'illustrer les manuscrits, mais recouvrait une variété d'activités spécialisées touchant à la décoration du livre. Dans le cas de Maci, il est désormais établi que son rôle consista à exécuter la surabondante décoration filigranée qui accompagne tous les feuillets de la Bible. Le fait est confirmé par l'existence d'un second manuscrit* dont l'ornementation consistant exclusivement en filigranes, est revendiquée une fois de plus par Maci, dont le nom apparaît cette fois sous forme latinisée (*Jacobus Mathey*). Dans ce manuscrit (Bibl. Vaticane, ms. Rossi 259) daté de 1345, l'artiste déclare être aidé d'un apprenti nommé Laurent, preuve qu'il devait diriger un petit atelier. A ces deux œuvres qui se placent aux deux extrêmes de la carrière parisienne de l'artiste, peuvent être rattachés, en raison des particularités propres aux productions de Maci, d'assez nombreux autres manuscrits généralement destinés à une clientèle ecclésiastique. Le chef-d'œuvre de l'artiste est sans doute le missel à l'usage de Paris* (n°s 268 et 269) dans les trois volumes duquel Maci fait preuve de son incomparable maîtrise graphique et de la fécondité de son talent de décorateur. Une série de manuscrits exécutés pour le pape Jean XXII* et dont la décoration filigranée pourrait être partiellement de la main de Maci, semble indiquer que celui-ci exerça son activité à Avignon au début de sa carrière (*cf.* n° 257).

Jean de Beaumetz
(connu de 1361 à 1391)

On ne sait rien de précis sur son origine. Son nom lui vient sans doute de son lieu de naissance, « Beaumetz » qui peut désigner plusieurs villes du Pas-de-Calais ou de la Somme. Mentionné pour la première fois en juin 1361 comme bourgeois de Valenciennes, il est sans doute à Paris dès 1371 où un document rétrospectif de 1391 semble le concerner. Il entre en 1376 au service du duc de Bourgogne, Philippe le Hardi, comme successeur du peintre Jean d'Arbois, mais quitte la capitale en mai de la même année pour Dijon où il restera jusqu'à sa mort. Les archives de la Côte-d'Or, largement publiées, conservent de nombreuses traces de son activité dans cette région, en particulier au Palais ducal (jusqu'en 1378), au château d'Argilly (de 1384 à 1391), à celui de Germolles (de 1388 à 1390) et à la chartreuse de Champmol (de 1387 à 1395). En 1393, le duc le charge d'accompagner Claus Sluter à Mehun-sur-Yèvre « pour visiter certains ouvrages, entailleurs, etc. que son frère le duc de Berry a fait faire audit lieu » (par André Beauneveu). Décédé le

16 octobre 1396, il est remplacé le 15 août 1397 comme peintre et valet de chambre du duc par Jean Malouel.

Ch. Sterling lui a attribué en 1955 deux Calvaires avec un moine chartreux* (n° 326) dans lesquels il reconnaît les vestiges d'une série de peintures destinées à la chartreuse de Champmol.

Jean de Brecquessent
(connu de 1299 à 1331)

Jean de Brecquessent ou Breclesent est sans doute originaire de Brexent près d'Etaples (Pas-de-Calais), et a dû se former dans le milieu artistique artésien. En 1299, il exécute six statues d'anges et six colonnes de bois pour la chapelle comtale du château de Hesdin.

En 1313 et 1314, il est à Paris, et travaille avec Jean Pépin de Huy au tombeau d'Othon de Bourgogne*, mari de la comtesse Mahaut d'Artois.

Témoin de la diffusion de l'art parisien, il est mentionné en décembre 1331 comme *« magister operis »* de la « Chapelle des Princes » à l'abbaye d'Hautecombe, élevée entre 1331 et 1342. On lui attribue ainsi l'ensemble du décor sculpté de la chapelle* (n°s 15 à 17).

Jean de Cambrai
(connu dès 1375-1376 ; mort en 1439)

Jean de Cambrai, originaire de Rupy, près de Saint-Quentin, est mentionné pour la première fois en 1374-1375, comme « tailleur de pierre » à Cambrai où il travaille au clocher de la cathédrale. De cette activité en Cambrésis, il garde son patronyme.

En 1386-1387, Jean de Cambrai est à Bourges ; il est « yma-gier » du duc de Berry, et désormais reste jusqu'à sa mort fixé dans la région. Le 24 décembre 1397, il rend hommage au duc pour une maison acquise par son mariage avec Marguerite Chambellan, une riche héritière de la ville ; il est alors qualifié de « varlet de chambre de Monseigneur le duc de Berry ». En 1403, il reçoit l'ordre de la Geneste, par acte royal de Charles VI, et ses descendants appartiendront à la noblesse du Berry. Mais on ne possède plus de documents sur lui entre 1403 et la date de sa mort en 1439, connue par son épitaphe dans l'église des Cordeliers de Bourges.

Une seule œuvre de lui est attestée : l'entreprise du tombeau ducal, connue par un paiement fait en 1449 à ses héritiers. Le monument resta inachevé et seuls les éléments de marbre appartiennent à Jean de Cambrai, le gisant* (musée de Bourges), les deux pleurants de Bourges* (n° 111), et de la collection Denys Cochin* (n° 111) et celui de Léningrad*, ainsi que quelques fragments du décor architectural* (n° 112). L'ensemble fut achevé, en albâtre, par Étienne Bobillet et Paul Mosselman, après 1450. On considère généralement aussi comme une œuvre de sa main la statue de marbre de la Vierge à l'Enfant* donnée en 1408 par le duc de Berry aux Célestins de Marcoussis (Seine-et-Oise).

Comme Beauneveu, la présence de Jean de Cambrai en Berry, de 1386 à sa mort, et le rôle qu'il a joué sur les divers chantiers du duc lui ont fait attribuer le groupe de Notre-Dame-la-Blanche* (n° 110) et les priants de Jean de Berry* et de Jeanne de Boulo-gne*, passés de la Sainte-Chapelle à la cathédrale. D'autres œuvres ont été controversées dans leur attribution tantôt à Beauneveu, tantôt à Jean de Cambrai : les prophètes de la Sainte-Chapelle de Bourges* (n° 104), et certains vestiges du château de Mehun-sur-Yèvre (n°s 105 et 106). Enfin, l'influence de Jean de Cambrai a pu susciter en Berry certaines œuvres, telles que la Vierge et le saint Jean-Baptiste de Morogues* (Cher).

Jean de Liège
(connu dès 1357 ; mort en 1381)

Originaire de Liège où demeure son frère, Jean de Liège en 1361 est à Paris, employé à la tombe de Jeanne de Bretagne, mère de Yolande de Bar, pour la chapelle des Dominicains d'Orléans.

Un compte de 1364 le mentionne travaillant sous la direction de Guy de Dammartin à la Grande Vis du Louvre. Il est chargé des statues du roi et de la reine. Il se rend ensuite à Londres, où il apparaît dans les comptes sous le nom de « Hankinon de Liège de Francia », et exécute vers 1367 pour l'abbaye de Westminster le tombeau de Philippa de Hainaut*, femme d'Édouard III.

En 1368, il est occupé au tombeau du cœur du Charles V à la cathédrale de Rouen (n° 67) ; dès lors et jusqu'à sa mort, il travaille pour le roi et son entourage : vers 1370, il est chargé par Jeanne d'Évreux de tailler le gisant de ses entrailles et de celles de Charles IV, pour l'abbaye de Maubuisson* (n° 70), et d'installer les deux autres tombeaux de Jeanne, celui du cœur aux Jacobins et celui du corps* à Saint-Denis.

Jean de Liège meurt en 1381. Son compte d'exécution testamentaire, établi près de deux ans après sa mort, permet de le déduire. Il indique qu'il avait la fonction de sergent d'armes, comme Raymond du Temple, l'architecte avec lequel, d'ailleurs, il était lié, et nous donne la liste d'un grand nombre d'œuvres conservées dans son atelier à sa mort, ou dont le paiement est fait à ses héritiers. On y trouve deux statues du roi et de la reine, dont on ignore la destination, un saint Jean-Baptiste, sans doute pour la chapelle funéraire de Charles V à Saint-Denis (*cf.* n° 75), le tombeau de Philippe d'Aulnoy, maître d'hôtel de Charles V et de sa femme Agnès de Villiers, pour l'église de Moussy-le-Vieux (Seine-et-Marne), les tombeaux de Blanche* et Marie de France* pour Saint-Denis (n° 78), et d'autres œuvres dont la destination nous est inconnue.

L'importance attestée d'une longue carrière parisienne de l'artiste au service du roi et de son entourage, lui ont fait attribuer un grand nombre de commandes royales à Saint-Denis, comme le gisant de la reine et le décor du tombeau de Charles V* (n° 75), ou, pour l'abbaye de Saint-Antoine-des-Champs* (n°s 65 et 66). Dans l'entourage princier on lui a aussi donné les tombeaux de Marie d'Espagne* († 1379) et de Marguerite de Flandre* († 1382) à

Saint-Denis. D'autres attributions, enfin, ont été proposées pour des sculptures isolées. Elles ne reposent que sur des critères de style (nᵒˢ 79, 80 et 81). Ces derniers sont parfois si fragiles, que l'on avance tour à tour les noms de Jean de Liège et de Beauneveu pour une même œuvre (nᵒ 79).

Le compte d'exécution testamentaire de Jean de Liège mentionne aussi un legs fait à Marguerite « femme feu Jehan du Juy » ; on en a parfois déduit des liens de maître à élève entre Jean Pépin de Huy et Jean de Liège qui demeurent hypothétiques et ont été le plus souvent niés.

Enfin, l'identification de Jean de Liège avec Jean de La Croix, auteur des tombeaux de Thevenin de Saint-Léger, bouffon de Charles V, à Senlis, et de Jeanne de Ponthieux, comtesse de Vendôme, ne doit pas être retenue : cet artiste doit être le « Jean de Liège » demeurant, en 1399-1401, à Paris, « pres de la Croix du Tirouer ».

Jean de Liège, charpentier
(connu de 1381 à 1403)

Homonyme du précédent, il est attesté à Dijon dès 1381 sur le chantier de la chartreuse de Champmol : il est payé en 1388 pour les stalles du chœur, et sculpte en 1390 et 1391 deux portes* de bois (aujourd'hui encore dans l'ancienne chartreuse).

En 1399, il est payé pour l'exécution de la chaire des officiants* de Champmol (nᵒ 96), et travaille « en charpenterie, à Paris, pour le compte du duc d'Orléans, à l'église Saint-Pol, où il est l'auteur d'une sorte de retable pour l'autel dédié à saint Jean.

En 1403, Jean de Liège fournit à Marguerite de Flandres, duchesse de Bourgogne, un berceau de parement et un autre d'usage, ainsi que deux cuves à bains assorties de deux « chapelles », ensemble qu'elle offre à sa belle-fille fraîchement accouchée.

Jean Malouel ou Maelwael
(connu dès 1396 ; meurt en 1415)

Membre selon toute vraisemblance d'une famille d'artistes installés à Nimègue en Gueldre, oncle des trois frères Limbourg, Malouel apparaît pour la première fois à Paris en 1396 au service de la reine Isabeau de Bavière. L'année suivante, il succède à Jean de Beaumetz comme peintre en titre du duc de Bourgogne, Philippe le Hardi, charge qu'il conservera sous Jean sans Peur. Il travaille essentiellement à la chartreuse de Champmol dont il décore les murs : fourniture entre autres de « 5 tables de boiz pour autel » (à partir de 1398), dorure et peinture du Puits de Moïse* sculpté par Claus Sluter (de 1400 à 1403)... Outre quelques séjours à Paris et Arras, il serait retourné également à Nimègue, son pays d'origine, en 1405 et 1413. En 1412, le duc Jean sans Peur lui commande un portrait destiné à Jean Iᵉʳ de Portugal. Henri Bellechose le remplace après sa mort le 12 mars 1415.

Parmi les nombreuses œuvres que l'on a proposé de lui assigner, deux semblent devoir plus particulièrement retenir l'attention : la Grande piéta ronde* (nᵒ 327) et une Vierge à l'Enfant entourée d'anges* peinte sur toile (en dépôt à la Gemäldegalerie de Berlin-Dahlem), qui est sans doute nettement plus tardive (vers 1410-1415). Il semble n'avoir pris aucune part à l'exécution du Martyre de saint Denis* (Louvre) qui revient sans doute uniquement à son successeur Henri Bellechose, connu à Dijon de 1415 à 1440.

Jean Le Noir
(vers 1335-1380)

En décembre 1358, le futur Charles V alors régent du royaume, récompensait les services rendus à Jean le Bon son père et à lui-même par l'enlumineur Jean Le Noir et sa fille Bourgot, en leur faisant don d'une « maison ou manoir séant en la rue Troussevache ». L'acte contenant cette donation nous apprend que l'artiste était antérieurement au service de la comtesse de Bar, Yolande de Flandre. Nous retrouvons Jean Le Noir en 1372 et 1375 dans les comptes de Jean duc de Berry. Dans le second de ces comptes l'artiste est encore intitulé enlumineur du roi. On s'est longtemps interrogé sur les œuvres qu'il convenait d'attribuer à cet artiste et ce n'est que récemment, à la suite des travaux de K. Morand et de M. Meiss, que l'on est arrivé à une solution satisfaisante : si l'on prend comme point de départ les Heures de Yolande de Flandre* (British Library) que L. Delisle avait déjà proposé d'attribuer à l'artiste, on est amené inévitablement à reconnaître en Le Noir l'auteur du Bréviaire de Charles V* (nᵒ 287) et d'une partie des Petites Heures* de Jean de Berry (nᵒ 297), attributions qui cadrent parfaitement avec ce que nous apprennent les documents sur les différents mécènes qui employèrent l'artiste. A partir de ces trois manuscrits de base, la carrière de Le Noir peut être remontée à une date nettement antérieure au milieu du siècle, aux environs de 1336, époque où on le voit assumer une part essentielle dans la décoration des Heures de Jeanne de Navarre* (nᵒ 265). Le Psautier de Bonne de Luxembourg*, première femme de Jean le Bon (nᵒ 267) certainement exécuté dans l'atelier de Le Noir peu avant 1349, est sans doute un des travaux que lui avait confiés Jean le Bon. De l'ensemble de ces manuscrits, Le Noir apparaît clairement jusque dans son œuvre ultime, comme le plus brillant des continuateurs de Pucelle, dont il a repris en les interprétant suivant son tempérament propre, un grand nombre de compositions qu'il avait peut-être recueillies avec les carnets de modèles de son maître.

Jean Pépin de Huy
(connu de 1311 à 1329)

Sans doute originaire de Huy près de Liège, Jean Pépin, « entailleur d'alebastre », « tombier », « bourgeois de Paris », apparaît fréquemment dans les comptes de Mahaut d'Artois, de 1311 à 1329. Après la mort de la comtesse, toute trace de son activité disparaît.

En 1311, l'artiste entreprend le tombeau d'Othon de Bourgogne, destiné à l'abbaye de Cherlieu (Haute-Saône) ; le marché de 1312 signale la participation de Pierre Boye. L'œuvre est peinte en 1315 par marché fait par Evrard d'Orléans ; le tombeau, doré par Jean de Rouen, est mis en place dans l'été 1315, avec l'aide de Jean de Lamprenesse. Il n'en reste qu'un pleurant* (coll. Cousin, Vesoul). En 1312, il livre à Maubuisson une pierre bordée de noir pour supporter le gisant d'argent de Robert II, œuvre de l'orfèvre Guillaume Le Perrier ; en 1315, il grave pour l'abbaye de Poligny (Jura), la dalle funéraire de Jean, fils de Mahaut, mort en bas âge ; un dessin de Gaignières nous en conserve le souvenir. En 1317, il est chargé, avec quelques collaborateurs, de la tombe de Robert l'enfant*, fils de la comtesse, pour les Cordeliers de Paris, aujourd'hui conservé à Saint-Denis.

Enfin, de 1312 à 1329, il est payé à quatre reprises par Mahaut d'Artois pour six images d'albâtre envoyées par elle en Artois, au couvent de Sainte-Claire et aux Frères prêcheurs de Saint-Omer, et à l'abbaye de La Thieulloye, près d'Arras, fondée par elle en 1323. En 1329, il est payé pour une autre image d'albâtre envoyée aux Dames Chartreuses de Gosnay, dans laquelle on reconnaît la Vierge à l'Enfant de l'église paroissiale de Gosnay* (no 8).

La seule œuvre de lui que l'on connaisse en dehors du mécénat de Mahaut d'Artois est le tombe de Marguerite de Clermont, comtesse de Namur, pour laquelle contrat fut passé à Paris, en 1326.

Jean Pucelle
(probablement actif depuis les environs de 1320, mort en 1334)

Avec quatre mentions différentes, se rapportant chacune à des œuvres précises et encore conservées, Jean Pucelle est sans doute l'un des artistes français les mieux documentés de tout le XIVe siècle. L'existence de ces mentions n'est sans doute pas fortuite et reflète la position exceptionnelle de l'artiste dans l'enluminure française du second quart du siècle. C'est dans un compte de 1319-1324 qu'il apparaît pour la première fois : la confrérie de l'hôpital Saint-Jacques-aux-Pèlerins le paie pour l'exécution d'un modèle dessiné de son grand sceau, fait intéressant qui prouve que dès le début de sa carrière la réputation de Pucelle comme dessinateur était déjà solidement établie. Encore conservée au XIXe siècle, la matrice de ce sceau n'est plus connue que par un moulage. Les trois autres mentions concernant Pucelle montrent que l'activité de celui-ci était orientée avant tout vers la décoration du manuscrit. C'est tout d'abord la fameuse inscription tracée à la fin de la Bible de Robert de Billyng* (no 238) attestant que celle-ci a été enluminée en 1327 par Jean Pucelle, Anciau de Cens et Jaquet Maci (voir ce nom). C'est ensuite la note marginale du Bréviaire de Belleville* (no 240) où Pucelle, qui apparaît comme le maître d'œuvre chargé de la décoration de l'ensemble du manuscrit, paie un de ses collaborateurs, Mahiet, qu'il n'y a pas lieu de confondre avec Jaquet Maci. La participation effective de l'artiste dans ces deux œuvres demande à être précisée. Dans le cas de la Bible, il paraît certain que les deux collaborateurs du maître ne travaillaient pas dans le même

registre que ce dernier, et que Pucelle seul s'est réservé l'exécution des initiales historiées. Dans le bréviaire, Pucelle pourrait n'avoir été responsable que de la conception du programme iconographique, d'ailleurs exceptionnellement développé, des deux volumes de ce manuscrit, l'exécution picturale proprement dite étant laissée à des assistants. Le troisième manuscrit documenté de Pucelle est décrit en 1371 dans un codicille au testament de Jeanne d'Évreux, veuve du roi de France Charles IV le Bel : dans ce testament la reine dispose en faveur de Charles V d'un « bien petit livret d'oraisons... que Pucelle enlumina », manuscrit datable entre 1325 et 1328 puisque le document précise qu'il a été offert à Jeanne d'Évreux par son époux dont le bref règne s'étend à ces quatre années. Le seul manuscrit des collections de Charles V qui puisse correspondre à cet article est un livre d'heures dont l'inventaire des joyaux de Vincennes précise qu'il comportait sur la couverture les armes de la reine Jeanne d'Évreux, et qu'il était à l'usage des Jacobins, autrement dit des Dominicains. Ce dernier manuscrit est certainement identifiable avec les Heures à l'usage dominicain, enluminé de blanc et de noir « nommées heures de Pucelle » qui apparaît dès 1402 dans les inventaires de Jean de Berry, et qu'il y a tout lieu d'identifier avec les Heures de l'ancienne collection Rothschild aujourd'hui au musée des Cloîtres à New York* (no 239). L'attribution de cette œuvre capitale à Pucelle est confirmée par la parenté stylistique qui l'unit à la Bible de Robert de Billyng et au Bréviaire de Belleville. A partir de ces trois œuvres clefs, on a tenté de reconstituer la production de l'artiste en y intégrant des œuvres dont la datation s'étend parfois au-delà du milieu du siècle. Depuis la redécouverte récente par Françoise Baron de la date de la mort de l'artiste (1334), la liste des œuvres attribuables à l'artiste doit être partiellement révisée : parmi les manuscrits qui semblent devoir être inscrits au catalogue de Pucelle, il faut retenir une partie du Bréviaire de Blanche de France* (Bibliothèque Vaticane), certainement une de ses œuvres les plus précoces, le Bréviaire de Jeanne d'Évreux* (Chantilly, musée Condé) et les Miracles de Notre-Dame de Gauthier de Coincy* (no 241). Les Heures de Jeanne de Savoie (no 235) et la Bible de Fiesole (no 237) sont l'œuvre d'un brillant émule de l'artiste qui devait être son contemporain. Les plus importantes œuvres de style pucellien postérieures à 1334, à commencer par les Heures de Jeanne de Navarre (no 265) sont attribuables à un remarquable disciple et continuateur du maître, Jean Le Noir (voir ce nom).

Jean de Soignolles ou de Sanholis
(connu de 1349 à 1358)

De 1349 à 1351, Jean de Soignolles travaille à Avignon aux côtés de Pierre Boye et Jean David, au tombeau de Clément VI*, destiné à l'abbaye de la Chaise-Dieu (no 47).

Il est à Paris, en 1358, domicilié rue Saint-Antoine, lorsqu'il passe un marché, comme « maceons et ymagier », pour exécuter la tombe de la reine Jeanne de Boulogne et de son premier mari Philippe de Bourgogne à la Sainte-Chapelle de Dijon, le 18 septembre 1358.

Matteo Giovannetti

(connu de 1322 à 1368)

Né vraisemblablement au tournant du XIVe siècle ou peu avant, Matteo Giovannetti semble être l'ecclésiastique de Viterbe mentionné en 1322 et 1328 à propos d'un canonicat dans l'église San Martino de cette même ville. Nommé en 1336 par Benoît XII, prieur de l'église San Martino de Viterbe puis en 1348 archiprêtre de Verceil, il est cité dans les comptes de la curie pontificale à Avignon de septembre 1343 à avril 1367. Considéré dès 1346 comme le « peintre du Pape », il a dirigé les chantiers les plus importants du Palais des Papes, le Grand Tinel (1344-1345), le Consistoire (1346-1348), la Grande Audience (vers 1352-1353), l'aile nouvellement construite en 1365-1366 et surnommée Rome... Ne subsistent plus aujourd'hui que le décor des deux chapelles de la Tour Saint-Jean* et l'arc de la Grande Audience*, ainsi qu'à Villeneuve, de l'autre côté du Rhône, les peintures de la chapelle de la livrée cardinalice du futur Innocent VI*, exécutées après son élection au pontificat (1352) mais avant la fondation sur le même emplacement de la chartreuse du Val-de-Bénédiction (1356). Il ne reste rien des 8 retables destinés à des chapelles de l'abbaye de la Chaise-Dieu (1349-1352) ni des 56 draps de lin relatant la vie de saint Benoît pour le collège Saint-Benoît de Montpellier fondé par Urbain V (1367). Payé en janvier 1368 pour des travaux au Palais du Vatican, il dut s'éteindre à Rome en 1368 ou 1369.

On lui a attribué de façon convaincante les divers éléments d'un triptyque de dévotion privée* (no 321), une minuscule Crucifixion* (Viterbe, Cassa di Risparmio) et une Vierge à l'Enfant* (New York, coll. part.).

Pierre Boye

(connu de 1286 ? à 1351)

On a parfois identifié Pierre Boye avec le Pierron Boi, tailleur de pierre cité en 1286 et 1311 dans les comptes de la ville d'Ypres. En tout cas, dès 1313, il travaille à Paris avec Jean Pépin de Huy au tombeau d'Othon de Bourgogne*. En 1317, Mahaut d'Artois lui commande une « Ymage d'alebastre de Nostre Dame », qu'elle envoie à sa nièce Alix, supérieure des Cordelières de Lons-le-Saunier.

En 1346-1351, il est à Avignon, assisté de Jean David et Jean de Sanholis, pour l'exécution du tombeau de Clément VI* (no 47).

Pierre Morel

(connu vers 1370 ; meurt en 1402)

Le nom de Pierre Morel apparaît dans un compte de la ville de Mende en Lozère, daté des années 1370-1371, où il est payé pour des éléments sculptés du décor de la cathédrale alors en construction. Le même texte le donne comme originaire de Majorque.

Il est en 1386 « maistre Perrin l'ymageur » domicilié à Lyon. Peut-être travaille-t-il sur le chantier de la cathédrale Saint-Jean, près de laquelle il figure comme copropriétaire d'une maison dans un acte de 1388 où il est dit « Ymagineur ». A partir de 1390, il n'apparaît plus dans les comptes de la ville ; mais il conserve sa maison que détient encore sa veuve en 1406.

En 1393, il est à Avignon parmi les artistes du pape. Il est toujours désigné dans les comptes comme « peyrerius » ou « lapicide ». Mais c'est comme architecte que Clément VII l'envoie à Annecy vers 1393-1394, pour étudier le projet de construction d'un couvent de Célestins. Le 11 avril 1396, il passe un contrat pour l'entreprise pontificale de la chapelle des Célestins d'Avignon*, architecture et sculpture décorative ; un second contrat en prévoit l'achèvement pour 1398 ; mais à sa mort, en 1402, seuls le chœur, le transept, la chapelle Saint-Michel, et deux des baies nord de la nef sont achevés. On s'accorde généralement pour lui reconnaître la sculpture du tombeau de Clément VII* († 1394) exécuté pour cette église entre 1395 et 1401. On lui a attribué un rôle justifiable dans les travaux de l'église Saint-Martial d'Avignon*, fondée en 1378 par Clément VII, et un rôle beaucoup plus contestable dans l'érection du tombeau du cardinal Lagrange* (no 100).

Robert de Lannoy

(connu dès 1292 ; meurt en 1356)

Cité dans les rôles de la taille de Paris, (1292, 1297, 1298, 1313, 1315) Robert de Lannoy habite à l'angle des rues Saint-Denis et Mauconseil. En 1317, il est au service de Mahaut d'Artois ; il participe à la décoration peinte du manoir de Conflans ; il était aussi l'auteur du décor de la chapelle funéraire de son fils Robert, mort en 1317. En 1319, il peint une cage pour le perroquet offert par la reine Jeanne à sa mère.

Mais Robert de Lannoy est surtout connu par les comptes de l'hôpital Saint-Jacques où sont signalés ses divers travaux accomplis entre 1318 et 1348, et où est mentionnée sa mort en 1356. Ses travaux de peintre concernent aussi bien une bannière de procession que les voûtes de l'église, et la plupart des statues du portail et de la façade. En sculpture, il était l'auteur pour le décor du chœur, de quatre colonnes et de quatre anges, d'un crucifix, et d'une statue de la Vierge et de saint Jean. En 1324, il reçoit paiement pour avoir sculpté quatre des six Apôtres alors exécutés ; en 1326-1327, il achève la série et peint l'ensemble* (no 10). On lui devait aussi deux statues monumentales de saint Christophe et de saint Michel, taillées en 1346-1347.

Liste des ouvrages cités en abrégé

Sources

Adhémar (J.), Dordor (G.)
« Les Tombeaux de la collection Gaignières, dessins d'archéologie du XVIIe siècle » ; I. *Gazette des Beaux-Arts*, 1974, II, p. 1-192 ; II. *Gazette des Beaux-Arts*, 1976, II, p. 1-128 ; III. *Gazette des Beaux-Arts*, 1977, II, p. 3-34.

Bapst (G.)
Archives historiques, artistiques et littéraires, t. II, 1980-1981, p. 177 et suiv.

Bapst (G.)
Testament du roi Jehan le Bon et inventaire de ses joyaux publié d'après deux manuscrits inédits des archives nationales..., Paris, 1884.

Baron (F.)
« Enlumineurs, peintres et sculpteurs parisiens des XIIIe et XIVe siècles, d'après les rôles de la taille », *Bulletin archéologique du Comité des travaux historiques et scientifiques*, nouvelle série, 4, 1969, p. 37-121.

Baron (F.)
« Enlumineurs, peintres et sculpteurs parisiens des XIVe et XVe siècles, d'après les archives de l'hôpital Saint-Jacques-aux-Pèlerins », *Bulletin archéologique du Comité des travaux historiques et scientifiques*, nouv. série, VI, 1970-1971, p. 77-115.

Bonnardot (F.)
Cf. Lespinasse.

Bordier (H.)
« La Confrérie des Pèlerins de St-Jacques et ses archives », *Mémoires de la Société de l'Histoire de Paris et de l'Ile-de-France*, t. I, 1875, p. 186-228 et t. II, 1876, p. 330-397.

Bordier (H), Brièle (L.)
Les Archives hospitalières de Paris, Paris, 1877.

Bouchot (A.)
Inventaire des dessins exécutés pour Roger de Gaignières, II, Paris, 1891.

Buchon (J.A.C.)
Chronique métrique de Godefroy de Paris, suivie de la taille de Paris en 1313 (collection des chroniques nationales françaises, t. IX), Paris, 1827.

Cazelles (R.)
L'Argenterie de Jean le Bon et ses comptes..., cf. Bibliographie.

Chartraire (abbé E.)
Inventaire du trésor de l'église primatiale et métropolitaine de Sens, Sens, 1897.

Comptes de Jean le Bon, répertoire bibliographique, cf. Cazelle (R.).

Dehaisnes (Monseigneur C.)
Documents et extraits divers concernant l'histoire de l'Art dans la Flandre, l'Artois et le Hainaut avant le XVe siècle, I (627-1373) et II (1374-1401) (Mémoires de la Commission historique du département du Nord. Documents inédits, t. 3), Lille, 1886.

Delachenal (R.)
Chronique des quatre premiers Valois (1327-1393) (Société de l'Histoire de France), Paris, 1862.

Delachenal (R.)
Histoire de Charles V, 5 vol., Paris, 1909-1931.

Delisle (L.)
Mandements et actes divers de Charles V (1364-1380), recueillis dans les collections de la Bibliothèque nationale... (collection de documents inédits sur l'Histoire de France, no 35), Paris, 1874.

Douet d'Arcq (L.)
Comptes de l'argenterie des rois de France au XIVe siècle (Société de l'Histoire de France), Paris, 1851.

Douet d'Arcq (L.)
Nouveau recueil de comptes de l'argenterie des rois de France... (Société de l'Histoire de France), Paris, 1874.

Douet d'Arcq (L.)
« Inventaire des meubles de la reine Jeanne de Boulogne, seconde femme du roi Jean (1360), fait à Vadans (Jura) », *Bibliothèque de l'École des Chartes*, XL, 1879, p. 545-562.

Dutilleux (M.A.)
« Inventaires de Notre-Dame la Royale de Maubuisson-lez-Pontoise (1463-1738) », *Recueil d'anciens inventaires* (Comité des travaux historiques, section d'Archéologie), t. I, Paris, 1896, p. 3-76.

Fawtier (R.), Maillard (M.F.)
Comptes royaux (1285-1314) publiés par M. Robert Fawtier avec le concours de M. François Maillard (Recueil des historiens de la France, documents financiers), Paris, 1953-1956.

Félibien (Dom M., O.S.B.)
Histoire de l'abbaye royale de Saint-Denys en France contenant la vie des abbés qui l'ont gouvernée... les dons des rois, des princes et des autres bienfaiteurs. Avec la description de l'église et de tout ce qu'elle contient, Paris, 1706.

Gaignières (dessins de la collection R. de Gaignières), cf. :
— Adhémar (J.) et Dordor (G.),
— Bouchot (A.).

Gauthier (J.)
« Inventaire du mobilier du connétable de Saint-Paul », *Bulletin archéologique du Comité des travaux historiques*, t. III, 1885, p. 24-57.

Géraud (H.)
Paris sous Philippe le Bel, d'après des documents originaux et notamment d'après un manuscrit contenant le rôle de la taille imposée sur les habitants de Paris en 1292... (collections de documents inédits sur l'histoire de France, 1re série, Histoire politique), Paris, 1837.

Graves (F.M.)
Deux inventaires de la maison d'Orléans (1389 et 1408), Paris, 1926.

Guiffrey (J.)
Inventaires de Jean duc de Berry (1401-1416), publiés et annotés par Jules Guiffrey, 2 vol., Paris, 1894 et 1896.

Hoberg (H.)
Die Inventare des päpstlichen Schatzes in Avignon (1314-1376) (Studi e Testi no 111), citta del Vaticano, 1944.

Inventaires :
- de Louis Ier d'*Anjou*, cf. Laborde (L. de) et Moranvillé (H.) ;
- de Jean, duc de *Berry*, cf. Guiffrey (J.) ;
- des ducs de *Bourgogne*, cf. Prost (B. et H.) ;
- de *Charles V* cf. Labarte (J.) ;
- de *Jean le Bon* (Testament), cf. Bapst (G.) ;
- *Jeanne de Boulogne*, femme du roi Jean le Bon, cf. Douët d'Arq (L.) ;
- de *Jeanne d'Évreux*, femme de Charles IV le Bel, cf. Leber (C.) ;
- de Louis, duc d'*Orléans*, cf. Graves (F.M.) et Romans (J.) ;
- de la *Papauté* d'Avignon, cf. Hoberg (H.) ;
- du Connétable de *Saint-Pol*, cf. Gauthier (J.).

Labarte (J.)
Inventaire du mobilier de Charles V roi de France... (Collection de documents inédits sur l'Histoire de France..., 3e série, archéologie), Paris, 1879.

Laborde (L. de)
« Inventaire des joyaux de Louis de France duc d'Anjou, vers 1360-1368 », publié dans *Notice des émaux, bijoux et objets divers... du musée du Louvre*, IIe partie, Paris, 1853.

Langlois (Ch. V.)
Inventaire d'anciens comptes royaux... sous le règne de Philippe de Valois (Recueil des historiens de la France. Documents financiers, t. I), Paris, 1899.

Leber (C.)
Collection des meilleures notices et traités particuliers relatifs à l'histoire de France (Collection de dissertations relatives à l'Histoire de France, t. XIX), 1838 [notamment inventaire après décès de Jeanne d'Évreux].

Lenoir (A.)
Inventaire des richesses d'art de la France. Documents. Archives du musée des Monuments français, Paris, 1883.

Le Roy (P.)
Statuts et privilèges du corps des marchands orfèvres-joailliers de la ville de Paris, Paris, 1754, 2e éd., 1759.

Lespinasse (R. de), Bonnardot (F.)
Les Métiers et corporations de la ville de Paris. XIIIe siècle, le livre des métiers d'Étienne Boileau... (Histoire générale de Paris. Les métiers et corporations de la ville de Paris), Paris, 1879.

Lespinasse (R. de)
Orfèvrerie, sculpture, mercerie, ouvriers en métaux, bâtiments et ameublement, XIVe-XVIIIe siècles (Histoire générale de Paris. Les métiers et corporations de la ville de Paris), Paris, 1892.

Le Livre des métiers d'Étienne Boileau, publié par R. de Lespinasse et F. Bonnardot, Paris, 1879 (Histoire générale de Paris. Les métiers et corporations de la ville de Paris).

Masnou (P.)
« Inventaire des ornements de l'église Saint-Jean-le-Vieux [de Perpignan] », *Revue d'histoire et d'archéologie du Roussillon,* I, 1900, p. 324-354.

Maillard (F.)
Comptes royaux 1314-1328 (Recueil des historiens de la France, Documents financiers), Paris, 1961, 2 vol.

Michaëlsson (K.)
« Le Livre de la taille de Paris, l'an de grâce 1313 », *Göteborgs Högskolas Arsskrift,* vol. LVII, 1951, no 3.

Michaëlsson (K.)
« Le Livre de la taille de Paris, l'an 1296 », *Göteborg Universitets Arsskrift,* vol. LXIV, 1958, no 4.

Michaëlsson (K.)
« Le Livre de la taille de Paris, l'an 1297 », *Göteborg Universitets Arsskrift,* vol. LXVII, 1961, no 3.

Moranvillé (H.)
« Un Rôle d'impôt à Paris au XIVe siècle [1356] », *Bulletin de la Société de l'Histoire de Paris et de l'Ile-de-France,* 1888, p. 3-9.

Moranvillé (H.)
Inventaire de l'orfèvrerie et des joyaux de Louis Ier, duc d'Anjou, Paris, 1906.

Petit (E.)
Itinéraire de Philippe le Hardi et de Jean sans Peur, ducs de Bourgogne (1363-1419), d'après les comptes de dépenses de leur hôtel... (Collection de documents inédits sur l'Histoire de France... 1re partie, histoire politique), Paris, 1888.

Prost (B.) et Prost (H.)
Inventaires mobiliers et extraits des comptes des ducs de Bourgogne de la maison de Valois (1363-1477), I. Philippe le Hardi (1363-1377), Paris, 1902 et II. *Philippe le Hardi (1378-1390),* Paris, 1908.

Raunié (E.)
Épitaphier du Vieux Paris, recueil général des inscriptions funéraires des églises, couvents, collèges, hospices, cimetières et charniers, depuis le Moyen Age jusqu'à la fin du XVIIIe siècle, t. I, Paris, 1890 ; t. II, Paris, 1893.

Roman (J.)
Inventaires et documents relatifs aux joyaux et tapisseries des princes d'Orléans-Valois (1389-1481), (Recueil d'anciens inventaires. Comité des travaux historiques et scientifiques, section d'archéologie, t. I), Paris, 1896, p. 77-314.

Viard (J.)
Documents parisiens du règne de Philippe VI de Valois, I. *1328-1338* et II. *1339-1350* (Société de l'histoire de Paris), Paris, 1899 et 1900.

Viard (J.)
Les journaux du trésor de Charles IV le Bel (Collection de documents inédits sur l'Histoire de France), Paris, 1917.

Viard (J.)
Les journaux du trésor de Philippe le Bel... (Collection de documents inédits sur l'Histoire de France), Paris, 1940.

Vidier (A.)
« Un Tombier liégeois à Paris au XIVe siècle, inventaire de la succession de Hennequin de Liège (1382-1383) », *Mémoire de la Société de l'histoire de Paris et de l'Ile-de-France,* 1903, p. 280-308.

Vidier (A.)
« Le Trésor de la Sainte-Chapelle. Inventaire et documents », extrait des *Mémoires de la Société de l'histoire de Paris et de l'Ile-de-France,* t. XXXIV-XXXVII (1907-1910).

Bibliographie

Adhémar (J.) et Dordor (G.)
Cf. Sources.

Ameisenowa (S.)
« Opere inedite del Maestro del Codice di San Giorgio », Rivista d'Arte, t. 21, 1939, p. 97-125.

Arnaud d'Agnel (abbé G.)
« Fragment d'un bas-relief du XIVe siècle provenant du mausolée de saint Elzéar de Sabran », Bulletin archéologique du Comité des travaux historiques et scientifiques, 1907, p. 416-423.

Aubert (M.)
« Note sur la tête d'apôtre provenant de Mehun-sur-Yèvre et conservée au musée du Louvre », Bulletin monumental, t. 101, 1942-1943, p. 293-303.

Aubert (M.)
La Sculpture française au Moyen Age, Paris, 1947.

Aubert (M.) et Beaulieu (M.)
Musée du Louvre. Description raisonnée des sculptures du Moyen Age et de la Renaissance, I, Paris, 1950.

Aubert (M.) et Lafond (J.)
Le vitrail français, Paris, 1958 [le chapitre « de 1260 à 1380 », p. 163-174 et « de 1380 à 1500 », p. 179-200].

Aubry (P.)
Le Roman de Fauvel. Reproduction photographique du manuscrit français 146 de la Bibliothèque nationale, Paris, 1907.

Avril (F.)
« Trois manuscrits napolitains des collections de Charles V et de Jean de Berry », Bibliothèque de l'École des Chartes, 127, 1969, p. 291-328.

Avril (F.)
« Une Bible historiale de Charles V », Jahrbuch der Hamburger Kunstsammlungen, 14-15, 1970, p. 45-76.

Avril (F.)
« Trois manuscrits de l'entourage de Jean Pucelle », Revue de l'Art, no 9, 1970, p. 37-48.

Avril (F.)
« Un Enlumineur ornemantiste parisien de la première moitié du XIVe siècle : Jacobus Mathey (Jacquet Maci?), Bulletin monumental, t. 129, 1971, p. 249-264.

Avril (F.)
« Un chef-d'œuvre de l'enluminure sous le règne de Jean le Bon : la Bible moralisée, manuscrit français 167 de la Bibliothèque nationale », Fondation Eugène Piot. Monuments et Mémoires publiés par l'Académie des Inscriptions et Belles-Lettres, vol. 58, 1972, p. 112-114.

Avril (F.)
« Un Cas d'influence italienne dans l'enluminure du Nord de la France au XIVe siècle », Studies in late Medieval and Renaissance Painting in honor of Millard Meiss, New York, 1977, p. 32-42, pl. 5-11.

Avril (F.)
L'Enluminure du XIVe siècle à la Cour de France, Paris, 1978.

Babelon (F.)
Catalogue des camées antiques et modernes de la Bibliothèque nationale publié sous les auspices de l'Académie des Inscriptions et Belles-Lettres, Paris, 1897, 2 vol.

Babelon (F.)
Histoire de la gravure sur gemmes en France depuis les origines jusqu'à l'époque contemporaine, Paris, 1902.

Bailly (J.)
« Le Collège apostolique de l'abbaye de Jumièges », Revue des Sociétés savantes de Haute-Normandie, 18, 1960, p. 29-42.

Bapst (G.)
Cf. Sources.

Barbarin (Ch.)
« Quelques vestiges et débris des statues d'apôtres de la chapelle du château de Mehun-sur-Yèvre », Mémoires de la Société des antiquaires du Centre, XXXVIII, 1917-1918, p. 220-231.

Barbet de Jouy (H.)
Notice des antiquités, objets du Moyen Age, de la Renaissance et des temps modernes composant le musée des Souverains, Paris, 2e éd., 1868.

Baron (F.)
« Pierre Boye », Bulletin de la Société de l'histoire de l'Art français, année 1959, p. 101-103.

Baron (F.)
« Un Artiste du XIVe siècle. Jean Pépin de Huy. Problèmes d'attributions », Bulletin de la Société de l'histoire de l'Art français, année 1960, p. 89-94.

Baron (F.)
« Le Maître-autel de l'abbaye de Maubuisson au XIVe siècle », Fondation Eugène Piot. Monuments et mémoires publiés par l'Académie des Inscriptions et Belles-Lettres, t. 57, 1971, p. 129-151.

Baron (F.)
« L'Annonciation de Javernant. Recherches sur un groupe de sculptures du XIVe siècle », Revue du Louvre, 1973, 6, p. 329-336.

Baron (F.)
« Le Décor sculpté et peint de l'hôpital Saint-Jacques-aux-Pèlerins », Bulletin monumental, t. 133, 1975, p. 29-72.

Baron (F.)
« Le Mausolée de saint Elzéar de Sabran à Apt ». Bulletin monumental, t. 136, 1978, p. 267-283.

Baron (F.)
« Fragments de gisants avignonnais », Revue du Louvre, 2, 1978, p. 73-83.

Baron (F.)
« La Tête de Bonne de France, fille de Charles V », Communication à la Société nationale des Antiquaires de France, 1979.

Baron (F.)
« Le Tombeau du cardinal La Grange. Observations et découvertes », Communication à la Société nationale des Antiquaires de France, 1979.

Baron (F.)
« Collèges apostoliques et couronnements de la Vierge dans la sculpture avignonnaise des XIVe et XVe siècles », Revue du Louvre, 1979, 3, p. 169-186.

Baron (F.)
« Découvertes en Avignon », Revue du Louvre, 1981, p. 155-158.

Baron (F.)
Cf. aussi Sources.

Bazin (G.)
L'École provençale : XIVe siècle (Collection les Trésors de la peinture française, t. 1, album 3), Genève, 1944.

Beaulieu (M.)
« Notes sur quelques sculptures du Moyen Age », Bulletin de la Société de l'histoire de l'Art français, année 1959, p. 101-107.

Beenken (H.)
« Zur Entstehungsgeschichte der Genter Altars : Hubert und Jan van Eyck », Wallraf-Richartz Jahrbuch, nouvelle série, II, III, 1933-1934, p. 216, no 41.

Beigbeder (O.)
Les Ivoires, Paris, 1965.

Berger (S.)
La Bible française au Moyen Age, Étude sur les plus anciennes versions de la Bible, écrites en prose de langue d'oïl..., Paris, 1884.

Bergius (R.)
Französische und Belgische Konsol — und Zwickelplastik im 14. und 15. Jahrhundert, Wurzburg, 1937

Billioud (J.)
« Manuscrits à enluminures exécutés pour des bibliothèques provençales », Encyclopédie départementale des Bouches-du-Rhône, t. II, Marseille, 1924.

Birot (J.B.) et Martin (J.B.)
« Le Missel de la Sainte-Chapelle de Paris conservé au Trésor de la Primatiale de Lyon »,

Revue archéologique, 1915, vol. II, p. 37-65.

Blanquart (abbé F.)
Quelques dons royaux en faveur de travaux de réédification de la cathédrale d'Évreux, pendant les XVe, XVIe et XVIIe siècles, s. l. 1918.

Bloch (P.)
« Neugotische Statuetten des Nikolaus Elscheidt », *Festschrift für Otto von Simson zum 65. Geburstag*, 1977, p. 504-515.

Blum (R.)
« Jean Pucelle et la miniature parisienne du XIVe siècle », *Scriptorium*, III, 1949, p. 211-217.

Bober (H.)
« André Beauneveu and Mehun-sur-Yèvre », *Speculum*, 28, 1953, 741-753.

Boinet (A.)
« Les Principaux manuscrits à peintures de la Bibliothèque Sainte-Geneviève », *Bulletin de la Société française de reproduction de manuscrits à peintures*, t. V, 1921, p. 1-155.

Bond (F.)
« Le Tombeau du pape Jean XXII », *Congrès archéologique de France, Avignon*, 1909, t. 2, p. 390-392.

Bonnardot (H.)
« L'Abbaye Saint-Antoine-des-Champs », *Revue universelle des Arts*, V, 1857, p. 212-213.

Bonnardot (H.)
L'Abbaye royale de Saint-Antoine-des-Champs de l'ordre de Citeaux. Étude topographique et historique, Paris, 1882.

Bonnenfant (chanoine G.)
La Cathédrale d'Évreux (petites monographies des grands édifices de la France), Paris, 1939.

Bordier (H.L.)
« Les Statues de Saint-Jacques-l'Hôpital au musée de Cluny », *Mémoires de la Société nationale des Antiquaires de France*, t. XXVIII, 1865, p. 111-132.

Bordier (H.L.)
Cf. Sources.

Bordonove (G.)
Jean le Bon et son temps, Paris, 1980.

Bouchot (A.)
Cf. Sources.

Bousquet (J.)
« Réflexions sur l'iconographie de la Vierge dans la sculpture méridionale au XIVe siècle », *Procès-verbaux de la Société des Lettres, Sciences et Arts de l'Aveyron*, t. XXXVII, 1954-1958, p. 225-242.

Bousquet (J.)
« Le Problème de l'originalité de l'école de sculpture languedocienne à la fin de l'époque gothique », *Information d'histoire de l'Art*, nov.-déc. 1968, nº 5, p. 208-222.

Breck (J.)
« Medieval and Renaissance decoratives Arts and Sculptures », *The Metropolitan Museum of Art Bulletin*, nº 15, 1920, p. 180-183.

Breck (J.)
« A Marble Sculpture of saint Elzéar », *The Metropolitan Museum of Art Bulletin*, nº 24, 1929, p. 213-215.

Brière (G.)
L'Église abbatiale de Saint-Denis et ses tombeaux, Paris, 1908, 2e éd., 1925.

Buchon (J.A.C.)
Cf. Sources.

Buzonnière (R. de)
« Un Angelot sculpté provenant d'une construction du duc Jean de Berry », *Mémoires de la Société des Antiquaires du Centre*, t. XXXVII, 1914-1916, p. 201-204.

Byvanck (A.W.)
Les Principaux manuscrits à peintures de la Bibliothèque royale des Pays-Bas et du musée Meermanno-Wertreenianum à La Haye (Société française de reproduction de manuscrits à peintures), Paris, 1924.

Cahier (Ch.)
Nouveaux mélanges d'archéologie, d'histoire et de littérature sur le Moyen Age, Paris, 1874.

Campbell (M.)
« The Campion Hall triptych and its workshop », *Apollo*, juin 1980, p. 418-423.

Castelnuovo (E.)
Un Pittore italiano alla corte di Avignone. Matteo Giovanetti e la pittura in Provenza nel secolo XIV, Turin, 1962.

Catalogues :
  AMSTERDAM : cf. Halsema-Kubes (W.).
  ANVERS, musée Mayer van den Bergh : cf. De Coo (J.).
  AVIGNON, musée Calvet : cf. Girard (J.).
  BRUXELLES, musées royaux d'Art et d'Histoire : cf. Jansen (A.) ; musées royaux des Arts décoratifs et industriels : cf. Destrée (J.).
  COPENHAGUE : cf. Mackeprang (M.).
  LONDRES, British Museum : cf. Dalton (O.M.) ; Victoria and Albert Museum : cf. Longhurst (M.H.) ; Yates Thompson Collection : cf. Cockerell (S.).
  LUCERNE, collection Koefler : cf. Volbach (F.).
  NUREMBERG, Nationalmuseum : cf. Stafski (H.).
  PARIS, musée de Cluny : cf. du Sommerard (A.), Haraucourt (E.) et Montremy (F.).
  Musée des Monuments français : cf. Courajod (L.) et Marcou (P.F.).
  Musée du Louvre : cf. Laborde (L. de), Marquet de Vasselot (J.J.), Migeon (G.), Molinier (E), Ridder (A. de), Sauzay (A.), Sterling (Ch.), Verlet (P.).
  Collection Martin le Roy : cf. Koechlin (R.), 1906.
  TOULOUSE, musée des Augustins : cf. Cazes (D.), Rachou (H.).
  VIENNE, Kunsthistorisches Museum : cf. Fillitz (H.).

Cazelles (R.)
« L'Argenterie de Jean le Bon et ses comptes », *Bulletin de la Société nationale des Antiquaires de France*, 1966, p. 51-52.

Cazelles (R.)
« Le Portrait dit de Jean le Bon au Louvre », *Bulletin de la Société nationale des Antiquaires de France*, 1971, p. 227-229.

Cazes (D.)
Musée des Augustins ; sculptures gothiques (Journal des collections nº 2), Toulouse, 1980.

Chabouillet (A.)
Catalogue général et raisonné des camées et pierres gravées de la Bibliothèque impériale, suivi de la description des autres monuments exposés dans le Cabinet des Médailles et Antiques, Paris, 1858.

Champeaux (A.) et Gauchery (P.)
Les Travaux d'art exécutés pour Jean de France, duc de Berry, Paris, 1894.

Champollion-Figeac (A.)
Louis et Charles, ducs d'Orléans : leur influence sur les arts, la littérature et l'esprit de leur siècle, Genève-Paris, 1980 (1re éd., Paris, 1844).

Chartraire (abbé E.)
« La Vierge de la cathédrale de Sens », *Bulletin archéologique du Comité des travaux historiques et scientifiques*, 1912, p. 275-288.

Chartraire (abbé E.)
« Statues de la Vierge mère », *Beaux-Arts*, 1919.

Chartraire (abbé E.)
Cf. aussi Sources.

Churchill (S.)
« Giovanni Bartoli of Sienna, Goldsmith and Enameller 1364-1385 », *The Burlington Magazine*, 1906-1907, p. 120-125.

Clemen (P.)
Die Kunstdenkmäler der Rheinprovinz im Auftrage des Provinzialverbandes, IV, 4 (Die Kunstdenkmäler des Kreises Euskirchen), Düsseldorf, 1900.

Cockerell (S.)
A Descriptive catalogue of the second series of fifty manuscripts in the Collection of Henry Yates Thompson, Cambridge, 1902, p. 158-183.

Cockerell (S.)
The Book of Hours of Yolande of Flanders, Londres, 1905.

Collins (A.J.)
Jewels and plate of Queen Elizabeth I, Londres, 1955, [p. 279-281].

Colombet (A.)
« Les Madones au phylactère », *Mémoires de la Commission des antiquités du département de la Côte-d'Or*, t. 23, 1947-1952, p. 252-255.

Conway (W.M.)
« The Abbey of Saint-Denis and its ancient treasures », *Archaeologia or Miscellaneous tracts relating to Antiquity*, LXVI (2nd. series, XVI), 1915, p. 103-158.

Cotton (F.)
« Les Manuscrits à peintures de la Bibliothèque de Lyon », *Gazette des Beaux-Arts*, 6e période, t. LV, 1965, p. 265-320.

Couderc (C.)
Album de portraits d'après la collection du département des Manuscrits, Paris [1910].

Courajod (L.)
« Une Statue de Philippe VI au musée du Louvre, et l'influence de l'art flamand sur la sculpture française du XIVe siècle », *Gazette des Beaux-Arts*, XXXI, 1885, p. 217-218.

Courajod (L.) et Marcou (P.F.)
Musée de sculpture comparée (moulages). Palais du Trocadéro. Catalogue raisonné publié sous les auspices de la commission des Monuments historiques, Paris, 1892.

Coutil (L.)
Les Statues de Vierges à l'Enfant médiévales de l'arrondissement des Andelys, Paris, 1937.

Dacos (N.), Guliano (A.) et Pannuti (U.)
Il Tesoro di Lorenzo il Magnifico, L, *I gemmi*, Florence, 1972.

Dalton (O.M.)
Catalogue of Ivory carvings of the Christian Era, British Museum, Londres, 1909.

Dalton (O.M.)
The Royal Gold Cup in the British Museum, Londres, 1924

Darcel (A.)
Musée du Moyen Age et de la Renaissance. Série D. Notice des émaux et de l'orfèvrerie..., Paris, 1867.

Darcel (A.)
« Le Moyen Age et la Renaissance au Trocadéro », *Gazette des Beaux-Arts*, 1878, p. 274-291.

David (H.) et Liebreich (A.)
« Le Calvaire de Champmol et l'art de Sluter », *Bulletin monumental*, t. 92, 1933, p. 418-467.

David (H.)
Claus Sluter (Collection Les grands sculpteurs français), Paris, 1951.

De Coo (J.)
« L'Ancienne collection Micheli au musée Mayer van den Bergh », *Gazette des Beaux-Arts*, 1965, t. LXVI, p. 345-370.

De Coo (J.)
Museum Mayer van den Bergh catalogus II, Beeldhouwkunst, Plaketten, Antick, Antwerpen, 1969.

Dehaisnes (Monseigneur C.)
Cf. Sources.

Delachenal (R.)
« Date d'une miniature d'un manuscrit de Charles V », *Bibliothèque de l'École des Chartes*, 71, 1910, p. 711-712.

Delachenal (R.)
Cf. aussi Sources.

Delaissé (L.M.J.)
« Remaniements dans quelques manuscrits de Jean de Berry », *Gazette des Beaux-Arts*, t. LXIII, 1963, p. 123-146.

Delisle (L.)
Le Cabinet des Manuscrits de la Bibliothèque [nationale] impériale, Paris, 1868-1881, 3 vol. et 1 vol. de planches.

Delisle (L.)
« Notes sur quelques manuscrits du Musée britannique », *Mémoires de la Société de l'histoire de Paris et de l'Ile-de-France*, IV, 1877, p. 183-238.

Delisle (L.)
Mélanges de paléographie et de bibliographie, Paris, 1880.

Delisle (L.)
« Les Livres d'heures du duc de Berry », *Gazette des Beaux-Arts*, t. XXIX, 1884, p. 387-408.

Delisle (L.)
« Les Heures dites de Jean Pucelle », *Gazette des Beaux-Arts*, t. XXIX, 1884, p. 108.

Delisle (L.)
« Exemplaires royaux et princiers du Miroir historial », *Gazette archéologique*, t. XI, 1886, p. 87-101.

Delisle (L.)
« Origine frauduleuse du manuscrit 191 Ashburnham-Barrois », *Bibliothèque de l'École des Chartes*, 62, 1901, p. 551-554.

Delisle (L.), Meyer (P.)
L'Apocalypse en français au XIIIe, Paris, 1901 (Société des Anciens textes français).

Delisle (L.)
« La Coupe d'or du roi Charles V », *Journal des Savants*, mai 1906, p. 233-239.

Delisle (L.)
Recherches sur la librairie de Charles V, Paris, 1907, 2 vol.

Delisle (L.)
Les Heures dites de Jean Pucelle, manuscrit de M. le Baron Maurice de Rothschild, Paris, 1910.

Delisle (L.)
Cf. aussi Sources.

Denis (P.)
« La Vierge de l'église de Maxéville », *Bulletin mensuel de la Société d'archéologie lorraine et du Musée historique lorrain*, VI, Nancy, 1906, p. 255 ff.

Destrée (J.)
Musées royaux des Arts décoratifs et industriels. Catalogue des ivoires, des objets en nacre, en os gravés et en cire peinte, Bruxelles, 1902.

Destrée (J.)
« Quatre écuelles en argent trouvées en 1865 à Maldegem près d'Eecloo », *Bulletin des Musées royaux d'Art et d'Histoire*, nov. 1930, p. 158-163.

Deuchler (F.), Hoffeld (J.M.) et Nickel (H.)
The Cloisters Apocalypse, New York, The Metropolitan Museum of Art, 1971, 2 vol.

Devigne (M.)
La Sculpture mosane du XIIe au XVIe siècle. Contribution à l'étude de l'art dans la région de la Meuse moyenne, Paris-Bruxelles, 1932.

Devigne (M.)
« Les Rapports de Claus Sluter avec le milieu franco-flamand de Paris », *Oud-Holland*, t. LIV, 1937, p. 119-121 et 127.

D'Haenens (A.)
« Pierart dou Tielt, enlumineur des œuvres de Gilles le Muisis. Note sur son activité à Tournai vers 1350 », *Scriptorium*, t. XXIII, 1969, p. 88-93, pl. 23-30.

Didier (R.)
« Contribution à l'étude d'un type de Vierge française du XIVe siècle », *Revue des Archéologues et Historiens d'art de Louvain*, t. 3, 1970, p. 48-72.

Didier (R.)
« Les Sculptures du musée Mayer van den Bergh à Anvers à propos d'un catalogue récent », *Revue des Archéologues et Historiens d'art de Louvain*, 4, 1971, p. 227-234.

Didier (R.), Heuss (M.) et Schmoll Gen Eisenwerth (J.A.)
« Une Vierge tournaisienne à Arbois (Jura) et le problème des Vierges de Hal, contribution à la chronologie et à la typologie », *Bulletin monumental*, t. 128, 1970, p. 93-113.

Didier (R.) et Recht (R.)
« Paris, Prague, Cologne et la sculpture de la seconde moitié du XIVe siècle, à propos de l'exposition des Parler à Cologne », *Bulletin monumental*, t. 138, 1980, p. 173-219.

Douet d'Arcq (L.)
Cf. Sources.

Duhamel (L.)
« Le Tombeau de Jean XXII à Avignon », *Mémoires de l'Académie de Vaucluse*, t. VI, 1887, p. 24-46.

Durliat (M.)
L'Art dans le royaume de Majorque, Toulouse-Paris, 1962.

Durrieu (comte P.)
« Notes sur quelques manuscrits français ou d'origine française conservés en Allemagne », *Bibliothèque de l'École des Chartes*, 1892, p. 122.

Durrieu (comte P.)
« Un dessin du musée du Louvre », *Fondation Eugène Piot. Monuments et mémoires publiés par l'Académie des Inscriptions et Belles-Lettres*, I, 1894, p. 179-202.

Durrieu (comte P.)
« Manuscrits de luxe exécutés pour des princes et grands seigneurs français », *Le Manuscrit*, II, 1895, p. 103, 114-118.

Durrieu (comte P.)
La Peinture en France de Jean le Bon à la mort de Charles V (1350-1380), dans André Michel, *Histoire de l'Art*, III, 1re partie, Paris, 1907, p. 101-137.

Durrieu (comte P.)
La Peinture en France sous le règne de Charles VI, dans André Michel, *Histoire de l'Art*, III, 1re partie, Paris, 1907, p. 137-169.

Durrieu (comte P.)
« Un Siècle de la miniature parisienne à partir du règne de saint Louis », *Journal des Savants*, 1909, p. 5-19.

Durrieu (comte P.)
« Les « Très belles Heures de Notre-Dames » du duc Jean de Berry », *Revue archéologique*, XVI, 1910, p. 30-51.

Durrieu (comte P.)
« Les Aventures de deux splendides livres d'heures ayant appartenu au duc Jean de Berry », *Revue de l'Art ancien et moderne*, XXX, 1911, p. 91-103.

Durrieu (comte P.)
« Les Manuscrits à peintures du musée Jacquemart-André », *Gazette des Beaux-Arts*, VIII, 1912, p. 85-96.

Durrieu (comte P.)
Les Très Belles Heures de Notre-Dame du duc Jean de Berry, Paris, 1922.

Du Sommerard (A.)
Musée des Thermes et de l'Hôtel de Cluny. Catalogue et description des objets d'art de l'Antiquité, du Moyen Age et de la Renaissance..., Paris, 1re éd. 1863, 2e éd. 1883.

Dusevel (H.) et Duthoit (E.)
« Notes sur divers objets provenant de l'ancienne abbaye du Paraclet près Amiens, et de l'église de Longpré-les-Corps-Saints », *Bulletin du Comité historique des arts et monuments*, VI, 1853, p. 82-85.

Dutilleux (M.A.)
Cf. Sources.

Dutilleux (M.A.) et Depoin (J.)
L'Abbaye de Maubuisson, Pontoise, 1883-1885.

Egbert (V.N.)
« The Reliquary of St-Germain », The Burling-ton Magazine, vol. 112, juin 1970, p. 359-364.
Eisler (C.)
« Le Gothique international », Arts de France, 1964.
Eisler (C.)
« The Golden Christ of Cortona and the man of Sorrows in Italy », Art Bulletin, LI-2 et 3, 1969, p. 107-118 et 233-246.
Enlart (G.)
Le Musée de Sculpture comparée du Palais du Trocadéro, Paris, 1911.
Enlart (C.)
Manuel d'archéologie française. 1. Architecture religieuse, Paris, 1920 (1re éd., Paris, 1902).
Erlande-Brandenburg (A.)
« Le Tombeau de saint Louis. Appendice : les statues de Charles V et de Jeanne de Bourbon du musée du Louvre », Bulletin monumental, t. CXXVI, 1968, p. 28-36.
Erlande-Brandenburg (A.)
« Aspects du mécénat de Charles V. La sculpture décorative », Bulletin monumental, t. CXXX, 1972, p. 303-345.
Erlande-Brandenburg (A.)
« Le Portail de Champmol, Nouvelles observations », Gazette des Beaux-Arts, 1972, p. 121-132.
Erlande-Brandenburg (A.)
« Jean de Thoiry, sculpteur de Charles V », Journal des Savants, 1972, p. 210-227.
Erlande-Brandenburg (A.)
« La Chapelle Notre-Dame-de-Bonnes-Nouvelles, nouvelle présentation au musée de Cluny », Revue du Louvre, 1973, no 4-5, p. 229-236.
Erlande-Brandenburg (A.)
« Le Roi, la sculpture et la mort, gisants et tombeaux de la Basilique de Saint-Denis », Bulletin des Archives de la Seine-Saint-Denis, no 3, 1975.
Erlande-Brandenburg (A.)
« Jean de Cambrai, sculpteur de Jean de France, duc de Berry », Fondation Eugène Piot, Monuments et mémoires publiés par l'Académie des Inscriptions et Belles-Lettres, t. 63, 1980, p. 132-186.
Evans (J.)
A History of jewellery 1100-1870, Londres, 1953.
Fayard (A.)
« Le Tombeau de Clément VI à la Chaise-Dieu », Almanach de Brioude, 1962.
Falke (O. von), Frauberger (M.)
Deutsche Schmelzarbeiten des Mittelalters und Andere Kunstwerke der Kunsthistorischen Austellung zu Düsseldorf..., Francfort-sur-le-Main, 1904.
Faucon (M.)
« Les Arts à la Cour d'Avignon sous Clément V et Jean XXII (1307-1334) », École française de Rome, Mélanges d'archéologie et d'histoire, 1882, p. 36-81 et 1884, p. 57-130.
Fawtier (R.)
Cf. Sources.
Fayard (chanoine A.)
« Le Tombeau de Clément VI à la Chaise-

Dieu », Almanach de Brioude, 1962, p. 39-82 et 1963, p. 27-38.
Félibien (Dom M.)
Cf. Sources.
Fichot (Ch.)
Les Tombeaux et figures historiques de l'église impériale de Saint-Denis, Paris, 1867, 2 vol.
Fierens-Gevaert (H.)
« Remarques sur le style de maître André Beauneveu », Actes du Congrès d'Histoire de l'art organisé par la Société de l'Histoire de l'art français (1921), Paris, 1924, vol. III, p. 497-504.
Fillitz (H.)
Kunsthistorisches Museum, Wien. Katalog der Sammlung für Plastik und Kunstgewerbe, I, Mittelalter, Vienne, 1964.
Fillitz (H.)
« Die Silberschale der Herzogin Margarete Maultasch in Schloß Ambras », Pantheon, International Zeitschrift für Kunst, 1971, p. 320-322.
Focillon (H.)
« Les Origines monumentales du portrait français », Mélanges Jorga, Paris, 1933.
Focillon (H.)
Le Peintre des miracles de Notre-Dame, Paris, 1950.
Forsyth (W.H.)
« Mediaeval statues of the Virgin in Lorraine related in type to the Saint-Dié Virgin », Metropolitan Museum studies, V, 2, New York, 1936, p. 235-258.
Forsyth (W.H.)
« A Medieval Statue of the Virgin and Child », The Metropolitan of Art Bulletin, 1944, p. 85-89.
Forsyth (W.H.)
« A Head from a Royal Effigy », The Metropolitan Museum of Art Bulletin, 1945, p. 214-219.
Forsyth (W.H.)
« The Virgin and Child in French fourteenth century sculpture. A method of classification », The Art Bulletin, XXXIX, 1957, p. 171-182.
Forsyth (W.H.)
« Medieval statues of the Virgin in Lorraine related in type to the Saint-Dié Virbin », Metropolitan Museum Studies, V, 2, p. 235-258.
Forsyth (W.H.)
« A Group of fourteenth century mosan sculptures », The Metropolitan Museum Journal, 1968, p. 43.
Fourez (L.)
« Le Roman de la Rose de la Bibliothèque de la ville de Tournai », Scriptorium, I, 1946, p. 213-239.
Francis (H.S.)
« Jean de Beaumetz. Calvary with a cartusian monk », The Bulletin of the Cleveland Museum of Art, nov. 1966, p. 329-338.
Freeman (M.B.)
« A Shrine for a Queen », The Metropolitan Museum of Art Bulletin, 1963, p. 327-339.
Frolow (A.)
La Relique de la Vraie Croix. Recherches sur le développement d'un culte, Paris, Institut français d'études byzantines, 1961.

Gaborit (J.R.)
« Les Statues de Charles V et de Jeanne de Bourbon au Louvre : une nouvelle hypothèse », à paraître dans la Revue du Louvre.
Gaborit-Chopin (D.)
« Le Bâton cantoral de la Sainte-Chapelle », Bulletin monumental, t. 132, 1975, p. 67-81.
Gaborit-Chopin (D.)
Ivoires du Moyen Age, Fribourg, 1978.
Gaspar (C.) et Lyna (F.)
Les Principaux manuscrits à peintures de la Bibliothèque royale de Belgique, vol. I, Paris, 1937.
Gauchery (P.)
« Le Palais du duc Jean et la Sainte-Chapelle de Bourges », Mémoires de la Société des Antiquaires du Centre, XXXIX, 1919-1920, p. 37-77.
Gauchery (P.)
« Renseignements complémentaires sur la vie et les travaux de Jean de France, duc de Berry d'après les documents nouveaux », Mémoires de la Société des Antiquaires du Centre, XL, 1921-1922, p. 195-211.
Gauchery (P.)
« Mehun-sur-Yèvre. Le château », Congrès archéologique de France, Bourges, 1931, p. 328-345.
Gaulejac (B. de)
Histoire de l'orfèvrerie en Rouergue, Rodez, Société des lettres, sciences et arts de l'Aveyron, 1938.
Gauthier (J.)
Cf. Sources.
Gauthier (M.-M.)
Émaux du Moyen Age occidental, Fribourg, 1972.
Gauthier (M.-M.)
« Les Incunables des émaux translucides », Civilta delle Arte minori in Toscana, Florence, 1973, p. 151-154.
Gauthier (M.-M.)
« Le Tableau de la crucifixion sur les évangiles othoniens donnés par Charles V à la Sainte-Chapelle et l'orfèvrerie parisienne au temps de saint Louis ». Fondation Eugène Piot. Monuments et mémoires publiés par l'Académie des Inscriptions et Belles-Lettres, t. 59, 1974, p. 171-208.
Géraud (H.)
Cf. Sources.
Gillerman (D.)
« The Clôture of the cathedral of Notre-Dame : problems of reconstruction », Gesta, t. XIV, 1975, p. 41-61.
Girard (J.)
Musée Calvet de la ville d'Avignon. Catalogue illustré, Avignon, 1924.
Girardot (baron A.J. de)
« Histoire et inventaire du trésor de la cathédrale de Bourges », Mémoires de la Société impériale des Antiquaires de France, t. XXIV, 1859, p. 193-272.
Godwin (F.G.)
« An Illustration to the de Sacramentis of saint Thomas, Speculum, t. XXVI, 1951, p. 609-614.
Goldscheider (C.)
« La Sculpture à Jumièges », Congrès scientifi-

que du XIIIe centenaire [de Jumièges], t. 2, Rouen, 1955, p. 527-528.

Gonse (L.), *L'Art ancien à l'exposition de 1878*, Paris, 1879.

Gounot (E.)
« Deux fragments du tombeau de Clément VI au musée Crozatier du Puy », *Bulletin des Musées de France*, 1950, n° 1, p. 21-24.

Gras (P.)
« Deux puits de Moïse à Chalon-sur-Saône », *Miscellanea prof. Dr. D. Roggen*, Gand, 1957, p. 101-104.

Graves (F.M.)
Cf. Sources.

Grimme (E.G.)
« Die Gotischen Kapellenreliquiare im Aachener Domschatz », *Aachener Kunstblätter*, t. 39, 1966, p. 7-76.

Grodecki (L.)
Ivoires français, Paris, 1947 (collection Art, style et technique).

Guiffrey (J.)
Cf. Sources.

Guth-Dreyfus (K.)
Transluzides Email in der ersten Hälfte des 14 Jahrhunderts am Ober-Mittel-und Niederrhein, Bâle, 1954.

Halsema-Kubes (W.)
Beeldhouwkunst in het Rijksmuseum, Catalogus, Amsterdam, 1973.

Haraucourt (E.) et Montrémy (F.)
Musée des Thermes et de l'Hôtel de Cluny. Catalogue général. I. La pierre, le marbre et l'albâtre, Paris, 1922.

Haseloff (G.)
Die Psalterillustration im 13 Jahrhundert, Kiel, 1938.

Haussherr (R.)
« Die Chorschrankenmalereien des Kölner Doms », *Vor Stefan Lochner. Die Kölner Maler von 1300-1430 (Ergebnisse der Ausstellung und des Colloquiums)*, Cologne, 1974, p. 28-59.

Heikamp (D.) et Grote (A.)
Il Tesoro di Lorenzo il Magnifico, II. I vasi, Florence, 1974.

Heinrich (J.)
Die Entwicklung der Madonnen Statue in der Skulptur Nordfrankreichs von 1250 bis 1350, Francfort, 1933.

Heng (M.)
« Autour de l'atelier de Rieux : un groupe de Vierges à l'Enfant au XIVe siècle », *Actes du 26e Congrès des Sociétés savantes (1971)*, Toulouse, 1976, p. 103-114.

Henwood (Ph.)
« Jean d'Orléans, peintre des rois Jean II, Charles V et Charles VI (1361-1407) », *Gazette des Beaux-Arts*, t. XCV, 1980, p. 137-140.

Hoberg (H.)
Cf. Sources.

Hoffeld (J.M.)
« Images of Saint Louis and the structuring of Devotion », *The Bulletin of the Metropolitan Museum of Art*, 1971, p. 261-266.

Hofmann (A.)
Studien zur Plastik in Lothringen im 14. Jahrhundert, thèse manuscrite, Munich, 1954.

Hospital (Fr.)
« Illustration des livres de droit », *Dossiers de l'Archéologie*, n° 16, 1976.

Huard (G.)
« Saint Louis et la reine Marguerite, statues provenant de l'Hôpital des Quinze-Vingts », *Gazette des Beaux-Arts*, t. VII, 1932, p. 375-391.

Huard (G.)
« Une Statue funéraire du musée du Louvre. Philippe VI ou Charles V », *Bulletin de la Société de l'histoire de l'Art français*, 1938, p. 34-43.

Huard (G.)
« Statues de la Vierge du XIVe siècle à Saint-Germain-des-Prés et à Magny-en-Vexin », *Bulletin de la Société nationale des Antiquaires de France*, 1938, p. 95-103.

Hulin de Loo (G.)
Heures de Milan : troisième partie des Très belles Heures de Notre-Dame enluminées par les peintres de Jean de France, duc de Berry et par ceux du duc Guillaume de Bavière, comte de Hainaut et de Hollande, Bruxelles, 1911.

Huyghe (R.)
« Un Portement de Croix français de la fin du XIVe siècle », *Bulletin des Musées de France*, 1930, p. 99-101.

Jacques (Ch.), (pseudonyme de Ch. Sterling)
Cf. Ch. Sterling, *Les Peintres du Moyen-Age*, Paris, 1942.

Jamot (P.)
« Fresques de Sorgues », *Fondation Eugène Piot. Monuments et mémoires publiés par l'Académie des Inscriptions et Belles-Lettres*, t. 36, 1938, p. 137-172.

Jansen (A.)
Musée royaux d'Art et d'Histoire. Art chrétien jusqu'à la fin du Moyen Age, Bruxelles, 1964.

Jerphanion (G. de)
Le Missel de la Sainte-Chapelle à la Bibliothèque de la ville de Lyon, Lyon, 1944.

Koechlin (R.)
« La Sculpture du XIVe siècle et du XVe siècle dans la région de Troyes », *Congrès archéologique de France, Troyes-Provins (1902)*, Caen, 1904, p. 3-36.

Koechlin (R.)
« La Sculpture belge et les influences françaises au XIIIe et XIVe siècles », *Gazette des Beaux-Arts*, 1903, II, p. 5-19.

Koechlin (R.)
Catalogue raisonné de la collection Martin Le Roy, Les ivoires, Paris, 1906, t. II.

Koechlin R.)
« Les Retables français en ivoire du commencement du XIVe siècle », *Fondation Eugène Piot. Monuments et Mémoires publiés par l'Académie des Inscriptions et Belles-Lettres*, t. XIII, 1906, p. 67-76.

Koechlin (R.)
« Ivoires gothiques français connus antérieurement au XIXe siècle », *Revue de l'Art chrétien*, 1911, p. 281-292.

Koechlin (R.)
« Quelques groupes d'ivoires gothiques français, les diptyques à décor de roses », *Gazette des Beaux-Arts*, 1918, p. 225-246.

Koechlin (R.)
« Quelques groupes d'ivoires français. Le Dieu d'Amour et le château d'Amour sur les valves de boîtes à miroir, *Gazette des Beaux-Arts*, t. IV, 1921, II, p. 280-297.

Koechlin (R.)
Les Ivoires gothiques français, Paris, 1924, 3 vol.

Koechlin (R.)
« Essai de classement chronologique d'après la forme de leur manteau, des Vierges du XIVe siècle, debout, portant l'Enfant », *Congrès d'Histoire de l'Art, (Paris, 1921)*, III, Paris, 1924, p. 490-496.

Kosegarten (A.)
« Inkunabeln der Gotischen Kleinplastik in Hartholz », *Pantheon, internationale Zeitschrift für Kunst*, 1964, p. 302-321.

Kovacs (E.)
« L'Orfèvrerie parisienne et ses sources », *Revue de l'Art*, 1975, n° 28, p. 25-33.

Kovacs (E.)
« La Dot d'Anne de Bretagne : le reliquaire du Saint-Esprit », *Revue du Louvre*, oct. 1981.

Kraft (K.)
« Ein Reliquien Kreuz des Trecento », *Pantheon, Internationale Zeitschrift für Kunst*, 1971, p. 102-113.

Krautheimer (R.)
« Ghiberti and Master Gusmin », *The Art Bulletin*, XXIX, 1947, p. 25-35.

Kreuter-Eggemann (H.)
Das Skizzenbuch des Jacques Daliwe, Munich, 1964.

Labarte (J.)
Histoire des arts industriels au Moyen Age et à l'époque de la Renaissance, Paris, 1864-1866, 4 vol.

Labarte (J.)
Histoire des arts industriels au Moyen Age et à l'époque de la Renaissance, 2e éd., II, 1873.

Labarte (J.)
Cf. aussi Sources.

Laborde (L. de)
Les Ducs de Bourgogne. Étude sur les lettres, les arts et l'industrie pendant le XVe siècle et plus particulièrement dans les Pays-Bas et le duché de Bourgogne, Paris, 1849-1851, 3 vol.

Laborde (L. de)
Notice des émaux, bijoux et objets divers exposés dans les galeries du musée du Louvre, II, documents et glossaire, Paris, 1853-1857.

Laborde (A. de)
Les Manuscrits à peintures de la Cité de Dieu, de saint Augustin, Paris, 1909.

Lacaze (Ch.)
The Vie de St Denis Manuscript (Paris, Bibliothèque nationale, ms. fr. 2090-2092), New York-Londres, 1979.

Laclotte (M.)
L'École d'Avignon, La Peinture en Provence aux XIVe et XVe siècles, Paris, 1960.

Laclotte (M.)
Primitifs français, Paris, 1966.

Laclotte (M.) et Thiébaut (D.)
L'École d'Avignon, Paris (à paraître).

Lafaurie (J.)
Les Monnaies des rois de France, Paris, 1951.

Lafond (J.) (avec la collaboration de F. Perrot et P. Popesco)
Les Vitraux du chœur de Saint-Ouen de Rouen, Paris, 1970 (Corpus Vitrearum Medii Aevi, France IV-2/1).

Lamm (C.J.)
Mittelalterliche Gläser und Steinschnittarbeiten aus dem Nahen Osten, Berlin, 1929-1930, t. I et II.

Landais (H.)
«La Donation Mège», *Revue du Louvre*, 1961, p. 109-110.

Langlois (Ch. V.)
Cf. Sources.

Laran (J.)
«Les Statues de Charles V à la basilique de Saint-Denis, à la cathédrale d'Amiens et au musée du Louvre», *Musées et Monuments de France*, 1906, p. 140-142.

Laske Fix (K.)
Der Bildenzyklus des Breviari d'Amor, Munich-Zurich, 1973 (Münchner Kunsthistorische Abhandlungen, V).

Lasko (P.E.)
«Der Goldpokal der Könige von Frankreich und England», *Alte und Moderne Kunst*, 7, 1962, p. 43-46.

Lasteyrie (R. de)
«Les Miniatures d'André Beauneveu et de Jacquemart de Hesdin», *Fondation Eugène Piot. Monuments et mémoires publiés par l'Académie des Inscriptions et Belles-Lettres*, III, 1896, p. 71-119.

Leber (G.)
Cf. Sources.

Lefrançois-Pillion (L.)
«Les Statues de la Vierge à l'Enfant dans la sculpture française au XIVᵉ siècle», *Gazette des Beaux-Arts*, 1935, II, p. 136-143 et 208-209.

Lefrançois-Pillion (L.), Lafond (J.)
L'Art du XIVᵉ siècle en France suivi d'un chapitre sur le vitrail par Jean Lafond, Paris, 1954.

Lehoux (F.)
Jean de France, duc de Berri. Sa vie, son action politique (1340-1416), Paris, 1966-1968, 4 vol.

Lenoir (A.)
Cf. Sources.

Leonelli (M.C.)
Cf. exposition : 1978.

Leroquais (chanoine V.)
Les Sacramentaires et les missels manuscrits des bibliothèques de France, Paris, 1924, 3 vol. et 1 vol. de pl.

Leroquais (chanoine V.)
Les Livres d'heures manuscrits de la Bibliothèque nationale, Paris, 1927, 2 vol. et 1 vol. de pl.

Leroquais (chanoine V.)
Les Bréviaires manuscrits des bibliothèques publiques de France, Paris, 1934, 5 vol. et 1 vol. de pl.

Leroquais (chanoine V.)
Les Pontificaux manuscrits des bibliothèques publiques de France, Paris, 1937, 3 vol. et un album de pl.

Leroquais (chanoine V.)
Les Psautiers manuscrits des bibliothèques publiques de France, Paris, 1940-1941, 2 vol. et 1 vol. de pl.

Leroquais (chanoine V.)
Cf. exposition : *Manuscrits à peintures...*, Lyon, 1920.

Le Roy (P.)
Cf. Sources.

Lespinasse (R. de)
Cf. Sources.

Lestocquoy (chanoine J.)
«Deux siècles de l'histoire de la Tapisserie (1300-1500)», *Mémoires de la Commission départementale des Monuments historiques du Pas-de-Calais*, t. XIX, Arras, 1978.

Lightbown (R.)
Secular goldsmith's work in medieval France : a History, Londres, 1978 (Reports of the research Comittee of the Society of Antiquaries of London, nᵒ XXXVI).

Little (C.T.)
«Ivoires et art gothique», *Revue de l'Art*, nᵒ 46, 1979, p. 58-67.

Longhurst (M.H.)
Victoria and Albert Museum, Catalogue of carvings in ivory, II, Londres, 1929.

Loomis (R.S.)
«A Medieval ivory caskett», *Art in America*, déc. 1916.

Lord (C.)
«The Manuscripts of the Ovide moralisé», *Art Bulletin*, vol. LVI, 1975, p. 161-175.

Mackeprang (M.)
Vases sacrés émaillés d'origine française du XIVᵉ siècle conservés dans le musée national du Danemark, Copenhague, 1921, 8 pl.

Maillard (F.)
Cf. Sources.

Marquet de Vasselot (J.J.)
«Le Trésor de l'abbaye de Roncevaux», *Gazette des Beaux-Arts*, 81, 1897, p. 319-333 et 104, 1909, p. 100.

Marquet de Vasselot (J.J.)
Musée du Louvre. Orfèvrerie, émaillerie et gemmes du Moyen Age au XVIIᵉ siècle, Paris, 1914.

Marquet de Vasselot (J.J.)
Musée du Louvre. Catalogue sommaire de l'orfèvrerie, de l'émaillerie et des gemmes du Moyen Age au XVIIᵉ siècle, Paris, 1914.

Marquet de Vasselot (J.J.) et Weigert (R.A.)
Bibliographie de la tapisserie, des tapis et de la broderie en France, Paris, 1935.

Martin (H.)
«Un Caricaturiste du temps du roi Jean : Pierart dou Tielt», *Gazette des Beaux-Arts*, 2ᵉ série, t. 51, 1909, p. 89-102.

Martin (H.)
La Miniature française du XIIIᵉ au XVᵉ siècle, Paris-Bruxelles, 1923.

Martin (H.) et Lauer (Ph.)
Les Principaux manuscrits à peintures de la bibliothèque de l'Arsenal, Paris, 1929.

Maryon (H.)
«New light on the Royal Gold Cup», *The British Museum quarterly*, XVI, 1951-1952, p. 56-58.

Masai (Fr.) et Wittek (M.)
Manuscrits datés conservés en Belgique I : 819-1400, Bruxelles-Gand, 1968.

Masnou (P.)
Cf. Sources.

Meiss (M.)
«The Exhibition of French Manuscripts of the XIII-XVIᵉ centuries at the Bibliothèque nationale», *Art Bulletin*, XXXVIII, 1956, p. 187-196.

Meiss (M.)
«Highlands in the Lowlands», *Gazette des Beaux-Arts*, LVII, 1961, p. 285-291.

Meiss (M.)
French painting in the time of Jean de Berry, the late fourteenth century and the patronage of the duke, Londres, New York, 1967, 2 vol.

Meiss (M.)
«The Bookkeeping of Robinet d'Estampes and the Chronology of Jean de Berry's Manuscripts», *Art Bulletin*, LIII, 1971, p. 225-235.

Meiss (M.)
French Painting in the time of Jean de Berry. The Limbourgs and their contemporaries, Londres-New York, 1942, 2 vol.

Melnikas (A.)
The Corpus of the Miniatures in the Manuscripts of Decretum Gratiani, Rome, 1975, 3 vol. (Studia Gratiana, vol. XVI à XVIII).

Mely (F. Dussaussay de)
Le Trésor de Chartres, 1310-1793, Paris, 1886.

Menand (B.)
«Les Statues de la Vierge à l'Enfant du XIVᵉ au XVIᵉ siècle dans l'ancien diocèse d'Avranches», *Informations d'histoire de l'Art*, 1973, nᵒ 2, p. 89-91.

Meras (M.)
«La Vierge aux colombes de Montpezat et la sculpture toulousaine», *Revue des Arts*, 1959, p. 57-60.

Mersmann (W.)
«Jacques de Baerze und Claus Sluter», *Aachener Kunstblätter*, 39, 1966, p. 149-159.

Mesuret (R.)
Cf. exposition : *Les Enlumineurs du Capitole...*, Toulouse, 1955.

Michaëlsson (K.)
Cf. Sources.

Michel (E.)
«La Collection Mayer van den Bergh à Anvers», *Gazette des Beaux-Arts*, 1924, II, p. 41-58.

Michon (M.)
«L'Abbaye de Jumièges», *Congrès archéologique de France*, 1926, p. 587-609.

Middeldorf (U.)
«On the Origins of « Email sur ronde-bosse » », *Gazette des Beaux-Arts*, 1960, II, p. 233-244.

Migeon (G.)
Musée national du Louvre. Catalogue des bronzes et cuivres du Moyen Age, de la Renaissance et des temps modernes, Paris, 1904.

Migeon (G.)
«La Collection de M.Ch. Mège», *Les Arts*, nᵒ 86, 1904, p. 1-19.

Millar (E.G.)
Souvenir de l'exposition de manuscrits français à peintures organisée à la Grenville Library (British Museum) en janvier-mars 1932. Étude concernant les 65 manuscrits exposés, Paris, Société française de reproduction de manuscrits à peintures, 1933.

Milliken (W.)
«A Fourteenth century Angel of the Annonciation», *The Bulletin of the Cleveland Museum of Art,* 1955, p. 118-120, pl. p. 114.

Millin (A.L.)
Antiquités nationales ou recueil de monuments pour servir à l'histoire générale et particulière de l'Empire français, tels que tombeaux, inscriptions, statues, vitraux, fresques..., Paris, 1790-1799 (5 vol.).

Molinier (E.)
Musée national du Louvre. Département des Objets d'art du Moyen Age, de la Renaissance et des temps modernes. Catalogue des ivoires, Paris, 1896.

Molinier (E.)
Histoire générale des Arts appliqués à l'industrie, t. I, *Les Ivoires,* Paris, 1896.

Molinier (E.)
Histoire générale des Arts appliqués à l'industrie, t. IV, *l'orfèvrerie religieuse et civile,* 1re partie, *Du Ve à la fin du XVe siècle,* Paris, s.d. (1901).

Montesquiou-Fezensac (B. de) et Gaborit-Chopin (D.)
Le Trésor de Saint-Denis, Paris, 1973 et 1977, 3 vol.

Montesquiou-Fezensac (B. de) et Gaborit-Chopin (D.)
«Camées et intailles du Trésor de Saint-Denis», *Cahiers archéologiques,* XXIV, 1975, p. 137-162.

Morand (K.)
«Jean Pucelle. A re-examination of the evidence», *Burlington Magazine,* vol. 103, 1961, p. 206-209.

Morand (K.)
Jean Pucelle, Oxford, 1962.

Morand (chanoine S.J.)
Histoire de la Sainte-Chapelle royale du Palais enrichie de planches; par M. Sauveur-Jérôme Morand, chanoine de ladite église..., Paris, 1790.

Moranvillé (H.)
Cf. Sources.

Morey (C.R.)
«A Group of gothic ivories in the Walters Art Gallery», *Art Bulletin,* XVIII, 1936, p. 199-212.

Morganstern Mac Gee (A.)
«Quelques observations à propos de l'architecture du tombeau du cardinal Jean La Grange», *Bulletin monumental,* 1970, p. 195-209.

Morganstern Mac Gee (A.)
Pierre Morel and Sculpture in Avignon during the period of the Schism (1378-1417), New York University press, 1970-1971.

Morganstern Mac Gee (A.)
«The La Grange tomb and choir : a monument of the great Schism of the West», *Speculum,* XLVIII, 1973, p. 52-69.

Morganstern Mac Gee (A.)
«Pierre Morel, Master of Works in Avignon», *The Art Bulletin,* LVIII, 1976, p. 323-349.

Muller (Th.)
Sculpture in the Netherlands, Germany, France and Spain, 1400-1500, Baltimore-Hardmondsworth, 1966.

Muller (Th.) et Steingraber (E.)
«Die Französische Goldemailplastik um 1400», *Münchner Jahrbuch der bildenden Kunst,* 3e série, IV, 1954, p. 29-79.

Mundt (B.)
«Der Statuenzyclus von Carcassonne», *Wallraf-Richartz Jarhbuch,* XXVII, 1965, p. 31-54.

Mundt (B.)
«Der Statuenzyclus der Chapelle de Rieux und seine künstlerische Nachfolge», *Jahrbuch der Berliner Museen,* 9, 1967, p. 26-80.

Muntz (E.)
«Giovanni di Bartolo da Sienna orafo della Corte di Avignone nel XIV secolo, *Archivio Storico italiano,* 5e série, t. II, 1880, p. 3-20.

Muntz (E.)
«Les Tombeaux des papes en France», *Gazette des Beaux-Arts,* XXXVI, 1887, p. 275-285 et 367-387.

Musée Calvet, cat. 1924
Cf. Girard (J.).

Musée de Cluny, catalogue, 1922
Cf. Haraucourt (F.), Montrémy (F.).

Natanson (J.)
Gothic Ivories from the XIIIth and XIVth centuries, Londres, 1951.

Nordenfalk (C.)
«Der Meister des Registrum Gregorii», *Münchner Jahrbuch der Bildendenkunst,* 3e série, I, 1950, p. 61 et suiv.

Nordenfalk (C.)
«Französische Buchmalerei 1200-1500», *Kunstchronik,* IX, 1956, p. 179-189.

Nordenfalk (C.)
«Maître Honoré and Maître Pucelle», *Apollo,* mai 1964, p. 356-364.

Nordenfalk (C.)
Bokmålninger fran medeltid och Renössans : Nationalmusei Samlingar, Stockholm, 1979.

Olschki (L.S.)
Manuscrits français à peinture des bibliothèques d'Allemagne, Genève, 1932.

Oman (Ch.)
«A Mysterious Hoard of early french silver», *Pantheon, Internationale Zeitschrift für Kunst,* XIX, 1961, p. 8-87.

Otavsky (K.)
«Aachener Goldschmiedearbeiten des 14 Jahrhunderts», *Die Parler und der schöne Stil, 1350-1400, Das internationale Kolloquium (5-12 mars 1979),* Cologne, 1980, p. 77-88.

Oursel (R.)
«Maîtres d'œuvres et architectes en Savoie au Moyen Age», *Les Monuments historiques de la France, Bulletin trimestriel,* no 2-3, 1960, p. 78-88.

Pacht (O.)
«A Forgotten Manuscript from the Library of the Duc de Berry», *Burlington Magazine,* XCVIII, 1956, p. 146-153.

Pacht (O.)
«Un Tableau de Jacquemart de Hesdin?», *Revue des Arts,* VI, 1956, p. 149-160.

Panofsky (E.)
Early Netherlandish Painting, its Origins and Character, Cambridge, Harvard University Press, 1953.

Panofsky-Soergel (G.)
«Ein signierter Pariser Silberemail-Kelch um 1330», *Festschrift Kauffmann-Munuscula Discipulorum,* Berlin, 1968, p. 225-233.

Palustre (L.)
«Note sur une Vierge du XIVe siècle à la cathédrale de Langres», *Gazette archéologique,* 1885, p. 103-104.

Parkhurst (Ch.)
«The Madonna of the writing Christ Child», *The Art Bulletin,* XXII, 1941, p. 292-306.

Petit (E.)
Cf. Sources.

Perdrizet (P.)
«Maria sponsa Filii Dei», *Revue de l'art chrétien,* 50e année, 1907, p. 392-397.

Perdrizet (P.)
«Maria sponsa Filii Dei», *Bulletin mensuel de la Société d'archéologie lorraine et du Musée historique lorrain,* I, 1907, p. 100-108.

Perdrizet (P.)
La Vierge de Miséricorde, étude d'un thème iconographique, Paris, 1908.

Pinoteau (H.)
«La Tenue de sacre de saint Louis», *Itinéraires,* no 162, avril 1972, p. 149-150.

Planchenault (R.)
L'Apocalypse d'Angers, Paris, Caisse nationale des Monuments historiques et des Sites, 1966.

Plummer (J.)
The Glazier Collection of Illuminated Manuscripts, New York, 1968.

Podlaha (Dr A.) et Sittler (Ed.)
Der Domschatz in Prag (Topographie der Historischen und Kunst-Denkmale), Prague, 1903.

Porcher (J.)
L'Enluminure française, Paris, 1959.

Porcher (J.)
Cf. exposition : *Les manuscrits à peinture...,* Paris, 1955.

Pradalier-Schlumberger (M.)
«Le Tombeau des chairs du roi Philippe III le Hardi à Narbonne», *96e Congrès des Sociétés savantes (Toulouse, 1971),* II, Paris, 1976, p. 225-238.

Pradel (P.)
«Les Tombeaux de Charles V», *Bulletin monumental,* 1951, p. 273-296.

Pradel (P.)
«Art et politique sous Charles V», *Revue des Arts,* 1951, p. 89-93.

Pradel (P.)
«Le Visage inconnu de Louis d'Orléans, frère de Charles VI», *Revue des Arts,* 1952, 2, p. 93-98.

Pradel (P.)
«Notes sur la vie et les œuvres du sculpteur Jean de Liège», *Art mosan,* Paris, 1953, p. 217-219.

Pradel (P.)
«Un Nouveau prophète de la Sainte-Chapelle de Bourges», *Revue des Arts,* I, mars 1953, p. 58.

Pradel (P.)
«L'Auteur des statues du «Beau Pilier» de la cathédrale d'Amiens», *Mémoires et documents publiés par la Société de l'École des*

Chartes. Recueil de travaux offerts à M. Clovis Brunel, Paris, 1955, vol. II, p. 390-396.

Pradel (P.)
« Les Ateliers des sculpteurs parisiens au début du XIVe siècle », C.R. Académie des Inscriptions et Belles-Lettres, 1957, p. 67-73.

Pradel (P.)
« Nouveaux documents sur le tombeau de Jean de Berry, frère de Charles V », Fondation Eugène Piot. Monuments et mémoires publiés par l'Académie des Inscriptions et Belles-Lettres, t. 49, 1957, p. 141-157.

Pradel (P.)
« Sur Trois priants royaux du XIVe siècle conservés au Metropolitan Museum », Miscellanea Prof. D. Roggen, Anvers, 1957, p. 213-218.

Pradel (P.)
« Précisions sur la vie et les activités du sculpteur André Beauneveu à la fin du XIVe siècle », C.R. Académie des Inscriptions et Belles-Lettres, 1958, p. 211-212.

Pradel (P.)
« Froissart et Beauneveu », Journal des Savants, 1961, p. 5-11.

Pradel (P.)
« Un Relief provenant du tombeau des « chairs » du roi Philippe III au musée de Narbonne », Revue archéologique, 1964, I, p. 33-46.

Pradel (P.)
« Les Sculptures du Palais ducal de Bourges et du château de Mehun », Humanisme actif. Mélanges d'art et de littérature offerts à Julien Cain, Paris, 1968, p. 359-363.

Prin (M.)
« La Sculpture à Toulouse à la fin du XIIIe et au début du XIVe siècle », Actes du 96e Congrès national des Sociétés savantes (Toulouse, 1971), II, Paris, 1976, p. 175-188.

Prost (B.) et Prost (H.)
Cf. Sources.

Quarré (P.)
« La Polychromie du puits de Moïse », Arts plastiques, n° 3, 1951, p. 211-218.

Quarré (P.)
« Les Statues du portail de la chartreuse de Champmol », Bulletin de la Société nationale des Antiquaires, 1954-1955, p. 113-114.

Quarré (P.)
« Un Dossier de chaire de la chartreuse de Champmol, œuvre de Jean de Liège », Miscellanea prof. dr. D. Roggen, Anvers, 1957, p. 219-228.

Quarré (P.)
« Les Statues de la Vierge à l'Enfant des confins burgundo-champenois au début du XIVe siècle », Gazette des Beaux-Arts, 1968, I, p. 193-204.

Quarré (P.)
« L'Implantation du Calvaire du « Puits de Moïse », à la chartreuse de Champmol », Mémoires de la commission des Antiquités du département de la Côte-d'Or, XXIX, 1974-1975, p. 161-166.

Rabut (F.)
« [Hautecombe] Communication à la Société savoisienne d'histoire et d'archéologie », Mémoires et documents de la Société savoisienne d'histoire et d'archéologie, V, 1861, p. LII-LV.

Rachou (H.)
Le Musée de Toulouse. I. Les Statues de la chapelle de Rieux et de la basilique Saint-Sernin, Toulouse, 1910 (1re éd. moins complète, 1905).

Rachou (H.)
Catalogue des collections de sculpture et d'épigraphie du musée de Toulouse, Toulouse, 1912.

Randall (L.M.C.)
« Games and the Passion in Pucelle Hours of Jeanne d'Évreux », Speculum, XLVII, 1972, p. 246-257.

Randall (L.M.C.)
Images in the Margins of Gothic Manuscripts, Berkeley-Los Angeles, 1966.

Randall (L.M.C.)
« A Parisian ivory Carver », The Journal of the Walters Art Gallery, XXXVIII, 1980, p. 60-69.

Randall (R.H.)
« The Medieval artist and industrialized art », Apollo, LXXXIV (1966-2), p. 434-441.

Randall (R.H.)
The Walters Art gallery medieval ivories, Baltimore, 1969.

Randall (R.H.)
« A Monumental ivory », Gatherings in honor of Dorothy E. Miner, Walters Art Gallery, Baltimore, 1974, p. 283-300.

Randall (R.H.)
« Frog in the middle », The Metropolitan Museum of Art Bulletin, XVI, 1958, p. 269 et suiv.

Raunié (E.)
Cf. Sources.

Read (C.H.)
The Royal Gold Cup of the King of France and England, now preserved in the British Museum, vetusta Monumenta, Londres, 1904.

Requin (chanoine J.)
« Église de Saint-Pierre d'Avignon », Inventaire des richesses d'art de la France, province, monuments religieux, t. III, Paris, 1901.

Rey (R.)
L'Art gothique du Midi de la France, Paris, 1934.

Richard (J.M.)
Une Petite nièce de saint Louis : Mahaut comtesse d'Artois et de Bourgogne (1302-1329), Paris, 1887.

Richter Sherman (Cl.)
Cf. Sherman (Cl. Richter).

Ridder (A. de)
Musée national du Louvre. Département des Antiquités grecques et romaines, catalogue sommaire des bijoux antiques. Musée du Louvre, Paris, 1924.

Ring (G.)
A Century of French Painting, 1400-1500, Londres, 1949 (La peinture française du quinzième siècle, Londres-Paris, 1949).

Roggen (Dr D.)
« De « Fons vitae » van Klaas Sluter te Dijon », Revue belge d'archéologie et d'histoire de l'art, t. V, 1935, p. 107-118.

Roggen (Dr D.)
« André Beauneveu en Het Katherinabeeld van Kortrijk », Gentshe Bijdragen Tot de Kunstgeschiedenis, XV, 1954, p. 223-231.

Roggen (Dr D.)
« Prae-Sluteriaanse, Sluteriaanse, Post-Sluteriaanse Nederlandse Sculptuur », Gentshe Bijdragen tot de Kunstgeschiedenis, t. XVI, 1955-1956, p. 111-191.

Roman (M.J.)
Cf. Sources.

Ronot (Dr H.)
« Deux Statuettes d'Evrard d'Orléans identifiées (1341) », Bulletin de la Société de l'histoire de l'Art français, 1933, p. 193-204.

Ronot (H.)
« Une Sculpture inédite d'Evrard d'Orléans, le saint Mammès de la cathédrale de Langres (1341) », Bulletin de la Société de l'histoire de l'Art français, 1953, p. 18-19.

Rorimer (J.J.)
The Hours of Jeanne d'Évreux, Queen of France at the Cloisters, New York, 1957.

Rosenberg (P.)
Das Goldschmiede Merkzeichen, III-IV, Ausland und Byzanz, Berlin, 1928.

Ross (D.J.A.)
« Allegory and Romance on a medieval french marriage casket », Journal of the Warburg and Courtauld Institutes, 11, 1948, p. 112-142.

Rousseau (H.)
« La Vierge de Hal et la Sainte Catherine de Courtrai », Bulletin des musées royaux d'Art et d'Histoire, Bruxelles, 1904.

Rostand (A.)
« Les Statues de la Vierge à l'Enfant au Moyen Age dans l'ancien diocèse de Coutances », Bulletin monumental, t. 96, 1937, p. 67-90.

Saglio (E.)
« Le Triptyque de Saint-Sulpice (Tarn), au musée de l'Hôtel de Cluny », Fondation Eugène Piot. Monuments et mémoires publiés par l'Académie des Inscriptions et Belles-Lettres, II, 1895, p. 227-233.

Salet (F.)
« Une Statue de la Vierge à l'Enfant trouvée à Gisors (Eure) », Fondation Eugène Piot. Monuments et mémoires publiés par l'Académie des Inscriptions et Belles-Lettres, t. 36, 1938, p. 173-186.

Salet (F.)
« La « Croix du Serment » de l'ordre de la Toison d'or », Journal des Savants, avril-juin 1974, p. 73-94.

Salet (F.)
« Sculpture gothique : trois sculpteurs parisiens du XIVe siècle, et, le sculpteur Jean de Liège », Bulletin monumental, 130, 1972, p. 244-247.

Sauzay (A.)
Musée impérial du Louvre. Catalogue du musée Sauvageot, Paris, 1861.

Schaeffer (Cl.)
La Sculpture en ronde-bosse au XIVe siècle dans le duché de Bourgogne, Paris-Saint-Père-sous-Vézelay, 1954.

Scher (S.K.)
The Sculpture of André Beauneveu, Yale University, Ph.d., thèse dactylographiée, 1966 ; fac-similé, Ann Arbor, 1976.

Scher (S.K.)
« André Beauneveu and Claus Sluter », *Gesta*, VII, 1968, p. 3-14.

Scher (S.K.)
« Un problème de la sculpture en Berry. Les statues de Morogues », *Revue de l'Art*, n° 13, 1971, p. 11-24.

Scher (S.K.)
« Notes sur les vitraux de la Sainte-Chapelle de Bourges », *Cahiers d'archéologie et d'histoire du Berry*, 1974, p. 23-44.

Schmidt (G.)
« Beiträge zu Stil und Œuvre des Jean de Liège », *Metropolitan Museum Journal*, 4, 1971, p. 81-107.

Schmidt (G.)
« Drei Pariser Marmorbilder des 14 Jahrhunderts », *Wiener Jahrbuch für Kunstgeschichte*, t. 24, 1971, p. 161-177.

Schmidt (G.)
« Die Wehrdener Kreuzigung des Sammlung von Hirsch und die Kölner Malerei », *Vor Stefan Lochner. Die Kölner Maler von 1300-1430 (Ergebnisse der Ausstellung und des Colloquiums)*, Cologne, 1974, p. 11-27.

Schmidt (G.)
« Zur Datierung der « kleinen » Bargello-Diptychons und der Verkündigungstafel in Cleveland », *Études d'Art offertes à Charles Sterling*, Paris, 1975, p. 47-63.

Schmidt (G.)
« Die Wiener « Herzogenwerkstatt » und die Kunst Nordwesteuropos », *Wiener Jahrbuch für Kunstgeschichte*, 30-31, 1977-1978, p. 179-206.

Schmidt (G.)
« Die Chorschrankenmalereien des Kölner Domes und die Europäische Malerei », *Kölner Domblatt*, 44-45, 1979-1980, p. 293-340.

Schmidt (G.)
« Zu einigen Stifterdarstellungen des 14 Jahrhunderts in Frankreich », *Études d'art médiéval offertes à Louis Grodecki*, Paris, 1981, p. 269-286.

Schmoll Gen Eisenwerth (J.A.)
« Die Madonna von Morhange (Mörchingen) ein unbeachtetes Meisterwerk des frühen 14 Jhs. », *Annales Universitatis saraviensis*, Philos. V, 3e trimestre 1956, Saarbrücken, 1957, p. 276-280.

Schmoll Gen Eisenwerth (J.A.)
« Lothringische Madonnenstatuetten des 14 Jhs. », *Festschrift Friedrich Gerke*, Baden-Baden, 1962, p. 119.

Schmoll Gen Eisenwerth (J.A.)
« Neue Ausblicke zur hochgotischen Skulptur lothringens und der Champagne (1290-1350) », *Aachener Kunstblätter*, 30, 1965, p. 49-99.

Schmoll Gen Eisenwerth (J.A.)
« Mainz und der Westen », Mainz und der Mittelrhein in der europäischen Kunstgeschichte », *Forschungen zur Kunstgeschichte und christlichen Archäologie*, VI, Mainz, 1966, p. 289-314.

Schmoll Gen Eisenwerth (J.A.)
« Lothringen und die Rheinlande, ein Forschungsbericht zur Lothringingischen Skulptur der Hochgotik (1290-1340) », *Rheinische Vierteljahresblätter*, 79, 33, 1969, 1er trimestre.

Schmoll Gen Eisenwerth (J.A.)
« La Sculpture gothique en Lorraine et ses relations avec les régions voisines (Bourgogne, Champagne, Alsace, Rhénanie) », *Bulletin de la Société des amis du musée de Dijon*, 1972, p. 28-36.

Scholtens (H.J.J.)
« De Chartreuse bij Dijon en haar Kunstenaars 1379-1411 », *Oud Holland*, LXXXI, 1966, p. 119-144.

Seguin (J.)
Belles ou curieuses statues dans le diocèse de Coutance et d'Avranche, Paris-Rouen, s.d.

Seibt (F.)
Kaiser Karl IV, Staatsmann und Mäzen..., Munich, 1978 (catalogue et compte rendu de l'exposition).

Sherman (Cl.R.)
The Portraits of Charles V of France (1338-1380), New York, College Art Association, 1969.

Sherman (Cl. R.)
« Representations of Charles V of France (1338-1380) as a Wise Ruler », *Medievalia et Humanistica*, 2, 1971, p. 83-96.

Sherman (Cl. R.)
« Some Visual Definitions in the Illustrations of Aristotles Nicomachean Ethics and Politics in the French Translation of Nicole Oresme », *Art Bulletin*, 69, 1977, p. 320-330.

Sherman (Cl. R.)
« The Queen in Charles V's « coronation Book » : Jeanne de Bourbon and the « ordo ad reginam benedicendam » », *Viator*, 8, 1977, p. 255-298.

Simson (O. von)
« Meister Francke und Jacquemart de Hesdin », *Jahrbuch der Hamburger Kunstsammlungen*, 14/15, 1970, p. 78-82.

Sokolova (J.)
Obraz krajiny ve Francouzských miniaturâch goticke cloby (1250-1415), (le paysage de la miniature gothique française à l'époque gothique), Prague, 1937.

Spencer (E.)
« The First Patron of the Très belles Heures de Notre-Dame », *Scriptorium*, XXIII, 1969, p. 145-149.

Stafski (H.)
Nürnberg-Germanisches Nationalmuseum. Die mittelalterlichen Bildwerke. Bd. I. Die Bildwerke in Stein, Holz, Ton und Elfenbein bis um 1450, Nuremberg, 1965.

Steingraber (E.)
Alter Schmück. Die Kunst des europäischen Schmuller, Munich, 1956.

Steingraber (E.)
« A Silver-Enamel Cross in the Carrand Collection », *The Conoisseur*, sept. 1957, p. 16-20.

Steingraber (E.)
« Beiträge zur gothischen goldschmiedekunst Frankreichs », *Pantheon, Internationale zeitschrift für Kunst*, XX, 1962, p. 156-166.

Steingraber (E.)
« Ein Reliquien altar König Philipps V und Kö-
nigin Johanna von Frankreich », *Pantheon, Internationale Zeitschrift für Kunst*, XXXII-…, 1975, p. 91-99.

Sterling (pseud. : Jacques) (Ch.)
La Peinture française : les Peintres du Moyen Age, Paris, 1942.

Sterling (Ch.), Adhémar (H.) (avec la collaboration de N. Reynaud et L. Colliard)
Musée national du Louvre. Peintures. École française XIVe, XVe et XVIe siècles, Paris, 1965.

Sterling (Ch.)
« Notices concernant les peintres et enlumineurs des XIVe et XVe siècles », J. Bialostocki, *Spätmittelalter und beginnende Neuzeit* (Propylaën Kunstgeschichte, vol. VII), 1972.

Stucky-Schürer (M.)
Die Passionsteppiche von San Marco in Venedig, Berne, 1972.

Swarzenski (H.)
« The Niello Cover of the Gospelbook of the Sainte-Chapelle and the limits of Stylistic Griticism and Interpretation of Literary Sources », *Gesta*, XX, 1981, p. 207-212.

Thoby (P.)
« La Vierge de Bouée », *Bulletin de la Vie artistique nantaise*, 3, 1941, p. 6-7.

Thoby (P.)
Le Crucifix des origines au Concile de Trente, étude iconographique, Nantes, 1959.

Thomas (M.)
Les Grandes Heures de Jean, duc de Berry, Paris, 1971.

Thomas (M.)
« L'Iconographie de saint Louis dans les Heures de Jeanne de Navarre », *Septième centenaire de la mort de saint Louis. Actes du colloque de Royaumont et de Paris (21-27 mai 1970)*, Paris, 1976, p. 209-231.

Thomas (M.)
L'Age d'or de l'enluminure. Jean de France, duc de Berry et son temps, Paris, 1979.

Thuile (J.)
L'Orfèvrerie en Languedoc du XIIe au XVIIIe siècle, I, *Généralité de Montpellier ;* II, *Généralité de Toulouse*, Montpellier, 1964 et 1968, 2 vol.

Troescher (G.)
Die Burgundische Plastik des ausgehenden Mittelalters und ihre Wirkungen auf die Europäische Kunst, Frankfurt-am Main, 1940.

Troescher (G.)
« Drei Apostelkopfe aus der Sainte-Chapelle in Bourges », *Jahrbuch der Preussischen Kunstsammlungen*, vol. 63, 1942, p. 79-89.

Turpin (P.)
« Note sur une Vierge de marbre conservée à Gosnay », *Bulletin du Comité flamand de France*, 1930-1931, p. 370-377.

Ugglas (C.R.)
Bitrag till den Medeltider Guldsmedskunstans Historia, II, Stockholm, 1948.

Vaivre (J.B. de)
« Sur Trois primitifs français du XIVe siècle et le portrait de Jean le Bon », *Gazette des Beaux-Arts*, 1981, I, p. 131-156.

Verdier (Ph.)
« A Medallion of the « Ara Coeli » and the

Netherlandish enamels of the fifteenth century », *Journal of the Walters Art Gallery,* 1961, p. 9-37.)

Verdier (Ph.)
« Les Ivoires de Walters Art Gallery II », *Art international,* VII, 4, 1963, p. 28-36.

Verdier (Ph.)
« Le Duc de Berry et ses artistes », *L'Œil,* 1968, n° 25, août-septembre, p. 12-29, 47 et 103-104.

Verdier (Ph.)
« Le Couronnement de la Vierge. Origines et premiers développements d'un thème iconographique », *Collection conférences Albert le Grand,* 1972.

Verdier (Ph.)
« Le Reliquaire de la Sainte Épine de Jean de Streda », *Fetschrift für Hanns Swarzenski,* Berlin, 1973, p. 319-344.

Verlet (P.)
Musée du Louvre. La galerie d'Apollon, Paris, s.d. [1945].

Viard (J.)
Cf. Sources.

Vidier (A.)
Cf. Sources.

Viollet-le-Duc (E.)
Dictionnaire raisonné de l'architecture française du XIe au XVIe siècle, Paris, 1854-1868, 4 vol.

Viollet-le-Duc (E.)
Dictionnaire raisonné du Mobilier français de l'époque carlovingienne à la Renaissance, Paris, 1865-1872, 3 vol.

Vitali (L.)
Avori Gotici Francesi Museo Poldi-Pezzoli Milano. Catalogo a cura di Lamberto Vitali, Milan, 1976 (catalogue de l'Exposition).

Vitry (P.)
« Sculptures du Moyen Age », *Bulletin des Musées de France,* n° 19, 1928, p. 295-296.

Vitry (P.)
« Une Tête d'apôtre de Mehun-sur-Yèvre », *Bulletin des Musées de France,* n° 1, 1929, p. 5-6.

Vitry (P.)
« Musée archéologique du Havre », *Bulletin des Musées de France,* 1936, p. 13-15.

Vitzthum (G., Graf von)
Die Pariser Miniaturmalerei von der Zeit des Ludwig bis zu Philipp von Valois und ihre Ver- *hältnis zur Malerei in Nord-westeuropa,* Leipzig, 1907.

Vöge (W.)
« Die Madonna der Sammlung Benoit Oppenheim », *Jahrbuch der Königlich preuszischen Kunstsammlungen,* t. 29, 1908, p. 217-222.

Volbach (F.), Schnitzler (H.) et Bloch (P.)
Skulpturen Elfenbein. Perlmutter. Stein. Holz. Europaïsches Mittelalter. Sammlung E. und M. Kofler-Truniger, Luzern Band I, Lucerne, 1964.

Volkelt (P.)
« Zum Stand der Forschung über Lothringen Plastik im 14 Jahrhunderts », *Annales Universitatis Saraviensis,* 1957, p. 281-290.

Vuagneux (H.)
« Le Hanap de Charles V », *Le Journal des Arts,* samedi 13 juillet 1907.

Weigert (R.A.) et Marquet de Vasselot (J.J.)
Bibliographie de la tapisserie, des tapis et de la broderie en France, Paris, 1935.

Westwood (J.O.)
A Descriptive Catalogue of the Fictile Ivories, Londres, 1876.

White (John)
The Birth and Rebirth of Pictorial space, London, 1957 (rééd. 1972).

Wixom (W.D.)
« A fourteenth century Madonna and Child », *Bulletin of Cleveland Museum of Art,* t. L, 1963, p. 14-22.

Wixom (W.D.)
« Three gothic Sculptures », *The Bulletin of the Cleveland Museum of Art,* LIII, 1966, p. 348-355.

Wolters (W.)
« Ein Hauptwerke der niederländischen Skulptur des 14. Jahrunderts in Venedig », *Mitteilungen des Kunsthistorischen Institutes in Florenz,* nt. 13, 1967-1968, p. 185-189.

Wormald (Francis)
« The Throne of Salomon and St Edouard's chair », *De Artibus opuscula XL : Essays in honor of Erwin Panofsky,* New York, 1961, I, p. 532-539.

Young (B.)
« A Jewel of Saint Catherine », *The Metropolitan Museum of Art Bulletin,* 1965-1966, p. 304-315.

Yates Thompson (H.)
Thirty two Miniatures from the Book of Hours of Joan III Queen of Navarra, Londres, 1899.

Addendum :
Ciardi Dupré dal Poggetto (M.-G.)
Il Maestro del Codice di San Giorgio e il cardinale Jacopo Stefaneschi. Florence, Edam, 1981. (Cet important ouvrage, parvenu à notre connaissance après la rédaction du catalogue, intéresse les peintures et les manuscrits exposés sous les numéros 239, 254 et 258.)

Expositions

1878
Exposition universelle internationale, Paris, Champs-de-Mars, 1878.

1889
Exposition rétrospective de l'Art français au Trocadéro, Paris, Palais du Trocadéro, 1889.

1896
Exposition rétrospective des Arts et Monuments du Pas-de-Calais, Arras, 1896.

1900
Exposition rétrospective de l'Art français, Paris, Petit-Palais, 1900.
Exposition universelle internationale, Paris, Champs-de-Mars, 1900.

1904
Exposition des Primitifs français au Palais du Louvre et à la Bibliothèque nationale, Paris, Pavillon de Marsan, 1904.

1905
Exposition universelle: (exposition de l'art ancien au Pays de Liège. Catalogue officiel), Liège, Parcs de Vennes, de Boverie, de Fragnée et de Cointe, 1905.

1907
Exposition de portraits peints et dessinés du XIIIᵉ au XVIIIᵉ siècle, Paris, Bibliothèque nationale, 1907.

1913
Exposition universelle et internationale de Gand. Exposition rétrospective. (L'art ancien dans les Flandres), Gand, 1913.

1920
Manuscrits à peintures du VIᵉ au XVIIIᵉ siècle (catalogue par l'abbé Victor Leroquais), Lyon, Bibliothèque de la Ville, 1920.

1924
Exposition d'art ancien, Nantes, château des Ducs de Bretagne, 1924.

1930
Exposition internationale de Liège. Catalogue de l'art de l'ancien pays de Liège et des anciens arts wallons, Liège, 1930.

1931
Exposition internationale d'art byzantin, Paris, musée des Arts décoratifs, 1931.

1932
Exhibition of French Art, 1932: Exhibition of French Art 1200-1900, Londres, Royal Academy of Arts, Burlington House, 1932.
French Art, 1932: French Art, 1200-1900 (An illustrated souvenir of the exhibition of french Art at the royal Accademy of Art), Londres, Royal Academy of Arts, Burlington House, 1932.

1933-1934
The Pierpont Morgan Library. Exhibition of Il-luminated Manuscripts held at the New York Public Library, New York, the Pierpont Morgan Library, 1933,1934 (catalogue par B. da Costa Greene et M. Harrsen).

1934
La Passion du Christ dans l'art français, Paris, musée de Sculpture comparée du Trocadéro, 1934.

1935
Exposition d'Art religieux audois du XIᵉ au XVIᵉ siècle, Carcassonne, Musée municipal, 1935.

1936
Art bourguignon et Bourgogne, Paris, Galerie Charpentier, 1936.

1937
Chefs-d'œuvre de l'Art français, Paris, Palais national des Arts, 1937.

1940
Arts of the Middle Ages, Boston, 1940.

1946
Chefs-d'œuvre de la peinture française du Louvre, Paris, musée du Louvre, 1946.

1947
Art sacré, Nantes, musée des Beaux-Arts (Association catholique des artistes nantais), 1947.

1948
Chefs-d'œuvre de l'art alsacien et de l'art lorrain, Paris, musée des Arts décoratifs, 1948.

1949
Chefs-d'œuvre de la sculpture bourguignonne du XIVᵉ au XVIᵉ siècle, Dijon, musée des Beaux-Arts, 1949.
La Vierge dans l'art méridional, Toulouse, musée des Augustins, 1949.

1950
La Vierge dans l'Art français, Paris, Petit-Palais, 1950.

1951
Chefs-d'œuvre des peintres-enlumineurs de Jean de Berry et de l'École de Bourges, Bourges, Hôtel Cujas, 1951.
Art mosan et Art ancien du Pays de Liège, Exposition internationale, Liège, 1951.

1952
Latin liturgical Manuscripts, Oxford, Bodleian Library, 1952.

1953
Vitraux de France du XIᵉ au XVIᵉ siècle, Paris, musée des Arts décoratifs, 1953.
Les Trésors d'art de l'École troyenne du XIIᵉ au XVIᵉ siècle, Troyes, musée de Vauluisant, 1953.

1954
Trésors d'orfèvrerie des églises du Roussillon et du Languedoc méditerranéen, Montpellier, musée Fabre, 1954.

1954-1955
Dix Siècles d'Enluminure et de Sculpture en Languedoc, Toulouse, musée des Augustins, 1954-1955.

1955
Argenterie, Deurne-Anvers et Bruxelles, 1955.
Les Manuscrits à peinture en France du XIIIᵉ au XVIᵉ siècle, Paris, Bibliothèque nationale, 1955 (catalogue par J. Porcher).
Les Enlumineurs du Capitole de 1205 à 1610, Toulouse, musée Paul-Dupuy, 1955 (catalogue par R. Mesuret).

1957
Europäische Bildwerke von der Spätantike bis zum Rokoko, Essen, 1957.

1959
L'Art en Champagne au Moyen Age, Paris, musée de l'Orangerie, 1959.

1960
La Chartreuse de Champmol, foyer d'art au temps des ducs de Valois, musée de Dijon, Palais des ducs de Bourgogne, 1960.
Enrichissements de la Bibliothèque nationale, de 1945 à 1960, Paris, Bibliothèque nationale, 1960.
Saint Louis et la Sainte-Chapelle, Paris, Sainte-Chapelle, 1960.

1961
Trésor de la cathédrale Saint-Michel de Carcassonne et trésor de Fanjeaux, Carcassonne, Musée municipal, 1961.
Trésors d'art gothique en Languedoc, Montauban, musée Ingres, 1961.

1962
The International Style, the Arts in Europe around 1400, Baltimore, The Walters Art Gallery, 1962.
Ile-de-France, Brabant, Bruxelles, Palais des Beaux-Arts, Sceaux, musée de l'Ile-de-France, château de Sceaux, 1962.
Dix siècles de joaillerie française, Paris, musée du Louvre, 1962.
L'Art européen vers 1400 (Europäische Kunst um 1400), Vienne, Kunsthistorisches Museum, 1962.

1963
Gothic Art 1360-1440, Cleveland, The Cleveland Museum of Art, 1963 (compte rendu publié dans *The Bulletin of the Cleveland Museum of Art,* 50, nᵒ 7, sept. 1963).
Trésors d'enluminures en Languedoc, Montauban, Bibliothèque municipale, 1963.
Miniatures médiévales en Languedoc méditerranéen, Montpellier, Bibliothèque municipale, 1963.

1964

Huit Siècles de Sculpture française, chefs-d'œuvre des musées de France, Paris, musée du Louvre, 1964.

1965

Les Trésors des églises de France, Paris, musée des Arts décoratifs, 1965.

Medieval Art, Tulsa (Oklahoma), Philbrood Art Center, 1965.

1966-1967

Treasures from medieval France (Trésors de la France médiévale), Cleveland, Cleveland Museum of Art, 1966-1967.

1967

La Librairie de Philippe le Bon, Bruxelles, Bibliothèque royale Albert Ier, 1967.

Exposition de Sculptures anglaises et mâlinoises d'albâtre, Bruxelles, musées royaux d'Art et d'Histoire, 1967.

1967-1968

Berry, cœur de France, 1967-1968 : Cœur de France Kunst des Berry von der Römerzeit bis zur Gegenwart. Eine Ausstellung des Deutschen Kunstrates, Darmstadt Mathildenhoe ; Dusseldorf, Kunsthalle ; München, Stadtsmuseum ; Köln, Deutschen Kunstrates, 1967-1968.

Vingt ans d'acquisitions au musée du Louvre, 1947-1967, Paris, musée de l'Orangerie, 1967-1968.

1968

La Librairie de Charles V, Paris, Bibliothèque nationale, 1968.

L'Europe gothique, Paris, musée du Louvre, 1968.

1970

The Middle Ages. Treasures from the Cloisters and the Metropolitan Museum of Art, Los Angeles, Los Angeles Museum of Art, 1970.

1970-1971

La France de saint Louis, Paris, salle des Gens d'Armes du Palais (Conciergerie), 1970-1971.

1971

Les Pleurants dans l'Art du Moyen Age en Europe, Dijon, musée des Beaux-Arts, 1971.

1972

Rhin-Meuse, 1972 : Rhein und Maas ; Kunst und Kultur 800-1400. Eine Austellung des Schnütgen-Museums der belgischen Ministerien für franzosische und nieder landische Kultur, Cologne, Kunsthalle ; Bruxelles, Musées royaux d'Art et d'Histoire, 1972 (traduction française, Cologne, 1972).

Il Tesoro di Lorenzo il Magnifico, Florence, Palazzo Medici Riccardi, 1972 (catalogue : I. par N. Dacost, A. Giuliano, V. Pannuti, II. par D. Heikamp et A. Grote).

L'Art et la Cour : Art and the Courts. France and England from 1259 to 1328, Ottawa, the national Gallery of Canada, 1972.

Le Livre, Paris, Bibliothèque nationale, 1972.

1972-1973

Medieval Arts in France, Auckland, City Art Gallery, 1972-1973 (*L'Art du Moyen Age en France*, Tokyo, 1972).

L'Art du Moyen Age en France, Tokyo, musée national d'Art occidental, 1972 (*Medieval Art in France*, Auckland, 1972-1973).

Art français du Moyen Age, Québec, musée du Québec-Montréal, musée des Beaux-Arts, 1972-1973.

1973-1974

Franse kerkramen - Vitraux de France, Amsterdam, Rijksmuseum, 1973-1974.

Chefs-d'œuvre de la tapisserie du XIVe au XVIe siècle, Paris, Galeries nationales du Grand-Palais, 1973-1974.

1974

Bibliothèque nationale. Enrichissements (1961-1973), Paris, Bibliothèque nationale, 1974.

Traditions et art d'une province de France : le Berry, Tokyo, musée Nezu, 1974.

1975

Gent. Duizend Jaar Kunst en Cultuur, Gand, Bijlokemuseum, 1975.

1976

Masterpieces of World Art from American Museums, Tokyo-Kyoto, 1976.

Avori Gotici francesi, Milan, Museo Poldi Pezzoli, 1976.

1977

Le Livre illustré en Occident, Bruxelles, Bibliothèque royale Albert-Ier, 1977.

Gothic Art in Europe 1270 to 1330 : Transformations of the Court Style, Providence (Rhode Island), Museum of Art, 1977.

Die Zeit der Staufer, Geschichte-Kunst-Kultur, Stuttgart, Württembergisches Landesmuseum, 1977.

1978

Avignon 1360-1410. Art et Histoire, Avignon, musée du Petit-Palais, 1978 (catalogue par Marie-Claude Leonelli).

Die Parler und der schöne Stil, 1350-1400, Europäische Kunst unter den Luxemburgern, Cologne, Museen der Stadt, 1978 (3 vol.)

Lorenzo Ghiberti, Florence, 1978.

Kaiser Karl IV, Staatsmann und Mäzen, 1316-1378, Nuremberg, 1978 (*cf.* Seibt (F.)).

1978-1979

Sculptures romanes et gothiques du Nord de la France, Lille, musée des Beaux-Arts, 1978-1979.

L'Art du Moyen Age en France (Uměni Francouszkéyo Středověku), Prague-Bratislava, Galerie nationale, 1978-1979.

1979

Sculpture funéraire à Avignon au temps des Papes, Avignon, musée du Petit-Palais, 1979.

Verluchte Handschriften, 1300-1550, uit eigen Bezit, La Haye, Museum Meermanno-Westreenianum, 1979.

Trésors des Abbayes normandes, Rouen, musée des Antiquités ; Caen, musée des Beaux-Arts, 1979.

1979

Giacomo Jaquerio e il gotico internazionale, Turin, 1979.

Die Zeit der frühen Habsburger Dome und Klöster 1279-1379, Wiener Neustad, Niederösterreichische Landesausstellung, 1979.

1980

Bilder vom Menschen in der Kunst des Abendlandes, Berlin, 1980.

Montpellier - Richesses de la Bibliothèque municipale, Montpellier, Bibliothèque municipale, 1980.

Saint Benoît et les abbayes de la région des pays de la Loire, Nantes, musée Dobrée, 1980.

Trésors de la Bibliothèque de l'Arsenal, Paris, Bibliothèque de l'Arsenal, 1980.

Trésors des musées de la ville de Paris, Paris, musée Carnavalet, 1980.

1980-1981

Cinq années d'enrichissement du patrimoine national, 1975-1980, donations, dations, acquisitions, Paris, Galeries nationales du Grand-Palais, 1980-1981.

Chefs-d'œuvre du Moyen Age et de la Renaissance des musées du Louvre, de Cluny et d'Ecouen, Leningrad, musée de l'Hermitage ; Moscou, musée des Beaux-Arts Pouchkine, 1980-1981.

Table des manuscrits exposés

Index

Table des matières

Maquette
Bruno Pfäffli

Photogravure couleur
Haudressy

Photocomposition en Icone
Photogravure noire et impression
Blanchard, Le Plessis-Robinson

ISBN 2-7118-0191-8

Catalogues d'expositions disponibles

Art moderne

L'Art moderne dans les musées de Province - Grand Palais 1978 - 75 F broché
Braque (Donation) - Louvre 1965 - 12 F
Braque - Orangerie 1973 - 38 F
Bryen - M.N.A.M. 1973 - 22 F
Cappiello - Grand Palais 1981 - 70 F
Delaunay - Orangerie 1976 - 35 F
Derain - Grand Palais 1977 - 30 F
Donation Masurel - Musée du Luxembourg 1980 - 55 F
Donation Picasso - Pavillon de Flore 1978 - 35 F
Dunoyer de Segonzac - Orangerie 1976 - 35 F
Gris - Orangerie 1974 - 25 F
Hajdu - M.N.A.M. 1973 - 22 F
Laurens - M.N.A.M. 1967 - 50 F relié
Lévy Pierre (Collection) - Orangerie 1978 - 60 F broché - 100 F relié
Marquet - Bordeaux et Orangerie 1975 - 25 F broché
Miró - Grand Palais 1974 - 30 F broché - 55 F relié
Monet - Grand Palais 1980 - 80 F broché - 130 F relié
Moore - Orangerie 1977 - 60 F
Mucha - Grand Palais 1980 - 65 F broché - 125 F relié
Picasso - Grand Palais 1979 - 70 F broché
Pissarro - Grand Palais 1981 - 80 F
De Renoir à Matisse - Grand Palais 1978 - 20 F
Serizawa - Grand Palais 1976 - 30 F
Villon - Grand Palais 1975 - 35 F broché
Walter Guillaume (Coll.) - Orangerie 1966 - Cat. 10 F
Charles Nègre - Musée du Luxembourg 1980 - 70 F

Peinture ancienne

Art européen à la Cour d'Espagne au XVIIe siècle - Grand Palais 1979 - 60 F
La peinture allemande à l'époque du romantisme - Orangerie 1976 - 65 F
Caravage - La Diseuse de bonne aventure - Louvre 1977 - 20 F
Cézanne - Les dernières années - Grand Palais 1978 - 55 F
Chardin - Grand Palais 1979 - 68 F broché
Courbet - Grand Palais 1977 - 60 F, 100 F relié
Courbet - Dossier de « l'atelier du peintre » - Grand Palais 1977 - 15 F
Fontainebleau (L'école de)Grand Palais 1972 - 87 F - Fouquet - Louvre 1981 - 30 F
Gainsborough - Grand Palais 1981 - 70 F
L'impressionnisme - Grand Palais 1974 - 70 F relié
Le Nain - Grand Palais 1978 - 65 F broché
Le Louvre d'Hubert Robert - Louvre 1979 - 22 F
La Madone de Lorette - Musée Condé (Chantilly) 1979 - 30 F
Natoire - Compiègne - 20 F
La peinture flamande au XVIIe siècle - Musée du Louvre 1978 - 20 F
Rubens (Le siècle de) - Grand Palais 1977 - 68 F broché
Le symbolisme en Europe - Grand Palais 1976 - 45 F
Techniques de la peinture : l'Atelier - Louvre 1976 - 20 F
Restauration des peintures - Louvre 1980 - 28 F

Dessins anciens

Dessins d'architecture du XVe au XIXe siècle au Louvre - Louvre 1972 - 15 F
Dessins français du XIXe siècle du musée Bonnat à Bayonne - Louvre 1979 - 35 F broché
Donations Claude Roger-Marx - Louvre 1980 - 45 F
Boucher - Louvre 1971 - 18 F
Bouchardon, la statue équestre de Louis XV - Louvre 1972 - 18 F
De Burne-Jones à Bonnard - Louvre 1977 - 15 F
Dessins de Darmstadt - Louvre 1971 - 18 F
Dijon (Dessins du musée de) - Louvre 1976 - 20 F broché, 32 F relié
Fontainebleau (L'école de) - Grand Palais 1972 - 87 F
Dessins italiens de la Renaissance - Louvre 1975 - 35 F
Lorrain (Claude) - Dessins du

British Museum - Louvre 1978 - 40 F
Montpellier (Dessin du musée Atger à) - Louvre 1972 - 15 F
Vienne (Dessins de l'Albertina de) - Louvre 1975 - 30 F
Rubens, ses maîtres, ses élèves - Louvre 1978 - 35 F
Maîtres de l'eau-forte des XVIe et XVIIIe siècles - Louvre 1980 - 45 F

Sculptures anciennes

Chevaux de Saint-Marc - Grand Palais 1981 - 80 F broché - 130 F relié
Fontainebleau (L'école de) - Grand Palais 1972 - 87 F

Objets d'art anciens

Chefs-d'œuvre de l'art Juif - Grand Palais 1981 - 70 F broché, 105 F relié
Faïences françaises - Grand Palais 1980 - 85 F broché - 135 F relié
Faïences de Rouen - Lille 1953 - 5 F
Porcelaines de Sèvres du XIXe siècle - Sèvres 1975 - 25 F
Romain (Jules) - Histoire de Scipion - Grand Palais 1978 - 55 F

Histoire de France

A l'aube de la France - Musée du Luxembourg 1981 - 80 F
Campan (Mme) - Malmaison 1972 - 20 F
Cinq années d'enrichissement du patrimoine national - Grand Palais 1980 - 90 F broché 135 F relié - album 35 F
Défense du Patrimoine National - Louvre 1978 - 50 F
La Comédie française - Versailles 1962 - 10 F
La vie mystérieuse des chefs-d'œuvre - Grand Palais 1980 - 85 F broché - 135 F relié
Le Roi René - Musée des Monuments Français 1981 - 25 F
Viollet-le-Duc - Grand Palais 1980 - 85 F broché - 135 F relié

Arts et traditions populaires

Alsace, fouilles et acquisitions récentes - A.T.P. 1976 - 20 F
L'Homme et son corps dans la société traditionnelle - A.T.P. 1978 - 35 F
L'instrument de musique populaire - A.T.P. 1980 - 55 F
Mari et femme dans la France traditionnelle - A.T.P. 1977 - 16 F
Paris, boutiques d'hier et d'aujourd'hui - A.T.P. 1977 - 20 F
Potiers de Saintonge - A.T.P. 1975 - 30 F
Religions et traditions populaires - A.T.P. 1979 - 50 F
Hier pour demain - Grand Palais 1980 - 70 F broché - 110 F relié

Civilisations

L'Amérique vue par l'Europe - Grand Palais 1976 - 35 F
Avant les Scytes - Grand Palais 1979 - 45 F broché
Himalaya (Dieux et démons de) - Grand Palais 1977 - 70 F broché - 95 F relié
Mer Égée, Grèce des Iles - Louvre 1979 - 65 F broché
Les mandala himalayens du musée Guimet - Nice 1981 - 50 F
Soie (La route de la) - Grand Palais 1976 - 30 F
Trésors du Kremlin - Grand Palais 1979 - 65 F broché - 110 F relié
Esprits et dieux d'Afrique - Nice 1980 - 50 F

En vente

- chez votre libraire
- au musée du Louvre
- par correspondance : Service commercial de la RMN 10, rue de l'Abbaye 75006 Paris